El México
de **Egerton**
1831-1842

novela

MARIO MOYA PALENCIA

El México
de Egerton
1831-1842

novela

GRUPO EDITORIAL

MÉXICO

MCMXCIV

Primera edición: México, enero 1991.
    1a. reimpresión: México, marzo 1991.
    2a. reimpresión: México, agosto 1991.
Segunda edición: México, agosto 1994.
© 1991, MARIO MOYA PALENCIA
    Registro Público del Derecho de Autor
    No. 19193 / 90

Las características tipográficas y de diseño para
la edición en idioma español son propiedad de:
© 1991, MIGUEL ÁNGEL PORRÚA
        LIBRERO-EDITOR
    ISBN: 968-842-240-1 primera edición
    ISBN. 968-842-442-0 segunda edición
    Derechos reservados conforme a la ley.
IMPRESO EN MÉXICO • *PRINTED IN MEXICO*

Cubierta: Detalle del Valle de México:
        Óleo. D. T. Egerton.

Amargura 4, San Ángel.   Villa Álvaro Obregón.   01000, México, D.F.

Prólogo del Autor

H ACE MÁS DE CINCO AÑOS *concebí la idea de escribir una serie de cuentos o relatos cortos que recogiera algunos acontecimientos apasionantes de la historia de nuestro país, para lo cual seleccioné una media docena de anécdotas que se prestaban para ese esfuerzo, entre otras la central de El México de Egerton. Contrariamente a lo que pudiera imaginarse y a pesar de mi carrera política y diplomática, mi primera ocupación remunerada fue por muchos años (1950-1957) el periodismo. La vocación de escribir la había sentido aún antes, en la escuela secundaria, cuando los maestros de Literatura Española nos exigían redactar composiciones de todo género y hasta organizaban concursos para descubrir a los noveles escritores. En uno de estos certámenes de cuento corto, celebrado si mal no recuerdo en 1947, en que los alumnos de la secundaria del "Colegio México" participábamos junto con los de la preparatoria del "Francés Morelos", sufrí mi primera decepción como literato, pues el gran día en que el jurado de maestros anunció solemnemente los pseudónimos de los alumnos ganadores de los tres primeros premios, resultó no sólo que ninguno de ellos era aquél con el que yo había presentado mi esperanzada colaboración, sino que al irse abriendo los sobres galardoneados, los tres —¡sí, los tres en fila!— pertenecían a un mismo concursante, quien había triunfado con el espléndido cuento "Rondalla del Sur" y otros dos igualmente buenos: el joven preparatoriano Carlos Fuentes Macías. Tan envidiado y apabullante triple triunfo de Carlos fue celebrado en las Memorias del "Morelos" con un profético artículo de Melchor Ortega Jr. (†), que lo señalaba como "futura gloria de las letras mexicanas". Aunque yo seguí escribiendo cuentos y artículos en periódicos escolares, (El Estudiante, Vox Legis) y después reportajes, entrevistas, pequeñas obras de ficción, editoriales y artículos de fondo en la prensa profesional (Voz, Ferronales, Novedades, El Sol de México, El*

Nacional, Excélsior y otros medios) suelo ubicar en broma ese concurso de hace más de cuarenta años, como el momento en que Carlos Fuentes me había "empujado a la carrera política", lo que una noche provocó en casa de mi admirado Pepe Iturriaga la hilaridad de los presentes, incluyendo al célebre novelista y a Fernando Benítez, justo durante la época en que el autor fungía como secretario de Gobernación y ya estaba incluido en la famosa lista de precandidatos a la presidencia de la República.

Pero volvamos a tiempos más recientes. Ya he dicho que entre los episodios que seleccioné para mi proyectado libro de cuentos estaba el asesinato de Daniel Thomas Egerton y su compañera, cometido en las cercanías de Tacubaya en 1842, que fue el "crimen de la época", asunto que había recordado al releer La vida en México de la Marquesa Calderón de la Barca, y sobre todo, la magnífica nota alusiva de pie de página de Felipe Teixidor. Haciendo huecos en mis actividades profesionales empecé a investigarlo y cada nueva investigación me condujo a otra, me llevó al contexto histórico en que se realizó el terrible homicidio, a las presiones internacionales que se desataron, a la convulsa vida política de nuestra patria en esa hora, y en fin, a la apasionante revisión de la primera parte de nuestro siglo XIX.

El proyectado cuento creció sin que yo pudiera controlarlo, se convirtió en futura novela y atravesó más de cinco años de arduas pero gratificantes investigaciones en muchas partes: Londres, Ditchley, Isla de Wight, París, Roma, Nueva York, Washington, Houston, San Antonio, Austin y por supuesto México, Zacatecas y Veracruz, que culminaron en una relativamente fácil y muy placentera tarea de redacción de El México de Egerton.

Aparte de aquel memorable concurso estudiantil, he de confesar otra de mis frustraciones, consistente en no haber podido concluir la carrera de maestro de historia de México, que iniciara junto con la de licenciado en derecho en la UNAM en 1950, y que tuve que truncar un año después por requerimientos absolutamente pragmáticos. Sin embargo, durante el resto de mi vida he seguido estudiando en fuentes primarias y secundarias el trayecto histórico del país y de hecho creo haber com-

pletado como autodidacta aquella carrera interrumpida por la necesidad. Lo que me faltaba para sentirme satisfecho era presentar, aunque fuese de manera simbólica, la tesis profesional respectiva. Ahora lo hago ante el público con esta novela que participa entre otros del género policiaco e histórico y que si no posee un rigor exclusivamente científico, contiene los elementos fundamentales de la investigación y el análisis propios de un trabajo académico como el que yo no pude entregar al Colegio de Historia de la Facultad de Filosofía y Letras. Ésta se ubicaba entonces en el pequeño y hermoso edificio de Mascarones, que estaba presidido por la estatua de fray Alonso de la Vera Cruz, despedía olor a café y pastel servidos en el único refectorio universitario de la época por unas conspicuas solteronas, conglomeraba estudiantes que poníamos prematuras caras de intelectuales mientras pretendíamos hablar francés y comentábamos los libros de moda, y era alegrado de junio a agosto por la disturbante presencia de las gringuitas que asistían a los Cursos de Verano. No sé qué pensarían ahora mis maestros de historia, casi todos fallecidos ya, si tuvieran en sus manos esta novela. Imagino con afecto los gestos de Rafael García Granados, Arturo Arnáiz y Freg, Carlos Margáin, José Servín Palencia, Silvio Zavala, Ignacio Dávila Garibi, Jorge Gurría Lacroix, Josefina Muriel, Paco de la Maza, Edmundo O'Gorman, Federico Gómez Orozco, Ignacio Rubio Mañé y sobre todo de don José María Luján y de don Vito Alessio Robles al analizar y juzgar el desacato histórico de su fugaz alumno. Esperaría más benevolencia de mis compañeros: Rosa Camelo, Ana María R. Carreón, Clara de la Torre, Ana María Galicia, Carlos García, Eduardo Guerrero, Carmen Herrera, Ramoncita López Casillas, Ana María Mayoral, Celia Medina, Rosaura Ocampo, Socorro Olguín, Nelly Ramos, J. Javier Romero, Abigail Soto, Amalia Velasco, Sarita Zenil y del ya ausente don Jacobo Pérez Verdía, quien a pesar de los años que nos llevaba y de ser el juez de la plaza de toros tuvo el disciplinado valor de retar nuestro bullicio y concluir la maestría que varios jóvenes de entonces no alcanzamos.

Octavio Paz acaba de escribir que la historia es una caja de sorpresas y este libro representó una de ellas para mí, pues

*aunque nació al impulso de una inspiración creativa tuvo que
rendirse después al resultado de la investigación que resultó
más sorprendente que cualquier trama fabricada. Pero es ante
todo una novela: una obra de imaginación, aunque no de fantasía. Todo lo que se narra aquí pasó o por lo menos pudo
pasar. Salvo contadas excepciones, los hechos y personajes son
rigurosamente históricos: los primeros se relatan como fueron
y los segundos dicen lo que entonces hablaban o escribían (o
algo muy parecido), aunque todo ello sin dejar de hacer uso de
las concesiones indispensables para darle ritmo y sentido al texto. Aunque recordé siempre el consejo de Emil Ludwig a los
biógrafos en el sentido de agotar la documentación pero olvi-
darla en el momento de producir, enriquecí El México de Egerton con el lenguaje de la época, que es uno de sus mejores retratos, sin desestimar la estupenda obra plástica de su personaje
central. Por ello me permití hacer amplias transcripciones, algunas realmente largas, pero todas indispensables a mi juicio, y
también abundantes disgresiones, notas explicativas y bibliográficas, las que no son usuales en una novela, pero que dadas
las características de ésta me parecieron del todo necesarias.*

*Este texto no es huérfano, sino hijo de otros muchos y
heterogéneos a los cuales se otorga el más leal reconocimiento.
Una gran parte de lo que presento como fragmentos del "Diario"
de Daniel Thomas Egerton —especialmente sus descripciones
físicas y sociales de México— se deben a la pluma del fino y
malogrado artista y fueron descubiertas por mí en una biblioteca londinense. Las actuaciones judiciales de la causa de los
asesinos son también auténticas. Además muchas personas contribuyeron desinteresada y generosamente a la investigación o
me proporcionaron valiosas opiniones y sugerencias que agradezco profundamente. Todas ellas (así lo espero) están con-
signadas en el texto como interlocutoras reconocidas de mi
buen amigo Brian Nissen, el pintor y escultor británico de vanguardia aclimatado en México, quien gustosamente convino
cuando se lo propuse en aportar su valiosa personalidad y su
sensible inteligencia para figurar aquí como detective histórico debido a su entusiasmo por la obra que yo preparaba y
a su genuina admiración por su paisano sacrificado misteriosa-*

mente en 1842. Tal contribución resultó invaluable y permitió que la novela se desenvolviera en dos planos principales: el de la primera mitad del siglo pasado y el de la última parte del presente, y conjugara en ambos una inmensa mayoría de personajes reales. Aclaro sin embargo que todo lo que él dice o hace dentro de la trama es de mi exclusiva responsabilidad. ¿Periodismo literario? Mi afectuoso agradecimiento a Brian y a Montserrat Pecanins, su esposa mexicana nacida donde Dalí.

Desde que no estaba seguro aún del camino que debería recorrer para desarrollar esta novela, conté con el notable apoyo de mis dos hijos que vieron nacer la extraña idea una noche en Cuernavaca. Mario Enrique consiguió todos los voluminosos libros que le pedí y cargó con ellos hasta Japón, cuando me encontraba en plena faena redactora. Magali, igual que su hermano, me expresó sus críticas sobre el texto y me detalló la anécdota que aproveché para el encuentro entre Egerton y su novia mexicana, fruto de su propia experiencia en la Catedral. Además recibí siempre de ambos una estupenda solidaridad que les admiro y reconozco, sin la cual mi esfuerzo hubiera carecido de sustento inmediato. Mi hermana Hilda y los suyos no me perdieron de vista durante esta larga aventura, y otros miembros de mi familia también soportaron mi prolongado enfrentamiento creativo. El editor Miguel Ángel Porrúa y Luz María, su esposa, me brindaron invaluable apoyo y su fina amistad.

PERTENEZCO A LA "GENERACIÓN MEDIO SIGLO" formada por abogados, políticos, periodistas, literatos, diplomáticos, cineastas y poetas, que es muy brillante en su conjunto, y en la que destacan grandes individualidades: Miguel Alemán Velasco, Miguel Barbachano Ponce, Elsa Bieler Palomino, Raúl Carrancá Rivas, Saturnino de Agüero, Miguel de la Madrid Hurtado, Carlos del Río Rodríguez, Horacio Estavillo Laguna(†), Julio Faesler, Víctor Flores Olea, Carlos Fuentes Macías, Arturo González Cosío, Enrique González Pedrero, Alfonso Herrera Salcedo, Ivonne Loyola, Gonzalo Mazón de Pedro(†), Marco Antonio Montes de Oca, Porfirio Muñoz Ledo, Pedro Ojeda Paullada, José Juan de Olloqui, Raúl Ortiz y Ortiz, Jorge Palacios Treviño, Sergio Pitol, Luis Prieto, Fernando Ramírez Caballero, Estela Rojas Vi-

gueras, *Fernando Rojo Reyes, Julio César Treviño, Javier Wimer, Pedro Zorrilla Martínez y otros. Nuestro origen común fue la Facultad de Derecho de la UNAM pero hemos desbordado esa cuna y contribuido —a veces desde posiciones encontradas— a que México sea mejor en diversos campos no necesariamente jurídicos. A todos mis coetáneos los he tenido muy presentes mientras escribía esta novela que roza la crónica de aquella decimonónica "generación del dolor y del infortunio" —como la llamó Otero— que sirvió de preludio y gozne a la de Juárez y la Reforma y que también hizo su parte de la grandeza nacional a pesar de la difícil etapa que le tocó vivir: la "sociedad fluctuante", según acertada connotación de nuestro maestro Jesús Reyes Heroles, a la que otro gran catedrático recordable de nuestro grupo, el ilustre republicano español Manuel Pedroso, llamaba la época de la "infancia mexicana".*

Inicié la redacción propiamente dicha en abril de 1989 y la concluí en agosto de 1990, gracias a una vieja "Olivetti 82" y al invaluable apoyo secretarial de Angelita Pérez quien volcaba mis originales desde un papel telex de considerable longitud a su computadora personal, aunque cuando íbamos en las dos terceras partes todo se perdió súbitamente en el insondable abismo del éter electrónico. Sólo pudimos rescatarlo con inmenso alivio merced a los buenos oficios de un joven cibernético salvadoreño llamado Ernesto Arrieta. También Nadia Mendoza y Chiemi Murakami me auxiliaron sobremanera en los últimos capítulos. Gracias mil a todos ellos.

Para sistematizar la prolongada investigación y sobre todo para desarrollar el texto de la novela me ayudaron no sólo mi recuperada vocación historiográfica sino mis lecturas de ficción, el conocimiento de la técnica periodística y cinematográfica y todas aquellas lecciones de composición y literatura preceptiva que de adolescente recibí de los maestros Luis L. Luna y José Enrique Moreno de Tagle. Pero en este tema tan particular las experiencias de abogado litigante, profesor de Derecho Constitucional, militante político, funcionario administrativo y los siete años que pasé al frente del ministerio del interior, así como mis últimas vivencias diplomáticas y viajes internacionales me fueron de inapreciable utilidad, a tal grado que confieso sin pena que hice una novela exactamente a mi gusto, en que lo esencial fue siempre la trama, la historia, el grado de interés que fuese capaz de despertar, y no la forma de contarla, que por supuesto procuré fuese la más apropiada dentro de un estilo al que me resulta imposible renunciar. No tiene pretensiones de obra literaria; quise escribir una novela que a pesar de su extensión "no se cayera de las manos", esencialmente porque yo las prefiero así, aunque no estoy seguro aún de haberlo logrado. Creo que un escritor genuino no debe hacer jamás un libro que de haber sido escrito por otro no hubiese leído. Con humildad solicito la benevolencia de quienes se animen a recorrer sus páginas.

EL MÉXICO DE EGERTON *es una fábula que admite interpretaciones distintas a su proposición principal: el lector puede aportarle su propia habilidad creativa y darle las salidas y soluciones que quiera imaginar, por encima o lateralmente a la propia imaginación del escritor. En ella el detective histórico averigua más que el juez de la causa y los lectores llegan aún más lejos que ambos. Cada uno encuentra vía, pues, para rediseñar o concluir a su gusto la trama —participando activamente en el fenómeno literario— y llenar los huecos históricos o dramáticos, muchos de ellos deliberados, al igual que ciertos anacronismos. Como implica García Márquez en las "Gratitudes" de* El general en su laberinto, *seguramente hay otros de los que no me percaté, lo que probablemente nunca voy a aceptar, pues el juego de la obra de inventiva ha creado esa regla, favorable a los autores, desde los tiempos de Homero, el* aeda *cuya propia existencia aún está en duda.*

Ficción histórica y literaria —pariente consanguínea del mito como todas— esta novela recoge infinitas realidades y también varias de las creencias esotéricas, consejas y supersticiones del siglo pasado, algunas de las cuales han subsistido y se han incrementado en el que está poniendo fin al segundo milenio de nuestra era. Estas conviven con métodos rigurosamente científicos de análisis e investigación a los que he puesto a correr ese riesgo, sabiendo que el lector tendrá la obligación casi ineludible de discernir entre unas y otros. El amasijo formado por lo que fue o pudo ser y lo que nadie puede probar que no fue, y por

*las explicaciones racionales y las que no parecen serlo es de tal
manera espeso, que yo mismo ya no puedo —ni quiero— sepa-
rarlo. Un caso de ficción, sí, pero también de confusión en el
sentido estrictamente jurídico del término. Sin embargo creo que
eso es algo de lo que no puede prescindir una novela de esta
naturaleza que entre otros objetivos intenta cotejar dos o tres
sociedades de ayer pertenecientes a un mundo que todos estamos seguros ha cambiado mucho, pero que cuando lo revi-
samos con cuidado parece repetir gran parte de sus momentos,
quizá los menos afortunados, como advirtieron Polibio y Vico
con sus teorías de los ciclos y los ricorsi. En todo caso estamos
obligados a rescatar el pasado para poder distinguirlo de nuestro futuro, lo que no es fácil, especialmente en ciertas etapas
críticas en que el hombre parece perder la brújula y recurre a
soluciones falsas que lo relevan de su obligación de pensar, lo
precipitan al materialismo insensible y conformista o lo empujan
a la peligrosa uniformización. ¡Ojalá que al penetrar en esta
novela el lector se encuentre, realice y divierta tanto como el
autor al escribirla, y experimente con ello el inmenso placer de
descubrir e imaginar!*

Mario Moya Palencia

[Cuernavaca, México. Enero de 1985.
 Nueva York. 1985-1989.
 Tokio. Abril de 1989, agosto de 1990]

A don Mario y a la Nena
M. M. P.

1. Un camino por recorrer

"Milord: Una atrocidad raramente igualada
en los anales del crimen ha sido cometida
en la vecindad de México,
y su Señoría se inquietará al saber
que las víctimas de ella
fueron súbditos británicos."

*Despacho del ministro Richard Pakenham
al conde de Aberdeen, ministro
del Servicio Exterior de Su Majestad
Británica la reina Victoria.*

[2 de mayo de 1842]

Pila Vieja, camino a Nonoalco,
Tacubaya, miércoles 27 de abril
de 1842, 7:35 pm

CUANDO EN EL semitono del ya vencido crepúsculo vio surgir de pronto las sombras blancas de atrás de los magueyes que bordeaban el camino, como grotescos fantasmas agresivos, y escuchó los gritos de "¡Alto!", y las imprecaciones en español, Daniel Thomas Egerton presintió que iba a morir.

Sus pequeños perros olfatearon simultáneamente el peligro y ladraron impotentes. Las sombras se acercaban en un *ballet* trágico y sincopado, arropándose en la oscuridad azul.

Lo habían encontrado al fin, pensó. Aparecían cuando menos los esperaba, mientras acariciaba la idea de que ya se habían olvidado de él y trataba de convencerse de que la amenaza no se cumpliría. Cuando iniciaba otra etapa de su vida en el país en donde pronto debería nacer su hijo. Por un momento deseó que sólo se tratara de un simple asalto.

Entonces cobró conciencia de que Agnes estaba junto a él, estupefacta e indefensa, en medio de ese solitario camino que baja del pueblo de Tacubaya rumbo al sur, hacia el de Nonoalco, en las goteras de la ciudad de México, e instintivamente

[15]

interpuso su cuerpo entre ella y las sombras en movimiento. ¡Agnes! No la tocarían. Ella no era culpable de nada. No los conocía ni los había desafiado. Aparte de todo, una mujer encinta debe ser respetada. Las sombras continuaron avanzando. Egerton se pasó el bastón a la mano derecha y lo descargó con fuerza sobre el primero de los atacantes al tiempo que veía relampaguear el largo cuchillo. El rudo encuentro le hizo perder el sombrero y el equilibrio, y apoyarse en el suelo con la mano izquierda, pero alcanzó a gritar a Agnes que corriera. Su voz pareció perderse en el despoblado paraje de Pila Vieja.

Maldijo entonces la torpeza de su compañera para moverse con la dulce carga que por más de ocho meses llevaba en el vientre. No pudo ver que dos de las sombras sujetaban a Agnes por brazos y piernas. Sin embargo, dentro de la confusión, escuchó palabras y gritos en dos idiomas. El lamento agudo de una empavorecida mujer inglesa que defiende el fruto de su entraña; y los gritos de ellos, guturales y opacos, ambos mezclados con el ladrido inútil de los perros.

Hasta ese momento —todo pasó en instantes— fue cuando tuvo la sensación del pecho caliente y adolorido y de la camisa empapada. ¿Sudor o sangre? Se le dificultaba respirar. No obstante pudo incorporarse y descargó otro golpe de bastón contra el agresor, que volvía a la carga, jadeando. El impacto hizo volar de sus manos la fina caña y Egerton sintió —ahora sí— que una punzante hoja de hierro penetraba violentamente en su tórax, entre un crujir de cartílagos, y era retirada con presteza. Mientras tanto otro hombre —porque las sombras eran hombres olorosos a pulque o aguardiente— lo sujetó por la espalda, quizá con la ayuda de un tercero. La desesperación le dio fuerza para seguir resistiendo y se zafó a medias del abrazo alevoso; fue su último gesto. Recibió entonces una estocada en plena cara y cayó bruscamente, ya fuera del sendero.

La tierra recién barbechada conservaba aún el perfume del aguacero vespertino y acogió con absorbente amor la sangre del pintor británico. Agonizante, entre los estertores que no son otra cosa los vagidos del moribundo, advirtió apenas que su mujer era arrastrada salvajemente fuera del camino. Tendido, vio muy de cerca un tosco pie, el del hombre que llegaba a rematarlo con el cuchillo implacable. Luego vino un tibio desprendimiento que nunca había sentido. Una transmutación sin dolor. Una desposesión. Y la luminosa aurora interior. Con lo último que le quedaba de humano, y mientras sus perros aullaban lastimeramente, Daniel Thomas Egerton se dio cuenta de que acababa de morir.

9 Saint Mark's Place,
Nueva York, 15 de mayo de 1987

CIENTO CUARENTA y cinco años después, el pintor y escultor Brian Nissen, nacido cerca de Hampstead, barrio de la parte noreste de Londres, y antiguo residente de la ciudad de México, despertó sobresaltado con la sensación de haber vuelto a tener la misma pesadilla. En su estudio-apartamento encaramado en el cuarto piso de una de las calles más bohemias del *downtown* neoyorkino, todo era tranquilidad. Montserrat, su esposa, una incansable mexicana de origen catalán, había salido desde temprano a comprar materiales para hacer las preciosas muñecas bailarinas en cuya delicada confección era magistral, y le había dejado sobre el buró una nota advirtiéndole que no regresaría hasta después del almuerzo.

Brian podía escuchar apenas el tic-tac de un viejo reloj colocado fuera de la alcoba. Por lo demás, ningún ruido alteraba el silencio del estudio aquella mañana de viernes. No pudo evitar sobrecogerse de nuevo. ¿Por qué lo perseguía el mismo sueño? Era la tercera vez —lo recordaba con precisión— que se veía a sí mismo en la pantalla onírica en la que todos solemos proyectarnos cuando dormimos, vestido con ropas del siglo XIX, acompañado de una joven desconocida, en medio de un paraje evidentemente mexicano, salpicado de agudos e inconfundibles magueyes, y resultaba atacado en un crepúsculo mortecino por unos criminales que lo separaban de su compañera y lo apuñaleaban sin piedad. Entonces despertaba con la misma angustia de esa mañana. No sabía cuánto tiempo, cuántos instantes, **cuántas sigmas** duraba cada vez esa pesadilla, pero siempre se repetía igual, en su misma trágica y fugaz dimensión.

Al incorporarse abarcó de una ojeada parte de su gran estudio bañado con la luz de las claraboyas. Al fondo un área llena de esculturas en bronce, unas terminadas, otras en varios estados de acabado. Maquetas y modelos en cera amontonados por todos lados. En medio del estudio un área donde trabajaba: botes de pintura, telas, brochas y toda la parafernalia del pintor regaban las mesas y el piso. Sobre la pared la frágil pintura en relieve de una *itzpapálotl*, o "mariposa de obsidiana", de inspiración precolombina, la que le había hecho famoso y que presentara en el Museo Tamayo de la ciudad de México, junto con otras piezas concebidas alrededor de un poema de Octavio Paz. Varias esculturas pequeñas de bronce y un códice reinventado pictóricamente por él, de claro origen azteca. Cuatro chispeantes grabados eróticos de la colección que preparaba para editar un libro-objeto y que irían acompañados por textos de su célebre amigo Carlos Fuentes. Y libros, libros por doquier. De arte, de historia, de ficción... En uno de esos libros, la reproducción facsimilar de *Vistas de México*, descubierto y comprado por él en ese país; había leído un escorzo biográfico del autor de esas exquisitas litografías que recogen el paisaje mexicano del siglo anterior. Se trataba de Daniel Thomas Egerton, nacido en Londres hacia principios de aquel siglo, quien en su segundo viaje a México había sido asesinado en Tacubaya, junto con su amante, en una forma tan salvaje que a toda la nación conmocionó. A Brian también le había impresionado sobremanera esa historia. Existían muchas similitudes y coincidencias entre su propia vida y la de Egerton. Ambos londinenses, que habían vivido en Hampstead y en Tacubaya, artistas plásticos, amantes del bello país de los volcanes enormes, las barrancas dilatadas, las pirámides esotéricas y los templos barrocos. Como Egerton, Nissen había llegado muy joven a México y también como él había aprendido el idioma local, las costumbres, el modo de ser de los mexicanos. Se había entusiasmado con el ambiente y la forma de vivir y extraído de todo ello la inspiración para sus mejores obras que ahora se vendían bien en el exigente mercado de Nueva York. Pero Brian no quería que el comparativo se prolongara más allá. ¡Seguramente no! ¿Por qué soñaba lo que indudablemente era una reproducción onírica de la trágica muerte de Egerton, ocupando él el lugar del personaje masacrado? ¿Premonición?

Cada vez que había sufrido el extraño sueño o que pensaba en él, procuraba olvidarlo. Como buen geminiano de personalidad desdoblable, siempre dispuesta a la adaptación, solía rechazar todo lo que le molestaba. ¿Para qué hacerse pesada la vida? No hay necesidad de insistir en lo negativo y mucho menos en lo presagioso. Pero esta vez Nissen no estaba tan preocupado como en las dos primeras ocasiones. Otro sentimiento empezaba a dominarlo: el de la curiosidad. Un amigo suyo, que se decía psiquiatra, le había explicado que parte de la razón de ser de los sueños radica en la fijación inconsciente de un hecho determinado, que después se reproduce imaginativamente durante la pernocta, a veces de manera estrafalaria. Y en este caso el proceso subjetivo venía acompañado de un poderoso y consciente sentido de identificación provocado por las semejanzas objetivas entre él y su paisano artista del siglo anterior. No era ni más ni menos que eso y Brian no tenía por qué preocuparse. De acuerdo. Descartaba la idea de que él pudiera tener el mismo fin que Egerton, aunque lamentablemente los asaltos a mano armada habían vuelto a estar de moda en la monstruosa ciudad de México, en donde ahora se apretujaban más de quince millones de habitantes, en vez de disfrutarla menos de doscientos mil, como en aquella época. Pero la inquietud quedaba en pie: ¿por qué, admitiendo que no participara en el fenómeno ninguna mano invisible, era precisamente él quien recreaba durante el sueño la horrible estampa del asesinato? ¿Cómo explicar esa persistencia?

Las pesadillas se habían sucedido en un término de tres años. Hizo memoria. Sí, la primera vez había tenido lugar en el mismo México, antes de que Montse y él vinieran por primera vez a Nueva York, hacia junio de 1984. Lo recordaba porque era cerca de su cumpleaños. Y también tenía muy presente haber hojeado unos días antes la edición de las litografías de Egerton, coloreadas originalmente a mano por el mismo pintor, en cuyas primeras páginas se encontraba su escueta biografía. Por cierto, Brian nunca había oído hablar de él en Inglaterra. Para los británicos este extraordinario y malogrado artista era un desconocido. En 1840, dos años antes de morir, había editado en Londres las doce principales láminas de su colección *Views in Mexico*, pero aparentemente con ellas no había pasado nada, ni tampoco mencionaba al autor los libros de historia del arte inglés de la época, ensimismados en Hogarth, Turner y Constable. En cambio los mexicanos, por lo menos los mexicanos cultos y conocedores de su propia historia, tenían una idea clara de quién había sido Daniel Thomas Egerton y algunos habían incluso viajado a Londres y comprado, por unas cuantas libras esterlinas, todas las acuarelas y los óleos del pintor subastados en los últimos años, que ahora se cotizaban a muy elevado precio.

Brian recordó haber sido invitado a una recepción en la residencia oficial del embajador británico en México, y haber visto allí la obra maestra del paisajista: una tela al óleo reproduciendo el Valle de México, en donde parece palparse la atmósfera, entonces impoluta, de esa imponente fracción del altiplano, incluyendo la ciudad capital, contemplada desde atrás del casco de la hacienda de los Morales, que ahora ha sido convertida en uno de los restoranes más bellos del mundo.

Entre los muchos valores de ese cuadro, de más de un metro ochenta de ancho, Nissen se había deleitado con la espléndida captación de la luz y las distancias del valle como era entonces. El volcán Iztaccíhuatl —"mujer blanca", al que también se conoce, por su perfil nevado, como "mujer dormida"— sirve de fondo en el rincón derecho a la soberbia perspectiva; menos lejos se extiende la sierra que rodea el valle por el oriente, y los cerros cercano al lago de Texcoco y al de San Cristóbal, hoy desecados. En los planos medios yace la ciudad de México y parte de sus alrededores, incluyendo el castillo de Chapultepec y el edificio de la hacienda, resguardado por una frondosa arboleda; hay un arroyo y un camino entre el lomerío; en el primer plano destaca una enorme palmera real junto a un árbol del Perú, rodeados de grandes magueyes, y un conjunto de mexicanos que cruzan a caballo y a pie, entre ellos unos dragones, un hacendado que raya su corcel, una pareja que comparte un potro criollo, un cura montado en un burro, varias indios y mestizos y un perro. La profunda visión de la comba y la transparencia del cielo resultaba impresionante, al igual que los diversos enfo-

D.T. Egerton: *El Valle de México*, 1837.
Detalle, óleo. Colección: Sede de la Embajada del Reino Unido
de la Gran Bretaña e Irlanda del Norte en la Ciudad de México

ques luminosos, espaciamientos y planos sombreados. Brian había permanecido entonces casi media hora gozando cada uno de los detalles de la inigualable pintura egertoniana. Y ahora, mientras se levantaba por fin de la cama pensó que Egerton no había hecho escuela en México a causa de que sus trabajos no fueron muy conocidos sino hasta un siglo después, y que debía de ser considerado, sin duda, como un precursor natural de los grandes paisajistas vernáculos del siglo xx, como José María Velasco, Joaquín Clausell y el Doctor Atl, los cuales describieron plásticamente como nadie las excelsitudes de esa parte del mundo que Alfonso Reyes llamó, todavía hace no mucho, pero antes de la contaminación del valle, "la región más transparente del aire".

Mientras tomaba una ducha, Nissen seguía pensando en su extraña colección de sueños. Al margen de explicaciones freudianas, le pareció que esos repetidos íncubos querían decir algo, revelaban una obsesión, un insistente mensaje que él mismo se enviaba para concentrar su atención en el pintor Egerton. Pero, ¿por qué? Quizá porque a él, Brian Nissen, le correspondía, por azares del destino y el paralelismo de su vida con la del acuarelista del siglo pasado, averiguar todo lo posible sobre la infancia y la juventud de aquél en Inglaterra, descubrir la urdimbre de relaciones humanas y sociales que le rodearon durante sus dos viajes a México, investigar más sobre su muerte. Se estremeció. Todo sonaba un tanto fatalista. Mientras se secaba y vestía con un pantalón de dril y una ligera camisa de algodón, como correspondía al calor que ya empezaba a sentirse en Nueva York, intentó colocarse conscientemente en el lugar de Daniel Thomas Egerton, un siglo y medio antes, e imaginar los motivos de su viaje a México. Resultaba difícil. Tendría que pensar como él, vivir su época, sentir diferente. A Brian le gustaban el arte moderno y el arcaico. El academicismo, el naturalismo, el realismo y el impresionismo eran para él —como para casi todos los artistas y críticos de su generación— escuelas superadas. Pero Nissen aceptaba que un pintor se hace en el dibujo, en el necesario aprendizaje de las formas y los colores del mundo real, en el trazo que copia más que interpreta. Todos comenzamos así, se dijo. Para abandonar el camino del realismo pic-

tórico hay que recorrerlo primero. La creación autónoma de
formas y masas coloridas es una segunda etapa, la auténtica-
mente creativa. Pero eso no le quita su mérito a los grandes
maestros del pincel casi fotográfico, a los retratistas fidelísimos,
a los paisajistas como Egerton que no sólo supieron ver y repetir
la naturaleza con maestría sino dar una versión humana y social
del paisaje, resaltando la propia naturaleza con la obra y la
presencia de los hombres. Recordó entonces que casi sin excepción los paisajes mexicanos de Egerton que él conocía combina-
ban la reproducción geotopográfica con la figura humana. No
sólo eran *Vistas de México* sino vistas de los mexicanos. Reflexionó que, como en el caso de otros grabadores, acuarelistas y li-
tógrafos del XIX, el arte pictórico de Egerton sirvió de catalejo
naturalista y lo que hoy llamaríamos turístico. Sus crayones y
pinceles desempeñaron la tarea de ágiles e insustituibles cronis-
tas. La prueba la constituye el enorme valor no sólo plástico
sino histórico y social del trabajo de esos artistas: Claudio Linati, Federico Catherwood, Phillips, Waldeck, Carlos Nebel, el
gran Rugendas. Sus obras habían hecho entender mejor, sin
duda alguna, la monumental aportación de Alexander von Humboldt al conocimiento de América Latina en el Viejo Mundo, y
habían contribuido a que las cancillerías europeas contaran con
mayores elementos informativos para diseñar su política ultra-
marina. De ahí que todavía en nuestro tiempo muchos piensen
que los escritores y pintores viajeros del siglo XIX que vinieron
a este continente no fueron sino la versión adelantada de los
espías contemporáneos. Brian rió de su propia reflexión. ¿Habría
sido Egerton un espía? Luego disipó esa idea. Había sido sencillamente un gran pintor y, sobre todo, un hombre de carne y
hueso, como él. Así tenía que verlo. Egerton, sin duda, perteneció al naturalismo y al romanticismo, entendido este último
no como un estado de la mente o la sensibilidad, presente en
varias épocas y culturas, sino como un fenómeno histórico que
empezó a tomar cuerpo en Europa a partir de la Revolución
francesa, después de que en los siglos precedentes la literatura
y las artes plásticas o visuales llegaron a insospechados niveles
de excelencia en el recreo mimético de la antigüedad clásica o
en la reproducción de la naturaleza. El romanticismo entendido

como un fenómeno de los tiempos modernos que en Inglaterra precipitó una valiosa corriente generacional de artistas, especialmente pintores y escritores, los cuales rompieron las reglas académicas y temáticas y formaron una vanguardia en busca de nuevos horizontes, concepciones y estilos. Woodsworth, Byron, Shelley y Keats, así como Turner, Constable, Girtin, John Martin, Samuel Palmer y Thomas Cole, en sus respectivas artes, no persiguieron la perfección como ideal sino la autenticidad de la expresión individual, un humanismo al que se llega por la emoción: la espontaneidad y la sinceridad del artista es lo que da valor a la obra. Con el siglo XIX las ideas de la ilustración fueron sustituidas por las nuevas concepciones del romanticismo. Y apareció también un tipo especial de artista: reservado e introvertido, amante de la vida bohemia y agitada, buscando siempre la originalidad, abjurando de los cánones, que no intenta reflejar los valores eternos y universales del clasicismo sino las experiencias de su vida personal. De ahí que las costumbres y los paisajes de otros pueblos hayan ejercido una especial fascinación en esta juventud creadora, y que el *Grand Tour* —o sea el viaje fuera de Inglaterra, al continente europeo o a tierras exóticas como las de Oriente y América— fuese un ingrediente altamente apreciado en la trayectoria vital de los artistas románticos. Tener presente lo anterior, pensó Brian, era imprescindible para entender a Daniel Thomas Egerton y sus viajes a México.

Nissen recordó que cuando vivía y trabajaba en su estudio de la calle de Salvatierra número 24, en Tacubaya, que ahora es un céntrico barrio de la ciudad de México, había realizado una exposición junto con el pintor Alberto Gironella y el fotógrafo Héctor García, ambos mexicanos, en la que se incluían algunos temas plásticos relativos al espionaje. El propio Brian había expuesto un par de zapatos mostrando los tacones removibles de un supuesto espía en cuyo interior quedaban descubiertos dibujitos, poemas secretos en microfilme y otras cuestiones por el estilo como pruebas delatoras de su condición. También recordó que Eliot Weinberger, en el reciente prólogo para el catálogo de su exposición de bronces de la Galería Joan Prats de Nueva York, había escrito: "Nissen llegó de la Ingla-

BRIAN NISSEN: *Itzpapalotl.*
Museo Rufino Tamayo, Ciudad de México

terra posimperial, descubrió en México la vivacidad —una vivacidad que incluye la obsesión por la muerte— y la unidad, todavía patente en las regiones más aisladas de la vida y el arte", y
lo había comparado precisamente con los pintores, escultores
y escritores británicos que visitaron México desde el siglo XVI,
como Thomas Blake, quien estuvo en Tenochtitlan sólo trece
años después de llegado Cortés; Robert Thomson, quien en 1556
profetizó acertadamente que aquélla sería algún día "la ciudad
más populosa del mundo"; y también con Thomas Gage, Catherwood y la marquesa Fanny Erskine de Calderón de la
Barca, así como con los artistas británicos que se inspiraron en
México durante el siglo actual, como Leonora Carrington y
Henry Moore. Todos estos paralelismos entre su personalidad
y lo que conocía de Egerton le obsesionaban y seguramente era
por eso que aquél se había colado en sus propios sueños.

No pudo evitar plantearse las preguntas lógicas: ¿quién o
quiénes habían asesinado a Egerton y a su amante? ¿Por qué?
Recordó que aquella biografía del pintor, que servía de introducción al libro que él conocía, se limitaba a dar cuenta del
asesinato, y el autor de la misma consignaba haber decidido no
profundizar en la trágica muerte de Egerton para no "empeque-
ñecer" su obra de arte. Brian reflexionó en que cualesquiera
que fuesen las causas del crimen y la identidad de los asesinos
éstas no podían disminuir o demeritar el trabajo plástico de la
víctima. En cambio el conocerlas podría arrojar muchas luces
sobre las motivaciones íntimas, los conflictos personales o sociales y el ambiente en que se movió el artista en México. Cerrar
los ojos ante un hecho real, por horrible que fuese, no conducía
a nada. Por otra parte éste era ya, quiérase o no, un hecho
histórico de dimensión ciertamente pequeña pero insoslayable.
Siguiendo el hilo de sus pensamientos, Brian aceptó que podrían
explorarse varias hipótesis, todas las posibles, y que ello sería
lo más conveniente. Además, era probable que la muerte de
Egerton no constituyera ningún misterio, que hubiese quedado
perfectamente aclarada y, simplemente, que él no poseyese la
información completa. ¿Para qué hacer especulaciones?

Fue en ese momento, mientras abría el refrigerador y se
servía un vaso de jugo de naranja de Florida, cuando Brian

Nissen, obsesionado por sus propias reflexiones, decidió que bien valía la pena emplear un cierto tiempo (si hubiera sabido cuánto quizás hubiese desistido entonces) para investigar la vida y la muerte de Daniel Thomas Egerton.

MARIANA TAMAYO, la cocinera, despertó a Cástulo Tovar, el criado, a las seis de la mañana, con el temor de que algo muy grave hubiese pasado con los señores de la casa.

—Los perros regresaron solos ayer en la noche —le informó—. No me preocupé porque a veces los patrones los train antes de terminar su paseo pa' que no los molesten mientras caminan. Per' ora no se aparecieron en toda la noche. Me la pasé en vela esperando y rezándole a la Virgen de Guadalupe y al Señor de los Milagros, pero nada. ¿Qué hacemos, Cástulo?

—¿Ya los buscastes bien? —contestó el hombre, mientras se restregaba los ojos y apresuraba su arreglo.

—¡Claro! Y no 'stán. La cama 'sta tendida, nadie durmió en ella, y todo en su lugar como ayer. Los perros 'stuvieron ret' inquietos toda la noche.

—Sí, los oí. ¡Dios nos ampare! ¿Qué les habrá pasado a los patrones?

Ambos salieron a recorrer los alrededores, buscando a sus señores. Lejos de la casa, que perteneció a los abades del convento de San Diego, como una sombra por encima de los árboles, se perfilaba éste con su templo adjunto, una de las construcciones del siglo XVI que daban fisonomía señorial a Tacubaya. Más allá, hacia el oeste, y sobresaliendo también de entre las tupidas arboledas, se destacaba la mole majestuosa de otro edificio de los años coloniales, el ex Arzobispado, especie de Palacio Nacional usado temporalmente por el gobierno, y antiguo albergue veraniego de los grandes prelados de la capital, quienes, como muchos de sus residentes, venían durante los calores a gozar el clima menos sofocante de las lomas y huertas del bello pueblito que durante los estíos se llenaba de flores y fuereños. Otras casas menos conspicuas pero de hermosa apariencia, en cuyos jardines lucían las azaleas y las bugambilias, y tras cuyas bardas asomaban los añosos sabinos y los esbeltos cipreses, bordeaban de trecho en trecho las calles del lugar. Cástulo y Maria-

na preguntaron a algunos vecinos que ya se encontraban ba-
rriendo y regando el frente de sus casas que si habían visto a
sus patrones.

—¿Los ingleses? No —todos contestaban lo mismo.

—¡Qué raro que andan perdidos Marianita! ¡Si casi nunca salen!

Los preocupados y fieles servidores cruzaron la Alameda del
pueblo, santiguándose frente a la parroquia, y llegaron a la
calle del Risco, que hace esquina con el Río de la Piedad. De
jaron a su izquierda el Puente de la Morena y tomaron por el
camino que va hacia el sur, al pueblo de Santa María de Nonoalco, uno de los antiguos barrios locales, precedidos por los
perros que parecían agitarse más. Los Egerton solían realizar
por ahí sus paseos vespertinos, que últimamente se habían hecho más frecuentes debido al embarazo de la señora doña Inés,
del que ya estaba a punto de "aliviarse".

A la primera luz del día los magueyes y nopales empezaron
a destacarse entre la niebla ligera. El paisaje oscuro comenzó a
verdear y la cinta ligeramente ondulada del camino se tornó
ocre pálido. Anduvieron a paso largo unos cinco minutos. De
pronto los perros estallaron en una catarata de ladridos. Pasaban por el "poyo" de la Pila Vieja, un lugar que servía a los
viajeros como sitio de descanso y era llamado así porque a su
vera estaban los restos de una antigua pila de molino, junto a
las ruinas de una ermita. Poco más allá, casi al borde del sendero, en una loma recién barbechada, los perros se detuvieron,
meneando las colas y dando vueltas alrededor de algo. Los
criados, que llegaron poco después jadeando, se encontraron
ahí, entre dos surcos recién arados, el cuerpo rígido y sin vida
de su amo, cubierto de sangre seca y lodo. No cabía duda. Era
él. Pero qué distinto se veía así, en esa pose grotesca y final.
Mariana y Cástulo explotaron en amargos sollozos. Ahora entendían mucho de lo sucedido en la Casa de los Abades. ¿Y la
señora?, pensaron al unísono. Con la garganta seca y el ánimo
contrito decidieron tornar a Tacubaya, casi corriendo, para
prevenir a los vecinos y al señor juez de paz. Eran ya más de
las siete.

Regresaron después a Pila Vieja, acompañados de algunas buenas gentes del pueblo, que eran sus conocidas, a las que se habían unido varios madrugadores curiosos, pues la noticia ya corría por todo Tacubaya. Los perros permanecían fieles junto al cadáver de su dueño mientras éste, con los ojos impresionantemente abiertos y la cara casi desfigurada por los tajos asesinos, parecía penetrar la atmósfera del valle en una contemplación rígida y congelada que ya nunca le serviría para hacer un dibujo o pintar un óleo. Salvo su sombrero de pelo blanco que no encontraron por ninguna parte, el cuerpo de Egerton, quien acababa de cumplir cuarenta y cinco años, estaba completamente vestido, con su pantalón y botas de montar, chaqueta inglesa y fina camisa —ahora hecha pedazos y llena de sangre—, tenía un anillo de oro en el anular de la mano derecha, y en la bolsa un cortaplumas, unos papeles y una moneda de un octavo de real. Se le apreciaron varias heridas en la cara y cabeza y otras en la caja del cuerpo. No muy lejos estaba su bastón, con las inconfundibles huellas de haber sido usado como instrumento de defensa.

Mariana, sin contener las lágrimas, se despojó de su "rebozo" y lo tendió delicadamente sobre la cabeza y el tórax de Egerton. Las otras mujeres musitaron un "Padre Nuestro", entre llantos y congojas. Los hombres las acompañaron en el rezo. Luego se dedicaron a buscar por los alrededores sin decir una palabra, nerviosos todos, como autómatas, con la inevitable sensación de la tragedia y el miedo morboso de que ésta aún sería mayor. Algunos siguieron por el camino a Nonoalco. Otros surcaron la loma barbechada con dirección oriente, hacia el potrero del rancho de Xola, separado de aquélla por una fila de magueyes que servían de lindero entre los terrenos de labor y los de pastoreo. Dentro del potrero, pasando los magueyes, a unos cientos de varas de Pila Vieja, encontraron, bajo un árbol del Perú y junto a una piedra, a doña Inés, como llamaban a Agnes Edwards; o mejor dicho, lo que quedaba de ella. El espectáculo era más fuerte de lo que nadie puede resistir. Aquello que en vida fue el hermoso cuerpo de una joven inglesa de veinte años de edad se encontraba ahí, completamente desnudo y amoratado, sin otra prenda que las medias blancas tornadas rojas por la san-

gre coagulada que cubría sus piernas abiertas en compás, y en
su abultado vientre se percibía el feto de lo que iba a ser su
hijo y que ya no habría de nacer.

Las mujeres gritaron, los hombres estaban mudos y pálidos.
Se veía que Agnes había sido golpeada, mordida, estrangulada,
asfixiada, y que alguien la había violado o cometido en sus
despojos un acto de necrofilia. Su sombrero de paja, de esos
llamados *bon ami*, despedazado y lleno de sangre, yacía junto
al cuerpo como grotesco testimonio de una primavera marchita
en plena flor. Conservaba en el cuello una pequeña cruz de
oro y un anillo del mismo metal en el anular de la mano izquierda; tenía huellas de mordidas y desgarraduras por doquier,
sobre todo en el vientre y parte del cuero cabelludo desprendido
del cráneo, y una puñalada en el costado. Su mano derecha estaba
irónicamente cubierta con un guante. Pero lo más curioso era
que Agnes Edwards tenía sobre el macerado pecho una especie
de tarjeta de cartón, como de quince centímetros de largo, en la
cual, escrito en castellano pero con cuidadosa caligrafía inglesa,
se leía nítidamente: "Florencio Egerton. Casa de los Padres
Abades. Tacubaya."

2. ¿Daniel Thomas o Florencio?

"Abril es el mes más cruel."
T.S. Eliot. La tierra devastada.

[1922]

"Mirad sus obras: construcciones
monumentales, acueductos, iglesias,
caminos —y la exuberante Ciudad
de los Palacios que surgió de las ruinas
fangosas de Tenochtitlan."
Charles Joseph Latrobe, El vagabundo
en México.

[Nueva York, 1836]

LA MAÑANA MEXICANA se distendía en el horizonte. El sol empezaba a iluminar los ahuehuetes del añoso bosque de Chapultepec. Estos sabinos, más viejos que Moctezuma Ilhuicamina, a cuya sombra él y otros *tlatoanis* aztecas solían reposar en la antigüedad, oyendo el fluir del manantial vecino, poblaban la colina de los chapulines. Sobre ella lucía su bella estampa el castillo construido por el virrey conde de Gálvez, convertido hacía unos meses en sede del Colegio Militar. De ahí partía un largo acueducto hacia la ciudad de México, edificado en los primeros tiempos de la Colonia, que llevaba el fresco líquido desde el remanso boscoso hasta la fuente del Salto del Agua. El "camino del agua" fue planeado en realidad desde los tiempos del *tlatoani* Chimalpopoca, pero no pudo ser ejecutado sino hasta después de la derrota de los tecpanecas, que detentaban Chapultepec, a manos de los recién llegados aztecas. Entonces se construyeron dos canales de argamasa que se utilizaban de manera alterna para surtir de agua a Tenochtitlan, obra cuya dirección confió Moctezuma al sabio y poeta señor de Texcoco, Nezahualcóyotl, hacia el año de 1465.

La fronda, con sus amplias calzadas y sus vericuetos floridos, era uno de los paseos más frecuentados por los capitalinos que poseían el tiempo y los medios suficientes para recorrer la media legua que separa el lindero del bosque de otro de los paseos preferidos, la Alameda, herencia de los virreyes y pulmón apreciado que se tiende en uno de los extremos de la ciudad. También se solía pasear por el Canal de la Viga y el de Chalco, pero generalmente por las tardes, cuando el calor baja y el sol está a punto de ponerse.

Ese jueves el ministro británico, Richard Pakenham, que pronto cumpliría 15 años de haber presentado sus cartas credenciales ante el gobierno de la República mexicana, cabalgaba al paso junto a uno de sus colaboradores. Se trataba del *attaché* William Robert Ward, sobrino del célebre Henry George Ward, quien había fungido como primer encargado de negocios en México de Su Majestad, por dos años, a partir de 1825, al iniciarse el entonces gobierno federal presidido por el general Guadalupe Victoria, poco tiempo después de que Inglaterra reconociera a la joven república. A Ward el tío le había tocado medirse en abierta guerra de intereses con Joel R. Poinsett, entonces ministro americano, y contribuir a su ulterior expulsión del país. Había sido muy estimado y su fama se había multiplicado y extendido después de la publicación, en la editorial Henry Colburn de Londres, de su libro *México en 1827*, que describía y analizaba las peculiaridades geográficas, políticas, sociales y económicas —principalmente la minería— de esta gigantesca nación recientemente emancipada del yugo español. Henry George Ward había estado en el país en dos ocasiones; la primera en 1823, formando parte de una comisión diplomática presidida por el señor Hervey y enviada por el gobierno de Su Majestad para "indagar el estado de los asuntos" de México, cuya "separación política de España había sido anunciada al mundo por el Tratado de Córdoba", y la segunda, de 1825 a 1827, como encargado de negocios para abrir la Legación. Su sobrino era ahora primer *attaché* de la Legación y muchos consideraban su estancia ligada a los acontecimientos posteriores a la independencia de Tejas y a los crecientes amagos políticos y militares que contra México habían emprendido el gobierno tejano y el de los Estados Unidos, pues su ilustre tío era experto en esas materias.

Pakenham no era un hombre brillante o de gran personalidad, pero de edad madura —cuarenta y cinco años— solterón y muy profesional. Tomaba muy en serio su papel de representante de la reina Victoria y tenía informado a su Ministerio, lo más oportunamente que le era posible, de los principales acontecimientos que se desarrollaban en México. Asesoraba con interés a los súbditos ingleses que llegaban al país a ejercer el comercio o la industria, especialmente a quienes explotaban varias de las riquísimas minas de oro y plata cuya producción se exportaba a Inglaterra. Se comentaba que Pakenham recibía de su gobierno un sueldo de casi cincuenta mil pesos anuales que le permitían organizar fiestas y agasajos de todo tipo, a los que invitaba a funcionarios y militares y a personalidades de la sociedad, con lo que tenía entrada franca en los ministerios, se hacía despachar prontamente y obtenía sin dificultad las noticias más secretas, manteniendo de esa manera su fama de prudente y conciliador. Hablaba perfectamente el castellano y solía vestir como los mexicanos. Llevaba buenas relaciones con los funcionarios del gobierno del país y en 1838 había contribuido con sus "buenos oficios" a las negociaciones entre éste y las autoridades francesas, para la firma del tratado de paz que puso fin a la "Guerra de los Pasteles", llamada así porque la demanda de indemnización de un restorantero y pastelero francés había sido uno de los pretextos para el ataque de la escuadra gala a Veracruz. Gracias a esa intervención, el actual secretario de Gobernación y Relaciones Exteriores, don José María de Bocanegra, consideraba a Pakenham como "un buen amigo" de México y lo decía públicamente.

Sin embargo, en marzo del año anterior —1841— Pakenham había sido triste actor de un sonado incidente diplomático que tuvo lugar en el baile ofrecido al entonces Presidente de la República, general Anastasio Bustamante, con motivo de que el Congreso lo había declarado "Benemérito de la Patria", por los servicios prestados durante la guerra de Independencia. Resulta que en dicho baile estaban exhibidas las banderas de todas las naciones con las que México sostenía relaciones oficiales, y el ministro británico protestó violentamente porque la de su país, a su juicio, no estaba colocada en el orden de preferencia y al nivel que merecía, y después de haber reclamado *in situ* al ministro de Relaciones Exteriores, que entonces lo era don José

María Ortiz Monasterio, arrancó la bandera cortando la cuerda
de la cual pendía y se la llevó a su casa, ordenando a los ingleses que se encontraban en la fiesta que se retiraran con él, lo que
éstos se vieron obligados a obedecer, aunque fueron los primeros
en criticar la intemperancia, falta de tacto y pésimos modales
que esa noche había demostrado Pakenham. Don Carlos María
de Bustamante —uno de los miembros del Supremo Poder Conservador— había escrito en su diario al día siguiente: "Este
atrevimiento brusco y propio de un *grumete* ha escandalizado a
México y podría tener resultados funestos, pues no se busca
más que achaques y pretextos para provocarnos una agresión
armada e invadirnos . . ." Aun así, en pocos días ya no se hablaba
del suceso, pues Pakenham, al darse cuenta de que había cometido un error —algunos mexicanos lo calificaron como "fe-
choría" o "calaverada"— no hizo comentarios posteriores y
redujo la importancia de su reclamación, que tampoco oficiali-
zó. Por otra parte, don José María Ortiz Monasterio —por causas distintas al grotesco incidente— renunció a la cartera de
Relaciones en mayo siguiente, para ser sustituido por don Sebastián Camacho, quien, habiendo sido el primer ministro mexicano acreditado ante Inglaterra y otras cortes europeas, era
amigo de Pakenham, con lo que el exabrupto de éste quedó
enterrado. Aunque quizá no olvidado del todo, porque ese tipo
de asuntos siempre acaban por revivir.

Pakenham luchaba a su manera por atraer a México a la
órbita británica. La reina Victoria y su primer ministro, Sir
Robert Peel, habían decidido que las viejas colonias españolas
tenían que ser vistas con mucho cuidado e interés por la Corona,
y que sus recursos y riquezas ofrecían muy amplias oportunidades para el capital y el talento de los ingleses. Esta política
en realidad la había diseñado el hábil ministro George Canning
desde años atrás, y era claro que chocaba con los proyectos
expansionistas de los Estados Unidos, los antiguos trece territorios británicos que hacía escasos sesenta años habían logrado
su independencia frente al rey Jorge III. De manera que la
República mexicana, situada inmediatamente al sur, que poseía
una cultura diferente y una inmensa superficie de más de cuatro millones de kilómetros cuadrados, era vista con gran codi-

cia por sus vecinos del norte quienes, si lograban extender hacia ella sus dominios, no permitirían a Gran Bretaña ni a sus súbditos continuar su exitosa penetración económica en la minería y el comercio de la nueva nación. La llamada "independencia" de Tejas, proclamada en 1836, y su posible anexión a los Estados Unidos resultaban preocupantes. En realidad los ingleses preferían que Tejas fuera independiente pues ello rompería el monopolio algodonero de los Estados Unidos y porque, si éstos se la anexaban como lo pretendían los surianos, perpetuarían ahí la esclavitud.[1] El gobierno británico, quizá por remordimiento histórico, se había vuelto francamente abolicionista desde la década anterior. Pakenham recordó que en agosto de 1836, poco después de la escaramuza de San Jacinto y la prisión de Santa Anna, el miembro del Parlamento P. Hoyt había suscitado la cuestión tejana en la Cámara de los Comunes y obligado a Lord Palmerston, entonces primer ministro, a recomendar prudencia, pues los intereses de Inglaterra en México sumaban sesenta millones de pesos y la separación de Tejas advertía el propósito de los Estados Unidos de apoderarse de la República mexicana. También Henry George Ward había intervenido en ese debate, asegurando que los norteamericanos, después de fracasar en su intento por comprar el vasto territorio al norte del Río Grande por diez millones de pesos, habían fomentado la colonización con la mira indudable de insurreccionar después a los colonos y, al igual que Palmerston, había expresado la esperanza de que el traspié de Santa Anna no fuese definitivo.

Hacía sólo tres meses que Pakenham había tenido un altercado sobre este tema nada menos que con el propio general Santa Anna, quien era encargado del Ejecutivo por sexta vez. El ministro inglés había ido a visitarlo con el propósito formal de comunicarle el nacimiento de Eduardo, príncipe de Gales, hijo de Su Majestad la reina Victoria y del príncipe Alberto, y heredero del trono británico, así como para negociar las bases de un nuevo empréstito. Pero, en realidad, Pakenham tenía interés en convencer al Presidente para que reconociera la independencia de Tejas, lo que Inglaterra ya había hecho. Los

[1] Edward Channing, *A history of the United States*, New York, vol. V, 1936, p. 533.

enviados de ese territorio se habían hospedado secretamente en su casa y le habían entregado una carta del general tejano Hamilton, cerrada y sellada, que había venido en un gran vapor inglés, el *Fort*, proveniente de Nueva Orleáns, para que Pakenham a su vez la entregara al Presidente, lo que hizo en esa ocasión. La leyó Santa Anna y supo por ella que Hamilton ofrecía cinco millones de pesos por el reconocimiento de la independencia de Tejas "... y doscientos mil pesos para el ministro que manejase este negocio". El general Presidente había reconvenido acremente al ministro británico sobre dicha carta, a lo que aquél respondió que ignoraba su contenido (lo que era falso) y que el hecho de que hubiese llegado en un buque de su nación no hacía responsable a ésta. Santa Anna le contestó que los "servicios confidenciales" del gobierno lo tenían al tanto de que los representantes tejanos estaban alojados en su casa y, dos días después, le envió una carta muy cortés en la cual le reprochaba "el insulto que se le hacía, suponiendo venal a su ministro, y a él mismo como capaz de vender los intereses de la patria".[2]

Pakenham comentaba a Ward durante el paseo que a partir de la llegada de Peel al puesto de primer ministro y del conde de Aberdeen al Servicio Exterior, las relaciones entre Gran Bretaña y los Estados Unidos estaban tan tensas que una guerra como la de 1812 parecía inminente. En el fondo del conflicto yacía la vieja controversia sobre la frontera noreste divisoria del estado de Maine, de los Estados Unidos y New Brunswick, de la provincia de Quebec, en el Canadá, la cual había quedado sin resolverse desde que el Senado norteamericano en 1832 rechazara el laudo arbitral del rey de los Países Bajos para zanjar la diferencia; también estaba la pretendida división de Oregon. Además, el reciente hundimiento de un navío norteamericano por una partida de canadienses, dentro de las aguas territoriales norteamericanas, había levantado gran resentimiento en Washington y Nueva York. Nada de esto ayudaba a la causa de Inglaterra en el Nuevo Mundo, en la cual ambos

[2] Carlos María de Bustamante, *Apuntes para la historia del gobierno del general don Antonio López de Santa Anna*, México, Instituto Cultural Helénico/FCE, 1986, p. 42.

diplomáticos ingleses creían ardientemente. De todo ello conversaban los dos esa mañana, entre los solemnes ahuehuetes, el aire tibio y la radiante luz de Chapultepec, cuando se encontraron con otros tres jinetes que venían de la ciudad.

Uno de ellos era Brantz Mayer, secretario de la Legación americana, a quien acompañaba su asistente, un moreno y esbelto mexicano montado en un pequeño y tranquilo corcel, que contrastaba con la soberbia yegua pura sangre de gran alzada en la que paseaba su patrón. El tercer jinete era también norteamericano, según se desprendía del acento impreso a su *Good morning, gentlemen.* Pakenham creyó reconocerlo. Lo había visto en algún lado. Pronto recordó. Se trataba de un sujeto desagradable a quien le había presentado el propio Mayer, sólo unos días antes, en el hotel llamado "La Gran Sociedad", situado en la calle del Espíritu Santo, en el centro de la ciudad. Su nombre era George Wilkins Kendall y se autotitulaba "corresponsal de guerra" del periódico *Picayune,* de Nueva Orleáns. Había sido capturado por las tropas mexicanas el año pasado, cerca de la remota Santa Fé, capital de la provincia de Nuevo México, al derrotar aquéllas a una expedición de aventureros americanos y tejanos enviados para conquistar ese vasto territorio mexicano. El general Presidente don Antonio López de Santa Anna, quien había perdido ignominiosamente en 1836 la decisiva acción de San Jacinto, se vengaba ahora —seis años después— de los "piratas tejanos", como en México se les calificaba con razón, y los había hecho traer, a pie y cargados de grilletes a la ciudad capital, incluyendo al general MacLeod del ejército americano, jefe de la frustrada expedición. El periodista había sido generosamente liberado unos días antes, dada su condición profesional. Pakenham lo había escuchado atentamente en su primer encuentro pues Kendall intercedió por algunos otros de sus compañeros de aventura, todavía presos en el hospital de San Lázaro, el convento de Santiago y la cárcel de la ex Acordada, quienes, según él, alegaban ser de nacionalidad inglesa, asunto que el ministro había atendido en forma inmediata con el resultado de que Kendall había mentido pues los propios prisioneros aludidos aceptaron ser americanos residentes en Tejas, y no británicos. Desde el primer momento que lo vio, Pakenham había desconfiado de él. Ahora no le era grato encontrarlo nuevamente en medio de su paseo.

Mayer cortó sus reflexiones:

—Amigos míos —dijo—, temo que habré de darles una mala noticia que tiene mucho que ver con ustedes y su país. Anoche asesinaron en Tacubaya al pintor Egerton y a su mujer... Nosotros lo supimos a la hora del desayuno. Parece que fue algo horrible. Encontraron los cuerpos esta mañana y poco después empezó la mudanza hacia la capital. La gente decente no quiere quedarse en Tacubaya. Todos salen diciendo que ya no se puede vivir en el pueblo. Entiendo que Egerton era amigo suyo, señor Pakenham.

—Así es —contestó el interpelado, aún sin reponerse de la sorpresa—. Lo conocí desde su primer viaje a México y lo he tratado mucho. ¡Qué tragedia! —luego reaccionó como profesional que era:— El cónsul Mackintosh ya debe estar al tanto pues él reside en Tacubaya y me comentó haber visto a Egerton y a su esposa en ese lugar. Parece que se mudaron hace poco, pues antes vivían en la ciudad.

—Así es —interrumpió Kendall mientras movía a su caballo—, sólo que la mujer asesinada y que iba a tener un hijo del pintor no era su esposa, sino su amante. Una agraciada joven inglesa, con excelente disposición para las artes. Ayer mismo, a eso de las siete de la noche, cuando en unión de varios caballeros británicos visitaba yo los jardines del *signor* Renaldi, en Tacubaya, nos cruzamos con Egerton y la joven, quienes paseaban tranquilamente. Uno de sus paisanos nos los señaló de lejos. Y relató varias anécdotas sobre el paisajista. Esta mañana, a la hora del desayuno, nos enteramos de que ambos habían sido cruelmente asesinados. Debe tratarse de una meditada venganza, pues parece ser que Egerton tenía algunos enemigos...

—¿Cómo lo sabe usted? —interrumpió Pakenham—. Es muy prematuro hacer un juicio de esa naturaleza. Puede haber sido un asalto de los que lamentablemente suceden con frecuencia.

Pero lo que más molestaba al ministro inglés, además de la muerte de dos estimables súbditos británicos en el país de su asignación, y del juicio precipitado que acababa de oír, era que tenía la certeza de que Kendall mentía otra vez al contar esa historia del supuesto encuentro con Egerton y su acompañante precisamente anoche, ¡unos minutos antes del crimen! ¿Cómo era posible que este poco educado norteamericano tuviera tanta propensión a la mitomanía? ¿Por qué mentía de esa manera? ¿A quién trataba de engañar? Pensó que ya tendría tiempo de averiguarlo.

EL CÓNSUL Ewen Clark Mackintosh saltó de la cama al oír los golpes que alguien estaba dando a su portón. Era la primera vez, desde que vivía en Tacubaya, que lo despertaban tan temprano y de manera tan poco amable. Cuando se puso la bata para ir a abrir y salió al patio, su criado se le había adelantado: estaba conversando con dos mujeres desconocidas que hicieron una inclinación de cabeza cuando vieron aparecer al dueño de la casa. El mozo las despidió y vino al encuentro de su patrón.

—Señor cónsul —le dijo con gran vehemencia—, estas señoras han venido a informarle que don Florencio Egerton y su esposa fueron asesinados anoche, y que sus cuerpos han sido encontrados, uno en el paraje de Pila Vieja, rumbo a Nonoalco, y otro cerca del rancho de Xola...

—¿Egerton? —preguntó Mackintosh— no comprendo, él se llama Daniel Thomas y no... ¿cómo dices?

—Florencio, señor.

—Debe haber un error...

—No lo creo, señor cónsul, se trata de los señores ingleses que viven en la Casa de los Padres Abades y que usted saluda cada vez que los ve.

—Precisamente. Ellos son el caballero Daniel Thomas Egerton y su mujer, la señora Agnes Edwards.

—Pues en Tacubaya se conoce al señor como don Florencio. Desde que llegó aquí con la señora, hace unas semanas, dio ese nombre como el suyo: Florencio.

Raro, muy raro, pensó el cónsul inglés. A él le constaba que el nombre correcto del pintor era Daniel Thomas. En la Legación había un expediente abierto con ese nombre desde 1832, si mal no recordaba. Era la fecha del primer viaje a México del pintor, o por lo menos de su llegada a la ciudad. Y había quedado registrado como "artista residente" en la capital. Lo había llevado a presentar ante el ministro Pakenham su propio hermano, el señor William Henry Egerton, residente en el país desde 1830. Ninguno de los dos Egerton se llamaba Florencio, nombre poco usual para un inglés, aunque en México era costumbre castellanizar los apelativos. Mackintosh, con olfato consular, anotó mentalmente que Egerton por lo visto había cambiado el nombre en éste su segundo viaje, cuando regresó de Inglaterra acompañado de la señora Edwards, quien no era su esposa, según se sabía, pero que esperaba un hijo del paisajista. No pudo menos que preguntarse cuál sería la razón para que éste intentara disfrazar, al menos parcialmente, su identidad. ¿De quién habría buscado esconderse? ¿Tendría esto algo que ver con el asesinato? Mientras se ponía los pantalones y se fajaba la camisa, el cónsul británico pensó que tendría que acudir cuanto antes al sitio en que se encontraban los cadáveres e informar al ministro Pakenham y al hermano de Egerton sobre este lamentable crimen. Pero no había que precipitarse. Primero era preciso constatar la identidad de las víctimas. Quizá se tratase de un error, como antes pensara al oír el nombre alterado del supuesto Florencio Egerton. Bueno, todo eso era parte de su trabajo rutinario, y por lo menos dio gracias de que el asunto se hubiera presentado allí y no en San Agustín de las Cuevas o en la Villa de Guadalupe, localidades todas muy lejanas de Tacubaya.

Cuando salió de su casa, Mackintosh notó un extraordinario movimiento. Había mucha gente por las calles a pesar de que eran menos de las nueve de la mañana. Se veían caballos y mulas con equipajes, carretas cargadas con muebles y pertenencias, familias enteras que se movilizaban en sus carruajes o en coches alquilados. En la Alameda se encontró con el juez de paz, don Enrique Guimaret, quien en compañía de su joven escribano se dirigía evidentemente al mismo lugar que él. Tras de saludarlo le preguntó que cuáles eran sus noticias. El juez de paz de Tacubaya no sabía más que el cónsul inglés: sólo que los Egerton habían sido asesinados no lejos de Pila Vieja y de Xola; hacia ahí se encaminaba. El letrado judicial celebró que el diplomático británico también dirigiera sus pasos hacia los mismos lugares. Así todo habría de facilitarse, en vista de que las desafortunadas víctimas eran, perdón, *habían sido* súbditos ingleses. Mackintosh convino. Pensó que Guimaret era un funcionario bastante menor, dotado de muy escasas luces, a quien evidentemente le faltaban tamaños para enfrentar un caso como éste, que ya había puesto en movimiento a todo el pueblo. Entretanto, más familias salían de Tacubaya persignándose delante de la parroquia del lugar, como si huyeran del demonio. La sola noticia del doble crimen había hecho que muchos de los visitantes estacionales regresaran a la ciudad de México con entendible precipitación. ¡Si ni los extranjeros estaban a salvo ahí, era mejor irse cuanto antes!

El juez y el cónsul avanzaron en medio de docenas de curiosos, niños y perros que iban hacia Pila Vieja, acompañados por algunos residentes de Tacubaya, como don Gervasio Lance, ciudadano francés, y don José María Basterrica, peninsular español, ambos comerciantes al menudeo, muy conocidos del lugar. Cuando tomaron el camino a Nonoalco y poco después llegaron a la loma barbechada en donde yacía el infortunado Egerton, se encontraron un verdadero tumulto. Algunas mujeres rezaban y gimoteaban de hinojos. Otros daban vueltas por el terreno pisoteando todo y seguramente borrando cualquier huella que pudiera haber sido útil. Un vendedor de fruta pregonaba ya su mercancía, sin ningún respeto por la situación.

El juez de paz y su escribano se abrieron paso a voces y codazos, seguidos por el cónsul. Mariana, que ya había colocado una veladora encendida junto al cuerpo de su amo, les explicó entre sollozos cómo lo había encontrado. Cuando retiró el rebozo que lo cubría se produjo una exclamación colectiva de asombro, pena y morbosidad. Pasados unos instantes, don Enrique Guimaret inició en voz alta y dictando a su escribano la detallada descripción de la posición y las circunstancias en que se hallaba el cuerpo, así como las heridas aparentes que presentaba y las pertenencias que traía encima, dando fe de la distancia del lugar en relación con el centro de Tacubaya, más o menos quinientas varas, haciendo constar que el paraje era conocido con el nombre de Pila Vieja y consignando todos los datos imprescindibles en estos casos, en los que era ya bastante experto pues realizaba diligencias de levantamiento de cadáveres tres o cuatro veces al mes, sobre todo durante la época de calores y fiestas en que los peones y jornaleros de la zona se liaban a machetazos o cuchilladas con lamentable frecuencia.

El funcionario judicial y el consular continuaron después su camino hacia el lugar donde se encontraba el cuerpo de Agnes Edwards, cerca del rancho de Xola, a unas cuatrocientas varas de los restos del pintor, a fin de continuar la penosa diligencia. Los siguió gran parte de la gente que engrosó el número de la que rodeaba al cadáver de la infortunada joven. A pesar de su experiencia en estos casos, Guimaret no pudo ocultar su desazón ante el sangriento espectáculo. Con minuciosidad consignó en el acta los dramáticos pormenores de la situación e incorporó a ella el cartón con la leyenda "Florencio Egerton. Casa de los Padres Abades. Tacubaya". El cónsul Mackintosh se permitió observar:

—En realidad este súbdito inglés se llamaba Daniel Thomas y no Florencio.

El juez ordenó al escribano no transcribir en el acta dicho comentario.

—Eso deberá usted declararlo ante las autoridades superiores. Aquí todos conocíamos a la víctima como "don Florencio", y no puedo modificar un hecho notorio por el simple dicho de usted, así sea el cónsul de Inglaterra y me merezca el mayor respeto, le dijo con aire solemne.

Mackintosh no insistió. En cambio le pidió que mandara despejar la zona que rodeaba a cada uno de los cuerpos, con el fin de que los curiosos no siguieran superponiendo sus pisadas a las posibles huellas de los asesinos. Guimaret accedió a ello y dio las órdenes necesarias, aunque ambos sabían que ya era demasiado tarde.

El procedimiento judicial había sido lento, y eran como las once de la mañana, El escribano, auxiliado por dos policías, quedó encargado de guardar el orden alrededor de los cadáveres, mientras éstos podían ser levantados. El juez decidió regresar a Tacubaya con el propósito de enviar un mensajero a la ciudad de México para dar parte a sus jefes sobre el doble crimen. Cuando él y el cónsul se dirigían al pueblo, acompañados por varios de los vecinos que ya habían satisfecho su curiosidad,

Mackintosh divisó en sentido contrario un jinete, a quien reconoció a distancia. Era, sin duda, el señor *attaché* William Robert
Ward.

Tuvo entonces que regresar con éste al lugar de los acontecimientos y referirle por el camino los pormenores del crimen
y los resultados iniciales de la investigación, que por supuesto
eran pobres, limitados y confusos. En realidad la única evidencia la constituían los cuerpos mismos de las víctimas. Nadie
había presenciado el hecho sangriento ni visto u oído nada
especial. Se trataba de un paraje despoblado que a las horas
en que debió de realizarse el crimen, entre las siete y ocho de
la noche del día anterior, debió de estar completamente solitario. Egerton y su mujer solían recorrer con frecuencia el
camino a Nonoalco y eso se sabía en el pueblo, pero nadie más
se aventuraba normalmente por ahí después de que caía la
noche, si no tenía una buena razón. Don Manuel Chica, el cura
de Tacubaya, que a solicitud de Mariana y Cástulo había venido
a impartir su bendición final a los despojos de los ingleses, a
pesar de no haber sido católicos, comentó ante el juez de paz
que la noche anterior, más o menos a la hora en que se suponía
debíase de haber cometido el doble asesinato, él había estado
buscando a su perro, extraviado temporalmente en las magueyeras cercanas al rancho de Xola, hasta que lo encontró, pero
que no había escuchado ningún ruido, grito o llamado de auxilio.
Y aunque era un decir generalizado entre los vecinos que Egerton y Agnes actuaban con reticencia y cautela extrema desde
que llegaron a Tacubaya, como si temieran algo o a alguien,
nadie, ni sus sirvientes, pudo dar una información concreta
sobre algún posible enemigo de la pareja.

Después de desmontar, ver los cuerpos —lo que le produjo
gran desazón— y observar la escena del crimen, Ward comentó:

—Los primeros sospechosos podrían ser los propios criados.

Luego mirando hacia el vacío, reflexionó en voz alta:

—A pesar de que son personas incultas y torpes que no
dieron aviso a la autoridad de la desaparición de sus amos desde anoche y dejaron transcurrir muchas horas a partir del regreso de los perros a la casa, hay que aceptar que ni emprendieron
la huida ni tenían un móvil para ser los autores del asesinato.

Mackintosh asintió. Ward siguió especulando:

—Lo que parece muy claro es que el propósito del crimen no pudo ser el robo, pues el cuerpo de Egerton no fue despojado de sus ropas, ni de su anillo de oro, un cortaplumas y una moneda, y el cuerpo de la Edwards aún lucía en el cuello una cruz de oro y su propio anillo. ¿Cómo explicar esto en el caso de un asalto con el fin de robar? También es inexplicable, si se tratase de un hecho eventual, el que sobre el cadáver de la señora apareciera ese letrero, tan bien escrito, con el nombre de Daniel Thomas o Florencio Egerton y su domicilio, como si el asesino quisiese subrayar que sabía muy bien quiénes eran sus víctimas y dónde vivían.

Luego, mirando fijamente a Mackintosh, afirmó con autoridad:

—Este fue sin duda un crimen premeditado.

(Al instante, Ward recordó lo dicho por Wilkins Kendall, durante su reciente encuentro en Chapultepec, sobre los supuestos enemigos de Egerton y la posibilidad de que todo fuese producto de una venganza.) Mackintosh, volvió a inclinar la cabeza en señal de coincidencia con el diplomático.

—Será un trabajo difícil para el ministro Pakenham y para nosotros —concluyó William R. Ward mientras, jalando su caballo por la rienda, iniciaba con Mackintosh el regreso a pie hacia Tacubaya, de donde seguían huyendo las familias en carruajes, caballos y mulas con rumbo a la ciudad de México.

CUANDO EL MINISTRO Pakenham tomó el camino de Chapultepec hacia el centro de la ciudad, bordeando primero el acueducto y luego enfilando hacia la Alameda, tenía en la mente a Daniel Thomas Egerton, su compatriota asesinado, a quien había tratado en diversas ocasiones. No podía decirse que hubieran sido amigos, porque el pintor era un hombre concentrado en su trabajo, poco afecto a profundizar en sus relaciones sociales, y que viajaba mucho por el interior del país; pero Pakenham le había auxiliado hacía años en un incidente que aquél tuvo con la guardia de la entonces fortaleza de Chapultepec, y aprovechó la oportunidad para conocer algunos de sus grabados, acuarelas y óleos. En esos momentos, mientras provocaba un trote más

JOHN PHILLIPS: *Fuente de la Victoria o de la Independencia*,
ubicada en la primera glorieta del Paseo de Bucareli. Litografía, 1848.

rápido en su caballo, Pakenham parecía volverlos a ver, sobre
todo las magníficas reproducciones de la ciudad de México cap-
tadas desde la propia altura del valle, de la cual descendía ahora
hacia el corazón de la capital. Apenas podía creer que Egerton
y su mujer hubiesen sido asesinados, pero no tenía por qué
dudar de la seriedad de Brantz Mayer y se rindió a la trágica
evidencia. El paisaje de la gran ciudad y sus lagos distantes
brillando bajo la luz del sol, aprisionado por las plumas y pinceles de Egerton, volvía a penetrar en sus ojos. Sobre el vasto
conjunto de árboles, casas y calzadas, destacaban las torres de
innumerables templos, y en ese momento —las diez en punto—
todas contribuyeron con el tañer de sus campanas a cargar el
aire tibio de una vibración singular. Ninguna otra ciudad, pensó
Pakenham, puede ser identificada por el batir de sus bronces.
Ni los templos de Roma producen el peculiar sonido de las
grandes esquilas mexicanas: el tono bajo y ronco de las de Catedral, coreadas por las menos graves del templo de San Francisco y luego por las más agudas de Santo Domingo y La Profesa; al norte se suman después las solemnes del santuario del
Tepeyac y por fin, al oeste, las cantarinas de los Remedios.
Sinfonía proveniente de torres y espadañas, que a veces canta
con acentos alegres y jubilosos, y otras, como ésta, parece envolver un sobrio sentido de drama oculto. El ministro llegó al
fin de la calzada, cruzándose con aguadores de cuyo cinturón
pendía el *chochocol*,[3] y vendedores ambulantes que anunciaban
sus variadas mercancías con pregones inconfundibles. Algunas
damas mexicanas acudían al repique de la misa, y circunspectos
señores de levita subían a sus carruajes, mientras cargadores y
"léperos" circulaban por calles y acequias. Pakenham observó entonces algunos jinetes y varios coches con equipajes a la vista
que venían por el camino de Tacubaya y se sorprendió de la
rápida reacción de los visitantes de ese pueblo frente a la doble
tragedia, lo que confirmaba las palabras del secretario de la
Legación de los Estados Unidos.

Espléndida era ya la luz del valle y el azul translúcido del
cielo, sin una nube, cuando Pakenham entró a la ciudad por el

---

[3] Recipiente de origen azteca para servir el líquido a los clientes.

Paseo Nuevo, y después de bordear la fuente de la Independencia, con su estatua alusiva a la América y sus cuatro pórticos con otros tantos surtidores se sumergió en el refrescante abrazo de la gran Alameda. Allí la presencia humana era más notoria. De hermosas casas y bien abastecidas tiendas salían caballeros pulcramente vestidos y algunos oficiales de vistosos uniformes. Coches y carretelas abundaban en el paseo y sus ocupantes se saludaban circunspectos unos y sonrientes otros. El perfil del convento de San Francisco resaltaba en toda su extensión y a las puertas de su templo damas de mantilla y frailes con largos sombreros de teja llegaban de prisa y con retraso a los servicios religiosos. Pero todo el espectáculo de esa gran ciudad de doscientos mil habitantes, que con razón fue llamada por el viajero inglés Charles Joseph Latrobe, la "Ciudad de los Palacios", no era suficiente para alejar de la mente de Pakenham la imagen del artista sacrificado y de su compañera masacrada con él. El asunto era grave, muy grave, se dijo. Le imponía el deber de denunciar el doble crimen ante las autoridades mexicanas y exigir firmemente su esclarecimiento y el castigo de los culpables. La tragedia le llegaba en un mal momento, porque tenía varios "fierros en la lumbre": cuestiones muy delicadas como la de Tejas y el incendio de la aduana de Veracruz, y tendría que emplear parte de sus energías en este asesinato, que surgía inesperadamente como otro motivo de posible fricción entre el gobierno de Su Majestad Británica y el del general Santa Anna. Luego retomó el hilo de sus pensamientos. Su obligación diplomática era entrevistarse con el ministro de Gobernación y Relaciones Exteriores, don José María de Bocanegra, y exhortarlo a que su gobierno se dedicara de lleno a la resolución del caso. Sabía que Bocanegra estaba en esos días sumamente ocupado, sosteniendo negociaciones con el ministro de los Estados Unidos, Waddy. Thompson (quien acababa de presentar credenciales la última semana), sobre la liberación de los ciudadanos norteamericanos que habían formado parte de la fracasada expedición tejana a Santa Fé, y eso planteaba el primer inconveniente. Pakenham imaginó que en el "Caso Egerton", el señor Bocanegra podría hacer muy poco, pues se trataba de un crimen común aunque cometido contra dos extranjeros, y tendría que apelar a la com-

Don *José María de Bocanegra*.
Litografía, T. Castro, México

prensión del Presidente y de otros funcionarios del gabinete para acelerar las pesquisas, lo que en México siempre tomaba bastante tiempo. Entonces decidió que haría una petición verbal, casi de mero trámite ante ese Ministerio, a reserva de dirigirle una nota detallada, y aprovecharía el viaje para entrevistarse con el general Gabriel Valencia, comandante general del ejército en la plaza, quien le dispensaba su amistad y solía ser muy eficiente en este tipo de asuntos internos ligados con la política o la seguridad pública. Mientras reflexionaba lo anterior, el ministro Pakenham había casi terminado de recorrer las calles de San Francisco y Plateros, liga entre la Alameda y la Plaza Mayor, que de pronto explotó visualmente ante él con su incomparable grandeza y señorío. A su izquierda, en el ángulo norte del gran espacio empedrado, lucía la imponente Catedral; al frente, al este, el Palacio Nacional, a cuyo lado sur se encontraba el Museo y el mercado del Volador, aún en construcción, por lo que sus vistosos puestos de flores, frutas y vegetales se agolpaban al aire libre, rompiendo con sus colores la solemnidad del conjunto; en la esquina sureste, el Parián, antiguo mercado virreynal de ropa llamado igual que el de Manila, que fuera terriblemente saqueado en la asonada de 1828 y cuya demolición era solicitada por todos, dada su notoria fealdad y los malos recuerdos que suscitaba; luego venía la Casa Municipal, con su lonja mercantil, y en el resto del costado sur y el oeste de la plaza se extendían los famosos portales o arcadas, (el portal de las Flores y el de Mercaderes) donde se alineaban tiendas, librerías, establecimientos de antigüedades y baratijas, cajones de ropa, dulcerías y cafés. Ninguna otra plaza del mundo era tan grande ni tan proporcionada como ésta, que refulgía esplendente esa mañana primaveral coronada de un cielo azul redondo como un océano. Pakenham, saludado por los guardias, penetró por la puerta central del augusto Palacio de dos pisos y entregó su caballo a un soldado que lo recibió en el amplio patio interior donde se encontraban muchos más pertenecientes a los húsares de la escolta presidencial. Luego por una ancha escalera, subió hacia el Ministerio de Gobernación y Relaciones Exteriores.

Don José María de Bocanegra lo recibió tan pronto como le fue anunciado. Era el ministro un hombre de cincuenta y

cinco años, diez años mayor que Pakenham, y por ésta y por
muchas otras razones le imponía gran respeto al diplomático
inglés. El severo abogado, nacido en la hacienda de La Labor
de la Troje, Aguascalientes, en el centro del país, había sido ya
varias veces ministro, diputado y magistrado, e incluso durante
cinco aciagos días de 1829, Presidente de la República, pero no
se había podido sostener en el puesto ante la sublevación de las
fuerzas que guardaban la capital mientras el general Vicente
Guerrero trataba de someter a los rebeldes del Plan de Jalapa,
que al fin vencieron. Bocanegra no era un hombre carismático
pero sí muy prudente, conocedor y laborioso; por ello Santa
Anna lo había llamado una vez más para hacerse cargo de la
política interior y exterior.

El ministro mexicano trató a Pakenham con su tradicional
afabilidad y mesura.

—¿Qué hace Su Excelencia por aquí a hora tan temprana?
—inquirió cortésmente Bocanegra.

—Me trae un asunto muy penoso y delicado, señor ministro
—dijo Pakenham en magnífico español, y después refirió las
noticias que tenía sobre el asesinato de Daniel Thomas Egerton
y Agnes Edwards.

El señor Bocanegra no sabía nada (o fingió no saber) sobre
el doble crimen:

—¡Qué calamidad, señor Pakenham!, es algo verdaderamente
dramático. Alguna vez, hace varios años, compartí una tertulia
con el señor Egerton y cambié con él algunas frases. En 1836,
si mal no recuerdo. Pero no sabía que hubiese regresado a
México con su esposa...

—La señora Edwards no era su esposa, señor ministro —observó el diplomático británico—, aunque estaba encinta, esperando un hijo del pintor. Sin embargo este dato es irrelevante; lo
que verdaderamente importa es que la seguridad en esta ciudad
deja mucho que desear y mi gobierno se ve en el caso de exigir
que este crimen se investigue y sancione de manera ejemplar.

—No tenga usted la menor duda de que un hecho tan lamentable será cabalmente investigado y los responsables de él
recibirán a la brevedad posible el más severo de los castigos,
señor Pakenham —contestó endureciendo la voz el encargado

de la política mexicana—. Pero llamo la atención de Su Excelencia en el sentido de que el crimen no se cometió, según Su Excelencia me informa, en la ciudad capital, sino en un camino solitario cercano al pueblo de Tacubaya, que por su alejamiento no debió ser transitado por el señor Egerton y su esposa a esas horas de la noche. En ellos debió caber más prudencia, lo que no hace obstáculo para que el gobierno tome todas las providencias necesarias a fin de resolver este penoso asunto, como corresponde a una nación civilizada y moderna.

Richard Pakenham iba a replicar algo al ministro mexicano pero se contuvo. Recordó los consejos de su padre, el almirante Sir Richard Pakenham, Lord Longford, en el sentido de no exasperarse nunca y dejar las cartas más fuertes para la segunda jugada, lo que era más fácil de decir que de hacer. Recordó también su experiencia diplomática como *attaché* en La Haya y como secretario de Legación en Suiza, y prefirió callar. Era muy temprano para hacer reclamaciones a las autoridades; bastaba con ponerlas en movimiento y señalar el interés del gobierno de Su Majestad Británica en tan horroroso crimen cometido contra dos de sus súbditos. Refrenó pues sus ánimos y agradeció a don José María de Bocanegra la pronta audiencia que le había concedido. El ministro mexicano lo despidió con sus modales suaves y corteses, acompañándole hasta la puerta de su despacho, y le expresó sus condolencias personales y las de su gobierno "por el lamentable fallecimiento del distinguido artista británico y su compañera". El general Valencia, en cambio, cuya oficina estaba en la planta baja, lo hizo esperar cerca de diez minutos, pero cuando Pakenham fue introducido por un oficial a su despacho, el militar ya estaba perfectamente enterado de la tragedia y hasta de sus consecuencias, esto es, del éxodo de visitantes de Tacubaya que había provocado. Valencia no tenía el ascendiente moral de Bocanegra ni sus modales refinados, pero era un hombre claro, directo y preciso. Hasta el propio general Presidente don Antonio López de Santa Anna le tenía respeto, y en el fondo de su relación había una conocida rivalidad. Valencia poseía una de las casas más suntuosas de la ciudad y se veía claramente que el dinero no le faltaba. Las malas lenguas decían que había aprovechado sus puestos militares y administrativos para amasar una nada despreciable fortuna a ciencia y paciencia de Santa Anna, quien al dejarlo que se corrompiera, lo exhibía y desgastaba. Recientemente le había permitido adquirir a un precio simbólico la hacienda de Tepujaque y administrar con manos libres el Fondo Pío de las Californias. Sin embargo Valencia era respetado por su espíritu castrense, por su capacidad de organización y porque había logrado no pocos éxitos en la difícil tarea de combatir a los asaltantes que pululaban en los caminos, sobre todo en el que comunicaba al puerto de Veracruz con la ciudad de México. Era el hombre adecuado para dedicarse al conocimiento del doble crimen. Incorporándose del sillón, moreno, de bigote, con su brillante uniforme —pechera roja, botones y charreteras de oro, sardinetas ornadas de laurel—, el general extendió la mano:

—Señor ministro Pakenham, estoy verdaderamente trastornado por el asesinato cometido en la persona del artista Egerton y de su esposa. Lo lamentamos sobremanera. Desde temprano tuve las primeras noticias y ya ordené que una compañía de soldados de la guarnición de la plaza apoye a la policía de Tacubaya y revisen palmo a palmo la zona vecina para buscar al asesino o cualquier rastro que conduzca a su identificación. El informe de la garita de Belén es que ayer en la noche no la cruzó ninguna persona sospechosa, por lo que supongo que el posible autor o los autores de tan horrible asesinato podrían todavía encontrarse en los alrededores de Tacubaya, en La Piedad o más al sur, hacia Xola, por el rumbo de Nonoalco o los Olivares. También esos parajes están siendo investigados ya. El general Presidente, que está precisamente en Tacubaya, recibió un informe sobre los hechos, el cual le produjo mucha molestia y tristeza, y me transmitió sus instrucciones de no escatimar esfuerzo alguno para que este lamentable asunto quede solucionado cuanto antes. Por mi parte, suplico a Su Excelencia que su Legación nos proporcione toda la información que posea sobre la vida y las costumbres del señor Egerton, pues, así como podría tratarse de un asalto eventual, sería conveniente, como mera hipótesis, pensar también en un hecho premeditado.

Pakenham había escuchado todo con gran atención y se congratuló por haber ido a visitar al militar. Lo que había oído de su boca le parecía una demostración de la eficiencia del comandante general y una buena muestra de su voluntad para aclarar el asunto.

—Muchas gracias, Excelencia —le dijo—. Hablaré con el hermano de la víctima, el señor William Henry Egerton, y haremos llegar a usted la información que desea en la medida que la obtengamos. Suplico a Su Excelencia que nos tenga al corriente del resultado de las investigaciones.

—Así será, señor ministro. No abrigue usted la menor duda de que este asunto habrá de aclararse.

Cuando salió de las oficinas de Gabriel Valencia, escoltado por el mismo oficial que lo había introducido, Pakenham pensó que, después de todo, estos militares, que fueron realistas e iturbidistas y luego se volvieron insurgentes y republicanos, no habían resultado tan malos como se decía en voz baja en algunas tertulias y cafés de la ciudad.

FUE TRISTE el espectáculo de la llegada de los cuerpos de Egerton y la señora Edwards a la Casa de los Abades. Venían en sendas parihuelas, portadas por policías y voluntarios, y cubiertos con blancos lienzos. Las puntas del rebozo de Mariana todavía asomaban bajo la sábana del que conducía a don Florencio o don Daniel Thomas, cuando las camillas pasaron por entre el portón abierto sólo a la mitad, en señal de duelo, y fueron depositadas en el interior. Docenas de curiosos los habían acompañado. El cónsul Mackintosh y el juez Guimaret estaban también presentes. El segundo había enviado un propio al señor gobernador del Departamento de México, como se llamaba desde la época centralista al antiguo Distrito Federal. El primero fue informado por Ward que el ministro Pakenham ya conocía del crimen gracias a Brantz Mayer. Ambos sabían que la noticia había corrido como reguero de pólvora y que muchos de los visitantes que huyeron de Tacubaya la diseminaban por donde iban pasando en su camino a la capital.

El gobernador del Departamento se apersonó pocos minutos después de la llegada de los cadáveres que el juez de paz había entregado oficialmente, junto con las llaves de la casa, al cónsul inglés. El señor licenciado don Luis Gonzaga Vieyra, burócrata cincuentón, hizo solemne entrada al lugar para presentar sus condolencias y aseverar que el general Presidente don Antonio López de Santa Anna, a quien acababa de dejar, estaba consternado por el suceso. Vestido con un levitón negro, pero acompañado por un ayudante militar, el "gobernador antiveletas", llamado así porque hacía poco había dado orden de retirar todas las veletas de las casas y edificios "¡pues atraían los rayos!", hizo sentir su rango y su importancia unidos a su atención por el señor cónsul británico y el señor *attaché* Ward. Manifestó que ya se habían girado órdenes para agotar todas las pesquisas posibles, y enfrente de todos reiteró a don Enrique Guimaret las instrucciones más expresas y vehementes para que practicara de inmediato las diligencias y los interrogatorios preliminares, lo que el juez empezó a cumplir ahí mismo, pidiendo declaraciones pormenorizadas a Mariana Tamayo y Cástulo Tovar, los apesadumbrados sirvientes de Egerton, quienes refirieron todo lo que sabían con lujo de detalles, después de que varias almas caritativas les dieron a beber un buen jarrito de mezcal para que se tranquilizaran. Mientras tanto docenas de soldados que habían llegado casi simultáneamente al gobernador se extendieron por las magueyeras vecinas, camino a Nonoalco y a Xola, e iniciaron una minuciosa batida en busca de sospechosos. A las once treinta de la mañana hizo su arribo el juez cuarto de lo Criminal, licenciado don José Gabriel Gómez de la Peña, quien fue avisado tardíamente del suceso y que, sustituyendo a Guimaret, comenzó a instruir el sumario.

Pasado el mediodía, cuando se iniciaba la retirada de curiosos, se detuvieron frente a la Casa de los Abades dos carruajes de esos que llaman *bombés* por su forma de globo, tirados cada uno por cuatro mulas, que venían del rumbo de Belén. Descendieron de ellos los respetables doctores profesores Galinzowsky, Mackerenei y Egewich —muy conocidos en la capital—, a quienes se les había avisado para que reconocieran los cadáveres. Venían cargando sus maletines negros, acompañados del joven practicante de medicina menor en la sala de cirujía del Hospital de San Andrés, José María Barceló y Villagrán, alumno aventajado del profesor Egewich. Los doctores pidieron que les dejaran solos con los cuerpos, que les llevaran agua fresca, unas esponjas y unas toallas, y se encerraron en la recámara de las víctimas en donde practicaron el delicado y necesario reconocimiento anatómico en presencia del juez Gómez de la Peña. Del certificado que después rindieron y se anexó al expediente de la causa se desprende que encontraron en el cadáver de Egerton nueve heridas punzocortantes, cuatro en la cara y cabeza y las restantes cinco en la caja del cuerpo, de las cuales dos más profundas en el pecho. En el de Agnes Edwards apreciaron una sola herida penetrante en el costado derecho, aunque no de necesidad mortal; una mordida en el vientre que habiendo roto la piel dejó marcada la huella de los dientes de quien la causó; varias desgarraduras en el cuello, como fuertes rasguños; los codos raspados y con golpes contusos como los presentan las personas que hacen esfuerzos para levantarse del suelo; los carrillos, la nariz y el labio superior cárdenos e inflamados por golpe contundente; el cuero cabelludo hinchado y desprendido en partes del casco; muerto el feto del sexo masculino que tenía en el vientre, próximo a nacer, y las partes genitales con signos claros de una violación.

Concluyeron afirmando que Egerton había fallecido por las heridas del pecho, mortales de necesidad en el acto; que la Edwards había muerto estrangulada después de haber sufrido una prolongada violencia, causa única de la muerte del feto, y que las heridas de ambos cadáveres habían sido inferidas con una misma arma, angosta, triangular y al menos de un pie de longitud.

FUE UN CHOQUE para William Henry Egerton enterarse en la calle del asesinato de su hermano. Ese mediodía iba caminando con su amigo Charles Byrn bajo los arcos del portal de Mercaderes cuando vio que algunas personas desconocidas lo señalaban. Una de ellas, un caballero, quitándose el sombrero, se acercó a él:

—Perdone usted, señor, ¿se apellida usted Egerton? —le preguntó.

—Así es. Soy Guillermo Egerton para servir a usted...

—¿Es usted pariente de don Florencio Egerton? —agregó aquél con voz insegura.

—Por supuesto. Es mi hermano, aunque su nombre correcto es Daniel Thomas...

El extraño le interrumpió:

—¿Y no sabe usted nada de él?

—¿Qué quiere usted decir? Lo vi apenas ayer. Estuvo conmigo buena parte de la tarde después de que comimos juntos, con este caballero, el señor Byrn.

El desconocido hizo un gesto de preocupación.

—Discúlpeme usted, señor Egerton —expresó—. Yo soy José del Valle y acabo de llegar de Tacubaya. Resulta que su hermano don Florencio y su señora esposa —no sé su nombre— parece que han tenido, digamos, un accidente. Un accidente grave. Muy grave. Perdóneme por darle esta mala noticia, pero, ¡han sido asesinados anoche!

—¿Qué dice usted? —casi gritó William Henry—. No es posible. Le digo que ayer estuvimos con él.

—No lo dudo don Guillermo —dijo Del Valle—, pero en la noche, como a las ocho, los perros que lo acompañaban a él y a su señora esposa en un paseo regresaron solos a la Casa de los Abades, y hoy en la mañana sus propios sirvientes encontraron sus cuerpos en un camino cercano. Discúlpeme usted otra vez. Pero es mejor que lo supiera.

Un mazazo hubiera golpeado menos al hermano del infortunado artista. Charles Byrn por su parte se quedó sin habla. ¡Daniel Thomas! Apenas el día anterior habían departido juntos. ¡No era posible! No lo querían creer. Ambos ingleses volvieron las espaldas a don José del Valle, haciendo un gesto que era entre mueca de angustia y agradecimiento, y emprendieron el regreso al hotel Vergara que estaba a sólo unas cuadras. Cuando llegaban, el ministro Pakenham detenía su caballo a la puerta.

Los POLICÍAS de Tacubaya y los soldados habían arrestado a varios *tlachiqueros*, cargadores y léperos sin oficio que encontraron en las cercanías de Pila Vieja o Xola durante la mañana y que entregaron al juez de paz, quien inmediatamente los puso

a disposición del juez cuarto de lo Criminal. Don José Gabriel
Gómez de la Peña los interrogó a conciencia y pudo percatarse
de que ninguno tenía nada que ver con el crimen; se trataba de
curiosos que fueron atraídos al lugar, muchas horas después del
asesinato, por el mismo alboroto que éste provocó en el pueblo
y sus aledaños, o de personas que venían de la ciudad a buscar
trabajo o a vender algo, algunas conducían leña a lomo de
mula, o cargaban arena en sus burros. Sin embargo, entre los
detenidos se localizó a uno de nombre Ponciano Tapia, aprehendido cerca del rancho de Xola. Resultó ser un reo fugado
de la cárcel de la ex Acordada en el año de 1840, donde se
encontraba sentenciado por el delito de robo, y se le volvió a
remitir al penal después de que el juez lo interrogó con minuciosidad sin obtener ningún indicio que lo vinculara con el doble
crimen. También quedó preso Cástulo Tovar, el criado de la
pareja victimada. Cuando Pakenham, William Henry Egerton
y Charles Byrn llegaron a la Casa de los Abades era plena tarde y caía un aguacero. Junto al triste espectáculo de los cuerpos
ya amortajados y colocados en dos ataúdes de madera de pino,
únicos que se consiguieron en el pueblo, se encontraron con
que las autoridades no tenían aún la menor idea de cómo habían
sucedido los hechos ni de quién o quiénes habían podido ser
los asesinos. Carecían de toda pista y aun de conjeturas y estaban dando palos de ciego, como, por ejemplo, con la detención
del pobre de Cástulo. El cónsul Mackintosh y el *attaché* Ward
se reunieron a conversar con los recién llegados en una de las
habitaciones, mientras la sala principal se comenzaba a llenar
de gente del pueblo que colocaba veladoras encendidas alrededor de los féretros y rezaba el rosario con una melodía cadenciosa y monótona. Después de todo Egerton y la Edwards
necesitaban esas oraciones, pues como en vida los pobres habían
sido protestantes, de seguro a estas horas estarían rumbo al
infierno.

D.T. Egerton: *La Ciudad de México desde la cañada de La Magdalena.*
Acuarela. Colección: Hernández Pons

3. Una misteriosa pareja inglesa

"Llegamos a México ayer por la tarde
y nos alojamos en una posada u hotel
que administra una mujer inglesa,
en donde se observa una limpieza aceptable,
aunque el lugar no es muy atractivo.
Hay un grupo de oficiales pronunciados
entre ellos el general . . .
que espero se vaya pronto
para que podamos disponer de su sala;
hay también una misteriosa pareja inglesa."

Madame Calderón de la Barca,
"Carta XLVI", en La vida en México.

[10, Calle de Vergara, México]

¿HABRÍA SABIDO la señora Frances Erskine Inglis de Calderón de
la Barca —nacida en Edimburgo, educada en Boston, esposa
de Ángel Calderón de la Barca, primer ministro de España en
México—, cuando escribió en su cuadragésima sexta carta (que
luego formaría parte de su libro *La vida en México*) sobre "una
misteriosa pareja inglesa" vista en la posada de la calle de
Vergara, que aquélla estaba formada por el paisajista Daniel
Thomas Egerton y su amante Agnes Edwards? Esta pregunta
se la hizo Brian Nissen cuando, repasando la época cercana al
asesinato en varios textos, tropezó con esas cuatro palabras en
el libro de la célebre marquesa. ¿Y habría llegado a conocer
la autora, quien escribió esas líneas hacia octubre de 1841, que
Egerton y su mujer fueron asesinados en Tacubaya menos de
seis meses después, cuando apenas habían pasado cuatro de la
partida de los Calderón de la Barca por Veracruz rumbo a
La Habana, precisamente la víspera de la fecha en que ella fir-
mara su última carta a bordo del *Medway*? Porque no cabía duda
de que cuando llegaron los Calderón al hotel del número diez de
la calle de Vergara, hoy calle de Bolívar, procedentes de la
Hacienda de San Javier en Tlalnepantla, donde habían pasado

unos días con la familia Fagoaga, mientras se resolvía el "pronunciamiento" que culminó con la proclamación del Plan de Tacubaya, por el triunfador Santa Anna, el 28 de septiembre de 1841, allí estaban hospedados el pintor y la señora Edwards, según claras constancias históricas sobre el particular. A Nissen le agradó sobremanera que el traductor de esa edición mexicana del famoso libro, publicada en 1959, el erudito don Felipe Teixidor, hubiera escrito una larga nota subrayando que la "misteriosa pareja inglesa" eran los Egerton. Teixidor se había preguntado también:

> ¿Y no es sorprendente ese don de la escritora, tantas veces manifestado, en descubrir indicios ocultos a la mayoría? No escapó a su mirada, en los fugaces encuentros del ir y venir de una fonda, lo que de extraño ofrece al que sabe ver, el amor clandestino. Y a éste el misterio le acompañó hasta la hora de la muerte.

Al leer este párrafo Brian Nissen se dio cuenta de lo difícil que resultaba ser el detective de un crimen cometido hace casi siglo y medio, pero también concluyó que resultaba sumamente interesante. Aceptando la aguda reflexión de don Felipe Teixidor la llevó más adelante: madame Calderón había notado algo en Egerton y en Agnes, pero los había llamado "pareja", esto es, no parecía muy sorprendida por su "amor clandestino" como aseguraba el erudito traductor, y siendo anglosajona resultaba más liberal para esas cosas que la mayoría de los mexicanos. Era evidente que la esposa del ministro español había percibido algo más: un halo de suspicacia, de ocultamiento, una reticencia de los ingleses para codearse con los demás, como si temieran algo. Brian unió estos datos a los que empezaba a conocer por otras fuentes de su investigación, que ya llevaba varias semanas, y que conducían a la presunción de que el pintor y su mujer se habían mudado de la Fonda de Vergara a la Casa de los Abades, en Tacubaya, desde febrero, no sólo por enconder su amor clandestino, que en ese tercero o cuarto mes del embarazo de Agnes ya era inocultable, sino buscando soledad, alejamiento, quizás protección. También era notorio que Egerton se había cambiado el nombre, Daniel Thomas, que era el suyo genuino y con el que se había registrado en su legación, por el de Florencio, lo que indicaba una clara aunque ingenua variación de su propia identidad, que sólo podía obedecer a un propósito de ocultamiento o disfraz. Asimismo se supo que los sacrificados no hicieron amigos en Tacubaya y que sólo se les veía por las calles cuando daban alguno de sus paseos, que preferían dirigir hacia parajes solitarios en las afueras del pueblo. Para Nissen ese dato era relevante. Egerton y Edwards huían de algo que los amenazaba a los dos o a uno de ellos. Y quizás ahí pudiera estar la clave del asesinato, si se toma en cuenta que las víctimas del doble crimen no fueron despojadas de los anillos de oro y otros objetos de valor que llevaban consigo, toda vez que después se supo que el pintor había regresado de la ciudad de México al atardecer, luego de haber almorzado con su hermano y un amigo, llevando en la bolsa veinte pesos, de los cuales había gastado o cambiado uno para comprar cigarros puros. Sólo se encontraron dieciséis sobre su mesa, por lo que se supone que llevaría en la bolsa poco más de tres pesos.

Otro dato que hacía pensar a Brian Nissen sobre la intencionalidad o premeditación del asesinato lo constituía el famoso letrero o tarjeta de cartón con la leyenda "Florencio Egerton. Casa de los Padres Abades. Tacubaya", que había aparecido sobre el pecho del cadáver de Agnes Edwards. Este detalle era de la máxima importancia, se dijo. Sólo un asesino que conoce perfectamente bien a su víctima deja un letrero semejante sobre su cadáver, no así un asaltante eventual. En el caso concreto el letrero equivalía a una remisión, a un mensaje que parecía apuntar a que enviaran el cuerpo de Agnes Edwards a la casa de Egerton. Ahora bien, si ésa había sido la intención del asesino, podía significar que el crimen en contra de la Edwards se había realizado antes del de Egerton, o que el autor material del sacrificio de la mujer no sabía que unas varas más allá el marido o amante de aquélla había sido inmolado también. Nissen aceptó que éstas eran simples especulaciones, pero se había prometido explorar todas las hipótesis posibles y estaba cumpliendo esa promesa. La duda metódica era el mejor camino para descubrir un misterio así, como lo había vulgarizado un inglés justamente célebre: Sir Arthur Conan Doyle.

Siguiendo el hilo de sus pensamientos Brian llegó a la conclusion de que poco podría avanzar en el descubrimiento de los móviles del crimen si no poseía mayor información sobre la vida de las víctimas, especialmente sobre la del artista. Tenía que investigar profundamente para allegarse todos los datos que la historia pudiese haber dejado impresos respecto del tránsito de Daniel Thomas o Florencio Egerton por México, y también sobre su vida en Inglaterra. En cuanto a lo primero, las biografías de Manuel Romero de Terreros y de Martín Kiek aseguraban que el pintor había aparecido por vez primera en México hacia fines de 1831 o principios de 1832, y que había regresado a Inglaterra, vía Estados Unidos y Canadá (en donde pintó las Cataratas del Niágara), hacia 1836. Que permaneció en Londres hasta después de 1840, año en que, además de participar en algunas exposiciones, editó su famoso portafolio de litografías *Views in Mexico*. Afirmaban que antes de su primer viaje ya había contraído matrimonio en Inglaterra con la señora Georgiana Marshall,[4] con quien tuvo tres hijas, pero se había separado de ella. Otra de las biografías de Egerton que, como las dos anteriores, aparecía como una noticia preliminar en las sucesivas ediciones mexicanas de las litografías, se debía a la pluma del historiador don José C. Valadés, quien aportaba un dato importante: Egerton había visto la primera luz en Hampstead, entonces un pueblo cercano a Londres, situado sobre una alta colina dominante sobre la ciudad, el 18 de abril de 1800.[5] Nissen no pudo menos que reflexionar que el paisajista había nacido en las partes altas de una gran ciudad y había sido asesinado en las lomas de otra. Hampstead y Tacubaya cerraban un extraño círculo de alturas suburbanas en la casi desconocida biografía de su paisano. Y él mismo, Brian Nissen, había nacido casi un siglo después del asesinato, había vivido en Hampstead y su estudio, durante su estancia de diecisiete años en el país del crimen, se ubicaba precisamente en Tacubaya, antiguo pueblo incorporado en el siglo xx al centro de la ciudad

---

[4] Brian Nissen descubrió después que el verdadero nombre de la esposa de Egerton era Georgiana Dickens, de Essex, con quien casó el 25 de febrero de 1818.

[5] En realidad 1797, como también Nissen supo posteriormente.

de México, como Hampstead está en la actualidad integrado a Londres. Las coincidencias y puntos de contacto entre él y el infortunado artista le producían escalofríos, pero también lo incitaban a profundizar la investigación y continuar la tarea.

Decidió entonces hacer un viaje a la ciudad de México y otro a Londres para recorrer las principales bibliotecas y archivos en busca de datos, pero unas semanas antes escribió a algunos amigos en ambas ciudades, rogándoles que le facilitaran todos los que fueran fácilmente localizables. Virtudes Mier, una despierta chica mexicana que trabajaba en la Embajada de su país ante el gobierno del Reino Unido, hizo una magnífica investigación en el Museo Británico y le envió fotocopias de las páginas de todos los diccionarios especializados en arte que incluían a Daniel Thomas Egerton como pintor y grabador inglés del siglo xix. Las notas eran escuetas, casi telegráficas. Todas coincidían en señalar que el artista había sido asesinado en Tacubaya, México, aunque algunos consignaban el nombre del pueblo con deformaciones ortográficas; alguna nota más amplia hacía una relación de los principales cuadros expuestos por Egerton en la Sociedad Real de Artistas Británicos, de la cual llegó a ser tesorero. Pero nada más. Ninguna referencia a su vida privada, ni a sus estudios.

Un lunes en la noche, Brian tomó el avión de la *British Airways* que lo depositó a las siete de la mañana, hora de Greenwich, del día siguiente en su natal Londres. Allí persiguió el rastro bibliográfico de Egerton por varios días. En la biblioteca del Museo Británico tuvo en sus manos un original del estupendo portafolio de litografías *Views in Mexico*, coloreadas por el autor con toda seguridad, y comprobó las referencias de los diccionarios en los amplios ficheros. Pero en el *Victoria y Alberto* tuvo más suerte porque encontró un libro de dibujos caricaturescos hechos por "D.T. Egerton" sobre textos de un tal Peter Quiz, que le pareció muy revelador de la época juvenil del pintor, y le mostró su estilo de dibujar cuando sólo tenía veinticuatro años. Encargó un microfilme de ese libro, llamado *Fashionable Bores* o *Coolers in the High Life*, y pidió que se

lo enviaran a Nueva York. Luego consultó los *Anales de Hampstead* que le dieron una buena idea del ambiente que tenía ese
pueblo en donde nació Egerton, durante la primera mitad del
siglo XIX, y que en una de sus páginas publicaba una viñeta
sacada del *Fashionable Bores*, titulada "Trial of Nerves" referente a un duelo en Chalk Farm, pero que no añadía ninguna
referencia sobre su autor. Por último, y dado que no disponía
de más tiempo para permanecer en su ciudad natal, Brian Nissen hizo algo que ningún inglés responsable debe hacer. Penetró
en una caseta telefónica y arrancó del segundo tomo del direc-
torio de la ciudad de Londres la página número 27, en donde
aparecen los nombres y direcciones de treinta y nueve personas
que llevan el apellido Egerton, y a quienes se propuso escribir
para hacerlas participar en una extraña y anacrónica encuesta
orientada a establecer si entre los antepasados de cualquiera de
ellas reconocían a un pintor llamado Daniel Thomas, asesinado
en Tacubaya en 1842.

DE REGRESO al *downtown* neoyorkino, Brian Nissen redactó con
mucho cuidado un modelo de carta para enviar a todos los
londinenses que se apellidaban Egerton y tenían teléfono. Les
refería su interés por aclarar parte de la historia de Inglaterra
y de la de México, que habían hecho vértice, durante algún
tiempo, en la vida y muerte de Daniel Thomas Egerton. Daba
las principales datos sobre su trágico fin y su labor pictórica
"en ese país latinoamericano", y terminaba pidiéndoles que si
tenían alguna noticia sobre el pintor o lo consideraban su pariente, le escribieran unas líneas a Nueva York con todos los
detalles, prometiéndoles que por su parte les comunicaría hasta
sus más mínimos hallazgos. Cuando la carta le pareció satisfactoria, le pidió a su secretaria Anawit Piloyan que la mecano-
grafiara con sumo cuidado, ordenó cuarenta fotocopias en una
tienda especializada de la calle Cooper, a dos cuadras de su
casa, puso treinta y nueve de ellas debidamente firmadas en
otros tantos sobres y los rotuló con cada uno de los nombres y
domicilios de los Egerton que aparecían en la página del direc-
torio telefónico. Guardó la copia sobrante para el archivo que
Anawit ya le estaba formando en unas carpetas con hojas de

plástico transparente, depositó las cartas en un buzón cercano y decidió esperar las respuestas... si éstas llegaban.

PERO ESTO NO QUERÍA decir que Nissen perdiera el tiempo. Seguía buscando libros, acudiendo a la Biblioteca Pública de la ciudad, escribiéndole a amigos amantes de la historia, acopiando información. Cierta tarde, que repasaba una edición mexicana del *Vistas de México*, la cual tiene en la portada la reproducción facsimilar de la muy clara y legible firma de "D.T. Egerton", y otra de la primera página de la publicada por el autor en el número 5 de Tavistock Row, en Covent Garden, con fecha primero de julio de 1840, e impresa por James Holmes, de Took's Court número 4, en Chancery Lane, Londres, cayó en la cuenta de que Egerton no sólo era un estupendo grabador y litógrafo, sino un escritor claro y convincente pues cada una de sus doce láminas las había hecho imprimir acompañadas de cortas pero completas y sobrias descripciones literarias de los lugares que reproducían. Cuando Nissen llegó a la décima litografía, titulada originalmente "The City of Mexico", que presenta una vista de la ciudad desde las alturas de Tacubaya, por encima del Palacio Arzobispal, teniendo en un plano medio y al centro el castillo de Chapultepec, se percató de que el panorama comprendido en la misma se extiende hacia el principio de las magueyeras que se prolongaban entonces del pueblo hacia el sur bordeando el camino a Nonoalco. Nissen no pudo menos que emocionarse. ¿Coincidencia o premonición? ¿Qué hizo que la víctima pintara, ocho años antes, la zona del sacrificio? Pero una de las acuarelas publicadas en el mismo libro, a continuación de las litografías, como pertenecientes a "colecciones particulares", le fue aún más impresionante, pues en su plano central aparece la ex hacienda de la condesa de Miravalle, que el texto explica fue después la casa de la familia Gómez de Parada y se transformó, ya en el siglo xx, en la actual sede de la Embajada de la Unión Soviética. Al centro se ve la calzada de Tacubaya que, al pasar la Alameda local, algunos de cuyos árboles se divisan al fondo, se convierte en el camino a Nonoalco, el cual va hacia el sur, rumbo al pueblo de San Ángel y al Ajusco, imponente montaña que se destaca en el horizonte.

¡Brian Nissen sintió un estremecimiento, pues Daniel Thomas Egerton no se había limitado a pintar las lomas de Tacubaya vistas desde el Arzobispado y el inicio de las fatídicas magueyeras sino que había recogido en una acuarela el comienzo del propio camino que recorrió por última vez con Agnes Edwards hasta su destino de Pila Vieja, el 27 de abril de 1842!

D.T. EGERTON: *Tacubaya desde la Hacienda de la Condesa.*
Dibujo a tinta diluida. Colección: Hernández Pons

4. El llanto de La Bruja

"¿Qué haremos con los cuerpos
de los [ingleses] que mueran en el país?
Sólo se me ocurren cuatro arbitrios
para disponer de ellos, a saber:
enterrarlos, quemarlos, comérselos
o exportarlos."

Discurso del senador Juan de Dios Cañedo.

[México, 1824]

LA NOCHE DEL VIERNES siguiente al terrible suceso, Brantz Mayer escribió en su diario, que luego publicaría como libro:

> En un rincón situado en el ángulo noroeste de la ciudad de México, pasando por la garita de San Cosme, se halla el Cementerio Inglés, oculto entre árboles y flores por la parte que mira a la ciudad y abierto al poniente hacia un suave paisaje de llanura. Allí fueron depositados, una junto a otra, las desdichadas víctimas. Pocos espectáculos más tristes que el que presentaba ese grupo de "extranjeros en tierra extraña" que se congregaron alrededor de la tumba de sus amigos asesinados en la melancólica tarde de su entierro.[6]

Así fue. En el panteón de la Tlaxpana, convertido dieciocho años antes en el Cementerio Inglés, los cuerpos de Daniel Thomas Egerton y Agnes Edwards, de 45 y 20 años de edad, respectivamente, fueron sepultados en las fosas contiguas números 132 y 133, que indicaban la cantidad exacta de ciudadanos británicos que habían sido enterrados en ese lugar desde 1824, fecha en que se ratificó el Tratado de Comercio entre Inglaterra y México, el cual hacía inaplicable para aquéllos el artículo correspondiente de la Constitución Federal de ese mismo año que, considerando a la católica como única religión de Estado,

---

[6] Brantz Mayer, *México as it was and as it is*, New York, 1844, p. 158.

fundaba la prohibición de que los cuerpos de las personas que no la profesaran fueran sepultados en los camposantos, los cuales estaban bajo la administración de esa Iglesia y —por tanto— a la disposición exclusiva de sus feligreses. Henry George Ward, en su libro, recordaba perfectamente bien los incidentes de la aprobación del Tratado y la acalorada discusión que provocó en el Senado de la República. Los senadores más "mochos" o conservadores atacaron el documento porque contenía provisiones que autorizaban al Consulado Británico a celebrar matrimonios y registrar nacimientos de los súbditos de Su Majestad, pero, sobre todo, por la cláusula que les concedía el uso del panteón de la Tlaxpana como cementerio para que pudieran sepultar ahí a sus anglicanos, protestantes o "herejes" súbditos. En esa tormentosa sesión, don Juan de Dios Sebastián de Cañedo y Zamorano de la Vega, senador por Jalisco, de 38 años y muy sarcástico e ingenioso había contestado:

> Aunque en principio estoy de acuerdo en todo con mis ilustres colegas, no dejo de considerar algunas dificultades de carácter práctico para llevar a buen fin los deseos de los que me han precedido en el uso de la palabra... ¿Qué haremos con los cuerpos de los [ingleses] que mueran en el país? Sólo se me ocurren cuatro arbitrios para disponer de ellos, a saber: enterrarlos, quemarlos, comérselos o exportarlos. Lo primero mis distinguidos colegas parecen objetarlo; lo segundo, podría resultar a la postre un inconveniente tomando en cuenta la escasez de combustible; en el tercero, me apresuro a declarar que declino cualquier participación en el mismo; y en cuanto al cuarto, no estando incluidos los cadáveres de los heréticos entre las mercancías de exportación mencionadas en el Arancel, temo que una innovación semejante podría poner en aprietos a los empleados aduanales de nuestras costas. Por lo tanto, haciéndome cargo del problema en su aspecto general me inclino por el entierro, pues me parece que, de los cuatro arbitrios, éste es el más factible.

El artículo impugnado fue aprobado por una gran mayoría.

DE LA CAPILLA que antes había sido católica, adonde se les depositó unos minutos para que sus acompañantes rezaran una silente oración, los féretros de Egerton y la Edwards pasaron a un cercano rincón florido. Ahí, al pie de un fresno, debían ser enterrados por unos sepultureros indígenas de camisa y calzón que antes debieron ser blancos, pero que con el lodo del camposanto habían perdido su candidez. El ministro Pakenham pronunció unas palabras en inglés haciendo breve apología de la vida artística de Egerton y también de sus inquietudes científicas, pues desde que ascendiera al volcán Popocatépetl, acompañando al barón de Gros, entonces encargado de negocios de la Legación francesa, y a don Federico von Geroldt, de la prusiana —quienes se encontraban ese día entre los asistentes—, se le consideraba también como un científico, amante de medir temperaturas y presiones atmosféricas e investigar los nombres criollos de los minerales y las plantas. Pakenham, que vestía de rigurosa levita negra, como Ward, Mackintosh y los demás diplomáticos, tuvo palabras de condolencia, en nombre de toda la colonia británica, para William Henry Egerton, el hermano mayor de la principal víctima, y clamó porque se aprehendiera y castigara cuanto antes al o los asesinos, aunque ya todo mundo cuchicheaba que tenía que tratarse de un crimen cometido por varias personas, dada la profusión de las heridas del pintor, la aparente rapidez con la que fue sometido y la tremenda violación de Agnes, cuyo cuerpo mostraba huellas de haber luchado contra más de un ultrajador. Por cierto que Pakenham sólo hizo una breve y discreta referencia a aquélla, llamándola "Mrs. Edwards".

Mientras las paletadas de tierra parda y fresca caían sobre los ataúdes y llenaban las fosas, los amigos y conocidos de Daniel Thomas o Florencio Egerton meditaban. Charles Byrn trató de elaborar mentalmente un programa para tener ocupado y distraer al hermano de la víctima durante los días siguientes. Brantz Mayer pensó que era imposible describir el horror con el que todas las clases sociales de México habían recibido este espantoso episodio y lo mucho que deseaban que los monstruos perpetradores de estos crímenes fueran descubiertos cuanto antes, todo lo cual también escribiría después en su diario. El barón de Gros no podía entender por qué inexplicable coincidencia el ascenso que había hecho con el infortunado Egerton al Popocatépetl —"cerro que humea"— había sido precisamente

El *conde de La Cortina*. Litografía

un 28 de abril —el de 1834 para ser exactos— o sea ocho años justos antes del jueves anterior, día en que se había descubierto el crimen. Von Geroldt recordaba también esa hazaña común, pero sin tener conciencia de la fecha exacta; en cambio revivía los momentos en que —cuando llegaron a la cumbre— el maravillado Egerton tomó su cuaderno de dibujo y realizó unos escorzos del humeante cráter y de los bordes del cono nevado, bajo el sol primaveral que también inundaba los dos valles, el de México al noroeste y el de Puebla al sureste. Esos apuntes se habían convertido después en varios impresionantes cuadros al óleo sobre el volcán, con una proyección que únicamente podía desarrollar alguien que era no sólo un artista sino un profundo conocedor de la geodesia. William Robert Ward, por su parte, no podía dejar de pensar en las charlas de su ilustre tío Henry George, quien le había referido las grandezas de México e impulsado y recomendado para que viniera a trabajar a la Legación inglesa en ese país. Como si hubiera tenido lugar ese mismo día, William R. Ward recordaba haber oído decir a su tío que antes de que se aprobara y ratificara el Tratado de Comercio entre México y Gran Bretaña, que permitió la existencia del Cementerio Inglés en que ahora se encontraban sepultando a Egerton y a Agnes Edwards, había muerto en un accidente de cacería un caballero amigo suyo, el señor Augustus Waldegrave, y que el encargado de Negocios de Su Majestad había tenido que inhumar el cuerpo de su amigo en el jardín de su propia casa, que también se encontraba en el pueblo de Tacubaya. Por lo menos ahora, pensó el joven Ward, nuestros deberes diplomáticos no comprenden el de enterrar a los ciudadanos ingleses en medio de las margaritas y floripondios que uno ve todos los días desde la ventana de la cocina.

También asistió al triste entierro, y se encontraba muy cerca de las fosas, don José Justo Gómez, conde De la Cortina, a la sazón presidente de la Junta de Hacienda, político, escritor y famoso crítico literario (de los primeros que hubo en el país), el cual había nacido en México, se había educado en España, fungido como diplomático de Fernando VII y vuelto a su terruño en 1832. En ese año había conocido a Daniel Thomas Egerton debido al interés de éste por la ciencia y sus aplicaciones prác-

Don *Nicolás Bravo*. Litografía

ticas, toda vez que el conde De la Cortina participaba entonces
en la redacción del "Registro Trimestre", suplemento del *Registro Oficial,* órgano del gobierno conservador del general Anastasio Bustamante, que se dedicaba precisamente a tal divulgación científica. El conde recordaba aquella tarde algunas pláticas
con el pintor inglés, quien solía escuchar con gran atención el
relato de sus viajes por Francia y Alemania y sus entrevistas
con Chateaubriand, el barón de Humboldt, Benjamin Constant
o el abate Sièyes. Ambos habían nacido aproximadamente en la
mismo época y se sentían coetáneos y copartícipes de la forja
de una nueva nación americana que los dos habían escogido
voluntariamente para vivir; el británico porque había venido
expresamente a conocerla y pintarla y se enamoró de ella; el
mexicano porque, habiendo nacido novohispano —en 1799— y
servido al gobierno español en puestos muy importantes, como
sus legaciones en Austria, Inglaterra y Francia, había preferido
abandonar su carrera en la península para rehacerla en su país
de origen, al que amaba y criticaba con idéntica pasión. La relación entre Egerton y De la Cortina había sido de carácter profesional, marcada por preocupaciones comunes y muy interesantes
discusiones.[7]

MÁS ALLÁ SE ENCONTRABA Leandro Iturriaga y Murillas, descendiente de vascos, propietario y comerciante orizabeño, de cuarenta y tres años, amigo del paisajista y su hermano de logia masónica. Asistían igualmente al acto luctuoso el barón Alleye de
Ciprey, ministro de Francia, y el señor Waddy Thompson, representante de los Estados Unidos, quienes demostraban así su solidaridad con el ministro Pakenham, decano del reducido cuerpo diplomático. Más atrás se veía al doctor Egewich que honraba su
profesión acompañando a su última morada a los cuerpos cuyo
reconocimiento había dirigido. Junto a ellos se encontraba el
general Nicolás Bravo, destacado insurgente de la primera época, quien fuera Presidente de la República por sólo nueve días,

[7] El Conde la Cortina fue el primer presidente del Instituto de Geografía y Estadística, en 1833. Ver María del Carmen Ruiz Castañeda,
El Conde la Cortina y el Zurriago Literario, México/UNAM, 1974. Cuadernos del Centro de Estudios Literarios.

en 1839, masón escocés del más alto grado y diputado constituyente electo; frisaba los cincuenta y seis años, y algunos lo
consideraban proespañol por el hecho de que durante la guerra
de Independencia otorgó el perdón y la libertad a varios cientos de prisioneros "gachupines", a pesar de que los realistas
habían asesinado a su padre el día anterior. Cerca de don Nicolás Bravo se encontraba un militar más joven, de tipo marcadamente indígena, de poco más de treinta años, que se había
ganado ya el grado de teniente coronel. Era descendiente de
los señores tlaxcaltecas que intentaron oponerse al conquistador
Hernán Cortés y acabaron siendo sus aliados, aunque Cortés
les pagó mal pues a uno de ellos lo mandó ahorcar cuando la
toma de Tenochtitlan. Se llamaba Felipe Santiago Xicoténcatl
y, como el general Bravo, había conocido a Egerton en la logia
masónica a la que solían concurrir.

A unos pasos de los anteriores se destacaba por su robusto
y fuerte porte un español casi sesentón que era correo de la
Legación Británica, don Rafael Veraza, quien dominaba el idioma inglés y era muy estimado en los medios diplomáticos y
comerciales. Tenía la particularidad de recorrer las cien leguas
que van entre Veracruz y la ciudad de México, que a otros les
tomaba cuatro días, en sólo treinta y seis o treinta y ocho horas,
pues no se detenía en las postas sino para cambiar montura, y
comía y dormía mientras cabalgaba. Había sido paje del duque
de Wellington y las guerras napoleónicas lo habían traído al
país como a muchos otros. Casado con una joven mexicana con
la que vivía en el puerto, un día se le veía a caballo en traje de
camino, atravesando de la costa al altiplano, sin ser nunca
molestado por los ladrones, y al día siguiente, elegantemente
vestido, paseaba con su bella mujer en la Plaza de Armas veracruzana. Era uno de los mejores auxiliares del ministro Pakenham, como lo había sido años antes de Henry George Ward.

Se encontraban también varios vecinos de Tacubaya, Mariana
Tamayo, la fiel cocinera, y diez o doce "léperos" curiosos
que se introdujeron al panteón cuando llegó el cortejo aquella
tarde tibia cuyo cielo encapotado presagiaba otro aguacero.
Atrás de todos los asistentes, como si se escondiera entre los
árboles, con la cabeza semicubierta por el rebozo, estaba una

bella mujer como de treinta años, una mestiza mexicana de grandes ojos y airoso talle a quien sin embargo pocos prestaron atención. Si lo hubieran hecho se habrían percatado de que sollozaba en sordina y que enormes lagrimones se escurrían por sus mejillas apiñonadas. Y si hubieran preguntado quién era esa mujer quizás alguien muy enterado les habría contestado que vivía por el rumbo de Mixcoac y que en la intimidad le llamaban "La Bruja".

Cuando cayó la última paletada de tierra y se musitó la postrer plegaria, varios ramos de espléndidas flores de primavera cubrieron los sepulcros. El cónsul Mackintosh dio unos reales como propina a los sepultureros locales, y el grupo de "extranjeros en tierra extraña" se disolvió después de acompañar hasta la verja del cementerio a don William Henry Egerton. Los mexicanos salieron un poco más tarde. Cuando todos habían abordado sus carruajes o sus caballos, o regresado a pie hacia la garita de San Cosme, entonces, sólo entonces, "La Bruja" se acercó solitaria a la tumba de Daniel Thomas Egerton y rompió a llorar como si ella también hubiera muerto un poco esa tarde.

5. *"Más allá de la capacidad de la Policía Mexicana"*

> "Lo único que aseguro es que en esta escena
> no hubo robo, ni intervinieron ladrones;
> que el origen fue de otra naturaleza,
> y tal vez el tiempo y la actividad
> lo podrán descubrir."
>
> *Un mexicano.* El Siglo XIX.
>
> [1o. de mayo de 1842]

> "Nosotros creemos que no es Tacubaya
> el lugar más a propósito
> para averiguar quién sea la persona
> del delincuente."
>
> El Observador Judicial y de Legislación.
>
> [México, 19 de mayo de 1842]

EL DOBLE ASESINATO había conmocionado a la ciudad capital de México, en donde no se hablaba de otra cosa. Lo mismo en las tertulias que en las calles, en las fondas y en los paseos, en los barrios licenciosos y hasta en las oficinas públicas y los cuarteles se comentaba el hecho con horror y se criticaba al gobierno porque la seguridad pública dejaba mucho que desear, como era evidente. El chisme amplificaba los detalles y exageraba sus consecuencias. Algunos decían que Inglaterra retiraría su reconocimiento a la República como represalia. Otros afirmaban que se trataba de una conjura estadounidense para distanciar a México y Gran Bretaña con objeto de que los americanos se apoderaran de las minas que ahora explotaban los ingleses. No faltaron quienes atribuían el crimen a la rivalidad entre logias masónicas, habida cuenta de la pertenencia de Egerton al rito escocés. Aquéllos ponían el acento en las características pasionales del delito, especialmente en la brutal violación de Agnes Edwards; éstos en que habíase cometido en despoblado. Las señoras mexicanas, mientras bordaban preciosidades y fumaban "cigarritos" que se llevaban a los labios con

[77]

unas tenacillas de oro o plata para no mancharse los dedos, comentaban que nunca más sería posible pasar las primaveras o los veranos en Tacubaya, dado que ya ninguna mujer podría aventurarse por sus calles y vecindades. Algunas calificaban a Agnes Edwards como "una cualquiera", pues se sabía que el pintor tenía en su patria mujer e hijos y ella había sido "una jovencita sin moral ni decencia". Lo mismo en el céntrico "Café del Cazador", que en los de Plateros, calle donde tenían sus talleres estos orfebres vernáculos, que en los mesones de "Los Migueles", "Los Cinco Señores" y "El Tornito de Regina", de mucha menor categoría, las conversaciones de los parroquianos versaban sobre el asesinato del paisajista y su amante y se encendían acaloradas discusiones que los antiguos realistas aprovechaban para proclamar que en tiempo de los virreyes no pasaban esas cosas pues aquéllos sí sabían proteger las vidas y haciendas de los habitantes del país. Los conductores de los coches llamados "de Providencia" (quizá porque al subirse había que acogerse a ella), antiguos e incómodos vehículos de alquiler, o de los ridículos *bombés*, esparcían sus comentarios entre los pasajeros, acusando a las autoridades de impotentes para capturar a los asesinos. Los barberos, por su parte, hacían lo propio pintando el doble crimen con matices marcadamente lúbricos y sanguinarios, mientras rasuraban a sus clientes, les cortaban el pelo o les aplicaban una sanguijuela. En los portales y las calles de empedradillo, en las tiendas de ropa, en los mercados como la Merced y el Volador, y alrededor de las garitas cuya vigilancia había sido redoblada después del trágico acontecimiento, la gente murmuraba que Santa Anna era el culpable de ese estado de cosas, y de los altos precios que tenía todo, pues el kilo de frijoles ya costaba casi veinte centavos, los jitomates a catorce centavos la docena, dos centavos cada bolillo de pan fresco, y la carne andaba por los cielos pues un par de buenos filetes sólo se conseguían por no menos de seis reales; además las sirvientas ya querían ganar cinco pesos al mes. ¡Y para colmo, este espantoso asesinato!

Un DIARIO muy importante —*El Siglo XIX*— publicó al día siguiente de descubrirse el doble crimen, el viernes 29 de abril, en la tercera columna de su página cuatro, una crónica del hecho bastante amplia pero amañada. Entre otras expresiones comprendía las siguientes:

> Por culta que sea una nación y suaves las costumbres de sus habitantes nunca faltan en ella monstruos que deshonren a la especie humana. Tales son, por ejemplo, los que acaban de perpetrar en las inmediaciones de Tacubaya dos horribles asesinatos en las personas de Mr. Egerton y su esposa. Según se nos ha informado, éstos habían salido a dar un paseo en las orillas de aquel pueblo, cuando fueron sorprendidos por un considerable número de malhechores, que cometieron sin duda grandes crímenes antes de privar a aquéllos de la vida. La señora parece que se hallaba en el último mes de su embarazo. Las autoridades encargadas por la ley de proteger la seguridad del individuo deben desplegar la mayor actividad para la averiguación del hecho y justo castigo de sus autores, en el cual se interesa la vindicta pública y aun el buen nombre de nuestro gobierno.

También agregaba la nota de *El Siglo XIX* que Egerton era un distinguido artista inglés cuyos paisajes de la República había premiado su reina con una medalla de oro después de haber sido elogiados en los periódicos de Londres. Y terminaba así:

> México sabrá, castigando con prontitud a los culpables, dar un testimonio público de su justificación y de su energía; así como nuestros paisanos con su sentimiento, desde luego manifestarán el aprecio que les mereció un extranjero tan recomendable.

Como se ve, la crónica periodística era tendenciosa. Proclamaba que el asesinato de los ingleses había sido cometido "cuando fueron sorprendidos por un considerable número de malhechores", lo que prefiguraba un asalto eventual o circunstancial cometido en cuadrilla, el que sin duda era posible pero del que no se tenía prueba alguna. También pecaba la nota de lo que en México se conocía como "malinchismo", o sea una actitud de parcialidad o trato favorable para los extranjeros, pues sugería que el pronto castigo de los culpables era necesario por el hecho de que Egerton y su esposa no eran mexicanos, lo que comprometía "la vindicta pública y aun el buen nombre de nuestro gobierno". Con esa crónica periodística se inició una polémica que fue creciendo rápidamente y que le dio al hecho, de por sí dramático y sobrecogedor, una dimensión aún mayor. Pocas veces los efectos de la publicidad se veían de manera más notable haciendo presa de la sociedad capitalina. Los ejemplares de *El Siglo XIX* de esta fecha se vendieron en verdad como pan caliente. El domingo siguiente, día primero de mayo, el propio periódico transcribió una carta anónima, firmada por "Un mexicano" que se decía residente en el pueblo escenario del crimen. La nota periodística rezaba así:

Señores editores del *Siglo XIX*. Tacubaya, abril 30 de 1842. Muy señores míos y de mi estimación: En el número correspondiente al día de ayer de ese apreciable periódico, hemos visto la noticia que ustedes dan del asesinato cometido en esta villa en el señor Florencio Egerton y su esposa la noche del día 27; y deseando que ese desgraciado suceso aparezca tal como ha sido, me he propuesto dar a ustedes una idea mas esacta de él, ya que infortunadamente he visto algo de lo mismo que voy á referir.

Es el caso: que después de las siete de la noche del citado día salió de su casa esa apreciable pareja, acompañada de dos perros, á dar un paseo por las orillas del pueblo; y que habiendo corrido todas las horas de la noche sin que hubiesen regresado, salieron sus criados á buscarlos con el sobresalto y cuidado que les inspiró el que los perros hubiesen vuelto solos á las ocho y cuarto de la misma noche.

Uno de esos criados tomó el rumbo de Nonoalco, y en la mitad del camino halló tirado el cadáver de dicho señor Egerton. Inmediatamente se vino á la villa y dió parte al juez de paz, quien salió al momento acompañado de algunas personas, con dirección á aquel punto. Hallamos en efecto el espresado cadáver, sin que le faltase nada de su ropa, relox, clavillo de la camisa, etcétera, y esto nos hizo creer al momento que este crimen tenía otro principio y no había sido ejecutado por ladrones.

Deseábamos saber algo de la señora Egerton, y así sólo pensamos en buscarla por aquellas inmediaciones; y en efecto, á cosa de cuatrocientas varas fuera del camino, encontramos también su cadáver, teniendo en el cuello un seductor con cruz de oro, aretes de lo mismo, medias y guantes al lado de un gorro bonamí, cinturón y algunas cintas, todo hecho pedazos, y una targeta que tenía escrito de letra de carácter estrangero lo siguiente: "Florencio Egerton, casa de los Abades, Tacubaya".

Habiéndose procedido al reconocimiento formal de estos cadáveres por los diestrísimos profesores Galinzosqui, Mackarenei y Egewich, se encontró que el de la señorita Egerton sólo tenía una herida en el costado derecho, que penetró hasta el corazón, hecha con instrumento punzante y de tres filos, es decir, berduguillo ó estilete de bastón. Se halló igualmente al lado de la cabeza de esa desgraciada joven una piedra con que, según parece, le dió su asesino algunos golpes en la boca. Se le encontró también la señal de una fuerte mordida en el vientre, y todas las apariencias de que había sostenido una lucha tan desigual como prolongada.

Reconocido también el cadáver del señor Egerton por los mencionados facultativos, se le encontraron nueve heridas en el pecho hechas con el mismo instrumento, que traspasaron hasta el corazón unas y al pulmón otras; también en la cara tenía algunas.

Ésta es esactamente la historia de este desgraciado suceso en la parte que hasta hoy ha podido ser sabido. Yo me abstengo de hacer comentarios sobre ella, y de estender todas las reflecsiones que ocurren: callo algunas circunstancias porque horrorizan; y lo único que aseguro, es que en esta escena no hubo robo, ni intervinieron ladrones; que el origen fué de otra naturaleza, y que tal vez el tiempo y la actividad lo podrán descubrir.

Sin embargo aseguro que esta familia era de las más apreciables y arregladas de Tacubaya; y que la señora vivía y se manejaba bajo unos principios tan severos, que ni la maldicencia mas atrevida y audaz osó jamás dirigirse contra su virtud y su honor.

Para concluir, solo observaré que este acontecimiento es muy parecido al que se verificó el año pasado en Nueva York con Mari Rogers y su joven trigueño, que nos refirió la *Hesperia* en su número 172 de 17 de noviembre último.

Me suscribo de ustedes, señores editores, muy afecto y atento S.Q.B.SS.MM. Un mexicano.

POR DOQUIER el asesinato de los ingleses era el comentario obligado. Pero el asunto no se quedó en los periódicos, cafés y tertulias sino que llegó a los púlpitos. En Catedral lo usó para su prédica de la Ascensión el reverendo padre y fraile agustino don Francisco González, quien aludió no sólo al natural riesgo que tienen todos los heréticos de ser víctimas de las fuerzas del mal,

lo que según él era la principal causa del asesinato de Egerton
y la Edwards, sino al hecho de que ambos vivían en doble pecado debido a su relación adúltera, por lo que seguramente los
había señalado la ira del Señor, la que podría también alcanzar
a quienes siguieran su ejemplo. De manera semejante, hubo
referencias a la doble y trágica muerte en los sermones de los
templos de San Francisco y San Jerónimo, a cargo del RP Mariano Castillo y del bachiller José María Mendoza, respectivamente. Con extraña sincronía lo aprovecharon en sus prédicas
el licenciado don Juan Bautista Ormechea, catedrático del Seminario en la iglesia del Espíritu Santo, el doctor don Braulio
Sagaceta, el franciscano fray Agustín Moreno y el dominicano
Francisco Parra. Algunos de ellos casi con gusto comentaron
que las víctimas habían sido hijos de la Inglaterra, país que
ocasionara la ruina de España. Y en el templo de Santa Catarina, el licenciado don Manuel Garrido, cura del lugar, afirmó
que por alguna razón que sólo Dios sabía, la suerte de los anglosajones tejanos, que eran prisioneros del gobierno y barrían las
calles todas las mañanas, y la del licencioso pintor y su barra-
gana eran tan semejantes. Que el Señor había permitido que los
mexicanos vieran cómo la herejía y la degeneración de las costumbres conducen al castigo y a la muerte fuera del seno de la
única Santa Madre Iglesia, comprobándose así la falsedad del
protestantismo y el triunfo de la verdadera religión. Todo ello
hacía evidente que el ilustrísimo señor arzobispo don Manuel
Posada y Garduño había metido su intolerante mano y ordenado el tema como muy propio para difundir entre la grey
católica. No faltó quien se percatara de la coincidencia y tuviera el mal pensamiento de que el gobierno le había sugerido
al prelado que desprestigiara la causa de las víctimas inglesas,
ya que el doble crimen había movido a la compasión a muchos y le había cosechado a las autoridades un alud de críticas.
Un buen estratega como el general Valencia bien podría haber
planeado aquella "maniobra diversiva".

HABÍA LLEGADO el momento de que el ministro Richard Pakenham informara a sus superiores sobre los lamentables hechos,
ante todo porque el martes siguiente, día tres de mayo, don

Rafael Veraza regresaría a Veracruz con el correo para entregarlo al paquebote inglés. Pakenham hubiera querido enviar a Londres un informe más positivo, con mayores resultados, pero como no estaba en condiciones de hacerlo, dictó personalmente a su escribiente un cuidadoso despacho para su jefe, el conde de Aberdeen, ministro del Servicio Exterior, el cual textualmente decía:[8]

Número 40. México 2 de mayo de 1842.

MILORD,

Una atrocidad raramente igualada en los anales del crimen ha sido cometida en la vecindad de México, y su Señoría se inquietará al saber que las víctimas de ella fueron súbditos británicos.

Hace tiempo un caballero de apellido Egerton, pintor paisajista de profesión, alquiló una casa cerca de Tacubaya, un populoso pueblo distante casi dos leguas de México. Vivía con una joven mujer que llegó con él de Inglaterra, pero que no era su esposa. En la mañana del día 27 del último mes el señor Egerton fue encontrado asesinado a la vera de un camino no lejos de la casa que habitaba, y a una distancia de alrededor de cuatrocientas yardas del lugar en que yacía fue descubierto el cuerpo de la pobre mujer, despojada de toda prenda de ropa, excepto sus medias y zapatos y presentando huellas de haber resentido el más brutal de los abusos.

Lo que comprueba que el robo no formaba parte del objeto de este crimen es que los anillos, aretes y una cruz de oro que tenía la mujer no fueron sustraídos, y que tampoco faltaba ninguna prenda de las ropas del señor Egerton, excepto su sombrero, que probablemente fue tomado por alguien que pasó por ahí después de su muerte.

El señor Mackintosh, cónsul de Su Majestad en ejercicio, que vive en Tacubaya, recibió conocimiento a temprana hora de lo que había ocurrido, e inmediatamente tomó todas las medidas que el celo y los buenos sentimientos podían sugerir para esforzarse en descubrir a los perpetradores del crimen. No fue sino hasta más tarde en la mañana cuando accidentalmente me llegaron las noticias de la catástrofe, pues yo estaba cabalgando con el señor Ward. El señor Ward se dirigió inmediata-

[8] Public Record Office, Londres. Correspondencia de la Foreign Office. Documento 50/153.

mente a Tacubaya para inquirir los detalles de lo que había
ocurrido, y para proporcionar toda la asistencia que la ocasión
pudiera requerir; mientras yo regresé apresuradamente a México para dar información de lo ocurrido al Gobierno y a las
autoridades públicas. Desde entonces hemos hecho todo lo
posible con vistas a presentar ante la justicia a la persona o
personas que han realizado un ultraje de tal naturaleza a la
humanidad, hasta ahora sin éxito; ninguna pista ha podido
obtenerse y un velo de misterio cuelga sobre el asunto cuya
aclaración temo que está más allá de la capacidad de la Policía Mexicana.

Por lo que cuentan los sirvientes, parece que las infortu-
nadas personas salieron, como era su costumbre, a tomar un
paseo poco después de que había obscurecido; y que alrededor
de una hora después dos perros que habían salido con ellos
regresaron a la casa; aunque naturalmente alarmados por esta
circunstancia, y por la subsecuente no aparición de su patrón
y su patrona, los sirvientes no dieron noticia de su ausencia
hasta la mañana siguiente; pero esta omisión parece atribuible
más a la ignorancia y a la torpeza que a alguna participación
en el asesinato o a cualquier deseo de favorecer la escapatoria
de los asesinos. Uno de los criados está arrestado, sin embargo,
por vía precautoria, pero yo creo, sin una sospecha bien fundada, que éste fue totalmente ajeno al crimen.

Tengo el honor de ser, con el más grande respeto, Milord.
Su Señoría, su más obediente y humilde servidor.

R. Pakenham [firmado].
Al conde de Aberdeen, K.L.

Apenas tres días después de que el ministro británico fir-
mara su despacho, los editores de *El Siglo XIX* reencendían la
polémica periodística, contestando, en la quinta columna de
la página número tres, en su edición del 5 de mayo, las críticas
producidas por el "mexicano anónimo", a cuya carta habían
dado cabida, y las hechas por el *Diario del Gobierno*, el cual en
su número 2503 recientemente aparecido, controvertía la afir-
mación sostenida en la crónica original de *El Siglo XIX* en el
sentido de que las víctimas habían sido sorprendidas por un
considerable número de malhechores, dudando que de ser cierto esto último se hubiera enterado antes el referido periódico
que las autoridades políticas. El *Diario del Gobierno* preguntaba
en seguida: "¿Hacia qué punto iban los malhechores? ¿Cuán-

tos serían poco más o menos? ¿Qué traje llevaban algunos de ellos? ¿A qué horas fueron vistos?" Y concluía que si nadie los había visto, ". . . ¿cómo cabe a alguien en su sano juicio publicar como informes unas meras conjeturas que se desvanecen con una mediana crítica?"*El Siglo XIX* se defendió como pudo de la lógica contundente con la que se le atacaba: "Hemos leído y vuelto a leer la parte respectiva del editorial del *Diario* y la de nosotros, y no encontramos motivo alguno para que se nos acrimine, ni por la noticia ni por el modo con que la dimos." Los editores aseguraban también que no eran "censores injustos" ni "opositores" y contraatacaban afirmando que los del *Diario del Gobierno* suponían "que el crimen ha sido cometido por un solo individuo, y aseguran que otros conjeturan que por muchos", lo que probaba, según ellos, que no sólo sus informantes tuvieron esa última opinión. Dos días después, el propio periódico, al consignar los encabezados de otras hojas de prensa capitalinas, publicó que *El Mosquito* en su número 85 destacaba los asesinatos últimamente ocurridos en Tacubaya y lamentaba los efectos de su impunidad; y que el número 3 de *El Genio del Patriotismo* abordaba también el tema, y sin asegurar nada refería rumores de que el crimen se cometió "por personas venidas a la República con ese objeto."

A RICHARD PAKENHAM no le estaba gustando nada el giro que tomaban los acontecimientos. El asesinato de los dos súbditos ingleses parecía tornarse en asunto político o en pretexto para que desde los templos católicos se atacara a su país, cuando en realidad las cosas debieran verse al revés, pues eran las autoridades mexicanas las que estaban obligadas a garantizar la seguridad de propios y extraños dentro de su territorio y, por otra parte, se habían revelado bastante torpes para realizar una buena investigación. Entonces decidió entrevistar una vez más al ministro Bocanegra y pedirle que su gobierno interviniera a fin de evitar que el lamentable suceso fuese empleado para ahondar las diferencias religiosas entre católicos locales y protestantes británicos, y de paso para recordarle que el Tratado de Comercio entre los dos países tenía cláusulas de tolerancia para la fe y las prácticas de los ingleses, las cuales, debidamente interpretadas, debían de poner a salvo de la maledicencia la actitud que en vida habían llevado Daniel Thomas Egerton y su mujer Agnes Edwards. Así lo hizo con todo comedimiento pero con energía, agregando ante el ministro su firme petición para que las autoridades judiciales actuaran con mayor rapidez y celo, ya que todos estos enojosos problemas de periódicos, púlpitos y opinión pública se estaban presentando por la lentitud e ineficiencia de la policía mexicana. Don José María de Bocanegra, que era un hombre de gran experiencia, lo escuchó detenidamente. Con su habilidad de jurista y su cortesía tradicional de aguascalentense hizo ver a Su Excelencia, en tono reposado y seguro, que no era responsabilidad del gobierno mexicano lo que se decía en las calles, se predicaba en los templos o se imprimía en las hojas periódicas, sino producto de la natural libertad del pueblo, y que en esos chismes y diretes se hablaba mal de las propias autoridades, por lo que era ingenuo intentar responsabilizar a éstas de tan molestas cuanto ligeras afirmaciones. Sin embargo, le confirmó, el gobierno lamentaba tanto como el propio ministro británico ese repudiable asesinato, estaba haciendo todo lo posible por aclararlo en estricto sometimiento de la ley y no descansaría hasta encontrar y castigar a los delincuentes. Añadió que comunicaría al presidente Santa Anna la conversación sostenida con el distinguido diplomático y que le rogaría diera sus atinadas órdenes para expeditar y profundizar las averiguaciones. Ambos se despidieron con ceremonia y cordialidad, y Pakenham salió del despacho ministerial satisfecho de haber cumplido con su deber pero sin muchas esperanzas de que el complicado asunto pudiera resolverse en breve.

Bocanegra, sin embargo, resultó más rápido de lo que el ministro inglés había supuesto y en forma inmediata pidió un acuerdo extraordinario con el general Presidente, el cual accedió a concedérselo al siguiente día, en el ex Arzobispado de Tacubaya. Don Antonio López de Santa Anna tenía entonces cuarenta y ocho años, el pelo casi totalmente negro, apenas con unos mechones grisáceos que coronaban una cabeza más bien pequeña pero con amplia frente centrada en unos ojos penetrantes que solían llamar en los instantes críticos, aunque de ordinario mantenían un aire reposado. El cuerpo de Santa Anna era alto y proporcionado, como de un metro ochenta centímetros, mayor que el común de sus conciudadanos, aunque tenía el pie izquierdo de madera casi a partir de la rodilla, el cual mostraba a la vista negándose a usar una pierna artificial a pesar de que le habían obsequiado varias muy modernas hechas en Europa y en los Estados Unidos. Ese pie y un dedo de la mano derecha los había perdido en el puerto de Veracruz, en una acción contra los franceses. Su piel morena y su boca fina y bien formada daban la idea de un hombre interesante y un poco melancólico. Por lo menos así lo miraba Bocanegra. Sus rasgos físicos no revelaban nada agresivo o prepotente, pero su vistoso uniforme y sus abundantes condecoraciones cuajadas de piedras preciosas le conferían un toque como de actor de teatro vestido para el gran *debut*. Santa Anna ciertamente no necesitaba el boato de su atavío para producir una impresión de respeto y de mando que le eran naturales, pero ese despliegue de paños y oropeles reflejaba su personalidad política; creía que el pueblo habría de apoyarlo y aplaudirlo en la medida de que su figura fuese más extravagante.

El Presidente provisional, sin levantarse de su asiento, saludó a su ministro de Gobernación y Relaciones Exteriores:

—¿Cómo está usted, señor licenciado? —le dijo con una voz afable—. ¿Qué asuntos tenemos ahora?

El interpelado hizo un intento de caravana y ocupó una silla de alto respaldo frente al antiguo escritorio español de su jefe, poniendo sobre la cubierta su carpeta de cuero. Luego tomó aliento.

—Algunos importantes, señor Presidente —dijo, e hizo una breve pausa—. En primer lugar tengo el honor de informar a usted que el general don Juan Álvarez me ha hecho llegar una carta asegurando que él no está protegiendo a los indígenas montañeses que asaltaron la hacienda del doctor Gutiérrez Martínez y otras más en el rumbo de Chilapa, y que infringieron al coronel Navarro un lamentable descalabro en el cerro de Moyotepec el 17 de abril pasado...

Santa Anna lo interrumpió secamente:

—¡Claro que los está protegiendo, licenciado! El general Álvarez cree que yo no conozco sus mañas y sus mentiras, pero me las sé de memoria desde que era insurgente y andaba con el difunto Guerrero. Él y nadie más que él ha alborotado a esos indios y negros y ahora trata de esconder la mano. A mí también me escribió tratando de engañarme. Contéstele su carta diciéndole que ya ordené al coronel don Matías de la Peña y Barragán que se desplace para el sur y que bata a esa gentuza. ¡Hágame usted favor!, dizque quieren que se les repartan las tierras de los hacendados y por eso roban e incendian las cosechas y los ranchos. Si los dejamos, licenciado, llegarían hasta México, pues entre ellos hay algunos a los que enseñó a pelear el propio Morelos. Pero no es lo mismo luchar por la Independencia que invadir las legítimas propiedades de la gente decente. En eso tenemos que ser muy firmes, si no la plebe del campo será incontenible. Lo bueno que estos montañeses son pocos, mal armados y están muy lejos.[9]

Bocanegra anotó algo al margen de la carta del general Álvarez y pasó a otro asunto:

—Nos informa don Luis del Castillo Negrete, jefe político de la Baja California, que el mes pasado un navío español dejó en Cabo San Lucas a un capitán japonés llamado Zensuke Inoue y a otros seis tripulantes del barco *Eijun-maru*, encontrado a la deriva semanas antes y que había zarpado del Japón. La población del Cabo los ha recibido con hospitalidad y ellos están muy agradecidos; los orientales hacen mención de don Rodrigo de Viveros, pariente del virrey Velasco de la Nueva España, que naufragó en las costas niponas en el siglo XVII y fue auxiliado por sus habitantes y el jefe local, para retornar a Acapulco. Parece que los náufragos están enseñando a los nuestros nuevas formas de bucear para sacar las perlas del golfo, y por su parte aprenden el cultivo y la molienda de la caña de azúcar. Castillo Negrete pide autorización para embarcarlos rumbo a Mazatlán cuando sea posible a fin de que puedan regresar a su patria.[10]

[9] Ver Fernando Díaz y Díaz, *Santa Anna y Juan Álvarez frente a frente*, México, SEP/70, 1972.
[10] Zensuke Inoue, capitán del barco japonés *Eijunmaru* llegó a Cabo

Santa Anna se quedó mirando en el vacío; luego, como si despertara, exclamó:

—¡El Japón! ¡Eso sí que queda lejos, don José María! ¡Creo que más lejos que Manila! Fue en Japón donde crucificaron hace muchos años a fray Felipe de Jesús, cuya higuera dio frutos fuera de temporada, aquí mismo en México, el día que lo martirizaron. ¿Qué andarían haciendo esos japoneses por nuestras costas?

—No venían para acá, Su Excelencia —contestó el ministro—. Parece ser que eran pescadores, y una tempestad averió el timón de su nave; estuvieron mucho tiempo a la deriva hasta ser encontrados por el barco español. A los japoneses les está prohibido abandonar su país bajo pena de muerte, por lo que creo que estos pescadores iban cerca de la costa cuando la tempestad los empujó hacia el mar abierto. Tampoco se permite a los extranjeros visitar Japón, pues los gobernantes de ese país no quieren dejarse influir por los de afuera.

—Bueno licenciado —observó Santa Anna—, pero a nosotros no nos han hecho nada, y es mejor que esta gente que llegó a Baja California se vaya con una buena impresión de México. Que el señor jefe político los ayude para regresarlos a su tierra.

Luego sonriendo maliciosamente añadió:

—Aquí no nos comemos crudos a los extranjeros. ¡Nomás a los tejanos!

Bocanegra esbozó una sonrisa forzada al acordarse de las difíciles negociaciones que sostenía con el ministro americano Waddy Thompson sobre los yanquis y tejanos presos en San

---

San Lucas, en Baja California, México, en abril de 1842, después de haber viajado a la deriva y ser rescatado en compañía de seis tripulantes por un navío español. Permaneció en las costas mexicanas (Cabo San Lucas, San José del Cabo, La Paz y Mazatlán) hasta diciembre de ese mismo año, cuando se embarcó de vuelta al Japón. Algunos de los tripulantes que lo acompañaban permanecieron en México hasta abril de 1844. (Carta de Yoshiko Inoue y Taneko Takagi a Sergio González Gálvez, embajador de México en Japón. 11 de diciembre de 1986.) Ver también *The Shogun's Reluctant Ambassadors,* de Katherine Plummer. Lotus Press. Tokyo, Japan, 1985, p. 280.

Lázaro, Santiago y la ex Acordada. Santa Anna se movió en la silla en señal de impaciencia:

—¿Qué más, señor licenciado?

—Sólo un último negocio, muy delicado por sus implicaciones con la Inglaterra. Se trata del homicidio del pintor Egerton y su mujer, que como usted sabe, señor Presidente, ha originado una ola de comentarios y críticas para las autoridades tanto en los papeles periódicos como en los sitios de reunión.

—Estoy enterado, don José María —dijo López de Santa Anna al tiempo que parecía cavilar.

Bocanegra, entonces, le relató el contenido de su conversación con Pakenham, subrayándole que había dado cabal respuesta a sus infundadas acusaciones en el sentido de que el gobierno era responsable de la maledicencia callejera, periodística o eclesiástica, y ratificando que el asunto estaba siendo atendido conforme las leyes ordenaban, y aconsejaban la prudencia y el buen criterio. Santa Anna, que aún tenía fresco el incidente de la carta del general Hamilton y sus ofrecimientos sobre el asunto de Tejas, frunció el seño y carraspeó al oír nombrar a Pakenham. A él tampoco le gustaba el cariz que estaban tomando los acontecimientos en el asunto del doble crimen.

—Lo felicito, señor ministro, por lo que contestó usted a ese inglés maleducado —afirmó categórico—, es necesario que este asunto quede pronta y cabalmente resuelto. Debe proseguirse y agotarse la investigación con la mayor presteza e instruirse la causa que proceda en contra de los asesinos, como corresponde a una nación civilizada. ¡Y México lo es, señor licenciado. Dígaselo usted a Pakenham!

—Así lo haré señor Presidente —acotó Bocanegra seguro de haber provocado en el general el efecto que deseaba—. Ahora, si no tiene usted otra cosa que ordenar, pido permiso para retirarme, le dijo cortesanamente.

—Vaya, vaya usted, don José María. Nos veremos en la ceremonia de instalación del Congreso —le despidió el pintoresco Santa Anna.

Cuando el ministro abandonó el salón, el Presidente provisional ordenó a su jefe de ayudantes, el capitán Schiaffino:

—Que don Pedro Vélez, el ministro de Justicia, me vea aquí en Tacubaya, mañana, con un informe sobre el asunto del pintor Egerton.

LA CONTROVERSIA sobre el crimen y sus posibles autores seguía en su apogeo. Los periódicos emitían las más diversas opiniones, algunas francamente descabelladas. La ausencia de una pista cualquiera, la aparente lenidad de la policía, los nulos resultados de la investigación y la pobre actuación del juez Gómez de la Peña cavaban un gran vacío que los papeles públicos y la cháchara callejera rellenaban a su antojo. *El Observador Judicial y de Legislación*, publicación especializada en asuntos forenses, trató de echar un poco de agua al fuego. En su número 13, difundido a principios de mayo, consignaba entre otras cosas:

Los grandes crímenes no son siempre el resultado de grandes pasiones, muchos hay obra de excitaciones momentáneas, de locuras imprevistas, o de una situación miserable... Por lo mismo nos han parecido aventuradas las opiniones que sobre el asesinato de don Florencio Egerton y doña Inés Edwards han emitido algunos periodistas compañeros nuestros. Muy ligeros datos presta sin duda, lo poco que ha podido actuarse, acerca de la persona o personas que hayan cometido tan horroroso crimen; pero por lo mismo, ¿a qué producir y preparar grandes castigos y escarmientos? ¿Se saben acaso los móviles de acción que no parece de un ser semejante nuestro? ¿Y no es una conducta muy propia para hacer más difícil la averiguación? Mientras más atroz es un delito más se resiste el corazón a creer que sea obra de la fría meditación de un hombre, y antes parece hijo de una locura o un frenesí, y sólo la balanza imparcial de la justicia puede dar su verdadero valor a las acciones humanas... Nosotros creemos que el juez no debe distraerse en sus investigaciones y, antes por el contrario, dirigirlas hacia todas partes, sin despreciar el más ligero hecho que pueda darle indicio, por indiferente que parezca a primera vista. Sólo así se han descubierto multitud de delitos, de que se tiene el más escrupuloso cuidado por sus autores para borrar las huellas. Mexicano o extranjero, pariente, amigo o allegado, el criminal, y por mucho que nos resistamos a creerlo, repetimos, no hay que distraerse siguiendo un solo y único camino, esperando al tiempo cuando se hayan tal vez borrado muchos datos de convencimiento. El juez, en estos casos, nos parece semejante a un buen piloto, que encontrándose en un río desconocido para él, busca todos los vados...

En seguida intentaba algunas hipótesis:

Dos son los caracteres que se presentan como datos para suponerse por muchos que una pasión frenética ocasionó el crimen de que nos ocupamos; el primero es que al cadáver de doña Inés se [le] encontró una mordida en el epigastrio, y el segundo los síntomas que dicen los facultativos haber de violación. Respecto al primero, en efecto, parece un signo muy atendible; pero en cuanto al segundo, nosotros lo encontramos muy equívoco. *Se nos permitirá dudar de su existencia para no contribuir tal vez en un error en la averiguación.* Los señores que inspeccionaron el cadáver convendrán con nosotros en que la estrangulación produce los mismos síntomas que se encontraron a doña Inés después de muerta... Nos mueve también a discurrir así que las pasiones de que debió estar poseído el asesino al tiempo de cometer el delito, si ellas fueron las del odio y venganza, como se supone, *son incompatibles con la que pudiera agitar a la violación,* mucho más en momentos en que el terror de ser descubierto era otro obstáculo. Basten estas indicaciones para aconsejar que no se preocupe la averiguación, lo que repetiremos hasta el fastidio, porque queremos se asegure la persona del inhumano y cruel que privó la vida a dos seres, de la manera más horrorosa y alarmante. Si fue un marido o un amante ofendido, como se vocifera, si unos salteadores, si cualquiera que haya sido, nosotros detestamos el crimen y nos abstenemos de juzgar sobre la persona y los motivos que dieron ocasión a él, y que ojalá se descubran para satisfacer al público de un atentado que por fortuna no es común entre los mexicanos.

La larga nota del periódico, ciertamente gobiernista, y cuyos editores buscaban paliar el escándalo, reducir la responsabilidad oficial y calmar a la opinión pública, aun al costo de ensayar hipótesis tan poco convincentes como esa de que la violación no era compatible con las pasiones de odio y de venganza que, en su caso, habían poseído al asesino, lo que les hacía dudar de la existencia misma de tal violación a pesar de haber sido certificada ésta por los tres destacados médicos forenses, concluía sin embargo con un toque de inevitable crítica: "Se han practicado nuevas diligencias en la causa, y aunque algunos han sido presos como sospechosos, por su mala fama, hasta ahora parece no resultan culpables de los asesinatos." En su siguiente edición, del 19 de mayo de 1842, el mismo periódico judicial ya no podía seguir tapando el sol con un dedo, y publicaba:

> Nuevos presos han ocupado la atención del juez sin que se adelante la averiguación del delito y delicuentes, y antes por el contrario, se desvía cada vez más. Nos consta que el juez de la causa trabaja aun en horas extraordinarias, está dedicado casi exclusivamente a ella; pero todo sin fruto, porque el juez de paz de Tacubaya remite como cómplices a los que tienen mala fama en el pueblo, o a los que han encontrado acostados tras un maguey; la relación que esto tenga con el asesinato de Egerton la podrá deducir cualquiera que tenga sentido común... *En efecto, nosotros creemos que no es Tacubaya el lugar más a propósito para averiguar quién sea la persona del delincuente, que no es ni presumible siquiera, se hubiera quedado en donde se cometió el crimen, teniendo además el gravísimo inconveniente de retardar la administración de justicia, más de lo que está actualmente.*

Censuraba también a William Henry Egerton y a Charles Byrn por negarse a entregar al juez la correspondencia privada de la víctima. Argumentaba que:

> ... el hermano y el amigo son los más interesados en el descubrimiento de la verdad, y lejos de negarse a ministrar datos, deben procurarlos a la justicia, solicitándolos con el mayor empeño, he aquí una senda, sin descuidar las demás.

Y concluía con esta reflexión:

> Si, pues, como se ha dicho en algún periódico, que los [asesinatos] de Egerton y doña Inés pueden provenir de las relaciones que éstos tenían en otros países, el gobierno general es el que tiene en las manos un hilo que no debe perder de vista. Nosotros, como mexicanos, y por la misión que voluntariamente hemos tomado a nuestro cargo, no descansaremos proponiendo cuanto creamos conducente a la averiguación del autor de la muerte de dos seres que estaban bajo la custodia y amparo de las autoridades de la República.

Por su parte *La Hesperia*, una revista hecha por españoles y muy leída en los altos círculos de la capital, se lanzó contra el artículo anterior, alegando que por el secreto que había acompañado al crimen, no resultaba:

> ...en términos de buena lógica que la correspondencia del occiso, es decir sus cartas y papeles, referentes unos a negocios propios, otros a pormenores de familia, hayan de revelarnos quiénes fueron los perpetradores del asesinato.

A lo que *El Observador Judicial* replicó poco después que recoger y examinar dicha correspondencia era un deber de todo investigador y:

> ...un paso que precisa e indefectiblemente debió darse inmediatamente y aun antes de fijar la consideración en las señales y circunstancias de los occisos... señales que nos ofrecen unas víctimas sacrificadas a la rabiosa venganza de furiosos zelos, de la que parecen se precavían con esmero llevando una vida sumamente reservada.

Añadía que resultaba incomprensible que el hermano de la víctima, a quien defendía *La Hesperia*, se negara a entregar esos papeles y que tal negativa provocaba sospechas:

> Convenimos en que se resiste la sospecha contra un hermano, mas también es necesario que no dé él mismo lugar a ella y que lejos de negar datos se procuren a la justicia con el mayor empeño, porque eso es lo que exigen los vínculos de la sangre... El primer asesinato que hubo en el mundo fue el de un hermano por su hermano y desde aquel remotísimo tiempo hasta nuestros días se nos presentan con una frecuencia [mayor] de la que debían esperarse estos hechos atrocísimos y horrorosos de tal especie que hacen estremecer a la humanidad nacidos de las mismas causas y de las mismas pasiones de ira, zelos, venganza, codicia y demás, que desgraciadamente influyen en los otros hombres a quienes los ligan vínculos tan respetables.

El asunto seguía al rojo vivo y cada nueva publicación periodística provocaba una marea de comentarios entre todas las clases sociales de la ciudad. Los propios burócratas criticaban al gobierno, que por otra parte había tenido la malhadada ocurrencia de imponer recientemente un nuevo impuesto sobre objetos de lujo y otro más sobre salarios, sueldos y jornales que pasaran de trescientos pesos al año, con lo que excitó aún más los ánimos de la clase alta y de la media. Ni siquiera otros asuntos criminales sensacionalistas desviaron la atención general del asesinato Egerton-Edwards. En efecto, el jueves de Corpus una mujer que salía de misa del templo de San Francisco fue atacada en plena calle por un desconocido quien con una pequeña jeringa roció su ropa con ácido sulfúrico, provocando que ésta le ardiera y le ocasionara una muerte espantosa, pues fue imposible apagar el fuego y la mujer acabó su vida entre horrendos gritos convertida en una llaga. Una hija del conde de Santiago resintió un ataque semejante en el Coliseo, pero por fortuna fue tirada por tierra y se le logró apagar la ropa llameante. El 30 de mayo el gobierno emitió un decreto prohibiendo la venta de ácido sulfúrico y líquidos inflamables, que como dijo su *Diario,* revelaba desgraciadamente la perpetración "de un delito nuevo hasta hoy en el país". No obstante todo ello seguían las especulaciones sobre el doble asesinato cometido en Tacubaya y aumentaban las críticas en contra de las autoridades por su incapacidad para resolverlo.

EL DÍA PRIMERO de junio de 1842, el señor doctor don José María Puchet, juez primero de lo Civil, de la capital de México, letrado muy conocido, experto no sólo en asuntos civiles sino sobre todo en procesos criminales, pues durante varios años había sido asesor de la justicia penal militar, fue finalmente convencido de aceptar el honroso nombramiento del general Presidente don Antonio López de Santa Anna, en calidad de juez especial para el exclusivo objeto de descubrir y sentenciar al autor o autores de "los horrorosos asesinatos del súbdito de SMB, don Florencio Egerton y su mujer doña Inés Edwards". El comunicado de esa fecha, firmado por don Pedro Vélez, ministro de Justicia, aseguraba que:

... el Excelentísimo señor Presidente provisional de la República dispuso inmediatamente que se practicaran con la debida actividad todas las diligencias convenientes en averiguación

del autor o autores de tan grave crimen, imponiéndoles en seguida las penas a que fuesen acreedores, para que se viese así
que se hallan en puntual observancia en la República las leyes
protectoras de la seguridad individual de todos los habitantes.

Agregaba:

El Presidente ha visto con el mayor sentimiento que nada
de esto se ha conseguido hasta el día, acaso porque el juez que
comenzó a formar el proceso no ha podido ocuparse de él con
toda la dedicación que corresponde, por atender al despacho
de las demás causas que giran en su juzgado; y deseando Su
Excelencia remover cualesquiera obstáculos que se ofrezcan para
la más pronta administración de justicia en este asunto, y que
no sufra el menor atraso la causa mandada instruir sobre
aquellos asesinatos, ha resuelto que un juez se encargue exclusivamente de proseguirla hasta su conclusión, y pronunciar en
ella la sentencia que corresponda en justicia.

Por ello se escogía al destinatario de la comunicación, don
José María Puchet, habida cuenta de su celo y los abundantes
testimonios que había dado de "pronta y recta administración
de justicia". Como consecuencia del prolijo y repetitivo escrito
del ministro Vélez, que pocos días después se publicó en la primera plana de *El Siglo XIX*, el juez de lo Criminal, don Gabriel Gómez de la Peña, remitiría a Puchet todas las diligencias
practicadas para que éste pudiese desempeñar su encargo "con
el acierto y brevedad que demanda".

Los comentarios y críticas contra el gobierno, que habían
continuado durante todo el mes de mayo, se multiplicaron al
conocerse esta noticia. ¡De modo que Santa Anna acusaba de
lenidad y declaraba impotente para reparar el atentado al Poder Judicial, único al que habían dejado con cabeza las Bases
de Tacubaya, y escogía nombrar un juez especial! El mañoso
general veracruzano parecía buscar un responsable o "chivo
expiatorio" a quien culpar a partir de ahora si el doble crimen
no quedaba aclarado. Los abogados opinaron que tal nombramiento específico era francamente inconstitucional y contrario
al principio de legalidad y generalidad en la aplicación de la
justicia, pero, después de todo, aquello era discutible pues en
realidad el último Código Supremo del país, o sea las centralis-

tas Siete Leyes Constitucionales, habían sido derogadas por las propias Bases de Tacubaya en septiembre de 1841, las que daban facultades extraordinarias al Presidente provisional. Otros comentaban que el gobierno había escogido bien, pues el señor doctor Puchet era un fiel y recto funcionario que haría todo lo posible por desentrañar el misterioso asesinato y que no le faltaba inteligencia para lograrlo. Muchos recordaban que Puchet había fungido como asesor jurídico de la Secretaría de Guerra y Marina en la causa contra el padre dieguino Arenas y demás implicados en una conspiración, descubierta en 1827, que tenía por finalidad volver a uncir a México al yugo del imperio español.[11] El doctor Puchet había recomendado la pena de muerte para los conspiradores, incluyendo varios eclesiásticos y militares, y el Tribunal había seguido su consejo. El fraile Arenas había sido fusilado en el camino entre Chapultepec y Tacubaya y su cadáver entregado a sus compañeros de orden en el convento de San Diego. Puchet, por tanto, era un magistrado de mano dura y aquí tendría que demostrarla. La opinión pública estaba molesta y asustada por el doble asesinato y exigía una buena investigación y un castigo ejemplar para los culpables. El juez especial tenía como cometido devolver su tranquilidad a los habitantes de México y reparar el menguado prestigio del gobierno en materia de seguridad pública, y no sólo incoar una causa criminal especialmente difícil. Más le valía apresurarse y tener éxito.

El dos de junio, después de conocer el nombramiento de Puchet, el cual le fue informado oportunamente por el ministro Bocanegra, Richard Pakenham envió al conde de Aberdeen, Lord del Reino y ministro del Servicio Exterior de Su Majestad Británica, el despacho número 46, explicándole que en la ciudad de México existían seis jueces de lo criminal, "quienes en forma rotativa toman conocimiento de las causas como se van presentando", y que en esta ocasión el asunto había caído originalmente "en las manos de un juez que no se ha distinguido por su inteligencia o actividad", debido a lo cual se había perdido

[11] José María de Bocanegra, *Memorias para la historia de México independiente. 1822-1846*. México, FCE/Instituto Cultural Helénico/Instituto Nacional de Estudios Históricos de la Revolución Mexicana, t. I, 1986, pp. 612 y ss.

un muy valioso tiempo. También le decía que para remediar
lo anterior:

> ... y probar su deseo de no escatimar nada para cumplir con
> los fines de la justicia en un caso que tan singularmente clama
> por la venganza pública, el gobierno ha nombrado como juez
> especial para encargarse de la investigación del asunto a una
> persona reconocida por su habilidad y experiencia en la ma-
> teria, quien, después de servir por muchos años como juez
> criminal, había sido transferido al Departamento Civil.

El ministro inglés agregaba al final de su escueto despacho:
"A partir de este nombramiento me siento inclinado a esperar
que si fuere posible descubrir a los perpretadores del atroz crimen, este objetivo será satisfecho." Demasiado optimismo el de
Pakenham, sobre todo si se toma en cuenta que ese mismo
despacho había comenzado con las siguientes palabras: "Milord,
lamento decirle que hasta ahora no ha sido obtenida ninguna
pista... en el asunto tratado en mi despacho número 40 del
último paquete."

6. Un juez especial para un caso especial

> "Todo el asunto está cubierto de misterio
> y miles de especulaciones afloran
> en México en relación con él.
> La que recibe mayor crédito es que el
> asesinato fue planeado en Inglaterra."
>
> The Times, *Londres.*
>
> [Jueves 16 de junio de 1842]

EL DOCTOR DON JOSÉ MARÍA PUCHET había intentado declinar el nombramiento de juez especial para la causa de Egerton-Edwards pero se había estrellado contra la aplastante argumentación del ministro de Justicia: ¿Cómo era posible que pudiera negarse a colaborar, en asunto tan importante, con el supremo gobierno al que servía lealmente desde tantos años antes? ¿Cómo decir que no al señor Presidente provisional? ¿Acaso no valoraba la distinción que se le hacía? La República lo necesitaba ahora pues en el proceso judicial de este lamentable crimen estaba envuelto no sólo el objetivo de realizar la justicia sino el honor mismo de la nación, la tranquilidad de los ciudadanos y de todos sus habitantes. Don Pedro Vélez, subrayando las palabras, le recalcó que éste era un asunto más importante que el del padre Arenas en el que tanto se había destacado el señor doctor Puchet, pues si bien en aquel caso se trataba de una conspiración política, también era verdad que los conspiradores fueron aprehendidos desde el primer día por haber tenido la ingenuidad de querer comprometer en su empeño a un alto jefe militar que los denunció inmediatamente, por lo que la parte indagatoria había resultado bastante fácil. En este caso —por el contrario— no se tenía pista alguna, el juez don José Gabriel Gómez de la Peña había dado sólo "palos de ciego" y la opinión pública estaba muy encendida y culpaba al gobierno de la inseguridad existente. Además, estaba el aspecto extranjero, la intervención del ministro inglés, el juicio que en otros países civilizados se estaba haciendo ya sobre la incompetencia de la justicia mexicana. En fin, el negocio era muy serio y el Presidente lo había escogido a él porque le tenía plena confianza y lo conocía de tiempo atrás. Aparte debía considerar que se le asignarían elementos de auxilio, agentes policiacos exclusivos para cooperar en la investigación y cincuenta pesos más de sueldo, todo con cargo a los fondos de la cárcel de Santiago. Puchet se dio cuenta de que su resistencia era inútil y aceptó con el temor de que este asunto fuera el que le trajese no más fama sino un desgraciado epílogo a su carrera judicial.

Don José María era un abogado típico de la época. Hijo de criollos, descendiente de catalanes, nacido en la capital, había estudiado humanidades y derecho en el Colegio de San Ildefonso de la entonces Real y Pontificia Universidad de México. Muy joven había sido electo diputado a Cortes españolas según la Constitución de Cádiz restablecida por la "revolución de Riego" en 1820, y el 17 de mayo de 1821 había firmado en Madrid una "representación hecha al rey por los diputados de Nueva España" (Imprenta América de don José María Betancourt. 1821) en unión de Thomas Murphy, Miguel Ramos Arizpe, Lucas Alamán, José María Couto, José María Fagoaga, José Gómez Pedraza, José Mariano Michelena y otros, proponiendo reformas a la legislación mercantil que facilitasen el tráfico comercial entre los puertos americanos y los europeos.[12] Después del Plan de Iguala había abrazado la causa de la Independencia, regresado a México y servido al gobierno del general don José Miguel Ramón Adaucto Fernández y Félix, más conocido como Guadalupe Victoria, primer Presidente de la República y único que hasta entonces había concluido el mandato constitucional de cuatro años, pues los subsiguientes fueron depuestos por medio de cuartelazos y asonadas. Puchet se sentía federalista y liberal moderado, aunque era un católico practicante y en su

[12] Lucina Moreno Valle, *Catálogo de la Colección Lafragua de la Biblioteca Nacional de México, 1821-1835,* México, Universidad Nacional Autónoma de México/Instituto de Investigaciones Bibliográficas, 1975, p. 25.

vida privada bastante tradicionalista. Conocía bien a los militares porque cuando empezó a trabajar en el gobierno fue asimilado al ramo de justicia de la Secretaría de Guerra en donde permaneció casi quince años. Tenía cincuenta y dos de edad, había quedado viudo hacía no mucho y su único hijo estudiaba para ser abogado. Su hermano José Antonio también era Juez de Letras, pero en Toluca, y su otro hermano, Andrés, comerciante en la logia del Ayuntamiento de México. Observador nato, Puchet leía sin parar, se apasionaba por la lógica, acopiaba mucha experiencia en la investigación criminal, en la nueva ciencia llamada *frenología*, a pesar, de que estaba prohibida por la iglesia, y sobre todo, descubría el carácter y los humores de las personas que trataba, a veces desde el primer momento. Esta era la cualidad que más le había ayudado para ser litigante, fiscal, asesor y juez. Experto en materia civil y criminal, en tanto buen Juez de Letras, José María Puchet había elaborado el 2 de diciembre de 1836, junto con otros cinco juristas que también lo eran, un importante documento titulado "Exposiciones de la Suprema Corte de Justicia y de los Jueces de Letras de esta capital, sobre el estado en que se halla la administración de justicia en lo criminal, y las verdaderas causas del atraso que se advierte en la aprehensión y castigo de algunos delincuentes" editado al año siguiente en la Imprenta del Águila, México, que dirigía don José Ximeno. Tal estudio señalaba que "las funciones del poder judicial se limitan a aplicar las leyes, pero que toca al cuerpo político aprehender y perseguir a los delincuentes". Proponía se crease un cuerpo de policía que vigilara la ciudad, que se nombrasen alcaldes menores, se aumentara el personal en los juzgados "y que se organice un cuerpo especial que se encargue de custodiar a los presos destinados al presidio para que ya no se repitan las escandalosas fugas".[13]

Quienes lo conocían solían comentar que resultaba muy difícil engañarlo pues adivinaba las falsedades en la mirada de los testigos, en el titubeo de los acusados y aun en medio de la jerigonza de los procuradores. Los otros jueces lo respetaban pero tenían un cierto recelo envidioso por su notoria eficiencia. Además era bastante reservado, totalmente independiente y

[13] *Idem*. p. 40.

muy rápido en pensar y actuar, lo que no cabía en la cabeza de los miembros de la judicatura y del foro, acostumbrados a aquello de que "las cosas de Palacio van despacio", o sea, a los procedimientos dilatorios en juicios y causas. Para sus compañeros letrados, don José María tenía otro defecto: nunca iba a las cantinas o mesones a beber con otros jueces o con litigantes. Eso era imperdonable, pues la mayoría de los asuntos solían resolverse entre trago y trago de vino de jerez, julepes de yerbabuena a la veracruzana, o tinto de Rioja, sin despreciar, por supuesto, el buen mezcal de Oaxaca o de Tequila. Sin embargo, el doctor Puchet tenía muy buenas relaciones con políticos y personas de la mejor sociedad y solía frecuentarlos en comidas y tertulias privadas, así como jugar a los naipes —malilla o albures— en compañía de los licenciados Conejo y Molinos del Campo, el doctor Arrillaga, el señor Barrera, el general Tornel y el joven Guillermo Prieto. Este último había prometido escribir algo sobre esas interesantes reuniones y decía que don José María llamaba la atención en ellas "por su mundo".[14]

Cuando recibió el ya voluminoso expediente y lo adscribió a su nueva oficina, que no era otra que su propia casa, Puchet comprobó lo que había asegurado al ministro Vélez: que su antecesor no había podido encontrar ningún hilo conductor, ningún indicio válido en la averiguación y había aprehendido a varios inocentes. Lo primero que hizo fue pedir la comparecencia del infortunado Cástulo Tovar, quien ya llevaba más de dos meses en la incómoda cárcel de Tacubaya, adonde el doctor Puchet se trasladó con el escribano don José Cisneros para interrogarlo. El criado refirióle una vez más la parte de la historia que conocía, desde que ayudó a su amo a desmontar del caballo en el que regresó aquella tarde, hasta el momento de su propia detención. También le repitió todo lo que sabía de Egerton y su mujer, a partir del mes de febrero último en que él y Mariana Tamayo habían entrado a su servicio. Insistió en decirle que el criado del cónsul inglés lo había recomendado con sus señores, y que él era incapaz de haber hecho nada malo

---

[14] Guillermo Prieto, *Memorias de mis tiempos*, México, Porrúa, 1985, p. 144.

en contra de ellos o actuar como cómplice o encubridor de tan espantoso crimen. Puchet, desafiando a aquella parte de la opinión pública que clamaba venganza contra quien fuera, ordenó la liberación de Tovar ante una petición del procurador de Oficio, quien no se había mostrado muy diligente en el caso, temiendo caer de la gracia de sus superiores.

DURANTE LAS SEMANAS siguientes el juez Puchet recorrió todos los trámites que su antecesor había comenzado la mañana del 28 de abril. Visitó Pila Vieja, en el camino a Nonoalco, no lejos de Becerra, en donde una cruz de madera recordaba el crimen y también auscultó de arriba abajo toda la vecindad. Citó en su casa de la calle de los Cordovanes número 9, en el centro de México, a docenas de habitantes de Tacubaya y sus alrededores, los dependientes de las pulquerías, los amigos de los areneros, las mujeres de los delincuentes sospechosos. Conversó con los doctores que habían reconocido los cadáveres y con varios testigos presenciales del levantamiento de los mismos. Habló con Mackintosh, William Robert Ward y Richard Pakenham quienes al prometerle toda la cooperación que necesitara le urgieron sutilmente para que pronto se vieran resultados de su labor. Y habló también con Charles Byrn y William Henry Egerton.[15]

Esta última entrevista fue muy decepcionante para el doctor Puchet. Se encontró con que el hermano de la principal víctima, quien había recibido del cónsul inglés las pertenencias del pintor asesinado, estaba totalmente reticente a ponerlas a disposición de la justicia o permitir que fuesen examinadas. Alegaba que eran unas pocas cosas sin importancia que no podían constituir ninguna pista, y que en todo caso solamente aceptaría que las viera el cónsul británico, "su cónsul", para que después rindiera bajo su palabra de honor el informe que el juez demandaba. En ese punto era especialmente inconmovible. Ningún extraño, así fuera el instrumentador de la causa criminal, tenía derecho —según él— a revisar las propiedades privadas y documentos de su hermano. Todo eso no tenía nada

[15] Ver los oficios girados por el juez Puchet a don Enrique Guimaret, Juez de Paz de Tacubaya el 2, 7 y 11 de mayo de 1842 y a su sucesor el juez Torres, el 3 de noviembre del mismo año. Archivo Histórico del ex Ayuntamiento de la ciudad de México 1524-1928.

que ver con su trágica muerte. Lo que las autoridades mexicanas tenían que hacer era descubrir a los asesinos, que seguramente eran unos miserables "léperos", pero no entrometerse en la correspondencia personal de la víctima. El tono de don Guillermo Egerton llegó a ser un tanto insolente.

Puchet insistió pero no logró nada en esa ocasión. Tampoco podía forzar las cosas tratándose de un extranjero bajo la protección de sus representantes diplomáticos. Decidió dejar el asunto para después y aprovechó para preguntarle sobre las amistades y relaciones de su hermano en el país. William Henry Egerton fue bastante evasivo o era totalmente desmemoriado. Dijo no recordar ninguna persona de la amistad del sacrificado como no fuese el señor don Carlos Byrn, ahí presente, y don Leandro Iturriaga. Agregó que quizás otros amigos o conocidos mexicanos los había podido encontrar su hermano en la logia escocesa, a la que había solido asistir, pero, siendo ésta una sociedad secreta a la que él en lo personal no pertenecía, era lógico que nunca hubiera recibido noticia cierta de dichas posibles relaciones. ¿Diplomáticos extranjeros amigos de Daniel Thomas? Sí, había algunos como el barón de Gros y don Federico von Geroldt. ¿Querría el señor juez entrevistarse directamente con ellos?

La única información valiosa que recogió Puchet ese día tenía que ver con el recado aparecido sobre el cuerpo de Agnes que rezaba: "Florencio Egerton. Casa de los Padres Abades. Tacubaya". El hermano del pintor pareció aclarar parte del misterio que envolvía ese papel escrito en cuidadosa letra inglesa.

—Es la caligrafía de Daniel Thomas, sin duda alguna —le dijo—. Me resulta inconfundible. Probablemente él lo llevaba encima cuando fue asesinado.

El juez Puchet, en tono agudo preguntó:

—¿Y para qué traería consigo don Florencio un papel de ese tamaño con su propio nombre y dirección escritos?

—Eso no lo sé —dijo con aparente espontaneidad y franqueza William Henry—. Probablemente pensaba remitir a su casa, mediante un propio o mensajero, algún libro o pertenencia que había comprado en la ciudad y por algún motivo no lo utilizó.

—¿Remitir algo a su domicilio? —replicó Puchet—. Pero si él iba a su domicilio —dijo recalcando el *iba*.

—Francamente ignoro la causa. No soy adivino, señor juez —apuntó con sorna don Guillermo—, de lo que estoy seguro es de que esas tres frases fueron escritas personalmente por mi hermano.

Puchet insistió:

—¿De modo que fue el mismo don Florencio quien puso ese recado sobre el cuerpo de su esposa?

Guillermo Egerton se quedó callado unos instantes, conteniéndose apenas:

—¡Claro que no! Eso debió de ser obra del asesino.

La conclusión era lógica y el doctor Puchet había llegado a ella con antelación pero quería que don Guillermo mismo la expresara.

—Luego —aseveró el penetrante juez—, eso significa que el asesino sacó el papel de la ropa de su hermano ya caído y después de la muerte de Agnes lo colocó sobre el cuerpo de ésta. ¿No cree usted?

—Es muy posible —contestó Egerton a quien ya fastidiaba evidentemente el interrogatorio.

—Entonces, don Guillermo —concluyó Puchet—, eso sólo puede querer decir que el asesino o los asesinos sabían muy bien quién era su hermano y que vivía con doña Inés.

Don Guillermo ya no contestó. Se quedó mirando a Puchet con estupefacción. El juez había descubierto por la lógica de los hechos que la teoría de que los asesinos habían sido unos "léperos", unos asaltantes ocasionales, no podía sostenerse. Se hizo un largo silencio y entonces Puchet inició la conversación con el señor Charles Byrn.

Este último tampoco le dijo gran cosa sobre la vida de Egerton en México pero refirió que el infortunado artista le había hecho algunas confidencias sobre Agnes Edwards. El pintor, afirmó, estaba muy entusiasmado porque iba a ser padre y confiaba en que el hijo que Agnes esperaba fuese un varón. La tarde del asesinato se pasó hablando de la ilusión que le hacía esa acariciada expectativa. Byrn agregó que Daniel Thomas había llegado al país por segunda vez a fines de julio o principios de agosto del año pasado, en la fragata *Eugenia*, ya con Agnes Edwards. De esta señora agregó no conocer nada, excepto que sus padres "la habían dejado tierna" en poder de una abuela suya. Total, poca cosa. Puchet se despidió de los ingleses, pidiéndole de nuevo a don Guillermo que colaborara con la justicia y permitiera que él y su escribano, en presencia suya, revisaran las pertenencias del finado y sellaran su correspondencia. Aquél le dijo que consultaría con el ministro Pakenham y haría lo que éste le aconsejara. Puchet pensó que ese ya había sido un pequeño avance y un ligero cambio en la inexplicable y hasta sospechosa actitud de William Henry Egerton.[16]

LAS NEGOCIACIONES para liberar a los americanos y tejanos capturados tras la derrota de la expedición a Santa Fé, en Nuevo México, tenían demasiado ocupado a don José María de Bocanegra como para poder seguir de cerca las pesquisas sobre el homicidio de Egerton y Agnes Edwards. Pakenham no había vuelto a tratar el caso porque el nombramiento del juez especial había demostrado el interés del presidente Santa Anna en aquél y abierto por lo menos un compás de espera diplomática, que el ministro de Gobernación y Relaciones Exteriores había empleado para volcarse en el asunto de los prisioneros. La historia era así: un año después de que en 1836 los rebeldes tejanos sorprendieran al general Santa Anna en la ridícula acción de San Jacinto, tras de que éste los derrotara en el fuerte de El Álamo, cerca de San Antonio Béjar, algunos norteamericanos colonos de Nuevo México, territorio mexicano situado al oeste de Tejas, iniciaron movimientos de sedición en la villa de Santa Cruz de la Cañada. Habían asesinado al comandante militar, al juez de distrito y a otros principales y cometido muchas fechorías, hasta que los mexicanos, organizados por un civil, don Manuel Armijo, lograron reducirlos al orden, justo en enero de 1838. Al principio de 1841, siendo Armijo ya gobernador del Departamento, hubo otros levantamientos provocados desde afuera, que también fueron sofocados. Pero en la segunda mitad de ese propio año, el llamado Presidente de Texas, Mirabeau Bonaparte Lamar, con más ambición que inteligencia, y deseoso

16 Bustamante, *op. cit.*, *supra* n. 1, p. 56.

de extender su dominio más allá del Río Grande, hasta Santa Fé de Nuevo México, había organizado descaradamente una expedición para invadir dicho territorio tratándola de disfrazar como si tuviese carácter comercial. La expedición iba perfectamente armada y formada en su mayoría por americanos, a las órdenes del general MacLeod y del coronel Cooke. Los "expedicionarios" estaban provistos de algunos cañones, abundante pólvora y provisiones a granel, y además, de miles de proclamas impresas en inglés y en español para soliviantar a los habitantes de la provincia, incitándolos a rebelarse contra las autoridades mexicanas y a declarar la secesión. Sabían que la ley prohibía a los extranjeros entrar a Nuevo México a través de la frontera tejana, pero eso no los desvió, pues sus intenciones eran abiertamente agresivas y estaban apoyadas por el ex Presidente de los Estados Unidos, el funesto Andrew Jackson. Atravesando las vastas praderas pobladas de osos y comanches, la fuerza compuesta por trescientos veinte soldados y veintidós carros llegó en septiembre a tierras de Nuevo México. El gobernador Armijo, secundado por el teniente coronel Juan Andrés Archuleta, el capitán de la banda de El Paso, Dámaso Salazar, y el capitán de rurales Manuel Doroteo Pino, logró reunir una fuerza de ciento cincuenta pobladores, contando con el apoyo económico del rico comerciante José Chávez, y derrotó a los aventureros casi sin combatir, primero en Antón Chico y luego en Laguna Colorada. Allí hizo prisioneros a todos los tejanos y americanos de la expedición, así como al traidor mexicano José Antonio Navarro, y los envió encadenados a la ciudad de México mientras el grueso de su tropa regresaba a Santa Fé, adonde entró el 16 de octubre entre los vítores del pueblo en cuya plaza pública quemó las proclamas sediciosas. Fue aquélla una victoria completa de los pobladores mexicanos, en su gran mayoría civiles, sobre un grupo sajón superior en número y pertrechos, y significó el primer gran descalabro para Mirabeau Lamar y los insolentes tejano-americanos declarados en rebeldía contra las autoridades del país que los había acogido desde principios de siglo. Después de atravesar México, penosamente llegaron a la capital ciento veinte prisioneros de aquella expedición, la noche del 2 de enero de 1842. La mayoría de ellos fue recluida en el hospital de San Lázaro y algunos en el convento de Santiago. Navarro y otros cuantos fueron a dar a la prisión de la ex Acordada, y al primero se le remitió a San Juan de Ulúa. El 24 de enero el prefecto de la ciudad, don Antonio Díez de Bonilla, pidió auxilio monetario a la Junta de Caridad a fin de comprar ropa y buenos alimentos para los prisioneros, habiendo recibido dos mil pesos para tal propósito. Algunos tejanos lograron escaparse, otros que lo intentaron o agredieron a los guardianes fueron sacados por las mañanas a las calles vecinas para barrerlas y regarlas como escarmiento. Entre los prisioneros se contaba George Wilkins Kendall, editor del periódico *Picayune* de Nueva Orleáns, quien fingía no haber conocido el verdadero objeto de la expedición y alegaba haber entrado al territorio con un pasaporte (que no pudo mostrar) expedido por el cónsul mexicano en aquella ciudad de la Luisiana. Kendall, quien había sido aprehendido con las armas en la mano, insistía en que el gobernador Armijo había quemado el referido pasaporte, lo que este jefe negó rotundamente. En atención a su calidad de periodista, Kendall fue liberado a instancias de Waddy Thompson, nuevo ministro de los Estados Unidos en México, lo que aconteció precisamente el 21 de abril de 1842, circunstancia que le permitió enterarse del asesinato de Daniel Thomas Egerton y Agnes Edwards con quienes aseguró luego haberse cruzado en Tacubaya durante la noche del propio crimen, el día 27. Finalmente, los prisioneros americanos y tejanos en masa fueron sacados de sus cárceles, formados en cuadro en la Plaza Mayor de México, donde hubo un vistoso desfile de la Guarnición en honor del presidente Santa Anna la tarde del lunes 13 de junio, que era el día de su onomástico, y liberados incondicionalmente por dicho general en un gesto que algunos le aplaudieron y otros le criticaron. Carlos María de Bustamante,[17] que fue de los primeros, a pesar de ser enemigo político de don Antonio, escribió en su *Diario* que cuando Kendall, que ya había regresado a Nueva Orleáns, se enteró de ese acto de generosidad, volvió "... a escribir con doble furor contra los mexicanos... He aquí un ruin en toda su deformidad... Usar de

[17] Carlos María de Bustamante, *Continuación del Cuadro Histórico,* vol. 8, t. II, pp. 216-225.

clemencia con esa gentecilla es arrojar margaritas a los puercos." Refería también que poco tiempo después, en Baintree, Massachusetts, los habitantes de ese distrito electoral se habían reunido para recibir a su representante en el Congreso, el ex presidente John Quincy Adams, quien en su discurso atacó valientemente a Jackson, acusándolo de "actos deshonrosos y notoriamente injustos" al buscar "la desmembración de México, nación vecina y amiga, y la unión de sus provincias y territorios sublevados a los Estados Unidos". Recordó que Lamar, el llamado Presidente de Texas, era "natural de Tennessee y vecino del general Jackson" y que la expedición de Santa Fé que este último alentó y contribuyó a financiar: "... era una invasión de aventureros, hostil, proyectada, alistada y emprendida por ciudadanos de los Estados Unidos y en los mismos Estados Unidos contra la ciudad mexicana de Santa Fé", pero cuyos integrantes tuvieron mal éxito y se rindieron casi sin pelear. Y se preguntaba:

¿Cómo fueron tratados esos piratas? Estamos acostumbrados a creer que Santa Anna es una especie de *bestia con cuernos, muy feroz y sanguinario;* pero, ¿cómo se portó con los prisioneros? El gobierno de los Estados Unidos se vio inmediatamente abrumado de representaciones en favor de aquellos *mercaderes y viajeros.* ¡Santa Anna puso en libertad a todos ellos! Si durante la administración de Andrew Jackson un número igual de súbditos británicos hubiese emprendido una expedición semejante contra la ciudad de Filadelfia, y los hubiera cogido como Santa Anna cogió a los aventureros de Santa Fé, ¿qué habría hecho Jackson? Díganlo Arbuthnot y Ambrister: colgarlos a todos del primer árbol que hubiera encontrado.[18]

FUE HASTA EL JUEVES 16 de junio de 1842 cuando la noticia del doble asesinato apareció en la página seis de *The Times* de Londres. Era un despacho proveniente del *Picayune* de Nueva Orleáns, que había sido redactado por George Wilkins Kendall,

---

[18] Alexander Arbuthnot y Robert C. Ambrister, súbditos británicos ejecutados por órdenes del general Andrew Jackson después del ataque que hizo a las ciudades de Pansacola y San Marcos, en la Florida, entonces territorio español (abril de 1818), invasión no autorizada por el presidente Monroe y que provocó conflictos con España e Inglaterra.

el famoso "corresponsal" de la expedición a Santa Fé. Junto
a la crónica a una columna, aparecían, coincidentemente, otras
noticias sobre países de América hispana: la llegada de Waddy
Thompson a México como nuevo plenipotenciario de los Estados Unidos; la devastación causada por un terremoto en la isla
de Santo Domingo, y las últimas acciones de los presidentes
Rivera y Rosas durante la guerra de Uruguay y Argentina en
la que, a juicio del periódico, había la esperanza de que "nuestro gobierno intervenga y logre un arreglo entre los dos países".
Egerton —aunque pertenecía a una ilustre familia— era poco
conocido en su tierra natal, a pesar de sus habilidades artísticas, pero la publicación conmocionó a la sociedad victoriana por
su misterioso y exótico dramatismo, muy a propósito para
sacudir los salones de Londres. Bajo el título "Historia trágica", la crónica de *The Times* decía así:

> En la mañana del 29 de abril la ciudad de México fue presa
> de la mayor excitación debido a la noticia de que Mr. Egerton,
> un pintor paisajista de grandes talentos, había sido inhumana-
> mente asesinado en Tacubaya, junto con una mujer de ex-
> traordinarios atractivos personales con la que vivía como su
> esposa, y quien también poseía grandes dotes como pintora de
> paisajes. Tacubaya, un pequeño pueblo distante como tres mi-
> llas de la ciudad de México, es un lugar en donde residen
> muchas familias distinguidas, especialmente durante el verano.
> El palacio del Arzobispado está en Tacubaya, como también el
> palacio veraniego de Santa Anna. Parece que en la noche del
> crimen, Egerton y la infortunada mujer paseaban en un amplio
> jardín cercano a su residencia, como era su costumbre. Mien-
> tras lo hacían fueron atacados por alguna persona o personas
> desconocidas, y asesinados ambos. El cuerpo de Egerton fue
> encontrado a alguna distancia del de la mujer, traspasado
> aparentemente por una espada. Cerca de él fue hallado su
> bastón muy maltratado, por lo que resulta evidente que opuso
> una vigorosa resistencia. El cuerpo de la mujer fue también
> encontrado apuñalado y por otra parte horriblemente mutila-
> do; esto induce a creer que ella también resistió hasta lo últi-
> mo. Estaba encinta, a poco tiempo de su parto, y el perpetrador
> abusó de ella de la manera más deshonrosa antes de quitarle
> la vida. Su cara estaba rasguñada y muy desfigurada, y una
> gran parte de su pecho había sido mordido; el perpetrador,
> temiendo probablemente que no fuese reconocida, escribió su

nombre sobre un pedazo de papel y lo prendió en un fragmento de su vestido, aunque la mayor parte de éste había sido destrozado durante la lucha que terminó con su muerte. La formación de las letras de su nombre era plenamente inglesa, y estas circunstancias permiten asegurar que el crimen no fue planeado ni madurado por mexicanos. Mr. Pakenham, el ministro británico, se ha esforzado hasta más no poder para arrestar a los perpetradores de estos horribles asesinatos y también ha sido ayudado por el general Valencia y por las autoridades mexicanas; pero hasta últimas fechas no se ha descubierto ninguna pista de los autores. Toda vez que no fue cometido ningún robo, pues no fueron tocados el reloj y el dinero de los bolsillos de Egerton, ni las joyas de la infortunada mujer, es casi seguro que el acto, quienquiera que lo haya cometido, fue una venganza. Egerton tenía esposa e hijos en Inglaterra y hace alrededor de dos años se fugó con la mujer asesinada. Desde entonces vivió con ella como si fuese su esposa. También hay rumores de que esta mujer estaba comprometida con un joven en Inglaterra en la época de la fuga. Siempre que Egerton dejaba su residencia en Tacubaya la encerraba y jamás le permitía salir fuera sino en su compañía. Esta circunstancia era indudablemente bien conocida del perpetrador del crimen. Todo el asunto está cubierto de misterio y miles de especulaciones afloran en México en relación con él. La que recibe mayor crédito es la que dice que el asesinato fue planeado en Inglaterra y ejecutado por algún conocido de la mujer, como una venganza. Otra historia es que Egerton había estado involucrado en un romance con una hermosa mexicana; pero ésta última ha recibido escaso crédito. Sólo el tiempo resolverá el misterio.

Lo crónica no dejaba de contener algunas inexactitudes pero parecía apoyarse en deducciones más o menos válidas y, sobre todo, no atacaba a México ni a los mexicanos, a pesar de que su autor no era precisamente un admirador del país. Contrastaba con muchas de las presiones que circulaban en México y que reflejaba la prensa local. En ellas se hablaba frecuentemente de defender el "honor nacional" en entredicho por el doble crimen, seguramente cometido por "léperos" vernáculos y agravado por la circunstancia de que sus víctimas habían sido ciudadanos británicos. *The Times*, por el contrario, afirmaba que el crimen debía haber sido planeado en Inglaterra y ejecutado, no por asaltantes eventuales sino por algún "conocido" de una

de las víctimas. Sin embargo esa importante noticia periodística
no fue adecuadamente difundida en México. Richard Pakenham, quien recibió un ejemplar de *The Times* de la fecha, algunas semanas después de su publicación, se guardó mucho de
darla a conocer pues no era favorable a los intereses que él representaba ni a los argumentos y reclamaciones que frecuentemente exponía sobre el caso, y además provenía del mentiroso
Kendall. Tampoco favorecía a la actitud reticente William Henry Egerton, el hermano de la víctima, quien se negaba a poner
a disposición del juez Puchet la correspondencia y los documentos del pintor asesinado. Sin embargo el *Diario del Gobierno*
y *El Observador Judicial y de Legislación*, reprodujeron con
alivio la crónica del *Journal des Débats* de París, fechada el 27
de junio, que era una versión reducida pero muy fiel en esencia del despacho del *Picayune*. La nota francesa terminaba así:

> El autor o autores de estos asesinatos, juzgando que una
> de las víctimas había quedado irreconocible, escribieron con
> lápiz su nombre en un papel que dejaron prendido con un
> alfiler en sus vestidos. Los caracteres de una hermosa escritura
> inglesa con que está escrito, parecen probar que el crimen fue
> cometido por ingleses y no por mexicanos. Se ha encontrado a
> Mr. Egerton su relox y dinero que llevaba, lo mismo que a la
> señora sus alhajas; de manera que no puede atribuirse esta
> catástrofe sino a venganza particular. Mr. Pakenham, ministro
> británico, el general Valencia y las autoridades mexicanas han
> hecho hasta ahora vanos esfuerzos para hallar a los culpables.

Las inserciones fueron comentadas a grandes voces por los
partidarios de la tesis del asesinato premeditado. Al fin un periódico extranjero parecía absolver a los mexicanos del calificativo
de incivilizados o salvajes con el que con frecuencia se les ta-
chaba en este tipo de asuntos. Estaban otra vez frente a frente,
las dos hipóteisis originales: la de que Egerton y su mujer habían sido asesinados por una partida de léperos o asaltantes
mexicanos ocasionales, o la de que el crimen había sido planeado en el extranjero y realizado con premeditación, alevosía
y ventaja por uno o varios ingleses. Pero, lamentablemente, de
la investigación del doctor Puchet no surgía ningún indicio que
permitiera probar alguna de las dos hipótesis.

Mientras *La Hesperia* y *El Observador Judicial* continuaban su polémica sobre la actitud del hermano del pintor al no aceptar la revisión de las pertenencias de la víctima, y de paso criticaban la designación de un juez especial, aunque reconocían el tesón con el que había iniciado sus trabajos don José María Puchet, éste recibió, a principios del mes de julio, la visita de don Leandro Iturriaga y Murillas, quien acudió a la casa de la calle de los Cordovanes para ofrecer su ayuda en el difícil caso. Don Leandro, como el juez sabía muy bien, era un rico casateniente de Orizaba que fungía como presidente de la Diputación de Cosecheros de Tabaco de la región veracruzana, en donde en tiempos virreinales se había establecido el estanco de esa planta, abolido después de la Independencia y convertido en Renta. Desde su rancho de Pala, cerca de Ixtlahuancillo, o desde su casa de la primera calle de la Libertad, esquina con Santa Rita, en la propia Orizaba, Iturriaga determinaba el número y calidad de las plantas de tabaco que se sembraban en la zona que comprendía partes de Veracruz, Puebla y Oaxaca, así como la venta de las cosechas. El rico propietario representaba no sólo a los productores sino al gobierno, conocía bien a su paisano el general Santa Anna, y tenía muy buenas relaciones personales con liberales y conservadores. Era amigo del general don José María Tornel y Mendivil, ministro de Guerra y orizabeño como él; el hermano de éste, don José Julián, era el abogado que se encargaba de los asuntos legales de la Renta Tabaquera. Antiguo regidor y alcalde de su ciudad natal, constructor de obras públicas y fincas, benefactor de los pobres y otras muchas cosas, don Leandro viajaba frecuentemente a Puebla y a la ciudad de México, en donde pasaba largas temporadas dedicado a sus negocios y a su amistad con personajes de la vida política y literaria. Era muy pulcro y elegante, sumamente versátil, tenía un coche especial para los peligrosos y cansados viajes por los caminos y hasta una especie de guardia privada de jinetes que lo escoltaban cuando los hacía. Su visita a don José María Puchet fue considerada por éste como una señalada distinción.

—Señor juez —dijo el propietario orizabeño, quiero poner a sus órdenes mi modesta persona a fin de contribuir a que éste tan penoso asunto pueda dilucidarse y resolverse. Estimé sobremanera al señor Egerton, a quien traté durante su primera estancia en el país, hace seis o siete años, recibiendo de él enseñanzas y atenciones difíciles de corresponder. Era una persona reservada y muy concentrada en su trabajo, aunque a veces se permitía momentos y aun días completos de regocijo y celebración, para volver después a su labor pictórica. Pero, como fuimos compañeros de logia, lo frecuenté no poco y creo que él me tuvo suficiente confianza y afecto y así pude penetrar un tanto en su compleja pero atractiva personalidad. Lo admiré mucho, señor juez. Y no vacilo en solicitar de usted que acepte mi colaboración en las pesquisas que sean necesarias a fin de que este horrendo crimen se esclarezca por el bien de todos, inclusive de nuestra patria.

Puchet, mientras don Leandro hablaba, no había perdido ni uno solo de sus gestos, el movimiento pausado y seguro de sus manos y la entonación convincente y sincera de su discurso. Iturriaga podría seguramente serle útil, pensó. Todo juez debe tener por lo menos un *amicus curiae*, esto es, un colaborador oficioso que lo ayude a realizar las investigaciones del caso y a descubrir la verdad. ¡Y qué mejor que alguien que había conocido bien a las víctimas! Además era un gusto tratar con un caballero tan acomodado, fino y atento, que no por provinciano dejaba de exhibir espléndidos modales y parecía inteligente e informado.

—Agradezco en todo lo que vale su gentil ofrecimiento, don Leandro —dijo el juez—. Nada me complacería más que aprovechar su invaluable ayuda en este asunto. Ya cuento con ella, y lo primero que solicito de usted, si el tiempo no le apremia, es que me relate todo lo que pueda sobre el señor Egerton y su esposa.

—A ella no la conocí, doctor Puchet —contestó el interpelado—. El señor Egerton vino con la señora Edwards hasta su segundo viaje, a fines del año pasado, y no nos avisó ni a mí ni a nadie de su estancia, primero en el mesón de la calle de Vergara y después en Tacubaya. Yo sólo supe que había regresado cuando corrió la terrible noticia de su asesinato. Por lo demás pensé entonces que se trataba de otra persona pues los periódicos hablaron de un tal don Florencio Egerton, y yo sabía

muy bien, doctor Puchet, que mi estimado amigo se llamaba
Daniel Thomas y no Florencio, aunque desgraciadamente pronto confirmé que el occiso no era otro que el paisajista que yo
conocía y admiraba. Asistí a su sepelio en el cementerio de la
Tlaxpana y ahí me prometí que haría todo lo que estuviera al
alcance de mi mano para que su sacrificio no quedara impune.
Por lo demás ya iré relatando a usted algunas anécdotas y
sucedidos que me constan sobre la vida del señor Egerton. Sólo
quisiera preguntarle si es cierto, como afirma cierta prensa, que
el hermano del pintor, don Guillermo, se ha resistido a entregar
a usted la correspondencia y documentos de aquél.

—Así es, don Leandro —respondió Puchet—, y como se
trata de un extranjero no veo fácil declararlo en desacato del
tribunal, aplicarle alguna medida de apremio o algo semejante,
pues inmediatamente invocaría la protección de su Consulado
o de su Legación y además se trata de un deudo de la víctima.
Creo que debo encontrar otra manera para convencerlo porque
esa documentación puede ser de la mayor importancia y arrojar
quizás algunos indicios sobre el posible motivo del asesinato.

—Coincido con usted, señor juez —afirmó Iturriaga—, ignoro si usted sabe que el señor Egerton realizaba apuntes de
sus visitas por el país pues viajó incansablemente por toda la
República, e hizo dibujos y acuarelas de muchos paisajes cam-
piranos, minerales, ciudades y haciendas. Pero asimismo escribía
sobre todas sus experiencias, lo que veía y lo que recordaba.
Creo que también sobre su vida pasada en Inglaterra. Tenía
una especie de diario.

Puchet se estremeció. ¡Un diario! Ahí podía estar la clave
de todo. Ahora comprendía por qué William Henry Egerton se
oponía al registro de las pertenencias que el estúpido de Guimaret había entregado al cónsul británico, sin siquiera hacer un
inventario, el día mismo en que se descubrió el asesinato. Y por
otra parte habría cartas, apuntes de lugares, nombres y domicilios de personas, lo común en los papeles de un artista como
Egerton que había viajado y poseído una apreciable cultura. Por
lo pronto la visita de Iturriaga había dado su primer fruto. El
juez concibió una idea que debía habérsele ocurrido desde antes:
pediría una audiencia a don Pedro Vélez, el ministro de Justi-

cia, y le rogaría que por los conductos diplomáticos se solicitara
del ministro Pakenham que convenciera a Guillermo Egerton de
entregarle los documentos y pertenencias de su hermano, para
ser examinados ante el cónsul inglés si era necesario, advirtiéndole que si no lo hacía sería considerado por la opinión pública
y quizá por el propio juez de la causa como encubridor de los
asesinos de su hermano y obstruccionador de la justicia. Pero
todo eso debería de hacerse con mucho cuidado. Puchet sabía
de las delicadas relaciones que existían entre México y la Gran
Bretaña después de la rebelión de Tejas y del reconocimiento
de su supuesta independencia por aquella nación europea. Maldijo una vez más verse en estos aprietos y complicaciones de
los que creía ya haber salido cuando fue nombrado juez de lo
Civil. Pero así era la vida. Todo daba vueltas. Y no quedaba
más remedio que violentar las circunstancias y romper el *im-
passe* de alguna forma. La opinión pública lo exigía y sus superiores no le perdonarían que fracasara en este asunto. Se
jugaba su carrera y quizás el pellejo. De pronto se percató
de que su soliloquio interior lo había distraído de la conversación y regresó a ella:

—Don Leandro —exclamó—, agradezco a usted tan valiosa
información y pronto le convocaré para que sigamos cambiando
impresiones. Le ruego que si a bien lo tiene me haga una relación escrita de todas las personas que a usted le conste conocían
al señor Egerton, sus amigos y, sobre todo, sus enemigos, si
tenía alguno.

—La haré con mucho gusto —respondió su interlocutor—.
Pero será una lista corta. El señor Egerton no era muy afecto
a las amistades y hasta donde yo sé no se metía con nadie,
esto es, no provocaba animadversiones. De todos modos satis-
faceré su solicitud, señor juez; tan pronto tenga esa relación y
cualquier otro dato que me venga a la cabeza o que recabe de
nuestra venerable logia me será muy grato volverlo a visitar.

Cuando don Leandro se despidió cortésmente, Puchet tornó
a sus reflexiones: ¡Un diario! ¡Nada menos que un diario!

WILLIAM H. EGERTON sostuvo una plática con Richard Pakenham a solicitud de este último, quien le explicó que el ministro

Bocanegra le había llamado el día anterior a su despacho y
pedido que intercediera ante el propio Egerton para que éste
pusiera a disposición del juez Puchet la correspondencia, documentos y pertenencias del pintor fallecido, a efecto de que fueran
revisados, pues su negativa estaba obstruyendo la buena marcha de la justicia y dando la idea de que la familia del occiso
tenía algo que ocultar o sabía más de lo que había declarado
sobre el asesinato. Agregó que había convenido con Bocanegra
en que la revisión, en su caso, se haría en presencia del señor
Mackintosh y limitándose a los bienes comprendidos en un
inventario. Pakenham aconsejaba a don Guillermo que aceptara
el procedimiento, pues de otra manera las autoridades podrían
involucrarlo en el crimen o por lo menos cargar sobre sus espaldas la responsabilidad de que la investigación no avanzara.
William H. Egerton, presa de evidente nerviosismo, se resistió
todo lo que le fue posible; dijo que se trataba de un asunto "de
principios", y se preguntó que a dónde irían todos los demás
ingleses si a los jueces mexicanos se les reconocía potestad para
fisgonear sus correspondencias.

—Además —dijo bajando la voz—, entre las propiedades de
mi hermano había ciertos documentos estrictamente familiares
que por supuesto no tienen que ver absolutamente nada con su
vida en México ni con la posible causa de su muerte, los cuales
por ningún motivo permitiré que sean leídos por extraños.

El ministro inglés le explicó lo mejor que pudo el aspecto
legal del problema y añadió:

—Don Guillermo, creo que usted y Mackintosh podrían
hacer un inventario exclusivamente de aquellos bienes y documentos que puedan ser vistos sin lesionar sus intereses familiares y ponerlos a disposición del juez Puchet. De esta manera
evitaremos las críticas periodísticas y las maledicencias, y podremos presionar al gobierno mexicano para que capture a los
asesinos.

Mientras remarcaba lo anterior con toda parsimonia y acentuando la intención, Pakenham miraba a los ojos de William
Henry Egerton dándole a entender que no le quedaba otro remedio que aceptar su proposición, la cual en nada habría de
perjudicarle. Egerton comprendió:

—Muy bien, señor ministro, le ruego que dé usted instrucciones al señor cónsul para proceder en ese sentido. Las posesiones de mi hermano se encuentran ya en mi residencia pues la casa de Tacubaya, como usted sabe, estaba rentada y hemos tenido que devolverla a su propietario.

—Don Guillermo —agregó Pakenham—, lo felicito por su decisión. Y no se preocupe, Mackintosh sabe cómo proceder en estos casos —agregó dibujando una sonrisa de complicidad que Egerton no compartió, como si siguiera muy preocupado por todo lo que sucedía.

EFECTIVAMENTE, como afirmara Pakenham, Ewen Clark Mackintosh sabía cómo proceder "en estos casos", es decir en todos aquellos en que se requiriera torcer la ley. Desde 1839, año en que fuera acreditado como pro cónsul (aunque se hacía llamar cónsul, avanzando indebidamente un escalón en su carrera), Mackintosh había aprovechado su puesto para beneficiar a la firma comercial inglesa "Manning y Marshall", a la que había ingresado como socio en 1834, y que administraba la Casa de Moneda de Guanajuato, hacía préstamos al gobierno de Santa Anna y obtuvo la concesión para explotar varias minas; en esos mismos momentos, asociado con otros extranjeros, Mackintosh estaba cerrando una operación para comprar y luego exportar unos cuarenta mil quintales de cobre en barras y *tlacos*. Este individuo estaba muy seguro de que su dinero, influencia y representatividad le colocaban por encima de las leyes mexicanas, y actuaba en consecuencia, por lo que se le tenía como un personaje de "conducta dudosa". Mackintosh y William Henry Egerton hablaron sobre el asunto que éste último había tratado con Pakenham y convinieron que Charles Byrn formularía un inventario y avalúo de los efectos del pintor entregados por el juez de Paz de Tacubaya al propio cónsul, quien a su vez los había hecho llegar al hermano de la víctima. Así se hizo con la conformidad del amigo de los hermanos Egerton, quien levantó en idioma inglés, sobre cuatro fojas escritas por ambos lados y fechándolo el 15 de junio, el inventario de los bienes que don Guillermo le señaló.[19] La lista de pertenencias contenía algunas

[19] Public Record Office, Londres. Correspondencia de la Foreign Office. Documento 50/155.

de importancia como una pintura al óleo del Valle de México aún no terminada, de tres por cuatro pies de dimensión, con su correspondiente marco, a la que se le asignó un valor total de 560 dólares; otra pintura enrollada de las cataratas del Niágara, de seis pies por cuatro, valorada en 400 dólares; ciento treinta y ocho litografías coloreadas de las *Vistas de México* y cinco sin colorear, justipreciadas todas en 440 dólares; otras varias pinturas inacabadas, un pequeño óleo de un pueblo de Normandía, veinticinco diferentes bocetos, cincuenta y siete acuarelas, cuatro dibujos en sepia, un cuaderno con escorzos a lápiz de caballos, otros bosquejos y litografías de diferente tipo, todo lo cual fue valuado en no más de 170 dólares; varios lienzos y cuadernos para dibujar, en limpio; pinturas de agua y de aceite; una "cámara lúcida", utensilios de pintor incluyendo un caballete y una sombrilla; lápices y crayones, distintos pinceles, una caja de plumas de dibujar; cincuenta y seis libros; un caballo y dos albardones; un rifle y una pistola de bolsillo; dieciséis dólares en efectivo; botas, medias botas, polainas a prueba de agua, un salvavidas, ropa personal y de casa; un catre, un sarape, un tapete, sábanas, almohadas; vasos, cubiertos y platos, en fin lo usual de una casa, más cajas de diferentes tamaños; el gran total del avalúo ascendió a 2,352 dólares. ¡Pero ni una sola carta escrita por o para Daniel Thomas o Florencio Egerton, ningún papel o cuadernos con apuntes, ningún documento manuscrito, mucho menos un diario! A fin de dar al asunto visos de legalidad, William Henry Egerton extendió al Consulado una contrafianza por dos mil dólares, ya que su hermano había muerto intestado y él se hacía responsable del acervo ante sus herederos.

El inventario fue presentado al juez Puchet por el cónsul y todos los bienes que comprendía puestos a su disposición para inspección ocular en la casa del propio cónsul. El magistrado mexicano acudió a ella acompañado de su escribano y los revisó sin mucha pasión. Al ver la lista de pertenencias había comprendido todo. Entre don Guillermo y Mackintosh le habían jugado una mala pasada. De seguro ocultaban papeles y cartas, y hasta quizás el famoso diario. Todo era muy burdo. Ni siquiera se les había ocurrido incluir en el inventario algunos documentos sin importancia, algunas misivas baladíes. Se escudaban en que la representación consular daba fe, y que para controvertirla había que tener pruebas que el juez no poseía o provocar un incidente diplomático. Pero el doctor José María Puchet sacó una cosa en claro al finalizar la diligencia: que el hermano de la víctima estaba muy nervioso, lo que anotó mentalmente... ¡Ya se descubriría el "gato encerrado"! Por ahora no quedaba más remedio que continuar la investigación por otra parte.

Al día siguiente de la presentación del inventario, Richard Pakenham envió un despacho a don José María de Bocanegra, acreditando a Eustace Barron y a Ewen Clark Mackintosh como *cónsules* de Su Majestad Británica en las ciudades de San Blas y México respectivamente, de lo que el ministro tomó debida nota. Por fin el pillo obtenía su ascenso.[20]

---

[20] Nota de Pakenham a Bocanegra de 17 de junio de 1842, contestaba afirmativamente el 18 de junio. Acervo Histórico Diplomático. Secretaría de Relaciones Exteriores.

7. *¿Quién conoció a D.T. Egerton?*

"Brian Nissen... es un inventor de formas
sólidas que de pronto,
arrebatadas por un soplo entusiasta,
se echan a volar: súbito polen multicolor."

Octavio Paz, Los privilegios de la vista.

[México, 1987]

CONTRARIAMENTE A LO QUE PODÍA suponerse la apasionante investigación en la que se hallaba inmerso por voluntad propia
no apartó a Brian Nissen de su trabajo habitual. Pintaba y
esculpía con más entusiasmo que nunca. Presentó otra exposición en Nueva York y terminó los grabados eróticos. Parecía
como si esta nueva ocupación bibliográfica, histórica y... ¿policíaca? alimentara su inspiración y su voluntad de producir plásticamente. Cuando visitaba bibliotecas, leía libros de historia de
México y de su propia patria, o comentaba con los amigos sobre
D.T. Egerton, sentía que su potencia creativa aumentaba y acto
seguido se ponía a trabajar con la cera o la plumilla. Después de
salir de la fundición, en donde sus modelos se convertían en
bronces sorprendentes, recorría librerías de viejo en el *West Side*
de Manhattan, buscando algo de la época. Y cuando modelaba
una nueva figura o trazaba un escorzo, pensaba frecuentemente
en el artista victimado, en lo que habría imaginado éste hacía
un siglo y medio, mientras reproducía en el lienzo sus diseños
a lápiz o coloreaba sus litografías. Un trabajo y otro, increíblemente, se complementaban y fue esa la época que Brian Nissen
consideró como la más fructífera de su carrera.

PRECISAMENTE ENTONCES empezó a recibir contestaciones a sus
cartas enviadas a Londres. Once personas apellidadas Egerton
fueron tan gentiles de responder a su misiva, lo que Brian consideró revelaba un alto porcentaje de interés, teniendo en cuenta que se trataba de un asunto perdido en el tiempo y de una

[121]

correspondencia entre las islas británicas y el continente americano. Ninguno de los once Egerton registraba entre sus antecesores a un Daniel Thomas y casi todos sabían por primera vez de la existencia y trágica muerte del pintor, pero la mayoría trató de aportar datos útiles o aventuró alguna hipótesis genealógica para la investigación. Varios pidieron a Nissen que les tuviera al corriente de sus indagaciones o del resultado final de su búsqueda.[21] El señor D.L. Egerton-Smith aseguró poder trazar la historia de su familia hasta 1700, y que en ella no había rastro de un Daniel Thomas ni de un episodio como el de su asesinato; agregaba que el apellido era relativamente común en el norte de Inglaterra, particularmente alrededor de Cheshire y Lancanshire y le sugería investigara en esa área. La señora Evelyn Egerton escribió que su hijo había visitado México hacia 1985 y admirado las pinturas y grabados del paisajista, pero que éste no parecía ser uno de sus antecesores directos. Consignó que el apellido Egerton es de origen local, esto es, una referencia del lugar en donde vivió o poseyó tierras la primera persona así llamada y se deriva del nombre de un pueblo en la parroquia de Malpas, en Cheshire, y de otro en la parroquia de Kent. Entre los primeros miembros de esa familia de los que existe huella histórica se encuentran un Roger Egerton, de Chrisbleton, hacia 1554, y John Egerton, de Tatton, en 1614. Añadía un dato que muchos otros amables correspondientes también aportaron: que el apellido Egerton era el nombre de familia de los condes de Welton y de Ellesmere. Sir Seymour Egerton, por su parte, le informó que la cabeza actual de esta última familia era el duque de Sutherland, y Sir John Grey-Egerton de la de Oulton, distintas ambas de la rama de Tatton en la cual no aparecía tampoco el nombre del malogrado pintor.

Una carta muy interesante y reveladora fue sin duda la del excelentísimo señor Stephen L. Egerton, a la sazón embajador de Su Majestad Británica en Riad, Arabia Saudita, quien había comentado la misiva de Brian con su colega el embajador de México Héctor Cárdenas. Ambos conocían el soberbio cuadro

---

[21] Todas las cartas que se mencionan en este capítulo fueron escritas al autor por las personas mencionadas en diversas fechas de mayo, junio, julio y agosto de 1987.

BRIAN NISSEN: *El sueño de Egerton I.*
Tinta. Colección del autor

de Egerton sobre el "Valle de México" que su mutuo amigo, el embajador británico Sir Crispin Tickell, exhibía con orgullo en la residencia diplomática de la propia ciudad que retrata; sin embargo ninguno de ellos sabía cómo había sido la trágica muerte del autor y de su compañera y se sorprendieron con la carta de Brian. El embajador Egerton declaraba pertenecer a la rama familiar más antigua, la Grey-Egerton de Oulton, en la cual no había logrado encontrar ninguna traza del acuarelista, sino tan sólo una referencia a un Daniel Egerton, actor de tiempo completo, muerto en 1835. Añadía que la rama más joven era la de los Ellesmere, antes duques de Bridgewater, cuya genealogía podría recorrerse en un buen libro nobiliario o *peerage*. También preguntaba directamente a Nissen:

> ¿Se le ha ocurrido a usted que Daniel Thomas pudo ser un vástago ilegítimo de cualquiera de las ramas *senior* o *junior* de los Egerton? Si así fue será difícil descubrir su nacimiento. Pero como usted, me siento seguro de que alguien en alguna parte debe tener registrados los orígenes o el *curriculum vitae* de una persona que fue un artista famoso.

Brian pensó que el embajador podía estar en lo cierto.

El mayor general retirado D.B. Egerton, perteneciente también a la genealogía *senior*, escribió a Nissen que su árbol familiar había sido investigado desde los tiempos isabelinos y no mencionaba a una "persona tan interesante" como el pintor. Agregaba que en ese lado había "muy poco talento artístico".

> Originaria de Cheshire —añadió— nuestra familia se dividió en dos ramas en el siglo XVI. La mía tuvo continuidad por el lado masculino y es un poco torpe. La otra rama fue fundada por el nieto ilegítimo de uno de los hijos menores que demostró una gran habilidad jurídica y llegó a ser procurador general y luego Lord canciller del reino de Isabel primera. De él descienden los condes y duques de Bridgewater y Ellesmere.

Inmediatamente Brian Nissen acudió a un libro de historia de Inglaterra y encontró lo que necesitaba: ¡aquel hábil abogado de la reina se había llamado nada menos que *Thomas Egerton!* Era muy posible que de esa rama *junior* como le designaban algunos, o *ilegítima* como la calificaban otros, descendiera el personaje asesinado. Todas eran aproximaciones pues el Registro Civil británico fue bombardeado durante la Segunda Guerra Mundial y se habían destruido las actas de nacimiento anteriores a 1837, por lo que el origen del paisajista, nacido el primer año del siglo xix o a fines del xviii, tendría que establecerse por medios indirectos. Otras interesantes cartas que parecían confirmar la pertenencia de aquél a la rama de los Bridgewater y Ellesmere fueron las recibidas de la señorita Judy Egerton, quien laboraba en la Galería Tate y le envió una fotocopia del grabado "Prueba de nervios", ya conocido pero muy agradecido por Nissen; del doctor T.A. Egerton, de los señores B.F. Egerton y E.C. Egerton (¿por qué los ingleses no escriben completo su nombre?), y de la señorita Susan Egerton-Jones. Y hubo otras dos cartas provenientes de la misma persona, la señora Phyllis Egerton, quien no se limitó a confirmar la presunción mayoritaria de que el acuarelista de Hampstead debió pertenecer a la rama de Bridgewater y Ellesmere, sino que, auxiliada por su amiga la señorita Edith Clay, visitó infructuosamente Saint Catherine House, la oficina central de Registro Civil, que sólo contiene datos desde 1837, y, con mucho éxito, la Oficina de Archivos Públicos de Richmond, Surrey, en donde localizó, formando parte de los documentos históricos del Servicio Exterior (Foreign Office), bajo los números 50, 152 y siguientes, la correspondencia que inmediatamente después del asesinato envió a Lord Aberdeen el ministro Richard Pakenham, incluso el importante despacho número 40 del 2 de mayo de 1842, participando "la atrocidad raramente igualada en los anales del crimen". Brian estaba feliz. Parecía que la familia Egerton entera, aun ignorando sus posibles vínculos con Daniel Thomas, había hecho un esfuerzo extraordinario para cooperar en la investigación de su homicidio, ciento cuarenta y cinco años después de cometido. Lo anterior dio nuevos bríos a Nissen para continuar sus pesquisas históricodetectivescas en las que a cada momento se sentía más involucrado.

Escribió entonces al embajador Jorge Eduardo Navarrete, representante de México en Londres, para que le hiciera el favor

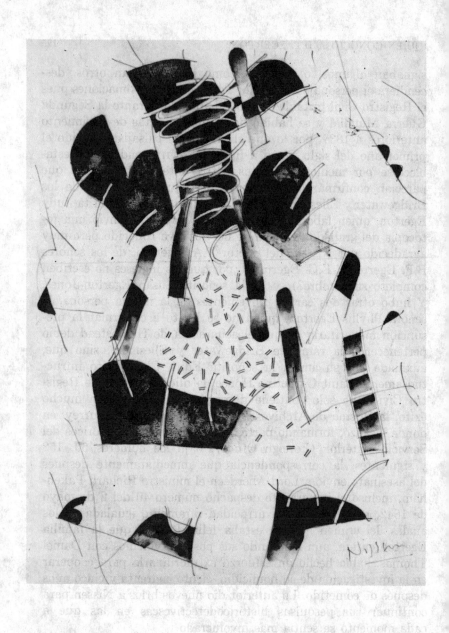

BRIAN NISSEN: *El sueño de Egerton II.*
Tinta. Colección del autor

de conseguirle una fotocopia de los documentos localizados por la señora Phyllis Egerton. Así lo hizo el diplomático, contando con el empeño personal de la señora Elena Uribe. Y Daniela Dueñas y su mamá le hicieron llegar el microfilme del *Fashionable Bores* que recogieron a su pedido durante un viaje a la capital británica. ¡Todos los ayudaban! Gracias a los documentos de la *Foreign Office*, Brian Nissen pudo establecer algo muy importante: que Egerton y su esposa Georgiana habían firmado una escritura de separación (deed of separation) por la cual el pintor había asegurado a su cónyuge con una pensión de por vida. Lord Aberdeen había enviado a Pakenham una carta de Georgiana, escrita después del asesinato de Egerton, reclamando las pertenencias de éste y el ministro le había remitido, el 10 de septiembre de 1842, una copia del inventario de los bienes levantado por Charles Byrn, para que formara parte del intestado que tendría que abrir la viuda. Para Nissen la existencia de esa escritura de separación y de la pensión vitalicia correspondiente significaban sin duda que Daniel Thomas Egerton y su esposa legítima habían llegado a un cierto acuerdo antes de que el pintor viajase a México, y, por tanto, que no había habido una pretendida fuga con Agnes Edwards, ni un abandono de Georgiana que pudieran motivar la venganza de esta última e inducirla a planear desde Inglaterra el asesinato de su marido, padre de sus tres hijas. No, aquello parecía desvanecer la hipótesis de la mujer ofendida y el viricidio pasional. Brian pensó que el documento de separación entre los Egerton era una prueba que válidamente le permitía descartar esa posibilidad; la primera sólida de una investigación iniciada tantos lustros después del crimen. Se sintió muy estimulado por el nuevo hallazgo y la conclusión derivada y decidió que ya era tiempo de realizar su planeado viaje a México.

LAS HUELLAS DEL TERRIBLE temblor del 19 de septiembre de 1985, acaecido poco antes de un nuevo paso del cometa Halley por su cielo, se apreciaban claramente en la ciudad de México a dos años de distancia, aquel mediodía en que Brian Nissen, acompañado de Montse, llegó de Nueva York. Vio lotes vacíos en donde estuvieron algunos de los cientos de edificios colapsados, obras de reconstrucción y apuntalamiento en otros inmuebles de varios pisos, una ampliación de la Alameda Central sobre el terreno que el día del terremoto soportaba a un hotel muy conocido y a un gran almacén, y vio también a muchos citadinos damnificados que vivían en condiciones precarias, organizándose para exigir nuevas viviendas o acelerar la reconstrucción de las que habían perdido. No cabe duda, se dijo Nissen, que la ciudad y el país entero se transformaron a partir del violento sismo que segó miles de vidas, derrumbó incontables edificios y casas y desquició el transporte y las comunicaciones por un buen tiempo, pero que, en cambio, hizo nacer una espontánea solidaridad entre los vecinos y provocó una saludable mudanza en la actitud del mexicano ante los problemas sociales, económicos y políticos. También Daniel Thomas Egerton debió de haber vivido algunos temblores durante sus dos viajes a México. Nissen había leído en un libro de don Carlos María de Bustamante sobre el *Gran terremoto de Santa Cecilia*, llamado así porque se sintió a las doce de la noche del 22 de noviembre de 1837, día dedicado a esa santa en el calendario católico, y que causó muchos estragos en los principales edificios de la capital, empezando por la Catedral y varias iglesias, pues duró cinco largos minutos, fue trepidatorio, arrojó muchas víctimas y, como el de 1985, tuvo por epicentro las costas cercanas a Acapulco. Quizá el pintor inglés estaba en la ciudad ese terrible día de Santa Cecilia, lo cual era posible pues el gran cuadro del "Valle de México" está fechado por su mano precisamente en el año de 1837. El historiador Romero de Terreros consigna que Egerton lo pintó para su amigo el señor Simón MacGillivray, un rico minero inglés residente a la sazón en el país, por lo que se colige que el artista bien pudo resentir los angustiosos momentos de aquel célebre terremoto, aunque también pintarlo en Inglaterra. En cambio, con toda seguridad estuvo en el que aconteció un día de marzo de 1834, a las diez treinta de la noche, cuyo sacudimiento no llegó del sur sino del este, de la zona cercana al Pico de Orizaba, y devastó muchos poblados de Veracruz y Puebla, teniendo también un gran efecto en la capital pues hundió por el centro los arcos de uno de los acueductos, derrumbó otras construcciones y sembró el pánico entre los vecinos que abandonaron sus lechos y sus casas y se hincaron en las calles oscuras implorando piedad a Dios y a todos los santos.

Casi toda la familia política de Nissen vivía en varios departamentos del "Edificio Condesa", construido hacia 1917, inmejorablemente situado y que hoy alberga familias de clase media pero de alta educación, incluyendo muchos intelectuales y artistas que han hecho del edificio un lugar de agradable convivencia. Y aunque en broma los vecinos suelen llamarlo *Peyton Place*, en remembranza de un filme que denuncia el infernal chismorreo de un pequeño pueblo norteamericano, a causa de lo rápido que se fabrican y circulan ahí muchas noticias y sucedidos, la verdad es que constituye uno de los sitios de más tradición en la vida urbana capitalina del siglo xx.[22] Ahí llegaron como de costumbre, Montse y Brian y, después de los efusivos abrazos de bienvenida, el inevitable aperitivo y de contestar las no menos obligadas preguntas sobre el éxito de sus últimas exposiciones y trabajos plásticos, el pintor-escultor comentó que el propósito central de su estancia en la ciudad de México era continuar una investigación sobre la vida y el asesinato de Daniel Thomas Egerton. El tema era poco conocido entre los familiares de Montse a pesar de estar varios de ellos muy vinculados con el arte; sabían, sí, de la existencia y las obras litográficas del paisajista británico del siglo xix, pero nada más. Brian les hizo una breve semblanza de su conciudadano y sobre todo les relató la terrible muerte que tuvo junto con Agnes Edwards. Todos prometieron ayudarle, aunque no entendían qué interés podría guiar a Nissen, más allá de la curiosidad, al emprender esa investigación, pues él nada les dijo sobre los sueños que había tenido: eso era algo muy íntimo que guardaba para sí mismo. Además no quería exponerse a ninguna burla o suspicacia. Durante la alegre comida no se habló más del asunto, pero Brian hacía mentalmente su programa para los días siguientes.

[22] Sergio Pitol, en su estupenda novela *El desfile del amor*, Barcelona, Anagrama, 1984, narra la historia de otro inmueble semejante al que llama "Minerva", pero que se cree es el "Edificio Río de Janeiro", frente a la plaza del mismo nombre en la colonia Roma. El "Edificio Condesa" espera aún a su biógrafo.

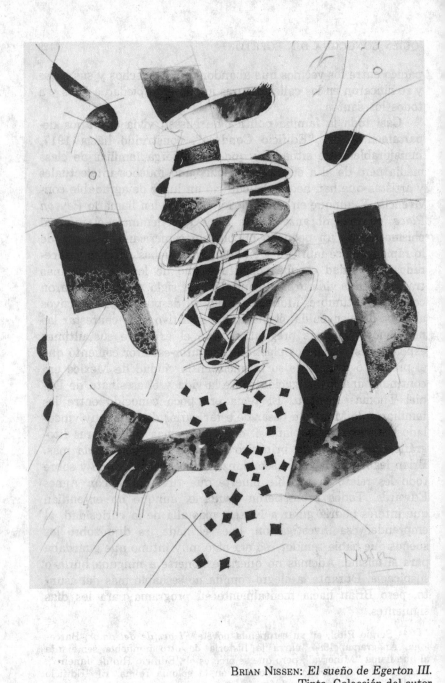

Brian Nissen: *El sueño de Egerton III.*
Tinta. Colección del autor

EMPLEÓ EL PRIMERO de ellos en visitar el antiguo Cementerio Inglés, en la zona que hasta mediados del presente siglo los capitalinos conocieron como la Tlaxpana. Pretendía localizar las fosas contiguas marcadas con los números 132 y 133 en donde, de acuerdo con la biografía de Egerton escrita por Martin Kiek, fueron sepultados los dos amantes, pero se encontró con que el panteón había desaparecido, devorado en parte por las obras del "circuito interior", una vía rápida de anchos carriles y pasos a desnivel que alteró la fisonomía de varias zonas de la ciudad. Este circuito discurre en parte sobre la antigua calzada de la Verónica que conectaba la Tlaxpana con Chapultepec y que hoy se llama avenida Melchor Ocampo, en honor de un héroe de la época de la Reforma. Por lo que supo, el cementerio de los británicos fue clausurado por orden de las autoridades de la ciudad de México en los años cuarenta, pues se encontraba ya en el centro de la misma a despecho de las disposiciones sanitarias. La capilla fue trasladada piedra por piedra a otra parte, y se construyó en una esquina un monumento también en forma de templo donado por la colonia inglesa para recordar a sus difuntos. Junto a él se alza un centro cultural con un teatro al aire libre que permite contemplar algunos viejos fresnos los cuales, seguramente, están ahí desde hace muchos años, y que Nissen pensó pudieron atestiguar el entierro del pintor y su mujer, y la reunión de "extranjeros en tierra extraña". El centro cultural colinda al sur con el Cementerio Americano, también en desuso pero cuya ubicación más lejana le permitió salvarse parcialmente de ser engullido por el circuito interior. Sin embargo esta instalación es aún visitable y Brian penetró en ella. Lo recibió el señor Paul Badgley, funcionario de la Comisión de Monumentos de la Embajada de los Estados Unidos, y le acompañó a conocer las tumbas y los columbarios de los muros cuyas placas de mármol y epitafios recuerdan a los residentes americanos ahí sepultados así como algunos tristes jirones de la historia del país, pues en una esquina se eleva una estela conmemorativa en honor de los invasores que cayeron en las batallas de septiembre de 1847 durante la guerra entre México y su poderoso vecino del norte. Brian estaba seguro de que en algún lugar bajo el circuito o el paso a desnivel que libra la avenida México-Tacuba, antigua calzada de Tlacopan, que va hacia San Cosme y el centro histórico de la ciudad, devorados ya por toneladas de cemento y acero, enraizados para siempre al suelo de México, confundidos con su paisaje urbano, descansan los restos de Daniel Thomas y Agnes, que para Brian constituían no sólo uno de los objetivos de su pesquisa (un tanto cuanto sentimental, lo confesaba) y el llamado *cuerpo del delito*, sino mucho más que eso: dos modestos símbolos más de aquel peculiar México de la primera mitad del siglo XIX, que el erudito Jesús Reyes Heroles llamó, con razón, la "sociedad fluctuante", porque se debatía entre un antiguo régimen colonial, aparentemente liquidado por la Independencia pero que no acaba de morir y una nueva concepción, de un orden secularizante, moderno, laico, democrático y liberal, que aún no acababa de nacer. Brian estaba conociendo ahora esa época del país que amaba, a través de sus últimas lecturas e investigaciones, y se repitió que aunque eso fuera lo único que ganara en el esfuerzo, éste bien valía la pena.

Del antiguo Cementerio Inglés Brian Nissen se dirigió a la oficina del Centro Histórico de la ciudad, pues gracias a Beatriz Reyes Nevares tenía cita con don Luis Medina Peña, de quien dependía el Archivo Histórico del ex Ayuntamiento de México, que comprende desde el año de 1524 hasta el de 1928, y en donde podría quizás encontrar algunos documentos interesantes. Ahí le presentó don Luis al historiador en jefe Jorge Nacif Mina, quien le prometió hacer una búsqueda en los expedientes y planos relativos a la época de su interés y le obsequió un ejemplar de su libro sobre la historia de la policía capitalina, por el que Brian se informó, entre otras muchas cosas, de que quien reorganizó los cuerpos policíacos en la época del asesinato fue el gobernador del Departamento de México, don Luis Gonzaga Vieyra, el cual tan pronto tomó posesión de su cargo en 1838 estableció el "Reglamento del cuerpo de vigilantes", mismo que no pudo hacer gran cosa la noche del 27 de abril de 1842 para impedir el doble crimen o aprehender a los responsables. Nacif Mina se identificó inmediatamente con las preocupaciones de Brian y durante esa primera visita puso en sus manos un plano de Tacubaya, levantado pocos años después de los acontecimientos, que tenía la virtud de conservar la nomenclatura de las antiguas calles y que le sería de gran utilidad para reconstruir aquéllos. El pintor había recibido ya en Nueva York otro plano del viejo pueblo, enviado por la unidad cartográfica que se encuentra precisamente en el ex palacio del Arzobispado, ubicado en la actual avenida Observatorio, de Tacubaya, pues ese imponente inmueble también fue sede del centro sismológico y meteorológico de la capital. Con esos dos elementos podía continuar sus pesquisas *in situ*, mientras la búsqueda en los expedientes del Ayuntamiento seguía adelante.

Al día siguiente Brian Nissen visitó a Leonor Ortiz Monasterio, en el Archivo General de la Nación, previa cita hecha desde Nueva York a través de Gustavo Maza, un servicial amigo. La directora de la importante institución, que desde hace años se aloja en el edificio de la antigua penitenciaría de la calle de Lecumberri, a petición epistolar de Nissen, había dedicado varias semanas a buscar antecedentes sobre el asesinato de los Egerton en los periódicos y revistas de la época, eficazmente auxiliada por Gudelia Moreno, y le tenía un buen rimero de fotocopias de *El Siglo XIX*, el *Diario del Gobierno, La Hesperia* y otros. ¡Un material inapreciable que cubría las principales crónicas y comentarios que había provocado el dramático sucedido! Pero aparte de las del propio Archivo General y de la Hemeroteca Nacional, la investigación que recibió comprendía una extensa lista de fuentes bibliográficas y también la reseña de algunas frustrantes revisiones de otros archivos que no se encontraban debidamente clasificados, eran inaccesibles o no habían arrojado ningún dato importante sobre el asunto. Caminando por los pasadizos del enorme polígono que durante más de medio siglo fue la cárcel de la ciudad, restaurados y convertidos hoy en tranquilos corredores que discurren académicos e investigadores, Brian experimentó una amable sensación de progreso y bienestar. Y se detuvo frente a los originales de las distintas Constituciones del país, el modelo de la Bandera y el Escudo nacionales y otros documentos de enorme importancia como el Acta de Independencia. Reflexionó que un pueblo que no preserva y estudia su historia extravía su futuro, y que si no llega a conocer aquélla resulta condenado a repe-

tirla, como se ha dicho. Vino a su memoria entonces la definición de Lord Acton: "El historiador es el político viendo hacia
atrás", y sonrió; estaba de acuerdo, pero en este caso no se
trataba de un político o de un historiador sino de un artista-
detective, totalmente *amateur*, que buscaba en la historia una
respuesta a preocupaciones subconscientes u oníricas, aunque
también a muchas preguntas totalmente objetivas que habían
intrigado a mexicanos e ingleses casi un siglo y medio antes.
Con el material recibido en el Archivo tendría para rato; necesitaba estudiarlo con cuidado, hacer fichas, cruzar notas, prolongar algunas referencias, continuar la investigación. Se dio
cuenta de que cada día penetraba más en un terreno en el cual
no era de ninguna manera experto pero en el que incurría con
verdadera pasión. La prensa de la época, sobre todo, prometía
serle muy útil. Y el viejo plano de Tacubaya también. Decidió
que mientras leía y subrayaba la primera con toda calma, haciendo trabajo de gabinete en su casa, aprovecharía el segundo
para visitar Tacubaya y ubicar de la manera más precisa posible los lugares en donde Egerton y Agnes fueron asaltados y
asesinados. Era como realizar una inspección ocular o una reconstrucción de hechos ciento cuarenta y cinco años después.
No resultaba fácil, pero había que hacerlo para conservar el
rigor de la investigación criminológica. Quizás un día pudiera
hasta escribir un libro sobre todo ello. Era la primera vez que
lo pensaba. Y por lo pronto le pareció bien. ¿Por qué no?, se dijo.

AL MEDIODÍA SIGUIENTE Brian Nissen se encontró caminando
hacia la antigua calzada de Tacubaya. A poco rato llegó a la
esquina de la calle de Salvatierra y fijó la mirada llena de
añoranza en la casa de grandes ventanas donde por tantos años
había tenido su estudio, recordando las largas horas que en él había pasado pintando y esculpiendo. ¡Nunca contemplaría una
vista tan hermosa como la que se dominaba desde el segundo
piso de ese estudio! A partir de los ventanales y por sobre las
copas de los árboles había admirado cientos de veces el maravilloso castillo de Chapultepec, más o menos en el ángulo desde
el cual lo había pintado Egerton, quien se había situado en el
propio pueblo de Tacubaya, casi tan alto como Hampstead en

relación con la ciudad. Y Brian volvió a vivir interiormente esa extraña sensación que lo hacía identificarse con el grabador inglés, asesinado no lejos de ahí. Siguió caminando por la calle de Alfonso Reyes hacia la antigua calzada de Tacubaya. Llegó al gran edificio que fue del Instituto Mexicano de Comercio Exterior y dio vuelta a la izquierda, bordeando la Embaja Soviética, ex casco de la hacienda de la condesa de Miravalle, hacia el sur, por la propia calzada que ha cambiado su nombre por el de avenida Revolución. Cruzó la avenida Benjamin Franklin, siete u ocho cuadras después atravesó hacia la Alameda de Tacubaya, una plaza municipal que a pesar del nuevo trazo urbano ha conservado gran parte de su sabor decimonónico, y no debe haber cambiado mucho desde los tiempos del asesinato. Al centro, una *exedra* del siglo pasado recuerda el abolengo de la zona, junto con la edad de los árboles. Nissen estaba consciente de que por aquella alameda habían paseado no pocas veces Egerton y la Edwards, y que en la vecina calle de las Ánimas (hoy llamada Mártires de la Conquista) que en otro tiempo fue el camino que unía la parroquia, situada enfrente de la plaza, con el Molino de Valdés y otros barrios, sucedían en tiempos virreinales acontecimientos misteriosos. El cronista Francisco Fernández del Castillo[23] refiere que al ponerse el sol, cuando apenas existía una tenue penumbra y las candilejas aún no se encendían, la calle se llenaba de nubes o nieblas que crecían y se achicaban, se dilataban y encogían, y llegaban hasta el baptisterio de la parroquia como volutas de humo, formando un girón hacia lo alto. Se decía que tales fenómenos no eran otra cosa que las ánimas en pena de algunos judíos que habían vivido cerca del molino hacía muchos años, como don Sebastián Cardoso y tres mujeres homónimas llamadas las "Tres Blancas", quienes se las habían tenido que ver con la Santa Inquisición, sufrido el auto de fe y ahora regresaban a la tierra convertidas en nieblas y miasmas que arrastraban cadenas, daban alaridos en expiación de sus pecados, y después de vagar como espectros se desvanecían junto al templo, a las primeras

[23] "Tacubaya", por el Lic. Antonio Fernández del Castillo, en *México en el tiempo. El marco de la capital*, México, edición de Roberto Olavarría, 1946, p. 188.

luces de la aurora. Fueron estos legendarios fenómenos de la época colonial los que dieron nombre a la calle de Las Ánimas y la tradición aún los tenía presentes en ese rincón de la gran capital, que, como todas las de América Latina está plagada de "espíritus" y de consejas.

Después de recorrer con lentitud la Alameda, como saboreándola, Brian atravesó nuevamente la antigua calzada de Tacubaya, en sentido contrario, para penetrar al amplio atrio del templo de la Candelaria que en 1842 era la parroquia del pueblo y ya para entonces tenía casi tres siglos a cuestas pues fue edificado hacia 1556 con la contribución de los cuatro barrios indígenas de la región cuyos nombres se encuentran consignados en las pilastras de la fachada: Tlacateco, Huitzilan, Nonohualco y Texcocoac. Encontró el templo y su convento anexo magníficamente conservados, demostrando la solidez de su edificación. Los frailes españoles construían para la eternidad, pensó Nissen. Y también para ciertos requerimientos materiales de aquella época, pues en México abundan los conventos-fortalezas que servían para defender a los colonizadores de la hostilidad circundante y constituían puestos de avanzada para nuevas conquistas. Brian admiró el claustro de dos pisos con sus hermosas y sencillas arcadas, sobrias columnas e imprescindible fuente al centro y aspiró el aire de paz y tranquilidad de la atmósfera interior. Tuvo la agradable sorpresa de que el dominico encargado de las instalaciones fuese un hombre ilustrado y amante de la historia, don Enrique Ramos Gómez-Pérez, quien junto con su hermano, otro religioso culto y conocedor, le brindó todo tipo de ayuda al enterarse del motivo de su visita. Los tres recordaron momentos estelares de la historia de Tacubaya,[24] cuyo nombre primitivo fue Atlacuihuayan, que significa "lugar donde tuerce el río", pues uno de los que entonces irrigaban la zona tenía una curva muy pronunciada. En todo caso el nombre del lugar está asociado con el agua corriente que nunca ha abundado en el altiplano de México, pero cuya discreta presencia en ese lomerío motivó que el pequeño pueblo de indios fuera un plácido lugar de descanso para los habitantes de la ciudad que crecía sobre las ruinas de Tenochtitlan.

[24] Fernández del Castillo, *op. cit.*

Por eso Tacubaya se convirtió en lugar de huertas, jardines y casas solariegas, y en asiento de molinos de trigo como los de Valdés y Santa Fe, propiedad este último, en el siglo XVIII, de Juan Ramírez de Cartagena, quien formó un acueducto desde ahí hasta el molino de Belén de las Flores para competir con el de Santiago, el cual había sido propiedad de un cuñado de Hernán Cortés, o como el molino de Santo Domingo, que era de los más prósperos. Cerca de este último salía otro acueducto hacia la ciudad, pasando por el molino del Rey, muy cerca del bosque de Chapultepec. Cuando los indígenas de la zona necesitaban agua porque el río había reducido su caudal, rompían la cañería del acueducto burlando a las autoridades del virreinato, y tomaban el líquido del chorro resultante. Ahí nació el nombre del "Barrio del Chorrito" que hasta hace no muchos años se le dio a esa zona situada entre Tacubaya y Chapultepec, cerca de donde luego estuvo el rancho de la Hormiga, convertido hace medio siglo en la residencia presidencial de Los Pinos. Los hermanos Ramos eran un pozo de sabiduría tacubayense y recordaron que hacia 1737 el arzobispo Vizarrón y Eiguiarreta ordenó construir el palacio arzobispal cuya enorme huerta se dedicó al cultivo del olivo. Pronto se extendieron los olivares hacia el sur, entre los que fueron famosos el Olivar del Conde y el de los Padres, dominicos por cierto. El clima y la belleza de Tacubaya eran tales que a principios del siglo XVII Felipe III la eligió para capital de la Nueva España y ordenó el traslado del poder virreinal a sus lomas, pero como ello requería un enorme gasto del Ayuntamiento de la ciudad, éste se opuso y no llegó a realizarse el proyecto que hubiera dejado a sus habitantes a salvo de las frecuentes inundaciones que sufrían las partes bajas de la hoy inmensa urbe. Evocaron asimismo que, apenas consumada la Independencia, vinieron a México representantes de naciones latinoamericanas con el fin de buscar un acercamiento político entre los países hermanos. El "Congreso Americano" se llevó a cabo en 1827 en el Palacio Arzobispal y sirve de antecedente remoto a los esfuerzos integradores que hoy siguen realizando esos pueblos. Fue desde Tacubaya también que don Juan O'Donojú, el último virrey, lanzó una proclama del 17 de septiembre de 1821 aceptando la independencia de México, lo que le valió ser considerado traidor en España. Por Tacubaya huyó el emperador Agustín de Iturbide hacia su destierro, en marzo de 1823, y cuatro años después fue fusilado ahí por la espalda el fraile dieguino Joaquín Arenas, a causa de haber encabezado una conspiración para frustrar la independencia. Otro suceso liga a Tacubaya con la historia del país. Cerca de su célebre ermita existió la panadería del repostero francés Remantel, quien hizo una reclamación por más de sesenta mil pesos de entonces, que según afirmó le habían sido robados en un motín, con lo que se dio lugar a la llamada "Guerra de los Pasteles" entre Francia y México, en el año de 1838. Por cierto que en esa zona existía aún el viejo cine Ermita, en donde Brian había visto durante sus años de estancia en Tacubaya muchas películas mexicanas, sobre todo del gran director Emilio Fernández, ganadoras de primeros premios en los festivales de Cannes y Venecia, a fines de los cuarenta, y que proyectaban un gran mensaje artístico sobre las costumbres, la sensibilidad y la historia y el paisaje de México. También en ese cine, convertido ahora en teatro de barriada, recordaba Nissen haber visto en alguna ocasión una rara película titulada *¡Mexicanos al grito de guerra!* (que es la primera frase del himno nacional) en donde aparecía, entre otros personajes históricos, el general Santa Anna, en sus años de dictador. Por un momento quiso revivir en su mente esas escenas que le habían enseñado tanto y pensó también que algún día podría hacerse un filme o quizás una serie de televisión sobre el extraño y doble crimen que él estaba investigando.

Para la fecha en que ocurrió el asesinato de Egerton y la Edwards, Tacubaya se había vuelto aún más importante, no sólo porque continuaba su fama como lugar de veraneo y la construcción de casas y huertas, sino porque a partir de octubre de 1841 el general Antonio López de Santa Anna había establecido ahí su sexta administración presidencial con fundamento, precisamente, en el Plan de Tacubaya, y convertido el Palacio Arzobispal en sede temporal de su gobierno, o por lo menos en su residencia personal, pues los principales asuntos se seguían despachando en la ciudad de México. No obstante, para la primavera de 1842 en que había tenido lugar el doble crimen, la corriente de viajeros entre la capital y Tacubaya comprendía a muchos que participaban en ella por razones que no eran de recreo sino francamente administrativas. Resultaba fácil suponer que entonces Tacubaya estaba especialmente ligada a la atención pública, pues al gobierno se le llamaba corrientemente "la Administración de Tacubaya" y que un hecho como el asesinato del pintor inglés y su mujer, acaecido no lejos de la alameda local, había repercutido inmediatamente en los círculos políticos y sociales de la pacífica villa así como en la ciudad vecina, distante unos cinco kilómetros. Los hermanos Ramos, sin embargo, no sabían absolutamente nada sobre el doble crimen de 1842, que después de haber producido tan grande conmoción debió de ser sepultado en el olvido en la propia Tacubaya, la cual apenas cinco años después habría de enfrentarse a la terrible invasión del ejército norteamericano, y ser escenario en 1859 de la derrota que los conservadores impusieron a los liberales, y que culminó con una matanza de cincuenta y tres prisioneros, incluyendo médicos y practicantes, ejecutada por el general Leonardo Márquez, lo que hizo se diera al pueblo el nombre de "Tacubaya de los Mártires", se erigiera la exedra, y se cambiase la nomenclatura tradicional de las calles principales por una con referencias directas a ese y otros martirologios de la historia mexicana. Junto a esas tragedias era entendible que el asesinato de un pintor inglés y de su amante quedara completamente olvidado. Por otra parte Tacubaya era muy extensa; había tenido su propio Ayuntamiento, que comprendía los pueblos de Nonoalco, San Lorenzo y La Piedad; los barrios de la Santísima, San Juan, San Pedro, Santo Domingo, Santiago y San Miguel; las haciendas de la Condesa, de Becerra, de Narvarte y del Olivar, y los ranchos de Nápoles y de Xola. La antigua parroquia conservaba algunos testimonios de la historia local pero nada en relación con el suceso Egerton-Edwards. No obstante, las hermanos Ramos condujeron a Nissen a la notaría del templo en donde aún se encuentran los viejos libros parroquiales empastados en cuero, para que pudiera hojear todos los que quisiera, especialmente los correspondientes a 1842. Brian lo hizo y se inundó en una catarata de bautizos, bodas de indios y de españoles y defunciones, pero por supuesto no encontró ningún acta sobre la muerte del artista sacrificado o de su mujer, por la sencilla razón de que los templos católicos no las asentaban en aquella época cuando se trataba de personas fallecidas en la fe anglicana, protestante o en cualquiera otra diferente de la religión de Estado. En cambio vio cientos de veces la complicada firma original del cura don Manuel Chica, quien fuera párroco de Tacubaya desde 1839 hasta los años sesenta, y que muy posiblemente debió de haber presenciado las diligencias posteriores al descubrimiento de los cuerpos de los ingleses y tenido cabal noticia del suceso. Brian se despidió de los gentiles dominicos, quienes le prometieron seguir cooperando en su investigación y, provisto de sus planos, salió a buscar el antiguo camino a Nonoalco, en donde en 1842 se encontraba el fatídico paraje de Pila Vieja.

ERAN YA LAS TRES sobre Tacubaya. El día estaba claro y soleado y la temperatura muy agradable. A la salida del templo Brian Nissen tomó la avenida Revolución, en dirección al sur. Avanzó un poco, torció en la calle Héroes de 1810 y llegó a la calle de Becerra, que según se desprendía del plano, está trazada sobre lo que hace siglo y medio era el camino a Nonoalco. De acuerdo con las informaciones periodísticas de la época, que acababa de releer la noche anterior, el cuerpo de Daniel Thomas Egerton había sido encontrado en Pila Vieja, sobre ese camino, al sur de Tacubaya, aproximadamente a quinientos cuarenta y seis varas de la Casa de los Abades, o sea a una distancia de cuatrocientos cincuenta y seis metros. Nadie sabía dónde se había encontrado la Casa de los Padres Abades, pero bien podía tratarse de una antigua morada de los sacerdotes que servían a algún templo: la parroquia o la iglesia de San Juan, o quizá el convento de San Diego. En todo caso había que pensar que el caserío de Tacubaya en aquella época terminaba en la calle de los Laureles, a la altura del templo de San Juan, construido en una loma, o sea un poco más al norte de donde hoy es la esquina del antiguo Camino Real de Toluca y la calle de Héroes de 1810, por la que Nissen deambulaba. Por lo tanto, siguiendo el ex camino de Nonoalco, hacia el sur, el paraje de Pila Vieja no podía estar más allá de la calzada Primero de Mayo, o quizá la intersección tangencial de la actual calle de Becerra con el Anillo Periférico. Brian recordó también que Brantz Mayer, secretario de la Legación Americana, al escribir en 1844 su libro *México como fue y como es*, consignó haber visitado después del asesinato el sitio en que yació el cadáver de Egerton, sobre el que había sido puesta una cruz de madera, la cual estaba cercana a unos matorrales espesos y a un "templo en ruinas". Estos últimos vestigios bien podrían haber pertenecido a las anexidades de la iglesia de San Juan, colindante con los terrenos que entonces eran del rancho de Becerra, en los límites con Mixcoac. Había otro importante punto de referencia y éste consistía en que, según las informaciones periodísticas, el cadáver de Agnes Edwards había sido encontrado hacia el este del camino a Nonoalco, pasando una loma barbechada, en donde hacían confluencia un lindero de magueyes y el potrero del rancho de Xola, a una distancia de cuatrocientas veintinueve varas de Pila Vieja, lo que equivale a trescientos cincuenta y ocho metros. Tras de medir los tramos respectivos, Brian Nissen adquirió la certeza de que Pila Vieja debió de encontrarse sobre la actual calle de Becerra, cerca de la esquina de Mártires de Tacubaya, o cuando más en la confluencia de la calle siguiente que se llama irónicamente Héroes Anónimos, y es paralela, hacia el este, a la Once de Abril, para encontrarse con la avenida Puente de la Morena. Esta última no es otra que la diagonal que desde entonces salía del río de Tacubaya, al sureste de la Alameda (hoy parte del viaducto Presidente Miguel Alemán) e iba a terminar setecientos metros más abajo, en donde estuvo situado el casco del rancho de Xola. La urdimbre urbana contemporánea hacía casi imposible detectar con precisión cualquiera de los dos sitios, pero lo que le importaba a Nissen era establecer la distancia aproximada entre el lugar del asalto cometido en contra de Egerton y la Edwards y el caserío del pueblo, para de esta manera basar una alternativa elemental. Si Egerton y su mujer se habían alejado una distancia considerable del extremo sur de la villa, y se habían adentrado al caer la noche por el camino a Nonoalco, ordinariamente poco transitado, la presunción de un asalto ocasional, de un encuentro con unos "léperos" o delincuentes eventuales cobraba fuerza.

En cambio si Pila Vieja se encontraba a una distancia relativamente corta de las goteras de Tacubaya, a sólo cuatrocientos
cincuenta y seis metros de la casa de las víctimas, como aseguraban las constancias históricas, entonces podría ganar cuerpo
la hipótesis de que los ingleses habían sido emboscados, de que
una o varias personas que los conocían y sabían el itinerario
de sus paseos vespertinos les habían esperado tras de los magueyales que bordeaban el camino para darles la fatídica sorpresa. En rigor cualquiera de las hipótesis era posible, pero con
buena lógica había que pensar que unos delincuentes ocasionales
no llegarían hasta las goteras de un caserío para ver si lograban
asaltar a cualquier viandante, porque correrían mayores riesgos
de ser descubiertos e interferidos. En cambio lo harían forzosamente unos asesinos pasionales o profesionales si previamente
estuvieran informados de la regularidad del tránsito de una
persona determinada a la que quisieran sorprender y atacar.
Esta segunda alternativa era la que abrazaba Nissen preliminarmente, como hipótesis de trabajo, adminiculándola con el
hecho categórico de que el robo no había sido el objetivo primordial del asalto. Continuó el desarrollo de sus deducciones.
Si el robo o la desposesión de objetos valiosos no había sido
el motivo del ataque, ese no podía haber tenido por causa sino
una venganza en contra de cualquiera de las dos víctimas o
de las dos en su conjunto, o la bárbara agresión sexual en contra de Agnes Edwards. En el primero de los casos había que
profundizar en la vida personal y social de los infortunados
artistas. En el segundo debía considerarse también la circunstancia evidente de que la señora Edwards, en su noveno mes
de embarazo, y a pesar de su notoria belleza, no parecía ser
una víctima especialmente apetecible para un asalto amoroso.
Sin embargo, se dijo Brian, nadie puede predecir o imaginar la
conducta de un violador que, de base, es esencialmente un ser
humano totalmente primitivo y casi siempre enfermo.

El pintor-escultor convertido en criminólogo *amateur* recorrió varias veces la calle de Becerra y regresó hacia el centro de
Tacubaya por la calle Puente de la Morena, que desde los tiempos coloniales se llama así porque cerca de dicho puente que
atravesaba el río Tacubaya, afluente del río de La Piedad, se

encontraba la casa de una cortesana de tez morena cuya belleza
y fama le valieron ingresar a la historia y a la toponimia locales, pues se dice que la visitaba el mismo virrey. El corazón
latía aceleradamente dentro del pecho de Brian cuando comenzó a recorrer esa diagonal. No cabía la menor duda: esta calle,
ahora de dos sentidos, con un camellón o banqueta divisoria
en medio, fue trazada teniendo como base el antiguo sendero al
rancho de Xola. Por supuesto, hace muchos lustros que ya no
hay magueyeras, lomas barbechadas ni potreros en esa zona
densamente urbana, llena de casas y edificios bajos. Pero al
llegar a la esquina de Puente de la Morena y la calle Mártires
de Tacubaya, en cuya punta oeste presumía se había encontrado Pila Vieja, como ha quedado dicho, Brian se detuvo largo
rato. Sobre la acera oriente de la diagonal contempló unos
condominios populares marcados con el número cincuenta y
siete, cuyos espacios abiertos mostraban unos añosos pirules
o árboles del Perú, ¡precisamente de la especie de aquél bajo
el cual se descubrió el cuerpo de Agnes Edwards! Más adelante, en la propia esquina, en medio de la banqueta central, había
otro pirul que bien podía tener más de ciento cincuenta años.
Estos árboles o aquellos de los que retoñaron pudieron haber
sido testigos del doble crimen y hasta encubridores involuntarios
de los asesinos y violadores de Agnes. Bajo alguna de sus fron-
das la mujer de Egerton pudo ser forzada y torturada de la
manera más inhumana, hasta que murió por estrangulamiento
después de perder al fruto de sus entrañas. Brian se daba
cuenta de que estaba especulando demasiado sobre datos imprecisos, pero esto es indispensable en todo procedimiento de-
ductivo que usa la ley del ensayo y del error. El trazo triangular que une la alameda de Tacubaya al norte con el rancho de
Xola al sureste y lo que debió ser Pila Vieja, al sur-suroeste,
era reconocible aún en los mapas modernos de la ciudad y en
el análisis de campo, y la existencia de los viejos pirules era
un hecho innegable. De acuerdo con uno de los planos del pueblo, levantado en 1897, hasta esa fecha por lo menos, más de
medio siglo después del asesinato, no se habían hecho construcciones importantes y seguían existiendo por ahí magueyeras y
terrenos de labor y pastoreo. Tan sólo se había instalado la

retícula de un cementerio llamado "Panteón de los Mártires" que llegaba hasta el rancho de Xola y el antiguo camino de La Piedad, que hoy también es parte del Viaducto Alemán, desde donde se seguía al este para los terrenos de la hacienda de la Condesa. Todo era muy emocionante. Dados los pocos datos de que disponía, sus mediciones podían no ser exactas pero eran relativamente aproximadas. El radio de los hechos no podía estar equivocado en más de cincuenta o setenta metros. Nissen sentía que sus presunciones eran plenamente válidas y que la cercanía de Pila Vieja al caserío tacubayense encajaba de lleno dentro de la hipótesis del crimen premeditado y no en la de asalto eventual. Al terminar su reflexión Brian se dio cuenta que había pasado casi toda la tarde recorriendo la zona, sin siquiera sentir hambre ni otra cosa que un interés febril. El prematuro crepúsculo invernal caía ya sobre Tacubaya y entonces trató de imaginar el antiguo y estrecho camino a Nonoalco aquella tarde funesta para Egerton y su mujer, en que los magueyes y pirules se volvieron de pronto agresivas sombras fantasmales.

8. Un reo en capilla y muchas brujas sueltas

"Si tenemos los mejicanos la desgracia de
ver confirmadas las sospechas
de los extranjeros que aseguraron
ser del país los autores de este crimen,
tendremos también a la vez el consuelo
de hacerles ver que el carácter del común
de los mejicanos no tolera en su seno
monstruos de aquella clase,
sino que se disputan, como ha sucedido entre
los individuos del Cuerpo de Policía,
el honor de aprehenderlos
y entregarlos a la justicia."

*Informe del capitán don Manuel Flores
al prefecto del Centro de México,
transcrito por éste al juez Puchet.*

[12 de agosto de 1842]

DIECISÉIS INDIVIDUOS habían sido detenidos por las autoridades civiles o militares con motivo del doble crimen, y presentados ante el juez especial. Después de examinarlos y hacer las pesquisas necesarias éste había tenido que ponerlos en libertad pues no se comprobaron los indicios que condujeran a su aprehensión. Para mediados del mes de julio el doctor don José María Puchet se encontraba tan desorientado como su predecesor, con la desventaja de que, aunque el tiempo pasaba, la presión de la opinión pública no cedía, pues el asunto había cobrado gran notoriedad y muchas familias seguían preguntándose si no sería muy riesgoso ir a pasar ese verano a Tacubaya. Otros de plano escogieron para su descanso el más lejano pueblecito de San Ángel, entre ellos el ministro Pakenham, quien alquiló la casa de don Juan Bautista Briz. Pero Puchet no se daba por vencido. Después de que fracasó la redada de areneros, tlachiqueros, pulqueros y malvivientes de Tacubaya, La Piedad y Mixcoac, que había iniciado el juez Guimaret, el magistrado especial decidió que era necesario cambiar de táctica. Distribuyó entonces a los dependientes del juzgado y a los oficiales de la policía que la Prefectura había puesto a su disposición, en los cafés, tabernas, figones y otros sitios públicos de la ciudad, con la finalidad de oír y provocar conversaciones que pudieran contener algunos elementos informativos. Él mismo emprendió diversos viajes fuera de la capital, especialmente a los pueblos comarcanos, para ponerse de acuerdo con los jueces de esas jurisdicciones y exhortarles a que lo auxiliaran en la delicada averiguación. Sin embargo, los días pasaban y los pescadores de datos no habían atrapado más que comentarios baladíes. Una tarde, un oficial enviado por el general Gabriel Valencia vino a prevenir a Puchet que el famoso *gachupín* salteador de caminos, Abraham de los Reyes, había hecho varias denuncias importantes a la propia Comandancia Militar y que aseguraba que algunas de sus muchas relaciones dentro de la cárcel de la ex Acordada, donde dicho delincuente se encontraba purgando su condena, le habían hecho confidencias relacionadas con el asunto de los ingleses. La Comandancia General de México tenía una inconstitucional competencia para juzgar a "los ladrones de cualquier clase y sus cómplices" en Consejo de Guerra Ordinario, de acuerdo con la Ley de Anastasio de Bustamante, del 12 de marzo de 1840, la cual disponía también que los asaltantes en despoblado fuesen ejecutados en el sitio en que hubiesen cometido sus crímenes. Y aunque el Supremo Poder Conservador había declarado nulos varios de los artículos de la citada disposición, incluyendo el que extendía la propia competencia militar a los civiles, las Bases de Tacubaya habían servido de apoyo para revivir tan injusta ley. El hecho fue que los militares se dieron a la tarea de juzgar y ahorcar o dar garrote a los facinerosos y ladrones y quizá también a muchos que no lo habían sido.

El doctor José María Puchet escuchó el mensaje de Valencia con toda atención. No era la primera vez que dentro de una caúsa criminal un reo ajeno al delito ofrecía delatar a supuestos responsables. El verdadero problema radicaba en saber hasta dónde se podía creer en ese tipo de revelaciones. No obstante, el juez agradeció la colaboración de la Comandancia General y decidió trasladarse de su casa de Cordovanes a la prisión de la ex Acordada. El viejo y sólido edificio estaba situado frente al lado suroeste de la Alameda, sobre el Paseo Nuevo, y se llamaba de ese modo porque allí había funcionado desde finales del siglo XVIII la prisión del tribunal de tal nombre, nacido de una "providencia acordada" por el rey de España en 1719, precisamente con el fin de ajusticiar de forma sumaria a los asaltantes de caminos. Cuando Puchet llegó a la imponente mole no pudo dejar de echar un vistazo a través de los barrotes de una ventana baja situada en la fachada principal, que se mantenía siempre abierta, hacia un plano inclinado situado en el interior, donde yacían los cadáveres de los desconocidos encontrados diariamente dentro de los límites de la ciudad, y exhibidos ahí para que pudiesen ser identificados por sus deudos. Aquel día sólo había dos, uno masculino y otro femenino, semienvueltos en sendos sudarios manchados de sangre vieja y nueva. El juez pensó instintivamente en los cuerpos del pintor Egerton y la Edwards, que él nunca llegó a ver, y aceleró el paso. Luego atravesó con facilidad la gran puerta de entrada, pues los militares que la custodiaban lo conocían perfectamente. Saludó con un gesto al comandante quien retornó el saludo llevando la mano a su kepí, y subió las señoriales escaleras de piedra hacia el segundo piso. Allí tampoco tuvo que identificarse para que le fuese franqueado el macizo portón de madera que daba acceso a las oficinas y a las celdas especiales, situadas en esa ala repleta siempre de soldados, carceleros y procuradores en movimiento, y poblada de lamentos, órdenes castrenses y ruido de cadenas. Desde las ventanas superiores Puchet contempló abajo el patio cuadrangular, con su fuente central, en el que se apiñaban más de cuatrocientos detenidos y convictos, a los que se solía llamar "el congreso mexicano del crimen". Allí estaban los "pobres entre los pobres", los desharrapados que purgaban condenas o estaban encausados. Unos sentados en el suelo con la espalda contra la pared; otros recostados; los más caminando lentamente o reunidos en grupos; éstos dibujando un barco de vela en el suelo, con una piedra de tiza; aquellos dos a punto de disputar; los de más allá sim-

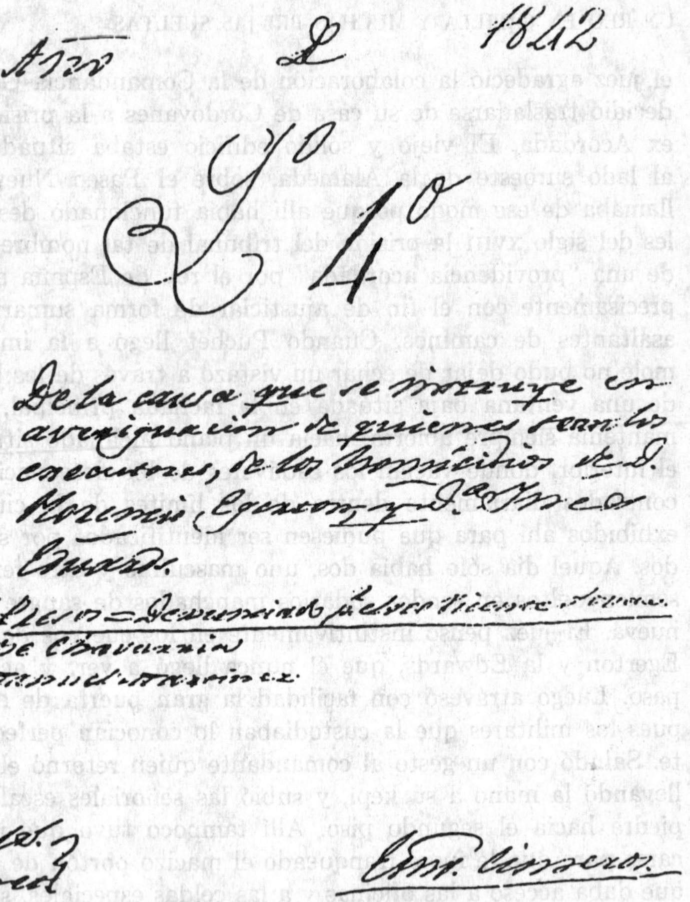

Año 1842

Y.° 4.°

De la causa que se instruye en
averiguación de quienes sean los
ejecutores, de los homicidios de D.
Florencio Egerton, y D.ª Inés
Edwards.

Preso = Denunciado p.ª Ser Vicente Sosa

José Chavarría

manuel Martínez

[firmas]

plemente parados, fumando cigarritos de hoja, indolentes, contemplando el chorro de la fuente, único signo de libertad y de vida en el patio, que a esa hora, las cuatro de la tarde, tenía una porción sombreada y otra bañada por el alegre sol veraniego. Aunque el juez estaba acostumbrado al triste espectáculo, éste le hacía reflexionar en que, salvo ocasiones excepcionales, ningún hombre acomodado se veía en la ex Acordada, que no era precisamente un lugar de redención y penitencia como debían ser las prisiones, sino un lamentable muestrario de miserias y vicios y una escuela de nuevos crímenes. En una esquina del cuadrángulo superior, Puchet vio de reojo la capilla en donde los reos condenados a muerte por la magnitud de sus delitos pasaban los tres últimos días de su existencia, bajo una estrecha vigilancia de tropa, auxiliados por frailes de la Archicofradía del Rosario, que mantenía ese piadoso servicio. Reflexionó entonces en la usual sevicia de los carceleros que pierden toda humanidad al ejercer su oficio y recordó el verso que en los muros de la cárcel de Chihuahua escribió unas horas antes de ser fusilado por los realistas el Padre de la Patria, don Miguel Hidalgo y Costilla, agradeciendo su buen trato al alcaide del establecimiento. Pero en la ex Acordada no había presos como el cura Hidalgo ni carceleros como Ortega, el de la "crianza fina", se dijo Puchet.

En uno de los salones reservados para la práctica de diligencias estaba ya su escribano, don José Cisneros, a quien el juez refirió el mensaje que había recibido de la Comandancia General, e instruyó para que abriera un legajo particular, a fin de recabar las denuncias de los presidiarios con respecto al doble crimen, el cual se inició ese día, 18 de julio, con una certificación del tenor siguiente:

... que siendo uno de los medios directos de averiguación adoptados por el Señor Juez en la presente causa, el de inquirir lo que se habla sobre esa materia en el interior de la cárcel acerca de estos delitos, porque una larga experiencia les ha enseñado que los presos saben todos los crímenes que se cometen en la calle y hablan de ellos con no escasa sinceridad, así como de los malhechores que los han cometido o podido cometer, y sabiendo el mismo Señor Juez igualmente que el ladrón famoso Abraham de los Reyes ha hecho varias denuncias importantes ante la Comandancia General, y tiene muchas relaciones en la cárcel donde se encuentra, lo hizo llamar y le propuso recomendarlo al Supremo Gobierno, siempre que por sí o por sus compañeros de prisión pueda indagar y ministrar algunas noticias importantes.

Así fue como la justicia, en esta ocasión, como no debía suceder en ninguna, hizo alianza una vez más con el crimen y la delincuencia para lograr sus objetivos, recordando aquello de que el fin justifica los medios. Oportunamente, el conocido capitán de bandidos Abraham de los Reyes fue juramentado en forma en el nuevo legajo, y declaró ser español, originario de Algeciras, en la Andalucía Baja, viudo, de cuarenta y cinco años, vecino de la capital, e indicó como profesión que "se ejercita en el comercio", lo cual, vistas las circunstancias parecía bastante exacto toda vez que el malandrín intentaba trocar sus delaciones por impunidad. Añadió que estaba a disposición de la Comandancia General como "cabecilla de ladrones salteadores en esta villa", de cuyo delito se encontraba confeso, y que para proceder a esas denuncias se le había ofrecido por el supremo gobierno el perdón de la pena capital. De los Reyes manifestó con su peculiar acento andaluz que el reo Vicente Tovar (persona distinta a Cástulo Tovar, el criado de Egerton) que estaba preso en la ex Acordada, pendiente de su causa, le había comunicado:

> ... que sabía quiénes eran los homicidas que se buscan, los cuales habían cometido esos delitos para disfrutar torpemente a doña Inés Edwards, como lo habían ejecutado, sin robar cosa alguna, todo lo cual le comunicó Tovar en presencia de Manuel Navarijo, conviniendo éste con la referida conversación.

Acto seguido Vicente Tovar fue hecho comparecer, pero se negó a declarar. Arguyó que aquel comentario se lo había hecho "un preso que ya se encontraba en libertad" y propuso le permitieran salir a la calle a buscar y aprehender a aquél para declarar después todo lo que le había confiado, "pues de no ser así las autoridades pensarían que era un mentiroso". Puchet negó la solicitud, determinó apremiar al reo para que rindiese una declaración formal y que se esperase el término ya muy próximo de su causa, en que tendría mayor credibilidad. Ya sobre la pista presentada todo empezó a acelerarse como por ensalmo, pues el 10 de agosto el alcaide de la prisión avisó al escribano Cisneros que el reo Vicente Tovar se encontraba en la capilla de la ex Acordada "para ser enjuiciado al día siguiente", por lo que Puchet dispuso que se rindieran cuanto antes las declaraciones formales del salteador De los Reyes, su cómplice Navarijo y el propio Tovar, antes de que la cuerda justiciera dejara a la causa de los Egerton sin tan promisorio delator.

Abraham de los Reyes amplió sus declaraciones originales, detallando que Tovar le había referido en su propio separo, en presencia de Manuel Navarijo, la versión ya expuesta, o sea:

... que un preso que había caído a la cárcel por simplezas le había comunicado que temía que le fuera a resultar el cargo de los homicidios mencionados [los de Egerton y Edwards], que había cometido en compañía de otros dos, matando primero al hombre, no por robarlo sino por disfrutar de la mujer que llevaba, la cual les gustó, y por eso lo acometieron en el camino entre Tacubaya y Mixcoac, por una magueyera que está junto a un rancho que le nombran Xola; que como el hombre se defendiese lo mataron primero y que ya muerto derribaron en tierra a la mujer que se resistía y gritaba, y que para que se callara, mientras uno de los reos consumaba con ella el acto torpe, otro la golpeaba en la cabeza con una pala, logrando así los tres disfrutarla y dejándola muerta.

Aseguró que por más que el declarante le preguntó a Tovar quién era el preso que le había hecho esta confianza, y sus compañeros, no se lo quiso decir, y sólo le expresó que el preso ya había salido en libertad, y que de los tres reos mencionados dos eran desconocidos del declarante y el otro era amigo de él (de De los Reyes) y de Navarijo, quien había presenciado toda esta conversación. Agregó que instruido por el juez Puchet requirió nuevamente a Tovar para que hablase la verdad, a lo que éste se había negado constantemente diciendo que "nada quería descubrir porque al fin lo habrían de ahorcar", por lo que ya no había insistido. Manuel Navarijo coincidió puntualmente con las declaraciones de De los Reyes.

El juez Puchet tenía que actuar con rapidez extrema. Estaba consciente de que los indicios parecían importantes aunque eran vagos, y también de que todo podría ser falso y tratarse de una conspiración entre dos delincuentes condenados a la pena de muerte, quienes bien podían urdir un complot intentando escapar a su destino. Pero este último era un riesgo que la justicia tenía que correr vista la importancia del caso y la urgencia de aclararlo. Entonces se comunicó con el señor licenciado don Tomás Villalba, juez segundo de lo Criminal, a cuya disposición se encontraba en la capilla Vicente Tovar, quien sufriría al día siguiente el último suplicio al que estaba condenado por la Comandancia General, y con su licencia, acompañado del fiscal militar don Manuel Lozano, visitó al condenado en su separo, preguntándole qué tenía que decirle. Vicente Tovar, sin levantar los ojos del suelo, expresó:

> ...que si le perdonaban la vida diría todo lo que el señor Juez le había preguntado de antemano, pero que si no se la perdonaban estaba resuelto a no hablar ni una palabra sobre los homicidios de los ingleses ejecutados cerca de Tacubaya.

Puchet le replicó que debía bastarle su promesa ya hecha de recomendarlo al Supremo Gobierno para decir lo que sabía, explicando que la finalidad no era sólo el que los verdaderos delincuentes recibiesen el consiguiente castigo sino que los inocentes sospechosos no padecieran. El reo insistió en su dicho y bajo juramento aceptó que era verdad lo que había confiado a De los Reyes y a Navarijo, pero que no revelaría los nombres de los implicados hasta que no se le ofreciera el indulto de la vida. Mirando la efigie crucificada de Cristo allí exhibida, "ante el cual iba a comparecer muy pronto", expresó una vez más que no hablaría una palabra si no se le concedía el perdón, ni descubriría quiénes eran los reos ni su paradero, pero que si se le otorgaba esta gracia ofrecía convencer con pruebas indudables, y que si no lo lograse "el Supremo Gobierno podía hacerlo volver a la capilla", Puchet no tenía más remedio que ceder. Escribió inmediatamente un oficio a don Pedro Vélez, ministro de Justicia e Instrucción Pública, y un par de horas después recibió de éste último una comunicación en que le manifestaba

que, habiendo sido impuesto el Excelentísimo Señor Presidente
de la República de las diligencias practicadas en la capilla de
la cárcel de la ex Acordada, relativas a la causa del homicidio
de Florencio Egerton y doña Inés Edwards:

> ... se había servido, en uso de las facultades con que se halla
> investido por las Bases del Plan de Tacubaya, conceder a
> Vicente Tovar el indulto que pide en los términos y bajo las
> condiciones que ofrece, quedando a la notoria discreción y
> sabiduría del propio Juez de la causa la práctica de las dili-
> gencias convenientes.

A PARTIR DE LA TARDE del 10 de agosto todo empezó a suceder
con extrema rapidez. El juez Puchet impuso al reo Tovar del
indulto condicional que se le había otorgado, y éste bajo juramento declaró:

> ... que habiendo estado preso en esa cárcel Francisco Chava-
> rría por riña con una mujer, se asoció con el que habla como
> un amigo, y estando sentados un día junto a la fuente tomando
> sol, y sin que nadie los oyera, le comunicó Chavarría que esta-
> ba temiendo que "La Bruja" (que es una mujer vecina de Mix-
> coac que vive a la entrada del pueblo tomando el rumbo de
> San Pedro) lo fuera a acusar de haber hecho la muerte de los
> ingleses en Tacubaya. Que entonces el deponente trató de cer-
> ciorarse del hecho y le preguntó cómo había estado, a lo que
> contestó que yendo Chavarría con Joaquín Rocha y Manuel
> Martínez a cargar sus burros de arena la tarde en que acae-
> cieron las muertes, vieron a los extranjeros y *cuadrándoles* la
> mujer propuso Chavarría el irla a gustar para disfrutarla y
> aunque uno de sus compañeros se excusaba a ello, siempre lo
> llevó adelante Chavarría, y acercándose a los extranjeros abra-
> zó Chavarría a la mujer, lo cual hizo que el hombre les quisiera
> dar con un palo que llevaba, pero entonces Manuel sacó una
> daga y con ella le comenzó a atizar a dicho hombre. Que mien-
> tras esto acaecía cogieron Chavarría y Joaquín a la mujer y
> se la llevaron a distancia de más de dos cuadras, y al pie de
> unos árboles del Perú y unos magueyes la tiraron y se le echó
> encima Chavarría para disfrutarla; que como la mujer gritara
> y resistiera fue necesario que Joaquín le continuara dando de
> golpes con la pala que llevaba para contenerla y que Chavarría
> pudiera consumar el acto como lo verificó; y enseguida hacien-
> do él lo mismo que había ejecutado Joaquín, se puso éste a

Cárcel de la ex-Acordada. Litografía. Ciudad de México

disfrutar a la mujer y ya concluido y estando casi moribunda llegó Manuel quien también tuvo acto carnal con la misma; y estando en eso vió Chavarría que venía para Mixcoac la mujerzuela "La Bruja" y temiendo que los viera le pidió a Manuel:

—Levántate hombre que ahy viene "La Bruja" y nos vé. Entonces sin demora trataron de irse por el río como lo hicieron llevándose sus burros sin haberlos cargado de arena; que esto era lo único que había pasado y que Chavarría temía ser descubierto por "La Bruja" porque ella los vió.

Tovar añadió que había preguntado a Chavarría "si le habían quitado algo a los extranjeros" y que éste le contestó que no, "porque sólo se había ocupado en los actos carnales, y que sólo por la resistencia que les hicieron los extranjeros los mataron"; que eso es cuanto le había comunicado el citado Chavarría quien agregó "que habían dejado a la mujer con las piernas levantadas".

Aunque acostumbrado a este tipo de relatos, el doctor Puchet estaba muy impresionado esa vez. Trató de imaginarse el hecho y pensó no sólo en sus características sórdidas y primitivas, sino en que, de ser verdad lo relatado, parecía obedecer a un sentimiento confundido de admiración y odio raciales que habían aflorado en esos miserables areneros indígenas o mestizos, de tez morena y piel curtida, frente a la delicada y pálida belleza de Agnes Edwards, y al mismo tiempo revelaba un instinto de desafío al varón blanco que la acompañaba y que resultó impotente para defenderla. Al terminar su reflexión preguntó a Vicente Tovar cuál era la prueba que tenía para convencer al gobierno de que decía la verdad. El reo contestó inmediatamente:

—La declaración que debe dar la citada mujer Bruja que los vio.

José María Puchet volvió a reflexionar unos momentos. Algo no le parecía muy bien en las deposiciones de Vicente Tovar y era que resultaban muy precisas, muy justas, extraordinariamente claras para tratarse de hechos de terceros. Generalmente un hombre de la cultura y edad del encapillado, que era muy joven, aun cuando llegue a franquearse y decida hablar con verdad, experimenta siempre cierta confusión. En el caso de esta declaración todo era lógico y secuencial. ¡Demasiado!, se dijo el juez. Tovar decía haber hablado con Chavarría una sola ocasión en una fecha determinada después de la muerte de los ingleses pero antes de que Chavarría fuera liberado, de acuerdo con el delator; esto situaba la fecha en cerca de dos meses atrás, hacia junio, y sin embargo el reo en capilla recordaba en agosto perfectamente todo, punto por punto, incluyendo los nombres de los dos cómplices de Chavarría, quienes no se encontraban en aquella ocasión en la cárcel. Resultaba que Vicente Tovar sabía todo de oídas pero lo relataba con una precisión como si fuera hecho propio (lo que estaba descartado pues él no había podido ser el asesino toda vez que el 27 de abril se encontraba ya en la prisión) o más bien: como si se tratase de una lección cuidadosamente memorizada.

El doctor Puchet decidió hacerle otras preguntas:

—¿A qué personas comunicaste tal conversación?

Tovar respondió sin vacilar:

—Cuando me miraba Abraham para que los descubriera, le dije que lo consultaría con mi mujer y mi suegra, y aunque ellas me aconsejaron que los descubriera para ver si salvaba la vida, yo nunca quise hacerlo hasta no tener seguro el indulto.

O sea, pensó el juez especial, que Vicente Tovar se había jugado el todo por el todo. Esto podría significar que el reo estaba personalmente convencido de que decía la verdad, pero también que, habiendo elaborado una versión falsa, aunque suficientemente creíble, el único medio que tenía de darle valor era prometer revelarla hasta después de concedido el indulto, pues él sabía que todo su dicho sería cuidadosamente indagado y se buscaría a los implicados por cielo y tierra. Miró a Tovar a los ojos:

—¿Cuáles son las señas de Chavarría y sus amigos?

El reo contestó casi sin pausa:

—Chavarría es alto, delgado, joven, con barba muy corta, trigueño. Rocha es blanco, un poco hoyoso de viruelas, con patilla castaña, alto, delgado, teniendo un poco levantada la punta de la nariz. Martínez es también alto, color blanco, ennegrecido, con patilla muy negra y como de treinta años de edad; Rocha tiene como cuarenta años.

—¿Y dónde viven? —demandó el juez.

Tovar también tenía la respuesta:

—Chavarría vive en el primer jacal que está en la plazuela de las Vizcaínas, donde se vende ladrillo y cal, y de los otros ignoro sus casas aunque se hallan radicados en esta ciudad, pero Chavarría dará razón de ellos.

—¿Y quién es el hombre conocido de Abraham y de Navarijo? —le preguntó Puchet.

—Ese Chavarría es el conocido de Abraham y también lo es de Navarijo —agregó Vicente Tovar.

Puchet volvió a dudar. La minuciosa descripción de Chavarría resultaba entendible, pero no así la de los otros dos sujetos. Parecía como si Tovar los conociera personalmente a todos. Pero por lo pronto no era conveniente dudar de esas filiaciones, y el juez continuó su interrogatorio:

—¿Sabes qué otras personas tienen complicidad con aquellos homicidios? —inquirió.

—Chavarría sólo me contó que habían traído preso a Ponciano Tapia porque había pasado por el camino de Xola en la noche de las muertes para irse a su casa, y porque le habían visto algunos *salpiques* de sangre, pero no me dijo si tenía o no algún participio, por lo tanto no lo sé —contestó el reo.

Puchet le pidió más datos sobre la apariencia de los indiciados:

—Chavarría —dijo Tovar de manera inmediata—, viste ordinariamente calzoneras de pana verde o calzón blanco, cotana de jerga morada con ondas riveteadas con listón amarillo y algunas veces va descalzo. Rocha viste calzón de cuero negro, cotón de indiana amarillo o azul y calza zapatones ordinarios de mimbre. Y Martínez viste calzones de pana negra y jorongo de colores.

Luego agregó sus generales:

—Originario y vecino de esta ciudad, casado con Valeriana Arriola, carpintero, tengo como veinte años de edad y vivo en el Salto del Agua, al ir por el terreno en una casa de vecindad marcada con la letra T.

¡Como de 20 años! se dijo Puchet. Aunque parecía mayor por lo duro y curtido. !Y ya condenado a muerte! Un típico "lépero" que no sabía leer ni escribir, pero que quizá tuviera la clave del asesinato más importante cometido en México en los últimos años.

ESA MISMA TARDE del 10 de agosto el juez especial encargó a los agentes ejecutores Jacobo Barroso y Juan Acuña que pusieran a su disposición a Francisco Chavarría y a la mujer nombrada "La Bruja", intimándoles:

> ... la más estrecha responsabilidad para el desempeño en este encargo que deberá quedar evacuado en la noche misma; dando cuentas al presente juez en esta cárcel, donde los espera, o en su casa, a cualquier hora en que verifiquen su regreso.

Los policías salieron a cumplir su urgente comisión y el reloj empezó a deslizar los minutos con desesperante lentitud. Las campanas del cercano templo de Corpus Christi subrayaban cada cuarto de hora. Puchet salió a cenar dejando al escribiente Cisneros de guardia en la prisión. Fue una precaución sabia porque a las nueve y media de la noche el alcaide de la ex Acordada avisó que acaba de recibir una orden de la Plaza sobre la ejecución de los reos en capilla, en que se expresaba que todos debían ser decapitados, y que ni el juez Villalba ni el fiscal militar le habían hecho excepción alguna, por lo que el reo Vicente Tovar se entendía comprendido en la orden de ejecución. Algo había pasado, y esto era simplemente que, con las prisas, nadie había notificado al general Valencia del indulto condicionado que el presidente Santa Anna había otorgado a Tovar por intermedio del Ministerio de Justicia. Cisneros buscó inmediatamente al general comandante en el Teatro de Nuevo México, donde se sabía había concurrido, el cual ordenó se avisara al juez Villalba que excluyera a Tovar de la orden general y lo considerara a disposición del juzgado de Puchet. Así se salvó Tovar por segunda ocasión del último suplicio, sin haberse enterado siquiera de que los errores burocráticos estuvieron a punto de costarle la vida a la madrugada siguiente, a pesar de su delación. Puchet, por su parte, regresó a la penitenciaría después de cenar y decretó que:

... sin hacerse novedad en cuanto a la capilla en que se encuentra el reo Vicente Tovar, encárguese al ministro ejecutor
del juzgado, agente de policía Goyeneche, que ponga a disposición del presente juez y del señor prefecto la aprehensión de
los cómplices denunciados por Tovar, Joaquín Rocha y Manuel Martínez, expresándole que deben ser muy reservadas las
diligencias en su busca.

A las cuatro de la mañana del 11 de agosto, Jacobo Barroso
se presentó en la casa del juez especial, dándole cuenta de que
en el jacal de la Plazuela de las Vizcaínas no había encontrado
a Francisco Chavarría, pero que sabiendo que había diversos
areneros del mismo apellido en los pueblos del contorno, había
asegurado en Chapultepec, Tacuba y Mixcoac, a tres Chavarrías
que prese..taba, como también a la mujer de Mixcoac llamada
"La Bruja". Se trasladó el juez a la prisión y despertando a
Tovar lo previno bajo juramento que reconociera a los Chavarría
detenidos, de nombres Pedro, Juan y Francisco, sin que el encapillado hubiese podido identificar a ninguno de los presentados. Acto seguido el reo dijo que "estaba muy afligido" pues se
había equivocado la noche anterior al llamar al delincuente Chavarría con el nombre de Francisco, y que ahora recordaba que
se llamaba José. En seguida se preguntó a Francisco Chavarría
si conocía a José, a lo que este respondió de manera afirmativa,
pues el tal José era oriundo del barrio de La Piedad, como
también su hermano Guillermo, siendo ambos areneros, pero que
ignoraba su domicilio. Los otros dos detenidos, en cambio, no lo
conocían. En esos momentos Tovar recordó también que el José
Chavarría de su referencia poseía un burro rabón o *chincolo*
a lo que Juan Chavarría aclaró que dicho burro existía en poder
de un arenero hacía como seis meses y que había sido propiedad de don Vicente Huichapa, residente en la Plazuela de las
Vizcaínas, pero que aquél lo había vendido no sabía a quién.
Preguntado también Juan Chavarría si su casa de Huichilac en
Tacubaya estaba a la salida del pueblo por los caminos hacia
Coajimalpa y Nonoalco, en uno de los cuales se encontró muerto
a Egerton, dijo que sí y que sabía acerca de los homicidios pues
había visto los cadáveres pero que ignoraba quiénes hubieran
sido los asesinos y sólo había escuchado de la aprehensión de

Ponciano Tapia por esos delitos pero desconocía si éste fuera o no el delincuente. Pedro Chavarría declaró no saber a quién pertenecía el burro rabón, y el Francisco que no era juró que trabajaba como albañil en la capilla de Dolores. Total: nada. Aparentemente ninguno de los tres Chavarrías tenía que ver con el asunto, y el supuesto criminal, según Tovar, se llamaba José y no Francisco. El juez Puchet, quien a pesar de sus recelos había concebido ciertas esperanzas con la denuncia, las perdió casi por completo. A esas horas, sin haber dormido y de mal talante, ordenó la aprehensión de José Chavarría y solicitó la comparecencia de "La Bruja". En aquellas inusitadas condiciones ésa era su última esperanza de aclarar algo.

"La Bruja" dijo llamarse Porfiria López, vivir en el barrio de San Juanico en Mixcoac y ser soltera de treinta y dos años. Aceptó ser conocida con el referido sobrenombre pero dijo que no era la única, pues incluso le apodaban así a una hermana de la declarante, llamada María Mónica López, puesto que en su pueblo se lo dan de costumbre "a las niñas chicas de la familia", llamándolas "Brujitas". Puchet le preguntó si había oído hablar del homicidio de los ingleses en las orillas de Tacubaya y si sabía o presumía quiénes habían sido sus autores. "La Bruja" expresó que había oído hablar de tales crímenes porque llamaron mucho la atención y porque en el pueblo de Mixcoac trajeron varios reos presos, pero que no sabía si ellos habían sido los delincuentes ni quién pudiera serlo. Agregó que la noche de los acontecimientos no había viajado a México ni a Tacubaya, sino que había permanecido en su pueblo, y que como a los quince días sólo había ido a Tacubaya a visitar a don Tomás Torres y a su esposa, que estaban en *temperamento* (o sea haciendo una cura), pero que en esa ocasión se volvió a su pueblo temprano y con luz según costumbre. Preguntada por el juez si conocía a un arenero llamado José Chavarría, afirmó que conocía a un ladrillero llamado Juan de ese apellido, a quien había visto en Tacubaya, quien era un hombre chaparro, trigueño que solía vestir calzoneras amarillas de cuero, pero manifestó que nunca lo había visto en los caminos que van de Tacubaya a su pueblo, y mucho menos la noche de los sucesos en que repitió haber permanecido en su hogar. También declaró no haber visto a ningún burro *chicual* por esos parajes, y que todo lo declarado era verdad. Eran ya las seis de la mañana y Puchet estaba rendido. Sin embargo sacó fuerzas de flaqueza para ordenar la libertad de Juan, Pedro y Francisco Chavarría, así como la de Porfiria López; proveyó la comparecencia de María Mónica López, hermana de Porfiria, la segunda "Bruja", previniendo a la policía que estas diligencias exigían practicarse sin demora; ratificó que se suspendiera la ejecución de la pena capital sobre Vicente Tovar, "sin extraerlo de la capilla"; que se notificara lo anterior al juez Villalba, y volvió a requerir al agente Mariano Goyeneche para que sin dilación buscara al Chavarría que sí era, de nombre José.

El doctor Puchet sabía que en una averiguación todos los minutos cuentan e hizo un esfuerzo más. Ordenó la comparecencia del capitán de bandidos Abraham de los Reyes, y de su lugarteniente Manuel Navarijo. Eran un *incubo* y un *súcubo* clásicos. Lo que decía el andaluz ratificaba el asistente; éste era como el eco de aquél. Le preguntó a De los Reyes si conocía a los tres indiciados por el reo Tovar y el jefe de cuadrilla contestó que sí, y que a José Chavarría lo conocían muy bien el agente Goyeneche, el celador Juan Rivera, el comisario Manuel Carrera y otras muchas personas de la cárcel; que a Rocha lo conocía el propio Goyeneche y todo el pueblo de Tacubaya de donde era nativo, y también el comisario Carrera, pues el dicho Rocha "tiene una matanza de reses por el barrio de Santa Cruz". Que Martínez, "asiste a la calle ancha de las Vizcaínas y don Toribio, pues vive por esos rumbos con su madre". Precisó que Chavarría había estado preso últimamente en la ex Acordada, *como dos meses antes*, por unos pleitos con una mujer, y que los otros habían estado presos también, como un año antes, acusados de ladrones, pero que fueron dejados en libertad pues no se les había probado nada. Dio las señas de los tres en términos muy semejantes a como lo había hecho Tovar y acto seguido Navarijo ratificó punto por punto todo lo que había dicho su patrón, sin equivocarse en nada. El juez Puchet confirmó sus presunciones anteriores: los dichos de Tovar y De los Reyes eran perfectamente afines, idénticos diríase. No podía saberse si el encapillado había referido todo al jefe de salteadores o al contrario. Tampoco si el perdón otorgado por la Comandancia General en favor del andaluz había sido la primera parte de una posible comedia, o lo era en cambio la historia presumiblemente urdida por Tovar. De los Reyes tenía más experiencia y un poco más de cultura, había visitado la cárcel varias veces, y poseía madera de jefe; cualidades suficientes para haber fraguado toda la trama. Vicente Tovar era joven, pero frío y reservado, con inteligencia natural. De él también podía haber provenido todo. El peninsular tenía modales de extrovertido y mentiroso. Tovar parecía más sincero. El común denominador es que ambos arriesgaban la vida; sobre todo el segundo cuyo indulto estaba condicionado al éxito de la denuncia.

Cada hora que pasaba Puchet se convencía más de que ambos delincuentes le estaban tomando el pelo. Pero ahora, junto a la difícil encomienda de desentrañar el asesinato de Egerton y la Edwards, tenía en sus manos la vida de un hombre a quien ni siquiera había juzgado. Si determinaba que Vicente Tovar era un sicofante, le dictaría de hecho su segunda sentencia de muerte, y ésta se podía volver también una nueva condena capital contra De los Reyes. El juez especial pensó que su cometido y su tarea habían adquirido con estas declaraciones una dimensión nunca prevista. Estaba acostumbrado a manejar conflictos, a desentrañar situaciones jurídicas y, de hecho, penetrar en el alma humana, a conocer las debilidades y fortalezas de los inculpados, los acusadores y los testigos. Cuando quedaba convencido nunca vacilaba en firmar una orden de captura o una sentencia contra quien fuera. Pero mientras no se hiciera el último esfuerzo sentía que toda decisión apresurada era un prejuicio, un acto poco profesional, y quizás un pecado del que después tendría que responder ante Dios. La venganza social requería de ser administrada. La justicia debía hacerse. Hasta en las Santas Escrituras estaba previsto que los miembros gangrenosos de la sociedad tenían que ser mutilados. Pero Puchet no se consideraba infalible: su profesionalismo y habilidad no llegaban a tanto. Su orgullo tampoco. Admitía que podía equivocarse, y aunque muchas veces resolvió crímenes y litigios gracias más a una corazonada o a una presunción que a sus sólidos conocimientos del derecho, en algunas otras se quedó con la duda de si el silogismo de sus sentencias no habría sido un silogismo falso: *"Barbara, Celarent, Darii, Ferium..."* No. No podía perder la serenidad ni tomar una decisión sobre las rodillas antes de haber agotado todas las pesquisas posibles. Ése era el deber de un juez instructor que, aparte de la obligación de emitir un juicio imparcial tiene que dirigir o provocar las averiguaciones policiacas. Siempre había pensado en la contradicción flagrante de ambas tareas. Por eso era menos turbador el puesto de juez civil: ahí las partes están más identificadas, son dos individuos más o menos iguales y no un inculpado luchando contra la sociedad que lo persigue; el juez se encuentra sobre de ellas, se involucra en la valorización de las pruebas pero no en conseguirlas o exponerlas ni en acusar al demandado. Además, lo que está en juego son casi siempre intereses patrimoniales, quizá delicados asuntos familiares, pero no la libertad ni la vida de los litigantes. Un error de juicio en materia civil puede ser muy grave, pero casi siempre es reparable. En cambio el derecho criminal es definitivo y la responsabilidad del juez inmensa. Muchas veces no pudo conciliar el sueño en vísperas de emitir un fallo difícil. Y ahora, a pesar del cansancio, tampoco podía dormir, ante el riesgo de mandar al patíbulo a hombres cuyos delitos ni siquiera había conocido. ¡Todo por un par de ingleses muertos, todo por la opinión pública, por los chismes de la ciudad, por las historias de los periódicos, por los sermones de los curas, por las maquinaciones diplomáticas! ¡Todo por Santa Anna! ¡Todo porque México apenas balbuceaba como nación!

LA MAÑANA DEL DÍA 12, el capitán don Jacobo Barroso trajo consigo a José Chavarría, aprehendido la noche anterior en el pueblo de La Piedad. Era otro arenero de veinticuatro años, analfabeta. Había estado ya dos veces en la cárcel, según refirió, una en el año de 1839 cuando con otros tres vecinos de su pueblo se introdujo a la huerta del convento de los dominicos para comerse unas peras y fue detenido después por denuncia del padre prior, permaneciendo en la ex Acordada desde septiembre de aquel año hasta febrero del siguiente, fecha en

que lo puso en libertad el juez Gómez de la Peña; la segunda
vez por haber raptado a una mujer hija de familia cuya madre
se dio por agraviada "sin embargo de que su hija no era don-
cella", habiendo permanecido en la cárcel sólo diez días contados desde las últimas carnestolendas. Por lo tanto, si decía
verdad, había abandonado la prisión por lo menos diez semanas antes del asesinato de Egerton y la Edwards y no había
estado en posibilidad de comentar cosa alguna respecto a ese
crimen con Vicente Tovar. El juez Puchet ordenó que se le
llevara junto con otros tres presos a la capilla en donde se encontraba Tovar, para que lo identificara, en su caso, lo que éste
hizo sin vacilar en forma inmediata, hablándole como su antiguo conocido y asegurando que era el mismo al que se refería
su denuncia. A pregunta expresa del juzgador, Tovar declaró
que la conversación con Chavarría había sido como dos meses
antes, lo que parecía un anacronismo evidente. Retirado José
Chavarría de la presencia de Tovar, Puchet le preguntó dónde
se encontraba el miércoles 27 de abril de ese año. El arenero
contestó que después de tanto tiempo no podía recordarlo con
precisión, pero que diariamente acostumbraba levantarse a las
cuatro de la mañana, aparejaba sus cinco burros, los cargaba
de arena en el río Churubusco a la altura del paraje que está
entre el Puente y Mexicalzingo y regresaba a la capital para
entregar su carga, pues tenía marchantes que la compraban en
la Plazuela de las Vizcaínas, y que después regresaba al pueblo
de La Piedad "a hora proporcionada con luz para llegar a su
casa, pero nunca de noche". En el curso del interrogatorio añadió que jamás había tenido ningún burro sin cola o rabón, y
que si bien solía cargar su arena en tiempo de aguas en el río
de Tacubaya, entre ese pueblo y el de La Piedad, y en las inmediaciones del rancho de Xola, en los parajes cercanos al de
Becerra, aseguró que el referido día 27 de abril no lo había
hecho por ahí, sino en el río Churubusco como de costumbre.
Negó que en esas fechas hubiese acompañado a otros areneros,
ni tampoco en el siguiente mayo, en las cercanías del paraje
donde acontecieron los homicidios, de los que se enteró por
haber oído en su pueblo que habían sucedido, pues el relato
"andaba en boca de todos". Agregó que nunca había conver-

sado con nadie sobre el particular, incluyendo a Vicente Tovar, y que no conocía ni a Joaquín Rocha ni a Manuel Martínez, pero sí a Ponciano Tapia, desde muchos años ha, cuando trabajaba en la Casa de Moneda, y que luego lo había visto en la propia cárcel en el año de 1839; que a veces se había encontrado al referido Tapia entre los pueblos de San Lorenzo y La Piedad rumbo a la capital, pero que aunque se saludaban no hablaban cosa alguna, y desde hacía cinco o seis meses no lo había vuelto a ver ni nunca se había acompañado con esa persona, ni ninguna parte había tenido en los delitos de los ingleses.

Puchet aumentó su desasosiego. El tal Chavarría le parecía sincero aunque se encontraba asustado, pues se daba cuenta de que el condenado Tovar lo señalaba como autor de los crímenes. El juez se trasladó a la capilla y comunicó a aquél las declaraciones de Chavarría. El delator se mantuvo en su dicho y notificó que este último le había referido los particulares del crimen *hacía como dos meses*, lo que podría atestiguar otro individuo llamado Pablo de Jesús, también encarcelado. Pronto se hizo comparecer a De Jesús, quien era un labrador de veinticinco años, condenado por el juez de Taxco a ocho de presidio por el delito de robo, quien afirmó resueltamente no conocer a José Chavarría, lo que sostuvo poco después en presencia del mismo Vicente Tovar. Chavarría fue careado también con el comisario Manuel Carrera, quien aceptó conocerlo y recordar que en efecto lo había visto en la prisión hacía como seis meses, lo que coincidía con la deposición invariable y reiterada de aquél. El único que mantuvo haber visto a Chavarría "hacía un mes y medio o dos" en la ex Acordada, fue Abraham de los Reyes, quien en esa ocasión no fue secundado por Navarijo, el cual sólo recordaba haber conocido al arenero en el año de 1839. Hesiquio Ríos, otro preso condenado a las *obras públicas* por el delito de robo, reconoció asimismo a Chavarría pero dijo haberlo visto en la cárcel hacía cuatro meses o más, o sea antes de los asesinatos. Puchet ordenó hacer una búsqueda y compulsa en los libros de la prisión en presencia del alcaide y de los presidentes de los calabozos, y decidió cambiar de táctica con Vicente Tovar, proveyendo en el expediente lo que sigue:

Usando el presente juez del arbitrio que el Supremo Gobierno se sirvió concederle, extráigase al reo delator Vicente Tovar de la capilla, quedando en riguroso separo, porque ni sería equitativo prolongarle los padecimientos de su incomunicación, ni tampoco es justo que la tropa sufra una fatiga indeterminada ni que la Archicofradía que mantiene a los reos encapillados erogue gastos que no sufren sus fondos.

En el oficio dirigido al ministro de Justicia e Instrucción Pública, el juez Puchet recapitulaba que el indulto de la pena capital se había concedido a Tovar "bajo la condición de que acreditaría su verdad, y que por tanto había ordenado fuese extraído de la capilla". El mismo día, don Pedro Vélez aprobó la providencia tomada y el delator regresó al separo. La intención de Puchet era ablandar a Vicente Tovar, dejarlo que pensara un poco para después averiguar de una vez por todas si la versión que declaraba había sido inventada por él o por De los Reyes. Mientras tanto se comprobó en los libros de la prisión que José Chavarría había sido liberado según orden 1133 del martes 8 de febrero de 1842, lo que apuntalaba su deposición. No obstante, al día siguiente Puchet provocó una reunión con don José María Muñoz de Cote, don Gabriel Gómez de la Peña, don José María González, don José María Tamayo y don Tomás Villalba, o sea los cinco jueces criminales del Partido Judicial de México, con el fin de que identificaran físicamente a José Chavarría y establecieran la posibilidad de que el individuo hubiese podido haber estado sujeto a proceso en alguno de sus juzgados hacía más o menos dos meses, aunque fuese con distinto nombre, lo que frecuentemente sucedía, pero salvo el juez Gómez de la Peña, quien corroboró haberlo tenido en detención más o menos diez días por el asunto del rapto y puesto en libertad a principios de febrero, ninguno de los otros juzgadores pudo reconocerlo como acusado o reo de alguna causa, y sucedió lo mismo con los cinco escribanos y los cinco comisarios de los propios juzgados, así como con el alcaide don Vicente Zulueta, todos los cuales fueron convocados después con idéntico propósito. Tras de ese exceso de celo profesional don José María Puchet quedó completamente convencido de que Chavarría decía la verdad y Vicente Tovar y Abraham de los Reyes habían mentido para salvar la vida. Un sentimiento de frustración lo invadió. Era la primera vez que se encontraba ante un asunto de tal naturaleza. Su sentido de la ley y de la moral le hacían repudiar la villana actitud de los delatores que no habían vacilado en acusar a un inocente, engañando al general Valencia y a él mismo, y lo habían hecho solicitar un indulto para Tovar, concedido por el propio Presidente de la República. ¡Hasta dónde habían llegado las cosas! Pero de pronto pensó también que los delatores no eran sino seres humanos, acorralados por la justicia de los hombres y encapillados para recibir el castigo divino. Por un momento se puso en el lugar de aquéllos, se vio en uno de esos separos malolientes esperando su propia ejecución, recordando una vida de desgracias e insatisfacciones, sin poder hablar con su familia, taladrado por el miedo a la muerte y a la ira de Dios. Entonces se dijo que él también hubiera mentido, también hubiera inventado una historia, también hubiera denunciado a un inocente. A pesar de su postura como juez comprendió en esos momentos al asesino Vicente Tovar y al capitán de bandidos Abraham de los Reyes y a todos los enjuiciados del mundo, y sintió piedad y lástima por ellos. Decidió entonces seguir adelante con las averiguaciones pendientes antes de tomar una decisión definitiva sobre la suerte del delator que estaba bajo su "estrecha responsabilidad", y se preguntó si con prolongarle la vida le estaría haciendo un favor o todo lo contrario.

UN LARGO OFICIO de don José María de Icaza, prefecto del Centro de I éxico, llegó al juzgado el 13 de agosto, día de San Hipólito y aniversario de la infausta caída de Tenochtitlan en poder de los españoles. El juez Puchet lo leyó de manera acuciosa, pues contenía la transcripción de un amplio informe del capitán don Manuel Flores, jefe de la Sección de Policía de dicha prefectura, en que relataba con detalle cómo había aprehendido a Manuel Martínez en la calle del Sapo, cerca de la de Revillagigedo, y que lo ponía a la disposición del propio Puchet, con gran satisfacción:

... pues no dudo —afirmaba el capitán— que así VS como todo el que se interesa en el ejemplar castigo de los autores de

tan horroroso crimen la tendrán al verlos aprehendidos, tanto
más cuanto que si tenemos los mejicanos la desgracia de ver
confirmadas las sospechas de los extranjeros que aseguraron
ser del país los autores de aquel crimen, tendremos también
a la vez el consuelo de hacerles ver que el carácter del común
de los mejicanos no tolera en su seno monstruos de aquella
clase, sino que se disputan, como ha sucedido entre los individuos del Cuerpo de Policía, el honor de aprehenderlos y entregarlos a la justicia, servicio que a todos nos distingue y a mi
me procura la indecible satisfacción de dar a VS una prueba
aunque pequeña de que correspondo a la confianza con que
tanto me ha honrado ...

Pero las declaraciones del detenido Manuel Martínez no
levantaron el ánimo de Puchet. Este era otro joven de veinticinco años, originario y vecino de Tacubaya, "comerciante en
semillas" (aunque tenía pendiente un proceso por asalto en el
pueblo de Tlalnepantla), quien tampoco aceptó conocer a José
Chavarría ni a Joaquín Rocha, juró que la tarde y la noche del
crimen las había pasado en la casa de su hermana Guadalupe,
de donde no había salido, y que sólo se había enterado del doble
asesinato como a las ocho de la mañana del día siguiente
en que:

...comenzó a ver la gente alborotada, porque habían matado
a un hombre y una mujer en las cercanías de Xola ... pues
unos *marchantes* dijeron que los muertos eran dos extranjeros
y que los había matado otro extranjero que los había venido
siguiendo desde La Havana.

Martínez negó terminantemente haber cometido el delito o
tenido contacto con los ingleses, a quienes "no vio ni vivos ni
muertos", y sólo conocer a Ponciano Tapia, de quien sabía fue
aprehendido por el "alcalde Guimaret" al "salir de misa de la
Parroquia" un día después del crimen, pero que ignoraba si éste
era responsable. Agregó haber estado preso en junio del año
cuarenta, pues un tal José María Ruiz le dio a vender dos caballos "que salieron robados" pero que había sido excarcelado
en 1841, y que lo que decía era verdad. En resumen, Martínez
tampoco parecía ser uno de los asesinos de Egerton y su mujer.
El doctor Puchet dedicó el día 14 de agosto, desde muy
temprano, a visitar los pueblos de la región en donde se habían

cometido los homicidios para no dejar ninguna diligencia sin practicar. Don José Cisneros estaba enfermo y se llevó como escribano a don José Alarcón. A las ocho de la mañana llegó al pueblo de La Piedad donde cateó la casa de José Chavarría sin encontrar pista o indicio alguno, y, en presencia del juez de Paz del lugar, don José María Sánchez, interrogó a varios de los vecinos, quienes atestiguaron la buena conducta del arenero, "persona dedicada a su trabajo". Luego siguió a la villa de Tacubaya y, acompañado de don José Torres, recién nombrado juez de Paz en sustitución de Guimaret, quien había caído de la gracia del Supremo Gobierno, acudió a la casa número tres de la calle de la Santísima, junto al templo del mismo nombre, no lejos del molino de Santo Domingo, domicilio de Guadalupe Martínez, hermana de Manuel. Allí la propia Guadalupe y varios vecinos de la casa que era de accesorias, corroboraron el dicho de aquél en el sentido de que la tarde y la noche del asesinato no había salido de la vivienda de su pariente, la cual cateó Puchet sin encontrar rastros de la ropa quitada a la señora Edwards ni arma alguna o cualquier objeto que infundiera sospechas. También visitó al juez especial a don Ignacio Martínez, padre del indiciado, quien vivía cerca del ex Palacio Arzobispal, dedicado al piadoso oficio de fabricar "niños-Dios y muñecos para nacimientos", sin tampoco encontrar en su casa nada que pudiera relacionarse con el doble crimen. El instructor judicial estaba verdaderamente molesto y confundido. Se sentía impotente, ridiculizado, engañado. Pero tenía que completar sus pesquisas para estar completamente seguro del terreno que pisaba. Por otra parte sabía que en Mixcoac conocían a otras mujeres con el sobrenombre de "La Bruja" y se dirigió hacia allá por el camino a Nonoalco, pasando por Pila Vieja, santiguándose frente a la cruz de madera que recordaba la inmolación del pintor inglés.

Encontró otras seis "brujas" aparte de la que ya había interrogado en la ex Acordada. La primera fue María Mónica López, hermana de Porfiria, quien desde principios del año se encontraba gravemente enferma, "con un derrame de bilis, sumamente extenuada y tirada en un petate", y negó conocer a Chavarría, Martínez y Rocha, haberse movido de su casa en

meses o tener nada que ver con los asesinatos, lo que corroboraron otros vecinos. El juez de Paz de Mixcoac, don Aparicio
Hernández, indicó a Puchet que había otras mujeres con el
famoso apodo en el distante pueblo de Tecoyotitla, por el rumbo de San Ángel, y a pesar del fuerte aguacero que caía sobre
la región y de que ya eran las cuatro de la tarde, Puchet ordenó
emprender la marcha hacia esa localidad, a la cual no pudieron
llegar pues los dos caminos estaban intransitables, y tuvieron
que detenerse al pardear la tarde en el rancho de San José,
donde hicieron comparecer a Nazaria Ortiz, de cincuenta años,
la "bruja" de Tecoyotitla, quien llorando aseguró no conocer a
los nombrados Chavarría, Martínez y Rocha, ni haber viajado
en abril a Tacubaya ni tener nada que ver con la muerte de los
británicos. Interrogada la tercera bruja, fue traída la cuarta,
Manuela Ortiz, quien resultó esposa nada menos que del juez
de Paz de San Lorenzo, y que asimismo juró desconocer a los
referidos areneros y no haber salido de su casa el día de los acontecimientos. La quinta bruja se llamaba Juana Paula, también
vivía en Tecoyotitla, y el resultado de su examen fue semejante
a los anteriores. Como el de la sexta y última, María de la
Encarnación, hermana de Juana Paula, que era vieja y fea y
a la que sólo le faltaba volar en una escoba, pero que tampoco
tenía relación alguna con el doble crimen. Total: a las siete de
la noche, todos empapados, el balance era nada. Brujas abundaban por doquier. Ya sea porque se diera tal sobrenombre a
las mujeres en recuerdo cariñoso de su infancia, edad en la que
a muchas niñas se les llamaba "brujitas", o porque fueran bea-
tas que se dedicaran a preparar brebajes, decir la buena o mala
fortuna y relatar leyendas, como la del *tzincuate*, animal de la
mítica azteca, que mama los pechos a las mujeres despreveni-
das, o la de "La Llorona", mujer fantasmal que recorre las calles de la ciudad, en las noches oscuras, entre lamentos espe-
luznantes, buscando a sus hijos desaparecidos.

EL 16 DE AGOSTO el doctor Puchet careó a Vicente Tovar, en
actos sucesivos, con varios celadores y empleados de la cárcel
que habían conocido a Chavarría pero afirmaban categóricamente haberlo visto en la prisión hacía más de seis meses.

Tovar se mantuvo firme en haber hablado con el arenero hacía no más de dos meses en la ex Acordada. Se le comunicó a Tovar que ninguna de las famosas "brujas" conocía a los delatados ni los había visto cometer los asesinatos, y se le pidieron pruebas o más datos sobre la identidad de aquella que se suponía había sido testigo de las muertes y sobre el resto de su delación. Tampoco pudo Tovar aportar ningún otro indicio. Compareció días después el capitán Manuel Flores, quien informó que el tercer sospechoso, llamado Joaquín Rocha, no había podido ser localizado y nadie sabía de él, y añadió que a Manuel Martínez se le reclamaba en Tlalnepantla como asaltante de un dependiente de la Fábrica de los Remedios. El día 22, don José María Puchet decidió dejar en absoluta libertad a José Chavarría y poner a Manuel Martínez a disposición del juez de su causa. El 26 envió a don Pedro Vélez, ministro de Justicia e Instrucción Pública, un amplio y detallado ocurso cuyo contenido meditó bastante, porque no era otra cosa que el recuento de sus fracasos ante las delaciones de Abraham de los Reyes y de Vicente Tovar. El escrito relataba minuciosamente todas las pesquisas, declaraciones y diligencias que constaban en el legajo especial y eran fruto de casi seis semanas de trabajo inútil; y concluía de esta manera:

> Al Excelentísimo Señor Presidente, de cuya benignidad dimana la suspensión a la pena de Vicente Tovar toca ahora resolver si tiene o no lugar su gracia en vista del resultado que en lo judicial ha tenido la denuncia y que yo me he limitado a exponer, quizá con mucha prolijidad.

El tres de septiembre en la tarde el juez especial recibió contestación del ministro Vélez determinando claramente:

> Y como el indulto ofrecido a Tovar de la pena capital a que está condenado por salteador fue bajo la precisa condición de descubrir y convencer a los autores de aquel delito (el asesinato de don Florencio Egerton y doña Inés Edwards) con cuyo objeto se mandó suspender la ejecución de la sentencia, se ha servido disponer Su Excelencia que no debe tener efecto el indulto de Tovar, ni continuar la suspensión de la ejecución de su sentencia, y que en consecuencia lo vuelva usted a

dia 7 notará lista la escolta de que
V. S. trata en su nota de hoy á que
contesto.

Dios y libertad. México, setiembre 5 de 1842.—*Juan José de Andrade.*—Sr. coronel D. Agustin Es-
cudero.—México, setiembre 7 de
1842.

ASESINATOS

De D. Florencio Egerton y Doña
Inés-Edward.

Muy desde los principios en que
se suspendió la ejecución del reo
Tobar, manifestamos el desconsue-
lo que ahora se vé en las comunicaciones que insertamos, para apoyar la
ansiedad pública que ha estado pendiente de los grandes descubrimientos que ofreció hacer ese desgraciado.

Fácil habria sido, cuando ménos,
envolver por mucho tiempo en esa
desgracia á hombres inocentes; si la
Providencia que vela sobre todos, no

hubiese dispuesto que el mismo Tobar se hubiese encontrado en un a-
tolladero al dar las pruebas de su
calumnia, hija del mayor de los intereses de los seres de su clase, y
por esa razon y por otras muchas,
las leyes no dan crédito al dicho ni
aun de los presos, que reputa siempre interesado, siempre corrompido.

Despues de perdidos los hilos, solo un feliz descubrimiento puede hacer que se descubra al asesino de
Egerton y doña Inés, y lo repetimos, los medios ordinarios, nos parecen de ningun éxito en este negocio.

☞ INTERESANTE.

Se ha concluido ya la encuader-
nacion del primer tomo de "El Observador Judicial" que se vende al
moderado precio de siete pesos en
pasta, solo en esta imprenta: advirtiendo, que tanto por ser poca la
existencia, habiéndose extraviado
muchos números sueltos, cuanto por
la importancia de esta recopilacion
de leyes, útil á toda clase de personas y aun á los extranjeros: en la
reimpresion que va á hacerse de a-
qui á algun tiempo, no se podrá dar
cada tomo, en ménos de diez pesos.

IMPRENTA DE TORRES.

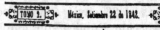

EL
OBSERVADOR JUDICIAL
Y DE LEGISLACION.

La felicidad pública debe ser el objeto de
legislador y la utilidad general el principio
del raciocinamiento en legislacion. Conocer
el bien de la comunidad de cuyos intereses
se trata, constituye la ciencia hablar han medios de realizar este bien, constituye el arte
BENTHAM.

TOMO 2.   México, Setiembre 22 de 1842.   NUM. 7.

DECRETOS Y CIRCULARES.

APÉNDICE.
23 DE AGOSTO.

*Primeros ayudantes continúan dis-
frutando el sueldo y goces que
correspondían á los sargentos mayores.*

Ministerio de guerra y marina.—
"Exmo. Sr.—He dado cuenta al
TOM. II.

Exmo. Sr. presidente provisional
con la nota de V. E. núm. 3.427 á
25 del actual, en la que consulta
los capitanes ayudantes de las oficinas del detall de las plazas, es-
comprendidos en el decreto de 5 d
que cursa; y S. E. ha resuelto q
el decreto no se contrae á los cap
tanes ayudantes de plaza, sino á l
primeros ayudantes de los mism
que estaban reputados como sarg

1

poner a disposición de la Comandancia General de esta capital. Lo que comunico a VS de orden de SE el Presidente...

Así lo hizo el juez especial con sentimientos confundidos:
por una parte la seguridad absoluta de que el reo había forjado
una patraña y con ella engañado a la justicia y violado una
vez más las leyes vigentes; por otra, con piedad para el delator que, siendo humano, había tratado de vivir un poco más,
aunque fuera pendiente de una delgada y calumniosa mentira.
Vicente Tovar fue regresado a la capilla. El general Valencia
dispuso entonces que puesto que Tovar había adquirido mayor
notoriedad en la ciudad de México que en el camino a Puebla
donde había cometido sus fechorías originales, en vez de ejecu-
társele en este último lugar se le diera pena de garrote en el
patio de la propia prisión de la ex Acordada, para asegurar
la ejemplaridad de las sentencias militares. La ejecución se
anunció para una mañana muy temprano y se invitó a varias
personalidades de la capital, incluyendo el cuerpo diplomático.
Pakenham y los otros ingleses no asistieron pero en cambio sí
lo hizo Waddy Thompson, el nuevo ministro de los Estados
Unidos, que aunque no parecía interesarse mucho en el asunto
de Egerton estaba muy bien informado sobre la investigación
y por lo visto no quiso perder el triste espectáculo que atrajo
su morbosa curiosidad, el cual describió fríamente esa noche
en su diario:[25]

> El convicto, vestido con una túnica blanca, fue sentado en
> un banco de madera de alto respaldo, parecido a una silla de
> barbero. A través de ese respaldo pasaba el extremo de un collar
> de hierro, al que estaba sujeta una manija. El cuello del con-
> victo fue colocado en ese collar y un simple giro de la manija
> le causó la muerte instantánea.

Así de dramático y sencillo le pareció todo, aunque encomió
la actitud generosa y benevolente de los sacerdotes que proporcionaron al condenado los últimos auxilios espirituales. El Observador Judicial comentó en su edición del 22 de septiembre:

[25] Waddy Thompson, esq. Recollections of Mexico. New York &
London, Wiley and Putnam, 1846, p. 22.

Muy desde los principios en que se suspendió la ejecución del reo Tovar, manifestamos el desenlace que ahora se ve en las comunicaciones que insertamos, para apagar la ansiedad pública que ha estado pendiente de los grandes descubrimientos que ofreció hacer ese desgraciado. Fácil habría sido, cuando menos, envolver mucho tiempo en la desgracia a hombres inocentes, si la Providencia que vela sobre todos, no hubiese dispuesto que el mismo Tovar se hubiese encontrado en un atolladero al dar las pruebas de su calumnia, hija del mayor de los intereses de los seres de su clase, y por esta razón y por otras muchas, las leyes no dan crédito al dicho de los presos, que reputan siempre interesado, siempre corrompido. Después de perdidos los hilos, sólo un feliz descubrimiento puede hacer que se descubra el asesino de Egerton y doña Inés, y lo repetimos, los medios ordinarios nos parecen de ningún éxito en este negocio.

De la carta que don Leandro Iturriaga envió al doctor José María Puchet, sobre su trato con Daniel Thomas Egerton, fechada el 16 de agosto de 1842 pero referente a hechos acaecidos entre 1832 y 1836.

LA AMISTAD del señor Egerton con don José Justo Gómez, conde De la Cortina le permitió ser introducido a muchos mexicanos distinguidos. Ignoro si ambos se habían conocido en Londres cuando el conde había sido *attaché* de la Legación de España, pero en todo caso cuando éste regresó a México después de su larga carrera diplomática, deseoso de incorporarse a su verdadera patria, ya independiente, se encontró aquí al pintor inglés, quien frecuentemente lo visitaba en la famosa "Casa Colorada" que don José empezaba a llenar de libros y pinturas de primera calidad. El señor Egerton asistía a las charlas catedráticas sobre geografía de México que el conde daba en su propio domicilio. También conversaron estos dos personajes en múltiples ocasiones, según me consta, sobre la conveniencia de divulgar la ciencia y la técnica, asuntos que apasionaban a ambos y que constituían la materia del "Registro Trimestre", suplemento del *Registro Oficial*, órgano periodístico del gobierno del presidente Anastasio Bustamante, en el que Cortina escribía sobre estos temas, especialmente en relación con las ciencias físicas y naturales. Fue en esas reuniones

que conocí yo al distinguido pintor, quien acaba de ser tan
misteriosamente asesinado junto con la señorita Edwards.
Usted me ha pedido que le describa al señor Egerton y
ahora lo hago. Cuando yo lo conocí era un hombre de unos
treinta y cinco años, de tez blanca y cabello castaño claro, sin
llegar a rubio, tenía ojos cafés, también muy claros; era alto
y delgado pero musculoso; apuesto por sus facciones y presencia física en general, de brazos largos y manos hábiles. Yo
diría que era muy culto, reflexivo y observador, categórico y
franco, exigente para con los demás y consigo mismo. A algunos podía parecerles un poco arrogante pero a mi juicio no lo
era y siempre trataba de controlar su inteligencia para no
ofender a los demás con su agilidad y conocimientos, aunque
en ocasiones lo hacía sin proponérselo. Se concentraba en su
trabajo, era regular, metódico y bastante tranquilo; sólo se encendía cuando creía ser víctima de una injusticia; entonces
perdía su flexibilidad y luchaba denodadamente por defender
su punto de vista o su posición. Sin embargo sus gestos generalmente eran reposados, su voz metálica; lo miraba a uno con
gran fijeza y atención. Podía a veces parecer frío pero no lo
era, pues apreciaba todas las bellezas de la vida. y las reproducía en sus magníficas pinturas. Era sumamente independiente y sus pocos amigos teníamos que respetar absolutamente su
privacía pues de lo contrario se incomodaba y hasta podía
irritarse momentáneamente, aunque era un amigo fiel, un buen
conversador y un hombre auténtico. Estaba muy orgulloso de
la familia a la que pertenecía aunque hablaba poco de ella.
Parece que era de origen noble y su posición económica era
desahogada. Según sé recibía libranzas periódicamente, de Inglaterra. Frecuentaba a sus pocos amigos e iba a los mismos
lugares salvo cuando dibujaba o pintaba una nueva ciudad, o
una nueva montaña. Atraía mucho a las señoras y señoritas
con quienes era muy cortés y caballeroso. Próximo a regresar
a su patria me dijo que mantenía una relación sentimental con
una dama mexicana, la cual probablemente me buscaría durante su ausencia, pero con su acostumbrada discreción no me
dijo su nombre y dicha señora nunca me buscó. Sospecho que
el señor Egerton, bajo su exterior excesivamente racional, es-
condía una naturaleza apasionada y romántica, que desde luego
se expresaba en sus dibujos, grabados y óleos inimitables. Pocos como él a mi leal saber y entender han interpretado el
paisaje de México y las actividades cotidianas de los mexicanos
de manera tan magnífica, lo que evidentemente no se puede
lograr nada más con técnica y habilidad, sino requiere de pasión. Además de su hermano William Henry y del señor Char-

les Byrn, sólo el conde De la Cortina y yo éramos amigos asiduos de don Daniel Thomas Egerton, aunque también trataba al barón de Gros, y a don Federico von Geroldt, quien le presentó al pintor alemán don Carlos Nebel, a quien Egerton vio algunas veces y cuyas pinturas reproduciendo monumentos aztecas y mayas, admiraba mucho. La precipitada salida del señor Nebel del país, en 1835, impidió que la amistad de los dos artistas fuera mayor. Por lo demás el señor Egerton sólo tuvo conocidos, no amigos. Trató seguramente a muchas personas pero siempre de manera superficial. Era implacable para escoger a quienes les entregaba verdaderamente su confianza. No quería que nadie le impusiera normas. Pero yo nunca supe que tuviese enemigos.

CASIMIRO CASTRO: *La Villa de Tacubaya,*
tomada a ojo de pájaro sobre el camino de Toluca. Litografía

9. Otro crimen: el asesinato de un Congreso

"Cuando pasamos frente al Palacio Nacional,
de su portón principal surgen
cincuenta húsares vistosamente tocados,
seguidos por un coche ricamente cubierto
de terciopelo púrpura y oro,
tirado por cuatro caballos blancos
y conducido por un cochero yanqui.
Atrás aparecen otros cincuenta húsares,
y al lado del coche seis edecanes
montados en sus arrojados bridones.
Sólo una persona va en el vehículo.
Porta un gran número de condecoraciones
alrededor del cuello,
mientras brilla en su pecho
una medalla refulgente de diamantes,
que le fue otorgada por el voto de la Nación.
El puño de su espada está ornado también
con diamantes y su mano descansa
en un bastón con cabeza de diamante.
No lleva sombrero y mientras pasa
se inclina graciosamente ante los saludos.
Reconocimos entonces al
Presidente de la República."

Brantz Mayer, México, como fue y como es.
[Nueva York, 1844]

EL GENERAL PRESIDENTE Excelentísimo señor don Antonio López de Santa Anna cumplió ese día, nueve de octubre de 1842, un año justo de haber ascendido al poder por sexta vez. Ése era el periodo ejecutivo más largo en que había sido Jefe del Ejecutivo. En efecto, en 1833 actuó como tal en tres ocasiones, la primera de ellas por 18 días, la segunda por 17 y la tercera por 38, en total 73 días; la cuarta vez, en 1834 y 1835, por escasos nueve meses; y la quinta, en 1839, sólo rigió 113 días.

Por tanto, en rigor, Santa Anna no había completado en sus primeras cinco ascensiones de la Presidencia ni siquiera dos años de mandato, menos de medio periodo constitucional, que era de cuatro, aunque en varias ocasiones había sido "el poder tras el trono". Ahora ajustaba doce meses continuos al frente de los destinos nacionales y se sentía muy ufano, aunque de los asuntos de Estado dos le preocupaban sobremanera. Uno era la composición y los trabajos del Congreso Constituyente, conducido por una mayoría de liberales y federalistas que no pensaban como él, y otro la dificultad de recuperar la provincia de Tejas, que se había rebelado en 1836, y proclamado su dizque independencia apoyada por los Estados Unidos.

Respecto a Tejas el "estado de guerra" continuaba desde que Santa Anna había sido liberado por los tejano-americanos meses después de la desgracia de San Jacinto y de su humillante visita al presidente Jackson; pero el asunto no se olvidaba. Además de la derrota por el general mexicano Armijo de la expedición tejana que intentó invadir Santa Fe, hacía un año, otro valeroso episodio había re-encendido los ánimos y exaltado el patriotismo en ese problema que tanto dolía a la nación. Cinco días antes, el cuatro de octubre, las salvas de artillería, los repiques de las campanas y las dianas de la tropa de la capital anunciaron que el general mexicano Adrián Woll había recuperado San Antonio de Béjar, el 11 de septiembre, y mantenido la importante ciudad tejana por varios días, aunque se encontraba a más de cien leguas de su cuartel general. Aquélla había sido una incursión o corrida de campo, como las *algaradas* que practicaban cristianos y moros en España, pero era también un recordatorio a los rebeldes y a sus cómplices de que el gobierno de México no aceptaba la supuesta independencia de aquel territorio, a pesar de haber sido reconocida por París, Washington y Londres, y que habría de recuperarlo total y definitivamente. Santa Anna había gozado con intensidad al leer en *El Siglo XIX* de dos días atrás, el remitido del coronel Carrasco, cuartelmaestre del pequeño ejército del general Woll, que bajo el título "¡Viva la República Mexicana!" relataba la heroica entrada de la tropa nacional en San Antonio y la batida posterior, en Arroyo Salado, de los 150 americanos que habían logrado escapar de la plaza.[26]

Santa Anna lamentó que la toma de San Antonio no hubiese sido conocida en México para el 27 de septiembre, a pesar de haberse producido dos semanas antes, pues ese día había tenido lugar el brillante entierro de los restos de su pie izquierdo, amputado en Veracruz en diciembre de 1838 a causa de la metralla francesa, pues seguramente el homenaje hubiera resultado aún más lúcido. El general Presidente había asistido en persona a las exequias de su siniestro miembro inferior, organizadas por don Antonio Esnaurrízar, jefe de la Comisaría de México, quien hizo erigir una gran columna en el cementerio de Santa Paula, sobre cuyo capitel dorado se colocó la urna conteniendo el pie amputado, ornada por un pequeño cañón y el águila mexicana. Don Carlos María de Bustamante, testigo de la ceremonia, escribió en su Diario que esa mañana se había hecho un entierro: "... desconocido para nuestros mayores, del miembro de un hombre vivo aún, al que concurrió, por la novedad y rareza de la función, la gente más ilustre de México y un inmenso pueblo, atraído de la novedad de este espectáculo." Y también que, después de los discursos en loor del héroe:

> ... Esnaurrízar tomó la llave de la urna y delante de mí la entregó a Santa Anna, haciéndole una arenga a la que respondió éste lacónica y tibiamente. Por la tarde fue en un magnífico coche acompañado de gran comitiva de tropa y oficiales para ver aquel monumento, adonde ha de ir lo restante de su cuerpo el día de la resurrección universal a recoger su pie para presentarse íntegro ante el tribunal de Dios, y a presencia de todas las naciones del mundo, a responder públicamente de cuanto bueno o malo haya hecho durante su agitada vida...

El general Presidente estaba muy orgulloso de su funeral pedestre, y sin querer reparar en las muchas coplas críticas que se compusieron con ese motivo, y en los letreros sarcásticos contra el "zancarrón", que aparecieron en los muros del cementerio de Santa Paula, supuestamente firmados por los demás difuntos en franca protesta por el exceso adulatorio que venía

[26] *El Siglo XIX*, 7 de octubre de 1842, p. 3.

General *Antonio López de Santa Anna.* Litografía

a perturbar "a la sepulcral mansión", consideraba que tal ceremonia expresaba, ni más ni menos, los sentimientos que su pueblo guardaba por él y por la más heroica parte de su cuerpo. ¡Ya empezaba a sentir los terribles mareos de poder que le llevaron diez años después, en su undécima y última ascensión a la presidencia, a exigir a sus paniaguados que le llamaran con el ridículo mote de "Alteza Serenísima"!

ESE DÍA ERA DOMINGO y el Presidente iba a viajar a San Agustín de las Cuevas para visitar a unos amigos y jugar unos gallos, pero como era su costumbre se levantó muy temprano a fin de leer los papeles públicos y atender un importante asunto oficial. En la primera plana del *Diario del Gobierno de la República Mexicana,* que le llegó todavía fresco de la imprenta, aparecía el acta de la sesión del Congreso Constituyente del tres de octubre, con el inicio de la discusión del proyecto firmado por la mayoría de la Comisión de Constitución, el cual se dudaba fuera aprobado, como eran los deseos de Santa Anna, ya que no adoptaba el sistema federal ni reconocía la autonomía de las provincias, a pesar de que después de los fracasos del centralismo (la pérdida de Tejas y la separación de Yucatán, entre otros) la nación volvía claramente los ojos a la original forma de Estado que había escogido en la Constitución de 1824. La mayoría de la Comisión estaba formada por don Antonio Díaz Guzmán, don Joaquín Ladrón de Guevara, el inteligente don José Francisco Ramírez y don Pedro Ramírez, esto es, los liberales moderados partidarios del gobierno de tendencia centralista; la minoría —que en realidad interpretaba los sentimientos mayoritarios del pueblo— la integraban los liberales, puros o moderados pero federalistas y enemigos del gobierno: don Juan José Espinosa de los Monteros, don Octaviano Muñoz Ledo y el brillante publicista y orador don Mariano Otero, quien a pesar de sus 23 años había tenido una actuación muy destacada en los trabajos parlamentarios.[27] Conforme

[27] Ver *Mariano Otero. Obras,* estudio preliminar de Jesús Reyes Heroles, México, Porrúa, 1967, t. I; y del mismo autor: *El liberalismo mexicano,* t. II, "La sociedad fluctuante", México, FCE, cap. VIII. También Jorge Sayeg, *El constitucionalismo social mexicano,* México, Cultura y Ciencia Política, cap. XVI, 1972-1975.

a las Bases de Tacubaya, que dieron paso al nombramiento de Santa Anna como Presidente provisional, éste había quedado obligado a convocar un Congreso Constituyente en el plazo de dos meses, lo que hizo el 10 de diciembre de 1841, y como dicha convocatoria fue razonablemente democrática, los liberales puros y los moderados se habían impuesto a los conservadores en las elecciones del 5 y el 20 de marzo. El Congreso se instaló el 10 de junio de 1842, día a partir del cual empezaron los dolores de cabeza del general, quien se dio cuenta de que el centralismo que él propugnaba resultaría derrotado en el Constituyente y de que el nuevo Código Supremo sería inevitablemente federalista, a menos de que hiciese algo y pronto.

Los dos discursos publicados íntegros ese día en el *Diario del Gobierno* ejemplificaban las posiciones en conflicto. El primero era del diputado guanajuatense, señor Cevallos, partidario del federalismo, quien recordaba que el proyecto de Constitución establecía que la democracia era la "base elemental" de la República, pero que el dictamen parecía ignorarlo. Aseguraba que era falso lo sostenido en éste, respecto a que "en materia de centralismo y federalismo, nada hay fijo y definido", aseverando en alta voz que "ese signo clarísimo, ese ídolo de los mexicanos, ese estandarte de su gloria, por el cual están prontos a dar hasta sus vidas, es la soberanía de los estados". En este concepto Cevallos hacía consistir la diferencia sustancial de ambos sistemas, pues el proyecto no reconocía a las provincias su rango natural de autonomía, sin el cual era imposible el pacto federal. Aceptaba la idea de que se podía ser centralista y federalista en distintos grados, pero rechazaba la inferencia de que ambos sistemas pudieran ser una misma cosa y no tuvieran signos característicos. Rebatía el repetitivo argumento centralista de que la soberanía no podía cercenarse y que, por consiguiente, si los estados eran soberanos no habría soberanía en su conjunto, y con buena lógica afirmaba:

> Por este principio será necesario que declaremos nulos y sin ningún valor y efecto a los Estados Unidos y a la Suiza, a las Provincias Unidas al imperio de Alemania, a la Fócide y a centenares de potencias [sic] que no sólo han existido por siglos, sino que han ilustrado al género humano... ¡Miserable

sofisma! Si pueblos tan grandes, tan gloriosos, no son naciones y México puede asemejárseles, no importa que no se llame nación.

Citaba luego a Sismondi en su *Tratado de las Constituciones de los pueblos libres*, cuando ese autor habla de que una nación empeñada en una revolución democrática sólo tiene dos caminos por donde salir bien:

Si, acostumbrada a no formar sino un solo todo, ha unido hace largo tiempo su gloria y todas sus ideas de honor a una existencia centralizada, puede abandonarse a la democracia de su capital. No tendrá por este medio sino una falsa libertad, una falsa soberanía; mas la energía de las pasiones populares centralizadas en una gran ciudad podrá salvarla de la borrasca. Pero si al contrario, esa nación está compuesta de elementos desemejantes, de pueblos que tengan memorias y afecciones que produzcan rivalidades, de pueblos en que cada ciudad tenga opiniones y carácter propio, apoyados tal vez sobre un principio de organización municipal o provincial, esta nación no puede salir bien sino adoptando francamente el sistema federativo.

Luego recordaba la definición clásica:

La federación es una convención por la cual muchos cuerpos políticos consienten en hacerse ciudadanos de un estado más grande que ellos mismos quieren formar, y que es una sociedad de sociedades, susceptible de aumentarse por nuevos asociados que se unan... Ved pues, en Tocqueville, cómo una federación de estados soberanos puede formar una nación compacta y soberana.

Luego rechazaba la idea de que *federar* fuese sinónimo de *desunir*, y recordaba que en 1824, época de la fundación de la República, las provincias se habían pronunciado por el federalismo como expresión de sus sentimientos y características regionales, habida cuenta de que México era una nación de 128 mil leguas cuadradas, un inmenso país que el propio gobierno español no pudo gobernar "sino haciendo concesiones al provincialismo y preparándolo a la federación". Daba ejemplos:

Centroamérica pertenecía a México y luego se la dejó casi del todo independiente de los virreyes; Yucatán corrió igual suerte; Jalisco y las provincias internas lograron también sustraerse casi del todo de su dominio; se establecieron después doce intendencias cuyos jefes tenían grandísima amplitud de facultades.

Cevallos olvidaba mencionar que la Constitución de Cádiz había establecido en las colonias los diputaciones provinciales, auténticas legislaturas regionales autónomas. Agregaba:

¿Cómo, pues, se nos dice que el punto de partida para nosotros no indica federación? ¿Cómo se pretende ridiculizarnos la palabra *federal*, ya que en veinte años no se ha podido hacer odiosa, y persuadirnos al fin de que la abandonemos, porque las palabras han sido frecuentemente el azote de las naciones y el ángel exterminador de los pueblos... Por lo demás, no creo que puedan atribuirse los desmanes que sucedieron en el tiempo de aquella Constitución, [la de 1824] ni a ella ni a la federación, sino a la contradicción de nuestros elementos, a la inestabilidad de nuestras ideas, a la ignorancia sobre el desarrollo de los sistemas... Hombres fueron todos los que intervinieron en esos hechos, y capaces por lo mismo y por ser nuevos en la carrera, de grandes errores... Ellos practicaron ya por once años aquella Constitución y la entendieron bastante bien; hoy sólo tendrán que aplicarle la reforma.

Y concluía que:

... los anales del mundo no presentan hasta ahora un solo ejemplar de que subsista una República central tan grande y tan diseminada como la mexicana, ni aun la cuarta parte, pues cuantas lo han emprendido han degenerado en monarquías; que la independencia nada significa para nosotros sin la libertad y el desarrollo; que la *inercia nacional*, esa enfermedad destructora de los más poderosos imperios, y que nadie negará tiene ya medio muerta a la nación mexicana, sólo puede curarse con apelar al patriotismo de las localidades, y a la verdadera ciudadanía que es la que el hombre tiene junto a su hogar; que la fuerza de un centro único es la más engañosa; que la verdadera potencia y nacionalidad, aquella que ha completado las empresas más heroicas del mundo, ha sido la fuerza organizada federalmente, y por último, que en vano se lisonjeará

Vuestra Soberanía de conseguirla *si comienza por huir de la palabra* y acaba como la Comisión nos propone, por pretender una organización espuria, que deja a la libertad sin garantías y a la tranquilidad sin áncoras. Mi opinión, por tanto, es decidida en contra del dictamen.

La intervención del señor Canseco, cura de Zimatlán, Oaxaca, era en cambio en pro del proyecto de la Comisión, favorable a las ideas centralistas de Santa Anna, aunque no expresaba éstas de manera categórica sino con hábil ambigüedad. Empezó citando a Séneca, en aquello de que "agradar a muchos es difícil; a todos imposible", y sosteniendo que debía apoyarse lo propuesto por la mayoría de la Comisión no porque estuviese persuadido de que fuese perfecto, sino porque era la solución que podría considerarse más fácil de pulir o perfeccionar por "las manos diestras de los señores diputados". Según él los poderes generales de la República se organizaban de modo de conservar el equilibrio entre los *poderes particulares*, tanto en el régimen *económico-interior* de las secciones de la población y vasto territorio, como del sistema *político-militar*. Respondiendo a la crítica de que el proyecto eludía y tenía miedo a la expresión del concepto "federal", argumentaba:

Prescindo de cuestiones de puro nombre, y por lo mismo, creo que debe admitirse la producción constitutiva de la mayoría de la Comisión, como más conciliatoria y atenta, por decirlo así, a nuestras críticas circunstancias y difícil posición respecto de la incertidumbre del porvenir.

Aquí, sin duda, el diputado Canseco sugería el "término medio", no sólo en vista de la división de opiniones de los partidos, sino ante la velada amenaza expresada por Santa Anna quien, en la propia instalación del Congreso, había pedido que la Constitución que se formase no fuese federal, a lo que el presidente del mismo, don Juan José Espinosa de los Monteros, había contestado con digna sorna, que "la nación conocía sus necesidades y haría lo que más conviniera para remediarlas". Canseco pedía "circunspección, prudencia y delicadeza en nuestro tacto político", hablaba de que la nación vivía "en el cráter de un volcán cuyos combustibles aglomerados sólo esperan el más leve sacudimiento para romper sus ergástulos y prorrumpir en asoladoras erupciones", lo que resultaba de inestimable importancia "impedir políticamente a costa de los más grandes sacrificios", para "salvar a la patria del laberinto en que le han sumergido los partidos, y más que todo, las pretensiones avanzadas del *interés individual*". Canseco caracterizaba a su modo las fuerzas en conflicto, empezando por el bando antifederal:

> Aquí están comprendidos los adictos al *statu quo*, retrógrados o *torys* mexicanos, cuya divisa es: *veneranda vetustas*. Aquí los aristócratas y centralistas en todas sus ramificaciones de borbonistas, iturbidistas, etcétera. Aquí finalmente se han querido consignar también unos prosélitos que se llaman *moderados*, aunque estoy cierto de la buena fe y recta intención de algunos a favor de la causa santa de la libertad. Pero sea lo que fuere, de todas estas porciones de la sociedad se forma un partido pujante... Han hecho sinónimos los nombres de *federación* y *anarquía* o libertinaje, de modo que se persuaden sinceramente o fingen persuadirse, que es de la naturaleza de este sistema de gobierno todo desorden, todo desconcierto. Pasemos ya al bando anticentral, a cuya cabeza figuran los progresistas, sinceros patriotas, ardientes sectarios de la libertad, *whigs* mexicanos, cuya divisa es *nova sunt omnia*. Éstos miran, y con razón, en el gobierno central abierto un abismo de infortunios y desgracias, como los que sufriera la nación bajo las bastardas Leyes Constitucionales de 1836... que obligaron a los pueblos a apelar al peligroso recurso de una revolución, que terminó con el memorable Plan de Tacubaya, para liberarse de la funesta y perniciosa influencia de aquellas leyes.

Y después, en pleno eclecticismo, sentenciaba:

> Ahora bien, cuando en una sociedad las cosas han llegado hasta aquel punto, los directores de ella deben meditar profundamente sobre el porvenir hasta hallar una combinación feliz que restablezca el concierto y la armonía entre los intereses de todas las clases que forman el Estado. Esta deseada reconciliación de los más grandes intereses de la sociedad, ese equilibrio que hace la verdadera ciencia del gobierno, y sin el que jamás una nación tendrá reposo, yo juzgo, Señor, que sólo puede encontrarse en el *justo medio* entre aquellos extremos que se han calificado de viciosos. Por esto, la mayoría de la Comisión ha escogido los principios y bases orgánicas de los publi-

cistas republicanos y los ha consignado en su proyecto, aplicándolos a nuestras exigencias nacionales, sin cuidarse de dar a su empresa *uno* de los nombres que repugnan los partidos deliberantes que hoy están en armisticio. Esta resistencia es a mi entender laudable en política, supuesto que en el caso no es de absoluta necesidad un determinado bautismo parlamentario, con tal de que el Código Fundamental pueda llenar el objeto de su institución...

Para concluir, Canseco observaba que la palabra *federación* venía del nombre latino *foedus* que en rigor significa "alianza", y que importaba tanto como una independencia natural de la nación para promover los medios de su vigorosa defensa contra cualquier invasor exterior:

> Pongámonos enhorabuena, Señor, en el sendero del progreso; demos en él cuantos pasos sean posibles; *correr despacio,* según la máxima de Gracián. Pero no emprendamos dar un salto que nos coloque hasta el punto en que deberán estar de aquí a un siglo, si hay cordura, las generaciones que nos sucedan. En suma, el proyecto de Constitución de que se trata, firme en los principios o puntos cardinales que les señalan sus autores, precave a la nación de graves inconvenientes... por lo que opino porque se admita.

DESPUÉS DE SU LARGA pero reveladora lectura, el general Presidente, sin dejar el *Diario,* siguió pensando. ¿Por qué todo estaba saliendo mal? Había discutido cuidadosamente la estrategia con el ministro Bocanegra. Éste había conversado con los diputados amigos del gobierno, que formaban la mayoría en la Comisión. Se convino en no oponerse de frente a los federalistas que formaban un bloque muy compacto y más amplio que los partidarios del centralismo, y propugnaban la adopción abierta de ese sistema, como en la Constitución de 1824. Había que "dorarles la píldora"; decirles que el sistema republicano, representativo y popular bastaba para constituir a la nación, y que sólo se retiraba la palabra *federal* por "impropia y peligrosa"; lo primero, porque la federación no era otra cosa que la alianza entre naciones soberanas, libres e independientes que sólo se unen para proveer a su seguridad común; lo segundo, porque en México esa palabra iba a despertar odios envejecidos, a remover temores y sobresaltos y a resucitar la demagogia. Que siendo la palabra *federación* sinónimo de *unión*, facilitaba los abusos del despotismo puesto que su "paradoja o misterio político" residía en que el centralismo era su parte primordial, aunque una era la centralización gubernativa y otra la administrativa, idea tomada de Tocqueville, tan de moda entre los liberales. Y así se había hecho. Pero la minoría, reflexionó Santa Anna, no había caído en el engaño. En lugar de discutir el espacioso argumento homologador de los dos conceptos, había fundado su voto particular en lo que la nación entera había entendido siempre por federación, o sea "la alianza de varias secciones o estados o partes integrantes de un todo, independientes en lo dispositivo y administrativo para su gobierno interior, y unidades a un centro común para todo cuanto afecte a la sociedad en general." Entonces, los centralistas habían sugerido el *gradualismo:* la nación ya estaba "bastante fatigada" y no debía prolongarse su ansiedad ni arriesgarse una lucha fratricida. La condición para la unidad liberal y nacional era olvidarse del federalismo por ahora, aunque quizá después se pudiese adoptar ese "gobierno óptimo". Pero a la larga; si se consigna en el momento la forma federal volverá a ser destruida. "Si hoy no se ponen los medios para que México llegue a ser completamente federal, cierto es que jamás lo será; pero si hoy se constituye a México federalmente, es inconcuso que dejará de serlo." Así era presentado el hábil sofisma; sin embargo el proyecto centralista de la mayoría no tenía visos de triunfar.

Otras cosas molestaban sobremanera al cavilante general, además de las deliberaciones en el seno del Congreso, y eran los artículos y alegatos de los periódicos independientes. En *El Siglo XIX* de hacía unas semanas, el diputado Juan Bautista Morales, conocido con el sobrenombre de "El Gallo Pitagórico", no se había limitado a abundar sobre las ventajas del federalismo, sino que, inspirado en Sismondi, señalaba el papel que correspondía al Ejecutivo en el proceso: "Ningún sector debe tener preponderancia sobre otro en la constitución del país", decía. Y en relación con la proyectada guerra para recuperar Tejas, Morales se preguntaba si era "conforme a la razón" promoverla, aun cuando fuese justa, "sin reorganizar antes a la nación en todos sus ramos", especialmente en el hacendario, para poder parar y mantener un cuerpo de ejército capaz de la tarea. Añadía que, por otro lado, la nación no podría vivir si sólo se atendía la parte castrense. "Es imposible que la república subsista si una sola clase ha de absorber toda la substancia", había escrito con índice de fuego que hirió en lo más íntimo al general Presidente y a su Estado Mayor, que no querían entender la sugerencia del "Gallo Pitagórico" que excitaba la bondad del gobierno "a fin de que extienda su mano protectora a todas las clases", para cumplir los propósitos regeneradores del Plan de Tacubaya. Por lo contrario, el gobierno mandó encarcelar a Morales y provocó un escándalo. En otras palabras: el despotismo militar acechaba y la opinión pública ya se había dado cuenta. Eso ponía frenético al general.

Santa Anna arrojó el periódico al suelo con un gesto de enfado. ¿Cómo era posible que los liberales puros, llamados así porque querían *pura Federación sin nada de cola,* se le opusieran? ¡A él, precisamente, declarado *Benemérito de la Patria,* por haberla salvado frente a la expedición reconquistadora del español Barradas! ¡Y también los moderados, esos tibios buenos para nada! ¿Dónde estaban todos ellos mientras él proclamaba el *Plan de Casamata* que hizo abdicar a Agustín de Iturbide? ¿Y en tantas otras gloriosas acciones contra los franceses, los tejano-americanos y los enemigos internos de la República? Santa Anna era un conservador y centralista nato, aunque a veces había tenido que alinearse con los liberales y gobernar con los federalistas. Pero solía entender a quienes abrazaban el liberalismo ilustrado, librecambista, ademocrático, que no pretende ser igualitario ni aspira al sufragio universal. Es el que quiere el gobierno *para* el pueblo, pero no *por* el pueblo, y admite la genuina aristocracia como lo pensaron los atenienses: la de los mejores hombres, los selectos. Éstos son siempre, según pensaban Santa Anna y sus seguidores, los más honrados y valientes, los que sobresalen, los que son capaces de mandar para que otros obedezcan. Ningún privilegio derivado del nacimiento, sino el de la capacidad y la virtud. Lo que Santa Anna no toleraba era el liberalismo democrático, que no sólo luchaba contra los fueros nobiliarios, de acuerdo con el espíritu de igualdad ante la ley proclamado por la *Declaración Francesa de los Derechos del Hombre y del Ciudadano*, sino también contra la aristocracia verdadera, la del privilegio y la riqueza, que consideraba mortífera para una sociedad republicana y popular. Esos *igualitarios* eran intolerables para el general Presidente y por eso los combatía, y por eso también apoyaba la norma que establecía que para tener derecho al voto era necesario poseer un mínimo de renta, una base de propiedad. Había que defender asimismo el *espíritu de cuerpo* especialmente del religioso y del militar, que los liberales puros querían destruir por considerarlos opuestos a la prosperidad y a la riqueza pública. Estaban muy influidos por los escritos de Tocqueville, quien aseguraba que las fuerzas conservadoras adquirirían un millar de enemigos por cada privilegio que defendían, y que, entre las cosas nuevas admirables de los Estados Unidos y su democracia, la más importante era la *igualdad de condiciones* de la población. Esto era ir mucho más allá del espíritu de librecambismo económico que proclamaban los moderados. ¡El liberalismo igualitario era el verdaderamente peligroso porque incitaba a la plebe contra el gobierno de los hombres aptos y patriotas!

El Presidente, que seguía viviendo en Tacubaya, había citado desde el día anterior a dos de sus ministros: don José María de Bocanegra, de Relaciones y Gobernación, y al general don José María Tornel, de Guerra y Marina, y también —para más tarde— al general Valencia. En esos momentos el jefe de edecanes anunciaba a los dos primeros. A una señal de Santa Anna les hizo pasar al pequeño comedor en donde éste terminaba su desayuno, y después de los saludos de rigor ocuparon un lugar junto a él en la mesa y fueron servidos con una humeante mezcla de café *caracolillo* de Huatusco y *planchuela* de Coatepec, que era la preferida en Palacio.

—Los he mandado llamar hasta aquí, y en domingo, señores, porque quería comentar con ustedes la inaguantable situación en que ciertos miembros del Congreso Constituyente nos han colocado al Ejecutivo, al Ministerio y al Ejército, al oponerse al luminoso proyecto de la mayoría e insistir en que volvamos a cometer la locura de adoptar el régimen federal, de tan funesta memoria. Esto va a provocar una revolución de un momento a otro. La huelo en el aire.

—Con todo respeto, señor Presidente —se atrevió a interrumpir el general Tornel con voz pausada—, el parte de hoy y de todos estos días ha sido de "sin novedad" y, salvo los problemas de Yucatán y de Tabasco, la República está tranquila, nuestras guarniciones están alertas y tienen dominio sobre el territorio...

—No esté usted tan seguro, señor general; cuando yo le digo que va a haber una revolución es porque va a haber una revolución —interrumpió Santa Anna mirando a los ojos al ministro de Guerra—. Es más, necesitamos esa revolución, o pronunciamiento, o lo que sea, pero pronto. Por eso quería yo hablar con usted —agregó, moviendo su pie de madera a fin de estar más cómodo—. Y con usted también, señor Bocanegra —continuó dirigiéndose al aguascalentense—. Quisiera preguntarle: ¿si yo tuviera que ausentarme temporalmente del gobierno, quién quedaría en la Presidencia?

—Eso no está previsto expresamente por la Ley, señor Presidente —contestó el interpelado, quien ya tenía muy bien estudiado el asunto.

—¿Cómo que no? Explíquese usted.

—A eso iba —dijo Bocanegra—, resulta que las Bases de Tacubaya dispusieron la forma de designar al Presidente provisional, pero no a ningún substituto. Y no habiendo vicepresidente, sólo cabe pensar, ante el posible retiro de Vuestra Excelencia, que el Presidente substituto, sea nombrado o por el Congreso, o por usted mismo. Lo más ortodoxo en derecho constitucional sería que el nombramiento partiera del Congreso, sin embargo la Base Quinta de Tacubaya establece que éste "no podrá ocuparse de otro asunto que no sea de la formación de la misma Constitución". En cambio, la Base Séptima extiende las facultades del Ejecutivo Provisional a "todas las necesarias para la organización de todos los ramos de la administración pública", incluyendo por supuesto el de la gobernación, en donde cae el nombramiento de un Presidente substituto, en su caso.

—Menos mal, señor licenciado —comentó Santa Anna—, así que todo eso tan enredado significa que yo puedo nombrar a quien me suceda temporalmente; pues eso voy a hacer. Prepare usted el nombramiento para mañana mismo, en favor del señor general don Nicolás Bravo.

Tornel carraspeó. Bocanegra se atrevió a decir:

—Recuerde usted, señor Presidente, que el señor general Bravo es individuo del Congreso, esto es, diputado, y que si fuese a tener que tomar alguna acción en contra del cuerpo legislativo —cosa que habría que pensar bien— se encontrará entre la espada y la pared.

—Y escogerá la espada, señor ministro, como siempre. Pero sobre todo, eso de que sea diputado me gusta mucho: "*Pa'* los toros del Jaral los caballos de allá *mesmo*", como dice el dicho. ¿No cree usted, señor general Tornel?

—Tiene usted razón, señor Presidente —respondió este último—, pero yo todavía no entiendo bien de lo que se trata, ni por qué va usted a separarse del Ejecutivo, ni quién va a acaudillar o iniciar la revolución que necesitamos ni contra quién va a ser ésta . . .

Santa Anna rió con malicia. Luego dijo:

—Mire general, yo no quiero estar en México al frente del Ejecutivo cuando este congresito de federalistas tenga que ser disuelto; por eso me retiraré durante un tiempo. En cuanto a la revolución, va a ser en contra del Congreso, no contra el señor general Bravo ni contra mí. Y entre usted y el general Valencia la tienen que organizar pronto, con la participación del señor licenciado Bocanegra, para que el asunto salga como Dios manda.

Luego se incorporó y ordenó:

—Usted y yo, señor ministro de Guerra y Marina, nos vamos a San Agustín de las Cuevas con el general Valencia que ya nos debe estar esperando abajo. Por el camino platicaremos con más calma. Mientras tanto el señor licenciado Bocanegra nos hará el nombramiento de Bravo que mañana mismo firmaré.

—Como usted ordene, señor Presidente —comentó el último aludido—, pero mañana apenas tendremos el decreto estableciendo las facultades de Su Excelencia en este caso, y luego vendrá el nombramiento del señor general Bravo.

—Como tenga que ser, licenciado, pero todo legal, ¿eh?

—Por supuesto —se apresuró a asegurar el ministro de Gobernación y Relaciones Exteriores—; todo legal, señor Presidente.[28]

El lunes siguiente, 10 de octubre, el general Santa Anna, en uso de las facultades que según él le otorgaban las Bases de Tacubaya, firmó el decreto en que se declaró que pertenecía al Presidente provisional (o sea a él mismo), de acuerdo con el Consejo de Representantes, el derecho de nombrar a la persona que en sus ausencias lo sustituyese en la Presidencia de la República. Con apoyo en tal decreto y alegando la necesidad de "restablecer su salud quebrantada", don Antonio anunció su retiro temporal del alto encargo y designó como Presidente substituto al señor general don Nicolás Bravo, quien se enteró de tal nombramiento cuando hacía camino a la capital para tomar parte en las labores del Congreso, del que era diputado electo por el Departamento de México. No era la primera vez que Santa Anna hacía una "retirada táctica" de la Presidencia, pues en 1833 dejó gobernar en dos o tres ocasiones al vicepresidente don Valentín Gómez Farías, las que aprovechó el distinguido liberal para promover una reforma con el fin de reducir los privilegios y propiedades de la Iglesia católica, la cual reforma acabó abortando pocos meses después ante las maniobras del propio Santa Anna, que estimuló una rebelión al grito de "Religión y Fueros" misma que concluyó con la deposición por el Congreso de don Valentín y el regreso triunfal del Presidente. Éste, luego, disolvió el órgano legislativo y formó otro para expedir las siete Leyes Constitucionales de 1836, por las que se suprimió el sistema federal y se consagró el centralismo oligárquico. El mañoso jalapeño tenía ya experiencia en aquello de los autogolpes de Estado, y ahora se disponía a dar otro, para llevarse entre la pata de palo y la sana al Congreso Constituyente "que le había salido tan rejego".

La voluntad de los diputados estaba marcadamente en favor del federalismo. El resto del debate sobre el proyecto de la

[28] José María de Bocanegra, *op. cit., supra* n. 10, t. III, pp. 19 y ss.

mayoría, que apoyaba la fórmula centralista y negaba soberanía
a las provincias, no hizo más que confirmar lo anterior. José
María Lafragua, Lorenzo Arellano, Luis de la Rosa, Melchor
Ocampo, Joaquín Vargas y Luis Iturbe pronunciaron discursos
contra el dictamen. Lo defendieron inútilmente Rodríguez de
San Miguel y el abogado oaxaqueño Tiburcio Cañas —quien
había tenido un joven pasante muy liberal y federalista llamado
Benito Juárez, que a la sazón era juez de lo Civil— y asimismo
habló en favor de la mayoría el ministro don José María Tornel, a quien contestó don Juan José Espinosa de los Monteros.
Por su parte don José María de Bocanegra también abordó la
Tribuna a pesar de su enjundia para defender el dictamen, no
logró cambiar el sentir de la Sala. Por fin, el 14 de octubre, el
proyecto fue sometido a votación y, por 41 votos a 35, devuelto
a la Comisión para su enmienda. Los federalistas habían triunfado en toda la línea. Entonces Santa Anna decidió apresurar
su malicioso plan.

DON LEANDRO ITURRIAGA y el diputado don Mariano Otero
conversaban ese mediodía, saboreando un vino blanco de Bor-
goña en los corredores del restorán de la "Sociedad del Progreso", establecimiento recientemente abierto en la calle del
Coliseo, que contaba con hospedaje, nevería, fonda, billares y
lugar para el carteado, o sea para jugar a los naipes. Los había atendido *monsieur* Frissard, cocinero francés que contaba
con acreditar pronto sus servicios, elegantemente dispuestos en
el espléndido edificio del siglo XVIII, lleno de luz, de jaulas de
pájaros canoros y bugambilias trepadoras. La conversación de los
dos caballeros era, por supuesto, sobre política:

—Y ahora que ha sido rechazado el proyecto llamado de
la mayoría —decía don Leandro— ¿qué va a suceder?

El joven abogado jalisciense contempló unos instantes la
dorada transparencia de su fina copa y alzando los ojos contestó:

—Que vendrá un proyecto de Constitución con tendencia
federal, semejante al Código de 1824 pero con algunas importantes adiciones y reformas que lo perfeccionen. Ese proyecto,
esbozado ya en mi voto particular contra el anterior dictamen,

Don *Mariano Otero*. Litografía

aspira a ser un pacto fundamental de paz y reconciliación, y contará seguramente con la auténtica mayoría del Congreso. El verdadero problema no se encuentra, como debe usted imaginar, dentro del órgano constituyente, sino afuera. Santa Anna se dispone a dejar temporalmente la Presidencia y eso nos ha hecho concebir a los diputados un mar de sospechas, pues el general se aferra al poder y rechaza terminantemente al federalismo, con el cual gobernó hace diez años. La representación popular corre peligro una vez más de ser disuelta como si fuera una cámara propia de un sistema parlamentario, cuando que por su común origen democrático y las características de nuestro republicanismo presidencial, semejante al de los Estados Unidos, ni el Poder Ejecutivo ni el Legislativo pueden deponerse o disolverse de manera legal, como en la Inglaterra, por ejemplo. Pero el respeto a la Ley no es precisamente una de las preocupaciones del general, que es un experto en golpes de mano, asonadas y pronunciamientos. Desde que somos independientes Santa Anna ha ido marcando con su conducta personalista el derrotero de nuestras instituciones y ha provocado la actual crisis. De eso trata el libro que acabo de publicar, un ensayo sobre el verdadero estado de la República.[29]

—Estoy de acuerdo, señor diputado —convino Iturriaga—, pero usted ha seguido al general Santa Anna por lo menos hasta ahora y muchos están pensando en cuál será la razón profunda de su nueva posición. Algunos hasta hablan de ingratitud.

—Es necesario que nos entendamos —contestó el joven Otero—, en tanto que el general Santa Anna ofreció marchar por los principios que yo profesaba, mi apoyo, tan débil como era, no le faltó jamás; cuando él quiso separarse de esa política no fui yo quien lo impulsó por tal camino, ni quien dejó de hablarle el lenguaje de la verdad, ni quien rompió las relaciones que algunos días conservamos: si cometí alguna falta fue la de ser en exceso consecuente. Pero fuera de aquellos antiguos nombramientos ningún otro hecho hay por el cual yo deba tenerle gratitud. Nadie puede enumerarme entre los que han recibido a manos llenas beneficios del general ni aprovechado para sí,

[29] Ignacio Cumplido, *Ensayo sobre el verdadero estado de la cuestion social y política que se agita en la República mexicana*, 1842.

para sus deudos y amigos, la prodigalidad con que ha repartido los destinos y caudales públicos. Crea usted que si en un futuro Santa Anna siguiera siendo poderoso y me invitara a ser ministro, yo rechazaría tal nombramiento. Lo que importa ahora es hacer triunfar las ideas de la federación.

—Usted cree, señor Otero, que el sistema federal bastará para contener el despotismo y asegurar la felicidad del país cuestionó el orizabeño.

—No, don Leandro, respondió el otro, ninguna forma de gobierno es panacea, pero la federación es más útil en la medida en que es más democrática, estimula la igualdad y reconoce las realidades sociales de la nación. El provincialismo mexicano nació desde antes de que llegaran aquí los españoles. Cada una de las principales tribus o civilizaciones aborígenes era un pueblo por sí misma, y basta recordar su historia para percatarse de sus rivalidades y alianzas, lo que nos lleva a afirmar que de ninguna manera eran homogéneas y que su asentamiento en distintas regiones fue creando diversas formas de vivir, costumbres y manera de ser, lo que a su vez se hizo más agudo después del mestizaje con los españoles, pues éstos aportaron su propio regionalismo. Pocas razas más mestizas y más localistas que la española. Los conquistadores eran hijos de un conjunto de pueblos: iberos, celtas, moros, judíos, catalanes, vascos, gallegos, andaluces, castellanos, aragoneses, extremeños, santanderinos, ¡qué se yo! Los dos regionalismos, el de afuera y el local, se combinaron por tres siglos y el resultado fue un mosaico de inacabables tornasoles tanto en la Nueva España como en las demás colonias. Imposible representar a los habitantes de todas las provincias de este inmenso y abigarrado país con un gobierno central, lejano de su geografía y de sus intereses, rígido y oligárquico. ¡Otra metrópoli! Se necesita que los Estados recobren la soberanía que tuvieron en 1824, que elijan democráticamente a sus gobernantes y diputados, que hagan sus propias leyes, se administren solos y conjuguen su diversidad en la unidad nacional. El federalismo es sólo el primer paso, pero uno imprescindible, para que México se consolide como nación independiente y civilizada. Si no partimos de ahí el progreso nos será imposible y el país se seguirá fraccionando. Vea usted el caso de Tejas y los de Yucatán y Tabasco. Pronto podremos tener otros. Eso es lo que no entiende el general Santa Anna y los que piensan como él.[30]

—Coincido con usted —comentó el propietario veracruzano—, pero la verdad es que este tipo de pronunciamientos, cuartelazos y disputas por el poder los hemos tenido desde que accedimos a la libertad, incluyendo durante los once años de federalismo.

—No lo niego —replicó Mariano Otero, después de dar un sorbo a su copa—, pero además de que las pasiones de los hombres son una de las causas de la transgresión de las leyes, y que aquéllas y la ambición por el poder originaron buena parte de esos sucesos, también es verdad que el sistema representativo de la Constitución de 1824 dejaba mucho que desear. Recuerde usted, señor Iturriaga, que a semejanza de la norteamericana, nuestra Constitución Federal estableció que la elección del Presidente y Vicepresidente de la República fuesen indirectas, y que los electores en primer grado fueran las Legislaturas de los estados que debían dar cada cuatro años su voto en favor de dos personas para ocupar esos cargos, una de las cuales por lo menos debía no ser originaria del propio estado sufragante. Se establecía también que el individuo que tuviese la mayoría de los votos de todas las Legislaturas sería electo por la Cámara como Presidente de la República y el que quedara en segundo lugar resultaría designado Vicepresidente. En apariencia el sistema era justo y equilibrado, pero en la realidad lo que pasó fue que, siendo siempre el Presidente candidato de uno de los partidos, logias o facciones nacionales, y el Vicepresidente de otro, eran forzosamente enemigos, y que desde el primer día el Vicepresidente y sus partidarios trataban de obstruir la labor del jefe del Ejecutivo, preparar su caída o promover su renuncia. En varias ocasiones atizaron los odios y las rencillas para encender rebeliones en contra del gobierno legítimo. Así tiene usted que el primer Vicepresidente, don Nicolás Bravo, se rebeló, aunque sin buen éxito, contra el presidente Victoria; que el segundo presidente don Vicente Guerrero, llegó al poder gracias a una revuelta iniciada por Santa Anna, pues había perdido las elecciones; que el vicepresidente Anastasio Bustamante depuso poco después por las armas a Guerrero; contra el tirano Bustamante se rebeló Santa Anna y consiguió el poder, que dejó ejercer temporalmente al vicepresidente Gómez Farías sólo para derrocarlo después y regresar a la silla; y ya no sigo hasta el día de hoy, pues aunque la Constitución Federal fue sustituida por las Siete Leyes centralistas en 1836, los pronunciamientos no se detuvieron, porque ya el ejército y los políticos estaban acostumbrados a que la fuerza se había convertido en el poder electoral. ¡Todo, en gran parte, a causa de un sistema representativo vicioso e inadecuado!

—Y ese régimen electoral tan inconveniente, ¿será modificado por el proyecto de nueva Constitución Federal? —preguntó don Leandro.

—¡Por supuesto! —aclaró Otero con vehemencia—. Yo propongo, además, que el Congreso se elija por votación directa, sin compromisarios ni electores en segundo o tercer grado como hasta ahora, sistema que nos viene de la Constitución de Cádiz, pues por este anacrónico procedimiento un diputado representa en realidad, como votos de la mayoría, entre el 2% y cuando más el 13% de los electores populares.[31] Tan espantosa así es la progresión del cálculo en este sistema fatal; tanto así la verdadera voluntad nacional se extravía y falsifica por la voluntad de los partidos y las aspiraciones personales al pasar por cada uno de esos grados. Entre nosotros la imperfección del sistema electoral ha hecho ilusorio el representativo. Por él las minorías han tomado el nombre de mayorías y en vez de que los Congresos hayan representado a la nación como es en sí, con todas sus opiniones y todos sus intereses, como en uno de esos *daguerrotipos*, sólo han representado con frecuencia una fracción, y dejando a las demás sin acción legal y sin influjo, las han precipitado a la revolución.

—¿Y qué ha propuesto usted para conjurar esos defectos de nuestra vida democrática, don Mariano?

—La simple razón natural advierte, don Leandro, que el sistema representativo es mejor en proporción que el cuerpo de representantes se parezca más a la nación representada. Se trata

[31] Voto particular de Otero. 5 de abril de 1847, *op. cit.*, p. 355.

de abolir el sufragio censitario que confía el voto únicamente a los propietarios y abrir las puertas a todos a través del sufragio universal y directo. Pero también es imprescindible llamarlos a integrar los órganos legislativos. La teoría de la representación de las minorías no es más que una consecuencia del sufragio universal: porque nada importa que ninguno quede excluido del derecho de votar, si muchos quedan sin la representación, que es el objeto del sufragio.

Había ya muchos parroquianos en la "Sociedad del Progreso", algunos de los cuales eran fácilmente reconocibles como escuchas de la policía militar del general Valencia, y los dos amigos decidieron dejar un peso de plata sobre la mesa y retirarse, para poder continuar su conversación. Caminaron entonces hacia la cercana Alameda que resplandecía a la luz del sol otoñal. El parque lucía como un hermoso conjunto de árboles de distintas especies plantados en varias hectáreas de suelo fértil. Rodeado por una verja de mediana altura cuyas puertas se cerraban cada noche al toque de la oración, una de ellas les permitió pasar hacia las anchas avenidas interiores que lo reticulaban. La Alameda estaba tapizada de flores y plantas y la fuente central coronada por una estatua dorada de la Libertad, a cuyo zócalo vertían agua cristalina las bocas de seis leones también resplandecientes como el oro. No lejos de otros surtidores, los escondidos bancos de piedra invitaban al coloquio o a servir de cómodo sitio para observar por las tardes, salvo en la época de Cuaresma, a las damas y caballeros mejor vestidos de la ciudad, paseando a caballo o en coches en torno al bosque o penetrando sus románticos caminos ensombrecidos por la discreta fronda. La plática continuaba y era Iturriaga quien decía:

—Algunos tienen miedo a que se reformen las instituciones tradicionales; dicen que el federalismo de 1824 sólo sirvió para separar lo unido y no para unir lo separado, como en el caso de los Estados Unidos, y estiman que abrir las puertas electorales a todos podría precipitarnos a la anarquía, pues aquí en México cada cabeza es un partido.

—La democracia comporta riesgos, don Leandro —comentó con serenidad Otero mientras ambos gozaban el paisaje y la caminata—, pero si queremos convertirnos en una nación moderna debemos de correrlos. Las experiencias que acumulamos en once años de federalismo son altamente provechosas; la República, rodeada de peligros y de dificultades, inexperta en la ciencia del gobierno y de la administración, dio entonces pasos inmensos. La agricultura, la industria y el comercio se repararon en un instante de sus enormes quiebras y empezaron a esparcir la vida y la abundancia. El espíritu de empresa aparecía de nuevo y todos los días se daban pasos dirigidos a mejorar nuestra condición social . . .[32]

—Es cierto, señor Otero —interrumpió Iturriaga mientras bordeaban la pila central—, pero el señor Bocanegra ha reprochado a los liberales del Congreso el presentar a la federación en sus buenos días olvidando sus tempestades y sus infortunios.

—Yo no los olvido, señor —acotó don Mariano—, y no temo que se presente a la federación en la época que se quiera. Los problemas que tuvimos en la época federal fueron obra de la ambición y de un partido sanguinario. Lejos de venir de la federación se verificaron a pesar de ella y contra ella.

El alegato del elocuente Otero hacía la delicia intelectual de don Leandro. El jalisciense continuó:

—Respecto a la necesidad de popularizar el sufragio, ésta es evidente. Hay que renovar el cuerpo electoral. Todo lo que tenemos es de ayer. Nada hay sólido y organizado. La Constitución debe arreglar el ejercicio de los derechos de los ciudadanos pues en los Estados populares estas leyes son fundamentales y tan importantes como las que, en las monarquías, establecen cuál es el monarca. La Inglaterra, cuna y modelo todavía único de la libertad constitucional, no ha debido la fuerza de sus instituciones sino a la energía y el patriotismo del hombre común y corriente, al que tampoco los mexicanos debemos de temer.[33]

Iturriaga insistió:

—¿Cree usted, señor diputado, que sea necesario reformar otras leyes?

—Por supuesto —se apresuró a aseverar el interpelado—, sería conveniente establecer en la Constitución el derecho de *habeas corpus*, el juicio de amparo como lo concibió don Ma-

[32] *Idem,* p. 259, discurso de 11 de octubre de 1842.
[33] *Ibidem.*

nuel Crescencio Rejón en la carta separatista de Yucatán, que
en ese aspecto es notable. Así se garantizarían los derechos humanos con la vigilancia del Poder Judicial. Y deben reformarse
las leyes penales y penitenciarias para que la seguridad de los
ciudadanos quede protegida. Nuestra justicia deja mucho que
desear. Ya ve usted, don Leandro, el horrible homicidio de su
amigo el pintor Egerton y su esposa, que tanto ha lastimado
a la sociedad. Es inaudito que después de tantos meses nuestro
querido doctor Puchet no haya podido resolverlo a pesar de
sus loables esfuerzos, pero lo que sucede es que no bastan su
talento y empeño sin el concurso de las corporaciones policiacas
y el civismo colectivo. Debemos construir en México una cárcel
redentora como la de Filadelfia, que sustituya a la infame ex
Acordada, en donde sólo se incuban nuevos delitos y se fomenta
el vicio. Aunque en este difícil caso yo creo que el juez Puchet
no se encuentra ante un crimen ordinario o común sino ante un
hecho atroz motivado por fuertes pasiones o por oscuros intereses, extranjeros quizá.

—Yo pienso lo mismo, don Mariano, pero no ha sido posible
descubrir ni las unas ni los otros. Mas el juez no desmaya. Estoy
seguro de que tarde o temprano se aclarará este misterio. Alguien en alguna parte debe tener la clave. Y aunque la justicia
tropieza con la actitud reticente del enviado y del cónsul de
Gran Bretaña, así como del único hermano del pintor, tengo
íntima confianza en que el enigma habrá de despejarse.

—Así lo espero, señor Iturriaga —agregó Otero—, estaría-
mos seguros de ello si se promovieran todas esas reformas políticas y sociales de que hemos hablado, porque México cambiaría
de raíz y la fuerza de las instituciones generaría prosperidad
e instrucción, confianza mutua y seguridad para todos, en fin,
una auténtica modernización nacional.

—¡Qué interesante, señor Otero, qué interesante! —exclamó con vehemencia don Leandro Iturriaga—, felicito a usted
muy sinceramente; ésas son las ideas que salvarán a la República.

—Si el general Santa Anna nos deja salvarla —acotó el
representante popular—, pero me temo que los liberales y federalista somos muy fuertes en la tribuna pero asaz débiles en
los cuarteles, en los ministerios y en la calle misma. Si Santa

Anna o sus sicarios intentasen alguna acción ilegal contra el Congreso creo que nadie nos defendería. Pero no hay que adelantarse a los hechos. No todo está perdido. Buenas tardes, don Leandro.

—Buenas tardes tenga usted, señor diputado —dijo Iturriaga. al tiempo que ambos alzaban sus sombreros y se despedían mientras la Alameda se desbordaba de coches y paseantes.

EL MIÉRCOLES 26 DE OCTUBRE tomó posesión como Presidente sustituto el ilustre general don Nicolás Bravo y al rendir el juramento ofreció gobernar conforme al Plan de Tacubaya, de manera equitativa y moderada:

> Pero —agregó— si las aspiraciones imprudentes y criminales tratasen de perturbar el orden establecido, entonces haré que el mismo gobierno, a su pesar, despliegue aquella energía suficiente para hacerse respetar.

Después de las felicitaciones, Bravo y Santa Anna salieron al balcón principal de Palacio para presenciar un desfile de las tropas de la guarnición. El Presidente en retiro publicó ese mismo día una proclama en que autoelogiaba su administración provisional, se despedía de sus conciudadanos y ofrecía acudir a su voz en cuanto juzgasen necesarios sus servicios. Un historiador escribiría más tarde:

> Después salió para su hacienda de Manga de Clavo, a esperar que su ministro de la Guerra, don José María Tornel, desenvolviese el plan concertado para la disolución del Congreso, golpe del que aparecería responsable don Nicolás Bravo si el éxito fuese contrario al que se aguardaba, en cuyo caso no sería difícil a Santa Anna demostrar que en la inexperiencia del sustituto ninguna responsabilidad podía caberle.[34]

Salvo don Ignacio Trigueros, que renunció a la cartera de Hacienda y fue substituido por don Manuel Eduardo de Gorostiza, todo el gabinete de Santa Anna se quedó a "cuidar" al Presidente substituto, así que cuando el general Bravo quiso enterarse personalmente de cómo iban las pesquisas sobre el

[34] *México a través de los siglos*. t. III, cap. VIII.

crimen de su amigo y hermano masón Daniel Thomas Egerton y de la señora Edwards, tuvo que llamar al licenciado don Pedro Vélez, ministro de Justicia e Instrucción Pública, quien le informó de las últimas incidencias de la causa, incluyendo la falsa denuncia de Vicente Tovar y el justo fin que había tenido ese salteador de caminos después de que el juez Puchet había descubierto sus mentiras.

—Estamos haciendo todo lo posible para identificar a los perpetradores, Excelencia —dijo Vélez—, pero este doble asesinato es uno de los más inexplicables y misteriosos a los que nos hayamos enfrentado.

—Nada hay inexplicable cuando se trata de hechos humanos, señor ministro —acotó el general Bravo cortésmente, como queriendo soslayar el reproche implícito. Y luego continuó—: Como usted sabe conocí al pintor, señor Egerton, durante su primera estancia entre nosotros. Era una persona de relevantes cualidades, incapaz de hacer mal a nadie. Si el motivo de este espantoso crimen no fue el robo, como todo parece indicar, tenemos que encontrar alguna otra razón que nos haga luz en este asunto. La prensa habla de celos de una esposa ofendida o de un amante despechado. Se afirma que el crimen fue urdido en Inglaterra...

—Todas ésas son versiones que hasta ahora no encuentran fundamento, señor Presidente —comentó Vélez—. Pero continuamos investigando alrededor de los antecedentes personales del señor Egerton, aunque no contamos con la cooperación de su hermano; tampoco del examen de sus escasas pertenencias pudimos deducir nada particular. El juez de la causa, don José María Puchet, es un letrado de reconocida experiencia en asuntos criminales y ha movido cielo y tierra para encontrar alguna pista. Tarde o temprano descubrirá algo...

—Ojalá sea pronto, don Pedro, porque ya hace siete meses que se cometió este bochornoso atentado que escandaliza por lo menos a dos países y se ha publicado en casi todos los periódicos norteamericanos y europeos, sin que la justicia mexicana haya podido darle solución. Le encargo de manera especial este caso señor ministro. Haga usted un esfuerzo por aclararlo cuanto antes.

—Así se hará, señor Presidente —dijo Vélez antes de despedirse, y pensó que don Nicolás Bravo se tomaba muy en serio su papel de primera autoridad, aunque todo el mundo sabía que era un simple testaferro del general Santa Anna, dejado en la Presidencia para hacerle el trabajo sucio.

Lo MISMO pensaban los diputados constituyentes, así que para ganar tiempo presentaron, el 3 de noviembre, el nuevo proyecto de Código Supremo que reconocía a los Departamentos ". . . su administración puramente local para promover a sus necesidades", pero tampoco contenía una clara definición federal, lo que molestaba a los centralistas sin satisfacer a los liberales puros ni lograr el consenso de la opinión pública. La prensa gobiernista que reprochaba al Congreso su lentitud, atacó ahora el proyecto, como si fuese atentatorio al honor del Ejército y sobre todo a las creencias de los católicos. El artículo 31, por ejemplo, decía: "La nación profesa la religión católica, apostólica, romana y no admite el ejercicio público de otra alguna", con lo que fue acremente criticado por los retrógados quienes llamaron a sus autores "jovenzuelos aprendices de protestantes", por pretender o sugerir la autorización del culto *privado* de otras religiones. El artículo 13, por su parte, consignaba: "La enseñanza privada es libre, sin que el poder público pueda tener más intervención que cuidar que no ataque a la moral", por lo que los críticos concluían que los constituyentes convocaban a los ateos, deístas y protestantes a abrir escuelas por doquier. El artículo 10 imponía "a todo ciudadano la obligación de alistarse en la guardia nacional", y dio pábulo a que se acusara al Congreso de querer suprimir el ejército regular y crear otro paralelo. Total, desde el propio gobierno se encendían los ánimos contra los diputados, sobre todo cuando empezaron a aprobar los artículos individualmente. Entonces los ataques no fueron ya de lentitud, como unos días antes, sino de festinación. Para el Congreso no había salvación: todo lo que hiciera estaba mal.

A principios de diciembre el general don José María Tornel, ministro de Guerra y Marina y el general don Gabriel Valencia, comandante militar, tuvieron una junta secreta, o por lo menos

muy discreta, pues casi era imposible ocultar una reunión entre
esos tan importantes personajes de cuyas mínimas acciones
todos se encontraban pendientes. Los dos militares se tenían
mutuo recelo, pues Tornel era más santanista que Santa Anna
y Valencia pretendía rivalizar con aquél. Pero mientras el jefe
de la Plana Mayor del Ejército era un hombre inculto y de
cierta rudeza, la cual trataba de superar, José María Tornel, en
cambio, gozaba de reputación como hombre ilustrado, era muy
buen orador y había sido uno de los fundadores en México de
la Escuela Lancasteriana; dominaba el idioma inglés, había
traducido a Lord Byron y escrito un par de dramas. Era un
general muy distinto a los otros, por eso Santa Anna le tenía
especial confianza, aunque algunos de sus detractores afirmaban que era tan sinvergüenza como Valencia. Su diálogo fue
muy fluido esa tarde porque recordaban la conversación que
habían tenido con el general Presidente —el "de a de veras"—,
aquella mañana dominguera en que lo acompañaron a San
Agustín de las Cuevas, cuando ambos habían recibido instrucciones precisas de cómo proceder si el Congreso Constituyente,
como había sucedido, no aprobaba el proyecto centralista de la
mayoría. Se trataba de organizar un pronunciamiento en contra del Congreso, y Santa Anna hasta había escogido la localidad en la que tenía que estallar: Huejotzingo, en el Departamento de Puebla, porque recordaba que ahí mismo, en 1833 y bajo su
inspiración, Mariano Arista había lanzado con buen éxito otro
plan para liquidar al Congreso de entonces y derrocar al vicepresidente Gómez Farías, proclamando dictador al propio Santa
Anna. ¡Había que realizar una segunda edición de ese original
Plan de Huejotzingo, pero ahora con el objeto de disolver el
Constituyente y nombrar una Junta de Notables que hiciera
una Constitución a su gusto! Tornel y Valencia acordaron sus
respectivas responsabilidades en la ejecución del pronunciamiento: el ministro de Guerra y Marina prepararía su proclamación
en Huejotzingo y su difusión y apoyo en otras regiones del país;
el jefe del Estado Mayor cooperaría en lo anterior enviando
oficiales con instrucciones secretas a todas las guarniciones departamentales y, en el momento preciso, secundaría el plan en
la capital de la República y ocuparía físicamente el local del

Palacio Nacional en donde sesionaba el Congreso, aprehendiendo a los diputados si fuese necesario. Se trataría de un crimen perfecto.

El domingo 11 de diciembre, en Huejotzingo, en un lomerío agrícola ubicado en el centro del departamento de Puebla, camino de la capital, se reunieron 28 individuos, presididos por José María Fernández, persona de confianza del gobernador, actuando Pedro Ayala como secretario, y firmaron un acta desconociendo por adelantado la Constitución que emanase del proyecto que entonces discutían los diputados, y retirando a los electos por ese departamento los poderes que les habían otorgado, pues no han entendido o no han querido entender sus deseos y voluntad, explicados por el voto público que ha reprobado los principios anárquicos asentados en el citado proyecto". Pedían también al gobierno provisional de la República que "disuelva inmediatamente la reunión de diputados, que abusando de la confianza que en ellos se depositó, se atreven a precisar a la nación a que adopte una constitución diametralmente opuesta a su voluntad", y que en su lugar nombrase "una Junta de Notables de todos los departamentos de la República para que en un término prefijado le presenten un proyecto de Constitución análogo a las circunstancias del país. El acta proclamaba que cualquiera que apoyase el proyecto de los actuales diputados sería considerado "enemigo de la paz pública" y aprehendido, juzgado y castigado, e invitaba a los demás departamentos a unirse al pronunciamiento, solicitando el apoyo del gobernador local. El proyectil asesino se había disparado ya.[35]

El ministro Tornel hizo llegar el acta anterior al Congreso, el martes 13 de diciembre, y éste, con toda dignidad, le contestó en sesión del mismo día que:

... no pudiendo tomar en consideración bajo ningún aspecto el acta de una sedición, la devolvía al supremo gobierno por ser peculiar de ésta dictar las providencias que el caso demandaba en cuanto a tal acta se refería, toda vez que la representación nacional sabía cuáles eran sus deberes para con los

---

[35] Bocanegra, *op. cit.*, t. III, p. 107.

pueblos y estaba resuelta a desempeñarlos hasta el momento en que se le impidiera por la fuerza el ejercicio de sus funciones.

El Siglo XIX hizo ver inmediatamente, al dar cuenta de la sesión que: "El pronunciamiento de Huejotzingo cundirá como la llama por los campos cubiertos de yerba seca. El resultado será que tomando el pretexto de una voluntad nacional que no existe, se disolverá el Congreso", que ante la tempestad se sumergiría "en las aguas de la desgracia, pero nunca en las de la ignominia". El periódico liberal no se equivocó, pues pronto apoyaron el pronunciamiento diversos grupos, especialmente de militares, en San Luis Potosí, Puebla, Querétaro, Morelia, Zacatecas, Aguascalientes y Jalisco, y las actas respectivas fueron remitidas al gobierno por el general Valencia, quien, después de un vuelo de esquilas en la Catedral y una salva de artillería de la Ciudadela, en la madrugada del lunes 19 de diciembre, a la cabeza de la guarnición de la capital, publicó una enérgica exposición uniendo sus votos a los de los departamentos pronunciados, y pidiendo que desde luego cesase en sus funciones el Congreso instalado en junio, "que había tenido la desgracia de incurrir en el desagrado de la nación, por haber intentado contrariar su voluntad en el proyecto de Constitución que discutía". Acto seguido ordenó que el Batallón de Supremos Poderes ocupase el salón del Congreso, frente al patio central del Palacio Nacional, de tal manera que cuando llegaron los primeros diputados no pudieron penetrar en él lo que hizo que se reuniesen en la casa de su Presidente don Francisco Elorriaga, quien a las diez de la mañana dirigió un oficio al ministro Bocanegra preguntando al gobierno, en vista de la ocupación del local de sesiones por fuerza armada, "si el Soberano Congreso tiene libertad para continuar sus trabajos o si de hecho ha quedado disuelto". La víctima se negaba a morir y quería que el asesino mostrase la cara.

Bocanegra contestó a la una de la tarde con evasivas: los sucesos de la madrugada eran unísonos a los que se habían experimentado en otros departamentos y habían dado lugar a la ocupación de Palacio, y como hechos que eran, servían de materia a las deliberaciones del Ejecutivo para fijar la marcha de la nación, conservando entre tanto la tranquilidad pública como primer interés de la sociedad. Ante respuesta tan poco satisfactoria, el Congreso nombró una comisión formada por los diputados Escobedo, Espinosa y Guevara, para que entrevistasen al presidente Bravo, quien les dijo:

> ...que el supremo gobierno se hallaba en el mismo caso del Congreso, y que se consideraba, en este punto, aislado y sin ninguna influencia sobre la fuerza pronunciada, de cuya obediencia estaba seguro, *excepto en lo relativo a que el Congreso continuara verificando sus sesiones en alguna parte.*

Luego, en contradicción con lo anterior, prometió que por parte del gobierno no sería disuelta la representación nacional. Informado el Pleno, minutos después se envió nuevo oficio al ministro Bocanegra refiriéndole suscintamente el resultado de la entrevista con el general Bravo y pidiéndole que aclarara lo anterior por escrito. Mientras daban tiempo al Manifiesto que equivalía a un testamento de su corporación y a un grito ahogado de la nación misma, Bocanegra, por supuesto, no contestó. A las cuatro de la tarde los diputados decidieron retirarse y reunirse al día siguiente en casa de don Eleuterio Méndez. La víctima seguía negándose a morir.

El ministro Bocanegra, que buscaba inútilmente salvar su responsabilidad en la siniestra maniobra, interpretó el retiro de los representantes como que el propio Congreso se había disuelto, y fue entonces cuando el presidente Nicolás Bravo y todos sus ministros firmaron —el mismo 19 de diciembre— el decreto cuyo primer considerando afirmaba que las exposiciones de las autoridades de los pueblos y las guarniciones de varios departamentos, incluso el de México, desconociendo al Congreso Constituyente, "han producido una crisis que lo imposibilita para continuar sus funciones" y que "es indispensable ofrecer a la nación garantías de su futuro bienestar", por lo que, de acuerdo con las facultades concedidas en la séptima de las Bases de Tacubaya:

> ...el gobierno nombrará una junta compuesta de ciudadanos distinguidos por su ciencia y patriotismo, para que formen las

bases, con asistencia del Ministerio, que sirvan para organizar a la nación, y que el mismo gobierno sancionará para que rijan en ella.

El crimen estaba consumado.

Por aquellos días se comentó que el Congreso había expirado sin la menor resistencia. El dicho era injusto y poco inteligente pues el órgano legislativo no tenía medios materiales para oponerse a la fuerza militar; en cambio sí hizo resistencia política a través de sus debates y decisiones, de la prensa, de sus oficios al Ministerio, su visita al presidente Bravo y por fin de su Manifiesto postrero. En él se preguntaba quién —si el gobierno o el Congreso— había sido perjuro, quebrantando los compromisos del Plan de Tacubaya, y remitía la contestación al tiempo y a la nación misma. La segunda por cierto, no necesitaba dejar pasar mucho el primero para saber ya la respuesta. Los conceptos finales del manifiesto congresional eran hermosamente trágicos:

> Los diputados se retiran con la conciencia de haber obrado cada uno consecuente con las inspiraciones de la suya... No han hecho traición a los intereses nacionales y los han defendido del modo que han creído justo... Esto basta a los representantes de 1842 para separarse sin rubor de las sillas de donde los ha lanzado la fuerza, y salir del salón de sus sesiones con la frente erguida y con la dignidad de hombres de bien que han cumplido con sus obligaciones hasta el momento en que han podido verificarlo: esperan sin temor el fallo de la posteridad.

El testamento del Congreso era también una sentencia en contra de quien lo había mandado asesinar.

10. Del espionaje como una de las bellas artes

"Noviembre de 1833.
Reclamaciones inglesas.
Pide protección el señor Egerton
por la conducta arbitraria que observan
los guardias del castillo de Chapultepec."

*Expediente 1242 (4272:) de la Sección
de Archivo General de la Secretaría de
Relaciones Exteriores de México.*
Topografía 12-29-83.

Esos pocos días que Brian Nissen estaba pasando en la ciudad de México los empleó lo mejor que le fue posible. Visitó bibliotecas, habló con historiadores, revisó archivos y, sobre todo, trató de ver óleos, acuarelas y dibujos de Daniel Thomas Egerton. Hizo por supuesto una nueva visita a la residencia de la Misión Británica y gracias a la finura del embajador Sir John A. Morgan, pudo fotografiar el espléndido cuadro sobre el Valle de México, pintado por Egerton en 1837 (o por lo menos firmado con esa fecha) que está colgado en el lugar principal de la sala de la suntuosa mansión situada en la avenida Virreyes de las Lomas Altas de la ciudad. Allí consiguió también una copia del artículo escrito en 1954 por el señor Eric E. Young, a la sazón agregado de prensa de la propia Embajada, comentando "La exposición Egerton" que se presentó aquel año a promoción del embajador William J. Sullivan. Dicho artículo resultó un magnífico estudio biográfico y artístico sobre el malogrado pintor.[36] Tuvo también la suerte de ser recibido por don Francisco Regens en su elegante departamento del Camino de Santa Teresa, al sur de la ciudad, donde se encontró otro

---

[36] *Anales del Instituto de Investigaciones Estéticas,* México, UNAM, no. 23, 1955.

espléndido óleo de Egerton sobre el Valle de México, un poco
menos grande que el de la Embajada, pero casi idéntico, en el
cual volvió a admirar el estilo señorial, la profundidad y composición del artista; también se deleitó con uno casi desconocido
sobre Xochimilco o Chalco, el de Real del Monte, otro de la ciudad de Guanajuato, por cierto magnífico, y varias pequeñas acuarelas de diversos paisajes mexicanos. Don Francisco había sido
muy amigo de Martin Kiek, uno de los biógrafos del pintor,[37] y,
en su compañía, había investigado y recopilado datos sobre la
vida de aquél, tanto en México como en Inglaterra. En 1950
Regens había descubierto en la galería Walter T. Spencer, ubicada en el número 27 de Oxford Street, en Londres, nada menos que ochenta y cinco acuarelas de Egerton que compró
gracias a haber depositado con la anciana que atendía el lugar
una cierta cantidad de dinero para que le apartara el lote (pues
no tenía el precio completo) obsequiándole por el favor ¡una
caja de huevos! (aún racionados entonces) que había adquirido
el día anterior en Nueva York y transportado con mil cuidados
en el *Constellation* de la TWA, en el que hizo el viaje trasa-
tlántico. Ahora esa magnífica colección pertenecía a un gran
amigo suyo, el señor Enrique Hernández Pons, quien también
permitió a Nissen visitar su elegante casa y fotografiar todas
las acuarelas y dibujos ahí exhibidos. Brian se dio gusto. Como
un avaro acariciando las piezas del tesoro recorrió dos o tres
veces aquellas obras de arte del paisajismo: la hacienda minera
de Regla, cerca de Pachuca; el templo y convento de Santo
Domingo, en Zacatecas; el apunte a tinta del volcán Iztaccíhuatl, visto desde Chalco; el santuario de Nuestra Señora de
Guadalupe; San Juan Teotihuacan, incluyendo las famosas
pirámides; la ciudad de México desde la cañada de la Magdalena; un paisaje de Rincón de Ortega; la hacienda de Bernárdez
en Zacatecas; Los Reyes, cerca de Coyoacan, dibujado en 1832;
la hacienda azucarera de Santa Clara, en Cuautla de Amilpas;
una vista de la capital desde los altos de San Ángel; otra más
desde la Magdalena; la hacienda de San Carlos, también en

[37] Martin Kiek, prólogo a *Egerton en México. 1830-1842*, Cartón y
Papel de México, S.A., 1976. El ejemplar de Brian le fue obsequiado
por Silvano Barba B.

D.T. EGERTON: *Real del Monte.*
Óleo. Colección: Francisco Regens

Cuautla; el pueblo de San Ángel; el mineral del Oro y, sobre todo, dos acuarelas de Tacubaya, una captada desde las alturas, distinta de la litografía aparecida en Londres en 1840, y otra desde la hacienda de la Condesa, la misma que había visto en el libro de arte *Egerton en México*, editado en 1976, y en la que destaca la calzada que poco más adelante se convertía en el trágico camino a Nonoalco. ¡Aquello era maravilloso! Por un momento olvidó que su propósito esencial era averiguar datos biográficos sobre D.T. Egerton y se ensimismó en la contemplación de sus obras. Luego recapacitó que esas acuarelas y tintas eran también testimonios autobiográficos, pues a través de ellas el pintor británico había dejado constancia de su recorrido por ciudades y parajes, haciendas azucareras y mineras, puntos de observación y cañadas mexicanas. ¡Gran parte de su itinerario por el país! Y como al calce de todas ellas aparece junto a la firma del autor el nombre del paraje o del lugar captado por la inquieta pluma o los pinceles certeros, Brian tenía en sus fotografías otro tesoro inestimable: la escritura original del pintor, que debidamente estudiada, podría revelar los trazos de su personalidad y carácter.

Los coleccionistas mexicanos, ratificó mentalmente Nissen, han sido más hábiles y sensibles que los británicos para acopiar el trabajo del artista masacrado. Resultaba casi increíble que Egerton fuese poco menos que un desconocido en su patria, y aquí sus cuadros y dibujos fueran tan apreciados y se cotizaran a tan altos precios. Comprobó todo eso conversando con don Alfonso de Rosenzweig, el respetado diplomático mexicano que había sido encargado de negocios de su país ante la corte de Saint James después de la Segunda Guerra Mundial, en cuya casa de la calle de Campos Elíseos pudo admirar un extraordinario óleo de San Agustín de las Cuevas, hoy conocido como Tlalpan, su original nombre azteca, y famoso entonces por ser el lugar de las grandes fiestas de la Pascua, pletóricas de bailes, juegos de azar y peleas de gallos. Egerton lo había pintado en 1836; mide cuando más 50 centímetros de alto por 65 de ancho, pero reproduce con mayor exactitud y fidelidad que la litografía del famoso portafolio londinense el arbolado lomerío del típico poblado cercano a la capital en un día de jolgorio, y el llano del Calvario, en el que pasean, bailan y se divierten cientos de visitantes, teniendo al fondo la majestuosa figura del monte Iztaccíhuatl. También hizo una visita al Museo Franz Mayer, en el costado norte de la Alameda, donde se exhibe la colección de este sensible inmigrante alemán recientemente fallecido, quien acopió joyas artísticas mexicanas e internacionales las cuales donó al país del que recibió hospitalidad a partir de la Segunda Guerra Mundial. Ahí estaba, casi perdida en una sala que exhibe suntuosos muebles del siglo XIX, otra obra maestra de Egerton, el óleo de la ciudad de Zacatecas, con su esbelto y prolongado acueducto que, a pesar de su porte, no logra ocultar los templos de la increíblemente hermosa villa minera: Santo Domingo en primer plano, y en segundo San Francisco, casi en las estribaciones del lejano cerro de La Bufa. Como en el cuadro de San Agustín de las Cuevas, en éste aparecen con profusión las inconfundibles figuras de los mexicanos de la época: los mineros y arrieros, las mujeres que lavan ropa en el remanso, las que pastorean unos borregos en la lejanía, los viajeros que cabalgan hacia la ciudad. Las nubes del horizonte y el humo que brota de un horno de adobes junto al acueducto, le parecieron etéreas e inigualables transparencias pictóricas. Su paisano realmente había sido un artista consumado, poseedor de una inspiración romántica excepcional y también de una técnica poco común. Pero aparte de su evidente maestría plástica, Brian Nissen no sabía sobre él prácticamente nada que le pudiera conducir a suponer con certidumbre las posibles causas de su asesinato.

MIENTRAS DESAYUNABA, al día siguiente, Brian vio en uno de los periódicos mexicanos la inevitable sección de horóscopos, e inmediatamente le vino una idea a la cabeza: ¡mandar hacer el de Daniel Thomas Egerton! Nissen sabía que las predicciones diarias publicadas para satisfacer o preocupar a los lectores de cada signo zodiacal no suelen ser más que aproximaciones muy generales, poco confiables y sin ninguna personalización. En ellas no creía. Pero en cambio tenía respeto por los estudios serios y profesionales relativos a las características y principales aptitudes de una persona determinada, de la cual se sabe

D.T. EGERTON: *Zacatecas.*
Óleo. Museo Franz Mayer. Ciudad de México

con exactitud el día y la hora de su nacimiento, así como la ciudad o lugar en que éste ha acontecido, elementos que permiten a un experto en la materia levantar una "carta astrológica" del sujeto, conteniendo sus influencias planetarias y las tendencias vitales resultantes, que si no es, como no puede ser, una predicción total de su vida, venturosamente determinada por actos de voluntad y circunstancias externas, por lo menos puede dar una idea de lo que Paracelso llamaba el "humor" o la manera de ser de esa persona específica, que permita deducir algunas facetas generales de sus inclinaciones y posible comportamiento. A él mismo, el profesor Gerardo Cabezudt le había elaborado hacía unos años un cuidadoso horóscopo, con carta astral y todo, y en una cinta magnetofónica le había entregado el resultado del mismo que fue sorprendente por la forma acertada en que describió los principales rasgos de su personalidad, sus aficiones y tendencias, incluyendo las artísticas, que según Cabezudt, estaban profundamente marcadas en las constelaciones de su nacimiento, y algunas previsiones de lo que sería su vida, mismas que, hasta ese momento, se estaban cumpliendo casi al pie de la letra. Ante la ignorancia total del ambiente familiar y el carácter de Egerton, pensó Brian Nissen: ¿no ayudaría a su investigación conocer el horóscopo del artista? Sabía el lugar preciso de su nacimiento: Hampstead, Londres, el 18 de abril de 1800; de acuerdo con el escritor José C. Valadés, había venido al mundo en un momento en que la luz penetraba en el cercano bosque, o sea presumiblemente por la mañana. Cierto que Nissen no había podido comprobar lo anterior en una fuente primaria y que ese biógrafo ya había fallecido, por lo que era imposible indagar el origen de la información de manera directa, pero tampoco había ninguna noticia o constancia que desmintiera esos datos y la edad de Egerton al morir coincidía más o menos con la que hubiese tenido de haber nacido hacia 1800. En todo caso, el resultado del estudio astrológico no sería sino un elemento más para deducir algunos rasgos de la personalidad del grabador victimado, que podría cotejarse con otras informaciones y que sólo constituiría un procedimiento auxiliar, aunque ciertamente no definitorio, de la indagación sobre las características humanas de Daniel Thomas. Cuando descolgó el teléfono y llamó al profesor Cabezudt quien contestó personalmente del otro lado de la línea, Nissen estuvo a punto de colgar. ¿No se reiría de él el conocido astrólogo mexicano, quien incluso aparecía semanalmente en un programa de televisión, escribía en la revista Siempre!, y tenía cosas más importantes que hacer? Pero no tuvo tiempo de reflexionar más, pues en unos contados segundos ya estaba saludando a Cabezudt, reidentificándose con él:

—Sí, me acuerdo muy bien de usted, señor Nissen. Hice su horóscopo hace algunos años, después he seguido sus éxitos como artista —acotó una voz cálida en el auricular.

—Gracias por su buena memoria, profesor —exclamó jubiloso Brian—, ahora me comunico con usted para preguntarle si es posible hacer el horóscopo de una persona fallecida hace ciento cuarenta y cinco años.

—Por supuesto —contestó el astrólogo—, pero nunca nadie me había hecho esa pregunta. Seré curioso: ¿tiene usted los datos sobre fecha, lugar y hora de nacimiento de esa persona?

—Brian Nissen le explicó que estaba haciendo un libro (era la primera vez que se lo decía a alguien) sobre el pintor inglés Daniel Thomas Egerton, asesinado en 1842 en Tacubaya, y le contó someramente la historia, incluyendo los datos que sabía sobre el lugar y fecha de su llegada al mundo. Cabezudt pareció muy entusiasmado cuando oyó la petición formal de que trabajara una carta astrológica de Egerton, cuyas litografías sobre México conocía.

—Le repito que es la primera vez, señor Nissen, que alguien me encarga un horóscopo de esta naturaleza. Lo haré gustoso y trataré de ser lo más acertado posible, teniendo en cuenta que la hora exacta del nacimiento no nos es conocida y que habrá que ensayar dos o tres signos ascendentes. Creo, sin embargo, que puedo entregarle un trabajo razonablemente útil. Éste es en realidad un asunto muy interesante y singular. Tan pronto tenga concluida la carta astral le llamaré. ¿Me podría dar su número telefónico?

Brian lo hizo y colgó el auricular después de despedirse de su interlocutor a distancia. Después buscó en su cartera la tarjeta que le había dado dos días antes doña Feodora de Rosenzweig, cuando visitó su casa para admirar el cuadro de San Agustín de las Cuevas. Esa tarjeta contenía las señas de una recomendable y capaz grafopsicóloga que podría estudiar la escritura de Egerton y con base en ella elaborar lo que doña Feodora le explicó constituía un "psicograma grafológico", que podría servir a Nissen como un elemento más para averiguar las principales características humanas y los rasgos del carácter de aquél. Al fin localizó la tarjeta, llamó por teléfono e hizo una cita con la profesora Jennya Boyadjieff en su departamento situado en un edificio de la colonia Anzures. La inteligente grafopsicóloga, con título profesional de la Universidad Complutense de Madrid, se mostró sorprendida por el trabajo que Brian le demandaba. Ella trabajaba como perito en grafoscopía y grafospsicología del Honorable Tribunal Superior de Justicia del Distrito Federal, el cual desde hacía varios lustros había incorporado tales técnicas a sus procedimientos auxiliares para asuntos civiles, penales y mercantiles, sobre todo con el objeto de averiguar la verdad en el análisis de la autenticidad o falsificación de documentos y en el estudio del estado de ánimo o el carácter de las partes o de los indiciados en un juicio o proceso, especialmente en los relacionados con anónimos, cartas amenazantes, exigencias de rescate en casos de secuestro, últimos mensajes de suicidas, correspondencia en casos familiares o sucesorios, etcétera. Pero tampoco a la profesora Boyadjieff, según ella misma confesó mientras ofrecía a Nissen una taza de té, le habían encargado nunca un estudio grafopsicológico con la finalidad de escribir un libro, una novela, como le había comentado Brian sin saber por qué entre dos sorbos de la humeante infusión.

—Sí, por supuesto, es posible —respondió Jennya a una de sus preguntas—. Analizar la escritura de una persona fallecida es una tarea común y corriente en los medios judiciales. Pero realizar un peritaje para que sirva de base a un libro con transfondo histórico y policíaco, eso sí es novedad. Lo haré gustosa —agregó—, si tiene usted elementos indubitables de puño y letra de Egerton.

—Bien pocos —comentó Nissen—, sólo fotografías amplificadas de su firma en varios cuadros y sobre todo en acuarelas y bocetos, en que tal firma aparece hecha con tinta a plumilla, acompañada por uno o dos renglones con la descripción del paraje, la ciudad o el edificio que reproducen los dibujos.

—No es el comparativo ideal, pero podríamos intentar hacer algo con estos elementos —afirmó la profesora mientras revisaba las fotografías que Brian le había tendido previamente—. Ojalá pueda usted encontrar un documento más amplio, por ejemplo una carta de Egerton en la que se apreciara su escritura continua y ordenada, en fin, que pudiera revelarnos mucho más que estas firmas y renglones aislados.

—Lo creo muy difícil —respondió el pintor—, pero haré todo lo posible. Mientras tanto le ruego que inicie usted su peritaje con esas fotografías.

—Así lo haré —contestó la grafopsicóloga—, pero las posibilidades de un estudio completo y certero son casi nulas. Deseo advertírselo.

—De acuerdo —convino Brian, pensando en que cualquier luz, por pequeña que fuese, que iluminara su camino para reconstruir la personalidad de Egerton era mucho mejor que la gran oscuridad que le rodeaba por todas partes. Concluyó que, no siendo él ni un historiador ni un investigador profesional, tendría que aplicar el sentido común a este caso y valerse de todas las técnicas y medios a su alcance. Muchas personas desconfiarían de esos procedimientos, pero Brian tenía fe en que podrían serle muy útiles aunque fuesen como referencia. Total, pensó, nadie más que él tendría que saberlo.

DE REGRESO EN SU CASA, Brian Nissen caviló muchas horas mientras mecanizaba escorzos en un viejo cuaderno de dibujo que conservaba algunas páginas vacías. No es lo mismo, pensó, llenarlas con formas, líneas y volúmenes que con frases, oraciones, narrativa, literatura. La idea de escribir una novela que tuviera como tema o anécdota la vida y muerte de Egerton formaba ya parte de sus planes a esas alturas. Especialmente después de haber leído tantos libros y artículos de revistas especializadas sobre la época de México en que se dieron los hechos, de haber repasado la prensa de hacía más de ciento cuarenta y cinco años y asomarse a un mundo pretérito que sin embargo

le parecía actual y familiar. No sería empresa fácil. Recordó lo
que recomienda Milan Kundera en su libro *El arte de la novela*,
sobre que no hay que confundir aquella que examina la dimensión histórica de la existencia humana con la que simplemente
ilustra una situación histórica; esta última cumple una tarea de
vulgarización, la primera dice aquello que sólo la novela puede expresar. La fidelidad a los hechos históricos se vuelve secundaria en relación con el valor de la novela: "El novelista no es
un historiador ni un profeta; es un explorador de la existencia."
Brian volvió a recordar la frase de Lord Acton que había servido
de contramolde a ésta de Kundera y se dijo que si escribía una
novela aprovechando la anécdota del asesinato de Daniel Thomas Egerton y Agnes Edwards, no la haría bajo un enfoque
exclusivamente histórico ni policiaco, aunque tales elementos
resultaban imprescindibles, sino que buscaría encontrar en los
hechos y circunstancias que rodeaban aquellos acontecimientos
las razones y valores sociales imbíbitos y el monólogo interior,
el perfil psicológico de los personajes y de la sociedad en que
vivieron, para de ahí partir. Pensó que a pesar de las formidables innovaciones del lenguaje y de la construcción literaria en
la época contemporánea seguimos venturosamente atados a la
herencia de los grandes novelistas clásicos. El relato, el reportaje, el ensayo, el poema, el drama, el cine son útiles elementos concurrentes en la novela no sólo para construir la trama
sino para penetrar actitudes y valores, descubrir mundos internos, pasiones, sentimientos, rostros subterráneos y trascender
el tiempo, pues "cada instante representa un pequeño universo".
Brian había vuelto a saborear hacía poco el pensamiento de
Carlos Fuentes en su ensayo "Cervantes o la crítica de la lectura", que como el mismo autor afirma es una rama de su
novela *Terra Nostra*. Fuentes recuerda la definición de Octavio
Paz: *la novela es la épica de una sociedad en lucha consigo
misma*. Agrega que Cervantes —gran padre de la novela moderna— puso a combatir dos mundos: el sobrenatural y el
humano, pues al igual que su personaje Don Quijote, estaba
capturado entre aquéllos y tenía que resucitar por las palabras
lo que en su época habían asesinado las cosas. "Algo así tengo
que hacer yo, anotó mentalmente Nissen, no sólo revivir a un

pintor inglés asesinado, sino a toda la sociedad de su época que parece estar muerta también." Aunque él pensaba que esa sociedad mexicana de mediados del xix y la pre victoriana y victoriana de Inglaterra aún vivían, porque todas las del pasado habitan como fantasmas reencarnados en las de hoy. Lo que llamamos historia de hombres y países nunca se desvanece: está siempre ahí, formando capas subcutáneas o profundas de nuestro presente: nos informa, nos motiva, a veces nos guía, nos amenaza y nos asusta, nos previene y castiga. Lucha con y contra nosotros aunque no nos demos cuenta, muchas veces sin que la conozcamos. Como afirmó Collingwood, la historia produce auténtico *conocimiento*, igual que las otras ciencias; es un *speculum mentis* invaluable para la filosofía; consiste en una visión de los sucesos humanos no sólo externa, o de cómo pasaron, sino interna, esto es de sus causas o motivaciones, y sobre todo *resulta una herencia acumulada que renace en el pueblo:* cada nuevo hombre trae cuando viene al mundo su inevitable carga histórica. En el famoso libro de Collingwood *La idea de la historia*, que como el de Fuentes se encontraba sobre su buró, Brian se topó con una útil sorpresa. Al tratar la "evidencia histórica", el filósofo de Oxford compara los métodos de la historia con los de la investigación legal y los aplica a un caso criminal hipotético: el asesinato de John Doe (como decir Juan Pérez, un personaje ficticio), aparecido muerto cierto domingo por la mañana, volcado sobre su escritorio, con una daga clavada en la espalda, sin que el asunto pudiera aclararse por medios testimoniales, lo que obliga a una investigación minuciosa. El profesor inglés aprovecha el ejemplo para afirmar que la búsqueda de la verdad histórica no difiere grandemente por lo menos en sus procedimientos, de la pesquisa criminal, aunque en este último caso el propósito no es científico sino punitivo. Una corte penal tiene en sus manos la libertad y quizá la vida de un inculpado y ha de decidir con sólo las pruebas a su alcance, en un plazo relativamente corto. Los jurados no pueden pedir un cierto tiempo más para estar en mejor posición de valorizar los elementos de juicio; deben decidir *ahora*. Por eso los jueces tienen que contentarse por lo general con bastante menos de lo que podríase llamar una prueba "históricamente científica". En cambio, el estudiante del método histórico debe actuar en forma diferente, puesto que no existe la obligación de que emita su veredicto en un momento determinado. Nada importa para él, excepto que su decisión, cuando sea alcanzada, resulte correcta y verdadera, lo que quiere decir que tendrá que seguir las normas lógicas de la evidencia de manera distinta a los tribunales, sin preocuparse cuánto tiempo le tome. No obstante, concluye Collingwood (y Nissen convenía), teniendo presente lo anterior, la analogía entre los métodos criminalísticos y los históricos resulta de muy considerable valor. La idea le venía como anillo al dedo, y se sintió feliz porque de hecho ya la había descubierto desde el principio de la investigación, recordando su avidez juvenil por las novelas y los cuentos policiacos. Rememoró cuando pasaba frías tardes de domingo en la casa de los abuelos, con sus primas y amigos, leyendo en voz alta a Sherlock Holmes o al *Ellery Queen's Mistery Magazine*, y solía inferir, antes que los demás, quiénes eran los culpables, casi siempre asesinos, en esos apasionantes relatos. Además, en el caso Egerton en que se encontraba inmerso, la utilización de las evidencias legales se volvía parte de la investigación histórica y viceversa, por lo que el principio de Collingwood adquiría mayor valor y utilidad para un detective historiador como él era ahora, quisiéralo o no. Acarició la idea de releer una vez más una de sus novelas favoritas que desemboca en un crimen histórico, el de Julio César: *Los idus de marzo* de Thornton Wilder, pieza fundamental del género, y también *Crónica de una muerte anunciada*, de su admirado amigo Gabriel García Márquez, donde el asesinato cometido se transforma, gracias a la magia de la literatura, en una yuxtaposición de planos reales o imaginarios que a veces parecen los alegatos de un fiscal, los argumentos de un defensor o el *cross-examination* de los testigos de cargo y descargo en un proceso legal, todo ello expuesto con impecable unidad de espacio-tiempo ante el atónito juez-lector.

Brian Nissen se sentía desprovisto de lo más elemental para emprender su tarea.

—¿Qué hago yo —se dijo— tratando de escribir una novela, cuando mis instrumentos son los pinceles y la cera? ¿Cómo pisar el complicado escenario de la realidad histórica y la ficción literaria (sobre todo después de haber leído las *Lecciones americanas*, de Italo Calvino) sin poder siquiera aspirar a que un texto mío tenga un poco de ligereza, rapidez, exactitud, visibilidad y multiplicidad, que son las cualidades que el gran autor italiano considera imprescindibles en una obra de tal naturaleza? ¿Cómo atreverme a recorrer el mundo narrativo que Jorge Luis Borges dejó intransitable?

—Le estimularon sin embargo, los consejos literarios de Umberto Eco, quien después de una vida consagrada a la investigación estética, a la semiótica y a escribir ensayos sobre filosofía y ciencia, decidió hacer una novela y logró una obra excepcional —*El nombre de la rosa*—[38] superponiendo el talento y la imaginación a la historia y penetrando con ellos en el laberinto de una trama que en rigor no sabía adónde habría de llevarlo. Disfrutaba intensamente la forma en que se valió Eco "de una serie de máscaras" —personajes o manuscritos; voces literarias— para entrar en el juego narrativo, según él mismo declaró después. ¡Un juego! O sea el aspecto lúdico de las cosas y las situaciones. Algo muy presente en el espíritu de ingleses y mexicanos: humor blanco y humor negro perfectamente compatibles. Una actitud deportiva ante la vida, la de los unos; visión festiva de la muerte, la de los otros. Todo podría quizá combinarse no sólo en una fábula sino en una trama, una idea dada en este caso por los hechos históricos que se va desarrollando a la sombra de las "máscaras protectoras". Una evocación de la sociedad decimonónica de allá y de acá; lo sucedido en algo así como diez o quince años, que podría encapsularse en unos cientos de páginas y ser liberado gracias a los buenos oficios del lenguaje literario. ¿Y para qué? La simple recreación era legítima como objetivo de una novela; habría sin embargo que aspirar a cubrir otros propósitos más allá de la divulgación: la lección comparativa, la exaltación de la realidad existencial de los personajes, descubrir en fin, ese mensaje que todos queremos comunicar por lo menos una vez y que aunque parezca extraño va brotando solo, como un oculto duende de la inspira-

[38] En aquella fecha Brian no conocía aún la segunda gran novela de Eco, *El péndulo de Foucault*, que fue publicada hasta 1989.

ción, mientras el escritor cumple todos los días "el penoso ritual de llenar la hoja en blanco". De pronto Brian recapacitó. Parecía como si los árboles no le dejaran ver el bosque, pues lo sustancial no era realizar una gran obra literaria sino descubrir a los responsables del doble asesinato que le obsesionaba hasta en sus sueños, aclarar sus motivaciones, sacar a la luz la verdad oculta o traspapelada por más de ciento cuarenta y cinco años y transmitirla con lucidez. Contar de la mejor manera posible lo que los franceses llaman la *petite histoire*, que siempre subyace dentro de la historia a escala real. No debía preocuparse demasiado por la forma, sino más bien por el fondo. Él no era un escritor ni vivía de eso. Tenía que regresar al origen y significado de la novela, que quiere decir etimológicamente "lo nuevo, la novedad", lo que el lector está esperando conocer. Nada más, pero nada menos.

PATRICIA GALEANA —esposa de su amigo Diego Valadés, hijo de un extinto biógrafo de Egerton— le había invitado a visitar el Acervo Histórico Diplomático de la Secretaría de Relaciones Exteriores bajo su dirección, que está ubicado en el impresionante claustro del antiguo convento de Santiago Tlatelolco, en el norte de la ciudad, con el fin de consultar los antecedentes de la época y en especial la actuación del ministro inglés Richard Pakenham, y Brian cumplió gustoso con la cita.[39] Patricia le dio valiosas orientaciones sobre el manejo de los enormes ficheros y luego lo encomendó a la sabiduría del capaz Roberto Marín, quien le indicó pacientemente dónde encontrar datos sobre la actividad de la Legación Inglesa alrededor de los años treinta y cuarenta del siglo anterior. Pero además, Marín puso en sus manos un delgado expediente de la serie *Reclamaciones inglesas* cuyo subtítulo era, nada menos, el siguiente: "Pide protección el señor Egerton por la conducta arbitraria que observan los guardias del castillo de Chapultepec". El novel escritor y detective histórico lo abrió y sintió desfallecer de emoción. Ahí estaba el original de una amplia carta de puño y

---

[39] José C. Valadés escribió una biografía de D.T. Egerton para la edición de sus litografías hecha por la Secretaría de Relaciones Exteriores de México.

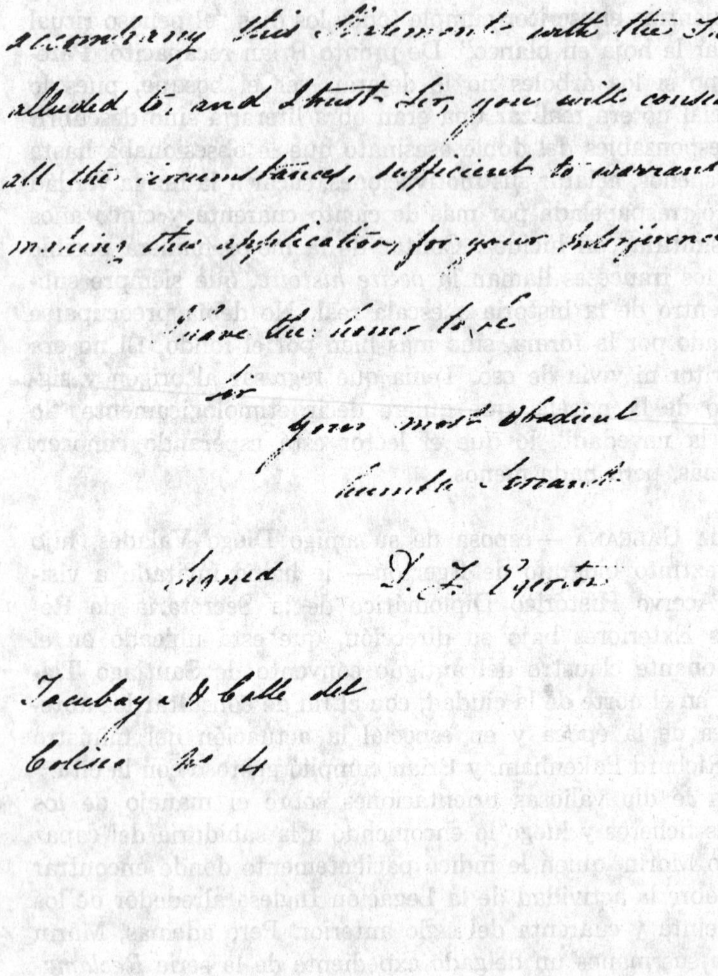

accompany this Statement with the Sketch
alluded to, and I trust Sir, you will consider
all the circumstances, sufficient to warrant my
making this application, for your Interference.

I have the honor to be
Sir
your most Obedient
humble Servant

Signed   D. T. Egerton

Tacubaya & Calle del
Coliseo No 4

Carta de D.T. Egerton a Pakenham.
Tacubaya, México, 1833

letra de Daniel Thomas Egerton, fechada el primero de noviembre de 1833, dirigida a Richard Pakenham entonces encargado de Negocios de Su Majestad Británica, "solicitando su protección contra ultrajes similares al cometido contra mi hermano y contra mí por los oficiales estacionados en Chapultepec, como se detalla más abajo". Sí, era una misiva escrita con evidente molestia pero de manera calculada y diríase que hasta fría, en la cual Egerton relataba al diplomático un hecho que cuando fue conocido por Nissen le abrió una serie de nuevas interrogantes dentro de la investigación que tan afanosamente había emprendido.

Aconteció —según la carta de Egerton— que la tarde del 29 de octubre de 1833, el pintor estaba "dibujando una vista de Tacubaya desde el ángulo del camino que baja de Chapultepec hacia este último lugar", y después de que durante un tiempo considerable se hallaba "estacionado al margen de dicho camino, provisto de su sombrilla para el sol, su caballete y su caja de pinturas", vino a reunirse con él su hermano William Henry. Aproximadamente a las cuatro y treinta, "una guardia de soldados, con dos oficiales, llegó en una forma muy insultante a ponernos bajo arresto", prosigue el relato del artista, anunciando el propósito de conducirlos al cuarto de guardia de Chapultepec a causa de estar levantando un plano de la fortaleza, lo que estaba estrictamente prohibido. En su carta Egerton asegura que pintaba "con mi espalda vuelta hacia el fuerte de Chapultepec, por lo tanto no podía estar realizando un plano del mismo", lo que trató de demostrar llamando la atención de los oficiales hacia el inacabado esbozo en que sólo aparecían la hacienda de la Condesa y el convento de Tacubaya. Los oficiales insistieron en que estaba dibujando la fortaleza de Chapultepec, lo que consignarían en el "parte" respectivo, a pesar de que Egerton les aseguró que él era un artista de profesión, que residía en Tacubaya (en la casa número cuatro de la calle del Coliseo) y repitió que no estaba dibujando el castillo. Luego pidieron el nombre de William Henry para asentarlo también en el "parte", a lo que aquél protestó con vehemencia haciéndoles notar que simplemente estaba observando el proceso de dibujo sin intervenir en él. Un oficial le contestó que era suficiente que estuviera con Daniel Thomas para ser detenido; ordenó que ambos fueran colocados en medio de dos líneas de soldados y que emprendieran la subida hacia el castillo. Cuando habían recorrido la mitad del camino de la célebre colina, el oficial mandó hacer alto y un solo infante procedió con el "parte" hacia su destino. Entonces William Henry Egerton propuso a la guardia que les permitieran sentarse bajo la sombra durante el intervalo. El oficial, en un tono muy insultante, conminó a los dos ingleses a quedarse parados, "puesto que eran simples reos", lo que fue escuchado por varias personas que se habían acercado al sitio. William Henry replicó al oficial "que tuviera cuidado con lo que decía pues ellos no eran ningunos criminales". Por toda respuesta el militar ordenó a los soldados que si los prisioneros intentaban sentarse, ¡les dispararan! Poco después otros oficiales bajaron de la colina, y dispusieron que los ingleses fueran conducidos arriba con los ojos vendados, destino hacia donde marcharon hasta llegar cerca de la entrada de la fortaleza, donde se encontraban reunidos otros oficiales. "Los soldados, de manera muy perentoria, nos ordenaron caminar aprisa, lo que hicimos bajo el miedo de tener una bayoneta en la punta de un rifle apoyada sobre nuestras espaldas." Fueron luego conducidos a la oficina de un mayor, del que esperaban tuviera dosis superior de "intelecto y discernimiento", pero en quien sólo encontraron la misma disposición para ignorar sus aseveraciones y malinterpretar los hechos, a pesar de que, según Egerton, el dibujo que estaba haciendo hablaba por sí mismo. William Henry pidió permiso para enviar una nota a México, el cual en principio le fue otorgado a condición de que fuese escrita en español y sometida a inspección previa. Mientras tanto, el mayor procedió a redactar un oficio para remitir a los detenidos al comandante general cuya oficina se encontraba en la ciudad. Daniel Thomas suplicó una vez más que fuera analizado su dibujo, informando que, como pintor profesional que era lo realizaba para un comerciante que vivía en la propia ciudad, el señor Graves, solicitando a sus captores que no consignaran en el oficio que estaba dibujando Chapultepec y que lo describieran a él como un pintor, a lo que el mayor se negó, diciéndole que los dos quedarían como "prisioneros incomunicados" hasta recibir nuevas órdenes del gobierno. Luego revocó la autorización para que William Henry redactara la nota y prohibió a los cautivos que hablaran uno con otro. En su carta a Pakenham el acuarelista consigna: "Lo absurdo e injusto de todo este proceder no pudo más que sorprendernos por la forma insultante en que fue manejado, excitando en nosotros naturales sentimientos de indignación", cuya persistencia sólo podía nacer "de un deseo de degradar e insultar a personas respetables a quienes no podía manchar ni la menor sombra de sospecha". El pintor refiere después que fue encerrado en un cuarto vacío, habiéndosele dicho que allí tendría que pasar la noche. Egerton iba a preguntar a un sargento si le sería permitido usar un "petate" o estera, cuando el centinela acercó la bayoneta a su cara y le ordenó que se callara la boca. "Por fortuna —continúa la carta— en ese momento llegó el comandante que había estado ausente, para evitarnos la desagradable necesidad de pasar la noche en confinamiento, y nos despachó en seguida con el comandante general en México." Éste escuchó las quejas del pintor detenido, quien refutó como falso y tendencioso el oficio con el que se les remitía, pero a pesar de sus protestas, el militar afirmó:

—Entonces, usted ha estado dibujando la fortaleza de Chapultepec.

Cuando el boceto le fue enseñado, observó inmediatamente:

—¡Ah!, usted estaba dibujando *cerca* de allí, y aunque los oficiales pensaron que dibujaba la fortaleza, lo que está prohibido, cumplieron su deber al arrestarlo; pero ahora queda usted en libertad.

Tal acontecío entonces. Los hermanos Egerton fueron liberados alrededor de las ocho de la noche, hora en que regresaron a Tacubaya, donde ambos vivían. Al terminar su misiva al diplomático inglés, Daniel Thomas asienta: "He creído conveniente acompañar esta declaración con el boceto aludido y confío, señor, que usted considerará todas las circunstancias como suficientes para justificar la presente solicitud de su intervención."

Así fue, porque Pakenham escribió el 7 de noviembre siguiente una carta a don Carlos García, ministro de Relaciones Exteriores, remitiéndole la queja de:

... un caballero inglés de nombre Egerton, pintor de profesión, que fue arrestado hace pocos días y tratado con gran indignidad por la guardia estacionada en Chapultepec, bajo el infundado cargo de estar dibujando un plano del castillo o fortaleza de tal lugar.

En ella le relata sucintamente los acontecimientos e indica que no presentaría esa reclamación si no fuera por las "vejaciones", el "lenguaje abusivo" y las "violentas amenazas" inferidos por la guardia a su conciudadano, por lo que traía el asunto ante el supremo gobierno, toda vez que unos días antes había dirigido ya una instancia del señor Kinder, a causa de un maltrato semejante de la misma guardia de Chapultepec.

Ésta —agregaba Pakenham— no tiene una disciplina apropiada, y existiendo la circunstancia de que muchos extranjeros de todas las naciones residen en Tacubaya y tienen constante ocasión de pasar y volver a pasar por ese lugar, debe de temerse que, a menos de que se tomen medidas adecuadas para prevenir esos abusos de autoridad, las consecuencias pueden ser algunos desastres más serios.

Don Carlos García contestó la carta del enviado inglés el 19 de noviembre, informando que había impuesto de su nota a Su Excelencia el Presidente (Santa Anna, por supuesto) quien había determinado se trasladara la citada nota y la reclamación del señor Egerton al Ministerio de la Guerra:

... para que en vista del hecho de que se trata y de lo que prescriben las leyes respecto de las fortalezas, se dicten por la Comandancia General de México las providencias oportunas para el cumplimiento de aquéllas sin que se falte a las consideraciones debidas a los ciudadanos de las naciones amigas.

El ministro de Guerra y Marina, general don Miguel Barragán, envió a su vez un ocurso al de Relaciones, el 2 de diciembre siguiente, sobre la reclamación de Egerton, manifestando que:

... ha habido imprudencia en aquel caballero a la vez que un hecho mal entendido por parte del oficial de aquella guardia

quien no supo distinguir que la inocente ocupación del pintor
era muy distinta de la acción criminal que se informa de
mapear la fortificación.

En el último párrafo, sin embargo, el ministro se queja de
que el encargado de Negocios de Su Majestad Británica trate
de: "... hacerse justicia por sí mismo calificando atrevidamen-
te de indisciplinada a una tropa que, a lo menos en el caso
actual, cumplió con su deber, aunque si se quiere con poca
reflexión". La anterior carta fue transcrita a Richard Pakenham el 3 de diciembre, sin el último párrafo, en que se le hacía
el merecido reproche, y de acuerdo con los datos disponibles
en el Acervo Histórico Diplomático de la Secretaría de Relaciones Exteriores de México allí concluyó el incidente.

Conocer ese episodio sumergió a Brian Nissen en las más
profundas reflexiones. Si se aceptaba el dicho de Egerton de
que simplemente estaba dibujando una vista de Tacubaya en-
cargada por el comerciante inglés Graves, su aprehensión había
sido, obviamente, un abuso por parte de los militares destacados en la guardia de Chapultepec. Pero era difícil aceptar que
si lo que había sostenido el pintor era verdad, el oficial y los
soldados mexicanos hubieran cometido un error tan burdo como
el que suponía acusarlo de levantar un plano del castillo cuando
se encontraba de espaldas a él. Algo más tuvieron que tomar
en cuenta. Sin olvidar que por lo visto otros extranjeros ron-
daban por las cercanías del fuerte en esa época, como el tal
señor Kinder, quien también había recurrido a Pakenham para
quejarse de la guardia. Por otra parte, continuó pensando Nissen, un dibujante profesional, aun sin ver de frente y conti-
nuamente el objeto que intenta reproducir, puede hacer un buen
trabajo con sólo echarle una mirada de cuando en cuando (el
mismo Brian solía hacerlo), lo que en esa hipótesis sólo le
hubiera costado al acuarelista un simple giro de cuello cada
determinado tiempo. Ni siquiera el inacabado dibujo de Tacubaya era una prueba concluyente de la veracidad del pintor.
Un investigador riguroso no podía conformarse con el dicho del
inculpado, así fuera éste Daniel Thomas Egerton, y tenía que
usar la imaginación, sobre todo un detective-historiador como
Nissen.

—Supongamos —se dijo—, que Egerton pintaba subrepti-
ciamente la fortificación de Chapultepec, pero que además
tenía preparado en su caballete un boceto inconcluso de
la hacienda de la Condesa y el convento de Tacubaya para
valerse de él como coartada en caso de ser interrogado o detenido por la guardia, como aconteció, pues él no podía ignorar
la prohibición, usual en todos los países del mundo, de levantar
croquis o dibujos de instalaciones militares. Egerton bien pudo
ocultar el boceto real de la fortaleza en su propia ropa, pues no
fue esculcado, tirarlo al suelo antes de la detención o entregarlo a su hermano o a un tercero. A propósito ¿qué hacía William
Henry viendo pintar a Daniel Thomas? ¿Estaría a su lado todo
el tiempo durante los cientos de veces que el artista debió ins-
talarse frente a un paisaje mexicano para capturarlo con su
pluma o sus pinceles? Por otra parte —siguió pensando Brian—
en varias vistas egertonianas del Valle de México, inclusive en
los óleos famosos propiedad de la Embajada Británica y del
señor Francisco Regens, así como en la litografía de Tacubaya
publicada en el portafolio londinense, aparece en todo su esplendor el castillo de Chapultepec, reproducido a despecho de
cualquier prohibición. ¿No habría una intención expresa de reproducir la célebre fortaleza que catorce años después del incidente, como sede del Colegio Militar, fue escenario de la heroica
defensa que hicieron sus jóvenes cadetes en contra de las fuerzas norteamericanas que asediaban la capital? En esa hipótesis
cabía también averiguar si la presencia de William Henry aquella tarde obedecía a que éste hubiera tenido un "marcado deseo"
de que su hermano hiciera un *relevé* del castillo militar. Y en
todo caso establecer si tal acto de espionaje obedecía a los intereses de Gran Bretaña o de otro país, especialmente de los
Estados Unidos, que al fin y al cabo era una nación que podía
sacarle provecho a un croquis semejante, como por ejemplo en
la guerra que desde entonces ya se preparaba en contra de México. Con la información que tenía a su alcance resultaba muy
difícil llegar a ninguna certidumbre sobre tal presunción, pero
Brian tampoco podía descartarla. La conservó en su mente
como una posibilidad sujeta a nuevas pruebas para su valorización o al descubrimiento de otros indicios. Recordó que unos

meses antes, cuando decidió hacer la investigación sobre la vida y muerte de Daniel Thomas Egerton, había concebido la idea de que éste, como otros artistas extranjeros que visitaron México a mediados del siglo XIX, podía haber sido un espía, e inmediatamente la había desechado. Hoy no estaba tan seguro. Lo menos que se podía afirmar con toda objetividad es que Egerton había sido detenido unas horas como sospechoso, por soldados mexicanos, cuando pintaba cerca de la fortaleza de Chapultepec. O sea algo parecido a lo que le dijo aquella tarde el comandante militar de México y que el propio paisajista relató en su carta de queja. Si Egerton era un espía no podía asegurarse, pero la duda quedaba. El incidente del supuesto o real espionaje —concluyó Nissen— abría un camino de investigación sobre una posible causa del asesinato que, por remoto que pareciese, tenía que ser recorrido. Por otra parte, la carta del puño y letra del pintor británico, ¡sí que era una verdadera joya! Al fin tenía un documento indubitable, redactado y firmado por Egerton, que la profesora Boyadjieff podía estudiar con detenimiento para extraer de él algunas características sobre la personalidad y las tendencias del comportamiento de su autor. Gracias a la gentileza de sus amigos del Acervo obtuvo fotocopias del expediente completo y envió las correspondientes a la famosa carta, nueve pliegos, a la distinguida grafopsicóloga, quien quizá nunca se enteraría de lo fácil que había sido conseguirla ni tampoco de las enormes posibilidades que su contenido sugería, al margen de su oculto mensaje caligráfico.

—NO ME EXTRAÑARÍA que el pintor Egerton hubiese realizado algún tipo de espionaje en favor de su gobierno o de otro como el norteamericano, sí, sí, querido Brian —le dijo mirándole a los ojos el conocido historiador, politólogo y sociólogo José E. Iturriaga, quien junto con Guillermo Tovar y de Teresa, cronista oficial de la ciudad de México, había aceptado la invitación de Nissen para almorzar en la tradicional Hostería de Santo Domingo, muy cerca de la plaza del mismo nombre, en el centro histórico de la ciudad, cuya preservación y restauración en los últimos años se han debido en gran medida a los esfuerzos y gestiones constantes realizados por el propio Iturriaga, "Pepe" como le llaman con cariño y respeto sus múltiples amigos, "Don Pepe" como lo conocen sus alumnos y varios famosos coetáneos que con él forman una generación muy destacada de intelectuales.

—Nuestra historia —prosiguió el erudito apuntando hacia arriba con un dedo cuya falange perdió en un accidente juvenil—, nuestra historia, digo, está llena de ejemplos de diplomáticos o de artistas y científicos que vinieron a México en distintas épocas no sólo para conocer el país y sus costumbres, o investigar sobre su geografía, sino para escribir minuciosos informes que no dudo hayan sido solicitados y financiados, por lo menos algunos, por autoridades extranjeras. Mi hijo José está trabajando justamente en un anecdotario de viajeros foráneos en México a partir del siglo XVI, con el fin de sistematizar y publicar esas informaciones.[40] Sucede que las circunstancias en que se encontraba nuestro país en el siglo pasado permitieron a muchos de ellos realizar sus pesquisas indiscretas a ciencia y paciencia de los mexicanos. Algunos hasta publicaron en libros sus reportes políticos y dibujos descriptivos como Ward o Nebel, aunque otros fueron descubiertos, como el excelente pintor alemán Rugendas, quien se vio envuelto en una conspiración contra Anastasio Bustamante y fue expulsado del país hacia 1834 o como Claudio Linati al que le sucedió algo parecido.

El ambiente de la hostería, con su tradicional música mexicana tocada en piano y salterio, su algarabía parroquiana y los meseros corriendo de mesa en mesa para servir los chiles en nogada y el guacamole, favorecía la plática histórica. Iturriaga, uno de los verdaderos *mexicólogos*, si así se les puede llamar, había realizado un laborioso estudio sobre todo lo dicho o escrito en el Congreso de los Estados Unidos con relación a su país, y eso —junto a sus lecturas de cincuenta años— le permitía ser uno de los hombres más conocedores de la materia y dirigir innumerables investigaciones parciales sobre distintos capítulos de la historia mexicana. Le había regalado a Nissen, unos minutos antes, el libro de don Carlos María de Bustamante

[40] José Iturriaga de la Fuente, *Anecdotario de viajeros extranjeros en México. Siglos* XVI-XX, *México*, FCE, 1988-1989, 2t.

Don *Carlos María de Bustamante*. Litografía

sobre el gobierno de Santa Anna, en donde se encontraban un par de valiosas páginas respecto al crimen de Egerton y la Edwards, y que era en su conjunto un buen reflejo de esa época. Por su parte, Tovar y de Teresa había aclarado al anfitrión algunas dudas sobre la toponimia y la nomenclatura de la vieja ciudad capital y le recomendó dónde conseguir antiguos libros de referencia, como el *Calendario de las señoritas mexicanas*, y el de don Ignacio Galván, además de ponderarle las excelencias del pintor Juan Lagarto, novohispano al que había redescubierto. Don Pepe continuó su sabrosa conversación:

—El peor de todos los espías extranjeros que padecimos en el siglo XIX fue sin lugar a dudas el norteamericano Joel Robert Poinsett,[41] quien no obstante su origen anglofrancés se consagró al expansionismo de su país sin importarle los medios, pues la palabra escrúpulo no existía, por cierto, en su vocabulario cotidiano. Viajó primero por Europa y América del Sur y aconsejó al presidente Monroe reconocer la independencia de las colonias españolas, no sólo para preservar a los países de origen hispánico de cualquier intervención monárquica europea sino para ensanchar a su costa el territorio de los Estados Unidos.

Tomó Iturriaga un sorbo de vino tinto y prosiguió:

—El discurso de Poinsett muestra con claridad que *monroísmo y poinsettismo* eran dos formas de decir la misma cosa. En 1822 el gobierno norteamericano le ofreció una "misión confidencial" en México con el pretexto de "estudiar la situación crítica" del imperio de Iturbide, pero en las nueve semanas que entonces estuvo en nuestro país este tenebroso predecesor de la CIA, dejó una bomba de tiempo contra el Primer Imperio, la cual explotó con eficacia, ayudada por ese infiel y mercurial individuo cuyas iniciales eran Antonio López de Santa Anna, que fue realista e insurgente, monárquico y republicano, yorkino y escocés, federalista y centralista, en fin todo, pues su vida política se contempla con un movimiento de cuello, como quien asiste a una partida de tenis.

---

[41] De una serie de artículos publicada en *El Día*, de la ciudad de México (1987), e incorporada a José E. Iturriaga, *México en el Congreso de Estados Unidos*, México, FCE, 1988.

Joel R. Poinssett. Grabado en acero.
Colección: Sede de la Embajada de los Estados Unidos de América
en la Ciudad de México

EL MÉXICO DE EGERTON: 1831-1842

Brian y Tovar celebraron con mímica complaciente la descriptiva y peculiar reseña de don Pepe, quien no había concluido aún:

—En 1822 Santa Anna era comandante del puerto de Veracruz y, a pesar de las órdenes expresas de Iturbide en el sentido de no admitir a Poinsett en suelo mexicano, le permitió desembarcar, le ofreció un espléndido banquete y le puso una escolta para resguardarlo en su internación hasta la ciudad de México. Poinsett se hospedó en la casa del general James Wilkinson, otro personaje de vida cinematográfica que había servido a Jorge Washington en la guerra de Independencia y luego se rebeló contra él, que en 1806 apoyó las pretensiones del vicepresidente Aaron Burr para proclamarse emperador de México y después lo traicionó, y que al fin había comprado tierras en nuestro país y se dedicaba a la especulación y seguramente también al espionaje. Durante su primera estancia Poinsett se empleó a fondo para atacar a Iturbide y provocar un levantamiento antimonárquico. No fue casualidad que el mismo día que el espía regresó de su "misión confidencial" a su patria, vía Tampico, el inefable Santa Anna se rebelase contra el gobierno al grito de "¡Viva la República!", que seguramente había oído por vez primera de boca del norteamericano. Éste habría de retornar a nuestro país en 1825, como ministro plenipotenciario del suyo, sólo para seguir conspirando, fundar las logias yorkinas, presionar al gobierno a fin de que vendiera Tejas a los Estados Unidos y fomentar problemas intestinos sin nombre para "desestabilizar", como ahora se dice a México, hechos que le valieron que el presidente Vicente Guerrero pidiera y obtuviera su expulsión en 1829, después de que lo padecimos por cuatro largos años. Y todavía tuvo la desfachatez el misógino sujeto, que confesaba "no cumplir sus deberes con las damas", de robarse nuestra hermosa flor roja de Nochebuena y rebautizarla sin pudor como *poinsettia pulcherrima*. Hasta esa humillación tuvimos que padecer los mexicanos de este inmoral diplomático y espía.

Nissen estaba aprendiendo mucho sobre el México del siglo XIX y no quería perder esta oportunidad sino, por lo contrario, prolongarla. Preguntó:

—Don Pepe, quisiera saber ... ¿cuál fue la actitud de Inglaterra ante la llegada de Poinsett a México como ministro plenipotenciario de su país?

Iturriaga se ajustó el audífono electrónico que siempre tenía que usar y no vaciló:

—Poinsett presentó credenciales justo al día siguiente de que lo hiciera el encargado de Negocios británico Henry Georges Ward y a partir de entonces se estableció entre ellos una guerra encarnizada para extender la influencia de sus respectivos países sobre el gobierno de Guadalupe Victoria. Poinsett convence al Presidente de establecer las logias masónicas yorkinas, con las que de paso ataca a las del rito escocés, que eran proeuropeas y estaban patrocinadas por Ward, quien tampoco era un santo. Ambas logias funcionaban como partidos políticos más que como sociedades filosóficas, de ahí su importancia. Al negociar los respectivos tratados de comercio, Poinsett y Ward chocaron nuevamente pues cada uno buscaba obtener mayores ventajas del gobierno mexicano. Puede decirse que el primer *round lo* perdió Ward porque fue retirado en 1827 para ser sustituido por Richard Pakenham, pero el segundo episodio quedó a favor de Inglaterra cuando Guerrero logró la expulsión de Poinsett dos años después. Las maniobras diplomáticas de ambos países sajones en México continuaron y se enconaron con motivo del conflicto de Tejas en 1836 y de la guerra mexicanonorteamericana de 1847. O sea aproximadamente en la época en que su amigo Egerton vivió en México, pintando, espiando, o ambas cosas, querido Brian.

Todos rieron. Luego don Pepe recordó algo:

—Por cierto que uno de mis antepasados, don Leandro Iturriaga, conoció a Egerton, porque en la familia quedó una acuarela que le fue obsequiada por el pintor inglés. Don Leandro debió de ser algo así como mi tío tatarabuelo. Por lo menos eso me decía mi abuelita, que se ha hecho famosa por tantas veces que la he citado. Ya escribí una nota a mis parientes de Orizaba para ver si don Leandro dejó entre sus papeles algunos que se refieran a Daniel Egerton. Si es así, Brian, se los haré llegar a Nueva York.

Acompañada por el conjunto musical de la hostería, Irma
Dorantes cantaba "La ley del monte".

MUCHAS HORAS DEDICÓ Brian Nissen a la lectura de fuentes de
primera mano sobre la primera mitad del siglo XIX en México.
El personaje inevitable, el pivote sobre el que todos los hechos
—y los contrahechos— solían girar era siempre don Antonio
López de Santa Anna, del que ningún autor de la época, con la
excepción de don José María de Bocanegra, quien fue varias
veces su ministro, se expresaba bien. El ilustre don Carlos María
Bustamante dedicó la mayoría de sus escritos a atacarlo, a pesar
de que en los últimos días de la guerra de Independencia había
fungido en Jalapa como su secretario. Los *Apuntes para la
historia del gobierno del general don Antonio López de Santa
Anna desde principios de 1841 hasta el 6 de diciembre de 1844,
en que fue depuesto del mando por uniforme voluntad de la nación* fueron escritos con la intención de su autor de que "la lectura
de esta obrilla amargará en lo pronto a Santa Anna; pero si
entra en cuentas consigo mismo aprenderá a no traicionar sus
principios y a todos los mexicanos". Y en otro párrafo se preguntaba con asombro en nombre de sus paisanos: "¿cómo hemos podido vivir bajo dominación tan dura y degradante después de habernos saboreado con los principios y máximas de
las Constituciones más liberales?" El pintor metido a detective
histórico sabía muy bien que en la época de los hechos que a
él le interesaban Santa Anna todavía no había llegado a ser el
feroz dictador en que se tornó durante posteriores asunciones
del poder, especialmente la decimoprimera y última, a partir de
febrero de 1853, cuando ordenó se le diera el trato de "Alteza
Serenísima". Era el Santa Anna maduro y marrullero pero aún
no el desbocado de después, era entonces el que conoció hacia
1840 la marquesa Calderón de la Barca al visitarlo en su hacienda veracruzana de Manga del Clavo, y al que consideró
"muy señor, de buen ver" y "un filósofo que vive en digno
retraimiento". Un año y medio después aún sostenía la marquesa álgo parecido del "Cometa de Tacubaya" como ya se le
llamaba entonces: "Santa Anna, con su poder, puede alcanzar
mucho. *Reste à savoir* de qué manera usará ese poder. Quizá

en estos últimos años de tranquilidad, transcurridos en su finca de campo, haya podido meditar a este propósito." La historia probó que el célebre líder y gallero no había meditado en absoluto. Quizá una buena opinión sobre Santa Anna es la de Brantz Mayer,[42] quien lo trató precisamente en 1841:

> Según la opinión pública, su carácter es un enigma; ciertamente, las apariencias son otras; y si no podemos juzgar de él por su persona y trato, es bien un hipócrita redomado o un actor de primera...

¡Y eso lo decía el secretario de la Legación Americana cuando había ya pasado la guerra de Tejas y el sangriento episodio de El Álamo, explotado en su país con tintes tan grotescos! Otro contemporáneo de Santa Anna, el traidor yucateco Lorenzo de Zavala, quien fue el primer vicepresidente de Tejas,[43] decía que su semblante anunciaba "frecuentes derrames de bilis", que "su alma no cabía en su cuerpo", que vivía en "perpetua agitación", arrastrado "por el deseo irresistible de adquirir gloria", calculando el valor de sus "sobresalientes cualidades" y enojándose con el atrevido que le negara "renombre mundial". Pero sobre ser irascible y pusilánime, agregaba Zavala, Santa Anna:

> ...ignora la estrategia. Llegada la ocasión desarrolla frente del enemigo los innúmeros recursos de su genio [que] no ha perfeccionado el estudio de sus talentos militares. Si llega a convencerse de que la guerra se hace por principios y de que la ciencia es necesaria para matar miles o centenares de miles de hombres, entonces vendrá a obtener un lugar entre los generales de superior fama.

El retrato, veraz e impío, revelaba conocimiento del hombre y desprecio y admiración conjugados. Fue también una premonición de que Santa Anna nunca superaría sus profundos defectos a pesar de algunas de sus evidentes cualidades, como el

[42] Mayer, *op. cit.*
[43] Citado por José C. Valadés, *México, Santa Anna y la guerra de Texas*, México, Diana, 1979.

saber "estudiar" al enemigo, alentar "tiernamente" a sus soldados y conducirse "sobre el campo de batalla como un semidiós
de Homero." Pero don José Iturriaga tenía razón: Santa Anna
pudo haber sido temperante, organizador, gallero, poseer cierto
carisma, pero en esencia fue un hombre mercurial, veleidoso,
oportunista y autoritario, y todos esos defectos los había desplegado por más de veinte años de apogeo político, en contra de
su propia patria. Fácil era pensar, entonces, que el asesinato
de Daniel Thomas Egerton y Agnes Edwards, en la medida que
originó abundantes críticas a su rígido concepto del poder interior, desafiado por unos criminales que no se podían identificar ni aparecían por ninguna parte, y que se convirtió en elemento de fricción entre su gobierno y el de Inglaterra, debió
de ser para él algo verdaderamente muy molesto, como una
piedra en el zapato, el derecho sin duda, ya que para entonces
Santa Anna era cojo del pie izquierdo y le apodaban "Quinceuñas", aunque en realidad sólo tenía catorce, pues también
había perdido un dedo de la mano en la acción contra los franceses durante la "Guerra de los Pasteles". Nissen había leído
varios libros biográficos sobre Santa Anna, como el de Valadés,
el de Muñoz, el de Fuentes Mares y otros. Su amigo Enrique
González Pedrero había hecho una acuciosa investigación con
el propósito de escribir otro estudio sobre el veleidoso veracruzano, pero sus ocupaciones políticas se lo habían impedido hasta
entonces. Sin embargo, Enrique le mandó a Brian una carta
conteniendo su opinión muy sintética:

Hay *varios* Santa Anna que, al fin de cuentas, conforman
a Santa Anna. Uno es el Santa Anna miembro del Ejército
español, como buen criollo; otro, el partidario de la Independencia cuando ésta está prácticamente realizada; otro el amigoenemigo de Iturbide, que quiere un régimen republicano, sin
saber a ciencia cierta en qué consiste la República, y así podríamos seguir enumerando características, pero hay una que
las encierra todas: Santa Anna es, sobre todo, un jugador. Santa Anna jugó con todo y con todos: a los gallos, a los naipes,
con el Ejército, con los partidos, con las mujeres, con él mismo, con México y, a fin de cuentas, todos acabaron jugando
con él.[44]

[44] Carta al autor desde Madrid; 4 de mayo de 1990.

Un ex presidente de la República, don Emilio Portes Gil,[45] en su caracterización del "politicastro", esto es, el político engañador, mentiroso y oportunista, escribió en 1972:

El caso típico en México del político así descrito es el de don Antonio López de Santa Anna, que como es bien sabido desempeñó varias veces la Presidencia. Santa Anna, que indudablemente tenía virtudes de la mejor calidad, también poseía las peores características como hombre y como ciudadano. De ahí que haya sido el tipo más pintoresco y más interesante de nuestra vida pública. A veces heroico, siempre caballeresco y pérfido, pues lo mismo defendía a su patria con valor y heroismo que se humillaba ante el invasor como no podía haberlo hecho ningún otro mexicano. De igual manera abrazaba una causa liberal aparentando sincera convicción que promulgaba los planes más reaccionarios que han existido en nuestra historia. Santa Anna es, a no dudarlo, el gobernante que más contribuyó con su actuación a prostituir el sentido moral y humano de la política mexicana.

En fin, en el discutido Santa Anna había todo un personaje, pariente cercano de los de Valle Inclán, Asturias, Roa Bastos o Luis Spota: el tirano de América Latina, el *Señor presidente* autocrático, el "Supremo", "Su Alteza Serenísima", imagen que repetiría en México, con otros tonos, el general Porfirio Díaz, quien ejerció la Presidencia durante treinta años hasta que fue desfenestrado por la primera revolución social del siglo xx.

ESTANDO EN LA CIUDAD de México Brian recibió una carta de su querido amigo Salvador Pérez Díaz que aunque ingeniero químico era un apasionado de la historia y, sobre todo, había nacido y vivido siempre en el puerto de Veracruz, por donde Egerton entrara al país en sus dos viajes. Salvador le había prometido investigar sobre la fragata *Eugenia* en la que, de acuerdo con firmes constancias históricas, arribó a costas mexicanas el pintor inglés acompañado de Agnes Edwards, a mediados de 1841, y ahora le informaba en su carta[46] que según

[45] Emilio Portes Gil, "El político y el politicastro", en *Pensamiento Político*, marzo de 1974.
[46] Carta al autor fechada en Veracruz, el 8 de diciembre de 1989. Con Salvador colaboraron en las pesquisas los arquitectos Sustaeta y Concha Díaz Cházaro.

un autor de la época, don Miguel Lerdo de Tejada, el paquebote *Eugenia* era de nacionalidad *norteamericana*, mediana envergadura y se dedicaba a transportar *correspondencia pública* y pasajeros, teniendo la franquicia de atracar dentro del puerto y no al costado de la fortaleza de San Juan de Ulúa como casi todos los demás barcos, lo que incluso había logrado hacer regularmente durante el bloqueo francés. Ese buque americano, pensó Nissen, transportaba correspondencia del gobierno de los Estados Unidos, y tenía privilegios de atraque; en él habían llegado Daniel Thomas Egerton y Agnes Edwards en su viaje sin retorno. No dejaba de ser curioso que hubiesen hecho la travesía en ese paquebote tan oficial de un país distinto al suyo, en vez de realizarlo, por ejemplo, en el *Tyrian*, barco inglés que cubría la ruta Veracruz-Tampico-La Habana o en el *Medway*, del mismo pabellón, sobre el que partió en 1842 la famosa madame Calderón de la Barca. Su amigo veracruzano añadía otros datos muy interesantes. Resulta que había conversado con "varias personas" sobre Daniel Thomas Egerton "... y en su mayoría lo relacionan como agente al servicio de los Estados Unidos y participante masónico en la estrategia trazada por Poinsett durante el movimiento político que vivió México con posterioridad a la declaración de la Doctrina Monroe", comentaba textualmente Salvador en su interesante misiva, y añadía:

> Coinciden las opiniones de mis informantes [seguramente viejos miembros de las famosas logias de Veracruz, se dijo Brian] en que Egerton, a su regreso a México, se trasladó a Tacubaya para comenzar el movimiento que existió a fin de desbancar a Anastasio Bustamante que no era masón, a su regreso al poder, en 1841, *habiendo sido asesinado, presuponen, por agentes ingleses, también masónicos, por haberles traicionado al cambiarse y ponerse bajo las órdenes de los norteamericanos.*

¡Ni más ni menos! En el puerto de Veracruz, uno de los lugares que guarda más secretos de la historia de México, especialmente del siglo XIX, emergía una corriente de opinión sumamente atendible que *suponía o deducía* que Egerton había sido agente político en este país y quizás *agente doble* y que por ese *cambio de chaqueta* había sido asesinado por otros agentes ingleses. Toda una bomba. La versión coincidía esencialmente con la que le había expresado el fino e inteligente don José Iturriaga unos días antes. Y aunque de tal hipótesis no parecían existir claras pruebas, por lo menos hasta ahora, la presunción de los masones actuales bien podría tener como origen su reconocida tradición oral, que las logias observan y respetan indefectiblemente, sobre todo en el caso de que se trate de hechos históricos en los que hubiesen participado los "hermanos", así pertenecieren a otras fraternidades. Porque había que recordar que Poinsett trazó su estrategia intervencionista y expansionista a través de las logias yorkinas —abuelas de las actuales logias nacionalistas mexicanas— y no de las escocesas, a las que perteneció sin duda Egerton, mismas que luego decayeron hasta prácticamente extinguirse. A menos, claro, que entre sus oficios de agente doble el paisajista hubiera sido también un *enclave* de los yorkinos en el bando escocés, un *mole*[47] como los llaman ahora en el Servicio de Inteligencia Británico. ¿Por qué no?, pensó, sobre todo después de leer otro párrafo de la invaluable carta de su amigo el químico jarocho. "Me hicieron notar [se refería a sus informantes] que Egerton se encontraba siempre en lugares conflictivos y que con dibujos comunicaba a la parte que servía detalles de interés para sus acciones." ¿El castillo de Chapultepec? ¿El puerto de Veracruz? ¿Los minerales y haciendas de beneficio pertenecientes a los ingleses? ¿Las principales ciudades mexicanas y sus alrededores? Nissen repasó mentalmente los dibujos, grabados, litografías, acuarelas y óleos de su paisano que él había visto. Muchos de ellos —tenía que aceptarlo objetivamente— no tenían lo que se llama "valor estratégico", pero otros cuantos categóricamente sí. Además, seguramente Egerton pintó cientos de grabados y bosquejos que no se conocen ahora o que no se conocieron públicamente en su época, incluyendo aquellos —más de ochenta en total— que estaban en su casa de Tacubaya y que su hermano William Henry recogió a su muerte. Sin contar tampoco con los que en su caso pudo haber pintado con fines expresos de espionaje y que

---

[47] Topo.

debieron de llegar oportunamente —para uso exclusivo y secreto— a aquel gobierno o a aquellos gobiernos a los que servía.
"Esta investigación histórica, se dijo el detective improvisado,
ha resultado más caliente de lo que nunca pensé."

Brian tenía que regresar a Nueva York para preparar otra
exposición y no pudo prolongar su estancia en México como
hubiera querido. Sin embargo acopió abundante material de
lectura y encargó a otros amigos que le hicieran algunas investigaciones concretas. Francisco Fonseca Notario y Rafael Ríos
le proveyeron de varias transcripciones totalmente desconocidas
o muy raras de las polémicas periodísticas de la época, en relación con el doble asesinato, que añadió para su estudio a las
que ya tenía. Entre ellas estaba una joya: el extracto que *El
Observador Judicial* publicó en 1844 de la "Causa célebre contra los asesinos de don Florencio Egerton y doña Inés Edwards".

D.T. EGERTON: *El valle de México*, 1837.
Óleo. Colección: Sede de la Embajada del Reino Unido
de la Gran Bretaña e Irlanda del Norte en la Ciudad de México

11. Aparece el diario secreto

"Sólo en el testimonio de Selvático
encontramos una descripción escueta de
cómo era [la bruja] Catarina:
carnosa pero de cara diabólica.
Fuese bella o fea, el *diabólica*
pudo querer decir, para quien no cree
en el diablo, *fascinante*.
Y la memoria recuerda: era alta, delgada,
tenía un pecho firme y vigoroso
de morena, dos ojos así de grandes
y los labios rojos y frescos que te comían...
Las mujeres hacían la señal de la Cruz
cuando la veían pasar." (Milán, 1617.)

Leonardo Sciascia, La Strega e il Capitano.
Tascabile Bompiani.

[Milano, 1989]

LA JOVEN Y GUAPA MUJER vaciló unos instantes antes de hacer sonar la campanilla de la casa número siete de la calle de Regina, casi enfrente de la mansión del conde de Casa de Rul, no muy lejana del convento de las Vizcaínas, en el suroeste de la ciudad. Eran las cuatro de la tarde, hora de la siesta, en que seguramente los dueños de la casa estarían recogidos en sus habitaciones, y nadie pareció acudir a su llamado. La mujer insistió. Había venido precisamente a esta hora, después de pensarlo mucho, para poder tener la seguridad de encontrar a don Leandro Iturriaga y Murillas, quien vivía ahí con su familia por temporadas, cuando no estaba en Orizaba. Ella lo sabía muy bien, pues Daniel le había dicho al irse hacia Inglaterra, cinco años antes, que don Leandro era prácticamente su único amigo mexicano, una persona en la que ella podría confiar y a la que debería acudir durante su ausencia en caso de necesitarlo. Esta última eventualidad no se había presentado en vida de Daniel, sino hasta ahora. ¡Qué inmensa desgracia! No había dejado de amarlo nunca, ni cuando tuvieron que separarse y él le dijo

[247]

que regresaría para casarse con ella, ni cuando recibió la última de sus cartas avisándole con desnuda franqueza que todo había terminado entre los dos pues el tiempo y la distancia habían derrotado su amor dentro de él y ahora amaba a una joven inglesa alumna suya, con la que vendría a México. Ni tampoco cuando una vecina de Mixcoac le vino a decir que en Tacubaya acababan de asesinar bárbaramente a un pintor inglés y a su esposa, y ella de puro presentimiento echó a correr como loca hacia ese lugar sólo para alcanzar a ver dos camillas llevando su cuerpo y el de la otra, cubiertos con sendas sábanas manchadas de sangre, cuando penetraban a la Casa de los Abades. ¡Cómo había llorado! ¡Cómo se había maldecido por ser mujer y no haber podido viajar hasta ese lejano país para buscar a Daniel y convencerlo de regresar con ella, o para quedarse siempre a su lado! ¡Qué extraños designos de la Providencia en contra de ese amor! ¿Por qué Daniel había tenido que irse? ¿Por qué había retornado con otro compromiso? ¿Por qué se cumplió la predicción de la cartomanciana? Esas y otras preguntas semejantes se las hacía desde aquella trágica mañana del 28 de abril del año pasado. Pero no las había podido contestar ni siquiera junto a la tumba fresca de su amado en el Cementerio Inglés; tampoco en la amarga soledad en que vivía desde entonces, peor a aquella larga espera de cinco años alimentada por lo menos con una tenue esperanza. ¡Y ahora lo que acaba de oír! Que el asesinato de Daniel era un misterio que Inglaterra le exigía al gobierno fuera esclarecido y éste había fracasado en todas sus pesquisas. Que quienes habían sido aprehendidos como sospechosos del asesinato resultaron liberados por ser inocentes. Y que en cambio se sospechaba y buscaba a una desconocida apodada "La Bruja", ¡o sea nada menos que a ella, Matilde Linares de la Parra, mexicana y mestiza a mucha honra, la mujer que más había amado a Daniel Thomas Egerton!

En ese momento se abrió la puerta y una sirvienta de rasgos marcadamente indígenas la miró de arriba abajo. "Aunque es medio prieta está muy bien vestida", pensó la doméstica, y contuvo su primera reacción de hablarle con rudeza y despedirla como se hacía con los pedigüeños y desconocidos, pero en un tono seco le espetó: —¿A quién buscaba? —manera muy sutil de adelantar a alguien que "esa persona" probablemente no está o no lo querrá recibir.

—Perdón, ¿es ésta la casa de don Leandro Iturriaga y Murillas? —preguntó amablemente Matilde.

—¿Conoce usté al señor? —replicó la interpelada.

—No, no lo conozco personalmente, pero vengo de parte de un amigo suyo y deseo verlo. Es un asunto muy urgente.

—Pos va a ser muy difícil porque don Liandro no está a estas horas.

—Entiendo que debe estar reposando —dijo Matilde sin vacilar—, pero estoy dispuesta a esperarlo. Dígale por favor que vengo de parte del señor Egerton y que me llamo...

—¿Del señor qué...? —interrumpió la otra.

La visitante comprendió que era imposible que la muchacha indígena pudiera retener un nombre inglés, y entonces concibió una solución mejor. Sacó una hoja de papel del cartapacio de cuero que llevaba junto con la bolsa que colgaba de su muñeca izquierda, y en ella escribió, apoyándose en el portafolios: "Señor Iturriaga, fui muy amiga del pintor Daniel Thomas Egerton. Me llamaba "Bruja". Úrgeme verle. Recíbame, por favor." Luego dobló la esquela y la entregó a su interlocutora:

—Déle este papel a don Leandro tan pronto pueda, si es tan amable —exageró la cortesía—, yo puedo esperarlo aquí.

La muchacha tomó el recado y cerró el portón, al tiempo que Matilde oía un grito sofocado en el interior. Transcurrieron escasos minutos y la puerta se abrió. Esta vez, detrás de la sirvienta se encontraba un caballero que sin duda era el dueño de la casa, quien visiblemente impresionado por el porte y la belleza de la visitante le dedicó una media caravana y un ademán hospitalario:

—Pase usted, señora, no faltaba más. Soy su servidor, Leandro Iturriaga. Dispense que Lupe la haya hecho esperar. Venga por aquí, si es tan amable.

Le indicó que atravesara el hermoso patio embaldosado hacia una escalera lateral de siete u ocho peldaños por donde se subía a la planta principal, pues se trataba de una de esas mansiones entresoladas, muy comunes en la ciudad, en cuyo piso bajo, una especie de sótano, estaban alojados los servicios

Convent of San Francisco Zacatecas

part of the Aquaduct Zacatecas.

D.T. EGERTON: *Zacatecas.*
Apunte a tinta diluida. Colección: Hernández Pons

y sólo vivían los criados, mientras los señores ocupaban las piezas de arriba dispuestas a todo lo largo del corredor, que abrazaba el patio por tres de sus cuatro lados con excepción del cuarto, dedicado a las cocheras y caballerizas.

Don Leandro la ayudó cortésmente a montar la pequeña escalera y abrió ante ella una puerta de madera de dos hojas que conducía a un saloncito, el cual resultó ser una escribanía o despacho particular, con un escritorio de cortina, quinqués franceses, estatuas clásicas de bronce, pesados cortinajes de color verde quemado, un tapete oriental y dos cómodas poltronas. Sentados en ellas conversaron:

—¡De manera, señora, que usted es la famosa "Bruja"!, —dijo Don Leandro.

—Así me llamaba mi padre cuando era niña "mi brujita" y el sobrenombre se me quedó. Daniel... el señor Egerton, me decía muchas veces así también. Me llamo Matilde. Matilde Linares de la Parra, a sus órdenes.

Hizo una pausa y continuó su historia:

—Mi padre fue un próspero minero de Zacatecas, que se hizo por su propio esfuerzo pues era un hombre rudo y fuerte, tez morena, muy mexicano, en verdad del pueblo; se sentía muy orgulloso de su sangre indígena, la que me enseñó a respetar en mí misma. Falleció hace muchos años. Mi madre, Matilde de la Parra, por lo contrario, era criolla, hija de casa rica, a quien mi padre tuvo que raptar pues su familia no la dejaba casarse con él. Fui la tercera, única hija mujer después de dos hermanos varones, Luis y Everardo, en ese matrimonio que primero fue muy feliz y luego muy desventurado cuando mi padre juntó a sus hombres de la mina, barreteros y todo, y se fue a la revolución insurgente en 1811. El gobierno virreinal canceló poco después los avíos y las concesiones de los dos socavones que tenía ya trabajando, y mi madre quedó en la ruina. Llevándonos con ella fue a reunirse con mi padre que andaba con "El Amo" Torres, el cual había tomado Guadalajara; otro hombre rico y patriota. Seguimos de cerca los sufrimientos de la guerra en Nueva Galicia hasta que al "Amo" lo derrotaron los realistas en Tupátaro, lo capturaron y lo mandaron amarrado en una carreta a Guadalajara, ya en poder de los peninsulares, pues esto ocurrió en 1812, después de que el señor Hidalgo había sido fusilado en el norte del país. Al "Amo" Torres lo ahorcaron y ordenaron descuartizar su cadáver. La cabeza la dejaron expuesta más de un mes en la misma horca, en el centro de la ciudad, para que todos vieran cómo se pudría y se convertía en calavera, y los dos brazos y las dos piernas las enviaron a cuatro pueblos cercanos para que fueran exhibidos en las garitas o las plazas a la vista de los viajeros. Dicen que fue horrible. Mi padre había logrado salvarse y con él nos fuimos hacia Guanajuato pues se unió a las filas de Encarnación y Francisco Ortiz, apodados "Los Pachones", otros rancheros insurgentes muy adinerados que siguieron la lucha. Desgraciadamente papá y don Francisco murieron en el combate de la hacienda de Catalán, en 1818. Yo, su "Brujita", tenía poco más de siete años, y como mamá no quería regresar a Zacatecas nos vinimos todos para México. Aquí falleció ella en 1827, no sin antes recibir del presidente don Guadalupe Victoria una carta agradeciéndole los grandes servicios que mi padre prestó a la causa insurgente y otorgándole una pensión ¡de doce pesos mensuales! Eso fue lo que sacamos después de que las minas de la familia y la vida de su jefe y único sostén se consumieron en la revolución de Independencia. Pero consuela saber que ahora somos libres, señor don Leandro; aunque, discúlpeme usted, yo no venía a contarle mi vida, sino a conversar con usted sobre el señor Egerton —advirtió Matilde mientras enjugaba con su pañuelo un par de indiscretas lágrimas que sus ojos fueron incapaces de retener.

—La comprendo muy bien, señora. Estos últimos años han sido muy difíciles para la nación y para todos nosotros. Cada familia mexicana carga una historia triste y dolorosa semejante a la suya —comentó apenado Iturriaga.

—Así es, señor, y esa vida mía tan llena de sobresaltos y vicisitudes parecía que había llegado a su fin hace diez años, cuando tuve la enorme dicha de conocer al señor Egerton. Mi trato inicial con él, que era todo un caballero, y después nuestra relación de intenso cariño, me compensaron por así decir de todas mis amarguras pasadas, y hasta llegué a ser feliz, inmensamente feliz. El destino no quiso que esa felicidad culminara y ya lo ve usted, todo se convirtió en otra malhadada instancia de llanto, tragedia y amarga soledad.

Don Leandro observaba y escuchaba a la señora Linares de la Parra con profunda y respetuosa atención. Era ciertamente una mujer muy bella, de facciones casi perfectas, frente amplia, ojos grandes verdosos, cabello negrísimo, tez apiñonada, cuerpo esbelto y bien formado, estatura más bien alta y al parecer de magnífica instrucción y templado carácter. Esto último lo revelaba su desparpajo y el dominio sobre sí misma, y también su esmerada forma de hablar, empleando correctamente las palabras, sin atropellarse a pesar del evidente estado de exaltación emotiva en que se encontraba. La hermosa mujer continuó:

—Daniel... así lo llamaba yo, me habló mucho de usted, señor Iturriaga. Me dijo que era su único y verdadero amigo mexicano. Que si bien conocía y trataba a muchas personas en nuestro país era precisamente usted quien le había inspirado mayor confianza y que en caso necesario yo no debía vacilar en visitarle y pedirle consejo y ayuda como lo estoy haciendo ahora. Me dio su dirección y aquí estoy, señor, segura de que Daniel, a pesar de su inteligencia y de su aptitud para prever las cosas, nunca pensó que tuviera yo que buscarlo después de su muerte. ¡Es que todo ha sido horrible, horrible...! —y empezó a sollozar, llevándose el bordado pañuelo a los ojos y tratando de cortar el llanto que le afloraba de nuevo; unos instantes después pidió perdón al dueño de la casa por sus desahogos y recuperó la serenidad.

—Le repito que la comprendo perfectamente Matilde; si es que me permite llamarla así —propuso don Leandro, obteniendo un asentimiento de cabeza de su interlocutora—, y la entiendo porque yo también admiré y profesé un gran afecto al señor Egerton, quien me distinguió con su amistad, y a pesar de su carácter reservado me confió algunos pormenores de su vida. Comentaba conmigo algunas cuestiones políticas o de negocios y otras, digamos, personales, lo que creo que no hacía con nadie o con casi nadie, como no fuese precisamente con usted. Yo ya sabía de su existencia pero ignoraba su nombre y tampoco conocí nunca cómo le llamaba él en la intimidad. ¡Imposible sospechar que usted fuese "La Bruja" que anda

buscando el juez Puchet! Pero en dos ocasiones el señor Egerton me previno, antes de regresar a Inglaterra, que podía darse
el caso de que durante su ausencia me buscase una señora
mexicana que traería una señal para mí y a la que me pedía le
prestase todo mi apoyo y ayuda en esa eventualidad, lo que
yo le prometí solemnemente.

Matilde sonrió por vez primera. Luego abrió el cartapacio
de cuero y sacó de él una acuarela sobre papel grueso, de tamaño mediano, que reproducía la fachada de la casa número siete
de la calle de Regina, propiedad del señor Iturriaga. Era un
magnífico trabajo que reflejaba fielmente la hermosa portada
neoclásica de la mansión del distinguido orizabeño, y en cuyo
ángulo inferior derecho de puño y letra del autor se leía: "Calle
de Regina número 7. Ciudad de México. Para mi amigo don
Leandro" y la firma: "D.T. Egerton".

—Ésta es la señal, señor, y le pertenece, pues Daniel me
pidió que en el caso de requerir molestarlo me identificara con
esta acuarela y se la entregara, pues era un obsequio que él le
"debía" a usted —afirmó Matilde, poniendo la pieza en manos del señor Iturriaga.

Éste la contempló con beneplácito y la festejó con vehemencia:

—Mil gracias, Matilde, mil gracias; como usted comprenderá éste es un obsequio inapreciable para mí. El señor Egerton
hizo el esbozo que sirvió de base a esta acuarela en mi presencia, durante una de las ocasiones que me hizo el honor de visitar
esta su casa, y me comentó que cuando lo terminara me lo
enviaría, pero eso nunca sucedió. Yo daba ya su promesa por
imposible de cumplir. Ha sido una grata sorpresa para mí que
el señor Egerton hubiese querido que ésta fuera precisamente
la señal para que yo la identificara a usted. Esta acuarela habla
como si fuese su propio autor. No tiene usted idea de cómo me
emociona poseerla. Ahora mismo voy a llamar a mi esposa para
enseñársela, y que tenga el gusto de conocerla a usted.

Y uniendo el hecho al dicho don Leandro se levantó del
cómodo sillón y con la acuarela en la mano salió unos minutos
del despacho para volver acompañado de doña Micaela Gambino, su joven esposa, a quien introdujo con la señora Linares de

D.T. EGERTON: ¿*El pintor y la "Bruja"*?
Dibujo a lápiz. Colección: Hernández Pons

la Parra, explicando que había sido tan gentil de obsequiarle la excelente interpretación artística de la fachada de su propia casa, que doña Micaela comentó también en forma elogiosa agradeciendo a Matilde el señalado presente. Luego, sin acusar turbación por la presencia de tan bella visitante, quien además había llegado sola, anunció que estaban por traer un servicio de café con galletas monjiles que había ordenado preparar y salió de la habitación no sin antes asegurar:

—Sé que usted, señora Linares, tiene mucho que conversar aún con mi marido y los dejo. Se queda usted en su casa —a lo que "La Bruja" contestó con unas palabras de cortesía.

—Pero no es eso todo, don Leandro —agregó Matilde tan pronto estuvieron solos—; esa acuarela no es la única señal que le traigo. Aquí está otro dibujo —lo extrajo también del portafolios— que Daniel me obsequió y que es un recuerdo inolvidable de alguno de nuestros momentos más felices. Lo traje conmigo porque sabría que le gustaría verlo —y se lo extendió con gesto complacido.

Era un trabajo a lápiz sobre papel amarillo, de no más de 20 centímetros de ancho por unos 17 de alto, quizá inconcluso, realmente particular, pues retrataba en unos pocos trazos muy profesionales a un hombre a caballo, que sin duda era el propio Egerton, vestido como ranchero mexicano con un tocado o pañoleta en la cabeza, como lo había usado el cura Morelos, héroe de la Independencia, el cual llevaba sentada en la parte delantera de la cabalgadura a una mujer cuyas piernas estaban colocadas hacia el lado derecho del corcel, que era el expuesto en el dibujo. La dama lucía un sombrero y una bella ruana, ambos mexicanos y no era otra que "La Bruja". Las facciones de los dos estaban ligeramente alteradas, seguramente a propósito: más ancha y "latinizada" la cara de él, más sonriente y dulce la de ella, pero los dos perfectamente reconocibles. ¡Un caballero inglés vestido a la usanza del país, que paseaba a una bella mestiza mexicana en un día de frío! El caballo, sin embargo, estaba en una actitud estática y no era un ejemplar brioso sino uno cuaco criollo de alzada más bien escasa; cabeza, cuello, pecho y manos del animal estaban muy bien desarrollados, grupa y patas apenas sugeridas, pero el dibujo en su conjunto era una auténtica obra de arte por su interpretación costumbrista y la bien lograda expresión de mutuo y complaciente amor de ambos personajes. ¡El pintor británico, macizo y bien parecido y "La Bruja" zacatecana de belleza singular unidos para siempre gracias a unos trazos románticos y magistrales! El dueño de la casa, quien tenía entre sus manos el dibujo, comentó sin quitarle la vista:

—Es espléndido. De los mejores que he visto del señor Egerton. Y su significado debe llenarle de satisfacción: él se retrató como si hubiese sido un mexicano común, montado a la usanza nacional luciendo a su "china" con legítimo orgullo. ¡Toda una declaración de amor! La felicito Matilde. Consérvelo como lo que es: una joya artística y el más delicado de los recuerdos de un hombre que amó a México y la amó a usted.

—Gracias señor Iturriaga —musitó Matilde con añoranza mientras se servía una taza de café, y luego como volviendo al presente puntualizó—: Pero aún no he dicho a usted todo lo que tengo que contarle, pues ya imaginará que vengo a verlo porque me siento muy angustiada. En el rumbo de Mixcoac se han hecho muchas averiguaciones por las autoridades locales y las de la ciudad de México buscando a los asesinos de Daniel y la señorita Edwards [era la primera vez que la nombraba], y desde hace varias semanas llegó hasta mí el rumor de que buscaban a una mujer apodada "La Bruja". Prácticamente nadie de la vecindad sabía que Daniel me llamaba así, pues sólo mi finado padre y él lo hicieron. Tampoco fueron muy conocidas nuestras relaciones. Como Daniel se había casado en Inglaterra aunque estaba legalmente separado de su esposa, fue él mismo quien impuso mucha discreción a nuestros encuentros y paseos. Por otra parte, toda vez que mis hermanos son muy celosos conmigo y no consentían ese estado de cosas, tenía que aprovechar las ausencias de ellos, que a la sazón vivían en la misma casa que yo, para hacerme alguna visita ocasional, casi siempre después de ponerse el sol. Eso ha permitido que nadie me moleste hasta ahora ni me relacionen con el infortunado Daniel, pero yo no duermo pensando en que tarde o temprano alguien pueda vincular mi nombre a la investigación del asesinato y entonces todo se complicaría no sólo para mí sino para mis hermanos...

—¿Por qué para ellos, Matilde? —interrumpió don Leandro.
La mujer dirigió la mirada al suelo y contestó:

—Porque como ya he dicho a usted, Luis y Everardo no querían a Daniel. O mejor dicho, no admitían que su hermana estuviera ligada a un hombre casado y que no era de nuestra religión. Cierta vez tuvieron con él una discusión muy fuerte y acalorada cuando lo encontraron cerca de la casa, y le reclamaron sus visitas. Fue ya en vísperas de que él regresara a su tierra y entonces les dijo que viajaría a Inglaterra por un corto tiempo y que regresaría ya completamente libre y dispuesto a casarse conmigo ante la Iglesia católica. Pero ni aun así cambiaron de parecer, por lo menos en ese momento, y le amenazaron con que si lo volvían a ver por Mixcoac se las habría de pagar. Yo lo supe porque mis hermanos llegaron a la casa hechos unos basiliscos, me refirieron el incidente y me previnieron que dejara de ver a Daniel. No obstante conseguí entrevistarme con él yendo a buscarlo a su casa de la calle del Coliseo en Tacubaya, donde entonces vivía, y él me confirmó el altercado, diciéndome que Luis y Everardo estaban fuera de toda razón y que la amenaza había sido de muerte y él la consideraba completamente en serio, pues era fruto de un sentido de honor mal entendido, de un machismo atávico "muy español" y de la intolerancia que se ha soltado en el país contra los extranjeros de religión protestante. Fue entonces cuando Daniel me propuso que me fuera con él a Inglaterra, señor Iturriaga, pero a pesar de que hubiera dado mi vida por hacerlo, le contesté inmediatamente que no, que se fuera él solo, arreglara sus asuntos personales y regresara lo más pronto posible. Que si para entonces mis hermanos se oponían a nuestra unión yo me iría con él adonde quisiera, aunque no volviese a ver nunca al resto de mi familia. Así quedamos, don Leandro. Daniel partió a principios del año de 1837. Cada tres meses recibía yo carta de él y la contestaba de inmediato por el paquete de Veracruz a través de don Rafael Veraza. Al inicio sus epístolas contenían la misma pasión y entusiasmo con los que siempre me hablaba y en todas ellas me repetía su promesa de regresar para que nos casáramos. Luego me precisó su propósito de editar en Londres un gran libro de litografías con paisajes de nuestro país, y que ese trabajo le llevaría más tiempo del que originalmente había pensado. Fue entonces cuando empezaron a escasear sus cartas. Sólo recibí dos en 1838 y una en 1839. La última, de 1840, me anunciaba que su libro por fin había salido a la luz, pero me advertía también de la manera más cortés y caballerosa pero muy clara, que lo nuestro había terminado. En forma escueta me refirió que el tiempo y la distancia le habían hecho ver las cosas de otra manera pues yo merecía casarme con un hombre soltero y de mi misma religión y costumbres, no con un "extranjero desarraigado" como él decía ser; que por otra parte, él sólo podía obtener su divorcio mediante una resolución especial del Parlamento que no estaba en condiciones de lograr, y, en fin, que se había enamorado de una joven, alumna suya, con la que ya vivía y a la que traería en breve ¡a México!, razón por la que me exponía todo lo anterior con la mayor franqueza, para que lo supiera antes que nadie, pidiéndome que siguiéramos siendo buenos amigos y que si alguna vez lo encontraba aquí no lo mirara con rencor. Ya comprenderá usted mi amargura y mi profunda tristeza, señor. Por mucho tiempo no cesé de llorar, no quería ver a nadie y francamente deseaba morirme...

—Pero al menos sus hermanos habrían dejado de importunarla y la ayudarían a olvidar —sugirió Iturriaga.

—Todo lo contrario, don Leandro —manifestó ella—, tanto Luis, quien ya casó y no vive conmigo, como Everardo, que aún permanece en la casa familiar cuando no se encuentra en Zacatecas tratando de recomponer algunos negocios de mi padre, reaccionaron de la manera más inexplicable y violenta al verme tan triste, al saber por mí que Daniel había roto nuestro compromiso y que venía a México con su nueva mujer. Estallaron en cólera expresándose en los términos más duros del hombre a quien yo tanto amaba. Vociferaban que cómo se había atrevido, primero a cortejarme sabiendo que yo era una mujer decente y él un protestante casado y con hijos, y luego a prometerme matrimonio y dejarme plantada después de una espera de cuatro años para salirme con que regresaba con otra a paseármela enfrente. Me advirtieron que si Daniel ponía un pie en México ellos vengarían el honor de la familia como correspondía. Eso me angustió aún más y me apresuré a escribir a Daniel expresándole que le devolvía yo su palabra de matrimonio pero que por su propio bien no volviera a México, pues Luis y Everardo se habían dado por ofendidos mucho más que yo misma, que lo comprendía y perdonaba en nombre de nuestro gran amor. Esto fue a principios de 1841, pero no sé si recibiría mi carta. Lo que puedo asegurar es que no obtuve contestación y nunca supe que Daniel había regresado hasta el día de su muerte, cuando una corazonada me dijo que el pintor inglés que los vecinos decían habían asesinado junto a otra extranjera la noche anterior en Pila Vieja, tenía que ser él. Y ya ve usted, don Leandro, desgraciadamente no me equivoqué.

El propietario orizabeño guardó silencio. Las revelaciones sorpresivas de Matilde Linares de la Parra aportaban un nuevo aspecto a las pesquisas sobre el doble crimen y le conferían a él una inesperada responsabilidad, en primer lugar frente a la propia "Bruja", quien se le había acercado por mandato de su amigo Egerton, y en segundo lugar frente al doctor José María Puchet, a quien había prometido ayudar en la develación del misterio. "Tendré que manejar este asunto con mucho cuidado", se dijo, y luego, dirigiéndose a la señora Linares preguntó:

—Esto es muy importante y delicado. Le ruego me responda con toda veracidad. ¿Supieron sus hermanos del regreso del señor Egerton a México, en compañía de Agnes Edwards y que se había instalado en Tacubaya?

—No sé, no sé, señor Iturriaga —contestó angustiada la mujer—, y tal cosa me atormenta sobremanera. Al día siguiente del horrible crimen visité a Luis en su casa y lo encontré muy impresionado por la noticia que para entonces ya se conocía en toda la ciudad. Él me juró que hasta ese día supo que Daniel había regresado. Me aseguró que aun en caso de haberlo sabido antes no hubiera intentado hacerle nada, ni por supuesto matarlo en esa forma que él llamó "atroz y cobarde" sin darle oportunidad de defenderse, y mucho menos privar de la vida y vejar a la mujer que lo acompañaba. Yo creo que Luis me decía la verdad y estaba muy asustado, don Leandro. No se imagina usted cuánto.

—¿Y su otro hermano... Everardo? —inquirió el veracruzano.

Matilde tardó unos minutos en encontrar las palabras:

—No sabemos nada de él desde hace casi un año. Nos dijo
que iba a Zacatecas y que luego viajaría más al norte, quizás
a Monclova o a Santa Fé, para abrir un negocio de comercio en
esos lugares; que tardaría bastante. Pero no nos ha escrito ni
hemos recibido ninguna razón de dónde se encuentra.

—¡Casi un año! —pensó en voz alta Leandro Iturriaga—.
Eso quiere decir un poco antes del 27 de abril de 1842. O sea
sólo días o pocas semanas con anticipación al crimen. ¿No es
verdad?

Matilde sabía perfectamente que su interlocutor había calcu-
lado con certeza que Everardo Linares de la Parra bien podía
haberse enterado por cualquier conducto de que hacia el mes de
enero de 1842 Daniel Thomas Egerton y su compañera Agnes
Edwards habían alquilado la Casa de los Abades en Tacubaya
y también pudo haberlos emboscado y asesinado, solo o con la
ayuda de algunos peones o "léperos" de baja ralea, y después
huir hacia el norte del país o hacia otro lugar, sin dejar ningún
paradero ni comunicarse con su familia. Y en efecto, eso pensaba Iturriaga. Pero iba más allá. Como ambos hermanos habían
amenazado de muerte al pintor, no descartaba la posibilidad de
que Luis Linares hubiera también tomado parte en el delito, o
por lo menos hubiese sabido previamente de él, sin reconocer
ante su hermana el haberse enterado del regreso del artista a
México. Don Leandro no descartaba incluso la posibilidad extrema de que "La Bruja" estuviese involucrada en el posible
complot y pretendiera usarlo a él para encubrir y salvar a sus
hermanos. Pero entonces... ¿para qué venir a contarle todo lo
que acababa de oír? Además Matilde se veía en verdad angustiada y se sentía sincera, espontánea, en su doloroso relato. Una
historia trepidante, por cierto, siguió pensando Iturriaga, en que
se evidenciaba no sólo el ímpetu de las pasiones humanas
—amor, odios, rencores, falsos orgullos, xenofobia— sino también el choque de dos formas de pensar y de vivir, de dos edu-
caciones distintas y de diversos patrones religiosos y de conducta familiar y social. Don Leandro concluyó, además, que si

su amigo Daniel Thomas Egerton había recibido la última carta de Matilde, se había enterado sin duda de la reacción de los hermanos de ésta y de su reiterada amenaza. Si la había leído y a pesar de ella decidió venir a México con Agnes, había desestimado el aviso o decidió correr el riesgo. Pero allí podía estar la explicación de por qué Egerton había actuado durante las semanas o meses anteriores a su muerte con tanta reticencia y temor, como escondiéndose de alguien. Ese alguien bien pudo haber sido Everardo Linares de la Parra o su hermano Luis. ¡Y ellos podían haber sido también los asesinos del paisajista británico y de su infortunada compañera!

Matilde tenía que contestar la difícil pregunta que le había hecho el dueño de la casa y se decidió a hacerlo:

—Sí señor —balbuceó— Everardo se fue de México aparentemente en abril del año pasado, pocos días antes de lo de Daniel. Pero algo me dice que él tampoco lo mató. Mis hermanos no son unos asesinos. Han intervenido en riñas y pendencias de hombres como casi cualquier mexicano de su edad, sobre todo teniendo en cuenta la naturaleza de su trabajo. Luis vive aquí pero administra un rastro en donde se sacrifica ganado bovino para vender carne, y cuyos trabajadores son individuos muy ordinarios y de nula instrucción. Everardo vende y compra mineral en la misma zona en que mi padre explotó las mejores vetas y se encarga de transportarlo a la Casa de Moneda de Guanajuato o a México, lidiando con arrieros y mayordomos de conducta. Ninguno de mis hermanos tiene un carácter débil. Ambos son muy hombres y saben manejar las armas, porque no existe otro remedio en nuestro país en que todos los caminos están infestados de bandoleros y la seguridad es un bien tan preciado como escaso. Pero le repito, don Leandro, que ninguno de los dos es un asesino. Es cierto que amenazaron a Daniel antes de que se fuera, pero eso fue producto de una violencia momentánea, de un rapto nervioso y de que tienen un mal entendido y celoso amor por mí, además de un concepto del honor masculino que ojalá no persista en México pues nos hará infelices a todas las mujeres. Su reacción, cuando supieron que Daniel regresaba a nuestro país acompañado de otra señora y no para casarse conmigo, fue aún más absurda, pero eso no quiere decir que ellos hayan planeado tan horrorosas muertes. ¡No señor, mil veces no!

Tras de expresar lo cual, Matilde se dejó llevar por la más incontenible emoción, sollozó con hondo dolor y volvió a enjugar sus ojos enrojecidos. Don Leandro Iturriaga se levantó de su poltrona y caminó hacia una credencia cercana al escritorio. Removió el tapón de cristal cortado de una crátera europea que ahí se encontraba y escanció el aromático oporto en una copa con filo de oro la cual ofreció galantemente a la dama. Ésta la agradeció con un monosílabo y bebió un trago.

—Serénese, Matilde, serénese usted —dijo—, porque estamos ante una situación muy delicada que tenemos que contemplar con mucho aplomo y sin dejarnos llevar por la emoción. Usted y yo, aunque de distinta manera, teníamos gran afecto por el señor Egerton y ese cariño nos obliga a hacer un esfuerzo para ver las cosas con claridad y poder contribuir a que el misterio de su muerte se despeje. Por principio de cuentas quiero decirle que en mí tiene a un amigo en quien puede confiar, y que de aquí en adelante lucharemos juntos para que se haga la luz en este oscuro túnel. Estimo que usted no tiene nada que temer. Yo le creo plenamente, y no me anima otro deseo que ayudarla. ¿Me entiende usted?

Matilde Linares, reconfortada por las últimas palabras del rico comerciante, pareció tranquilizarse:

—Muchas gracias, don Leandro —le agradeció con vehemencia—, bien me decía Daniel que usted era su único amigo, digno de toda confianza como lo está demostrando.

—Por supuesto —respondió él—, pero habrá usted de disculparme si le hago otras preguntas para tener un panorama más completo de lo que pasó o pudo pasar en este penoso asunto.

—Diga usted —ofreció ella.

—Antes que nada —propuso Iturriaga—, necesito saber si el señor Egerton le comentó algo sobre su vida privada o sus negocios, sus relaciones en México o en Inglaterra, que pudiera ser útil para la investigación que practican las autoridades mexicanas. Especialmente me interesa indagar si tenía algún enemigo o malqueriente, o si temía alguna acción malvada o agresiva de cualquier persona.

La bella mujer empleó unos momentos para ordenar sus ideas o tratar de recordar algo; luego aseguró:

—Como usted dice, Daniel era muy reservado, incluso conmigo, y no solía comentar cuestiones privadas. Pocas veces emitía algún juicio sobre la conducta de alguna persona. Era muy discreto y cuidadoso; esos constituían dos de sus más evidentes cualidades —hizo una pausa y prosiguió—: Sin embargo, antes de irse me entregó, junto a la acuarela que reproduce su casa y que acabo de dar a usted hace unos momentos, tres cuadernos manuscritos, y varias notas y esquelas sueltas, pidiéndome que las conservara hasta su regreso. Me dijo que los cuadernos eran una copia que él mismo había sacado de unos apuntes que escribía regularmente en inglés sobre su vida en Inglaterra y en México, y cuyo original se llevaría consigo, pero que no quería correr el riesgo de que se extraviaran ni que cayeran en manos ajenas. Entre estos papeles me dijo que hay descripciones de varias de las ciudades del país, casi todas ligadas con paisajes de las mismas cuyos esbozos él había hecho y también se llevó para terminarlos en Londres. Los demás documentos, en inglés igualmente, son sobre otros tópicos, que yo no entiendo, pues mis conocimientos de esa lengua son muy rudimentarios. Como Daniel hablaba español con tanta propiedad yo nunca necesité hacer esfuerzo alguno para que conversáramos ni para escribirle o entender sus cartas.

El corazón de Iturriaga latía con mayor rapidez desde que Matilde empezara a decir esas últimas frases. ¡De modo que los apuntes de Daniel Thomas Egerton, esa especie de "diario" que una vez el propio pintor le había comentado escribía corrientemente, se encontraba en poder de "La Bruja"! ¡Nunca se hubiera imaginado que un hombre tan hermético como Egerton hubiese confiado ese tipo de documentos a una mujer! ¡Misterios del amor! Pero esa circunstancia podía cambiarlo todo. En los cuadernos y papeles que Matilde decía poseer podría estar una pista diferente a las ya agotadas que condujera a entender el doble crimen y quizás a atrapar a los asesinos. Apenas podía creerlo. Pero Matilde Linares extrajo del cartapacio dos cuadernos bastante gruesos, uno más delgado y otros papeles atados con un cordel, y exclamó:

—Estos son los documentos, don Leandro. Aquí está todo lo que me dejó Daniel en custodia cuando se fue a Inglaterra. Y como creo que pueden contener informaciones importantes, como las que ha querido ocultar a toda costa el señor don Guillermo, hermano de Daniel, según dicen los periódicos, decidí traérselos a usted, porque yo soy una mujer prácticamente sola y no quiero ni puedo arriesgarme a tener esto en mi casa. Recíbalos usted, don Leandro, a ver si nos sirven, como usted dice, para descubrir el misterio que tanto nos acongoja —y los puso en sus manos con un suspiro de alivio y confianza.

Casimiro Castro: *La Villa de Tacubaya, vista desde Chapultepec.*
Litografía. Colección del editor

12. El maguey acusa

"¡Pobre Nuevo México, tan lejos del cielo
y tan cerca de Tejas!"

Manuel Armijo,
gobernador del Departamento
de Nuevo México, 1843.

"Grabé en la penca de un maguey tu nombre.
Juntito al mío, entrelazados.
Como una prueba de la ley del monte.
Que ahí estuvimos enamorados.

. . . .

La misma noche que mi amor cambiaste,
también cortaste aquella penca.
Te imaginabas que si la veían
Pa'ti sería como una afrenta.

. . . .

No sé si creas las extrañas cosas
Que ven mis ojos,
¡tal vez te asombres!
Las pencas nuevas que al maguey le brotan
¡Vienen grabadas con nuestros nombres!"

"La ley del monte",
canción mexicana popular
de José Ángel Espinosa, 1975.

OTRA VEZ EL CREPÚSCULO sobre Pila Vieja. El solitario camino a Nonoalco tiene ahora dos cosas más: la macabra huella de la sangre que lo manchó el año anterior y la tosca cruz de madera con una inscripción que demanda oraciones para la pareja masacrada. Los viandantes se santiguan cuando pasan frente a la cruz, no a estas horas por cierto; recuerdan así a los "difuntos ingleses" que se han vuelto leyenda en Tacubaya y una pesadilla judicial y política en México. Todo sigue envuelto en el misterio. Los vecinos de la villa, los de Mixcoac y el rancho de Xola, los de los Olivares, y también los fuereños que no se sabe si regresarán a disfrutar del próximo verano, todos, en fin, se preguntan si las almas del pintor y su mujer vagarán por su antigua casa, por las calles y callejones estrechos o por la ermita del templo de San Juan, cuyas ruinas, rodeadas de espesos matorrales, presenciaron de cerca el asalto y el crimen. Unos dicen que sí. Que a lo mejor a estas horas don Florencio y doña Inés se han unido ya a las ánimas en pena de Las Tres Blancas, las tres judías quemadas por herejes en tiempo del virrey: Blanca Rodríguez, Blanca Enríquez y Blanca Violante —tan recordadas en la parroquia de Tacubaya—, porque protestantes y judíos se juntan en el infierno. ¡Ave María Purísima! Otros que de seguro sus espíritus no descansarán hasta que se sepa quién los mató, porque ha de haber sido alguien de su tierra que les tenía inquina, ya que no los robaron aunque traían muchas cosas. El perjuicio que cometieron contra doña Inés fue el peor crimen, porque un hombre, como quiera, nació para eso, para morir; pero aquella muchacha tan linda, güerita y de ojo tan azul ¡que venir acabar así a México pa' que abusaran de su cuerpo y le mataran al chilpayate que le iba a nacer! No se sabe quién pudo ser el que los asesinó o serían un montón. El año pasado agarraron a rete hartos de por aquí, sobre todo areneros y cargadores de los que andan de paso, pero los han tenido que soltar. Casi ninguno se ha vuelto a aparecer. Y siguen buscando a los delictuosos y hasta a una mujer, con todo y lo de la mentada violación: una tal "bruja" que no es Porfiria López, la que vive cerca de San Juanico; a esa ya le hicieron hartas preguntas pero luego la dejaron en paz. En el pueblo hasta cambiaron juez, y a cada rato viene uno de la ciudá con otros señores a indagar cosas raras y esculcar casas, siempre de gente pobre. Este juez muy importante busca por todas partes: en la pulquería del puente de la Morena que fue del español Pardo, en las demás casas de junto al río, y también en la Plazuela de Cartagena y en San Diego. Visitó al cónsul inglés, habló con unos albañiles y pintores y con el hijo de la tamalera que se puso llora y llora mientras el juez la preguntaba al chamaco cosas que sólo él sabrá. De cuando en cuando agarran a otros, tlachiqueros o vendedores ambulantes, ¡que como testigos! pero a luego regresan medio asustados. Buscan cuantimás a los que vieron los cuerpos de los difuntos y ayudaron a levantarlos cuando pasó todo. Y a los que andaban diciendo que les había dado gusto que mataran a los ingleses porque vivían en pecado y eran herejes, a ésos también los cogían. Pero nada. Hasta el mismo general Santa Anna, cuando salió del Arzobispado, que's que ora es su Palacio, pidió que su coche y sus lanceros lo pasearan por aquí, por Pila Vieja, y hasta dicen que se bajó, y vio la cruz y todo, movió la cabeza y se fue ... ¡Así de importantes serían los tales ingleses o así de preocupado estará por saber la verdá el "Quinceuñas"! ¡El padre Chica habla muy bien d'él en los sermones pero hasta parece el diablo, con su pata de palo y todo emplumado como gallo de pelea!

EN LA SEMIPENUMBRA de esa tarde en agonía, un hombre moreno como de veinticinco años, vestido con calzonera de pana y camisa clara de ciudad, que no usaba "huaraches" sino zapatones de cuero, venía por el camino de Nonoalco hacia Tacubaya. Su paso no era el de un viajero que llega cansado de muy lejos, sino el de alguien que se acerca a un lugar con una premeditada resolución que le confiere firmeza en el paso y seguridad en la dirección del avance. Antes de llegar a Pila Vieja, el hombre se detuvo unos instantes y dando un giro a la derecha salió del camino, bordeado de arbustos y cruzado por grandes filas de magueyes. Entre ellas atravesó enfilándose hacia el oriente, cuyo horizonte se desvanecía. Caminó por una milpa sobre la loma, desembocó en un potrero donde a esa hora ya no pastaba ningún animal y llegó a otra fila de magueyeras próximas a las cuales se encontraba una mancha de árboles pirules. Justo ahí volvió a detenerse, oteó los alrededores, comprobó que nadie lo veía y se acercó a un maguey grande, el que mejor destacaba entre las sombras. Sacó del bolsillo de su calzonera un utensilio agudo, como un buril, y sin prisa, haciendo incisiones y raspas en la cara posterior de la penca más visible y alta del agave, grabó lo siguiente: "Autor Ponciano Tapia de este asesinato y dos en su compañía el 27 de abril a las siete y media de, la noche". Se tardó como veinte minutos o un poco más. Luego volvió a revisar el paraje, en uno de cuyos ángulos resplandecían ya los faroles del rancho de Xola, y a trancos largos tomó esta vez el camino de La Piedad, para bajar a la ciudad

D.T. EGERTON:
Camino a San Cristóbal, cerca de Nuestra Señora de Guadalupe.
Acuarela. Colección: Hernández Pons

de México cuyas luces yacían en el fondo grisáceo como prematuras y cintilantes estrellas.

EL AÑO DE 1842 concluía mal para el doctor don José María Puchet, pues además de que la investigación del asesinato Egerton-Edwards se encontraba en un callejón sin salida, al juez no le gustaban los acontecimientos políticos que el país acababa de vivir. La disolución del Congreso Constituyente agredía su espíritu de jurista, sus convicciones federales y su respeto por la lógica. En otras épocas había admirado incluso a Santa Anna porque pensó que México necesitaba un hombre con mano fuerte y sentido de organización para conjurar la anarquía y reformar la administración pública y el ejército. Pero este último acto de arbitrariedad, contrario a lo que se proclamaba en las Bases de Tacubaya y al sentimiento de la Nación, era repudiable desde todos los puntos de vista. Como abogado no encontraba forma de darle la más mínima justificación. El Congreso Constituyente había muerto con dignidad encomiable y trágica, y al saberlo la garganta de Puchet se había anudado de rabia y desazón. La respuesta del país dejó mucho que desear. Como venía sucediendo desde hacía tiempo en estos casos, nadie o casi nadie protestó, la opinión pública se quedó callada; la violación a las normas jurídicas, a la razón misma, pareció no importar a otros más que a los liberales exaltados y a las logias yorkinas. En las plazas y restoranes se comentaba el hecho en voz baja. El presidente Bravo —que "hacía de maniquí"— había añadido un tinte de desprestigio a su cada vez más indefinida figura y la Junta Departamental de Querétaro fue el único organismo público —según consignó *El Siglo XIX*— que protestó vigorosamente ante el gobernador por la disolución del Poder Legislativo. Pero nada más. Como el decreto prescribía que el gobierno habría de nombrar "una Junta compuesta de ciudadanos distinguidos por su ciencia y patriotismo, para que formen las bases, con asistencia del Ministerio, que sirvan para organizar la Nación", aquél ejerció sus atribuciones y designó setenta "notables" que elaborarían la nueva Constitución al gusto de Santa Anna. Cuál no sería la sorpresa de don José María Puchet al verse en la lista de los nombrados. Pero sí, era verdad. Ahí estaba su nombre en el número cuarenta y seis, como "persona notable" por el Departamento de México. En principio no sabía qué hacer, porque le repugnaba profundamente formar parte de un órgano legislativo espurio, ajeno del todo a la voluntad popular, que además sustituía a un Constituyente no sólo legítimo porque había sido electo por el pueblo —a pesar de las inequidades del sistema electoral de las que hablaba Otero— sino que había sido disuelto por la sedición manipulada desde Manga de Clavo. Si él aceptaba pertenecer a esa Junta convalidaba con su presencia el atentado contra la democracia. Por otra parte, en la lista había nombres muy distinguidos, pues la encabezaban el arzobispo Manuel Posada, el general Gabriel Valencia, don Martín Carrera, el conde De la Cortina, el prefecto Icaza, don Andrés Quintana Roo, Manuel Payno y el magistrado don Manuel Baranda, para no hablar sino de los más conspicuos. ¡Cómo rechazar el honor que le hacía el Supremo Gobierno al que había servido desde hacía tantos años! Después de todo —se dijo— el Presidente en funciones es el general Nicolás Bravo y no el general Santa Anna, y él (Puchet) tenía fama de recto e independiente y como otros "notables" pertenecía a la magistratura, lo que no le impedía entonces ser individuo del legislativo pues las Bases de Tacubaya no contenían prescripciones al respecto. Reflexionó que el nuevo cargo le ayudaría a ser más respetado como juez y a tener mayor posibilidad de resolver el caso Egerton-Edwards. Meditó un poco. Podría dedicarse preferentemente a sus actividades judiciales y sólo hacer acto de presencia en las deliberaciones cuando fuere estrictamente necesario. Así se comprometía menos y no agraviaría a quienes habían pensado en él. En casos de crisis había que creer en la Nación: si hombres amantes del derecho renunciaban a participar en el nuevo Constituyente, así fuese éste discutible, lo integrarían los menos avezados o de mala fe, y el resultado sería aún peor. Total: ya todo mundo sabía que en esa época, como decía Santa Anna, había que poner "las cartucheras al cañón", es decir cooperar con las autoridades, o quedar señalado como un antipatriota y revoltoso. Tenía que decidir ese mismo día, y aceptó aunque lo hizo con mal sabor de boca. El 2 de enero de 1843 se reunió en el local de la antigua Cámara de Diputados la llamada Junta Nacional Legislativa, la cual pugnaron por presidir el obispo don Manuel Posada y el general don Gabriel Valencia (clero y ejército en no tan amigable contienda) habiendo ganado este último, con lo que todos se pusieron a trabajar, guiados estrechamente por el ministro Bocanegra, para redactar a toda prisa otra Constitución centralista y oligárquica como las famosas Siete Leyes, que continuara asegurando el predominio de las clases pudientes.

No obstante, Puchet se sobrepuso a su fracaso profesional y a la adversidad que se abatía sobre la nación y continuó las pesquisas sobre el doble crimen. Una mañana, al salir del templo de La Profesa, tropezó con el ilustre don Carlos María de Bustamante, ya en sus sesenta años, quien le pidió información sobre el homicidio del pintor inglés y de su mujer para incorporar una crónica de tan espantoso hecho a su Diario, que como todos sabían se convertía año con año en un nuevo libro histórico que atacaba al gobierno. El juez proporcionó al abogado y político todos los datos que tenía en la memoria y los terminó con un comentario sobre el hermano del occiso:

—El señor William Henry Egerton no se comporta como debiera en este delicado asunto, señor Bustamante. Es de suponerse que él sea el más interesado en que la incógnita criminal se despeje y podamos aprehender a los asesinos, pero su conducta está en ruta de colisión con nuestros esfuerzos. Y por supuesto se encuentra plenamente apoyado por el ministro Pakenham y por el cónsul Mackintosh.

—No lo dudo y es totalmente explicable —comentó el célebre historiador—, pues lo que le conviene al gobierno británico es aprovechar el no resuelto asesinato para endilgar a nuestro país el viejo mote de incivilizado e ingobernable, y ocultar quizá los verdaderos móviles de tan extraño crimen. Pero no es de sorprender, don José María, los ingleses son así, por algo se les llama "la pérfida Albión", sobrenombre que les va de perillas ahora que no tienen rey sino reina, esta joven Victoria que está saliendo muy despierta, ya ve usted, se casó hace tres años con un príncipe alemán e hizo el año pasado su primer viaje en

ferrocarril de Londres a Windsor. Parece que Inglaterra está
hecha para ser gobernada por mujeres.

Luego respiró hondo y continuó, antes de que su interlocutor pudiera interrumpirlo:

—Permítame que le refiera el escándalo que ha causado
aquí la terminación de la guerra de los ingleses con los chinos
y la celebración de un tratado de comercio entre ambas potencias. Sabrá usted que aquello que motivó esta guerra fue que el
Emperador prohibió la venta del opio porque mataba a sus
vasallos, providencia justa que fue correspondida por doña
Victoria con la declaración de guerra, suceso que no tiene igual
en los fastos de la iniquidad de la nación más inmoral y bárbara. La superioridad de la táctica europea desarrollada contra
unos hombres para quienes casi era desconocido el arte de
matar, obtuvo un triunfo completo y un tratado ventajosísimo
de comercio, por el cual los chinos pagarán a los ingleses veintiún millones de pesos por indemnización de gastos de una guerra que no provocaron, más diez millones por el costo del opio
que los ingleses introdujeron y los chinos quemaron; además
se abrirán cinco puertos principales a los ingleses para su comercio y poseerán perpetuamente la isla de Hong Kong. Y
aunque se van a imponer aranceles prohibiendo la importación
del opio a China, esto se cumplirá si les acomoda. "Cuando veas
la barba de tu vecino rapar, echa la tuya a remojar." No debemos olvidar los mexicanos esta historia. He aquí un gran acontecimiento que va a transformar la faz del mundo: la llegada
de las potencias europeas al Pacífico asiático. El que lo con-
sidere aisladamente en el orden político no podrá dejar de sentir
gran pesadumbre por esos pobres chinos que a nadie ofendían
ni eran gravosos y que han venido a ser destrozados en sus
casas porque cuidaban de protegerse. Pero todos esos pueblos
sojuzgados por la insolencia británica, incluyendo los hindúes,
van a evangelizarse, a aprender táctica militar y náutica de sus
opresores y no se olvidarán de vengar ese agravio. ¡Tiemblen
los ingleses y mírense en el mismo espejo de España en las
Américas! No olviden que las miserables colonias que plantaron
en Norteamérica hoy les disputan el imperio de los mares y
mano a mano, en guerra galana, se saben batir con ellos. A

D.T. Egerton: *Valle de México*.
Acuarela. Colección: Hernández Pons

nosotros, don José María, nos tocará parte de este gran acontecimiento porque los Estados Unidos del Norte, para facilitar su comercio con China y Japón, se apresurarán a quitarnos las Californias.[48]

—Concuerdo absolutamente, señor Bustamante —comentó Puchet impresionado por el discurso que acababa de oír—, todo está ligado entre sí: la introducción de las drogas en China, la rebelión de Tejas, el régimen colonial en la India, el apoderamiento por Inglaterra de las islas argentinas del sur, los caminos de hierro que avanzan por doquier, el advenimiento del daguerrotipo y la muerte de un pintor inglés en Tacubaya, hechos que parecen a primera vista totalmente desconectados.

—Así es, doctor Puchet, —asintió Bustamante—, así es ni más ni menos, todo se liga porque todo cambia y nada se pierde, todo se transforma, como asegura Lavoisier. Debemos añadir que los ingleses y los yanquis, sajones y protestantes al fin, quieren avasallar a las repúblicas americanas porque eran las colonias de su enemiga tradicional, España, las que codiciaron siempre. Y nosotros, que luchamos contra España para independizarnos de ella, tenemos ahora que pagar la cuenta a estos grandes imperios. De todo resultamos culpables, hasta de que un pintor masón muy introvertido que vino a México con su amante haya sido asesinado sin mediar robo ni ningún otro móvil que se conozca; por lo menos aquí —agregó maliciosamente—, aunque quizá sí en Londres o en Washington.

Pronto se descubrió en Tacubaya la extraña y reveladora inscripción grabada noches atrás por el desconocido. Dos vecinos del pueblo que iban al rancho de Xola y que se detuvieron cerca de los árboles del Perú que hacían lindero con los magueyes y el potrero del rancho, la notaron una mañana. Ahí era el lugar en donde se había encontrado el cuerpo maltratado y sin vida de Agnes Edwards. Uno de ellos aún tenía en la mente el trágico espectáculo y fue el que más se impresionó al ver las marcas: "Autor Ponciano Tapia de este asesinato y dos en su compañía el 27 de abril a las siete y media de la noche." Todas las "s" estaban al revés, esto es, empezando el rasgo superior de

[48] *Apuntes para la historia . . . ,* pp. 118-119.

izquierda a derecha, lo que era una falla ortográfica o caligrá-
fica asaz común, según anotó mentalmente el juez de Paz don
José Torres, quien acudió al lugar alertado por los descubri-
dores que habían desandado el camino sólo para llevarle la noticia. Pronto se desparramó ésta por el pueblo y Torres envió a
un gendarme a comunicarla con un oficio escrito en tinta sepia
a don José María Puchet, en su casa de los Cordovanes. Antes
de que bajara el sol ya estaba el propio Puchet acompañado
por su escribano Cisneros en el lugar de los hechos; allí, rodeado de curiosos, observó con mucho detenimiento la grotesca
inscripción. Era toda una denuncia ciertamente, pero anónima
y fuera de tiempo. Si quien había puesto esas marcas sabía
que el ya conocido ladrón Ponciano Tapia, fugado de la prisión,
a quien se había detenido en las cercanías inmediatamente después del crimen era quien lo cometió, ¿por qué no lo había
informado entonces a las autoridades? ¿Por qué había esperado
hasta ahora, casi un año después? Puchet caviló y caviló. Podía
tratarse de un mensaje cierto, o por lo menos, grabado de buena fe por un ciudadano consciente de su deber que deseaba
orientar a la justicia en tan penoso caso y por alguna causa
había escogido el inusual medio. Pero también podía haber sido
puesto por una mano malvada, alguien interesado en descargar
la culpa sobre el tal Ponciano o simplemente en desorientar a la
propia justicia. Tapia había sido interrogado ampliamente por
el juez Gómez de la Peña y después por el doctor Puchet, y
bajo la más severa presión no había aportado ningún dato
revelador. Cierto es que dijo no haber sabido de ningún hecho
antecedente del crimen ni pudo decir el nombre de alguna persona con la que hubiera estado aquella tarde, ni explicó con-
vincentemente por qué transitaba el rumbo del rancho de Xola
cuando fue aprehendido, pero, así como a él, se habían detenido
a otros muchos areneros, tlachiqueros y labradores que al parecer tampoco tenían ninguna implicación en el homicidio. Puchet pensaba que si Ponciano Tapia hubiese intervenido en el
delito no se hubiera quedado a vagar por esos parajes, mucho
menos siendo conocido en la región y sabiendo que si era identificado como reo fugado de la cárcel tendría que regresar a
ella. No obstante, el misterioso mensaje de la penca del maguey

apoyaba los indicios que contra ese preso existían desde el principio de la investigación y ponía en duda sus insuficientes declaraciones. Por tanto había que volver a interrogarlo en la prisión y estudiar con cuidado su personalidad así como investigar detenidamente su dicho.

El doctor Puchet se sintió un poco incómodo cuando, después de desechar otras alternativas, decidió ordenar que se cortara la penca del maguey en donde aparecía grabada la inscripción que con razón sobrada había despertado gran interés entre los comarcanos. Haber procedido de otro modo hubiera sido contraproducente para los efectos de la causa, pues respetar el extraño recado del agave y dejarlo *in situ* tal cual significaría exponerlo a la destrucción y provocar una interminable caravana de curiosos que exacerbarían aún más con sus comentarios a la opinión pública. Ya le habían informado que un enviado de *El Mosquito*, agudo periódico de crítica, andaba por ahí buscando opiniones sobre la singular denuncia botánica. Por otra parte, la famosa penca era una prueba que debía ser valorada. Puchet decidió hacerla examinar por personas conocedoras que pudiesen determinar la época en que habían sido hechas las incisiones para así tener más elementos con qué emitir un juicio sobre su contenido. El juez sabía que esas toscas líneas grabadas, que esas incisiones rudimentarias y mal escritas eran obra de la mano del hombre. A él no le cabía ni la menor duda. Pero en el pueblo ya se hablaba de que las ánimas de Egerton y doña Inés habían dejado esa constancia para señalar como su asesino a Ponciano Tapia, que era un pobre diablo, pero que si los había matado tendría que pagar su culpa. Un peón del rancho de Xola, provisto de afilado machete, cercenó la penca que aún estaba suficientemente jugosa como para derramar su blanca sangre al sentir la amputación. De ello dio fe el escribano don José Cisneros, quien la envolvió en un costal grueso de henequén y acompañó al señor juez a su regreso a México en un coche de Providencia. Éste se fue levantando polvo ante las miradas de docenas de vecinos que lo vieron partir llevando como delicado huésped una penca de maguey, la cual parecía ser ahora el principal dedo acusador en el controvertido proceso criminal.

El Observador Judicial publicó una nueva crónica sobre los asesinatos de don Florencio y doña Inés, la cual explicaba:

> Hace tiempo damos razón al público de esta causa tan célebre bajo todos aspectos *porque las actuaciones no dan de sí otra cosa que presunciones vagas contra personas insignificantes*... Un indicio aparece de nuevo que lleva el sello de misterioso. En el reverso de una penca de maguey en Tacubaya, se han encontrado días pasados las siguientes frases de una letra muy *cursada:* "Autor Ponciano Tapia de este asesinato y dos más en su compañía el 27 de abril a las siete y media de la noche."

Y concluía: "Veremos de aquí qué resulta."

La escueta inserción fue suficiente para volver a provocar los más diversos comentarios en la ciudad. Mientras algunos aventuraban que el mensaje era obra del más allá, otros aseguraban que era un testimonio humano que, ante el miedo o la timidez, se había expresado de ese modo; los de aquí juraban que había sido puesto por los ingleses quienes querían encaminar las investigaciones hacia un posible asesino mexicano, y los de más allá sabían de cierto que todo era una patraña inventada por un enemigo del gobierno para burlarse de éste o aumentar la confusión en el difícil caso, con premeditados y siniestros propósitos. Como quiera que fuese, la aparición del mensaje agávico del que todos hablaban había vuelto a encender la polémica sobre el crimen, y la colocó nuevamente en los primeros lugares de la murmuración cotidiana y el chisme. Las respetables damas que ya estaban dando su brazo a torcer en eso de ir a Tacubaya a pasar el verano, desistieron de su propósito. Si el recadito del maguey no era del diablo tenía que ser de los hombres, y si estos últimos podían ponerlo impunemente frente a las propias puertas del rancho de Xola eso quería decir que Tacubaya y sus alrededores seguían estando totalmente desprotegidos y que más valía no pararse por ahí, pues el *chamuco*, los espíritus de los ingleses, los asesinos, alguien más o todos juntos seguían rondando por aquellos parajes.

LOS HECHOS MÁS DESCARNADOS parecían confirmar las predicciones de don Carlos María de Bustamante sobre los planes expan-

sionistas de los Estados Unidos en contra de México. En esos
días llegaron a la capital del país las noticias de que un grupo de
renegados tejanos había atacado la villa de Mier, en la margen
izquierda del Río Bravo, después de ocupar las poblaciones de
Laredo y Ciudad Guerrero, pero que venturosamente habían
sido derrotados por el general Ampudia, auxiliado con refuerzos
de Cadereyta y de Sabinas. Habían caído prisioneros William
S. Fisher, ex ministro de Guerra del llamado gobierno tejano,
su segundo Thomas J. Green y el general Murray. Ampudia
había ordenado su remisión a México. Mientras tanto, el *Civilian* de Galveston publicaba que el coronel Snivell estaba re-
clutando un cuerpo de "voluntarios" para realizar una segunda
expedición a Santa Fé y apoderarse del gobernador Armijo, so-
metiendo esta vez dicho territorio. Fue entonces cuando Armijo
hizo pública su célebre exclamación: —"¡Pobre Nuevo México,
tan lejos del cielo y tan cerca de Tejas!",[49] o sea que el norte
del país se había convertido en el campo de batalla de una
guerra no declarada cuyos efectos retardados se iban sintiendo
paulatinamente en la ciudad de México, muchas semanas después de que sucedían los enfrentamientos, debido a la enorme
distancia existente, a lo intransitable de los primitivos caminos
y a la ausencia de un buen correo naval. Uno de los efectos de
esas noticias fue que el general Santa Anna, a quien Bravo
había allanado sus problemas internos con la disolución del
Congreso y el nombramiento de la incondicional Junta de Notables, dispuso regresar a la capital y reasumir la Presidencia
de la República, lo que hizo con gran solemnidad y pompa
el 6 de marzo de 1843 —precedido por el mal augurio de un
cometa de extraordinaria magnitud—, oportunidad en que confirmó al mismo gabinete, con excepción del gobernador del
Departamento del Centro y el comandante militar, puestos que,
después de un breve interinato del general Paredes, ocupó el
general Valentín Canalizo. Tres meses después, la famosa Junta
había expedido ya las Bases Constitucionales, completamente
centralistas y favorables a los intereses de la Iglesia y las clases
altas y que llevaban la firma de don José María Puchet. Es-

---

[49] Citado en Roberto J. Rosenbaum, *Mexicano resistence in the
Southwest. The Sacred right of self preservation*, pp. 39-190.

tas bases provocaron en las lejanas provincias norteñas el mismo efecto que las funestas Siete Leyes de 1836 (que dieron pretexto a la insurrección de Tejas), pues los pobladores de aquéllas las resintieron como una nueva agresión de Santa Anna dado que les negaban su antigua autonomía estatal, para conservarlas como departamentos sujetos en todo a la autoridad central, la cual se encontraba tan remota que prácticamente no podía gobernarlas, con lo que se continuaba alimentando una situación de descontento y anarquía aprovechada por los rebeldes tejanos y los ambiciosos norteamericanos, que en realidad eran exactamente los mismos.

Por aquellos días Richard Pakenham fue llamado por el gobierno de Su Majestad al concluir su misión en México, y para despedirse escribió una misiva al ministro Bocanegra en la que le agradecía: "... el alto sentido de gentileza y la amistosa disposición que he recibido invariablemente de manos de Vuestra Excelencia durante mi encargo a lo largo del cual siempre he encontrado en Vuestra Excelencia un inflexible sostén",[50] lo que parecía excesivo o al menos demasiado formal si se tomaban en cuenta algunos asuntos importantes que el enviado británico dejaba sin resolver, como la restitución de los derechos de importación pagados por las mercancías inglesas a partir de la Ley del 29 de noviembre de 1839 (que Pakenham había controvertido infructuosamente), la indemnización por los bienes ingleses destruidos en un incendio de la aduana de Veracruz, y el asesinato de Daniel Thomas Egerton y Agnes Edwards. Pero Pakenham había llegado a México desde 1827 y ya se había desgastado bastante, sobre todo con el asunto del reconocimiento de Tejas, por lo que el solterón hubo de ser sustituido. Mientras llegaba Percy William Doyle, quien sería su sucesor, quedó como encargado de Negocios el inquieto William Robert Ward, *attaché* de la Legación. Junto a él, incrementando su participación en los más disímbolos negocios, convertido en agiotista del gobierno mexicano, según se decía gracias a inconfesables arreglos económicos en varios Ministerios, continua-

[50] Nota de Richard Pakenham al Ministro José María de Bocanegra, de 23 de marzo de 1843. Acervo Histórico Diplomático, Secretaría de Relaciones Exteriores, México.

ba usando su representación consular para provecho personal el
descalificado Ewen Clark Mackintosh. El cónsul aumentaba
visiblemente su poder e incluso se quejó ante don José María
de Icaza, prefecto del Centro de México, a causa de las pesquisas
que alrededor de él y de William Henry Egerton seguía practi-
cando (por órdenes del doctor Puchet) el juez de Paz de Tacubaya, interesado en saber dónde estaba la correspondencia del
pintor asesinado que el inventario había omitido deliberadamente.[51]

[51] Carta del Prefecto José María Icaza al juez de Paz de Tacubaya,
27 de marzo de 1843. Archivo Histórico del ex Ayuntamiento de la
ciudad de México. 1524-1928.

13. Hijo del púlpito y de la tierra

"Se ha supuesto por largo tiempo
que la aristocracia inglesa
ha sobrevivido tan exitosamente
porque estuvo más abierta
hacia las clases medias que la francesa
y no despertó aquella violenta antipatía
que el *tiers état* sintió por la *noblesse*.
Pero un reciente estudio de las herencias
en tres condados representativos,
Northamptonshire, Hertfordshire
y Northumberland, ha indicado
que esta suposición
pudiera estar equivocada,
pues contrariamente a las altas clases
terratenientes de otros países,
las de Inglaterra tuvieron buen cuidado
en conservar y administrar sus grandes
propiedades dentro de sus familias,
a fin de mejorarlas y ampliarlas
con dinero adquirido en ricos matrimonios,
asegurar por medio de instrumentos
legales que quedasen siempre en su poder
al margen de particiones sucesorias,
y mantener a distancia
a los indeseables extraños."

Jeanne C. Fawtier Stone, An Open Elite?
England 1540-1980.

[London, 1984]

11, Southampton Terrace,
Kentish Town, cerca de Londres,
8 de marzo de 1829

LA MUERTE DE MI PADRE, el reverendo Francis Henry Egerton, FRS, FSA, octavo y último conde de Bridgewater, miembro del colegio oxfordiano All Soul's; prebendario de la Catedral de Durham; rector de Whitchurch y Middle, y príncipe del Sacro Imperio Romano, acaecida en París el 11 de febrero último cuando contaba setenta y dos años de edad, me impulsa a escribir estas notas biográficas que por mucho tiempo no fui capaz de iniciar. En realidad alguna vez intenté hacerlo y hasta llegué a pergeñar ideas y recuerdos en esquelas sueltas que deben estar por algún lado y que no llegaron nunca a satisfacerme. Espero que ahora sea distinto, y pueda relatar por lo menos los episodios más sobresalientes de mi existencia, mis añoranzas y mis anhelos, con el fin de que de todo ello quede al menos una huella y constituya un legado moralmente valioso para mis tres hijas ya nacidas y el hijo varón que tanto deseo procrear. El cuerpo rígido de mi padre cruzará pronto el canal inglés en el paquebote de Dover y de ahí será conducido a la iglesia de San Pedro y San Pablo de Little Gaddedsen, Hertfordshire, muy cerca de Ashridge, la casa solariega de los Egerton de Ellesmere, la cual, por un insano capricho testamentario de mi tío el general de brigada, John William Egerton, séptimo duque, quien falleció sin descendencia hace seis años, quedó en usufructo vitalicio de Lady Bridgewater y a su muerte se convertirá en propiedad absoluta de su sobrino político, el adolescente Lord Alford. De esta manera el testador puenteó a su propio hermano a quien no quedó otro remedio que arribar finalmente a la mansión familiar refugiado en un ataúd francés.

Tan inoficioso testamento no sólo hirió injustamente al hoy difunto sino también a mi hermano mayor William Henry, a la memoria de mi hermana Sofía ya fallecida, y a mí, los tres hijos naturales del reverendo, último conde de Bridgewater (con quien se extinguió dicho título), quienes nos hemos quedado sin la anhelada legitimación, con la décima parte del capital que debió ser nuestro y sin la casa ancestral que estuvo en la familia desde que la adquirió su ilustre fundador Sir Thomas Egerton, Lord canciller del Reino, en 1605. En realidad el primer miembro de la familia que aprendí a admirar por lo que oí cuando era niño fue a mi difunto tío abuelo Sir Francis Egerton, tercer duque de Bridgewater. Me entusiasmaba saber que a pesar de que el profesor Wood, su tutor durante el *Grand Tour* por el continente, le instruyó en sus años mozos sobre las glorias de Homero y le indujo a comprar mármoles y objetos de arte en Roma (que él nunca sacó de sus cajas), a su regreso a Londres prefiriera dedicarse a la cría de caballos de carreras que en algunas ocasiones montaba personalmente. Por supuesto que lo admirable para mí no era el aparente rechazo de mi tío abuelo por la cultura clásica, sino su decisión de ser él mismo y dedicarse a aquello que en realidad le gustaba. Pronto lo encontró en Old Hall, su propiedad de Worsley, cerca de Manchester, lugar a partir del cual obtuvo del Parlamento una concesión para construir un canal que lo conectara con Saldford, para conducir fluvialmente el carbón de las minas locales hasta el propio Manchester. Lo logró hacia 1761 tendiendo el acueducto de Barton, de más de cuarenta millas de largo, que todavía hoy atrae visitantes de toda Inglaterra, y gracias a ello el costo del producto se redujo y la industria carbonífera obtuvo excelentes ganancias. Después emprendió la construcción de otro canal para conectar Manchester y Liverpool, por lo cual tuvo que vencer la fiera oposición de los terratenientes locales; empeñó toda su fortuna en la empresa y al fin, en 1772, abrió la nueva vía que fue inaugurada por un barco de cincuenta toneladas. Se dice que la explotación de sus minas y canales le proporcionaba una renta anual de 80 mil libras, pero lo más importante es que gracias a ello fue conocido como el "Padre fundador de la navegación interior británica". Hacia finales del siglo su notoriedad era impresionante y se comparaban sus gustos con los del Rey Jorge III. Era muy austero y descuidado en su apariencia, fumaba y aspiraba *rapé*, y parte del dinero que ganó lo invirtió en una magnífica colección de pinturas, que quizá contemplaba solamente como un buen negocio a futuro. No se casó nunca ni permitía que mujer alguna lo asistiese. Falleció casi sordo después de una corta enfermedad, en 1803, en su casa de Cleveland Square. El funeral debió aplazarse pues el duque no parecía muerto sino simplemente dormido, por lo que hubo que llamar a varios médicos que tardaron no poco tiempo para certificar su deceso, como si el viejo se resistiera a morir.[52] *The Times* lo llamó "benefactor de su país" y consignó que con su esfuerzo había amasado una "inmensa riqueza", a partir de lo cual se empezó a hablar de "los millones de Bridgewater". Fue inhumado con gran severidad en Little Gaddedsen, dejando su canal incorporado a un fideicomiso establecido en favor del segundo hijo de su sobrino, conocido sucesivamente, como Lord Francis Egerton, primer duque de Ellesmere, que al final devino duque de Sutherland. Con la muerte de mi ilustre tío abuelo se empezaron a agolpar negros nubarrones en nuestro cielo. El viejo duque había otorgado un elaborado testamento, cuya clara intención era fundar una nueva familia de manera que quienquiera que se beneficiase del fideicomiso Bridgewater tuviera que tomar el nombre de Egerton. El "Padre fundador de la navegación interior" tenía como herederos lógicos a sus dos primos: un cincuentón egoísta, orgulloso y de espíritu pequeño, el general de brigada John William Egerton,

52 *The Times*, Londres, 7, 9, 14 y 18 de marzo de 1803.

casado pero sin hijos, y mi propio padre, el reverendo Francis
Henry Egerton, hombre considerado un tanto extraño pero
culto, quien para entonces tenía cuarenta y siete años de edad,
diez de haber acompañado ininterrumpidamente al duque y
uno de residir en el continente. Bernard Falk,[53] gran conocedor de los asuntos de la familia y prácticamente su cronista,
asegura que el reverendo era un "excéntrico" y que "persistía
en permanecer soltero, "reservando sus atenciones amorosas para
oscuras mujeres, que en el curso de los años le dieron algunos
hijos debiluchos destinados a morir a edad temprana". Ésta
parecía ser una referencia directa a la familia que formábamos
William Henry, Sofía y yo, los hijos de Sarah Bradstock, mi
siempre oculta madre, que dedicó los mejores años de su amarga
existencia a nuestro levítico progenitor. En realidad ni William
Henry ni yo fuimos debiluchos; aquél nació en 1796, yo al
año siguiente y aún estamos vivos. Pero mi menor hermana Sofía (llamada así en honor de nuestra abuela Lady Anne
Sofía Grey, hija de Henry, duque de Kent, y esposa de John
Egerton, obispo de Durham) murió cuando era algo más que
una adolescente. Tengo la sensación que ella fue a la única
persona a quien verdaderamente quiso mi padre; sólo hablaba
de su belleza y simpatía, se la llevó a vivir a París y confió su
educación a *madame* Campan, famosa por su pensionado para
niñas y señoritas y por haber sido confidente de la reina María
Antonieta. De cualquier manera, entre su primo el general, que
no tenía descendencia, y su otro primo el "excéntrico produc-
tor de bastardos", mi tío Francis se inclinó por el primero y
le dejó la herencia principal, incluyendo el título y la propiedad de Ashridge, con el acuerdo secreto, según todos nosotros
sospechamos, de que buscara fundar una nueva rama de la
familia como la que el propio testador provocó con el fideicomiso Bridgewater ya descrito. Fue por esa razón que en su
propio testamento el general John William Egerton dispuso
que el adolescente Lord Alford heredaría Ashridge y otras
posesiones, si accedía al título de Bridgewater antes que mi
padre (el cual podría convertirse en tercer marqués de Hert-
ford) o si el propio joven obtenía otro título gracias a la
elevación del conde Brownlow, su propio padre. Las condiciones eran risibles, y los tutores de Lord Alford impugnaron
con éxito esa previsión del testamento. Con éstas y otras esti-
pulaciones la disposición del testador estaba encaminada a
obstaculizar por completo al reverendo Francis Henry: su

[53] *The Bridgewater Millions. A Candid family history*, Hutchinson
& Co. (Publishers) Ltd. London, New York, Melbourne, 1942.

insistencia en que nadie más que un *hijo legítimo* de su hermano pudiese ser viable para beneficiarse de la fortuna familiar era una afrenta inmerecida para mi padre y para nosotros. Había otra cláusula igualmente impía y vengativa, por la que fue muy criticado, en la cual mi tío John William se negaba a albergar la amplia colección de manuscritos de mi padre en la mansión de Ashridge y que un bibliotecario pudiera distribuir copias o facsímiles gratuitos de ellos a quienes lo requiriesen, como el reverendo le había solicitado en carta desde Spa. Francis Henry Egerton, quien soportó todas las afrentas testamentarias, tuvo que conformarse con el título de octavo conde y las 18 mil libras anuales que recibió como legado durante los seis años en que sobrevivió a su hermano.

Para William Henry y para mí la decepción fue mayúscula. Toda nuestra vida habíamos sido (y seguimos siendo) los hijos bastardos del reverendo Egerton, desconocidos por nuestra importante familia, la cual pretende ignorar que fue fundada por otro hijo natural, pues Sir Thomas Egerton, barón de Ellesmere y visconde Brackley, el famoso procurador de la reina Isabel y Lord canciller de Jaime I, fue hijo bastardo de Sir Richard Egerton, de Ridley, Cheshire, y de una tal Alice Sparke, y aunque la familia del Lord canciller alegaba descender del barón de Malpas, un contemporáneo de Guillermo el Conquistador, él mismo inició su carrera siendo un obscuro estudiante de leyes en Oxford, cuyo nombre ni siquiera se hizo constar en los registros. Ahora, casi tres siglos después, algunos Egerton enriquecidos por el espíritu de la época, sus tierras ancestrales, las minas de carbón y los canales del famoso duque de Bridgewater, proclaman una pureza de abolengo que no tenían ni tienen y que por otra parte tampoco es común en la mayoría de las familias de nuestra nobleza, cuyos varones han sido muy aptos para conservar su pretendida respetabilidad por las mañanas y para hacer el amor por las noches con alegres plebeyas. Aunque a decir verdad mi padre se cortaba con el mismo cuchillo, pues a pesar de haber sido hijo de un obispo, reverendo y rector y por tanto hombre de iglesia y de bien, por conservar su supuesta honorabilidad, sus prebendas y sus derechos familiares que le acabaron sirviendo para bien poco, nunca vivió con nostros, nos visitaba a escondidas y nos abandonó cuando yo sólo tenía cinco años y Sofía acababa casi de nacer, largándose a París, de donde sólo ha de regresar en breve para ser sepultado. Es cierto que mi madre primero y después William Henry y yo recibimos de él una pensión generosa, con cuyo pago seguramente tranquili-

Francis Henry Egerton. Matita-acquarelata
Guía de la Egerton Collection. Museo Británico, 1929.

zaba su conciencia. Pero las promesas que hizo a mi madre
y a mi hermano hace muchos años y que nos reiteraba en algunas de sus pocas cartas, no las cumplió nunca. Él juraba que
no se había casado con su "amada Sarah" sólo porque el tío
Francis le había prevenido que lo desheredaría si contraía matrimonio con una persona que no fuera de la nobleza. También
alegaba que algo semejante había prometido a su propia madre, Lady Sofía Anne, antes que aquélla falleciese. Pero en
contradicción con esto último nos aseguraba que cuando murie-
ra el famoso duque de Bridgewater, navegante fluvial y car-
bonero próspero, él heredaría el título y la cuantiosa fortuna
y acto seguido regresaría a Inglaterra y se desposaría con mi
madre, legitimándonos de esta manera. Fuimos tan tontos que
llegamos a creerlo. Yo, en realidad, lo odié toda mi vida, me
da pena confesarlo, pero siempre me pareció injusto que reci-
biéramos ese trato de él. También llegué a guardar resentimiento a mi madre por haberle facilitado esa conducta inmoral,
por no reclamarle nunca una posición digna ante las leyes de
Dios y de los hombres y protegernos así de la sociedad que
nos rechazaba. Todo ha sido terrible. O quizá debiera decir
simplemente que fue terrible, porque mi padre está muerto
ya. Apenas lo recuerdo físicamente; el pequeño retrato que nos
legó mi madre al expirar dicen que le hace justicia: un hombre
que entonces tenía como cuarenta años, más bien feo, de mirada
extraña, prógnata y distante, aunque de fuerte y controvertida
personalidad.

Nuestra liga con él estuvo formada por el amoroso y benevolente juicio de mi madre sobre su persona, el dinero
que nos hacía llegar, los libros y escritos debidos a su pluma que
leímos con retraso y los constantes chismes sobre sus excentricidades parisinas que frecuentemente nos llevaban a mal-
decir lo que para nosotros, curiosamente, solía ser nuestro
mayor orgullo: el pertenecer a la familia Egerton.

Tan pronto se supo que el reverendo había fallecido, se recru-
decieron las versiones que lo pintan como un hombre de costumbres poco comunes. Residió en París casi treinta años, a
partir de 1802, exhibiendo un estilo de vida muy peculiar, y
por eso no es de extrañar que la sociedad francesa, tan adicta
a la exageración, lo haya llamado el "Inglés Loco". Mi madre
nos recuerda la dificultad que tenía para articular las palabras
debido a una especie de parálisis en la lengua, lo que entor-
pecía sus sermones y muchas veces lo hacía quedar en un
ridículo que sólo superaba gracias a su resignación estoica y a
su fuerza de voluntad. Algún novelista nativo lo caricaturizó
hace poco de manera sangrienta por haber abandonado sus

parroquias,[54] pero *monsieur* de Villenave, el escritor galo que lo conoció tan bien, explicaba que la causa de su voluntario exilio era el resentido aborrecimiento a todo lo inglés que, según él, procuraba olvidar con sus frecuentes trances de éxtasis religioso, los cuales lo postraban por muchos días, o cediendo a tentaciones más mundanas. Esto último lo ha comentado después de su muerte Bernard Falk —¡siempre él!— en los salones londinenses; añade la sabida historia del amasiato entre el reverendo y "una mujer" (mi madre), y "aunque reconoce que aquí y en Francia hasta los arzobispos han tenido concubinas más o menos públicamente", insiste en que sus "bastardos" (nosotros) murieron infantes y critica que en uno de sus libros se haya atrevido a publicar el retrato de mi finada hermana Sofía, "con su típico parecido Egerton". Esto me hace reafirmar que por razones sucesorias nuestro padre nos ocultaba celosamente a sus hijos varones, fingiendo ante terceros que no habíamos sobrevivido, y sólo mencionaba a Sofía. Admitía su pecado ya superado por la muerte, pero negaba el que había triunfado por la vida; así era él. Además se las ingenió para eludir las provisiones de la Ley de Residencia de Clérigos que desde 1808 obligaba a los de su estado a vivir en sus parroquias so pena de perder los estipendios. No cabe duda que la guerra protegió providencialmente al reverendo de amanecer sin sus prebendas, las cuales siguió disfrutando a pesar de su exilio y de los comentarios sobre su "conducta licenciosa".

He sufrido al escribir en este cuaderno tantas cosas que se dijeron o se dicen sobre mi padre, algunas de las cuales pueden ser ciertas y otras seguramente no lo son. Mentiría si afirmara que junto a ese sentimiento de desconfianza y rencor que hacia él tengo no existe también otro de admiración por su inteligencia y su extraña pero interesante personalidad. Comprendo que ambos son sentimientos confundidos, pero dejo constancia de ellos porque el propósito de estas líneas es que mis tres hijas y, sobre todo, el hijo que espero tener en un futuro conozcan la verdad sobre su vilipendiado abuelo y extraigan de su vida las más realistas enseñanzas. Se chismorrea que aquél no tenía una mentalidad balanceada y consistente y que carecía de capacidad de concentración (aunque le encantaba jugar ajedrez), pero si esto hubiese sido cierto resultarían inexplicables su carrera académica y sus muchos escri-

[54] El personaje literario es el reverendo G.F. Nott, prebendario de Winchester y Chichester, que abandona sus parroquias pero no sus estipendios para vivir en Roma; en el libro *Cabalgatas Rurales,* de William Cobbett.

tos llenos de sabiduría y en algunos casos de la más fina sensibilidad creativa. Antes de su viaje a Francia el reverendo publicó en Oxford, en 1796, una excelente versión latina con abundantes notas del *Hipólito* de Eurípides, la cual contó con la aprobación de sus maestros de Eton, los doctores Foster y Davis, y con una prensa sumamente favorable. Ese trabajo era abiertamente crítico de la versión francesa de Racine, cuyo morboso realismo opaca totalmente el valor moral del drama griego, actitud que valió a mi padre que algunos comentaristas galos lo insultaran con pretendido ingenio diciendo que "su erudición era difusa y sus notas confusas". Dio a la imprenta Didot la *Oda a Anactoria,* usada por Longinus a fin de demostrar la capacidad de Safo para armonizar los signos del frenesí amoroso dentro de frases impecables. También editó ahí mismo *La Oda a Afrodita,* citada por Dionisio de Halicarnaso, y todo ello le valió ser considerado como una verdadera autoridad entre los autores que han escrito sobre esos mitos. Que el reverendo admirara y respetara a su país y a nuestra ilustre familia de la que tan poco favor había recibido queda demostrado por la pasión puesta al escribir la biografía de Sir Thomas Egerton, Lord canciller Ellesmere, fundador de aquélla, y en el curioso ensayo sobre el plano inclinado subterráneo que el duque de Bridgewater había construido para conectar sus desnivelados canales, el cual publicó en la Real Sociedad de Artes de la que era miembro. Ambos escritos —reducido a diecinueve páginas el primero y de cierta naturaleza técnica el segundo— pusieron de manifiesto la versatilidad de Francis Henry Egerton y le valieron considerables aplausos y algunas censuras, como cuando descubrió en la Casa Bridgewater en Londres un manuscrito original del *Comus* de Milton, y lo tradujo al francés y al italiano con notas particulares. También publicó otras obras, por encima de veinte, sobre los más diversos temas propios de su erudición británica y clásica, entre ellas una sobre la vida de John Egerton, obispo de Durham (mi abuelo); otra sobre el carácter del célebre duque Francis Egerton; un relato histórico y genealógico —en francés— de los Egerton; cartas desde Spa en mayo de 1819 a John William Egerton; *Anécdotas familiares;* una epístola a los parisinos y a la nación francesa, conteniendo otra defensa del carácter del fallecido Francis Egerton, último duque de Bridgewater; un discurso al pueblo de Inglaterra y un tratado inconcluso de teología natural, además de otros muchos artículos, panfletos políticos —por ejemplo el de John Bull— y cartas inéditas comentadas, como la que la Señoría de Florencia envió al Papa Sixto IV en 1478. A la vista de su obra resulta difícil admitir que mi padre fuese simplemente un hombre excéntrico y mucho menos

Escudo de armas de la familia Egerton

1 Egerton, 2 Egerton (anterior), 3 Ap Eynian, 4 Randle E. de Chester,
5 Haug Lupus E. de Chester, 6 Algar E. de Mercia, 7 Done de Utkington,

8. Kingsley, 9 Silvester, 10 Smith of Cuerdley, 11 Grey de Wilton,
12 Granville, 13 Fitzhugh, 14 Longchamp,

15 Rokele, 16 De la Vache, 17 Grey, 8 Hastings (anterior),
19 Abergavenny, 20 Daniel E. de Huntingdon, 21 Brechnock,

22 Bruere, 23 Valence E. de Pembroke, 24 Warren,
25 Marshall E. de Pembroke, 26 Strongbow, 27 Hastings,
28 Conway de Hendre

un burgués sin talento ni capacidad de concentración o de especulación. No llevaba ciertamente una vida como el común de los clérigos ingleses (¡sobre todo viviendo en el frívolo París!), y su defecto bucal, que era tomado a veces por tartamudez, lo impulsaba a retribuir las burlas que por él recibía con una conducta heterodoxa y sobresaliente, que hasta a sus hijos nos apenaba; pero si se hace, como yo estoy haciendo ahora, un balance de sus realizaciones intelectuales podría asegurarse que el reverendo Francis Henry Egerton no fue ni un adocenado ni un lunático, no se dejó arrastrar por las peores tendencias de la sociedad de su tiempo y le procuró no pocas enseñanzas sobre el mundo antiguo, sobre la nobleza de su familia y sobre varios tópicos históricos y filosóficos. Si no hubiese sido mi padre yo le hubiera admirado seguramente mucho más.

En 1803, cuando le anunciaron en París la súbita muerte del duque de Bridgewater, a quien por tanto tiempo había tratado de complacer y halagar, a pesar de que la cultura de éste era tan pequeña como grande su fortuna, el reverendo debió de experimentar un fuerte choque. Y más aún cuando recibió noticias posteriores de que la fabulosa herencia y la propiedad de Ashridge habían ido a parar a su hermano mayor, el taciturno general, mientras él tenía que contentarse con la comparativamente pequeña suma de 40 mil libras.[55] Pero pronto tendría que enfocar su atención a asuntos más delicados y apremiantes. La frágil Paz de Amiens acabó por romperse y el primer resultado de la reanudación de hostilidades entre nuestro país y Napoleón fue que, por órdenes de este último, todos los súbditos británicos que se encontraban en Francia fueron secuestrados y enviados a campos de prisioneros. No se supo entonces a qué misteriosa influencia se debió que mi padre no corriera tan penosa suerte; lo cierto es que ni él, ni Sir Humphry Davy, el científico, ni su ayudante Michael Faraday, fueron encarcelados ni vieron limitadas sus posibilidades de viajar por el territorio francés como les plugiera. Sin embargo fácil es comprender que el reverendo tuvo que pasar días amargos en París, rodeado de una sociedad que lo veía como una evocación viviente del enemigo. Estoy seguro, además, de que hacia 1807 visitó el Mediodía francés, región desde la cual mi madre recibió una de sus cartas, participándole entre otras cosas que se había cambiado del "Hôtel Langeron" al "Hôtel Richelieu", en el centro de París. Fue más o menos por esa

[55] Este relato sobre la vida del reverendo Egerton en París sigue fielmente al hecho por Bernard Falk, en su obra citada.

época cuando la *Gaceta Oficial* de Londres lo recordó a sus compatriotas, al publicar la certificación de que debido a sus nobles ancestros, el reverendo Francis Henry Egerton y su hermana, Lady Amelia Hume, debían ser considerados con la
precedencia de hijos de conde y podían usar el título de *Honorable*. Por esa razón mi padre fue conocido desde entonces
en París como "Sir Egerton", pues los franceses eran compren-
siblemente incapaces para distinguirlo con un calificativo tan
extraño para ellos como el de "Honorable". Sin embargo este
tratamiento no lo consoló de haber sido olvidado por el duque
de Bridgewater como su principal sucesor, y su amargura fue
creciendo. En 1809 hizo un curioso anuncio público tachando
de falsos los rumores de que escribiría una extensa biografía del "Padre fundador de la navegación interior", a pesar de
haber vivido con él durante más de diez años, conocerlo perfectamente y tener preparada una multitud de materiales. Las
razones que dio entonces revelaban su triste estado de ánimo,
pues confesó abiertamente que carecía de disposición mental
y física para el cumplimiento de esa tarea, viendo que el sistema interior de canales navegables era considerado entonces,
exclusivamente, como un negocio mercantil, y se descuidaban
sus características de ser uno de los grandes complejos de comunicación de la Gran Bretaña y de toda Europa; por otra
parte, agregaba que no se hacía a la idea de retratar a un
"tirano egoísta" que sólo había querido vivir para él, sin preocuparse de los deberes inherentes a quien hereda una gran
fortuna de una larga línea ancestral, y que "desconocía a personas de su propia familia, nombre y sangre, no hacía carida-
des, ni asistía a servicio religioso alguno". No obstante todo
lo anterior, por el testamento del reverendo que acabo de conocer (en el que por cierto mi hermano y yo fuimos totalmente
ignorados, como ya lo suponíamos) existe evidencia de que sí
escribió unas *Memorias* del famoso duque, pues dejó instrucción expresa a sus albaceas de quemar un manuscrito identificado como tal, celosamente guardado en un cofre bajo llave.
Nunca conoceremos la magnitud de la admiración y del odio
que mi padre guardaba para el señor de Bridgewater ni de algunas notorias incidencias de la vida de éste, especialmente el
por qué después de que lo "plantó" su prometida, la joven
viuda Elizabeth Gunnings, duquesa de Hamilton, el duque
decidió no casarse nunca y se convirtió en un misógino. Aunque mi madre nos contaba que el asunto era diferente, pues
Sir Francis Egerton había exigido a la duquesa que después
del matrimonio que estaban próximos a contraer terminara su
relación con su propia hermana Lady Coventry, cuya reputación
andaba en boca de todos, a lo que su prometida se negó, ha-

biendo sido él quien rompiera el compromiso y a sus floridos veintitrés años se sepultara en su propiedad de Lancashire, autocondenado a no resultar padre de otra cosa que no fuese la navegación interior.

Quizá para tratar de olvidar las decepciones que le había causado la familia, el reverendo Egerton viajó a Italia por aquellos años, enriqueciendo su ya amplia colección de autógrafos y manuscritos, algunos sumamente valiosos, como una Biblia florentina iluminada, del siglo XIII; un manuscrito de *La Divina Comedia* de mediados del siglo XIV y los comentarios de Giovanni da Serravalle, obispo de Fermo, de 1417; dos tratados de cetrería del siglo XV; un códice mexicano de 1519; las cartas del conde Cagliostro a su esposa Sérafina o la nota escrita en el baño por el sangriento revolucionario Marat, poco antes de ser asesinado por Charlotte Corday, y por la cual se dice pagó veinticinco guineas a un ujier parisino que la extrajo de un expediente de la corte. Todos estos inapreciables documentos y muchos otros procedentes de la antigua Grecia, la imperial Roma, Inglaterra, España, Francia y otros países, que forman la colección de *Manuscritos Egerton,* han sido legados por el reverendo al Museo Británico, lo que espero baste para echar por tierra la injusta versión de que el hoy fallecido había llegado a odiar a su propia patria.

Después de la derrota y abdicación de Napoleón y la llegada de Luis XVIII para ocupar el trono de sus mayores, el reverendo decidió adquirir una casa en París y al fin compró el "*Hôtel* de Noailles", cuyo dueño, el duque, había sido arruinado por la guerra y aceptó vender la enorme propiedad urbana de *Rue* Saint Honoré —cuyos jardines colindan con el Palacio de las Tullerías— en sólo 26 mil libras esterlinas. Encantado con su compra mi padre escribió en su libro sobre Safo, en 1815, que se disponía a decir adiós a sus publicaciones sobre la antigüedad griega, y que en ambiente tan favorable habría de dedicarse en forma exclusiva a sus "investigaciones diplomáticas e históricas". En marzo de ese año, sin embargo, recibió una desagradable sorpresa: Napoleón regresó de Elba para ocupar las Tullerías, a la luz de cientos de antorchas enarboladas por el delirante populacho, mientras el rey huía discretamente sin escuchar los gritos de "¡Viva el emperador!" Horas después, el reverendo recibió del nuevo gobierno un *ultimatum* de tres días para desocupar su palacio y ponerlo a disposición del ex cónsul Lebrun, duque de Plaisance, quien, habiéndolo ocupado con anterioridad a la salida de Napoleón, lo reclamaba para instalar las oficinas de la Tesorería Imperial. Cuando refiere a sus oyentes londinenses este episodio, Bernard Falk suele decir que

"aunque los defectos del reverendo eran numerosos, entre ellos
no figuraba la cobardía", lo que demostró fehacientemente al
negarse de manera tajante a desocupar su casa, argumentando
que había pagado altos impuestos por la propiedad y tenía
pleno derecho de gozar de ella sin ser molestado; apeló inmediatamente al prefecto del Sena contra el inicuo procedimiento
y, como éste no le diera una satisfacción, procedió a armar a
sus sirvientes y convertir las puertas de la mansión en infran-
queables barricadas. El emperador se enteró estupefacto de
que el belicoso propietario en rebeldía era un terco clérigo
inglés semiparalítico a causa de la gota, pero acabó por dejarlo
en paz pues en esos días había decidido cambiarse al Eliseo y
abandonar las Tullerías al uso de funcionarios menores. Con
intenso aunque disimulado regocijo el *"tout Paris"* comentó
el exitoso desafío ganado por Francis Henry Egerton a Napoleón Bonaparte, el cual tuvo una secuela cuando la prefectura
ordenó a todos los propietarios de casas que tenían fachadas
sobre la *rue* Rivoli que uniformaran éstas con el propósito de
embellecer la ciudad. Aunque la parte trasera de la mansión
del reverendo sólo se extendía unos cuantos metros sobre esa
calle y la obra hubiese sido de bajo costo, se negó a remover
un solo ladrillo. Antes de que el asunto pasara a mayores la
batalla de Waterloo fue ganada por los aliados y Napoleón
enviado a Santa Elena para no regresar jamás. Cuando los
vencedores ocuparon París amenazaron también con apoderarse
del *hôtel particulier*, a través del príncipe Leopoldo de Saxe-
Coburg, a quien el propietario opuso tenaz y personal resistencia en la puerta, armado con un rifle y apoyado por cerca
de treinta sirvientes; le llamó *truhán* y lo corrió con cajas
destempladas, igual que a un general ruso, edecán del zar Alejandro, quien se presentó después con idéntico propósito. Estas
anécdotas de mi padre, que conocí siendo un adolescente, me
revelaron que a pesar de todo tenía una gran dignidad y no
poco valor y que sabía defender sus derechos y no permitir
que nadie los atropellase. Fue esa una lección que no olvidaré
nunca. Cuando uno tiene la razón debe insistir en ella, reivindicar lo que le pertenece con asertividad y aun con marcialidad, sin ceder ni sucumbir.

Tengo que aceptar, sin embargo, que otros aspectos de la conducta del reverendo no resultaron tan loables y hasta los periódicos parisinos se ocuparon en ocasiones de ellos. Me refiero
a que su necesidad de autoestima le hacía cometer actos que
otros no perdonaban y a ofender a la sociedad con excentricidades que él solía remarcar con el propósito de ser notorio.
Rebautizó por ejemplo al casi legendario *"Hôtel* de Noailles",

que desde el siglo xvII había sido hogar de una distinguida familia realista que ha dado a Francia varios mariscales, como el *"Hôtel* Egerton", mandando poner un letrero a la entrada con el blasón familiar. Los vecinos del *Faubourg* Saint Honoré comentaban airados el atrevimiento del "inglés loco" al pretender trasterrar la leyenda de ese histórico inmueble que había albergado a la condesa de Noailles, la famosa *Madame l'Étiquette,* preceptora de María Antonieta, y en el cual ésta había recibido al mariscal Lafayette a su regreso de América. "¡Este *briton,* que ni siquiera habla bien el francés, ha llegado demasiado lejos!", solían decir. Cierto día de 1818 el reverendo salía muy de mañana, como era su costumbre, en su lujoso carruaje, cuando se percató de que unos trabajadores que estaban redecorando el jardín de las Tullerías con tiestos de flores habían tendido unas cuerdas sobre el muro de su propia casa y lo habían escalado maltratando los setos. Al ser cortésmente requeridos —en latín— para que se disculparan por esos hechos, los trabajadores aprovecharon la oportunidad para magnificar el incidente, gritando "¡Muera el inglés!", e iniciando un ruidoso altercado que movilizó a la guardia, uno de cuyos soldados aprehendió pistola en mano al reverendo, lo hizo bajar de su carroza y lo condujo haciéndolo caminar penosamente por los largos corredores del Palacio, hasta la sala de la propia guardia, donde un oficial lo liberó después de escuchar —en mal francés— la explicación del sucedido. Mi padre, en defensa de su honor y sus intereses, escribió una carta de protesta al duque de Reggio, comandante de la Guardia Real, y como éste no le diera una excusa, invocó la intervención del embajador británico quien se negó a prestarle ayuda alegando que el quejoso había establecido contacto previo y directo con las autoridades francesas, lo que motivó que éste se dirigiera airado ¡al primer ministro Lord Liverpool! instándole a que reparara el insulto inferido "a la nación inglesa". Este tipo de pequeños problemas exacerbaban más la personalidad de mi padre, decepcionado por el trato que había recibido de su propia familia, el cual buscaba compensar exigiendo la sumisión o complacencia de otros y provocándolos con actitudes irracionales que se convirtieron en chisme cotidiano. Llegó un cierto momento en que el reverendo vestía de manera totalmente extravagante y usaba su sombrero de pilón de azúcar hundido casi hasta los ojos como si quisiera ocultarse de la vista ajena; además tenía 365 pares de botas, una para cada día del año. Se hacía acompañar a todas partes de dos lacayos en librea para hacer notar su paso por las calles y paseos, y cuando llegaba a visitar a alguien, uno de aquéllos se adelantaba a entregar una tarjeta en donde se leía: *En personne.* En ocasiones un

tercer lacayo marchaba atrás llevando algunos de los muchos
perros que poseía. Nunca desaprovechaba la oportunidad para
proclamar su rango, y el escudo de los Egerton fue grabado en
los más disímiles objetos de uso cotidiano, hasta en los collares
de sus dogos que, cuando no lo acompañaban en su habitual
paseo en carroza por el Bosque de Bolonia, iban solos en el
lujoso carruaje tirado por cuatro caballos grises y llegando a
los prados descendían a gozar de ellos en compañía de los servidores confundidos por el extraño papel que les tocaba desempeñar. Dos de sus perros favoritos, *Bijou* y *Biche,* eran admi-
tidos regularmente a su mesa, ocasión en que vestían trajes
de seda y botas como si fueran seres humanos, y cuando no se
portaban bien les reprendía, comparando sus malos modales
en la mesa con los del maleducado Napoleón, o los castigaba
reemplazándolos con otros dos, igualmente vestidos, que pasaban a ocupar su lugar para provocar que en la próxima ocasión
las mascotas consentidas se condujeran de manera más elegante. No se crea que todas sus noches eran así. A decir verdad,
ser invitado a cenar por Francis Henry Egerton solía ser una
experiencia inolvidable, pues la comida era preparada por el
chef Viard, autor del *Cuisinier Royal,* a quien el reverendo
pagaba un sueldo fabuloso. La vajilla era toda de plata y cada
invitado disponía de un lacayo parado atrás de su silla para
atender el menor de sus deseos. Junto a los platillos de alta
cocina francesa hacía servir siempre *rosbif* con papas, que muchas veces los comensales probaban solo por cortesía, aunque
en cambio solían hacer los honores al queso de su nativo Chesire, que tampoco faltaba nunca. Era un auténtico *gourmet*
pero sus caprichos resultaban mayores que su buen gusto por
la comida. En París se hizo famosa esta anécdota: en una ocasión el reverendo ordenó a sus sirvientes que prepararan los
carruajes para realizar un viaje que le llevaría varios meses, y
los vecinos presenciaron cómo a las puertas del "Hôtel Egerton" se formaron aquella mañana hasta quince carros cargados
de un abundante equipaje con todo lo necesario para el con-
fort del viajero, incluyendo por supuesto los perros y treinta
guardias; así lo vieron partir y perderse en el horizonte, pero
juzgad su consternación cuando al caer la noche el largo tren
rodante regresó completo a la *Rue Sain Honoré,* con el dueño
de la mansión y sus acompañantes. Lo que había contrariado
sus planes había sido la mala comida que según él tuvo que
probar en un albergue de Saint Germain-en-Laye, a las afueras
de la ciudad, y que declaró ser la peor de su vida, por lo que
temeroso de tener que sufrir más adelante privaciones gastro-
nómicas semejantes había ordenado el pronto regreso de toda
la cabalgata. Otras excentricidades de mi padre, ligadas al

gusto por la buena comida, lo constituían las partidas de caza que organizaba a hora temprana ¡en los jardines del *"Hôtel Egerton"!*, los cuales hizo llenar de conejos, pichones y perdices. Apoyado en el brazo de algún lacayo, pues casi no podía mantenerse en pie, mi singular progenitor solía dispararles con su escopeta, con el consiguiente sobresalto del vecindario y las piezas cobradas eran servidas en su mesa. Los franceses, que son especialistas en exageraciones, comentaban que las aves tenían recortadas las alas, lo que presenta las apariencias de ser una absurda mentira, pues aunque el reverendo era excéntrico por naturaleza nunca fue considerado un hombre cruel. Otras cacerías eran aún más espectaculares, pues los propios jardines se tornaban escenario de la persecución de alguna zorra macilenta acosada a caballo por el noble inglés e invitados precedidos de ruidosas jaurías y al sonido del cuerno, lo que armaba un colosal alboroto que frecuentemente hacía que los transeúntes escalasen los muros de la mansión para presenciar tal acontecimiento. Los periódicos parisinos llegaron a consignar que una de estas partidas se realizó de noche a la luz de cientos de antorchas portadas por criados y ayudantes, pero eso también parece fruto de la fértil imaginación de los escritores y de la mala voluntad que tenían al nuevo propietario del tradicional *Hôtel.*

Esta conducta heterodoxa no cesó ni siquiera hace seis años cuando, a la muerte de su hermano, mi padre obtuvo el título de conde y fue llamado por todos Lord Bridgewater o Lord Egerton. En su testamento fechado el 25 de febrero de 1825 y en cuya factura fue auxiliado por su amigo cercano John Charles Claremont, el banquero socio de la casa Laffitte, quien había tenido gran éxito en los negocios originalmente establecidos por Perregaux, mi padre demostró por vez postrera su irrenunciable vinculación a la familia de que formaba parte (con la notable excepción de sus dos hijos) y sus preocupaciones intelectuales. En seis codicilos, algunos de los cuales redactó personalmente, sentado en el vasto salón frontal de su casa con vista a los bellos jardines, el reverendo Lord legó cinco mil libras esterlinas para la erección de un obelisco a la memoria de su primo el último duque, cuyo diseño realizó de propia mano; los tesoros de su biblioteca, consistentes en 67 volúmenes de cartas y autógrafos italianos y franceses, 96 Cartas Constitucionales, un manuscrito hebreo y otras joyas bibliográficas de distinto origen, los donó junto con 12 mil libras esterlinas al Museo Británico, como ya he consignado, debido a la injusta disposición de su hermano de no permitir su entrada a Ashridge; sin embargo, hizo una donación de tres mil libras al nuevo ocupante de la casa solariega de los Egerton, para proveer a la seguridad de algunas reliquias familiares que dispuso fueran llevadas a esa mansión, para acompañar las que ahí existen de la reina Isabel. También dejó un legado de ocho mil libras al presidente de la Real Sociedad de Artes para la publicación de los *Tratados Egerton* sobre el poder, la sabiduría y la divinidad de Dios, sus escritos teológicos, que deberían ser reforzados con los argumentos de ocho especialistas. Otras donaciones fueron establecidas en el testamento en favor de los pobres de sus parroquias de Whitchurch y Middle; para la reparación del monumento de Sir Isaac Newton en la abadía de Westminster; para el embellecimiento de la tumba de Sir Thomas Egerton, canciller Ellesmere; y cuatro mil libras esterlinas para la erección de un monumento dedicado a él mismo en la iglesia de Little Gaddedsen, donde pronto lo enterraremos, y cuyo diseño también se preocupó por dejar a fin de que fuese ejecutado en mármol blanco: se trata de una figura femenina sentada en una roca, a cuyos pies se encuentra un delfín y cuya mano derecha descansa en un libro con el título *Obras de la creación*, mientras su codo izquierdo se apoya en el cuello de un elefante teniendo detrás una cigüeña. Ese extraño deseo seguramente se verá cumplido. Por último, fue voluntad de Lord Francis Henry que el *"Hôtel* Egerton" de París —que seguramente recuperará ahora su nombre original— sea vendido en el plazo de dos meses. Casi olvidaba referir que el testamento contiene una disposición que favorece a cada uno de los servidores de la mansión parisina con un traje de luto, un sombrero y tres pares de medias, excepto en el caso de que su autor falleciera de muerte no natural; y que también dejó un legado simbólico de 50 libras al príncipe de Talleyrand, gracias al cual he llegado a la conclusión de que ese poderoso personaje fue quien (acorde a su jerarquía eclesiástica y a sus liberales costumbres en materia femenina) debió identificarse con la personalidad de Lord Francis Henry Egerton y constituirse en el hombre de influencia que lo protegió durante su larga estancia en París.

14. *Allá abajo está Londres*

"Vengo a manifestar a Su Señoría que
soy la viuda del infortunado señor Egerton
quien fue asesinado en México
el 27 de abril... mi difunto esposo
se había separado de mí
desde hace mucho tiempo y estaba viviendo
con otra persona en México...
Deseo informar a Usted que me casé en
Lixden, en Essex, el 25 de febrero de 1818
y tuve tres hijas mujeres
del señor Egerton, una está conmigo
y las otras creo que aún viven."

Carta de Georgiana Egerton (neé Dickens)
a Lord Aberdeen,
ministro del Servicio Exterior.

[Londres, 4 de julio de 1842]

The Ashridge Inn, Hertfordshire,
18 de abril de 1829

EL CUERPO DEL REVERENDO Lord Francis Henry Egerton llegó
esta mañana a Ashridge procedente de Londres, donde fue
exhibido por dos días en Bridgewater House. Allí vi dentro del
ataúd su cara embalsamada y prácticamente entonces conocí a
mi padre pues mis recuerdos de niño sobre su rostro apenas
eran vagos sueños imprecisos. Los ojos cerrados, el pelo cano
peinado con esmero, la enorme quijada proyectada hacia adelante, los labios finos y fríos, la nariz grande y boluda: era
como el pequeño retrato que nos enseñaba mi madre, sólo que
ahora sus facciones se habían endurecido y las arrugas resal-
taban pese a la rigidez cadavérica y al cuidadoso trabajo de
conservación que sus albaceas ordenaron en París y dispusieron fuera retocado en el Hospital Foundling. El ataúd ya no
fue destapado hoy en Ashridge, pues el servicio tuvo lugar en
la capilla gótica que, como el resto de los edificios, fue recons-
truida hace quince años por el séptimo conde, cuya viuda
ordenó se recibieran los restos de su hermano para, después
de las oraciones, ser sepultados en la iglesia de San Pedro y

San Pablo en Little Gaddedsen, que se encuentra a menos de una milla. Curiosamente fue Lady Bridgewater quien presidió el duelo y recibió las condolencias pues yo he asistido a los actos del funeral sin identificarme, cual si fuera un pariente lejano de esta vasta familia que tiene tantas ramificaciones, como Oulton, Tatton y Adstock. Mi hermano William Henry se encuentra en México desde hace cierto tiempo y quizá en estos momentos no se haya enterado aún del fallecimiento de nuestro padre, a pesar de que le escribí tan pronto lo supe. Habíamos no más de veinte personas sentadas en la preciosa sillería lateral de la capilla de esbelta nave, altos techos de nervaduras, semicolumnas medievales, alargados vitrales en ojiva de cristal germano, vigilantes tritorios y nichos vacíos. Eran en su mayoría viejos feligreses de Whitchurch y Middle, las parroquias de mi padre, y arrendatarios de sus casas y terrenos, que a pesar de no haberlo visto durante veintisiete años le rendían esa última muestra de incomprensible fidelidad, con la que honraban de paso a mi abuelo John Egerton, obispo de Durham, a quien aún recordaban por su sabiduría, su sentido de conciliación y su amor por los humildes.

Mientras se llevaba a cabo el servicio recordé la historia de Ashridge, —la "loma de los fresnos"— que originalmente fue un monasterio fundado en el siglo XIII por Edmundo Plantagenet, duque de Cornwell, cuyo corazón se encuentra precisamente en la sacristía de la capilla. A la muerte del fundador la propiedad pasó a su hermano el rey Eduardo I, y en el siglo XVI, al constituirse la Iglesia anglicana y disolverse los monasterios, Ashridge se convirtió en una Residencia Real que vio jugar cuando niños a tres futuros reyes en Inglaterra, María, Isabel y Eduardo, hijos de Enrique VIII. En el año de 1605 el feudo fue adquirido por Sir Thomas Egerton, Lord Ellesmere y vizconde Brackley, fundador de la Casa de Bridgewater, a la sazón Lord canciller de Jaime I, y quedó en nuestra familia por más de dos siglos hasta el desventurado testamento del general John William, mi tío el cainita, que eliminó de la sucesión a su propio hermano para entregar Ashridge a unos extraños. Mientras el órgano tocaba Hendel yo recordaba el monumental conjunto arquitectónico que conocí en la infancia, entonces casi totalmente abandonado, cuando mi madre nos llevó a William Henry y a mí a visitarlo a escondidas del administrador, gracias a los servicios de un viejo criado que había recibido muchos favores del reverendo y que nos franqueó la entrada. Era aquélla una mala época para la casa ancestral cuyos techos se estaban cayendo aunque el último duque había proyectado reconstruirla e incluso acumulado valiosos materia-

les para ese propósito que nunca realizó. Hay que reconocer
que el general la restauró y amplió magníficamente, contando
con el genio del arquitecto James Wyatt, quien erigiera las
nuevas instalaciones entre el macizo de limoneros del este y
la larga hilera de olmos del oeste, que por muchos años se-
guirán proporcionando incomparable belleza al lugar, como los
nativos fresnos, uno de los cuales fue plantado hace no mucho
por la pequeña princesa Victoria, hija del duque de Kent. Pero
a pesar del descuido en que se mantuvo Ashridge por esos
años en mi mente quedaron grabadas las imágenes de su grandeza: el claustro monacal con sus celdas y criptas pétreas, el
granero de los diezmos, el patio del edificio principal, el gran
hall con sus siete ventanas góticas, la enorme biblioteca, el
salón de billar con su chimenea toscana, los apartamentos
privados, el templo de Little Gaddesden y sus tumbas nobi-
liarias, y sobre todo el espléndido parque de cinco millas de
circunferencia, con su Valle Dorado, la avenida de los liqui-
dámbares, el círculo de los tres cedros y los hermosos jardines
en donde se representó por vez primera —con su imprescindible desfile de monstruos— el *Comus* que John Milton escribiera ahí mismo. Recorrerla ahora no me causó la misma impresión. Hasta vi menos señoriales los antiguos salones, menos
grandiosas las soberbias pinturas de Guido Reni y Jan Wick,
los toscos cofres medievales, los cortinajes de brocado verde
y los candelabros de plata maciza. El esplendor de ahora se
siente algo nuevo y poco usado, no es comparable con la añeja
distinción de aquel Ashridge deteriorado pero oloroso a tradición que admiré hace un cuarto de siglo, cuando yo me preguntaba dónde se escondería el fantasma que tienen todas las
casas solariegas y de qué armadura silenciosa brotaría de repente el espíritu de un viejo Egerton dispuesto a impedir la
llegada de los intrusos. (El cual quisiera invocar ahora para
que purificase y recobrase de sus nuevos poseedores ilegítimos
la soberbia mansión del primer Ellesmere-Bridgewater.) Seguí
añorando, mientras caminaba en discreta tercera fila detrás del
féretro del reverendo que era llevado en una carroza fúnebre
tirada por dos caballos de negros penachos hasta Little Gaddedsen cuya aguja se asomaba sobre los fresnos. Ashridge fue
testigo de casi seis siglos de historia inglesa y ahora me parecía condenada a dejar escapar ese depósito mágico como la
botella de Aladino liberó para siempre al genio cautivo. Contra ello tendrían que rebelarse todos sus moradores silenciosos:
Edmundo, el duque de Cornwall, su ilustre creador, en unión
de los monjes bonhomitas de extraño hábito azul; Ricardo de
Watford, su primer insigne rector y Tomás de Cantalupe, obispo de Hereford, que bendijo todo el feudo con su hisopo de

Ashridge, Gran Bretaña, en 1768 (Vista norte).
Matita-acquarelata
del libro "This is Ashridge" de Henry Gordon,
The Leagrare Press Ltd., 1949

oro; el rey Eduardo I que asistió al funeral del fundador haciendo dos jornadas desde su castillo; la reina Isabel que de estos jardines partió hacia la Torre de Londres como prisionera y de ellos volvió a salir tres años después para ceñir la corona; Sir Thomas Egerton, procurador, canciller y gran abogado, que derrotó al juez Coke, asegurando la existencia de los tribunales de equidad frente a los de ley común y redactó en la biblioteca de la casona su famosa teoría de los *antenati* y los *postnati* para resolver complicados conflictos de propiedad entre súbditos escoceses e ingleses; y el último gran inquilino de la mansión original, Francis, duque de Bridgewater, "Padre fundador de la navegación interior británica"; quien debería de resucitar hoy mismo para pedir perdón a mi padre y construir con sus famosos ingenieros un gran canal por el que Ashridge, desprendida de tierra firme, se deslizara cuesta abajo por los 620 pies que sobresale del nivel del mar y llegara hasta la costa, convertida en una isla que después se perdería entre las olas espumantes para que no pudiera ser localizada jamás por Lord Alford ni por nadie que no fuese un auténtico Egerton.

Después de que el cuerpo del reverendo fue sepultado cerca del muro oeste de la iglesia de Little Gaddedsen, junto al sendero de acceso, todos regresamos en coche a Ashridge, pues Lady Bridgewater —quien se rumora casará con el caballero Asley Cooper— había preparado un refrigerio, y entonces pude admirar el sobrio comedor de paneles de roble austriaco y techo bellamente decorado en donde mi padre y el viejo duque solían recordar durante las sobremesas cuestiones de abolengo y charlar sobre el futuro industrial de Inglaterra. Traté de abarcar con la mirada todos los rincones de la casa, sus corredores, sus antecámaras y pasillos, y ya afuera me solacé ante los altos edificios góticos, cubiertos de enredaderas primaverales, la sólida torre de la capilla con su audaz aguja y su reloj de cuatro carátulas, el portón de la entrada norte, el jardín italiano, los verdes prados y los fresnos que vi en mi infancia. Quería imprimirlos en mi retina, pues estaba seguro que no los volvería a contemplar nunca, sentimiento que no me abandona.

Tan pronto llegué a este viejo y cercano albergue, con su olor a flor de lavanda y a buena cerveza, me puse a escribir estas líneas. Aquí estoy yo, Daniel Thomas Bradstock Egerton, que hoy precisamente cumplo treinta y dos años de edad, grabador y acuarelista, amante de la física y la historia, apasionado de la naturaleza, teniendo que dormir en la incómoda cama de esta modesta posada de Herdfordshire que me cuesta tres chelines por noche, cuando a dos millas se encuentra la

confortable casa ancestral que debería ser de mi hermano
o mía, la cual edificó, defendió y mantuvo por siglos la familia a la que pertenezco y que detentan una viuda algo ligera y
una colección de intrusos. Maldije mi suerte y la de mi padre,
maldije al viejo duque misógino y al malvado general que
privaron al reverendo Francis Henry Egerton y a nosotros sus
descendientes de los derechos naturales que ninguna ley humana o costumbre nobiliaria nos puede arrebatar y que quizá
algún día recobraremos. He pedido una copa de jerez al posa-
dero y ya más sereno prosigo estos apuntes tan desordenados
que han empezado por el final y no por el principio.

Estoy procediendo exactamente igual que el escritor irlandés Laurence Sterne cuyo famoso héroe, el caballero Tristram
Shandy, no pudo nacer en los dos primeros volúmenes de su
propio libro biográfico, enredado en la historia de sus proge-
nitores y familiares. Ahora que recuerdo ese pícaro relato que
tanto gocé en mi juventud, pienso que la comparación no puede ser más justa y apropiada, pues las primeras palabras de
este cuaderno debieran haber sido semejantes a aquellas con
las que se inicia el libro de Sterne, en que Shandy expresa
que quisiera saber en qué estarían pensando sus padres cuando
lo engendraron y pregunta si se darían cuenta de la importancia de dar la vida a un ser racional, un *homúnculo* con plenos
derechos, que al decir de su tío Toby había iniciado su mala
suerte nueve meses antes del día en que vino al mundo. Hoy
siento que esa misma frustración y tristeza, la inquietud de
un *nonato* que sin embargo ha vivido para ver cómo se des-
hace su ilusión de continuar la trayectoria de una de las genea-
logías más respetadas del país. Pero, estoy convencido de que
nada se gana con dejar sin freno las amarguras: es la razón
la que debe controlar al sentimiento. Debemos ser siempre
dignos y responsables, no precipitarnos, actuar con método,
regularidad y constancia. Con ello podemos superar los meta-
bolismos de la fortuna y vivir nuestra propia vida como la
hemos deseado, sin dejarnos gobernar por las circunstancias
ni por los hechos de los demás. Asentado esto continúo por
donde debería de haber comenzado.

Nací en Hampstead, en las alturas cercanas a Londres, el 18
de abril de 1797, año en que según sé ahora, estábamos en
guerra con España; en que el general Bonaparte terminó su
brillante campaña de Italia y regresó a París, disponiéndose
a invadir Inglaterra, aunque luego torció su camino hacia
Egipto; en que Goethe publicó su poema bucólico *Hermann
y Dorotea,* y el joven Turner de 22 años fue a pintar a Escocia; año en que nació también el recientemente desaparecido

G. Childs: *Holly Bush Hill en Hampstead, 1840.* Litografía

compositor musical Franz Schubert, y en que el físico Olbers
dio a conocer su método para calcular las órbitas de los cometas; un año, en fin, presagioso e intenso como son siempre los
de la última década de cada siglo. Todo hombre que se respe-
te debería nacer y morir en unas lomas altas con dilatado horizonte como las de Hampstead, que dominan la ciudad de
Londres y los recodos del Támesis y forman un enorme claro
de la floresta de Middlesex.[56] La historia de este hermoso lugar
nos revela que se fue poblando gracias a los requerimientos de
salud y seguridad de los londinenses y del resto de los británicos. En la época feudal, ante la amenaza de la peste —la famosa "muerte negra"— o el augurio de las destructivas inundaciones, cientos de habitantes de la ciudad subieron hasta sus
colinas, incluyendo los monjes de Westminster, en busca de
refugio sanitario, y en el periodo de la guerra civil muchas
familias pudientes, para huir de las matanzas y persecuciones,
construyeron ahí sus *cottages*,[57] los que al finalizar el conflicto
empezaron a usar como casas de veraneo. En el siglo pasado
el doctor John Soane escribió un panfleto sobre las aguas curativas de los estanques y pozos de Hampstead, "fuente inextin-
guible de salud", y ello también contribuyó a volverlo un sitio
de moda que superó a Bath y Tunbridge Wells, lugar este
último, por cierto, donde la escritora Betsy Sheridan-Le Fanu
conoció a mi padre en 1785, cuando éste tenía 29 años, y a
quien describe en su *Diario* como "un clérigo alto y joven que,
aunque no era guapo y usaba dos relojes, resultaba muy atractivo para las damas a quienes entretenía con su amena plática
sobre peinados, modas y otros temas interesantes para ellas".
Inaccesible a la multitud con propósitos de habitación permanente, Hampstead atrae cada verano a muchas familias y
visitantes distinguidos que lo buscan como un lugar de descanso, placer y clima fresco, alejado de aglomeraciones y humos industriales y sembrado de bellas mansiones, cabañas y villas
desde las cuales se contemplan los paisajes más asombrosos.
Lo más importante y característico de Hampstead es que ha
sido un sitio favorito de los artistas, sobre todo a partir de la
segunda mitad del siglo XVIII, cuando la escuela británica
de paisajistas que se había congregado en Londres empezó a
reunirse en sus lomas risueñas que desde entonces se calificaron justamente como las más "pintorescas" del país. Aunque

[56] *Los Anales de Hampstead* de Tomás J. Barratt, editado en Londres por Adam y Charles Black en 1912, son una espléndida crónica
histórica de esa localidad.
[57] Cabañas o casas pequeñas, casi siempre de piedra, madera y teja.

el paisaje contaba mucho en el arte inglés, Hampstead destacaba también por los ejemplos de estilo de vida y carácter que
ahí podían estudiarse. En esa época el moderno *spa*[58] ya se veía
muy concurrido, y frecuentemente se decía que "todo el mundo y su esposa lo visitaban". Si en la época Tudor las lavan-
deras de Hampstead lavaban el lino del rey y de la nobleza, y
lo bajaban a Londres, ahora los estadistas, duques y condes,
magnates, letrados y artistas subían a sus bellas alturas y bebían agua de sus célebres estanques. En su tiempo, Hogarth y
Sir Joshua Reynolds se veían por ahí a menudo, sentados en
la tradicional hostería "The Bull and the Bush"[59] departiendo
con Gainsborough, Sterne, Garrick y otros. Cuando yo nací,
lores y jueces solían beber ponche en el *pub* llamado Castillo
de Jack Straw y luego organizar una partida de boliche, como
lo proclaman los curiosos grabados de Woodward. Por su parte
el famoso pintor George Rommey construyó una casa de campo en Holly Bush Hill, cerca del Grove,[60] donde instaló su
estudio que frecuentemente era visitado por la "divina Emma",
la mujer de sus sueños, quien poco después se convirtió en
Lady Hamilton, no sin antes haber posado para muchos de sus
cuadros. John Linnell, el magistral paisajista y el poeta William Blake pasaron muchos días juntos en Hope Cottage, en
el Extremo Norte, visitados por el artista-astrólogo John Var-
ley y por Samuel Palmer, quien se transformó ahí de retratista en paisajista. Todavía ahora Linnell sigue produciendo
hermosos cuadros que recogen el perfil de las villas y granjas
de Hampstead y sus vastos prados bañados por el sol cre-
puscular. Otros pintores muy conocidos establecieron su residencia, por lo menos temporal, en este sitio privilegiado, como
John Constable —a aquien conozco y admiro—, William Collins y David Wilke. La esposa de Constable murió el año
pasado en su casita de Well Walk y fue sepultada en la iglesia
de Hampstead, donde Constable, quien ha producido en esa
tierra que llama suya muchas de sus obras mejores, ha declarado formalmente que también desea reposar cuando muera.
Wilke suele visitar la casa del doctor Baillie y sus hermanas
Joanna y Agnes, en donde se restableció de una penosa enfermedad, y afirma que la sociedad que se congrega en este sitio
de veraneo es la que exhibe a Inglaterra de su manera más
jocunda o feliz: "bebiendo cerveza y organizando fiestas bajo
los árboles". La casa de los Baillie, situada en Windmill Hill,

---

[58] Salas Per Aquam.
[59] "El toro y el matorral."
[60] El macizo boscoso, la arboleda.

es, por cierto, un sitio de reunión de la Sociedad Literaria y Científica de Hampstead, y en distintas épocas ha sido visitada por Walter Scott, Byron, Wilson, John Ruskin, Keats Shelley, Leigh-Hunt, Charles y Mary Lamb, Turner, Fuseli, Dante Gabriel Rosetti, Morland y otros artistas, que se han regocijado con las piezas de teatro que se representan ahí durante los fines de semana, después de las cuales se improvisan interesantes cenáculos. También han residido en esas bellas lomas prominentes políticos, como el honorable Spencer Perceval, que vivía en Belsize House, fue primer ministro y colaboró como pocos a la victoria de Wellington sobre Napoleón, aunque no pudo verla consumada pues, como todos sabemos, fue asesinado en 1812 a la entrada de la Cámara de los Comunes. Hay que consignar asimismo que William Pitt, devenido Lord Chatham, habitó por varios años en la conspicua North End House.

Ése es el lugar, y sobre todo el ambiente en que nací y en el que he vivido casi toda mi existencia, adquiriendo la sana costumbre de ver a Londres de arriba hacia abajo. Antes que las indiscutibles bellezas arquitectónicas de esa gran ciudad que alberga casi millón y medio de habitantes, o sea más del diez por ciento de los que tiene el país, aprendí a admirar las construcciones rústicas de mi pueblo natal. He de puntualizar que Hampstead se encuentra situado al noroeste de Londres y al suroeste de Highgate, que como su nombre lo indica es la puerta más alta para ingresar a la ciudad. Su prado superior, conocido como Hampstead Heath, es un enorme espacio de más de 300 acres de superficie, situado a 443 pies de altura sobre el nivel del río Támesis, y en cuyo ángulo occidental se encuentra el Castillo de Jack Straw de donde arranca el curvo Camino de los Españoles, favorito de los acuarelistas; a unos 100 pies de altura más abajo destaca la iglesia de San Juan y por un sendero que se llama Garden Well Walk se arriba a los célebres estanques de aguas curativas que tanto elogian los doctores Gibbons y Bliss. Pasando Parliament Hill, que se halla a 319 pies de altura, descendemos al tanque de Rock Hill y Belsize House, de donde podemos continuar hacia el suroeste hasta la colina de Primrose a cuyos pies repararemos en el blanco edificio de techos rojos llamado Chalk Farm, que sobresale entre los flébiles y abundantes cipreses. Toda la comarca se despliega como si fuera una sucesión de terrazas, donde los macizos de árboles y los espacios abiertos se combinan naturalmente con rara y escalonada perfección. Aquí y allá pintorescas hosterías y tabernas propician la reunión de residentes y visitantes; muy apreciada es la cervecería "El Rey de Bohemia" y también el *pub* conocido como "El Gris de Yorkshire"; al sur puede visitarse el albergue "La Vieja Casa Blanca", mientras en el extremo oeste la cantina más famosa es "El Gallo y la Argolla". En los lugares mencionados y en muchos otros la tertulia está siempre al orden del día. La taberna "La Botella Alta" congrega al "Club Kit-Cat", que conjuga extraños personajes locales y notorios artistas, entre estos últimos Steele, Alexander Pope y Sir Godfrey Kneller, sumo sacerdote del retratismo, quien rentó una bella casa en Harvestock Road, ya en pleno Kentish Town, no muy lejos de donde yo vivo ahora. A propósito, debo confesar que nací en un pequeño *cottage* vecino a "Chicken House", en una zona en que abundaban entonces los criaderos de pollos, no lejana del *Heath*. Allí también había nacido mi hermano William Henry y luego vio la luz Sofía. Era una casa de techo de dos aguas con un par de chimeneas, barda con enredadera, un patio interior y de cuya primera planta se subía al ático por una escalera rudimentaria. En la parte de atrás había una pequeña huerta y un establo en donde jugábamos de niños; seguramente allí vi a mi padre, el reverendo Egerton, aunque como he dicho de eso casi no me acuerdo. Desde nuestra casa contemplábamos un panorama maravilloso que comprendía hacia abajo hasta la cúpula de la catedral de San Pablo y la abadía de Westminster destacándose a lo lejos, pero que en los primeros planos nos envolvía con el paisaje típico de Hampstead: los bellos *cottages* de Harrow y de Ludlow, la pequeña casa del guardabosque Hurst; la esbelta Albion House, rodeada de fresnos; Bell y Gang Moor, y por supuesto el prado que se extiende con mayestática grandeza exhibiendo su verdura veraniega y sus plácidos estanques de aguas curativas. Años después nos cambiamos a una casa más espaciosa que se encontraba propiamente en Camden Town, no lejos de la parroquia de San Pancras, a menos de media milla de Primerose Hill y Chalk Farm, en el número 33 de la calle Grove. Tanto mi hermano como yo no desaprovechábamos ninguna ocasión para subir a Hampstead a jugar con nuestros amigos, a colectar la fruta de los árboles y a tratar de oír las conversaciones de los literatos y pintores que tomaban cerveza y bocadillos en pequeñas mesitas instaladas a las afueras de las hosterías. Fue en esa época también cuando observando a los dibujantes y acuarelistas instalados frente a sus caballetes aprisionar en sus cartones o lienzos la belleza del paisaje, se inició en mí el interés por la pintura. Pero ya es casi media noche y eso habré de relatarlo más adelante.

11 Southampton Terrace,
Kentish Town,
22 de abril de 1829

DEBO TRAER ALGO dentro de mí que me impulsa al arte y a la
ciencia. No estoy seguro de cuál de las dos atracciones es más
fuerte en mi interior, pero creo que finalmente se ha impuesto
mi vocación como pintor en la especialidad del dibujo a lápiz
o pluma y la acuarela, aunque también trabajo al óleo. Ha
tenido mucho que ver en que abrazase esa profesión el extraordinario auge que este arte ha tomado en Inglaterra. A decir
verdad la popularidad de la acuarela empezó en el siglo pasado, con John White y Alexander Cozens, y no sólo porque
el equipo que se requiere para realizarla sea más sencillo y
fácil de transportar, como algunos dicen, sino porque esta
nueva técnica nos permite expresar mejor una interpretación
libre y moderna de la composición artística; sobre todo del
paisaje, diferente de la tradición académica y del perfeccio-
nismo clásico, en donde los valores del sentimiento personal
juegan un papel más relevante. Creo que la acuarela es el lenguaje de vanguardia del romanticismo pictórico, como el poema lo es del literario. No me cabe la menor duda, por otra
parte, de que el ambiente en el que he vivido desde que nací
y mi contacto constante con grandes maestros del paisaje y
con sus alumnos, muchos de mi misma edad, han influido
sobremanera en el desarrollo de mi carrera y en mi inclinación
por las formas pictóricas en boga. Cada trazo que vi poner a
los paisajistas, cada sombra dada con la yema del dedo para
diluir la tinta negra o sepia, cada esbozo del crayón, la forma de preparar los tintes o revolverlos con el pincel mojado,
la aplicación del color de agua, que tiene que ser muy precisa
so pena de echar a perder la obra, en fin, todas las incidencias de la técnica las entendía casi sin darme cuenta, y el
hecho de que pasara largas horas en esas contemplaciones de
la labor ajena, cotejando el paisaje con el dibujo que buscaba
interpretarlo, me parece prueba suficiente de un verdadero
amor por la pintura. Además, toda mi vida he sentido una gran
necesidad de expresarme y las plumas y pinceles han acabado
por ser mis mejores instrumentos para ello. Nunca pude exhibir abiertamente una identidad: fui un Egerton a medias que
no podía revelar el nombre de su padre y que tenía que cambiar la conversación cuando alguien inquiría por qué no visitaba al resto de la familia. Todo lo que no pude decir a esa gente
lo digo ahora con mis grabados y acuarelas. Aunque a nadie le

satisfaciese mi trabajo, para mí es un desahogo, una liberación. El reverendo Charles Grant, párroco de Hampstead, me alentó a pintar y fue el primero que puso en mis manos un juego de plumillas y un papel adecuado para la tarea. De la escuela del pueblo, cuyo patrón por aquella época era el honorable Spencer Perceval, quien luchó porque no entrasen en ella los principios lancasterianos, y de cuyos hijos varones fuimos compañeros William Henry y yo, también recibí el aliento para mis inclinaciones artísticas. Mientras mi hermano destacaba en aritmética, yo no descuidaba el inglés ni la historia, pero obtenía mis mejores notas en dibujo.

Cuando cumplí quince años mi madre logró que fuera admitido en la academia del doctor Thomas Monro, situada en el número 8 de la Terraza Adelphi, muy cerca de un embarcadero del Támesis. Tres veces por semana hacía a caballo el camino para asistir a las interesantes lecciones de pintura.[61] El doctor Monro era un renombrado especialista en enfermedades mentales y se dice que había atendido al propio rey Jorge III, pero también era un consumado acuarelista, alumno de John Laporte y amigo de Gainsborough, que montó su academia como un lucrativo pasatiempo y para encauzar la carrera pictórica de su hijo Henry, quien prometía mucho pero murió repentinamente a los 23 años de edad. Henry Monro me enseñó a incorporar figuras humanas a los paisajes, para otorgarles un valor más vivo y hacerlos menos intemporales. Después de dos años el doctor Monro me felicitó por mis progresos y me invitó a formar parte de la sección de copistas, en donde reproducíamos originales de Joseph M. W. Turner y Thomas Girtin, quienes quince años antes habían sido alumnos de la academia, o de John Robert Cozens, a quien Monro atendía como paciente en el hospital de Bethlehem, pues había perdido la razón. Allí conocí a De Wint, Hearne, Hurt y John Handerson que también hacían copias; nos pagaban dos y medio chelines por día más la merienda, que me daba fuerzas suficientes para emprender el camino de subida. Cuando me cansé de dibujar lo que otros habían trazado ya, concurrí al taller de Samuel Prout, cuya visión topográfica del dibujo y la acuarela me dio una gran seguridad, sobre todo en la reproducción de edificios y monumentos, en lo que el maestro destilaba experiencia. Contemplando su vasta colección de fidelísimos paisajes de ciudades europeas lamenté no poder realizar el *Grand Tour*, pues la estrechez en que vivíamos en aquella

[61] *Catalogue of an exhibition of Drawings Chiefly,* Dr. Thomas Monro, Londres 1917. Este folleto se encuentra en el museo "Victoria y Alberto".

época lo hacía imposible; años después, cuando el reverendo Egerton aumentó generosamente nuestras pensiones yo ya estaba casado y era demasiado tarde para emprender un viaje al continente.

La generación anterior a la mía se sumergió en el movimiento de la Ilustración que puso a prueba las doctrinas y filosofías aceptadas hasta entonces a la luz de la concepción racional, pero sobre todo recibió el impacto de la Revolución francesa donde todas esas ideas teóricas cobraron la forma sanguinaria y brutal de un hecho contundente que conmocionó a Inglaterra.[62] El grupo conservador encabezado por Edmund Burke veía la Revolución como el punto culminante de una gran conspiración dirigida por intelectuales para subvertir todo lo que era sagrado y tradicional. El grupo radical, que dirigía William Godwin, daba la bienvenida a la Revolución aunque estaba perturbado por sus excesos. El debate se enfocaba sobre todo en las características específicas de los franceses que habían producido ese cruento resultado, en contraste con la cultura y experiencia que habían dado nacimiento un siglo antes a la relativamente pacífica Revolución inglesa. Los tradicionalistas negaban valor universal al movimiento iniciado con la toma de la Bastilla. Los progresistas no estaban de acuerdo y recordaban no sólo el poder de los intelectuales y escritores franceses para mover las conciencias de sus conciudadanos y precipitar tal evento, sino la influencia que ejercían en nuestra propia sociedad. Tenía yo seis años cuando me llevaron al Heath, o prado alto, para ver el desfile de los voluntarios de la Leal Asociación de Hampstead, capitaneados por Josiah Boydell, que por cierto también era pintor, los cuales se reagrupaban en vista de que la Paz de Amiens se había roto y Napoleón amenazaba con invadir Inglaterra. Allí se aludió con reproche a un tal señor Montagu que pocos años atrás había intentado formar un club jacobino en el pueblo, y por tanto introducir las ideas revolucionarias de nuestros "tradicionales enemigos" los franceses. ¡Yo pensé en mi papá que vivía en París y me eché a llorar!

Recuerdo el año de 1815 como el inicio de mi juventud. Acababa de firmarse el Tratado de Gante que puso fin a la guerra que por tres años libró Inglaterra con los Estados Unidos, aunque como la noticia no llegó con la rapidez debida al otro lado del Atlántico todavía las armas británicas sufrieron una última derrota en la batalla de Nueva Orleáns. Pero lo más

[62] Seamus Deane, *The french revolution and enlightenment in England 1789-1832*, Cambridge, Londres, Harvard University Press, 1988.

importante estaba pasando en Europa, pues Napoleón se había escapado de la isla de Elba y volvía a desafiar a Inglaterra, por lo que ésta formó una nueva alianza con Austria, Prusia y Rusia, que derrotó al tirano en Waterloo el 18 de junio, lo cual celebramos con vítores y fiestas dos días después. Glorioso combate aquel, que me aseguro no ser reclutado por las guerras francesas o napoleónicas, como eran llamadas entonces, que motivó un bello poema de Lord Byron y provocó que un primo mío un tanto lejano, Martin Egerton, ingenioso dibujante, realizara un viaje al célebre campo de batalla de Bélgica, y escribiera e ilustrara un libro que se llama *Aquí y allá, sobre el agua,* cuyos dibujos convirtió en grabados el experto George Hunt, los cuales retratan vívidamente el paisaje de Waterloo con los monumentos al duque de Wellington (nuestro actual primer ministro) y a la Legión Alemana, las ruinas del Castillo de Goumont, el vasto cementerio de los guerreros junto a la iglesia del pueblo y los epitafios de sus tumbas, y la caserna que hace ocho años visitó el rey Jorge IV, no lejos de la granja de La Haya Sainte. Por cierto que en su última lámina mi pariente el artista especula sobre una nueva forma que según él sería posible y deseable para cruzar el Canal de la Mancha, en la que dibuja ¡a un hombre que vuela sobre el agua propulsado por una tetera de hirviente vapor![63]

En ese año vi a más de 30 mil soldados regresar del continente, después de una cruenta y larga guerra que cobró 40 mil víctimas inglesas. Gran Bretaña tenía entonces 43 millones de habitantes que aumentaban velozmente a pesar de las advertencias del reverendo Malthus; hasta en los barrios de las nuevas ciudades industriales la esperanza de vida era mayor que nunca y la gente comía y vestía mejor, pues había sido el único país beligerante que no fue invadido ni destruido por la *Grande Armée.*[64] Aunque la mayoría vivía aún en el cam-

[63] "Here and There, Over the Water, being cullings in a trip to the Netherlands (The field of battle and monuments-Waterloo). By Omniun Gatherum. Drawn and written by ME Esq. Engraved by Geo Hunt, London. Published by Geo Hunt, 18, Tavistock street, Covent Garden. 1825. J. Davy Printer. Brian Nissen siempre sospechó que este folleto ilustrado, que por la primera firma "Todos Juntos", en una mezcla de latín e inglés parece tener un origen colectivo, se debió en realidad a la pluma de Daniel Thomas quien disfrazó su participación firmando solamente "ME Esq", y que el tal primo Martin Egerton no pasa de ser un invento del pintor. El folleto consigna como domicilio de Geo Hunt prácticamente el mismo que D.T. Egerton registra como propio en sus "Views in Mexico" de 1840.

[64] David Thomson, *England in the Nineteenth Century,* Londres, Penguin Books, 1986.

po, poco a poco se crearon nuevos centros urbanos o crecieron otros al influjo de la industria. La agricultura se había tornado más eficiente, pero estaba naciendo una nueva clase de propietarios de grandes extensiones de terreno adquirido gracias a sus ganancias en el comercio o a las operaciones financieras, la cual no tiene el amor al campo ni el sentido de responsabilidad de los viejos terratenientes y sólo trabaja para hacer más dinero. Fue la época de la *Ley del maíz,* que prohibía la importación de ese grano hasta que el precio del mercado doméstico alcanzara 80 chelines el cuarto[65] para apoyar a los granjeros y ponerlos a salvo de la competencia exterior, pero como medida de pánico resultó contraproducente. En Londres, después de la guerra, se desató la criminalidad en proporciones alarmantes, los asaltos menudearon y para robarles cualquier cosa los transeúntes eran cobardemente asesinados por un nuevo tipo de delincuentes, como obreros despedidos de las fábricas y antiguos soldados que no encontraban acomodo en la sociedad que había cambiado. La pena de muerte tuvo que extenderse a un mayor número de delitos y el carterista que robaba más de cinco chelines era condenado a la horca.

Era una época difícil pero al mismo tiempo prometedora, pues quienes entendíamos a la nueva sociedad podíamos sacarle más provecho que los excesivamente tradicionalistas. Inglaterra salió de la guerra muy fortalecida y Londres se había convertido en la capital económica del mundo. Nuestra marina se expandía y el comercio internacional se multiplicó aprovechando una oportunidad que la historia difícilmente volverá a presentarnos. El liberalismo y el libre cambismo incrementaron la migración y la inversión de capitales a la sombra de la competencia abierta, bajo una monarquía constitucional, un gobierno tolerante, capaz de producir reformas pacíficas, y un pueblo laborioso y resistente que empezó a salir de su aislamiento ancestral. La filosofía en boga era el radicalismo de Jeremías Bentham que partía de la creencia de que la conducta de los hombres está motivada por la búsqueda del placer y por evitarse el dolor, de tal manera que el objetivo de las leyes debería de ser el otorgar "la mayor felicidad al mayor número". El movimiento adoptaba en lo económico el *laissez-faire* de las doctrinas individualistas de Adam Smith. En ese cuadro el arte también floreció y el romanticismo que se había iniciado desde antes de la guerra encontró en el periodo de paz que ya lleva 14 años sin ser interrumpido, una ocasión para expresarse sin limitaciones. Mi vida personal en esa época fue muy risueña pues hice muchos amigos en Hampstead y Londres,

[65] Ocho *bushels.*

sobre todo poetas y pintores. Entre ellos recuerdo con especial cariño a Percy Byshe Shelley y su esposa Mary; él, uno de los más grandes poetas que ha dado Inglaterra, y ella, una excelente escritora de ficción.[66] Pero antes de escribir algo sobre mi llorado amigo Shelley de tan grata memoria, tengo que consignar aquí que el 25 de febrero de 1818, poco antes de cumplir veintiún años, y con la licencia del obispo de Londres, solicité al reverendo George Preston, rector de la parroquia de Lixden, en el condado de Essex, que bendijera mi unión con Georgiana Dickens, una bella muchacha de mi misma edad que conocí en la ciudad y con quien desde entonces he vivido en Kentish Town. De ese matrimonio tengo tres hijas: Georgiana, de diez años, Ann de ocho, y Sofía de cinco, pero lamentablemente Dios no me ha dado un hijo varón, que es lo que más ansío. Georgiana es una buena mujer, poco interesada desgraciadamente en mi trabajo, y que tampoco se dedica como debiera a nuestras hijas.

Años después de casarme decidí publicar un libro de crítica a la alta sociedad londinense cuyos modales, costumbres y pasatiempos conocía bastante bien. Conviene explicar que aquellos años de posguerra desataron una preocupación exagerada por las modas. Fue la época de los *dandies* y su contrapartes femeninas, las *dandizettes,* que iban por la calle con ropa y tocados extravagantes, deseosos de llamar la atención, pronunciando las palabras con acento impertinente, luciendo caballos y coches en competencia para demostrar que cada quien tenía los mejores, o volando por las calles pavimentadas en un *hobbyhorse,* o sea una especie de ridículo velocípedo o patín que se impulsaba con los pies y cuyo uso por fortuna ha decaído. Conocí por supuesto a George Bryan, llamado por todos "Beau Brummell", un apuesto vividor que consiguió hacerse amigo del príncipe de Gales y fue muy popular en Brighton, lugar de veraneo de la costa de Sussex. Él introdujo una moda masculina que aún permanece con algunas variantes y que consiste en usar casaca negra sencilla y bien cortada, cambiar el atuendo de montar por un pantalón recto y largo. a veces ceñido debajo del calzado por una trabilla de la misma tela, y portar corbatas sofisticadas pero de buen gusto. En 1816 "Beau Brummel" tuvo que cruzar el canal, acosado por sus acreedores, y creo que ahora vive en Calais o en Caen. Este

[66] Daniel Dueñas le recomendó a Brian que leyera una novela histórica de Guy Bolton llamada *The Olympians,* (New York, The World Publishing Company. Cleveland, 1961), sobre la vida de Shelley, su esposa y Lord Byron, atraídos por la antigüedad de Grecia y Roma y el "Grand Tour". Fue un buen consejo.

dandy fue sucedáneo de aquel otro del siglo XVIII, menos famoso quizá, que fue "Beau Nash",[67] quien se constituyó en árbitro de la moda y empedernido jugador en Bath, donde inventó un código de maneras para los bailes, desterró el uso de las botas e impuso el de zapatos y medias hasta abajo de la rodilla, proscribió la espada como atuendo viril, sugirió la publicación de tarifas en los alojamientos de los *spa,* y se distinguió por usar un gran sombrero blanco y pasear en un coche tirado por seis caballos. Este Richard Nash tuvo que sufrir la aplicación de la Ley contra el Juego y al fin se retiró de la vida de la alta sociedad, dedicándose a vender cajas para *rapé* y a cobrar una modesta pensión de seis guineas. Todas estas incidencias de la moda y sobre todo las costumbres de los *fop* o petimetres, y sus andanzas, me sugirieron la factura del libro al que me he referido que se llamó *Fashionable Bores* o *Coolers in High Life* cuyos textos escribí bajo el seudónimo de "Peter-Quiz" [68] firmando las trece láminas con mi nombre verdadero. Publicado en 1824 por mi amigo William Sams, del número 1 de la calle de Saint James, en Londres, el libro tuvo gran aceptación por su humor y su acerbo criticismo, dirigido en forma especial a los inevitables "impertinentes" que hasta hace poco infestaban la ciudad. Caricaturicé ahí a los "pesados" que por hacerse notar no visten apropiadamente y caen en el ridículo; a los insoportables aguafiestas tipo "sanguijuela", que sin ser nuestros amigos se nos "pegan" en los paseos en que vamos acompañados por una dama; a los que cuando saben que estamos pasando por un mal momento en materia de finanzas, se cruzan de largo por la calle sin saludarnos; y también retraté las situaciones "engorrosas" que les acaecen a los *dandies,* como por ejemplo ser descubiertos por su novia cuando salen de un "templo de Venus" (¡qué pesado!) o ser desalojados de un albergue por la dueña cuando ésta descubre que la dama con la que está hospedado el caballero en cuestión no es su esposa; o la que se produce cuando uno ha dicho que no está en casa y sin embargo el inesperado y pesado visitante matutino penetra en ella y lo encuentra a medio vestir; o esa otra tan común que azota a los deudores contumaces, que tratan de irse al campo para no ser perseguidos por sus acreedores y se encuentran al principal de ellos justo al voltear la esquina de su propia casa; sin faltar la que ha sucedido más de una vez en un baile de máscaras, cuando

[67] Richard Nash nació en 1674 y murió en 1762.
[68] Podría traducirse el título como *Los pesados de moda* o *Los impertinentes a la moda,* y el subtítulo como *Aguafiestas de la alta sociedad.* El seudónimo sería "Pedro el Preguntón".

un apasionado Romeo descubre desengañado que su Julieta es
también un hombre; o cuando la policía en plan de "aguafiestas" irrumpe en una casa de juego y aprehende a los *dandies*,
que resultan especialmente perjudicados si van ganando en las
apuestas; y por fin, el que refiere la situación más pesada de
todas, en la lámina titulada "Prueba de nervios" que presenta un
duelo en Chalk Farm donde el *dandy* que reta a otro a batirse
solamente por ganar notoriedad (creyendo que su contraparte
piensa lo mismo), se entera ya en el campo del honor que
éste es un tirador experto que lleva ya varias muertes en su
haber y no acepta que el duelo sea con cartuchos de salva, lo
que le hace imaginarse rumbo a la tumba para ser pasto de los
cuervos. El estilo de los grabados era jocoso y ligero, pero
procuré que las situaciones escogidas tuvieran como escenario
lugares reconocibles frecuentados por la alta sociedad, como
Saint James, Covent Garden, el Hotel Clarendon, la cafetería
"Jaquier's", el interior de un famoso club, la salida de la ciudad
rumbo a Oxford y la calle Sutton; sus personajes fueron dibu-
jados con la ropa más de moda, como solían vestir. De esta
manera los grabados cumplieron no sólo su función satírica,
sino que a mi juicio serán para siempre testimonios del comportamiento de una cierta clase social cuyos excesos son mal
vistos por los demás, y llevan un mensaje contra el rompimiento de las normas más elementales de convivencia.

El éxito que tuvo el libro, y el grabado "Prueba de nervios" en
particular, se debió a que en esos años estuvo muy "de moda"
la bárbara costumbre del duelo, que solía concertarse por las
discusiones más triviales. Gracias a la comprensible razón de
su alejamiento del centro de Londres, Chalk Farm fue en esos
años un lugar tristemente célebre a causa de los encuentros a
pistola que se dieron en su vecindad, y fue por ello que lo
escogí como escenario de aquella lámina. A mí me tocó presenciar varios duelos en ese bello rincón de Hampstead; el
primero tuvo lugar en 1818, cuando pasaba por ahí a mi casa
una mañana, y los protagonistas fueron el teniente Bailey, del
58o. Regimiento, y el señor O'Callaghan, quien fue arrestado
inmediatamente después de que privó de la vida al militar con
un certero balazo en la frente. En octubre de ese mismo año
me enteré de que también un pariente lejano nuestro, el respetable Sir John Grey Egerton de Oulton, acababa de sostener
un duelo en los Flats, cerca de Chester, con Lord Belgrave, a
quien hirió levemente en la mano. Todo se originó al calor de
la elección del alcalde de Chester, cuando un tal Baker se
expresó inconvenientemente del partido al que pertenecía Sir
John, quien demandó al jefe de aquél, el vizconde Belgrave,

Prueba de nervios.
Diseño y grabado al aguafuerte, por D.T. Egerton

que lo desautorizara, a lo que éste se había negado. En esa
ocasión pensé que un Egerton no debía haberse batido jamás
por una simple discusión electoral, aunque como he dicho el
encuentro no pasó a mayores. Otro duelo famoso por aquel
tiempo fue el de los tenientes Maxwell y Cartwright, quienes
escogieron para batirse el pueblo de Avranches, en la costa francesa, con fatal resultado para el segundo de ellos; y el del capitán Johnston, del 64o. Regimiento, con el señor Benjamin
T. Browne, cirujano de la balandra americana de guerra *Erie,*
que tuvo lugar en Gibraltar, y terminó con dos heridos. Pero
sin duda el duelo más impresionante por sus consecuencias
y que me inspiró el grabado "Prueba de nervios", fue el que
presencié el viernes 26 de febrero de 1821, a las nueve de la
noche, en el campo situado entre la taberna de Chalk Farm
y Primrose Hill. Los contendientes fueron el señor John Scott,
editor del *London Magazine,* y el señor Christie, un amigo del
responsable del *Blackwood Magazine,* señor Gibson Lockhart,
a causa de que la primera de las revistas había publicado
varios artículos criticando la forma en que se conducía y era
administrada la segunda, lo que motivó la contestación de ésta,
y réplicas y dúplicas de ambas, hasta que los protagonistas
convinieron en un duelo a pistola a la luz de la luna en el
sitio antes señalado. En el primer intercambio de disparos
ninguna dio en el blanco; el señor Christie había dirigido su
pistola a tierra dando señas de no querer herir a su rival; pero
los padrinos o asesores procedieron a preparar un segundo intercambio de tiros y en esta ocasión la bala del señor Christie
perforó los intestinos del señor Scott, quien tuvo que ser retirado a la taberna de Chalk Farm, y luego a su casa donde a
pesar de haber sido atendido y operado quirúrgicamente expiró
a consecuencia de la herida, más de dos semanas después. El
grave problema fue que se llegó a la conclusión de que la pistola de la víctima no había sido cargada en la segunda ocasión, por lo que el señor Christie y los padrinos de ambos duelistas fueron arrestados bajo el cargo de homicidio. Christie
alegó legítima defensa —"putativa", la calificaría un penalis-
ta— insistió en que estaba muy lejana de él la intención de
hacer daño a Scott y que antes del primer disparo le había
prevenido que se colocara en otra posición que la que tenía,
pues su cabeza destacaba contra el horizonte y de esta manera
le daba una ventaja, lo que varios testigos corroboraron, así
como que en esa primera ocasión el disparo de Christie había
sido hacia el suelo, lo que los asesores de Scott juraron no
haber notado. Nadie pudo ser inculpado de no cargar la pistola de Scott, y con la conclusión asumida por la opinión pública
de que el segundo intercambio nunca debió haberse llevado a

cabo, la justicia declaró "no culpable" al señor Christie, después de la conmoción general que hubo en Londres por acontecimiento tan desgraciado como absurdo. Si en verdad Inglaterra se considera una nación civilizada, sus leyes deberían de prohibir expresamente cualquier tipo de duelo pues ni siquiera en casos de defensa del honor familiar, que son los más delicados, puede argüirse que no exista otra forma para dirimir una pendencia o reparar una ofensa. Por otra parte, algunos supuestos "duelistas" (como uno de los *dandies* caricaturizados en "Prueba de nervios") no han sabido respetar el código caballeresco que se supone rige este tipo de encuentros. En los primeros años del siglo un bardo escocés, el señor Tom Moore, dio a conocer su libro *Odas y epístolas*, el cual fue muy criticado por el editor de la *Revista de Edimburgo*; Moore lo retó y el duelo fue concertado pero la policía se presentó en el lugar previsto, impidió el encuentro y aprehendió a los dos protagonistas y sus testigos. Luego se supo que el propio poeta Moore, por medio de un tercero, había avisado a las autoridades para no tener que cumplir el desafío. Hasta Lord Byron satirizó este famoso y frustrado duelo, lo que nos afirma en el pensamiento expresado antes.[69]

En ese mismo año de 1824 empecé a exhibir mis trabajos en la Sociedad de Artistas Británicos, en donde ocupaba el cargo de tesorero.[70] Los primeros fueron un dibujo del castillo Farley y otro de la abadía de Westminster vista desde Tothill Fields, así como dos grabados ejecutados sobre sendos paisajes del pintor John Martin, quien me ha interesado sobremanera por su vigoroso romanticismo que es casi apocalíptico. El arte del grabado es fascinante; pasé muchas horas aprendiéndolo con el maestro Prout, de quien recibí los mejores consejos. Sobre una almohadilla se coloca una placa de cobre o hierro y con un buril cuadrangular que se parece a un delgado cincel, se van haciendo incisiones en su superficie que reproducen con minucia las líneas del dibujo original, el cual previamente se ha trazado sobre la placa; después, con un raspador triangular, deben retirarse las rebabas de metal que siempre quedan en el borde de las incisiones y que producen el efecto de pequeños vellos metálicos que han de ser eliminados, lo que se logra sacudiendo la placa o golpeándola por detrás con un pequeño martillo. El proceso del *intaglio* requiere de óptima concentración, hábil manejo de las manos y preciosismo técnico en el uso de los instrumentos de este oficio que fue inventado

[69] John Millinger. *History of Dueling*, Londres, hacia 1840. Véase también *Los anales de Hampstead, op. cit.*

[70] *Works Exhibited at the Royal Society of British Artists. 1824-1923*, compilada por Jane Cunning Johnson.

por los alemanes o los suizos en el siglo xv; su mayor ventaja
es que la lámina grabada puede producir sin deterioro hasta
dos mil impresiones, cada una de las cuales se considera un
original. Al año siguiente presenté en la Sociedad un panorama de Londres desde Hampstead que casi tracé de memoria,
y dos grabados más de sendos paisajes italianos debidos también a Martin, así como un dibujo del complicado Salón de
Banquetes del Pabellón de Brighton que, como los originales
de los anteriores, estaba hecho con la técnica del gis. Algunos
críticos que se interesan por mis obras comentaron entonces
que me sentían influido por la simplicidad de Richard Wilson
más que por el vigor de los acuarelistas y grabadores contemporáneos, quienes yo creo han contribuido grandemente a mi
formación profesional y gusto artístico, pues como he dicho,
pasé varios años en el taller del doctor Monro haciendo copias
de sus dibujos y acuarelas. El año de 1826 fue también de
intenso trabajo pues exhibí en la Sociedad nueve obras, todas
acuarelas. De ellas tres eran paisajes de Brighton: el risco
oeste de la playa, y otras vistas del Pabellón, incluyendo una
inspirada directamente en el detallado dibujo de Pugin, el
recreador del arte medieval que tanto éxito ha tenido como
dibujante y arquitecto. Ese lote comprendió también dos bocetos del paisaje natural que se contempla desde cerca de
Primrose Hill, y una acuarela muy bien terminada que reprodujo las ruinas de Sicilia como las vio F. Nash en un aguatinta que es tan bella como los dibujos y grabados hechos hace
medio siglo por Gore y el alemán Hackert, cuando realizaron
su *Grand Tour* a esa isla, acompañados de Richard Payne
Knight, quien escribió un diario de la expedición comentado
por Goethe, o los también sobresalientes trabajos de Thomas
Hearne capturando en la acuarela esos mismos testimonios
arqueológicos.[71] Presenté, asimismo, un boceto basado en un
paisaje topográfico de Prout y un par de acuarelas inspiradas
en dibujos de Martin sobre los espléndidos panoramas de la
Isla de Wight.

Pero aquí tengo que hacer un paréntesis para comentar mi
viaje a esta bella isla que me pareció uno de los lugares más
fascinantes de nuestro país. Se trata de la antigua *Vectis*, con-
quistada por Vespaciano cuando los romanos invadieron Bretaña, y que en el siglo vi fue recuperada por los sajones, quienes rechazaron un intento danés de apoderarse de ella, pero
que en el siglo xi tuvieron que ceder su dominio a los norman-
dos. Durante varios siglos fue amenazada por los franceses y

[77] Richard Payne Knigh, *Expedition into Sicily*, Londres, edited
by Claudia Stumpf, 1986.

los españoles, hasta que al fin la posesión inglesa se asentó;
y luego la isla fue redescubierta como sitio de veraneo, en 1770,
precisamente por artistas del estilo conocido como "pintoresco". Los viajeros y pintores más celebrados de aquella época
que viajaron a la Isla de Wight fueron Thomas Rowlanson,
Henry P. Wyndham, John Hassell y Charles Thompkins; después lo hizo George Brannon al principio del presente siglo,
quien difundió sus bellezas de manera insistente y exitosa. Yo
llegué a la isla desde Portsmouth atravesando el canal o
solent, en un pequeño barco de vela que en dos horas me depositó en el largo muelle de Ryde. Pasé más de una semana
recorriendo sus estrechos pero románticos caminos, que se dicen han mejorado sobremanera desde que fueron instaladas las
garitas que cobran el derecho de peaje, gracias a lo cual se
reparan y mantienen en forma debida. La zona rural de la
isla consiste en pequeños villorrios y pueblos de hermosas cabañas, casi completamente aislados, cuyos habitantes sólo se
aventuran fuera de ellos en días de mercado, y cuyas otras
construcciones son imponentes villas. En contraste, las ciudades empiezan a expanderse, sobre todo Newport que ya tiene
diez o doce calles pavimentadas, y Cowes, Brading, Sandown,
Shanklin y Ventnor, situadas estas últimas en la costa sur-
oriental. Gocé sobre todo del clima benigno y confortable y
recuerdo haberme hospedado en el Hotel Sandrock de Niton,
que es muy cómodo y espacioso. También conocí el Cottage
Eglantine, habitación del poeta John Keats en 1819 y Bon-
church, donde comía suculentas langostas. Fue en Wight donde se puso de moda el baño de mar, promovido alrededor de
las excursiones que hacía el Real Club de Yates establecido
en Cowes. Esa moda fue iniciada en realidad en Brighton, pero
ahora se practica por toda la isla, especialmente en las playas
de Shanklin. Me tocó oír el sermón de un reverendo en la
iglesia local previniendo a las damas que, si no querían ver
a los hombres desnudos tomando su baño marino, se mantu-
viesen alejadas de esas playas. Visité las ruinas de la abadía
de Quarr (en la parte norte de la isla, no lejos de Ryde), un
viejo monasterio de la época sajona, disuelto en el siglo XVI,
cuyas piedras fueron usadas después en la erección de las
defensas costeras de Cowes y Yarmouth; como aquellas otras,
extraídas de las canteras vecinas, que fueron trasladadas penosamente para la erección de las catedrales de Winchester y
Chichester. Continuando por ese camino, después de atravesar
Newport, quedé maravillado por el castillo de Carisbrooke,
cuyos fosos, murallas, puente de piedra, patios, torres y alme-
nas me transportaron a su origen romano, a su ampliación en
la época normanda ya en 1648 cuando sirvió de cárcel al rey

Carlos I, que de ahí fue llevado al patíbulo. Teniendo como guía el boceto de Martin, realicé una acuarela de la que me siento particularmente orgulloso, pues describe en toda su fuerza ese impresionante monumento que resistió el sitio de españoles y franceses y salió indemne de tales batallas y de las del tiempo, que suele destruir más que los encarnizados enemigos. El castillo de Carisbrooke simboliza en piedra la reciedumbre de la vieja nobleza de Gran Bretaña, sobre todo cuando se recuerda que hace 600 años fue gobernado, como toda la isla por una valerosa mujer que sólo tenía 23 años de edad: la condesa Isabella de Fortibus, última Lady de Redvers, quien demostró que a las mujeres inglesas les sobran fuerzas para regir a su patria tanto en la paz como en la guerra. La segunda de mis acuarelas inspiradas en Martin, captó el sereno paisaje de la bahía de Freshwater con sus altos farallones cubiertos de guano y los esbeltos peñascos que por su perfil son llamados "Las Agujas". Se trata de la punta oeste de la isla y es el lugar en donde encuentran mejor protección los barcos que desean anclar en ella. La bahía de Freshwater, con sus pájaros marinos anidando en los riscos mientras las olas llegan mansas a los pies del arrecife, me demostró la potencia del mar que no sólo es capaz de agredir y lacerar la costa, sino también de modelarla de manera exquisita con formas inimitables, gracias a su paciente habilidad escultórica de flujo y reflujo que lleva miles de años. Mi viaje a la Isla de Wight fue el más lejano que he hecho en relación al lugar donde nací, pues aparte de Londres, Essex y Brighton, mis confines personales sólo han llegado hasta ahí. A quien lea estos apuntes le aconsejo que no deje de conocer la Isla de Wight, sus *cottages* y hosterías, sus playas y farallones, sus *tumuli* romanos, sus castillos medievales, sus villas suntuosas y sus pintorescas zonas de agreste campiña que constituyen un privilegio para la vista, la salud y el descanso del alma.

En 1827 Georgiana, las niñas y yo nos cambiamos a la casa número 6 de la calle Upper Fitzroy, en la plaza Fitzroy de Hampstead, y allí proseguí mis trabajos pictóricos. Por entonces gané cierta notoriedad gracias a un grabado de "Leicester Bob" el purasangre favorito del caballero Thomas Williams, y por otros dibujos o acuarelas de corte francamente romántico sobre temas diversos: "El relojero perturbado", "Contrabandistas cruzando un pantano", "El pescador de camarones" y dos vistas del Palacio de Kensington, residencia de Su Alteza Real la duquesa de Kent. Estas obras mías fueron exhibidas en la Sociedad de Artistas Británicos. En 1828, o sea el año pasado, también presenté varios trabajos, como un boceto de los cedros del Líbano que crecen en los Jardines Botánicos de Chelsea, un es-

corzo de Hampstead Heath, y el grabado "El rey de fuego",
inspirado en un verso de Walter Scott sobre una erupción
volcánica. Asimismo hice una acuarela sobre una hermosa y pro-
saica vaca de Durham (donde mi abuelo el obispo John Egerton fue tan famoso), criada por el señor W. Goodall que obtuvo
el primer premio en la exposición de ganado de Smithfield, y
también la de un toro semental de Leicestershire criado por el
marqués de Exeter, que mereció otro premio en el mismo evento. Para terminar esa jornada anual exhibí con gran éxito un
dibujo sobre un asalto que resultó, en verdad impresionante,
con el título "Los viajeros atacados",[72] e inspirándome en un
cuarteto de Lewis, pinté una imponente catarata despeñándose
desde la altura a la cual, en consonancia con la obra referida
con anterioridad, puse por título "El rey de las aguas". En mi
nueva casa de Kentish Town, desde donde ahora escribo y
durante el corriente año, he continuado mi colección de obras
plenamente imbuidas de la escuela del romanticismo, como:
"Soledad", "Peligro", "El desertor", "Mañana", "Tarde" y
otra versión de ese tema recurrente que me apasiona: un grupo de viajeros que al cruzar los Alpes es atacado por una ma-
nada de lobos. Como se ve por los títulos o la breve descripción de las obras, busqué expresar en ellas un sentimiento
personal o una escena sobrecogedora. Este vaivén pendular de
mi inspiración artística me la explico porque al mismo tiempo
que expresa mis intenciones recónditas y es la forma de comunicar lo que llevo adentro, intenta capturar la vida externa,
sobre todo en aquello que tiene de majestuoso, impresionante
o emotivo. El paisaje es para mí el tipo de obra en la que
vuelco mayor sensibilidad y técnica más acabada, y suelo
acompañarlo de las figuras humanas que lo justifican y le dan
un mayor sentido. Pero en las obras de imaginación o las que
procuran reflejar actitudes de mi espíritu, pongo siempre un
poco de rabia o miedo, quizás amor y mucha melancolía. A
menudo me pregunto si a través de los escorzos, grabados,
acuarelas y óleos de un pintor será posible que él mismo se
esté retratando constantemente sin aparecer jamás en ellos.

11, Southampton Terrace,
Kentish Town, 6 de septiembre de 1829

HACE VARIOS MESES que no me sentaba a continuar estos apuntes. Viendo a mis hijas jugar en el prado vecino, recuerdo que

[72] ¿Premonición?

me he impuesto la responsabilidad de dejarles como herencia
estas líneas que completen la historia de la familia a la que
también ellas pertenecen. Es lamentable que Georgiana no haya
podido darme un hijo varón: parece como si los Egerton de
Ellesmere y Bridgewater estuviésemos condenados a no tener
descendencia masculina, no poderla heredar por ser ilegítima,
o no procrear del todo. Mi vida con Georgiana se ha encerrado
en un círculo que parece no tener salida pues aunque vivimos
desahogadamente y creo que soy un buen padre para las niñas,
en nuestra casa no reina la felicidad, quizá por culpa mía. No
se entiende en mi hogar por qué, disponiendo de una pensión
suficiente y pudiendo hacer una vida burguesa o dedicarme al
comercio como William Henry, escoja en cambio la profesión
de pintor y me pase largas jornadas frente al caballete o, con
mi cuaderno de papel para dibujar bajo el brazo, recorra las
alturas de Hampstead, y baje casi todos los días a Londres
para charlar con los amigos, visitar exposiciones artísticas o
asistir a conferencias científicas. Georgiana odia más mis higró-
metros, barómetros y campanas neumáticas que mis telas, colores o pinceles. Cuando me concentro en leer algunos libros de
física, como los de Newton, o me deleito con los recorridos
de Alejandro von Humboldt y su maravillosa descripción de
la flora, la fauna y la estructura orográfica de las antiguas
colonias españolas de América del Sur, mi esposa me pregunta
con los ojos algo que sólo una vez se atrevió a inquirir con las
palabras: que si estoy loco y no me basta con el dibujo y la
pintura para pretender también abarcar otros campos. Mi necesidad de leer, de investigar y pintar se traducen en un diálogo silencioso con los demás y también en un contacto con
la grandiosidad de la naturaleza. Si dejara mis lecturas y mis
trazos, mis modestos aparatos de física y mi caballete de pintor, mis visitas a Londres y mi esperanza del *Grand Tour* o
de tener un hijo varón, yo no sería yo.

Recibí hace tres semanas una carta de William Henry desde México. Me comunica que sus negocios de venta y correta-
je de terrenos en la provincia mexicana de Tejas empiezan a
darle frutos. Se asoció primero con algunos compatriotas de
Bath, y luego con norteamericanos de Nueva York para explotar concesiones de tierras en aquella vasta y casi desconocida
región septentrional que se está poblando rápidamente. Me refirió las bellezas de México, me exaltó su clima permanentemente templado y la hospitalidad de sus habitantes y me repitió lo
que hace tiempo consignaba en aquella carta que respondía
a la que yo le envié anunciándole la muerte de nuestro padre:
que me fuera a México con él para que los últimos Egerton
estuviésemos siempre juntos. Entonces afirmaba que aquel país,

ya independizado de España, es un territorio fértil y acogedor
lo mismo para un artista que para un científico o un comerciante, y que las inversiones británicas están creciendo por
allá, sobre todo en las minas locales. Ahora añade que los
americanos ambicionan apoderarse del norte de México y que
quizá su única defensa sea la presencia de los ingleses. (Las
cuestiones de política nunca me han interesado mucho, salvo
como explicaciones históricas, porque yo no tengo ninguna
aptitud para entender el arte de regir a los demás, entre otras
causas por una fundamental: a mí no me gusta ser mandado
por nadie.) William Henry insiste en que por lo menos haga
un viaje a México que me permita conocer el país y luego
decida si me radico definitivamente en él o no. También me
pidió que le enviase un ejemplar del libro *México en 1827*
que publicó en Londres el año pasado el diplomático Henry
George Ward, quien fue enviado por el ministro George Canning en una misión exploratoria y que ahora ha regresado allá
como encargado de Negocios de Su Majestad Británica. Conseguí el libro de Ward y lo leí antes de remitirlo, junto con otros
y una colección de revistas inglesas y cartas de amigos comunes a William Henry quien ha formado un club de lectores
británicos en aquel país. Tengo que confesar que, a través del
libro, México me pareció un lugar fascinante, pues se trata
de una nación que lleva en sí misma la más ardua de las contradicciones: responder a la autenticidad de su sangre indígena
mezclada con sangre española frente al avasallamiento del
mundo anglosajón que prácticamente lo rodea, e ingresar en
la época moderna con un régimen de vida democrático a pesar
de su pasado que se finca en el autoritarismo de los antiguos
monarcas tribales y de sus aún más crueles conquistadores.
Las riquezas mineras de México han suscitado en los Estados
Unidos, en Francia y aquí mismo idéntica ambición que la
que motivó al gran guerrero Hernán Cortés, hace tres siglos,
para someter a las tribus aztecas en medio de un río de sangre.
Si logra emerger como nación nueva, esta enorme república
podría ser la que recogiera las banderas plegadas por sus mayores europeos y las enarbolara en este tiempo cuyo espíritu
es tan diferente del que registra su antigua historia. En todo
caso, ese país exótico ejerce un hechizo que invade a quien
empieza a conocerlo. Ya pasó esto con William Henry y ahora
me está sucediendo a mí después de haber leído el libro de
Ward y recordar el viaje que Humboldt realizó por aquellas
tierras, cuando todavía se llamaban Nueva España. Tengo
presente ahora que hace unos cinco años penetré por azar en
la "Sala Egipcia" de Piccadilly, en donde había una exhibición gratuita de ídolos mexicanos organizada por el señor

Bullock,[73] Allí estaban la "Gran Serpiente" y la "Gran Piedra del Calendario", así como una docena de vasijas, figuras de barro, cuentas de jade, y rollos de extraño papel vegetal con fascinantes pinturas, que me recuerdan el Códice que el reverendo Egerton legó junto con sus otros manuscritos al Museo Británico. Recorrí la exposición por más de dos horas y sólo salí de ella porque iban a cerrar sus puertas, pues los testimonios que allí vi me demostraban que la raza de los aztecas, madre de los mexicanos de hoy, fue sin duda como la de los propios egipcios, causa y efecto de una auténtica civilización, muy distinta a la nuestra, pero pletórica de religiosidad, valor y arte. He reflexionado mucho sobre la proposición de William Henry, y ahora que tengo la posibilidad material de hacer un *Grand Tour*, pudiera decidir realizarlo al continente americano y no al europeo, porque la vida tiene que cambiar y el volver los ojos hacia la civilización grecolatina como única fuente de inspiración filosófica y artística pudiera encerrarnos a los ingleses en un particularismo muy consecuente con nuestra condición de isleños. La colonia en la India y la penetración en Asia son un desahogo no sólo para la creciente población británica que requiere nuevos espacios sino para nuestras potencialidades materiales y espirituales. Si perdimos el dominio político sobre las antiguas colonias de Norteamérica, en ellas dejamos sembradas una fértil semilla, aunque los retoños nos demostraron, al declararnos la guerra de 1812, que alimentan un inexplicable odio contra nosotros, nos atacaron en Canadá y lograron vencernos en encuentros navales de importancia mientras estábamos ocupados en las guerras napoleónicas. Por todo ello, volver los ojos hacia las repúblicas de América hispana, que apenas balbucean y que requieren de un apoyo europeo, tal como lo vislumbró Canning con genial oportunidad, puede y debe ser no únicamente una solución complementaria para el progreso de nuestro país sino también una influencia bienhechora para ellas que necesitan del influjo de nuestra civilización, incluyendo nuestras formas artísticas. Nunca me ha satisfecho la dominación de otros pueblos por las potencias ni la imposición de pactos coloniales, y muchos menos en Norteamérica, donde nuestra bandera ha amparado por muchos años el inmoral tráfico de negros africanos y su sometimiento a la esclavitud. Creo sin embargo que pueden darse asociacio-

[73] Fue en 1824 y se trataba de piezas de cera hechas por artesanos mexicanos. A ellas se refiere Ward en su *México en 1827*, t. II, p. 237 de la edición inglesa. También Latrobe y Madame Calderón de la Barca mencionan la habilidad de los mexicanos para hacer reproducciones en cera.

nes amistosas y constructivas entre países de distinto origen, lengua y cultura, que fructifiquen de manera mutuamente provechosa. De allí el atractivo de México y de otras jóvenes repúblicas para las naciones europeas que quieran asegurar su legítima expansión sin agredir pueblos inermes.

No todos los ingleses comparten mi buena impresión sobre los indoamericanos. Por ello voy a referir en este cuaderno una interesante experiencia que tuve hace cinco años en Oxfordshire, para ser precisos en la conspicua casa señorial de Ditchley, a donde fui invitado para pasar la Navidad, por su propietario Lord Henry Augusto Dillon-Lee, decimotercer vizconde de Litchfield, un viudo de casi cincuenta años, un tanto excéntrico, que reside permanentemente en Andalucía, España, y que había venido a visitar la mansión familiar acompañado de su hermana "Fan-Fan" (así la llaman todos), tan excéntrica como él.[74] Se encontraban también en esa ocasión Lady Webb, el duque de Beaufort y Lady Edward Somerset, la señora Ann Lee, de Virginia, con su hijo, y, por supuesto, Lord Normanton, quien habitaba y administraba la imponente finca por encargo de su amigo y dueño. Yo no era el único artista invitado, pues también lo había sido mi vecino y amigo William H. Edwards, de Camden Town, un excelente grabador cuarentón, quien asistió con su esposa y su pequeña hija Agnes. Durante los tres días inolvidables que pasamos en Ditchley tuvimos la oportunidad de admirar muchas obras de arte, empezando por el propio inmueble, un edificio de austero estilo neoclásico, construido medio siglo antes, cuyo arquitecto fue James Gibbs, de la Escuela del Paladium, quien demostró que, por encima de la riqueza y calidad de la construcción, había logrado una gran obra artística a través de su feliz diseño que busca proporcionar el todo con las partes y éstas entre sí. En ese sentido esa hermosa casa me parece superior a las grandes propiedades cercanas de Blenheim y Heythrop, sobrecargadas en su concepción y en sus muchos adornos, sin que yo las

[74] Hurgando en los libros de la biblioteca de Ditchley, Brian encontró una clara referencia a esa reunión navideña presidida por el décimo tercer vizconde de Dillon. Pero también que uno de sus antepasados inmediatos (quizá su tío) fue Arthur Dillon, general del ejército francés y último coronel del regimiento Dillon, que murió en la guillotina en 1797. Se cuenta que una dama francesa también condenada a muerte el mismo día le solicitó: "—Monsieur de Dillon, pase usted antes que yo", a lo que él contestó con gran cortesía: "—Madame, no puedo rehusar nada a una dama" y en seguida dio un paso al frente. Brian se acordaba haber visto esta escena en la gran película "Napoleón" de Abel Gance.

menosprecie pues reconozco su alto valor artístico. La mansión
ve al sureste, hacia una avenida casi cubierta por la fronda de
las hayas, tras las cuales son visibles las agujas de Oxford. El
gran vestíbulo, obra de William Kent, es de majestuosa disposición, y varios de los salones, sobre todo el conocido como
Salón del Estuco, fueron decorados por los artistas italianos
Artari, Vasalli y Serena; el parque, los estanques y la *oran-
gerie*, como todas las habitaciones y estancias, reflejan el buen
gusto del edificador George Henry Lee, segundo duque de
Litchfield, cuyo enorme retrato cuelga en el blanco salón
de dibujo, junto al de la reina Isabel. Además del obligado
paseo familiar por los jardines y de la deliciosa cena navideña
en el comedor de la planta baja que da al Patio de los Leones,
los caballeros solíamos reunirnos por las noches en la amplia
biblioteca para aspirar *rapé*, fumar tabaco y beber un buen
brandy Fue allí donde hablamos de los habitantes del continente americano.

Todo empezó, extrañamente, por la historia de un misterioso
asesinato, referida por Su Señoría el duque de Beaufort, del
que fue víctima el destacado aunque poco conocido economista
irlandés Richard Cantillon, a manos de su cocinero francés, en
su residencia de Albermale, cerca de Piccadilly, en Londres,
hacia el año de 1734, si mal no recuerdo.[75] El duque, para
justificar su interés y conocimiento de la vida de Cantillon,
aseveró que él lo consideraba de la misma estatura intelectual
que sus colegas contemporáneos del siglo XVIII, el inglés Adam
Smith y el francés François de Quesnay. Añadió que su libro
póstumo, *Ensayo sobre la naturaleza del comercio en general*,
resulta precursor de la moderna teoría monetaria; en él se
examina el papel de los empresarios y el mercado, la influencia negativa de la indiscriminada oferta de dinero y los peligros del excesivo gobierno, asuntos que tanto han preocupado
al Banco de Inglaterra en los últimos tiempos. Según parece,
Cantillon había marchado a Francia a principios del siglo
pasado adonde llegó sin otra cosa que sus brillantes ideas y
pronto hizo una gran fortuna gracias a su habilidad financiera.
Era la época en que Luis XIV había llevado prácticamente a
la quiebra al país con sus dispendios y aventuras belicosas.
Simultáneamente, el economista escocés John Law estaba escribiendo su propio tratado, con ideas diametralmente opues-
tas a las del irlandés, pues sostenía que el dinero es una fuerza
creativa y que su incremento estimularía la producción total

---

[75] Antoin E. Murphy, "Richard Cantillon. Entrepreneur and Economist" en *The Financial Times*, suplemento semanal del 14 de marzo
de 1987.

de cualquier país y vigorizaría su poder nacional. Law presentó su plan al regente de Francia, Luis Felipe de Orleáns, quien lo puso en vigor permitiendo que el escocés manejara prácticamente las finanzas de su país y creara un banco emisor de papel moneda, combinado con otro banco propiedad de una compañía de Luisiana, entonces territorio francés en América del Norte, con el objeto de abrir al progreso a esa importante región. La operación se conoció como el "Sistema del Mississippi" y trató de seguir el exitoso camino del esquema inglés de la "Compañía del Mar del Sur". Cantillon y Law se conocieron en Francia en 1714 y el primero colaboró con el segundo en la tarea de colonizar Luisiana, pero poco después se convenció de que la creación incontrolada de dinero estaba sobrecalentando el programa, pues las acciones del Sistema habían subido, en un plazo muy corto, de 150 a 2,000 libras cada una. Cantillon previno que esa situación produciría la devaluación de la moneda francesa y convirtió todo su capital en libras esterlinas, enviándolo a Londres y Amsterdam. Law trató de convencerlo infructuosamente para que continuara apoyándolo, mientras las acciones del Sistema subían aún más y luego se desplomaban estrepitosamente, en un fracaso económico que hizo que la operación fuese conocida a partir de entonces como "la burbuja del Mississippi", cuya explosión trajo consigo una considerable pérdida cambiaria para Francia. A esas alturas Cantillon ya era multimillonario y concitó el odio de los perjudicados por la bancarrota del Sistema, entre ellos Gage, el duque de Powis, Lord Montgomery y Lady Mary Herbert, quienes, junto con un boticario de Dublín llamado Cristopher Balfe, lograron aprisionar al economista irlandés por varias horas y hasta se dice que intentaron asesinarlo contratando a unos matones profesionales. Sin embargo Cantillon logró ponerse a salvo y seguir disfrutando su inmensa fortuna. La primera conclusión de su *Tratado* era que la economía no puede ser objeto de manipulaciones generales como la intentada por John Law, a través de un excesivo abasto de dinero, del control de cambios, de la sobrevaluación o devaluación deliberadas y del descenso artificial de las tasas de interés, y que cuando estas políticas se aplican pronto fracasan.[76] El duque de Beaufort, continuó su relato advirtiendo que Cantillon fue un escritor prolífico pero que el día de su muerte

---

[76] Hoy podríamos decir que este extraño duelo de economistas fue un preludio del enfrentamiento entre monetaristas y keynesianos, ¡en 1720! setenta años antes de que la Revolución francesa hiciera triunfar el liberalismo y con anticipación de siglo y medio al nacimiento de Lord Keynes.

casi todos sus papeles fueron destruidos en el incendio que devastó su morada. El verdadero misterio radica en que al año siguiente del asesinato, o sea en 1735, un tal caballero De Louvigny se hizo notar en Paramaribo, en la colonia holandesa de Suriname, por el mucho dinero que llevaba, y pronto se le encontraron varios papeles relativos a Richard Cantillon, por lo que, toda vez que el cocinero francés, llamado Joseph Denier, nunca fue encontrado, hay quienes suponen que aquél no era otro que el caballero de Louvigny. Pero hubo personas más agudas, según el duque de Beaufort, quienes pensaron que el cuerpo de Cantillon, el cual se encontró terriblemente desfigurado entre las llamas que invadieron su residencia, era en realidad el del infeliz cocinero, sacrificado por su señor, quien huyó con su fortuna a las ignotas tierras del Caribe para burlar a sus enemigos. ¿Cuál sería la verdad?

Fue entonces, cuando todos celebrábamos la interesante historia, que Lord Normanton comentó con firmeza que John Law no había fracasado en su operación en la Luisiana a causa de las leyes económicas, tan discutibles por otra parte, sino debido a que los europeos que fueron a colonizar esas tierras no pudieron adiestrar para el trabajo a los naturales de tal región americana, "que como todos los indios del Nuevo Continente son francamente bárbaros y de una naturaleza probadamente inferior, como los propios esclavos negros".[77] El duque de Beaufort estuvo de acuerdo con tan violenta declaración, y antes de que Edwards y yo pudiésemos hablar, el anfitrión Lord Dillon-Lee tomó la palabra. Dijo que su larga estancia en Andalucía le había permitido darse cuenta de que las primeras percepciones inglesas sobre América y sus pobladores habían sido un reflejo de la reacción española ante el Nuevo Mundo. Agregó que el descubrimiento de Colón había traído problemas intelectuales y religiosos, como que la diferencia de la flora y la fauna de las tierras conquistadas con las de Europa hacía pensar en que también sus habitantes fuesen distintos, o como el vacío planteado por la ausencia de una explicación de las Sagradas Escrituras sobre el origen de los hombres americanos. A los escritores españoles les había hecho un impacto tremendo el grado de civilización de los aborígenes, especialmente los del imperio azteca, pero a pesar de ello los empezaron a considerar como inferiores y hasta subhumanos. La polémica encendida por Las Casas contra esta tesis puso en evidencia el avasallamiento español y los malos tratos hacia

[77] P. J. Marshall y Glindwr Williams, "The Great Map of Mankind", en *British Perception of the World in the Age of Enlightenment*, Londres, Melbourne y Toronto, J. M. Dent e hijos, 1982.

los indígenas, y esto propició la "leyenda negra" que contra
España difundieron los escritores ingleses, franceses y holandeses. El debate hablaba entonces del *salvaje noble* y del
innoble, de si quienes hacían sacrificios humanos, como los aztecas, o comían carne humana como a veces los indios de Brasil,
podían considerarse entes *de razón,* y casi siempre se concluía
que no: Europa era el centro, América la periferia; Europa lo
superior, América lo inferior. Richard Bloom, en el siglo XVII,
escribió sobre los indios de Nueva Inglaterra asegurando que
"eran dados a la masacre, la tortura y hasta el canibalismo".
El mismo John Locke llegó a afirmar que los americanos eran
totalmente salvajes, y que "en el principio todo el mundo era
América", por lo que los europeos nada podrían encontrar en
ese continente que fuese digno de observar o imitar. Por lo
contrario John Lawson, en su *Nuevo viaje a Carolina,* había
desestimado las opiniones tendenciosas de otros escritores ingleses, "personas de muy escasa educación", y ensalzaba las
costumbres civilizadas de los indios norteamericanos, tratando
de invertir el balance de la opinión; pero desgraciadamente
Lawson fue asesinado después por los indios y sus teorías se
habían venido abajo. Lord Normanton parecía basar sus observaciones en el libro de Louis Hannepin, *Descripción de Luisiana,* que en 1683 había pintado con vivos colores esa región
y sus enormes posibilidades, escena sólo manchada "por los
aborígenes de vida cruda e irracional", llenos de "vicios y
supersticiones". Era seguro que el rígido Lord no había leído
en cambio el libro de Lahontan, *Nuevos viajes a América del
Norte,* quien por esos mismos años hizo un panegírico de la
vida simple de los indios y dirigió un ataque virulento a los
"vicios y las locuras de la sociedad europea". A pesar de opiniones como ésta parece claro que cuando Inglaterra colonizó
la parte noreste del continente americano, la imagen de sus
pobladores originales era la de seres poco menos que infrahu-
manos, salvajes pérfidos, estúpidos e insensibles, que no apren-
derían nunca las costumbres civilizadas. Y no hicieron mucho
favor tampoco algunas expresiones de franceses aparentemente
progresistas, como el barón de Montesquieu, quien en *El espíritu de las leyes* asegura que: "Cuando los salvajes de Luisiana quieren fruta derriban el árbol para tomarla"; o como Vol-
taire, quien se burlaba sarcásticamente de las afirmaciones de
Joseph François Lafitau, que había exaltado las similitudes
entre los indios americanos y los pueblos europeos de origen
grecorromano. Y hasta el conde de Buffon, a pesar de toda su
ciencia, contribuyó al error proclamando que los indios eran
inferiores a los europeos, lo que inspiró en nuestras trece
colonias de América del Norte la certeza de que "el único indio

bueno es el indio muerto". El vizconde de Litchfield había tratado de rebatir a Lord Normanton sin lograrlo del todo. Yo no pude resistirme a intervenir. Dije que los testimonios de los escritores eran confusos y prejuiciados, primero por el odio a España, descubridora del Nuevo Continente, y en segundo lugar por orgullo racial; agregué que faltaba considerar aquéllos de los dibujantes y pintores, que eran en su mayoría favorables a los indios. Recordé las espléndidas pinturas de John White de finales del siglo XVI, que los describieron como "nobles primitivos" pero no salvajes, y que merecieron gran difusión en toda Europa. También los del grabador flamenco Bouttat, los del francés Cochin y los del holandés Schynvoet, casi todos reflejando el esplendor de la civilización azteca y la resistencia que Moctezuma y los suyos hicieron a Cortés. Alegué que muchas de las imágenes de los indios que se habían descrito en los libros eran falsas o superficiales, carecían de objetividad y solían confundir una conducta particular con los hábitos colectivos; afirmé que la creencia de algunos británicos en su pretendida superioridad frente a los indoamericanos era un problema de miopía y sobre todo de arrogancia, profundamente ligado a nuestros intereses comerciales, como el tráfico de esclavos negros. "El cinismo se ha apoderado de los ingleses", recuerdo que dije, mientras se hacía un pesado silencio en la biblioteca. Y concluí expresando que, toda vez que de Europa no dependía, como querían algunos, la suerte y el destino de los pobladores del Nuevo Mundo, lo mejor que podríamos hacer era visitarlos, conocerlos mejor, entenderlos y ayudarlos, no sólo con mentalidad cristiana sino de acuerdo con el espíritu del tiempo. Cuando terminé de hablar mi amigo Edwards me miraba con un signo de aprobación, y por fortuna también Lord Augustus Dillon-Lee, quien me sirvió otra copa de brandy. Lord Normanton, sin siquiera mover los ojos, comentó que si tanto admiraba yo a los indios americanos ¿por qué no me iba a vivir con ellos para dibujarlos y entenderlos? Yo, sin mucha convicción dije que lo haría y allí terminó la velada. A la mañana siguiente nos despedimos de nuestro anfitrión en la hermosa rotonda que está frente a la fachada de Ditchley y subimos al coche cubierto de la familia, que nos llevaría a los Edwards y a mí a Oxford, para que ahí pudiésemos tomar la diligencia hasta Londres. Recuerdo que la pequeña Agnes no quería que nos marcháramos, pues durante esos tres días había jugado con el sobrino nieto del vizconde Litchfield, Robert Edward Lee, nacido en Virginia, que había venido con su madre a conocer el país de sus antepasados. Lord Normanton, por supuesto no acudió a despedirnos. Eso fue en 1824, pero cinco años después pienso que yo estaba

en lo cierto y que tambien William Henry tiene razón: la
nueva historia tendrá lugar del otro lado del Atlántico. ¡Y
yo quiero estar ahí! Al escribir lo anterior he abierto sin
proponérmelo el corazón ante mí mismo y comprendo que
ya he tomado una decisión: ir a México a iniciar ahí una
nueva vida. ¡El *Grand Tour*, por fin!, Georgiana no querrá ni
podrá acompañarme. Es duro decirlo pero también lo he pensado mucho, ella y yo ya no tenemos nada en común; no
nos queda más remedio que una separación honorable. Hablaré
con ella y le propondré que acepte una declaración mía ante
los *trustees*[78] de mi pequeño capital para que goce de una pensión suficiente para ella y nuestras hijas. No me llevaré más
que lo necesario para viajar y pintar. ¡Ah! y también mi barómetro, pues México es un país de enormes montañas. Dibujaré
y pintaré ese pueblo formidable cuya capital, según dice Ward,
es tan hermosa que soporta con ventaja la comparación con
cualquiera de las ciudades europeas. Allá en México conti-
nuaré este esquema biográfico que será quizá lo mejor de la
reducida herencia que este Egerton dejará a sus descendientes.

[78] Fiduciarios.

15. *"Vendrán de oriente hombres blancos y barbados"*

"El *rompecabezas* que se hiciere
del siglo xix con los testimonios de viajeros,
podría incorporar estas piezas:
perros comanches de carga,
grandes y fuertes;
meteorito adorado por indígenas
en Casas Grandes, Chihuahua;
aguadores que vocean y venden,
casa por casa el vital líquido;
Humboldt, quien entre otro de sus empeños
planea un canal ni más ni menos
que desde México hasta Tampico,
pasando por los ríos Tula y Pánuco;
Ward —primer embajador inglés en México
y "hereje notorio"—, quien para azoro
de todos dio a bautizar a su hija
al conde de Regla, para encompadrar con él;
Maximiliano, en cuya imperial barba
y mayestática cabellera rubia
pululaban proletarios y humildes piojos;
Lumholtz *jugándose el pellejo*
al tratar de comprar
un cadáver fresco de indio tarasco.
Todo ello cabría, además de los lugares
más señeros del valle de México
desde hace siglos: los volcanes, la Villa,
el canal de la Viga, Chapultepec, el Zócalo
y los evangelistas de Santo Domingo."

José Iturriaga de la Fuente,
Anecdotario de viajeros extranjeros en México.
Siglos xvi-xx, *Introducción al t. I,*
INBA/FCE, México, 1988/1989.

La Vera Cruz, México, 21 de noviembre de 1831

ESTOY SENTADO EN LA PLAYA al norte de la Vera Cruz, el puerto del Golfo de México por el que entró Cortés al país hace más de tres siglos. El lugar no es exactamente el mismo, porque el asentamiento original está aún más arriba, en Chalchihuecan, una pequeña bahía arenosa al pie del cerro fálico que los conquistadores llamaron procazmente "Bernalillo" por su aparente similitud con el miembro viril del cronista de su epopeya, Bernal Díaz del Castillo. Aunque sólo estoy dibujando a lápiz para después colorear, he traído el caballete recién desembarcado, como yo y todas mis pertenencias, para hacer mi primer trabajo en estas tierras mientras fumo un cigarro puro. Ahora soy uno más de los hombres blancos y barbados que vendrían de oriente, según anunció la profecía que el dios Quetzalcóatl hizo hace muchos años a su pueblo y que quedó confirmada para Moctezuma con el paso del cometa de Halley, augurio que se produjo poco antes de que apareciera en el golfo la pequeña armada española procedente de Cuba. Hace calor a pesar de que es temprana hora y la ciudad portuaria brilla intensamente. Voy a darle "mucho cielo" a este dibujo, un poco más de la mitad superior del encuadre, para que luzca su comba azul, ligeramente nubada, por la que penetran los ardientes rayos del sol mexicano, padre de este país y creador de la luz más intensa y maravillosa que haya yo visto nunca, la cual se me antoja muy difícil de captar y distribuir en la blanca superficie que aún espera el primer trazo.

La ciudad de Vera Cruz está a mi derecha. Se encuentra sólida y bellamente construida y sus cúpulas rojas y blancas, torres y parapetos, producen un espléndido efecto cuando se contemplan desde el mar. Muchas de las casas son grandes, diseñadas en el antiguo estilo morisco o español, y generalmente poseen un patio cuadrado y corredores cubiertos; tienen techos planos, ventanas de vidrio y están bien adaptadas al clima. Hay una plaza tolerablemente buena, en uno de cuyos ángulos está el Palacio de Gobierno y en el otro la parroquia, como se puede ver desde aquí. A la izquierda aparecen otros templos, monasterios y conventos, y en el lado opuesto de la cuidad, como a 600 yardas, se encuentra un islote donde se yergue el macizo castillo de San Juan de Ulúa, que es la comandancia de la Plaza y se considera la mejor fortaleza del país. La bahía se extiende entre el castillo y la ciudad pero es notoriamente insegura; la rada de anclaje es tan mala que los barcos tienen que ser atados con cuerdas a los fuertes anillos de hierro fijados en los muros del castillo, pero ésta no se considera tampoco suficiente salvaguarda contra la furia de los vientos del norte que a veces soplan aquí con terrible violencia. Vera Cruz es extremadamente insalubre en todo tiempo, pero durante el estío los europeos están especialmente propensos a ser víctimas de *vómito*, agresiva enfermedad local. La

D.T. Egerton: *Veracruz*. Litografía

ciudad está rodeada de planicies arenosas y charcos de agua estancada. No hay ni jardín ni molino cerca de aquí y la única agua apta para usarse cae de las nubes. Los mercados no tienen buen surtido de artículos con la excepción del pescado, del que se capturan muchas y muy buenas especies. En un tiempo el comercio de Vera Cruz fue considerable, pero ha declinado sensiblemente desde que México se sacudió el yugo español. Alvarado, puerto situado como doce leguas al sureste y que era el centro del comercio marítimo durante la revolución de Independencia, se levanta en la ribera izquierda del río del mismo nombre, en cuya boca tiene una barra que lo vuelve inaccesible para los barcos con más de diez o doce pies de calado: los buques grandes, en consecuencia, deben cargarse y descargarse por medio de barcazas. El comercio de México ha regresado sin embargo a su canal original, que lo comparte con el puerto de Tampico, el cual ha crecido en importancia en los últimos años. Veo y procedo a dibujar una especie de palanquín o litera cubierta, que pasa en primer plano a la izquierda, cargada por dos mulas, la cual lleva a uno de los comerciantes locales que viaja hacia la ciudad de México; dos de sus sirvientes también montan en mulas, uno conduciendo y otro azotando a las bestias. Cerca están algunos indios y campesinos de la región. A la derecha, y también en primer plano, va hacia la ciudad el correo o cartero, un tipo de hombre que no perdona a los caballos, galopa sin importarle el calor o la naturaleza del camino. El pañuelo blanco que flota por debajo de su sombrero es un artificio de uso general entre los jinetes; el movimiento dado por las colgantes puntas durante el galope produce una corriente de aire que refresca sus caras.[79]

Alrededor de la ciudad se extienden por algunas millas las tierras bajas. El camino que reproduzco en este boceto es el principal que lleva al interior, a través de pesados médanos; rumbo a la capital el mulero escoge su ruta sobre la densa arena mojada y con rienda firme se adelanta a la primera mula que carga la litera; la trasera es arriada por otros sirvientes mientras en el fondo un tercero lleva el equipaje ligero y las remudas. La abrupta subida desde la costa, después de las primeras leguas y los malos caminos, junto con el excesivo calor, convierten la litera en el modo de transporte más agradable. La bahía no tiene protección contra los "nortes" que azotan generalmente desde noviembre hasta febrero. Estos

---

[79] La mayoría de estos textos aparecen en el *Panorama Royal* de que luego se dará cuenta y varios de ellos en *Vistas de México,* el portafolio de litografías original de D.T. Egerton publicado bajo su supervisión en Londres, 1840.

vientos producen sin embargo el saludable efecto de alejar la malaria que se abate sobre la costa durante el verano y la estación de lluvias. A la distancia se ve una pareja de bueyes y a la izquierda unos campesinos. En la playa se aprecian algunos barcos pesqueros junto a los cuales unas mujeres indígenas esperan recibir pescado para vender; a lo largo del islote y fortaleza de San Juan de Ulúa hay un cierto número de barcos amarrados, algunos de ellos de tamaño considerable. En lontananza está uno de los barcos de la compañía British West India, llamado *El Támesis* —en el que yo llegué a Vera Cruz— que lleva ya el correo pero está esperando un cargamento de lingotes de oro o plata o de dólares amonedados. Fue a través de este puerto como los españoles iniciaron la conquista de México en 1521.[80] El castillo de San Juan era su última fortaleza, cuando después de un dominio de trescientos años fueron expulsados de un país donde habían establecido religión, leyes, costumbres y lengua, creyendo dejar sólo pocos vestigios del carácter de los aborígenes. En el islote, junto a la fortaleza de San Juan, hay también un faro.

México debe asumir cuanto antes la atrevida actitud de un imperio o se fragmentará provincia por provincia hasta que su propio nombre desaparezca. No hay país del hemisferio occidental que tenga una posición más a propósito para constituir una potencia. Bañado al este por el golfo que lleva su nombre y al oeste por el Pacífico, posee acceso directo a los dos océanos y a través de ellos a las más opulentas regiones del globo. En el sur no puede temer como rival a la inestable Guatemala. Pero el norte es la verdadera frontera donde va a librar la batalla por su existencia; más allá de ese límite se extienden los Estados Unidos. La magnitud del territorio mexicano estremece a los europeos, pues se despliega desde los 15 hasta los 42 grados de latitud norte y desde los 87 a los 125 grados de longitud oeste. Su superficie, en un cálculo aproximado, tiene alrededor de un millón y medio de millas cuadradas, o sea *siete* veces la dimensión de Francia. Aunque relativamente cerca del Ecuador, el clima de México es altamente favorable para la vida y para los productos de la zona templada; como la mayor parte de su territorio es una sucesión de valles planos o elevados, aunque el sol de los trópicos lo abrasa casi verticalmente, las noches son muy refrescantes, la brisa desciende

[80] En realidad la concluyeron el 13 de agosto de ese año con la toma de Tenochtitlan, pero la iniciaron en febrero de 1519. Ver el magnífico libro de José Luis Martínez, *Hernán Cortés*, México, Universidad Nacional Autónoma de México/Fondo de Cultura Económica, 1990.

de las montañas a la costa y los días raramente resultan tan calientes como en Europa.

Mientras trabajo doy una ojeada a los principales rasgos del estado de Vera Cruz. El puerto que se extiende ante mí es su ciudad comercial por excelencia y el medio de comunicación con Europa; muy bien construido como he dicho, demuestra su riqueza en la majestad de sus casas privadas y la rara peculiaridad de sus calles anchas y limpias. ¿Por qué las ciudades comerciales se establecen sin atender a otras consideraciones? Vera Cruz es proverbialmente insalubre, como he consignado ya. Una sucesión de pantanos en su vecindad carga el aire veraniego con fatales exhalaciones, y el *vómito,* esa violenta enfermedad evidentemente consanguínea del *vómito negro* de África, exige de las más acuciosas precauciones o probablemente de la suerte más afortunada, para poder escapar a su terrible cerco. Incluso se dice que esta disposición ataca a menudo a los nativos de la ciudad. Sin embargo la vulnerabilidad de la condición europea ante las enfermedades tropicales queda demostrada aquí frente a todas ellas, y el tifo, la fiebre amarilla e incluso la pestilencia atacan terriblemente al extranjero.

No obstante, tanta es la ambición por hacer dinero en todas las partes del mundo que el clima se ve sólo como un inconveniente menor. El comerciante en Vera Cruz entra en campaña contra "todas las enfermedades que el cuerpo soporta" como si tuviera una patente de vida. En la estación de mayor intercambio comercial las calles bullen de gente, la bahía está llena de mástiles, acogidos a la protección de San Juan de Ulúa contra las ráfagas de viento que a veces llegan del norte con inusitado furor; y las fiestas y los funerales van de la mano, sin mucha diferencia unas de otros, en una tierra que año con año celebra el Carnaval, con el regocijo de comerciantes, marineros y criollos. Pero cuando termina esa estación Vera Cruz es tan triste como un calabozo, o como un monasterio silencioso y tan malsano como un hospital. Las *señoras,* de facciones españolas verdaderamente perfectas, ojos negros y coqueta belleza, se sientan el día entero colgadas de sus balcones como palomas en los aleros de las casas, quizás aguardando un huracán, un temblor o cualquier cosa que rompa la monotonía de su existencia. El sonido de una guitarra, el ruido de pasos y hasta el lamento de un mendigo pone toda la calle en movimiento y provoca un crujir general de mantillas y un azotar de ventanas. Los hombres llevan mejor su aburrimiento: el *señor* cuando puede chupar un puro está contento por el resto del día. Ya sea que esté parado bajo el sol o sentado bajo la sombra, dormido o despierto, el puro le sirve para ejercitar todas sus funciones animales. Su cerebro se envuelve en el humo al igual que sus bigotes; sus preocupaciones también se desvanecen como el humo. Hasta que su caja de puros se vacíe no recobrará la conciencia de ser un habitante de este mundo. Algunos mantienen una actitud más positiva. De cuando en cuando echan un vistazo al hermoso paisaje que rodea su ciudad, pero lo hacen con la más firme determinación de ni siquiera pestañear. Algunas de sus casas tienen pequeñas piezas cubiertas de vidrio sobre los techos, y así se pueden sentar con el cielo sobre de ellos, las montañas alrededor de ellos y el mar debajo de ellos, echando a volar sus sueños.

El aspecto de la costa mexicana desde el mar es en verdad imponente. Al norte y al oeste las aguas del golfo lavan tendidas playas, pero en el sur toda la costa está llena de montañas con una altura promedio de 12 mil pies sobre el nivel del mar; entre ellas destaca el nevado Pico de Orizaba que de acuerdo con Humboldt se eleva a 17,400 pies, de los cuales 15,092 están cubiertos de nieves eternas. Es ésta una montaña volcánica que está dormida desde la mitad del siglo XVI. ¡Cómo sería de majestuosa cuando su cumbre estaba cubierta de llamas!

El medio de transporte entre Vera Cruz y la ciudad de México está constituido principalmente por diligencias que hacen tres viajes a la semana entre ambas ciudades. Estos vehículos, establecidos originalmente por un estadounidense, son ahora propiedad de un mexicano que se está haciendo rico rápidamente. Los caballos son mexicanos y, aunque pequeños, fuertes y briosos. El coche sale de Vera Cruz a las once de la noche y llega a las tres de la tarde del día siguiente a Jalapa, una distancia de alrededor de setenta millas en continua subida hacia las montañas. Las casas alrededor del camino son pequeñas y miserables, construidas con varas de diez pies de altura fijadas en el suelo y cubiertas de palmera. Los villorrios se parecen a los de los indios americanos: chozas de diez o doce pies cuadrados, con un pequeño huerto donde se siembra maíz y chile; la única diferencia que existe entre estos dos estilos de arquitectura es que los del norte construyen con madera y los del sur con *adobe*, que es un ladrillo de lodo seco.

Gran parte de esta región pertenece al bien conocido general Santa Anna. El suelo es fértil por naturaleza y como el general es ganadero dice que mantiene 40 o 50 mil bovinos en sus pastizales. En Yorkshire se sorprenderían al saber que la alimentación de su ganado le cuesta cuarenta dólares ¡por cada 100 cabezas! El ascenso de la cadena de montañas y la variedad del camino mantiene naturalmente al viajero en el *quién vive*. Con el aire, singularmente transparente, el brillo del cielo hacia arriba y los más distintos paisajes sureños extendiéndose de manera ilimitada hacia abajo, la vista goza de una fiesta continua. La ciudad de Jalapa se encuentra en una ladera entronizada en la repisa de la montaña, cuatro mil pies arriba del mar, y otros cuatro mil pies abajo de la imponente y soleada cordillera. Todo el horizonte, excepto en dirección a Vera Cruz, en un círculo de montañas, y superándolas todas, a una distancia de 25 millas (que por la claridad del aire parece cuatro veces menor) se levanta el espléndido cono del Orizaba. En lo alto de la cordillera está Perote, un pueblo que protege una sólida fortaleza, quizá la más alta del mundo pues se encuentra situada a 8,500 pies sobre la playa. La altura hace en todas partes la diferencia entre el calor y el frío. A mitad del verano, cuando en Vera Cruz quema la sangre en las venas, los habitantes de Perote se abotonan sus abrigos hasta la barbilla y duermen con frazadas. De este modo el invierno es traído desde los polos hasta el trópico y los mexicanos tiritan de frío bajo la más ardiente luz solar del globo. Las lecturas que he hecho sobre la naturaleza, historia y costumbres de este país empiezan a dar sus frutos. También me atrevo ya a decir las frases más rudimentarias en español, cuya gramática es muy similar a la del francés, que me enseñó mi madre, aunque su pronunciación es más abierta. Gracias a todo ello hasta parece que ya conocía México. Pero la realidad, en este caso, sobrepasa la imaginación.

La Puebla de los Ángeles,
22 de diciembre de 1831

ME HE DETENIDO en la ciudad de Puebla de los Ángeles, que es el asiento del más rico Arzobispado del país y de los más fuertes productores de algodón, loza y lana, aunque también fabrican aquí vidrio y jabón en abundancia. El territorio de este estado se extiende más allá de la vertiente occidental de la Sierra Madre y baja hasta las playas del Océano Pacífico; consecuentemente es pródigo en frutas de la *tierra caliente* y de las más comunes del altiplano. Sin embargo aquí no hay minas, que generalmente crean un fuerte mercado interno, y como el comercio exterior es comparativamente de poca importancia, el interés por la agricultura se ha deprimido. La manufactura nativa de lana y algodón ha declinado también como en otras partes de México. El estado incluye las ciudades de Tlaxcala y Cholula que ofrecieron tenaz resistencia al poder de Moctezuma. Las calles de la Puebla de los Ángeles son rectangulares, espaciosas, aireadas y pavimentadas con grandes piedras, dispuestas en forma altamente ornamental. Las casas son bajas pero cómodas y sus interiores están casi cubiertos con porcelana y adornados con pinturas al fresco. Hay un gran número de iglesias y conventos y alrededor de veinte colegios, con una magnífica Catedral ricamente ornamentada, a la que se le tiene gran veneración por la tradición de que fueron los propios ángeles quienes hicieron subir a sus altas torres las enormes campanas que la distinguen, por lo que se sigue festejando esa "Intervención Divina". Del otro lado de la ciudad, como a 30 millas de distancia, hay dos grandes montañas. Cuando se reproduce un paisaje de los trópicos, cuya atmósfera está tan altamente rarificada, y de manera especial cuando uno se encuentra en lugares considerablemente elevados en relación con el mar, es prácticamente imposible transmitir al ojo inexperto una adecuada idea de las distancias, que siempre parecen ser más cortas; cuando la dureza de los perfiles con la forma distintiva de los objetos es pintada con fidelidad, frecuentemente arriesga al artista a la imputación de "falta de oficio". De esta manera en las dos montañas que he incluido en la vista panorámica de Puebla, éstas aparecen como si se nos echasen encima, a pesar de que sus bases están, como he dicho, a casi 30 millas del primer plano. Las laderas de estas montañas están cubiertas con tupidos bosques que se extienden desde el suelo hasta el punto en que la vegetación deja de existir. Esto deberá verse en la pintura que estoy terminando, donde el tono gris de la floresta cede su lugar a un cálido color de arena y en el que la cumbre está distintivamente marcada con la nieve que la cubre. La elevación máxima de la montaña, llamada Popocatépetl, es de 17,884 pies sobre el nivel del mar (casi tres millas y media) y alrededor de 10,684 pies sobre la ciudad de Puebla, desde la cual es claramente visible el cráter de este volcán cuyo borde baja considerablemente hacia el lado sur. Aún humea débilmente y la región que lo rodea lleva las devastadoras marcas de sus violentas erupciones. La montaña vecina, llamada Iztaccíhuatl, se supone que es un volcán ya extinguido; estas dos montañas constituyen una barrera para la comunicación directa de Puebla y la capital, entre las que media una distancia de alrededor de 70 millas.

En los primeros planos de mi obra se ve la planta conocida como *maguey,* o *agave americana* de la que se extrae la bebida nacional llamada *pulque;* que es una fermentación lechosa de su jugo o aguamiel; a su izquierda veo a un grupo de soldados mexicanos de caballería, que pasa cerca de otro formado por mujeres y frailes. A distancia media, sobre el camino que

D.T. EGERTON: *Vista del Popocatépetl desde Atlauta.*
Óleo. Colección: Banco Nacional de México

lleva a la ciudad, cruza un coche tirado por cuatro caballos. Puebla es una de las más hermosas ciudades del territorio mexicano. Como a cinco millas de ella se encuentra Cholula, que Cortés describió como teniendo "una bien vestida población de cuarenta mil ciudadanos", los cuales, según se ve, eran especialmente devotos, pues el conquistador contó en ella las torres de cuatrocientos templos idolátricos. De esta ciudad no queda ningún vestigio sino sólo un inmenso monte de *adobes* y piedra, sobre el cual se asienta ahora una capilla de la Iglesia católica romana.

Más allá de Puebla los cultivos se extienden hasta considerable distancia a los dos lados del camino. A la derecha se encuentra la república[81] de Tlaxcala, memorable en la historia de la conquista, integrada entonces por una población de guerreros. El camino quiebra después hasta los pies del Popocatépetl, la más alta de las montañas mexicanas,[82] y ello es señal de que uno se acerca a la capital y que pasando la siguiente cuesta se podrá dar la primera ojeada al famoso valle y ciudad de México. Desde esta cuesta Cortés tuvo la primera visión de su conquista. Debió de ser un objeto de indescriptible interés para el gran soldado que había luchado a su modo para obtener el más noble reconocimiento de su época. Cuando el camino se acerca a Puebla, se ven las granjas de las cuales se abastece la ciudad y que producen trigo, cebada y maíz indígena. El único alimento para caballos es la paja de trigo que según se dice contribuye a engordarlos, fenómeno del que no nos hemos percatado aún.

El modo de hacer las cosas en este somnoliento país es notable por su tranquilidad. Un americano me narró lo que le acontenció en el camino de Vera Cruz con cuatro dragones que le acompañaban. Les preguntó accidentalmente sobre el estado de sus armas y encontró que sólo una de las carabinas podía disparar, aunque no estaba cargada, por lo que licenció a la guardia y confió mejor en sus compañeros de viaje que iban todos bien armados. Los viajeros mexicanos toman estos asuntos de otra manera: nunca portan armas pero preparan una pequeña bolsa con dinero a fin de solo ser robados moderadamente. Algunas millas cerca de Perote el camino rodea una alta colina y los pasajeros de la diligencia bajan ahí a caminar.

---

[81] Cuando llegaron los españoles a Tlaxcala ésta era una República formada por cuatro parcialidades: Maxixcatzin, Xicoténcatl, Tlehuexotolzin y Citlapopocatzin, que constituían un Senado. Hasta 1810 perteneció a la intendencia de Puebla y en 1824 se incorporó como estado a la Federación.
[82] En realidad lo es el Pico de Orizaba.

En una ocasión unos americanos habían dejado sus armas en el coche, pero su jefe, más prudente que ellos, les ordenó inmediatamente recuperarlas y tenerlas a la mano. En el curso de la subida se encontraron a un grupo de rufianes que el cochero identificó como ladrones, y quienes los hubieran atacado probablemente si no hubiese sido por las armas que llevaban. Menos de un mes antes de esto, cinco o seis americanos que dejaron sus armas en el coche, en el mismo lugar, fueron atacados y despojados hasta del último centavo. Debe decirse que este país tiene muchas ventajas para los "caballeros del camino". La carretera entre Vera Cruz y México es vital para el país. Casi todo el comercio transita por ella y noventa de cada cien viajeros también. La parte principal del camino atraviesa territorio desértico. Frecuentemente bordea las laderas de las montañas, y entonces cruza por verdes florestas permanentes, que forman un buen escondite para los "piratas terrestres", lo que en conjunto es una combinación de Hounslow Heath y Shooter's Hill en gran escala.[83] Esto hace del robo en despoblado una actividad tan ostentosa como segura, porque las mesas de juego son las que proveen la mayor cantidad de asaltantes. En efecto, las estadísticas del juego debieran consignar lo que sucede en México. La pasión por el juego es pública, universal e infinita. Probablemente superior incluso a la pasión por el pulque, que a mí me parece nauseabundo pero que para los mexicanos es néctar y ambrosía. Todos juegan, y juegan todo lo que poseen en el mundo y a veces más. Pero hay un recurso: el camino. Un hombre que ha perdido su último peso, pero que está decidido a seguir jugando hasta que muera, cae siempre en la fuerte tentación de apropiarse de los bienes de su vecino. La hora en que la diligencia pasa es conocida de todos, así como los lugares en subida en los que debe ir más despacio. Aquel sujeto siempre encontrará socios para su expedición entre los holgazanes que después de haber experimentado su propia ruina se sientan alrededor de la mesa de juego pendientes de la suerte de otros. La banda se forma en un momento: se precipitan hacia el camino sin dilación, se colocan tras de los árboles imaginando los mejores resultados de su acción y respirando el aire refrescante, hasta que el ruido de las ruedas de la diligencia los pone alertas. Luego sacan sus armas, los pasajeros les entregan sus bolsas, roban del coche todo aquello que puedan llevar a convertir en dinero y después la banda regresa a la mesa de juego, lanzando sus monedas al aire y juegan hasta que son ricos o se arruinan

---

[83] Sitios boscosos cercanos a Londres donde se asaltaba a los viajeros.

otra vez. En alguna ocasión, después de alguna aventura como la que hemos descrito, una diligencia fue robada cerca de Puebla por una banda, cuyos integrantes tenían la apariencia de caballeros. Cuando la operación de limpiar todo a todos se había terminado, uno de los ladrones solicitó a los pasajeros que no los tomaran como delincuentes profesionales, pues ellos eran auténticos hombres de bien, sólo que habiendo sido desafortunados en el juego se habían visto forzados a causarles "esos inconvenientes", por lo cual les rogaban se sirvieran perdonarlos.

Coliseo 4, Tacubaya, 19 de enero de 1832

AL LLEGAR A LA CIUDAD de México lo primero que hice fue pedir a un coche de alquiler que me llevara a la casa de mi hermano William Henry, ubicada en Tacubaya. El cochero me previno que existía un servicio especial para transportarse a ese lugar, que según yo ya sabía es un pueblo cercano a la capital de la República, cuya primera impresión me fue muy grata cuando al entrar a ella la vi circundada por la diadema roja de un maravilloso crepúsculo. No obstante insistí y el cochero aceptó llevarme hasta la calle del Coliseo del vecino villorrio, adonde llegamos casi dos horas después en medio de una obscuridad sólo interrumpida por las luces de aceite de los faroles esquineros y el pregón de los *serenos* que mientras los encienden vocean la hora, el estado del tiempo que generalmente es sereno (de ahí su nombre) y tácitamente invitan al vecindario a recogerse. Las campanas de la parroquia marcaban las ocho cuando el coche se detuvo frente a la casa de mi hermano y el cochero accionó el gran aldabón de hierro, simulando una mano femenina que ase una pesada bola, el cual al estrellarse contra el portón motivó el aullido de un perro y poco después que un joven empleado abriera la gran hoja de vetusta madera. Fue un enorme placer abrazar a William Henry a la moda mexicana, que él impuso a nuestro encuentro, primero que se producía después de la muerte de nuestro padre. Esa noche conversamos sin parar casi hasta el alba, refiriéndome él su vida en Nueva York y en esta ciudad y yo mis últimos años en Inglaterra, mis andanzas profesionales y mi separación de Georgiana, a quien dejé convenientemente asegurada con una pensión vitalicia. Vio mis primeros dibujos mexicanos de Vera Cruz y Puebla y se entusiasmó grandemente con ellos. Me dijo con vehemencia que los compraba inmediatamente a un precio en verdad muy elevado: veinte dólares cada uno, y que con sus muchas amistades tenía asegurada la venta de esos y otros paisajes que reprodujeran las ciudades o los edificios más importantes de México, con lo que mi estancia en el país quedaría resuelta en el aspecto económico. Prometió que me presentaría con algunos amigos suyos y me llevaría a conocer la ciudad. Yo le agradecí su fraternal ofrecimiento y le pedí que me dejara moverme solo y penetrar por mi propio pie en la sociedad mexicana que ya empezaba a descifrar. Agregué que mi primera preocupación sería recorrer Tacubaya, conocerla a fondo y captar sus mejores paisajes. William Henry rió complacido y nos dimos otro abrazo.

Este hermoso pueblo está situado sobre unas lomas, como a cuatro millas de una de las puertas de la ciudad de México, que reposa sobre el extenso y transparente valle. Antes estaba totalmente circundada de agua, pero un tajo o canal abierto entre las montañas arroja ahora hacia afuera los excedentes del líquido que se concentran en los lagos durante la estación de lluvias. Esto, sin embargo, no evita que las partes bajas de la ciudad sufran inundaciones parciales por periodos cortos. La altura de la ciudad sobre el nivel del mar es poco más de 7,000 pies; la distancia desde Vera Cruz, 232 millas.

He tomado la costumbre de empezar a escribir estas notas desde los mismos lugares donde emplazo mi caballete para hacer un dibujo o pintar una acuarela, y concluirlas en casa. Ahora me encuentro en la terraza situada arriba del Palacio Arzobispal de Tacubaya desde donde se abre una perspectiva de considerable extensión. En el panorama de la ciudad bañada por su luminosidad única y espléndida destacan las dos ligeras torres y la cúpula de la Catedral erigida sobre el sitio del *Teocalli,* un antiguo templo de los indios; a los pies del Peñón Viejo, una aislada colina volcánica que se ve al fondo, se localizan varios manantiales de hirviente agua. El lago de Texcoco se extiende a través del paisaje, terminando en un terraplén elevado que lo divide del lago de San Cristóbal, más allá del cual son visibles las antiguas pirámides de San Juan Teotihuacan: *Tonatiuh Itzacual* y *Meztli Itzacual,* que son pirámides truncadas, dedicadas al sol y a la luna, respectivamente. Más allá todavía, en lontananza, se perciben las montañas cercanas a las minas de Real del Monte. A la extrema izquierda de la pintura que estoy haciendo aparecerá también, acercándose a media distancia, el pueblito de Guadalupe. Aquí, en una iglesia consagrada especialmente, se venera a la patrona de la ciudad, Nuestra Señora de Guadalupe. El edificio que se levanta de una abrupta eminencia rocosa casi en primer plano es el castillo de Chapultepec, rodeado por árboles sumamente

D.T. EGERTON: *Ciudad de México*. Litografía

antiguos, entre ellos algunos cipreses[84] que se supone tienen
más de trescientos años pero que aún se conservan bien. El
castillo fue construido por uno de los virreyes de Nueva España.
Desde la independencia del país, ha decaído bastante pero
todavía cuida de él una pequeña guarnición. El largo acueducto que pasa al pie de la fortaleza lleva agua de manantial
hacia la capital. En el primer plano estoy dibujando algunas
figuras humanas; las dos principales galopan tras de una mula
que se ha escapado del "atajo"; un ranchero le ha rodeado el
cuello con un "lazo", que es una larga cuerda dotada de un
nudo corredizo, que va atada por el lado opuesto al pomo de
la silla de montar; el otro aún está haciendo girar rápidamente
el "lazo" sobre su propia cabeza dándole un ímpetu prepara-
torio para lanzarlo sobre la mula a fin de acabar de asegurarla.
El "lazo" es una de las contribuciones más útiles de este país, y
al mismo tiempo en mano de los delincuentes es un formidable instrumento ofensivo, que arranca al viajero de su caballo
cuando hay el propósito de robarlo. Los que persiguen a la
mula van acompañados de varios perros callejeros que ladran
frenéticamente, de los cuales el país parece tener sobreproduc-
ción y que surgen de todas partes para acosar cualquier objeto
en movimiento. Otra figura, a la derecha, es la de un jinete
que trata de controlar la excitación de su caballo que intenta
pararse de manos, mientras el viejo ruano que va al lado opuesto del camino no tiene tiempo para hacer cabriolas, debido al
doble papel que desempeña, paseando a un caballero mestizo
vestido a la usanza nacional y a su dama. La costumbre de los
mexicanos de colocar a las mujeres en la parte delantera de
la silla, debemos admitirlo, es mucho más galante que el hábito
europeo de sentarlas a espaldas del jinete, sobre las almoha-
dillas hoy pasadas de moda. El amplio cuero que cubre los
cuartos traseros del caballo se llama "anquera" y fue inventado por los españoles como una protección contra las flechas
de los indios; ahora es usado principalmente por caballeros
vestidos a la usanza nacional, por la gente del campo, por
domadores de caballos y en las plazas de toros.

El gran árbol situado en el primer plano a la derecha —chi-
nus molde o árbol del Perú— es de forma graciosa y produce
infinidad de racimos de bayas rojas que sirven como comida
de pájaros enjaulados, aunque el prejuicio existente, de que
quien duerme bajo sus ramas muere, parece sugerir que el
"pirul" tiene alguna extraña propiedad.[85]

[84] Son "ahuehuetes" o sabinos.
[85] La descripción que Egerton hace del paisaje que reproduce, muy
cercano al lugar en el que él y Agnes Edwards fueron asaltados, se

Tacubaya en sí es un pueblo de gran belleza, salpicado de huertas de árboles frutales y hermosas casas de veraneo, algunas incluso mejores que muchas de la ciudad. Me recuerda vivamente mi Hampstead natal, pues, como aquél, se encuentra en un alto lomerío con la capital a sus pies, tiene un clima maravilloso y está a salvo de inundaciones. Tacubaya también congrega a personas muy distinguidas, sobre todo durante el fin de la primavera y el estío: los condes De la Cortina, la condesa Del Valle, la familia Escandón, el general Gabriel Valencia, don José Adalid y su esposa doña Concepción Sánchez de Tagle; doña María Ignacia Rodríguez de Velasco, la famosa "Güera", quien fue amante de Simón Bolívar y del emperador Iturbide (vive parte del verano en la Casa de la Bola); la condesa de Ulapa, los condes de Regla, don Francisco Fagoaga, el cónsul inglés señor Mackintosh, los Haro y Tamariz, los De Teresa, el Signor Renaldi y muchos más que es imposible consignar aquí; unos residen en Tacubaya durante todo el tiempo y bajan diariamente a la ciudad, otros sólo durante la temporada, pero el pueblo rebosa de personas de sociedad, abogados, prelados importantes, comerciantes ricos, extranjeros influyentes, uno que otro artista como yo, militares y políticos, y entre estos últimos aparece frecuentemente nada menos que el general don Antonio López de Santa Anna, estrella fulgurante y hombre fuerte, si los hay, de este país. Por las serpenteantes calles de Tacubaya, junto a los paredones del convento de San Diego, bajo los cipreses de la Alameda, atravesando el río por el puente de la Morena, en el callejón de las Ánimas, o en el atrio de la Parroquia, y en los jardines que abundan por aquí, me siento como en Hampstead. El paisaje es diferente, la gente también, pero muchas particularidades coinciden y de pronto imagino que al dar vuelta a uno de los ángulos del Palacio Arzobispal o en la fonda de la Plaza de Cartagena voy a encontrarme a uno de mis amigos ingleses, pintor o poeta, que me va a saludar como si de pronto el tiempo y el espacio se hubieran cruzado y yo estuviera allá o él aquí. Ahora mismo estoy pensando en mi admirado Shelley que murió trágicamente en 1824, ahogado en el golfo de Génova, pero que en su última carta me contaba lo placenteramente que había vivido en Roma poco tiempo atrás, en su casa de la calle de *Via del Corso*, con John Keats y Lord Byron, habitando en *Piazza di*

_____

vuelve premonitorio en este último párrafo escrito por el pintor, pues fue precisamente bajo las ramas de unos árboles del Perú donde fue ultrajada y perdió la vida su bella compañera.

Spagna, Joseph Seven en *Via di San Isidoro,* Sir Thomas Lawrence en *Via Margutta* y la pintora Amelia Cupran, quien
acababa de hacerle un retrato, en *Via Sistina,* todos como si
estuviesen en un pueblo inglés "aunque rodeados de mármoles".
Me decía, además, que él y su esposa (Mary Wollstonecraft, la
feliz autora del *Frankenstein* que tantas ediciones y traducciones lleva ya) adoraban Italia pero que ambos me envidia-
ban por residir en Hampstead. ¡Cómo me gustaría que Byshe
viviera y yo le enviara unos dibujos de este increíble pueblito
mexicano para que le inspirasen uno de sus bellos poemas! Me
pregunto si será el destino de los artistas morir jóvenes. ¿Es
ello un requerimiento fatal del romanticismo? Porque Shelley
murió a los 42 años, Byron a los 36 y John Keats a los 26.
¿Moriré yo sin poder procrear un hijo que perpetúe mi nombre?

El interior de la ciudad de México es magnífico. La uniformidad, longitud y buen alineamiento de las calles y la elegancia
de las casas presenta un gran contraste con la pobreza de los
suburbios. Las principales calles tienen alrededor de dos millas
de largo y se cruzan en ángulos rectos. Parece ser que la mayoría de las casas son de tres pisos, de los cuales los dos superiores tienen cada uno 20 pies de altura, y la planta baja
es mucho menor. Los exteriores están pintados de la manera
más suntuosa y adornados con balcones de hierro forjado con
remates de bronce, lo que da a toda la calle una deliciosa perspectiva y un *coup d'oeil* dispuesto para asombrar al más apá-
tico de los observadores. Los principales colores usados para
ornamentar las casas son el rojo, el carmesí, el café, el verde
suave y el blanco, y su belleza se conserva por muchos años
gracias a la permanente serenidad de la atmósfera. Los techos
son planos y cuando se ven desde una elevación presentan la
apariencia de inmensas terrazas, pues los pequeños parapetos
que los separan se pierden en la distancia. Las calles están bien
pavimentadas y tienen aceras en cada lado. Los edificios públicos son magníficos y han sido construidos a enorme costo.
México es considerada la "ciudad majestuosa" del Nuevo Mundo. Su plano original y la parte principal de los edificios
públicos se dice que fueron levantados por Cortés y lucen el
sello de una mente superior. La mayoría de ellos fueron erigi-
dos evidentemente por un hombre al que le era familiar la
arquitectura real de las naciones europeas; y las mejores casas
aún están habitadas por los descendientes del conquistador. En
una de ellas ubicada en la calle de Betlemitas, visité ayer al
señor Richard Pakenham, encargado de Negocios de S.M.B.,
quien expidió y firmó mi pasaporte para que pueda vivir en
el país, por el lapso de un año, que estoy seguro habrá de

Nº 192

EL INFRASCRIPTO ENCARGADO DE NE-GOCIOS DE S. M. BRITANICA,

Certifico que el señor *D. Tomas Egerton*

es súbdito de S. M. y *Artista residente en Mexico*

y suplico al gobierno de los *Estados-Unidos Mexicanos* se sirva concederle licencia por el término de un año, contado desde la fecha, para transitar libre y seguramente por todas partes de la federacion.

R. Pakenham

MEXICO.

Casa de la Legacion de *S. M. B.*

á *18* de *Enero* de 18*32*

Certificado de ciudadanía británica y solicitud al gobierno de México para transitar por el país por un año a nombre de D.T. EGERTON, expedido en México, Casa de la Legación de S.M.B., enero de 1832.

prolongarse más allá. Dicho documento me acredita ante el gobierno mexicano como "artista residente". He realizado ya varios dibujos y acuarelas de distintos rincones de la ciudad. En una de ellas se ve a la izquierda una de las calles principales que va desde la Gran Plaza hasta la Alameda, que es un bello jardín público. Al centro destaca otra larga calle que discurre hacia el convento de la Santa Encarnación, que se aprecia al final; también se ve parcialmente un costado de la Catedral, soberbio edificio espacioso y profusamente ornamentado que cubre una inmensa cantidad de terreno; en esa parte del inmueble se encuentra situada la biblioteca del templo. Otros edificios que resaltan son el convento de Santa Catarina de Siena, el Colegio de Minas, con su rica colección de minerales; la cúpula del Teatro Francés, que durante la Colonia fue sede de la inquisición y el convento y el templo de Santo Domingo. La calle está ocupada por una procesión religiosa de sacerdotes de la iglesia de Nuestra Señora de Guadalupe, que llega con el propósito de bendecir al general Santa Anna, quien saldrá de la ciudad comandando el Ejército. Cuando estas procesiones llevan expuesto al Santísimo, todos los transeúntes deben detenerse, descubrirse y ponerse de rodillas hasta que pase. Sabiendo que las navajas de los léperos o *lazzaroni* son muy filosas y sus brazos muy rápidos, y que ambos se abatirán sobre cualquiera que no observe la costumbre, los extranjeros y muchas personas prefieren evitar el encuentro de la procesión en vez de dar un ejemplo involuntario de fanatismo. Soldados e indios completan mi visión de esta arista de la ciudad. La plaza principal es el orgullo de los mexicanos y la admiración de los viajeros. Tiene una superficie de 12 acres, pero desafortunadamente este gran espacio que en Inglaterra estaría cubierto de plantas y jardines, arbustos y flores, tiene aquí solo pavimento. No obstante, los edificios le confieren una escala noble y digna. La Catedral ocupa todo un costado de la plaza, el Palacio Nacional otro, ambos sobre dos sitios históricos: la primera, el que alojó al gran templo azteca, y el segundo, donde se levantaba el Palacio de Moctezuma. La sede del gobierno tiene más de 500 pies de largo y contiene la mayoría de las oficinas públicas, además de los departamentos del Presidente. Los otros costados de la plaza están ocupados por el Ayuntamiento de la ciudad y los edificios de arcadas conocidos como los "portales" que están llenos de flores, mercaderes y vendedores de todo tipo. Más allá de la Catedral se puede ver la gran cúpula del convento de Santa Teresa y las torres de la iglesia de Nuestra Señora de Loreto. En uno de los ángulos visibles desde la plaza se encuentra la Universidad, con su biblioteca pública anexa y la Academia de Bellas Artes, en la que hay una buena colección de pinturas mexicanas y europeas. No lejos se encuentra el Museo de México, el cual contiene piezas que no podrían encontrarse en ninguna otra parte del mundo pues casi todas son mexicanas. Aparte de enormes piedras labradas, aún más impresionantes que las que conocí en la "Sala Egipcia" de Londres, se exhiben en el museo cientos de ídolos, artículos de barro y las armas que usaron los aztecas en el tiempo de la conquista: lanzas primitivas, dagas y arcos y flechas, así como las armaduras nativas de algodón y los tambores de madera que los españoles temían más que las propias armas. Se muestran asimismo las filosas navajas de obsidiana capaces de cortar la cabeza de un caballo, y los famosos rollos de papel de "cactus" cargados de jeroglíficos, entre ellos uno que da idea del Diluvio, que entre otros detalles muestra un pájaro que tiene en su pico una rama de olivo, lo que resulta muy semejante a la versión bíblica. Se exhibe igualmente la armadura que fue de Cortés; por su tamaño revela que aquél debió de ser de estatura pequeña, más o menos como Napoleón. Otro tanto debe pensarse del bravo Alvarado, cuya armadura es aún más pequeña que la anterior. Una estatua ecuestre colosal del rey español Carlos IV preside el patio interior del museo. Los mexicanos la conservan como una obra de arte pues se debe al gran escultor Manuel Tolsá, ya que desprecian al soberano borbón contra el cual lucharon por su Independencia, así como a su hijo Fernando VII. También pude observar la gran piedra circular de los sacrificios, de ocho pies de diámetro y cuatro de alto, grabada en la superficie y en los lados, en donde según se dice los aztecas —durante la "guerra florida"— inmolaban víctimas humanas. Sin embargo esta piedra no me impresionó; es demasiado elaborada, no posee la desnuda y trágica grandeza de una ara inclemente. Como quiera que sea el museo mexicano es altamente singular y nos ayuda a comprender la recia personalidad de esta nación que tiene raíces propias. Nosotros los ingleses tenemos que pedirles prestada la historia antigua a los griegos y a los romanos; los pueblos de América no, pues ellos tienen orígenes menos añejos pero totalmente particulares. Se podrá o no admirar la cultura prehispánica pero no cabe duda que ésta existe; allí está todavía. Y por supuesto no sólo en el museo, sino cubierta por la tierra y la selva a lo largo de todo el país, en Teotihuacan y en Xochicalco, en Papantla y en Coatlinchan, en las calcáreas planicies yucatecas, testigos del esplendor maya, o en las montañas de Oaxaca donde vivió una raza de orfebres. Tengo la sensación de que ni siquiera los mexicanos conocen todo su pasado, y que los vestigios que se presentan ante sus ojos sólo son el principio de una indagación interminable.

Yo, que desde niño admiré la abadía de Westminster, me rindo ante la grandeza de la Catedral de México cuya impresionante arquitectura gótica resplandece en su inmensa riqueza a pesar de las difíciles situaciones por las que ha atravesado el país en los últimos años. El altar mayor está cubierto de placas de plata repujadas con oro macizo y se encuentra cercado por una balaustrada de cien pies de largo, tan preciosa como el propio altar pues está compuesta de una amalgama de oro, plata y cobre. Se dice que alguien ha hecho una oferta de comprarla por su peso en plata, lo que montaría a medio millón de dólares. También existen estatuas, ánforas y candelabros de metales preciosos que arrebatan la vista, pero se comenta que los mejores tesoros de la Catedral están celosamente escondidos. México es una nación privilegiada en la extracción de minerales, que no se reducen al oro y a la plata. Ningún país produce mayores volúmenes de hierro, que si se estima por su valor de uso merece con creces la calificación de metal precioso. Y el estaño, el plomo y el cobre también se encuentran en abundancia, aunque ingleses, alemanes, americanos y españoles explotan las minas del país en mayor proporción que los propios mexicanos. Es preciso observar que en el muro externo de la gran Catedral se exhibe una piedra gigantesca cubierta de geroglíficos, empleada por los aztecas para designar los meses del año y que se supone constituyó un calendario perpetuo. Esta piedra que sorprende por el ingenio de su fábrica fue encontrada cuando se hicieron las excavaciones para la construcción del templo. Es una de las primeras cosas que los mexicanos enseñan a los extranjeros con orgullo demostrando así el carácter mestizo de la nueva nacionalidad.

El valle de México es un circuito de 1,700 millas cuadradas que debió de haber tenido una vista magnífica si es verdad, como dijeron los conquistadores, que contenía "cuarenta ciudades y pueblos sin número". El tiempo, la guerra y el fatal gobierno de España casi convirtieron esta espléndida región en un desierto. Pero aún tiene una fisonomía que combina lo pintoresco con lo magnífico, especialmente el valle, que semeja el cráter de un inmenso volcán rodeado de montañas, muchas de las cuales se elevan más de 10 mil metros sobre la ciudad. En el centro de esta cuenca ovalada está un lago, o mejor dicho una cadena de lagos, en medio de los cuales pasa ahora un camino de 18 millas de largo, montado sobre un terraplén o albarradón. La ciudad está en la parte noreste del valle, a no más de tres millas de las montañas y tiene una altura exacta de 7,470 pies. Su posición parece obviamente escogida para capital de un imperio.

D.T. Egerton:
México desde la cañada de La Magdalena, cerca de San Ángel.
Acuarela. Colección: Hernández Pons

Las finanzas de México se han convertido en asunto de importancia para Europa en este periodo que podría ser llamado la "era de los préstamos". La deuda actual es de alrededor de 100 millones de dólares, de los cuales 60 se deben a extranjeros. Pero el territorio es evidentemente el más rico en plata que el mundo ha visto hasta ahora, y posiblemente excede en riqueza mineral al resto del orbe, si hacemos excepción del oro de las arenas de los Urales, que literalmente rebosan de tan maravilloso producto. Humboldt contó no menos de 3,000 minas de plata en México en 1804. Pero ni el 15 por ciento de esas minas se siguen trabajando. Producen poco oro, y ese poco se encuentra generalmente combinado con plata, pero la cantidad de ésta última es absolutamente sorprendente. Las minas aún continúan dando un producto tan grande como en cualquier año de los últimos siglos, cuyo promedio, según lo computó el propio Humboldt, es de 12 millones de dólares anuales. Pero teniendo en cuenta la cantidad que se exporta de contrabando, junto con los 18.5 millones de dólares registrados por oro y plata, el producto debe ascender a 24 millones de dólares al año. Este incremento se produce cuando el país se encuentra en paz y tranquilidad; en los actuales tiempos de frecuente revolución desciende en 3 o 4 millones. El autor norteamericano del que he extraído estos cálculos no traiciona su *yanquismo* al imaginar lo que podría hacerse en un país como éste si fuera posesión de Jonathan.[86] Piensa que el producto de las minas sería "al menos 5 veces mayor que el de ahora" y que todas las minas serían trabajadas y muchas más serían descubiertas. Calculando las exportaciones británicas totales en 260 millones de dólares al año, afirma que "México, trabajando plenamente sus minas, podría igualarlas en diez años".

La fertilidad del suelo es notable y, cuando recibe un adecuado cultivo, permite levantar dos cosechas al año. Desgraciadamente los campesinos no tienen capital ni gran inclinación hacia la tierra pues, no existiendo un buen mercado para sus productos, se limitan a producir lo estrictamente necesario. Una porción considerable de todo el territorio está constituido por inmensos pastizales para 80 o 100 mil cabezas de ganado y 15 o 20 mil caballos y mulas, ya que el pasto es verde todo el año y los animales son dejados al don de la naturaleza. Excepto cuando el gobierno requiere monturas para su caballería, difícilmente pueden venderse esas enormes manadas de

---

[86] Nombre que los ingleses daban a los americanos en su conjunto a raíz de la guerra de Independencia, originado por su uso frecuente de los nombres bíblicos. El antiguo "Tío Sam".

caballos pues todo el trabajo agrícola es hecho por bueyes. Los caballos se venden a 8 o 10 dólares la cabeza, toda vez que los mexicanos conservan la vieja preferencia española por las mulas; un par de ejemplares de tiro pueden costar 100 dólares. De este modo, México en cuanto a productos de la tierra no tiene qué envidiar a las naciones favorecidas. Es el país de la cochinilla, produce todo el arroz que necesita para la alimentación del pueblo, el gusano de seda puede multiplicarse considerablemente, y el algodón cultivarse prácticamente en todas las provincias. Las tierras altas están cubiertas de magníficos bosques y donde no se producen otras cosas abunda la cera de abeja, que se consume sobre todo en las iglesias, pues parte de su religión consiste en mantener perpetuamente encendida una multitud de cirios. En Veracruz hay una gran extensión de tierras sembradas de tabaco. Yo ya me estoy aficionando a los deliciosos cigarros puros de este país casi tan buenos como los habanos.

Las tropas de Cortés y los galantes aventureros que las siguieron como colonizadores de las posesiones españolas, a la inversa que los ingleses, tuvieron hijos con los naturales, que empezaron a formar una poderosa población. Pero los españoles no reconocían la igualdad de su propia sangre en aquellos nacidos en las colonias y no se otorgaba ningún cargo oficial o comisión en el ejército a los criollos, lo que originó una actitud francamente hostil hacia los peninsulares. Pronto nació una nueva raza constituida por los mestizos, hijos de los españoles con mujeres nativas, que son propiamente los mexicanos de hoy, y que participan de las características de su doble origen. Los varones son fuertes y hábiles, pero un tanto reservados en su trato; y cuando se expresan son casi tan barrocos como sus iglesias, esto es, muy ceremoniales y complicados, pero de naturaleza leal. Cuando un mexicano entrega su amistad lo hace de veras, adquiriendo quizá el compromiso más serio de su existencia. En ningún país hay un culto a la amistad como aquí. El común de los indios que se pueden ver todos los días trayendo sus frutas y vegetales al mercado son, por lo general, muy sencillos y gentiles, con humilde y suave expresión en sus rostros; mantienen una admirable cortesía unos con otros. A menudo se observan muy guapas "rancheritas", esposas o hijas de campesinos, montadas en el mismo caballo que sus hombres, luciendo orgullosas sus esbeltas figuras.

D.T. Egerton: *Ciudad de Guanajuato.*
Óleo. Colección: Francisco Regens

16. En el ombligo de la luna

"Es verdad que los Templarios
estuvieron ligados a las antiguas logias
de maestros albañiles que se formaron
durante la construcción
del templo de Salomón...
En el siglo XVIII, existían logias
de albañiles verdaderos,
las llamadas logias operativas,
pero gradualmente algunos gentileshombres
aburridos, aunque respetabilísimos,
empezaron a tomar parte en ellas,
atraídos por sus tradiciones.
Así la masonería operativa,
históricamente constituida
por albañiles auténticos,
se transformó en la masonería especulativa,
formada por albañiles simbólicos...
El rito escocés es un invención
franco-alemana.
La masonería londinense había instituido
los tres grados de aprendiz,
compañero y maestro.
La masonería escocesa multiplica los grados
porque multiplicar los grados significa
multiplicar los niveles de iniciación
y de secreto..."

Umberto Eco Il Pendolo di Foucault.

[Milano, 1988]

Coliseo 4, Tacubaya,
19 de julio de 1833

WILLIAM HENRY, quien prácticamente compra todos mis dibujos y me encarga la factura de algunos especiales, me ha
insistido en que ingrese a una logia masónica, pues según opi-
na ése es el único medio para conocer mejor a los mexicanos
importantes, ser invitado a sus reuniones, casas y haciendas, y

[363]

estar enterado de todos los asuntos de este país, algunos muy complicados, sobre los cuales le gusta tanto conversar conmigo. Para mí el ideal de la vida debe ser alcanzado por cada uno de nosotros, es esencialmente un problema personal, y por tanto nada ayuda el pertenecer a grupos o sociedades y mucho menos a las de carácter secreto u oculto, como la masonería, pero al fin, movido por la curiosidad accedí a la sugerencia de mi hermano. Como se sabe los masones —nombre derivado de la palabra francesa *maçon,* que significa "albañil"— eran en su origen medieval los constructores de catedrales que se agruparon para defender y transmitir celosamente a sus cofrades los secretos de su artístico oficio. En Inglaterra tuve varios amigos que pertenecían al Rito Escocés fundado originalmente por Ramsay en 1737 —hace casi cien años— bajo el modelo de los Caballeros Templarios de la época de las Cruzadas, que eran mitad frailes y mitad guerreros. Ramsay se oponía, según supe, a la Gran Logia Londinense, fundada veinte años atrás, que era la descendiente directa de un "Colegio Invisible" establecido con inspiración rosacruciana en Londres, en la segunda mitad del siglo xvii, del que nació primero la Sociedad Real y luego la citada Gran Logia. Me contaron también que a principios del presente siglo el Rito Escocés adoptó oficialmente sus 33 grados, ahora tan famosos, que son como una escalera de superación personal y rango social para quienes participan en él. Ese Rito existía en México desde los tiempos del virrey Revillagigedo y se dice que en una de sus logias, situada en la calle de las Ratas (nombre poco favorecedor), que se encuentra entre la de San Felipe Neri y la de Mesones, asistían los principales caudillos de la revolución de Independencia, incluyendo el cura Miguel Hidalgo y el capitán Ignacio Allende, pero otros aseguran que estos personajes fueron iniciados en la masonería por un misterioso agente francés llamado Octaviano D'Almivar. Al consumarse la Independencia, don Manuel Codorniú, un catalán amigo del último virrey, que era masón, fundó la logia escocesa de El Sol, y su periódico del mismo nombre. Esto era allá por 1822, y según se sabe el ministro inglés Ward alentó su funcionamiento, por la tendencia europea y antiyanqui de dicha logia, a pesar de que varios exponentes del alto clero romano formaban parte de ella. El otro grupo masónico —conocido como yorkino— se constituyó tres años después a inspiración de Joel R. Poinsett, el enviado diplomático de los Estados Unidos, y contó con el patrocinio del presidente Victoria. Éstos tuvieron como adalid al general don Vicente Guerrero; los escoceses a don Nicolás Bravo. Las logias se convirtieron en auténticos partidos políticos, y aunque su origen común reposaba en los principios liberales, los conservadores y centralistas, proespañoles y enemigos de los norteamericanos, se refugiaron en el rito original, mientras los yorkino eran y son más liberales, federalistas y también más confiados respecto de la dudosa amistad de los Estados Unidos.[78]

Pensé mucho a qué logia afiliarme, pues mis ideas son francamente liberales, el federalismo no me asusta y creo que le está haciendo bien a esta compleja nación (aunque aún no es tan integral y auténtico como debiera ser), pero con lo que no transijo es con que los mexicanos no se den cuenta de que su verdadero enemigo potencial, mucho más que España, la antigua metrópoli, o que Inglaterra y Francia, son los Estados Unidos, que sólo esperan una ocasión propicia para seguir penetrando en sus provincias del norte y buscar una segregación de esos lejanos territorios mexicanos en su provecho. Por ello, y por sus antecedentes proeuropeos, decidí iniciarme en la logia El Sol del antiguo Rito Escocés, aunque me molestara que algunos altos prelados romanos, conocidos por su intolerancia en materia religiosa, estuviesen en ella, junto con otros conservadores recalcitrantes, enemigos de la libertad de cultos. El distinguido propietario don Leandro Iturriaga y Murillas, a quien me presentó el conde De la Cortina (excelente diplomático e intelectual hispano-mexicano, literato y científico de gran calidad) me hizo el honor de ser mi padrino ante la Logia y proporcionarme los documentos y las enseñanzas preliminares necesarias para el ingreso como aprendiz.

Asistí algunas veces en calidad de observador a reuniones y *tenidas* de la logia El Sol, en su templo de la calle de la Victoria, no lejano al Colegio de San Juan de Letrán, y estudié varios libros, algunos muy interesantes, otros escritos en un tono francamente esotérico o misterioso. Debo confesar que la masonería empezó a interesarme y que, como mi hermano me advirtiera, en la logia traté a hombres muy importantes como el general Bravo, el señor Sánchez de Tagle, el general Canalizo, don José Mariano Michelena y don José Domínguez Manso —entre otros— cuyas intervenciones y charlas eran altamente ilustrativas y me ayudaron mucho para entender mejor el modo de ser de la sociedad mexicana, que es muy tradicionalista y está luchando por adaptarse a la vida de libertades

[87] Ver Ramón Martínez Saldúa, *Historia de la masonería en Hispanoamérica*, México, Costa Amic, 1968. Leo Taxil, *Los misterios de la francmasonería*, Barcelona, 1897. José María Mateos, *Historia de la masonería en México*, 1880. Luis J. Zalce y Rodríguez, *Apuntes para la historia de la masonería en México*, 1950. Cristian Jacq, *La francmaçonnerie*, París, Laffont, 1975.

sin poder abandonar muchos de los vicios atávicos de su reciente sumisión colonial. Por cierto que mi indignación fue mayúscula cuando el 23 de junio último me enteré de la nueva ley emitida por el gobierno del vicepresidente don Valentín Gómez Farías (quien ejerce el poder mientras el general Santa Anna se encuentra en su hacienda de Manga de Clavo), la cual decreta la expulsión del país de todos aquellos que se han opuesto a las reformas iniciadas por él en materia religiosa (mismas que yo, por cierto aplaudo) con el fin de promover la libertad de pensamiento y prensa, abolir los privilegios de la Iglesia y el Ejército, suprimir las órdenes monásticas, terminar con el monopolio eclesiástico de la enseñanza y otras semejantes. El problema es que muchos conservadores y ex realistas protestaron contra esas plausibles reformas y el gobierno, en vez de polemizar con ellos, decretó la ley a la que me refiero, expulsando del país a varios políticos, obispos y escritores, entre los que están los generales Anastasio Bustamante y Canalizo, el obispo Posada, los señores Sánchez de Tagle, Gutiérrez Estrada, Michelena y Manzo, y mi amigo don José Justo Gómez, conde De la Cortina, en fin muchos personajes distinguidos, miembros, algunos de ellos, de la logia escocesa El Sol. Fue para mí muy difícil comprender cómo un gobierno que iniciaba tan conveniente reforma, la cual podía llevar a este país a mejores estadios, contradecía su actitud liberal con tan absurdo mandato de expulsión. Para colmo, la ley incluía a los canónigos de la Catedral de México, a los religiosos de San Camilo en Coyoacan "y a cuantos se encontraran en el mismo caso", sin especificar cuál era éste, pues el objetivo del proveído era meramente circunstancial. Fue por eso que tal disposición se conoce ya como la "Ley del Caso" y ha sido ridiculizada en la prensa y tachada de inconstitucional y despótica por la mayoría de los abogados y pensadores, con independencia de sus ideas políticas.

Los escoceses se sintieron agredidos por esa ley a la que atribuyeron un origen claramente yorkino y la logia se volvió un congreso abierto de discusiones y ataques contra el gobierno. Muchas voces invocaban el regreso al poder del general Santa Anna, a pesar de que se le creía un defensor sincero del federalismo y de la postura liberal, pero lo curioso fue que al parecer este personaje ha dejado actuar a Gómez Farías con el deliberado propósito de eliminarlo políticamente, pues incluso antes de la famosa ley empezaron a manifesatrse las protestas de los militares —que el general controla— en contra de las reformas, al grito de "¡Religión y Fueros!", así en Morelia como en Huejotzingo, proclamándolo como Dictador y exigiendo la presencia en la ciudad de México del caudillo veracruzano. Todo permite suponer que el magnífico intento reformista quedará frustrado por la acción regresiva de Santa Anna, la extrema división de la sociedad, el fanatismo de las clases altas y las torpezas que se cometieron al pretender aplicarlo. Ojalá que en una ocasión próxima México tenga más suerte, entronice la tolerancia y la libertad civil, y se sacuda el poder temporal de la Iglesia romana que aquí domina casi todos los aspectos sociales, desde el nacimiento hasta la muerte de los ciudadanos, y aún después, pues los no católicos prácticamente no encuentran un cementerio en el cual ser enterrados. ¿Quién será el Enrique VIII de este país?

El ritual de iniciación en el primer grado masónico del *Rito Escocés antiguo y aceptado por la República mexicana* implica un estricto ceremonial que hace honor a su condición de procedimiento de la "masonería simbólica", pues está pletórico de referencias y signos cuyo significado es difícilmente perceptible para los neófitos. Por tanto procuraré reflejar en estos apuntes, con la mayor precisión posible, sus distintas fases y los diversos movimientos que tuve que realizar apenas el mediodía de ayer cuando fui recibido en la Gran Logia de El Sol.

La puerta del templo masónico está viendo al occidente, de tal manera que lo que podríamos llamar el altar o foro se encuentra precisamente al oriente, dirección por la que sale el astro simbólico de la creación y la verdad, el cual se encuentra reproducido en el foro de dosel acortinado como un gran sol radiante y dorado. Dos columnas delimitan la entrada del templo: la izquierda reservada a los aprendices y la derecha a los compañeros; simbolizan las del templo de Salomón y afectan la forma de obeliscos egipcios, que tenían por función disipar cualquier perturbación cósmica. De las columnas cuelga un racimo de granadas; estas hermosas frutas están dispuestas de manera de enseñar sus múltiples granos rojos, que para los Padres de la Iglesia tienen el significado de la comunidad de fieles unidos en una sola voluntad. En el foro hay una gran mesa cubierta con un pesado mantel sobre la que se encuentran los signos masónicos: la Escuadra y el Compás y el libro de *Principios y leyes de la logia*. Abajo del Gran Sol se encuentra un triángulo en cuyo interior figura un ojo, que algunos identifican como el ojo de Dios pero que en la simbología masónica es el ojo de la fraternidad, abierto hacia todas las cosas del mundo; en cuanto al triángulo, se dice que es una reducción de la pirámide celeste y reproduce la idea teológica de la Trinidad. Más abajo se encuentran, formando triángulo también, tres grandes puntos, expresión de la luz interior y del espíritu que presidió la creación del mundo, los que se usan frecuentemente en la escritura masónica, que es a base de iniciales seguidas de esos tres puntos colocados en pirámide. Cada punto o estrella significa una de las tres virtudes que son los pilares de la fraternidad: la Sabiduría, la Fuerza y la Belleza. El piso es de pavimento mosaico, en blanco y negro, como el tablero en que el faraón Ramsés jugó ajedrez con la diosa Isis, aprendiendo a ganar y perder. A los lados del foro cuelgan dos cadenas que simbolizan la energía universal que baja a la Tierra y recuerdan también las ataduras de la ignorancia y del sometimiento que un buen masón debe romper para ser libre y conocer la verdad. A un lado se encuentra el estandarte de la Logia y los de otras logias hermanas o afiliadas. Yo no penetré directamente al templo, sino que fui llevado primeramente a una pieza obscura que se llama el "Gabinete de Reflexión", donde estuve unos minutos meditando sobre el significado del acto. Luego fui vendado de los ojos, conducido al templo y colocado de pie frente al dosel y el radiante sol. Oí entonces la voz del Venerable Hermano Gran Maestro grado 33, el general don Nicolás Bravo, quien en un tono reposado y solemne refirió que mi solicitud había sido circulada entre los hermanos, que se habían pedido informes sobre mi persona y que después de una votación que me fue favorable había sido admitido al rito de iniciación con el carácter de aprendiz. Explicó a continuación lo que es la masonería, que se transformó de arte real de la arquitectura en ciencia simbólica del destino humano. Dijo que tiene un aspecto fraternal, pues la notoriedad, el oficio y la fortuna de los masones deben pasar a un segundo plano ante el sentimiento de profunda amistad que los une. Su otro cometido es el de beneficencia, pues los medios materiales de la fraternidad deben estar siempre al alcance de los grupos sociales que los necesiten. La masonería —agregó— tiene un carácter humanista dirigido a la definición de los valores de una sociedad armoniosa que busca el progreso. Posee también un impulso deísta pues desea acercarse a Dios y subrayar la importancia de las creencias religiosas, rechazando el ateísmo y el anticlericalismo. Alienta un trasfondo esotérico pues conserva secretos y símbolos que son signos figurativos y palabras sagradas transmitidas a través de las distintas edades, lo que le permite reforzar los otros fines de la hermandad. Por último, la masonería tiene también un objeto político, pues intenta participar en la buena marcha de la nación mexicana, ayudar a que afiance sus libertades y que se precipite sin obstáculos en la era moderna. Al terminar su discurso el Venerable Gran Maestro me entregó los pliegos del *Compromiso de Alianza* conteniendo un conjunto de advertencias secretas que, como otros detalles no puedo revelar, y un cuestionario de cinco preguntas que debía resolver en el término máximo de una hora, para lo que fui conducido a través del "Salón de los Pasos Perdidos" hasta otro gabinete provisto de una mesa y de una silla y fui despojado temporalmente de la venda para que pudiera escribir. Contesté las cinco preguntas sobre la vida, los derechos y deberes fundamentales del ser humano, sus obligaciones respecto de la comunidad, la educación integral de los hombres y las mujeres para cumplir su papel en la sociedad y el progreso y la organización del trabajo. A la media hora volví a entrar al templo, otra vez con la venda colocada y auxiliado por dos hermanos. Oí al Venerable Gran Maestro quien, después de dar un golpe de mallete sobre la mesa preguntó: "—¿Está cubierto el templo?", a lo que todos contestaron en sentido afirmativo, aludiendo a que en su interior no se encontraba nadie que no debiera estar. El Gran Maestro leyó después en voz alta mis contestaciones a las preguntas y las sometió a la discusión de los concurrentes. Tres maestros y un compañero tomaron la palabra para opinar que revelaban tanto buen juicio como comprensión del espíritu masónico, por lo que el neófito (o sea yo) merecía ser iniciado. El Venerable Gran Maestro advirtió que la logia El Sol, sólo aceptaba hombres independientes y trabajadores y me preguntó si quería ser masón. Cuando contesté "—Lo quiero", dio otro golpe de mallete y me hizo leer el juramento secreto de la logia, que pronuncié ante el más respetuoso silencio de los hermanos, haciendo después el signo de compromiso, movimiento que reproduce, con la mano a la altura del cuello, una decapitación. Acto seguido, don Leandro Iturriaga pronunció un discurso de presentación elogiando generosamente mi personalidad humana y artística y mi actitud ante la vida, tras del cual el Gran Maestro preguntó a la logia si debía conferirme el carácter de hermano-aprendiz. Todos respondieron que sí. Entonces fui conducido al altar y puse las manos alternativamente sobre la Escuadra y el Compás y el *Libro de principios y leyes*. El Venerable Gran Maestro participó que mi iniciación sería conocida por todos los masones de la Tierra, entre los que había grandes personalidades y caracteres, estadistas, artistas, generales y obreros. Preguntóme enseguida si me comprometía a ser un leal, activo y prudente albañil de la construcción del mundo, servir a los demás, superar mi vida, no abdicar de los principios comunes y separarme de la Logia antes que hacerle daño, a lo que yo contesté: "—Me comprometo."

Oí tres golpes de mallete y entonces fui despojado de la venda entre aplausos, adquiriendo "la luz", lo que por supuesto también es todo un símbolo. Recibí el mandil blanco, distinto del rojo del maestro y de los compañeros, y por primera vez el Venerable me saludó con el saludo masónico reservado, que consiste en que cuando un hermano estrecha la mano de otro, con el dedo índice extendido oprime levemente la vena que cruza su muñeca, significando así una fraternidad de sangre que llega hasta el corazón. Fui sometido también a tres pruebas secretas que me abstengo de comentar y se me entregó una espada, advirtiéndome que en la logia El Sol ésta no representaba un emblema de guerra sino la imagen de nuestra lucha por la verdad y la justicia contra la ignorancia. Todos los hermanos desenvainaron sus espadas y las chocaron sobre sus cabezas, al tiempo que caía una lluvia de pétalos de flores y del fondo del templo emergía una música como de himno triunfal, compuesto especialmente para nuestra logia. Los maestros y hermanos me felicitaron y don Leandro me regaló un anillo de oro reproduciendo la Escuadra y el Compás como recuerdo de aquel día. Ya soy hermano masón en grado de aprendiz del Rito Escocés y me parece como si hoy naciera a un mundo totalmente diferente aunque sé que es el mismo.

Coliseo 4, Tacubaya, 21 de diciembre de 1833

ME SIENTO un viajero infatigable; recorro el país casi en todas direcciones, aunque es tan grande que resulta imposible conocerlo siquiera medianamente. He realizado cientos de dibujos a tinta diluida y acuarelas; algunos escorzos me servirán para pintar cuadros más formales cuando tenga tiempo, otros los adquiere William Henry y los vende con rapidez. Yo sólo tengo que preocuparme por viajar y pintar. Primero vagué por los alrededores de la ciudad de México, por San Ángel, Coyoacan, la cañada de La Magdalena y todos esos preciosos lugares del sur. Mi pluma se dio vuelo y mis pinceles también. Conocí Xochimilco, que es un conjunto de canales inenarrablemente bellos, surcados por canoas llenas de flores cortadas de las "chinampas", especie de islas o sementeras cultivadas que se encuentran en medio de las aguas luciendo su imponente y rara naturaleza, mientras por las riberas las escoltan unos árboles largos y esbeltos que se llaman ahuejotes; allí, al pie del cerro de Mayotepec, instalé mi caballete y logré varias vistas de este espectacular paisaje así como del canal de Chalco. También pinté el caracol y la arquería de Los Remedios, y por el lado norte de México, la iglesia de Nuestra Señora

D.T. EGERTON: *Canal de Chalco*.
Óleo. Colección: Francisco Regens

de Guadalupe, junto al cerro del Tepeyac; la Cruz del Camino a San Cristóbal y las dos extraordinarias pirámides de San Juan Teotihuacan, que son pasmo de los viajeros por su masa y arquitectura. Por cierto que la mayoría de los caminos de México están llenos de un guijarro que se llama "tezontle", de naturaleza porosa, que es como la piedra pómez, y también por doquier existen reminiscencias de erupciones milenarias y grandes formaciones de lava. No lejos de las pirámides levantadas por los *toltecas* admiré un acueducto cuyos arcos mayores son tan altos o más que el de Segovia y que va del manantial del cerro del Tecajete al pueblo de Otumba; fue construido en el siglo XVI por un fraile español llamado Francisco de Tembeleque, a quien, después de contemplar su soberbia obra de quince leguas de largo, le cayó un rayo y lo dejó ciego. Recreándome con este acueducto pensé en que el franciscano Tembeleque podía ser considerado como uno de los precursores de la conducción del agua en este país (después del rey Nezahualcóyotl, que hiciera el acueducto primitivo de Chapultepec) y ser recordado aquí de una manera semejante a como en Inglaterra recuerdan a mi tío Sir Francis Egerton, tercer duque de Bridgewater como el padre de la navegación interior. (Incidentalmente me viene a la memoria que dentro de su espléndida colección de paisajes marinos mi tío encargó al gran pintor Turner, hacía 1800, uno especialmente bello que muestra dos barcos pesqueros holandeses afanándose en retirar sus redes y subir su captura a bordo antes de que reviente una tempestad, el cual siempre me ha hecho evocar otro gran cuadro de Wilhem van de Velde, el joven, con un tema parecido.) Me extasié también frente al volcán Popocatépetl, desde Atlautla, al que pinté como fondo de la hermosa iglesia del pueblo, y asimismo el Iztaccíhuatl, visible desde una alta troje almenada que existe en las inmediaciones de Chalco, junto a una laguneta.

Visité con especial interés los distritos mineros, Real del Monte, Guanajuato y Zacatecas, que como he dicho antes constituyen parte de la enorme riqueza de este país cuyo piso parece hecho de oro y plata. Real del Monte se encuentra casi 2,000 pies más alto que la ciudad de México, 58 millas hacia el noreste. El paisaje de los alrededores abunda en bosques, arbustos y toda clase de plantas que harían las delicias de un botánico. Llegué a la casa del director de la mina, un compatriota apellidado Rule, hacia las nueve de la mañana. Advertido de mi presencia hizo que su esposa nos prepara un suculento desayuno tipo inglés, con otros platillos mexicanos y españoles, acompañados de frescos y cremosos quesos, a todo lo cual hicimos plenos honores. Luego visitamos las minas y me dio mucho gusto ver a blancos niños ingleses de pelo rubio y mejillas rosadas jugando con los bronceados niños indígenas, como lo dijo Latrobe. Vi los complicados aparatos: las calderas de vapor, las sierras, los tornos de manivela, la fundición. Observé cómo descendían los mineros por la boca de los tiros de Dolores y de Terreros, por medio de escaleras portátiles, protegidos con sus gorras cónicas dotadas de velas de sebo. Me quedé en Real del Monte varios días y pude pintar un cuadro en que se aprecian las instalaciones de la mina y el pueblo. Al fondo, opacando las montañas azules, se ha desatado una tormenta y el viento barre la gran barranca, eje del trazo. En el primer plano tres hombres a caballo buscan huir de las inclemencias del tiempo. Se cubren con sendos "jorongos", que son una especie de sarape o frazada con un agujero en medio por el que se pasa la cabeza; llevan protegidas las piernas con chaparreras de fino cuero y pelo de cabra, que les preserva de la lluvia y de las rocas y abrojos. El sombrero mexicano completa el atuendo. Al centro, el caserío y la iglesia barroca hacen inconfundible el paisaje.

La ciudad de Guanajuato está a 270 millas de la capital, y es como 1,000 pies más baja que aquélla. Se empotra entre las laderas, al fondo de una gran barranca rodeada de explotaciones mineras que persiguen la veta madre y otras menores. Es una ciudad muy española, comparable a Toledo, pero al mismo tiempo con una gran personalidad mexicana, pues las opulentas mansiones dan sombra a las recuas de mulas y burros que los indígenas conducen, y a sus vistosos puestos de mercaderías. Tuve la ocasión de dibujar la Plaza de San Diego, a espaldas de la Parroquia, a cuyo fondo puede verse la Casa de Gobierno con su flotante bandera tricolor. En la Plaza hay un típico mercado, con más de 50 figuras de mujeres, niños, rancheros, vendedores, paseantes, caballos y bestias de carga, que le confieren una fisonomía particular. El aguador vende su producto que extrajo de la presa, a milla y media del pueblo, y las "tortilleras" palmean la masa de harina de maíz para echar luego en el "comal" el redondo pan nacional. Otras mujeres vocean sandías, calabazas y caña de azúcar. También dibujé la plaza de los Ángeles y el corredor superior de la hacienda de Barrera, que es una hacienda de beneficio de mineral, situada cerca de la barranca de Marfil, no lejos de la ciudad, al otro lado de donde se encuentra la mina de La Valenciana, con su iglesia inconclusa que tiene una sola torre. Pero el trabajo que más me satisfizo fue el dibujo del interior de la mina de plata de Rayas, que es considerada la más rica sobre la veta madre, y cuya interpretación visual entrañaba serios problemas técnicos. Acerté a captar en toda su oscura grandeza el Cañón de San Cayetano, uno de sus principales niveles, iluminado por enormes antorchas, a donde ascienden los "tenateros" que vienen cargados con sus pesados cestos de mineral desde profundidades mayores a 400 varas, sufriendo una temperatura de 80 grados Fahrenheit. Los "tenateros" son indios de raza, muy fuertes y supersticiosos, que cargan hasta 28 arrobas (más de 500 libras) y reciben como paga diaria cuatro reales y la octava parte de lo que extraen en su conjunto, que se divide en la boca de la mina a partes iguales. El mineral se transporta a la hacienda de beneficio donde, por medio de azogue o mercurio, es *reducido* y convertido en barras, las cuales se llevan a la ciudad de México para la acuñación de moneda.

La ciudad de Zacatecas, como casi todos los emporios mineros hace equilibrio entre las barrancas y las sinuosidades de las montañas. Sus templos son expresión de un estilo arquitectónico y una fuerza ornamental sorprendentes. Su enorme y gallardo acueducto la distingue como una joya que resplandece entre las demás ciudades mexicanas. Aunque dibujé muchos rincones de este prodigioso lugar, la gran vista de conjunto la realicé en un cuadro al óleo y un dibujo para grabar, teniendo como primer plano de ambos la rítmica arquería de piedra que lleva agua al centro de la villa. La suntuosa Catedral, la iglesia de la Compañía o de Santo Domingo (convertida en cuartel de una guarnición), el templo de San Agustín y el más lejano convento de San Francisco podrían, cada uno por sí solo, darle valor a cualquier ciudad del mundo. En la ladera del cerro está construida la límpida iglesia de La Merced Vieja; desde ésta, escarpadas veredas llevan a la iglesia del Patrocinio; sus torres y cúpulas enmarcadas por la sierra y el cerro de La Bufa, con su capilla barroca en la cumbre, confieren una dignidad y una belleza al paisaje que deja a uno sin habla. Por sus calles retorcidas y sus plazas bien alineadas caminé a todas horas, retratando rincones, haciendo esbozos de paredones labrados y ventanales audaces, o reteniendo en la retina la imagen de señoriales casas de piedra. El producto de las minas de plata se convirtió aquí en macizas canteras y graciosos campanarios, en edificios solemnes y balcones de hierro forjado. La cercana hacienda de Bernárdez, con su enorme cuadrángulo de pesados arcos y sombreados corredores, también fue objeto de mi atención pictórica, como las bocas de las minas y el espléndido convento de Guadalupe, en un pueblo vecino. De mi visita a los minerales de México, de los cuales éste se encuentra a 1,700 millas al noroeste de Vera Cruz y a más de 8,000 pies de altura, obtuve un conocimiento más profundo de lo que es el país y de la contribución

D.T. EGERTON: *Zacatecas*. Apunte a tinta diluida.
Colección: Hernández Pons

de los artistas locales, especialmente pintores, pedreros, ebanistas y escultores de todo tipo, a su riqueza arquitectónica
y visual.

En uno de estos viajes, después de bordear las ruinas aztecas de Tenayuca, mientras regresaba por un camino lleno de
sol y de verdura rumbo a la vecina ciudad de México, a la cual
entraría por la garita pulquera de Peralvillo, pensé en la fuerza
cultural de este gran país. Imaginé a las siete tribus mitológicas que en peregrinación milenaria vinieron del norte —¿desde el Asia?— a aposentarse en sus valles y montañas, trayendo
consigo quizá los secretos de la construcción de las grandes
pirámides, y me pregunté si los toltecas, aztecas o mayas que
diseñaron y erigieron Teotihuacan, Xochicalco y Palenque habrían constituido también una especie de orden o sociedad
secreta, como los antiguos *maîtres maçons* de las catedrales
medievales, para proteger esos secretos y asegurar su transmisión sólo a los iniciados en tan pasmoso arte. Bien podía
ser, porque el antiguo Egipto, según leí en los libros de mi
Logia, fue el centro de iluminación de una vasta Fraternidad
Blanca conocida como Los Misterios correspondientes a Isis,
Serapis y Osiris, que tenía sus distintos grados, igual que nosotros, y que consideraba a la gran pirámide de Keops como
"La Luz", o sea la fuente del conocimiento y la verdad. Ella
debió de inspirar sin duda la adopción del triángulo masónico.
Napoleón descubrió en ese país, africano y mediterráneo al
mismo tiempo, que la colocación, medidas, altura y volumen
de las pirámides y de la misteriosa esfinge tienen explicaciones esotéricas y razones ocultas que son sólo el remate de una
vasta cadena de simbolismos más indescifrables que los propios
jeroglíficos, como el papel del dios Thot, que equivale al Hermes griego y al Mercurio romano: el mensajero entre el cielo
y la Tierra, figura también muy respetada por los antiguos
masones, quienes reconocieron al culto hermético como un antecedente importante de su ritual. Por largo rato, mientras el
caballo y las mulas que componían mi tren de viaje caminaban
a paso cansino, agotados por el calor, reflexioné en que las
fachadas de las pirámides de Teotihuacan son también triángulos, aunque truncados, y que su colocación y alineamiento
dan la idea de una gran ciudad deísta y poderosa, que seguramente no fue ajena a ritos y misterios como los egipcios,
puesto que las inmensas moles fueron dedicadas al sol y a
la luna, astros rectores del universo. Recordé también con
dulce remembranza lo que me fue explicado, hace no mucho, por una persona de mi mayor afecto y que conoce bien
esta nación que es la suya: el nombre mismo de México
lleva en sí la clave simbólica de su existencia, pues si bien

Detalle del *mosaico del Heliacón del Faro*.
En el piso del Palacio de Bizancio de tiempos de Constantino

deriva directamente del apelativo de una todopoderosa dei-
dad —el dios Mexitli— en realidad significa "en el ombligo de la luna", pues lo forman las voces *meztli*, "luna"
y *xictli*, "ombligo", y fue dado al pueblo *tenochca* que pobló
el valle y erigió Tenochtitlan, la ciudad lacustre conquis-
tada por Cortés sobre la que se levanta la actual capital
del país. Ese significado identifica a México con el centro
mismo del universo, como país progenie de los astros e hijo
de la blanca Selene, a la cual elevaban sus oraciones vesper-
tinas los naguales o sacerdotes aztecas, que luego hacían sus
sacrificios en honor al astro rey, "el sol joven que inaugura el
nuevo día cazando estrellas". ¿Y no es cósmica y simbólica
también la traza del escudo mexicano que muestra a Mexitli,
el águila solar, parada sobre un nopal o cactus devorando una
serpiente —la luna— signo que al ser encontrado en un islote
del gran lago dio por concluida la peregrinación de los tenoch-
cas? ¡Sol y luna otra vez en conspiración heráldica! ¿Y por
qué el águila devorando la serpiente está también representada, de manera muy semejante, en el piso de mosaico del gran
palacio de Bizancio,[88] erigido en tiempos del emperador Constantino? ¿Por qué el enigmático y acertado Nostradamus, al
profetizar la caída de un gran jefe europeo, que tendrá lugar
al comenzar la última década del próximo siglo,[89] se refiere al
que se llevará a cabo en el *nombril du monde*, el "ombligo
del mundo", entendiendo que la palabra *mond* o *moon* también significa "luna"? Es imposible, me dije, que yo pueda
contestar todas esas preguntas, pero estoy convencido de que
"algo" existe aquí, "algo" se huele en el aire, "algo" vibra
en el ambiente, entre la majestad de estos valles y montañas, las playas sedosas, las selvas sobrecogedoras y los desiertos cubiertos de lava: éste es un país mágico, mágico
como un ombligo, retorcida señal de la vida, del vínculo
maternal, de la creación divina de los hombres, cosmogonía
singular, partenogénesis celestial, frenesí del olimpo azteca.
¡Quizá los primeros mexicanos fueron paridos por la luna, a
la que el sol fecundó durante un eclipse!

William Henry me pidió que hiciera varios dibujos de la
hermosa y gran ciudad de Guadalajara —situada en un distrito agrícola sobre un llano, más cerca del Pacífico que del

[88] Eugenia Recchi Franceschini, "Where Emperors Walked", revista *FMR*, Milán, edición internacional, no. 40, octubre 1989.
[89] Renucio Boscolo, *Nostradamus, L'enigma risolto*, Mondadori,
1988. Verso 2-22, cuya última frase dice: "En el ombligo del mundo, la
voz más grande del mundo será acallada".

D.T. Egerton: *Vista sobre el lago de Pátzcuaro.*
Óleo. Colección particular

Océano Atlántico— de la romántica Aguascalientes —que está
construida tomando en cuenta la traza y la uniformidad y
siempre se conserva limpia—, de Cuautla de Amilpas —llena
de flores y caña de azúcar—, unos más de Tacubaya, y que
repitiera otro de una conducta en Plan del Río, situado sobre
el camino a Vera Cruz. Por eso tuve que viajar a esos lugares,
lo que amplió mi visión de los valles y las sierras de México, y
también de sus habitantes. Por cierto que en una ocasión reciente que mi hermano me acompañaba, mientras instalado
con mi caballete en el camino a Tacubaya pintaba el paisaje
cercano a la fortaleza de Chapultepec, fuimos detenidos durante unas horas por la guardia del famoso castillo, pero después
de tenaz discusión y de un viaje a pie a la ciudad, se nos puso
en libertad. No obstante yo le pedí al señor Pakenham, enviado
de Su Majestad, que elevara ante el gobierno una enérgica
protesta, lo que procedió a hacer. De todas formas, en otras
ocasiones he logrado tres dibujos y dos acuarelas de distintos
ángulos de la célebre fortaleza, que tanto interesaba tener al
propio William.

Ozumba, al pie del Popocatépetl,
29 de abril de 1834

EXHAUSTO PERO AL MISMO TIEMPO feliz, escribo estos apuntes
a la luz de una vela en la aldea de Ozumba, gracias a la hospitalidad de una familia indígena que nos ha dado posada al
señor Federico von Geroldt, encargado de Negocios de Prusia
en México, al barón Juan Bautista de Gros, encargado de la
Legación de Francia, y a mí, después de que los tres, acompañados por Jacinto, mi joven sirviente, hemos consumado una
gran hazaña: escalar el gigantesco volcán Popocatépetl, "el
cerro humeante" que es el más alto del país.[90] He decidido no
dejar pasar tiempo alguno entre esa vivencia inolvidable y la
formulación por escrito de mis impresiones más frescas. Don
Federico y el barón me invitaron a realizar este escalamiento
desde el año pasado, pero tuvimos que posponerlo hasta bien
entrada la primavera porque durante el invierno el albornoz
de nieve de este imponente volcán de casi 18 mil pies de altura desciende hasta casi medio cono, e imposibilita la subida.

[90] Como se ha dicho, lo es el Citlaltépetl o Pico de Orizaba. El
relato fue hecho por el Barón de Gros y Federico Von Geroldt a Brantz
Mayer, quien lo publicó en su libro *México, lo que fue y lo que es,*
en 1844.

D.T. Egerton: *Ranchero*.
Óleo. Colección: Banco Nacional de México

Ambos diplomáticos lo saben bien, pues intentaron infructuosamente llegar a la cúspide en mayo último, pero, contra las previsiones usuales para esa época del año, les sorprendió en plena montaña un cerrado temporal que los obligó a desistir. Hoy, en cambio, el tiempo estuvo a nuestro favor y pudimos realizar nuestro propósito, obteniendo con ello una de las satisfacciones científicas y humanas más grandes de nuestra vida. Empezaré por el principio. Salimos hace tres días de la ciudad de México; a caballo recorrimos unas ocho leguas por el camino de Vera Cruz, entre los lagos de Texcoco y de Chalco, hasta llegar a Ayotla, a partir de allí enfilamos hacia el sur. Después de recorrer otras cinco leguas iniciamos la subida de la cordillera, en cuya cima se extiende una pequeña meseta que está como a 800 pies arriba del nivel de la gran ciudad, donde se encuentran la aldea de Ameca, y ésta de Ozumba, que languidece al pie del volcán. Dormimos aquí mismo y ayer en la madrugada iniciamos la ascensión, conducidos por los hermanos Páez y otro guía, que habían acompañado a los señores Gros y Geroldt en su experiencia del año anterior. Íbamos mejor prevenidos, provistos de largos bastones herrados, hasta de 15 pies de largo, para ayudarnos en el difícil tránsito entre las rocas y para afirmarnos en la nieve resbaladiza, pues dichos bastones tienen en la punta fuertes ganchos de metal. A las tres de la tarde llegamos al límite superior de la vegetación, que se encuentra como a 12,700 pies, en donde plantamos las tiendas de campaña, encendimos una gran fogata y descansamos para reponernos de la pesada jornada. A las dos de la mañana de hoy nos pusimos de nuevo en marcha bajo la luz de la luna y continuamos subiendo a caballo por espacio de hora y media hasta llegar a unos espesos páramos, de arena negra y caliente, que nos obligaron a desmontar y seguir a pie, junto con los hermanos Páez y Jacinto, que llevaban los víveres e instrumentos.

A las siete y media de la mañana el espectáculo era sublime. Debajo se extendían, como un mar, las inmensas llanuras y los valles; y al salir el sol el volcán proyectó su sombra gigantesca hacia el oeste, hasta los confines del horizonte. Pero aún era mucho mayor el panorama que nos esperaba más arriba y animados por tales bellezas continuamos la ascensión. Avanzamos entonces en dirección al "Pico del Fraile", una roca basáltica que se ve desde México y que surge como espina de las faldas del volcán, cerca de 17 mil pies sobre el nivel del mar y a poca distancia del cono. Íbamos cubiertos con densos velos para protegernos la cara y los ojos contra la reflexión del sol, y así atravesamos la ancha zona de arena volcánica, cuyo calor sentimos en las suelas de las botas, la cual se extiende entre el límite de la vegetación y las nieves eternas. A las ocho y media llegamos a la sombra de aquella gran roca de pórfido que se eleva a más de 200 pies, y allí tomamos un almuerzo ligero. Nuestros guías no quisieron seguir adelante, y con ellos tuvimos que dejar buena parte de los más valiosos instrumentos que llevábamos para realizar en la cumbre algunos experimentos y observaciones interesantes, entre ellos un teodolito. Sin embargo llevamos con nosotros un higrómetro de Daniell y mi barómetro, que cargaba el valeroso Jacinto, único que nos acompañó a pesar de que es un joven de sólo dieciocho años. Tuvimos que rodear el macizo de rocas desviándonos hacia el este por una hondonada que se cuela entre las crestas, mirando hacia el sur, y por cuyo lecho, relativamente más cálido, las nieves derretidas suelen desembocar en el valle de Cuautla. Subimos por el fondo de la barranca, en una pendiente de 35 grados, sin hallar mucha nieve, a pesar de que el límite de las eternas queda a dos o tres mil pies más abajo. Poco antes del mediodía, después de tres horas de ardua y peligrosa ascensión por la enriscada y resbaladiza superficie, llegamos al extremo superior de la garganta, donde termina ésta en la mole de lava sólida que forma la cúpula del volcán. A partir de allí caminamos sin interrupción sobre la nieve, hundiéndose a menudo hasta la cintura, pero aunque el avance era lento, las dificultades fueron menores que las que nos presentaron las rocas resbaladizas y los arenales de la pelada barranca. Anduvimos un buen tiempo haciendo zig-zags entre la nieve y deteniéndonos frecuentemente para tomar aliento y recuperar fuerzas, hasta que a las dos y media de la tarde conquistamos la enhiesta cima.

Súbitamente se presentó ante nuestros ojos la ancha boca del enorme cráter abierto a nuestras plantas, lleno de torbellinos de vapor que subían hasta el borde y se mezclaban con las nubes bajas. Von Geroldt, quien nunca perdió su aplomo prusiano, apenas contenía su alegría. Nos hizo notar que el punto culminante del cráter se halla hacia el oeste, y el más bajo hacia el este, afectando la forma de una elipse irregular cuyo diámetro mayor va de noreste a sureste, siendo su longitud cerca de 5,000 pies, y la del menor unos 4,000, de donde resulta que el perímetro mide cerca de una legua. Sus escarpados muros bajan hasta unos mil pies de profundidad y el fondo es de proporciones más reducidas. Como la luz del sol llegaba hasta lo más hondo de la sima, pudimos ver claramente la base, en la cual se encuentran dos manantiales de azufre que arrojan sin cesar un humo blanquecino que se queda en las peñas de los muros del cráter y cuyos residuos se depositan en hendiduras y resquicios. El fondo y las paredes están en-

D.T. Egerton: *Ascensión al Popocatépetl.*
Óleo. Colección: Banco Nacional de México

teramente cubiertos de incrustaciones de azufre y la estrechez
relativa de la base se debe a la inmensa cantidad de dicho
material acumulada durante siglos. En el borde superior del
cráter, la nieve se ha amontonado en pliegues, encima de las
agudas salientes, pero no se veían trazas de azufre en las rocas
más cercanas, aunque en diversos puntos existen orificios circu-
lares de dos a cinco pulgadas de diámetro, por donde se esca-
pan, haciendo un ruido sordo, los vapores sulfurosos. Para
observar más de cerca dichas válvulas, el señor Von Geroldt
descendió unos 70 pies por el interior del cráter, pasando sobre
moles de pórfido rojo que contienen feldespato cristalino y
semejan lavas porosas. La pared del lado opuesto parece estar
compuesta de rocas diferentes que, miradas con el telescopio,
presentaban un color gris violáceo y estaban dispuestas en estratos horizontales. No descubrimos ningún sitio por donde
llegar hasta el fondo del cráter, ni tampoco pudimos prolongar mucho tiempo nuestras investigaciones en la cumbre debido al enrarecimiento del aire, la expansión de la sangre, un
dolor continuo en la frente y una extrema debilidad. Además,
mi barómetro, que Jacinto llevaba a la espalda, se había caído
durante la fase más penosa de la ascensión y quedó inutilizado.

El día era notablemente despejado. Sobre el fondo del cielo
que se veía casi negro por lo intenso de su color azul, se destacaban sólo unas cuantas nubes muy altas. Hasta donde podía
alcanzar la vista en todas direcciones el panorama mostraba
una ininterrumpida sucesión de montañas, valles y llanuras
hasta que al final, casi sin horizonte, la tierra y el cielo se
confundían en un vaporoso azul. En medio del llano oriental
se destacaba contra el cielo el enorme cono del Orizaba con su
nevado pico, brillante como una punta del refulgente acero.
Frente a nosotros, pero cerca de 2,000 pies abajo, se alzaban
las cumbres del Iztaccíhuatl, "la mujer blanca o dormida",
con su cabello, cara, pecho y piernas cubiertas de nieve, sin
presentar el menor indicio de tener un cráter ni de actividad
volcánica alguna. A nuestra izquierda, con sus lagos relum-
brantes bajo el sol, yacía la ciudad de México, rodeada de sus
propias montañas que se veían pequeñas en comparación a la
inmensa mole en que nos encontrábamos. A nuestra derecha,
la ciudad de Puebla, recostada en las faldas de otro enorme
cerro que llaman de la Malinche, y a nuestras espaldas los
valles de Cuautla y Cuernavaca, cubiertos de verdor, que con-
trastaban con la otra vertiente, donde la vegetación se combina
con los ocres de la tierra árida y el gris de los pedregales. El
silencio en esas alturas era sepulcral, interrumpido a intervalos
por un ruido subterráneo semejante al de una lejana descarga
de artillería y por el estrépito causado por piedras y peñas-

D.T. EGERTON: *El Popocatépetl. Vista del cráter.*
Óleo. Colección: Banco Nacional de México

cos desprendidos de las paredes, que se derrumbaban hasta el fondo del cráter. A menudo se oye en la ciudad de México un ruido semejante, que ahora comprendo viene del lado del Popocatépetl. Los frecuentes temblores que se sienten en la República y recorren del Golfo de México hasta el Pacífico sólo se explican mediante la hipótesis de que todos estos volcanes se comunican entre sí a gran profundidad, formando un vasto horno central donde sus elementos se hallan en constante fermentación. En marzo pasado ocurrió un gran terremoto en la ciudad de México, a las diez y media de la noche, que se inició con movimientos oscilatorios y acabó con un sacudimiento trepidante que produjo náuseas a muchas personas. Yo estaba en Tacubaya, que es una zona alta y segura, y sin embargo lo sentí como si fuera un latigazo que me sacudió junto con las paredes de la casa. Von Geroldt, que es un sabio, al contemplar desde la cumbre del Popocatépetl el inmenso panorama que se extendía a nuestros pies como si fuese un mapa, recordó sus indagaciones acerca de la geología del Valle y de las comarcas vecinas y llegó a la conclusión de que tanto el volcán como las tierras planas que lo circundan deben su origen a alguna violenta erupción que levantó la corteza terrestre desde su interior hasta alcanzar sus niveles actuales, con las rocas primitivas y de transición. Agregó que en los distritos mineros de los estados de Puebla, México y Michoacán las ricas vetas que se descubren no son otra cosa que islas o restos insignificantes que emergieron sobre el nivel del llano después del diluvio de fuego que arrasó una porción de este continente. Pero dejando aparte el examen del cráter de esta enorme chimenea volcánica de humo y vapores, que acaso actúa a modo de gran válvula de seguridad para una buena región del Nuevo Mundo, el inmenso cuadro que tuvimos ante los ojos fue de una sublimidad inefable. Después de solazarnos con este espléndido panorama, el barón de Gros y yo hicimos varios croquis y dibujos de la cumbre y del cráter, que nos serán útiles para trabajarlos en la calma de nuestros hogares y sacar de ellos las vistas y paisajes acabados que merecen conocer todos los mexicanos y europeos como testimonios de esta belleza imponente. A las cuatro de la tarde iniciamos el descenso que no fue, por cierto, la parte menos ardua de la empresa. Si antes nos quejamos de la penosa lentitud de la subida, después lo hicimos sobre la peligrosa rapidez de la bajada. El día estaba ya muy avanzado; el viento frío de la tarde había congelado la nieve derretida por el sol del mediodía, y al pasar por los arenales y ventisqueros de aguda pendiente, nos sentíamos arrojados contra los macizos rocosos o hasta el mismo borde de los precipicios, en los que no caímos gracias a la fortaleza de nuestros nervios y a la solidez de los bastones herrados. Después de hallarnos varias veces muy cerca de la muerte, llegamos a los confines del bosque y poco más tarde, ateridos y rasguñados, entramos en el calor de esta cabaña de Ozumba que es, a no dudarlo, un palacio real para el viajero, colocado a la mitad de este techo de México. Por último quisiera consignar en estos apuntes, los cuales han ido adquiriendo una intimidad que yo no buscaba, que en la cumbre de la agreste montaña, extasiado ante la contemplación de la naturaleza desde esa altura que pocos hombres han alcanzado, pensé en Matilde, la bella y sensible dama mexicana que conocí hace meses y cuyo amor penetra por mis poros, sacudiendo mi cuerpo y mi espíritu. Ahora mismo cierro los ojos y vuelvo a vivir los momentos en que ella entró en mi vida, como una cascada, un alud o una erupción.

JOHN PHILLIPS: *La Catedral de México.* Litografía

17. El sexto arcano del Tarot y las espadas de un poder lejano

"En cuanto a amabilidad
y cariñosos modales nunca me he encontrado
con mujeres que puedan rivalizar
con las de México;
y me parece que las de cualquier
otro país parecerían tiesas y frías
en comparación.
Para los extranjeros las mujeres mexicanas
tienen un irresistible encanto,
y es de esperarse que no obstante
las ventajas que puedan derivarse
de ese trato nunca lleguen a perder
esta deliciosa cordialidad que ofrece
tan agradable contraste con la frialdad
de las inglesas y las americanas."

Madame Calderón de la Barca
—La vida en México.

A partir del otoño de 1833

DANIEL THOMAS EGERTON salió del Museo Nacional y se dirigió a la Gran Plaza. Eran las once y media de la mañana y acababa de pasar más de dos horas examinando con cuidado las antigüedades aztecas, toltecas y mayas que ahí se exhibían, cuyas formas eran muy distintas de las europeas, en realidad un poco más parecidas a las asiáticas. Reflexionaba en que hasta las vasijas, los husos o "malacates" con que las indias del pasado hilaban el algodón para sus mantas, así como los "metates" en que molían el maíz con chile, poseían un diseño y una línea completamente originales. Las figuras antropomorfas, pintadas por los *tlacuilos* en los largos códices sobre las peregrinaciones de las tribus *nahoas* y las listas de los tributos impuestos a otros pueblos, o aquellas otras modeladas en barro o estuco, y talladas en piedra, jade o cristal de roca, con las caras de los dioses y las calaveras de sus enemigos, no se parecían tampoco a las europeas. "Por aquí no trotó el minotauro", pensaba Egerton, pues las cabecitas sonrientes de Teotihuacan no tienen la misma sonrisa que la dama de Elche, concebida a orillas del Mediterráneo, ni las figurillas de la isla maya de Jaina reconocen identidad con las estatuillas helénicas de Tanagra. Y hasta los dioses etruscos y romanos, en su ruda representación pétrea o marmórea, no poseen la fuerza intimidante y el peso escultórico de la diosa Coatlicue que Daniel Thomas había visto en el Museo, o de las serpientes emplumadas de Teotihuacan, que como gárgolas de una mitología distinta custodian esa ciudadela. Tiempo le faltaba a Egerton para recrearse en los testimonios de las antiguas civilizaciones mexicanas, algunos de las cuales estaban incorporados a la ciudad, como la enorme cabeza de serpiente de abiertas fauces, empotrada en un ángulo de la casa señorial de los condes de Santiago y Calimaya, y que perteneció al Gran *Teocalli.*

El pintor dejó a la izquierda la arista norte del Palacio Nacional y contempló a su derecha la fachada barroca del Sagrario de la Catedral. Ahora entendía por qué el estilo ornamental y arquitectónico de los españoles había explotado aquí en agolpadas formas preciosistas que apenas la imaginación puede contener: habían sido las manos indígenas, las mismas que labraron el Calendario Azteca exhibido en la siguiente esquina del templo, aquellas que esculpieron los ídolos del Museo y los altorrelieves de las pirámides, las que moldearon la arcilla y el barro negro para reproducir la cara desollada de Xipe-Totec y el penacho de Tezcatlipoca; esas manos indígenas, las que se apoderaron del arte español y lo convirtieron en suyo, conquistando así al conquistador, derrotando en los muros de sus propias iglesias al demoledor de sus *teocallis* y regalando al paisaje una fiesta de formas y colores que sólo aquí es dable contemplar. El barroco —se dijo— es la aniquilación del espacio a manos de la imaginación. Echó una última mirada a la enorme fachada y penetró en el templo. El sol que en el exterior había cargado de luz sus pupilas lo volvió ciego por unos

D.T. EGERTON: *Vista de la Gran Plaza*, 1834.
Óleo. Zócalo, Ciudad de México

segundos. Luego tomó conciencia visual, en la penumbra, de las cinco grandes naves, solemnes y frías, sólo profanadas por algunos cirios y los rayos de luz natural que descendían de las linternillas y los lunetos. En el ábside empezó a destacar el altar de Los Reyes, construido por un arquitecto sevillano pero ornado con los lienzos de pintores mexicanos, y presintió también el altar churrigueresco del Sagrario, que aunque oculto a sus ojos, le recordaba al maestro académico indígena Pedro Patiño Ixtolinque, a quien él, Egerton, conocía, y que había sido el autor reciente de su prodigiosa fábrica. Avanzó unos pasos por la nave central, techada con bóvedas de cañón, rodeó la balaustrada y dejó a su derecha el coro y los muros del altar del Perdón, sobre los que se encuentran los dos órganos monumentales, uno español y otro mexicano, de la imponente iglesia. Cruzó frente a las capillas del poniente: Nuestra Señora de las Angustias, San Isidro, Santa Ana, la Purísima Concepción y se detuvo en la de Nuestra Señora de Guadalupe, ante la cual reflexionó que, en estas tierras, hasta la madre de Dios tenía que tener los rasgos indígenas y la tez morena. Siguió adelante y, al llegar cerca de uno de los grandes portones laterales, llamó su atención un conjunto de cirios encendidos. Junto a ellos descubrió una pequeña puerta de madera difícilmente advertible que estaba entreabierta y mientras las campanas marcaban el mediodía en las altas torres, penetró por ella hacia una escalera estrecha que en pocos pasos lo hizo bajar hasta una cripta. Caminó unos metros por un corredor en semipenumbra, entre placas de mármol con inscripciones en latín que custodiaban los restos de los obispos ya fallecidos, y llegó a un espacio iluminado cenitalmente por un agudo rayo de sol que penetraba desde la altura y caía a plomo sobre una "rosa de los vientos", reproducida en las lozas del piso. Pero eso no era todo. Al centro de la "rosa de los vientos" y haciendo equilibrio para recibir el rayo de luz en plena cara, resplandecía en su extraño bamboleo una hermosa y joven mujer de tez apiñonada, facciones bellísimas, porte distinguido, ataviada a la española con un vestido negro sobre cuyo cuello blanco ornado de encaje caía la cascada azabache de su largo pelo hermosamente lacio, apenas cubierto por la mantilla. La mujer pareció trastabillar. El pintor se acercó a ella creyendo que iba a caer, en el momento en que ésta recobraba el equilibrio y abría unos enormes ojos verde olivo que lo miraron sorprendidos.

—¿Puedo ayudarla en algo, señorita? —ofreció Egerton alargando el brazo para tomarla del codo en un ademán más bien tímido, el cual no culminó.

—Muchas gracias, caballero... —respondió ella cerrando nuevamente los ojos y continuando la frase interrumpida— es que acaban de dar las doce del día y he venido a este lugar a recibir la energía que tiene y que es tan fuerte que la hace tambalear a una.

Y así era, según pudo observar el artista británico, pues la guapa mexicana, al recibir el rayo de sol con los pies firmemente asentados en el piso, parecía que oscilaba al impulso de una fuerza exterior a la cual no intentaba dominar, cerrando solamente los ojos para concentrarse. Pasaron así dos o tres minutos que Egerton aprovechó para contemplarla a placer mientras resistía esa pequeña punzada en la boca del estómago que había sentido siempre al encontrar una mujer atractiva. ¿Qué estaría experimentando esta dama tan hermosa? Como si adivinara sus pensamientos ella abrió nuevamente los ojos, respiró hondo y dio dos pasos para atrás proponiendo:

—Ahora le toca a usted, señor, ¿no quiere probar?

Daniel Thomas se sintió confundido; estuvo a punto de proclamar que él no era católico sino anglicano, además extranjero (lo que ella ya había notado por su forma de hablar) y que todo aquello le parecía muy extraño, pero no pudo decir nada. Asintió ligeramente con la cabeza, dirigió la vista al suelo y se situó con corrección y escepticismo en el cruce de la "rosa de los vientos", recibiendo el rayo de sol en su pelo castaño algo revuelto, mientras con la mano izquierda detenía su sombrero y su cuaderno de dibujo. Pero entonces aconteció lo increíble: sintió una energía poderosa y magnética, una fuerza extraña que invadía todo su cuerpo de abajo hacia arriba, y que le infundía una caudalosa sensación de bienestar y de vigor. ¡No podía creerlo! Ahora empezaba a moverse él también: aquella fuerza lo hizo oscilar, primero a la altura de los hombros, luego

394 EL MÉXICO DE EGERTON: 1831-1842

impulsó su tronco y lo obligó a inclinarse hacia adelante de tal manera que tuvo que separar un poco las piernas para no perder el equilibrio. La fuerza se redujo. Egerton juntó nuevamente los pies y alineó la cabeza con el rayo; volvió a experimentar la gratificante sensación que duró unos instantes y luego se fue desvaneciendo lentamente. Todo estaba igual; la luz del rayo cenital era tan intensa como antes y la "rosa de los vientos", por supuesto, no se había movido. Pero no sentía más la misteriosa fuerza.

—Ya se acabó, señor —oyó la voz de la desconocida que le daba explicaciones— sólo sucede a las doce en punto del día y no dura en total más de cinco minutos. Pero alcanzó para ambos. Usted es americano ... ¿verdad?

—No, señorita —contestó cortésmente el pintor—, soy súbdito británico, me llamó Daniel Thomas Egerton, y estoy a su servicio.

Ella sonrió y alargó la mano:

—Disculpe usted, señor Egerton. Encantada de conocerlo: Matilde Linares de la Parra, para servir a Dios y a usted —articuló con claridad usando una fórmula de cortesía muy propia de las damas recatadas. Luego continuó dando su versión del extraño fenómeno: cuando los artesanos indígenas empezaron a excavar los cimientos del edificio catedralicio, allá por 1524, siguiendo órdenes de Hernán Cortés quien acababa de regresar de su viaje a las Hibueras,[91] convencieron al maestro alarife don Martín de Sepúlveda que utilizara para dichos cimientos algunos monolitos del antiguo *teocalli*. A los españoles les vino bien la sugerencia pues aparte del uso de los magnos vestigios del templo pagano, que les ahorraban transportar más piedras desde las afueras de la ciudad, sepultaban con ellos, según creían, la posibilidad de que los indios continuaran reverenciando esos ídolos. Así fue como, en secreta venganza por la demolición de su *teocalli*, los aztecas conquistados lograron introducir sus dioses a la entraña misma de la catedral católica, que primero fue un templo pequeño, ampliado incesantemente durante los siglos XVII y XVIII, para ser terminada en 1810, año en que Miguel Hidalgo lanzó el grito de Independencia e

[91] Honduras, en América Central.

inició la revolución con el apoyo de criollos, indígenas y mestizos. Matilde continuó refiriendo que entre los monolitos y piedras labradas que los aztecas enterraron en el subsuelo de la
Catedral estaba una gran imagen de Huitzilopochtli o Tezcatlipoca, el más poderoso entre sus ídolos, y otra también colosal
de la diosa Coyolxauhqui, descuartizada por sus hijos en el
amanecer de su cultura. Esas dos importantes deidades fueron
depositadas en lugares distintos entre el fango de la plaza de
Tenochtitlan donde se erigiría el intruso templo católico, con
el deliberado objeto de que pudiera perpetuarse su culto entre el pueblo sometido. Los sacerdotes indígenas corrieron la voz
para que los lugareños asistiesen a la iglesia recién terminada
ya que en su mismo corazón estaba la fuerza de sus dioses a
quienes podían elevar sus plegarias a fin de que les dieran larga
vida, cosechas abundantes, los protegieran de enfermedades y
males de ojo y acabaran con los españoles que habían venido
a posesionarse de sus tierras y palacios. Así fue y por muchos
años, aún después de la aparición de la Virgen de Guadalupe,
en éste y en otros templos edificados por los conquistadores,
los sacerdotes aztecas se dieron la maña de enterrar a sus ídolos
y estos últimos fueron protagonistas rebeldes en el proceso de
evangelización a cargo de los misioneros europeos. La tradición
indígena, transmitida por generaciones, señalaba que precisamente en la cripta poniente de la Catedral se halla reunida la
fuerza cósmica del panteón azteca, pues los alarifes de tez morena diseñaron un portillón para que cuando el sol estuviese en el
cenit iluminara de manera precisa la losa bajo la cual, a muchos metros de profundidad, se encuentra la piedra de Huitzilopochtli, y la marcaron con una imagen muy europea: la "rosa
de los vientos", guía generosa de los navegantes. Añadían que
esa penetración de Tonatiuh, el sol, padre de todos los seres
humanos, al fusionarse con la del dios enterrado, daría como
consecuencia una momentánea y trepidante combinación de calor y energía que podía ser aprovechada por aquellos fieles de
la religión de sus mayores que estuviesen en el secreto.

—Ésta es la historia, tal como me la contó mi "nana", quien
a su vez la oyó de un sacerdote indígena que todavía vivía hace
poco, a quien se conocía con el apellido cristiano de Fajardo

—concluyó Matilde Linares de la Parra, mientras el artista inglés la miraba embelesado.

PARA EGERTON, a partir de ese instante, vivir se convirtió en algo maravilloso. A pesar de su propia timidez y gracias a la decisión de ella, se inició entre los dos una de esas amistades que nacen sólo para convertirse en amor. El pintor la invitó a almorzar y cuando ella aceptó, no sin antes poner como condición que pudiera estar de regreso en su casa de Mixcoac antes de que cayera el día, ambos se dirigieron a la salida del imponente templo. Matilde se detuvo junto a un pila de agua bendita, cerca de donde un sacerdote atendía a una pareja de feligreses, mojó sus dedos en ella e hizo en su frente la señal de la cruz. Luego, con un gesto que Egerton no esperaba, repitió el húmedo signo sobre la frente del pintor.

—Esto no le hace mal a nadie —dijo, dando por supuesto que como súbdito inglés Egerton era protestante, hecho que a otra mexicana distinta de ella le hubiera inhibido por completo.

Por iniciativa de él encaminaron hacia la fonda de "La Gran Sociedad", bajo la dirección de los señores Coquelet y Rover, en la calle del Espíritu Santo. Hacían una buena pareja y algunos transeúntes los miraban al pasar. Mientras atravesaban la Gran Plaza, torcían en el Portal de Mercaderes y caminaban para dirigirse a su destino, él refirió que era un paisajista de Hampstead, cerca de Londres, venido a México en busca de luz y color. (Aunque pensaba que ya los había encontrado en los ojos de ella, pero no se atrevió a decirlo.) Cuando estuvieron sentados frente a una mesa, en el hermoso patio soleado del lugar de moda, bebiendo agua fresca de roja jamaica, ella le contó con detalles la gran admiración y respeto que conservaba por su padre.

—Solía llamarme "mi bruja" o "mi brujita", como tratamiento cariñoso. Ignoro por qué le cuento a usted esto —concluyó, aunque sabía perfectamente que era para interesar al artista británico y provocar que él le refiriera algo de su vida. En vez de ello Daniel Thomas exclamó en tono festivo:

—A decir verdad, señorita, su señor padre tenía razón. De acuerdo con lo que hoy he visto y comprobado personalmente usted posee poderes sobrenaturales y atrae fuerzas misteriosas, por lo que él hacía muy bien en llamarla "bruja", aunque usted no tiene nada que ver con las brujas, salvo por su hechizo fascinante.

Ahora fue Matilde la que rió abiertamente, echando el cuerpo para atrás, muy halagada por el último comentario. (El inglés le gustaba, ni remedio, y sabía que ella le gustaba también a él). Egerton volvió a su habitual seriedad:

—Debe de haber una explicación científica para el fenómeno que nos tocó experimentar hoy en la Catedral. Seguramente se trata de una fuerza magnética que por algún motivo se encuentra concentrada en ese sitio. Algo así como un gigantesco imán. Lo que no me explico es por qué esa fuerza sólo se manifiesta a las doce del día. Supongo que la energía que tiene el cuerpo humano a esa hora alcanza un nivel suficiente para desencadenarla en ese momento —concluyó Egerton, mientras secretamente pensaba que "aquello" le había parecido una demostración de la magia del país más que cualquier otra cosa. Continuó después:

—También puede tratarse de una sugestión...

Matilde lo interrumpió:

—Señor Egerton, yo he sentido esa energía muchas veces de manera tan clara o más que hoy; le aseguro que no es producto de mi imaginación ni de un espejismo de mi mente; más bien parece cosa de Dios. Usted también la sintió ¿no es así?

—Así es, señorita. No niego el hecho, pero como amante de la razón y de la ciencia me preocupan sus causas. Aunque lo importante es habernos saturado de ese magnetismo irresistible y saludable que es como una comunicación con alguien sobrenatural. Yo no creo, por supuesto, que esa energía provenga de ningún dios azteca.

Matilde Linares volvió a sonreír y enunció lo que para ella era una conclusión lógica:

—Estoy de acuerdo con usted, señor Egerton, pero es evidente que todas las fuerzas de la naturaleza obedecen al mandato divino. Sin embargo este fenómeno puede ser un producto

D.T. EGERTON: *Entre Real del Monte y Pachuca.*
Apunte a tinta diluida. Colección: Hernández Pons

de magia, magia buena, por supuesto. Y según dice la tradición de los sacerdotes indígenas tal fuerza sólo pueden sentirla quienes crean en los dioses aztecas y amen esta tierra.

El pintor comentó:

—En ese caso yo lleno esos requisitos, señorita. El arte, la cultura y las tradiciones de los aztecas me parecen formidables, y también amo a México. Sobre todo ahora —recalcó, mirándola a los ojos.

UNA TARDE Daniel Thomas Egerton conversaba con su amigo Leandro Iturriaga y Murillas y con otro distinguido personaje, el poeta cubano José María Heredia, famoso por haber pertenecido a una agrupación revolucionaria de Matanzas llamada los "Caballeros Racionales" que buscaba independizar a Cuba de España, pues ese bello país del Caribe aún seguía uncido al yugo colonial. El Congreso había recibido la propuesta de nombrar a Santa Anna *Benemérito de la Patria* y Heredia, que había llegado por segunda ocasión a México y se había hecho secretario y confidente de don Antonio, se oponía ahora con todas sus fuerzas a aquel nombramiento, pues lo sabía preludio de una mayor concentración del poder. Ocho años antes, en unión de Claudio Linati y Florencio Galli, había dirigido en México "El Iris", un fugaz periódico crítico en donde aparte de sus poemas solía publicar recios artículos apoyando la siempre pospuesta independencia cubana.

Los tres amigos paseaban por la calle de Plateros, frente a la peluquería del francés Jouvel, mientras los billeteros gritaban la "Lotería de San Carlos", con la que la Academia del mismo nombre mantenía sus gastos culturales. Daniel Thomas, siempre con su cuaderno de dibujo bajo el brazo, interrogó a Heredia:

—Dígame don José María, ¿por qué se opone usted a que se otorgue al presidente el nombramiento de *Benemérito*?

El cubano no vaciló y con su acento de Santiago, mitigado por su larga estancia en Boston y en México y por la influencia lingüística de su sobria esposa doña Jovita Yáñez, explicó:

—Por la misma razón, señor Egerton, que me he opuesto a Gómez Farías y a José María Luis Mora, enemigos de Santa

Anna, cuando pretendieron no hace mucho la absurda reforma de la Iglesia y de la educación; o sea, porque ese tipo de cosas no se pueden hacer en este país. México es una tierra de tradiciones, un país vigoroso como pocos, y tiene muy arraigadas sus instituciones republicanas, pues venturosamente logró la independencia de la metrópoli después de una cruenta lucha, lo que aún no consigue mi desgraciada patria antillana. Pero eso no quiere decir que la religión de nuestros abuelos y las enseñanzas que de ella derivan puedan ser agredidas impunemente por este gobierno marcadamente militar que sólo se vuelve hipócritamente federalista cuando don Antonio se retira a Manga de Clavo y deja mangonear a otros, ¡aunque siempre bajo sus instrucciones! Créame usted que yo lo conozco demasiado bien. Y a pesar de sus méritos en la derrota del brigadier Barradas —que los fueron más del general Mier y Terán— no merece ser llamado *Benemérito de la Patria* por encima del libertador Hidalgo o del revolucionario Morelos; lo que él busca con ese rimbombante apelativo es obtener una fuerza moral que no posee, avasallar la conciencia de los ciudadanos, absorber un poder que la Constitución no le otorga. Jugador como es, quiera ahora jugar con las dignidades heroicas; como Julio César, reclama apelativos divinos a fin de imponer su voluntad omnímoda, lo que no es admisible en una República que se proclama popular o sea democrática.

—Coincido con usted señor Heredia —comentó Leandro Iturriaga mientras llegaban cerca del templo de San Francisco— es preciso no abusar de la candidez de las mayorías y creo que Santa Anna ha llegado demasiado lejos. Tiene no pocas virtudes, sobre todo su mano fuerte y buen sentido de la organización, pero estimo que autoproclamarse *Benemérito* resulta francamente absurdo. Sólo un Congreso dócil sería capaz de darle tal título, y si lo hace estará sellando su destino y subordinando su alta condición.

—Pues estos diputados y senadores lo harán —replicó el cubano— ya que no tienen la dignidad suficiente para oponerse a los caprichos del general, y esto acontecerá en los *idus* de marzo.

Egerton sonrió pues el señor Heredia, con esa referencia, prolongaba la comparación entre Julio César y Santa Anna. Luego comentó a su amigo orizabeño:

—Don Leandro ¿ya leyó usted la exquisita "Oda al Niágara" compuesta por el señor Heredia?

—Por supuesto, señor Egerton —contestó el interpelado— sé que nuestro amigo aquí presente la escribió durante su estancia en Nueva York.

—Pues a mí me apasiona —subrayó el pintor británico— y tan pronto pueda me propongo ir a Nueva York, visitar las cataratas y pintarlas en todo su esplendor, interpretando la exquisita inspiración poética de don José María.

—Es usted muy generoso —comentó el aludido— pero ya que me ha honrado usted siendo lector de alguno de mis modestos trabajos le recomiendo otro de mi juventud, "Meditaciones en el Teocalli de Cholula", que escribí cuando tenía diecisiete años.[92]

Iturriaga corroboró:

—Vale la pena hacerlo, pues esa obra juvenil, como las obras de teatro de usted, posee una sensatez y una fuerza reveladoras de su madurez intelectual.

Heredia suspiró:

—¡Ojalá la tuviese en verdad, don Leandro, señor Egerton, para ponerla al servicio de mi amada Patria!—. Luego, dirigió la mirada triste hacia el oriente, y con voz entrecortada y pupilas brillantes musitó: ¡Cuba, mi pobre Cuba...!

DURANTE EL TIEMPO que Daniel Thomas permaneció en el país en ese su primer viaje, frecuentó la compañía de Matilde Linares de la Parra, aunque un tanto clandestinamente. Dibujó su cara de mil maneras, aspiró de un pañuelo de encaje su perfume de jazmín, la deseó en sueños angustiosos y cuando ella podía —a despecho de sus dos hermanos que eran muy posesivos y celosos, como la mayoría de los mexicanos— paseaban juntos por Mixcoac, San Ángel, Tacubaya y por los demás al-

---

[92] Nicolás Rangel, *Nuevos datos para la biografía de J. Ma. Heredia*, La Habana, 1930. Manuel Toussaint, *Vida de José María Heredia en México (1825-1839)*, México, 1945.

D.T. Egerton: *Plaza de Los Angeles. Guanajuato, 1835.*
Colección: Martin Kiek

rededores de la ciudad. Cuando Egerton viajaba al interior de
la República se despedían tiernamente y a los dos se les hacía
muy largo el tiempo de la espera recíproca. El pintor vivió entonces una de sus mejores épocas artísticas. Su captación del
paisaje era más profunda y espontánea; reproducirlo se le anto-
jaba cada día más fácil y sencillo. Mientras daba los trazos en
el cuaderno o ungía la tela con sus colores favoritos, adaptados
a los tonos del país (el verde tierra y el malaquita para la vegetación; el café Van Dyke, el *mummy* y el asfalto para piedras,
perfiles de árboles y pasto seco, mezclados con el ocre Oxford
y a veces con el bermellón; y los azules nativos o ultramarinos
para el cielo) Egerton pensaba en Matilde y la sentía viva dentro del majestuoso panorama mexicano. La naturaleza lujuriosa
de los valles del sur, y la fuerza estética y serenidad de las
ciudades del norte —sobre todo Zacatecas, cuna de su amada—
las veía como emanaciones naturales de la personalidad de ésta.
Sus momentos más difíciles transcurrieron en esa época en que
Matilde no quiso verlo —duró varios meses— después de saber
por él mismo que estaba casado y que había dejado mujer e
hijas en Inglaterra, aunque aseguradas por una escritura de
separación. Para ella la noticia había sido un choque, y sólo
el sufrimiento ante el temor de perder a Daniel Thomas y la
insistencia de éste cuando regresó de Zacatecas y le llevó varios
dibujos de su ciudad natal junto con un ramo de frescas dalias,
las flores mexicanas por excelencia, lo hizo reanudar su relación
sentimental. Hablaron mucho sobre el tema y Daniel trató de
convencerla de que un amor como el de ellos estaba más allá
de ataduras formales y diferencias religiosas. Las horas que
pasaban juntos casi siempre resultaban inolvidables y plenas en
identificación. Ella le refería la historia de México y sus leyendas y supersticiones; él le contaba historias de testas coronadas
y guerras, todas inglesas, y le describía Hampstead y su mundo.

Cuando las famosas fiestas de la Pascua del Espíritu Santo,
fueron a San Agustín de las Cuevas, la antigua Tlalpam, que
hasta 1830 había sido capital del Estado de México, el cual
rodea por todas partes a la gran ciudad. Viajaron en un coche
que Egerton alquiló para que ella fuese cómodamente, con
el que enfilaron por la gran calzada pletórica de *bombés*, gua-

yines, calesas y muchos caballos que se dirigían a ese santuario del juego y la disipación que durante tres días suele reunir a lo más granado de la sociedad capitalina, incluyendo altos funcionarios del gobierno, prelados importantes, ricos hacendados, conspicuos militares, pomadosos *fifís* y también muchos "léperos", unidos todos por la común adoración de Birján, y sólo divididos por el tipo de apuesta que admiten los innumerables garitos o "montes" que ahí se instalan: oro, plata o cobre. Como dice el proverbio mexicano: según el sapo es la pedrada. El pueblo es muy pintoresco y lo preside el Hospital y Leprosario de los dominicos, acompañado por el noble campanario de la Parroquia con su famoso reloj catedralicio; la torre de Santa Inés, donde estuvo preso el cura Morelos, y el antiguo Palacio de Gobierno que ahora es la Casa de Moneda. Se decía que Santa Anna, quien es muy aficionado a los gallos y a los albures, asistiría ese día, y que hasta quería comprar una finca en el pueblo, justo en la calle de San Fernando. El coche que llevaba a Daniel Thomas y a Matilde se detuvo a las puertas de la hacienda de San Antonio Coapa, después de atravesar el vasto Pedregal de San Ángel, fantástico y desolado paraje de lajas volcánicas que se extiende durante más de una milla y media y que es producto de la erupción del Xitle, un volcán que sepultó hace cientos de años templos, pirámides y casas de los arcaicos habitantes del valle. Ambos estiraron las piernas en el patio exterior de la hacienda, perteneciente a la condesa de Vivanco, y después volvieron al carruaje que los llevó por fin hasta el centro de San Agustín de las Cuevas que seguramente se llama así por las muchas que existen en sus alrededores. Una verdadera multitud iba y venía por las calles y callejones, e inundaba la plaza principal en donde infinidad de "puestos" de vendedores ambulantes y "cajones" más o menos fijos, así como "fondas" improvisadas bajo los árboles recibían a los visitantes y les vendían recuerdos y chucherías, moles, adobes y pepianes abundantes en "chile", tostadas y "gorditas", dulces de camote, mazapanes de cacahuate y aguas frescas, sin faltar el pulque curado de sabores y hasta el buen vino español. Entraron a uno de los "montes" y lo encontraron pletórico de jugadores que hacían sus apuestas sobre la mesa cuadrilonga, mientras los "talladores" movían rápidamente los naipes y acomodaban las posturas en onzas o pesos fuertes. Ahí estaba por supuesto el general Presidente don Antonio López de Santa Anna, quien ejercía el cargo por cuarta vez (corría el año de 1834) todavía en nombre del federalismo y con un cierto apoyo de los yorkinos y liberales, aunque ya estaba perdiendo ese respaldo a causa de haber anulado los decretos anticlericales emitidos por Gómez Farías durante el año anterior, y también por verse cada vez más aliado del alto clero, el ejército y los conservadores. Ese día Santa Anna estaba en su ambiente, entre hacendados, ricos comerciantes y aristócratas que le habían aplaudido a su llegada al "palenque" donde vio pelear a los gallos de Tlapacoyan y Jalapa, ganando no poco en esos encuentros y hasta en los famosos "tapados". Ahora visitaba el "monte" del conocido agiotista don Cándido y cuando ponía oro sobre una de las cartas de los albures ésta se volvía favorita, con resultados no siempre muy halagüeños para los aduladores que secundaban sus posturas, pues era norma que el primer albur siempre debía ganarlo "el señor Presidente", pero de ahí para adelante los "talladores" o *gurupiers* tenían instrucciones de manejar la baraja "como siempre". Egerton y Matilde lo vieron de lejos fumar su puro de Cosamaloapan, que llenó la estancia de un olor fuerte y algo dulzón, y ordenar al capitán Yáñez, su jefe de ayudantes, que recaudara lo ganado, dejando en la mesa la mitad para el siguiente "envite". Luego salieron de la sala pues el pintor era renuente a los juegos de azar y decidieron ir a la feria, llena de los pregones de los vendedores y de los sones de los músicos que alegraban el ambiente con sus coplas.

Matilde pidió a Daniel Thomas que penetraran al puesto de la cartomanciana, una mulata de avanzada edad quien les hizo sentar enfrente de ella, y sobre una pequeña mesa, más o menos aislada del ruido circundante, echó las veintidós cartas del Tarot para Matilde, extendiéndolas en tres filas, a las que observó detenidamente. Después miró a los ojos a la bella mujer y le comunicó:

—El Tarot ha hablado, hija mía. Estás bajo la influencia de su sexto arcano mayor. Mira esta carta —le enseñó un naipe que mostraba a un hombre joven ataviado con una túnica a

rayas verticales (azules, rojas y amarillas), encuadrado por dos mujeres, la de la izquierda vestida con una túnica azul, la de la derecha con una roja. La primera era seductora, la otra simplemente serena, y sin embargo era ésta a la que el mancebo miraba, mientras encima de él un pequeño Eros, en el centro de un círculo solar, le apuntaba con su flecha. La vieja cartomanciana continuó:

—El sexto arcano mayor del Tarot es el signo del amor y de los enamorados. Él dice que tú te encuentras envuelta en los momentos más sublimes del trance amoroso, que es el que determina tu vida y tus acciones. Pero esta carta muestra que el amor siempre tiene dos caras, la de la carne y la del espíritu: tú tienes que escoger entre el rostro seductor de la primera y la efigie reposada de la segunda. Tienes un dilema dentro del amor el cual debes resolver, pero si te colocas por encima de esa duda, entonces encontrarás la felicidad.

Matilde la escuchó; sus mejillas perdieron momentáneamente el rojo frescor que siempre las animaba. Luego reaccionó:

—¡Pues entonces seré feliz en el amor! —dijo, mientras miraba tiernamente a Daniel Thomas—. Ahora le ruego señora, que le diga usted la suerte a este caballero.

—Para ti será la baraja española —comentó la mujer con decisión mientras examinaba detenidamente a Egerton y retiraba de la mesa las cartas del Tarot sustituyéndolas con un paco de naipes que revolvió con maestría y luego dio a cortar al artista británico.

—Pero antes dime ¿en qué día de qué mes naciste? demandó la extraña mujer:

—Un dieciocho de abril, contestó él.

¡Ah! —exclamó la adivina— entonces, para los cristianos eres Aries, hijo del fuego, pero para los aztecas eres *xóchitl*, pues naciste en el mes de las flores, por tanto eres hijo de la tierra como el girasol que te representa. Y para los santeros del Caribe eres "Eleggúa", el primero en ser llamado, tu signo es una pirámide con veintiún caracoles. La pirámide demuestra que tus lados y perfiles son iguales para todos, no desprecias ni a los pobres ni a los negros. El Santo dice que de los caracoles tienes dieciséis caminos buenos y cinco malos.

La mulata extendió entonces nueve cartas sobre la mesa: ahora fue ella la que pareció turbada porque seis de las cartas eran espadas y estaban todas juntas, dos eran oros y una copas. Por un rato permaneció callada, luego se atrevió a hablar:

—Tú tienes que cuidarte mucho, mucho. La fama y el dinero están contigo; la belleza y el amor también. Pero hay quienes conspirarán en contra tuya. Elude las pendencias y los peligros. Desconfía de quienes te fingen amistad. Estas espadas vienen de un poder lejano. Nada más puedo decirte.

Luego se incorporó como dando por concluida la entrevista, no sin antes mirar a la pareja con una mezcla de complicidad y desazón.

—Les deseo que sean muy felices, balbuceó con una cortesía formal al despedirlos, mientras Egerton deslizaba en su mano un peso de plata que en el anverso exhibía un gorro frigio emanando fúlgidos rayos de vida y libertad y en el reverso el escudo de la República mexicana con el águila devorando a la serpiente.

LA CAMPANA DE LA CAPILLA de El Calvario, situada en una loma desde la cual domina la hondonada y una vasta planicie de suaves contornos, llamó con persistencia. Era la hora de la jarana y el baile, y salvo aquellos concurrentes que estaban arraigados por las tenazas del juego, todos empezaron a moverse desde el pueblo hasta sus afueras para participar de este jocundo aspecto de la celebración. Algunas damas copetudas regresaron a las casas que les daban posada para cambiar de vestido, pues era fama que en los tres días que duraban las fiestas de San Agustín las señoras de sociedad no repetían el mismo atuendo. Cuando Matilde y Daniel Thomas se aproximaron al lugar del baile, el bullicio era indescriptible y desde lejos oyeron el clamor de los sones veracruzanos que abrían el jolgorio por derecho propio, pues venían de la tierra del general Santa Anna y eso bastaba para que tuvieran prioridad, además de que encendían rápidamente a la multitud y propiciaba la danza. Pero no se crea que se escuchaba sólo una música; como el espacio era tan grande y el aire se llevaba las notas, era dable que varios conjuntos regionales tocaran y cantaran sus coplas al mismo tiempo sin estorbarse. En un primer plano, por ejemplo, los músicos jaliscienses ejecutaban el "Jarabe tapatío" que unas muchachas de vistosas enaguas zapateaban en compañía de bronceados mocetones. Todo era alegría y la dilatada y risueña comarca se llenaba de estridencias y movimientos provocados por cientos de parejas y familias que llenaban de color el paisaje.

La diversión era de todos. En la cima de una loma donde el viento untaba las faldas al cuerpo de las damiselas, unos adolescentes empinaban *papalotes*, el nombre que en México se da a las cometas, derivado de la palabra azteca que significa "mariposa". Pues bien, varios papalotes de seda o papel de china y varillas del ligero carrizo pegadas con cera de Campeche, y amacizadas con hilo grueso, cuyos cuerpos eran de colores brillantes y con largas colas, revoloteaban sobre El Calvario tensando los cordeles de cáñamo al ritmo caprichoso del viento; se elevaban y descendían, trazaban figuras voluptuosas en el aire, planeaban con abandonada serenidad y a veces, sometidos por ráfagas repentinas, amenazaban con estrellarse contra la meseta después de eludir las copas de los árboles, pero siempre conseguían elevarse otra vez en un vuelo nervioso y versátil. Mientras algunos de ellos hacían piruetas sobre el campo, Egerton notó que en un cierto lugar de la hondonada un grupo de jóvenes formaban ronda alrededor de dos cometas que aún estaban en tierra sostenidas por un par de costeños que las preparaban para ser empinadas. Matilde y él se acercaron y pudieron presenciar cómo se formaban dos bandos de participantes alrededor de los flamantes papalotes, en cuyo cordón o hilo, a tres cuartas de distancia de donde éste se insertaba en la cruz de sus alados y resistentes cuerpos, se encontraban sujetas perpendicularmente en un centro de corcho, cuatro delgadas y filosas navajas de las que se solían amarrar a los espolones de los gallos de pelea, las cuales proyectaban sus reflejos metálicos ante el esplendente sol vespertino. Los dos grupos comprobaron que las navajas estaban convenientemente colocadas y entonces comenzaron a cruzarse las apuestas, pues según pudieron entender el pintor y su novia, el juego consistía en una batalla aérea en la que se trataba de que cada papalote, una vez elevados ambos, lograra destruir al otro o cortarle el hilo y de esta manera ganar el singular combate, haciendo felices a quienes ha-

bían arriesgado algunas onzas a su favor. Pronto estuvieron
casadas las apuestas y los dos jóvenes de tez morena se pusieron
contra el viento para elevar sus vistosos papalotes, uno blanco
y rojo con colas azules, y otro verde y rosa, con colas amarillas.
Los muchachos corrieron unos metros y las cometas que estaban
en el suelo empezaron a elevarse pendientes del cáñamo, conducido por destreza al impulso de las ráfagas pertinaces. Pronto
estuvieron a más de 50 yardas del suelo haciendo girar los
carretes con los cuales sus conductores les "daban hilo" o
los "recogían" para regular su hermoso vuelo y sus ascensos,
descensos y evoluciones. Ya que ambos bajeles del aire se sus-
tentaron a una altura conveniente y en una posición sostenida,
quienes los manejaban se colocaron uno en contra del otro y
empezaron allá arriba la singular lucha, tratando de acercar su
respectivo aparejo al del rival a fin de atacarlo con las navajas,
que a pesar de la distancia se distinguían a la perfección. Pronto comprobaron los asistentes que ambos empinadores eran unos
expertos, pues además de prolongar y recoger el cordel con
maestría, corrían, se paraban, se devolvían y avanzaban sobre
el terreno, según el cambiante viento favorecía o dificultaba sus
respectivas maniobras, y de esta suerte las brillantes estrellas
de papel danzaban en la altura un incomparable ballet de per-
sistentes giros y veleidosas cabriolas, siempre con la intención
de encontrarse en medio de un rizo o en la potencia de un so-
brevuelo para que sus navajas se pusieran a la distancia debida
y cortaran el cáñamo del adversario o averiaran su cuerpo o sus
timones. Por unos minutos las dos cometas danzaron sin cesar,
alejándose y acercándose alternativamente; a veces era la roji-
blanca la que llevaba la iniciativa, otras la tomaba la rosiverde,
pero en definitiva el duelo en los aires parecía muy parejo pues
ambas maniobraban con gran rapidez y pericia mientras los
espectadores ya tenían casi torcido el cuello de tanto apuntar
la cabeza hacia las alturas. Hubo un momento en que el papalote rojiblanco ascendió unos metros más arriba que el otro y
favorecido por una súbita ráfaga lo atacó en atrevido y veloz
descenso, pero sólo logró que las navajas cortaran parte de una
cola del esquivo rival, la cual descendió lentamente como si
fuera una seca hoja de otoño. Luego continuó el singular en-

cuentro con las subidas y bajadas, los ganchos y los rizos, los acercamientos y retiros intermitentes; de pronto la cometa que ya sólo tenía una cola, impulsada por una pequeña carrera de quien la conducía, pareció alejarse del campo de batalla, perseguida por su contrincante, mas esta aparente huida no era otra cosa que una estratagema —como la del último Horacio contra los Curiacios— pues acto seguido el papalotero regresó sobre sus pasos dando carrete, mientras su aparato descendía hacia el otro a gran velocidad y lograba hacer chocar sus brillantes espolones metálicos con el cordel del enemigo, cortándolo de un tajo en un rápido giro, lo que precipitó a tierra a la bella máquina volante, hundida en una espiral melancólica de la que ya no pudo salir hasta estrellarse en unos arbustos. Hubo gritos y aplausos, exclamaciones de las damas y abrazos de los caballeros. La enhiesta cometa rosiverde siguió paseando por los aires en señal de triunfo entre el sonido de las jaranas, mientras en tierra los apostadores cobraban o pagaban el fruto de su juego.[93] Fue así como Egerton contempló por primera vez una batalla aérea y pensó en lo hermoso que sería ascender sobre la ciudad de México en un aeróstato para dibujar su planta desde las alturas, como ya algunos osados habían hecho en Europa con otras ciudades. No pudo menos que alabar el ingenio de los mexicanos para inventar la original diversión de las cometas y convertirla en oportunidad de apuesta, y también recordó el extraño grabado de Martin Egerton en donde un hombre atraviesa el Canal Inglés volando sobre una tetera propulsada gracias a su propio vapor. Seguía la fiesta; los pobres bailaban, los ricos los veían y bebían ponche o cognac. La tarde iba cayendo en San Agustín de las Cuevas mientras los alegres bailarines se preparaban para continuar a la luz de faroles y antorchas. El sol se hundió tras las montañas, como esplendente signo masónico, pensó Daniel Thomas, o como rojo papalote herido por una poderosa espada enemiga, pensó Matilde, al tiempo que evocaba con temor las palabras que la cartomanciana había dicho a su amado, las que sonaban en sus oídos cual negras y terribles premoniciones.

[93] Existe un hermoso relato de José María Roa Bárcena sobre este vistoso entretenimiento veracruzano de la época, llamado "Combates en el aire".

H.A. McArdle: Ruinas de la fortaleza de *El Álamo*
Gouache sobre dibujo de F. Beardin

18. El Destino Manifiesto

"Las especies que corren
en los Estados Unidos de que
los mexicanos oprimen y tiranizan
en Texas a los ciudadanos americanos,
son otras tantas falsedades infames.
Toda aseveración que se haga de que
el Gobierno mexicano ha engañado
a los ciudadanos de los Estados Unidos
por lo tocante a tierras prometidas, es falsa;
y desafío a cualquiera a que
me pruebe que haya habido un solo caso
en que se haya anulado un título,
siempre que el titular de él cumpla
con las condiciones requeridas.
Por lo que respecta a la guerra,
pregunto a los americanos
(exceptuando a los especuladores):
¿Cuántas incursiones, insurrecciones y
rebeliones hechas con el notorio objeto
de arrancar a Texas de manos de
sus legítimos dueños,
justificarán el que México lance
de su territorio a los piratas que
tratan de posesionarse del país?"

*Un colono americano de Texas,
carta publicada en el*
New York Commercial Advertiser
en el año de 1836, reproducida por
José María de Bocanegra *en sus*
Memorias para la historia de
México independiente. 1822-1846,
edición original. México, 1892
(reedición FCE, 1987).

A partir de 1835

SANTA ANNA HABÍA DEROGADO prácticamente las instituciones federales, suspendido al Congreso y —con el aliento de Lucas Alamán, alma del Partido Conservador— desconocido también a los ministros de la Suprema Corte de Justicia. Realizaba así su primer gobierno personal al que seguirían otros siete en su larga vida de hombre fuerte de la nación. A principios de 1835 se retiró una vez más a su hacienda, después de que el vice-presidente Gómez Farías había sido depuesto, y para ejercer el Poder Ejecutivo quedó designado el general Miguel Barragán. De prisa se reunió un Congreso Constituyente, que atropellando la prohibición expresa del artículo 171 de la Constitución Federal de 1824 para variar la forma de gobierno, expidió al siguiente octubre unas *Bases para la nueva Constitución*, que dieron fin al sistema federal, y que poco tiempo después, en enero de 1836, promulgaría la primera de las *Siete Leyes Constitucionales*, edificadoras de un férreo sistema centralista que prestaría nacimiento oficial al gobierno oligárquico de las clases pudientes cuyos privilegios quedarían consagrados en el Texto Supremo. El solo anuncio del sistema centralista y la división del territorio nacional en departamentos, arrebatando su soberanía a los estados, dieron pretexto nada menos que a la sublevación de Tejas.

Eso comentaba en una mesa del "Café Veroly", el apasionado historiador don Carlos María de Bustamante, quien tenía como interlocutores al teniente coronel Santiago Xicoténcatl, a don José María de Bocanegra, al conde De la Cortina —quien había regresado del exilio y ocupaba una curul de diputado—, y al pintor Daniel Thomas Egerton.

—Desde que España —pontificaba ante su auditorio pendiente de cada uno de sus gestos— por un error grosero en política, o sea por cooperar con las ideas de Francia en virtud del funesto pacto de familias, ayudó a la independencia de los Estados Unidos, se le predijo que creciendo en población se harían de todo el continente mexicano. Los angloamericanos no han perdido de vista esta idea y hoy más que nunca, porque tienen más de 17 millones de habitantes emigrados de Europa, la procuran llevar a cabo, no ya por medios tortuosos o indirectos sino franqueando descaradamente auxilios a este departamento sublevado y haciéndonos guerra a muerte por medio de los indios bárbaros. Despoblado este departamento como la mayor parte de este continente por la inercia del gobierno español que debió ocupar aquella línea, especialmente desde que vendió a los franceses la provincia de Luisiana, comenzó a oír proposiciones de colonización de extranjeros en Tejas, siendo Moisés Austin uno de los que se presentaron de los primeros a pedir terrenos; siguióle don Lorenzo de Zavala y otros a quienes el gobierno cedió indirectamente grandes sitios sin apreciarlos dignamente como debía, y admitiendo por colonos a los vecinos, de modo que se representó entre nosotros el apólogo de la perra parida, la cual pidió por favor a otra de su clase prestada su casa para salir de su embarazo; otorgósela; pero creciendo los cachorros ya no pudo lanzarla de ella, sino que por el contrario los perrillos ya grandes y fuertes echaron a la huésped. He aquí muy en breve la fundación de Tejas y sus resultados, veamos la sinrazón con que se nos ha rebelado.[94]

Don José María de Bocanegra, quien tres años antes había sido ministro de Hacienda y entonces no formaba parte del gabinete, le interrumpió:

—Fue siempre la adquisición territorial un objeto de especulación en el que anduvieron complicados intereses nacionales y extranjeros; ha originado conflictos en el gobierno y fomentado la discordia civil, llegando el espíritu ambicioso de adquirir tierras hasta el extremo de haber dado días de luto a la República. Poinsett fue expulsado por nosotros en 1829 a causa de este tipo de asuntos. Yo mismo redacté la nota correspondiente al gobierno norteamericano.[95]

—Así es don José María —continuó Bustamante— y hay que recordar que erigido Tejas en estado mexicano gozaba de la misma libertad e independencia que los demás de la Federación, pero no podía aumentar su fortuna por medio de los esclavos que en el departamento del sur de los Estados Unidos forman la riqueza de sus propietarios. Desde la organización del estado de Coahuila y Tejas se prohibió este infame tráfico que deshonra a la humanidad; que todo negro tránsfuga de cualquier potencia que aquí se presentase, por el sólo hecho de poner

[94] Carlos María de Bustamante, *Continuación del Cuadro Histórico*, México, Instituto Cultural de México/Fondo de Cultura Económica, 1985, pp. 13 y ss.
[95] Bocanegra, *Memorias*, t. II, p. 21.

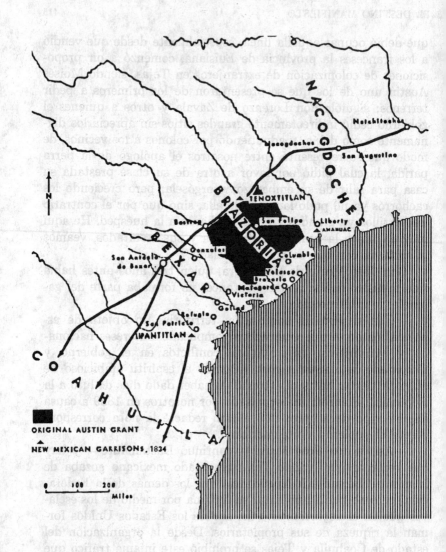

ORIGINAL AUSTIN GRANT

▲ **NEW MEXICAN GARRISONS, 1834**

0   100   200
Miles

Tejas, antes de 1836
Tomado de *The Texas Republic* de William Ranson Hogan,
Universidad de Texas, 1980.

sus pies en este suelo, quedase libre. He aquí el solo, el único motivo porque Tejas se ha sublevado y pretende separarse de la unión mexicana.

—Tiene usted razón —comentó el conde De la Cortina—, y el asunto fue peor después de que el Presidente de la República, don Vicente Guerrero, ratificó la abolición de la esclavitud, proclamada por el cura Hidalgo desde 1810, pues a pesar de ello los colonos americanos siguieron introduciendo esclavos a Tejas. Debemos rectificar la opinión de la sociedad mexicana sobre los Estados Unidos e inflamar el espíritu nacional contra las tendencias bien manifestadas por parte de la raza anglosajona para absorber a la nuestra y enseñorearse de nuestros destinos.

Don Carlos María continuó:

—Decía yo que Moisés Austin, natural de Connecticut y avecindado en Missouri, solicitó concesión para colonizar Tejas desde fines de 1820 al gobierno español, o sea antes de la consumación de nuestra Independencia, protestando su adhesión a dicho gobierno y solicitando permiso para introducir 300 familias procedentes de la Luisiana, estado que alegaba que sus fronteras originales de la época francesa llegaban hasta el río Nueces, lo que era un viejo argumento del gobierno de Washington. La autorización fue concedida y la colonización se inició a partir de Nacogdoches, pero Austin falleció y, al consumarse la Independencia, su hijo Esteban pidió la renovación de ese privilegio, lo que le fue concedido en 1823 por Iturbide a condición de que los pobladores fueran católicos y juraran fidelidad a México. En lugar de ello llegaron al río Brazos una porción de aventureros protestantes, y no de la mejor nota, lo que continuó a despecho de las leyes de colonización que se dictaron poco después. Estas leyes nunca fueron observadas; nuevas concesiones del estado de Coahuila y Tejas se fueron sucediendo sin regla ni tasa, casi todas a *angloamericanos*, a los que llamamos así para diferenciarlos de los demás habitantes de América, que somos todos americanos. No debe omitirse el hecho demasiado notorio en esta República y mucho más en la vecina, de que el gran número de concesiones simultáneas de estos pasados años para la colonización de Tejas ha dado lugar

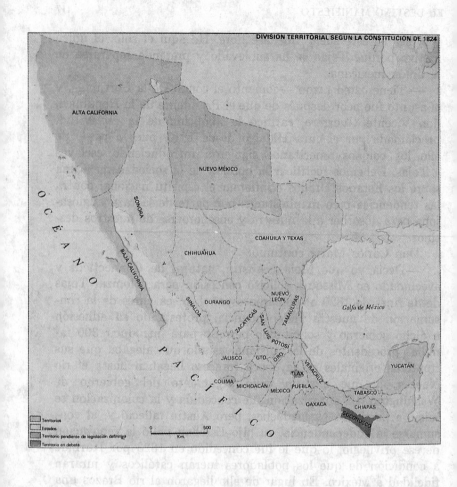

DIVISION TERRITORIAL SEGUN LA CONSTITUCIÓN DE 1824

ALTA CALIFORNIA

NUEVO MÉXICO

OCÉANO

SONORA

BAJA CALIFORNIA

COAHUILA Y TEXAS

CHIHUAHUA

PACÍFICO

Golfo de México

DURANGO

SINALOA

NUEVO LEÓN

ZACATECAS

SAN LUIS POTOSÍ

TAMAULIPAS

JALISCO   GTO.   ORO.

VERACRUZ

YUCATÁN

COLIMA

TLAX.

MICHOACÁN   MÉXICO   PUEBLA

TABASCO

OAXACA

CHIAPAS

SOCONUSCO

Territorios
Estados
Territorio pendiente de legislación definitiva
Territorio en debate

0   500
Km.

México, antes de 1847

a un abuso harto escandaloso. Hablo de las ventas imaginarias de tierras por sujetos no autorizados para ello, cuyas cédulas corren en aquellos mercados a pesar de los reclamos de los legítimos interesados en las colonizaciones concedidas por autoridades competentes.[96]

A este punto, Egerton no pudo menos que pensar en su hermano William Henry, quien desde años antes se dedicaba a vender tierras en el departamento mexicano de Tejas, y que en una ocasión le había confiado que había tenido ciertas dificultades con algunos compradores insatisfechos. Pensó que en estos instantes de revaluación de lo acontecido en la provincia norteña, cualquier intervención de un extranjero como William Henry podía ser mal interpretada. ¿Estaría implicado su hermano en la rebelión tejana? En estos días se encontraba por allá. Como si adivinara su pensamiento, el teniente coronel Xicoténcatl acotó:

—La mayoría de esos traficantes de tierras que se llaman *empresarios*, son filibusteros yanquis, que venden hasta tres o cuatro veces la misma superficie de terreno con tal de obtener fáciles ganancias. Se sabe que también participan algunos ingleses.

Bustamante volvió a la carga:

—La fuerza de la verdad nos obliga a decir que aunque en estas ocurrencias suenan siempre como actores los *colonos* de Tejas, pocos han tenido parte en ellas; muchos integrantes ambiciosos, introducidos en medio de ellos por razones de política, han sido los inventores de las asonadas; así como los especuladores de tierras, los *simpáticos*, como se les llama no sé por qué, han sido los instigadores de la guerra, y los auxiliadores para ella con dinero y efectos, y sobre todo con remesas de los llamados *voluntarios*, que no son otra cosa que reclutas enganchados de entre los innumerables ociosos y vagabundos que hay en Norteamérica. En su llamada declaración de independencia hacinaron todos los agravios que suponían habérseles hecho por la nación mexicana.[97]

[96] Bustamante, *Continuación* . . ., *op. cit.*, pp. 18 y 19.
[97] *Idem*, p. 20.

—Cuando debería de ser precisamente al revés —opinó el conde De la Cortina— pues son ellos los que han violado sus propios títulos y han infligido multitud de agravios a México. Por cierto que tanto en Tejas como en California, territorio que también ambicionan los *yanquis*, muchos de los colonos han intentado mexicanizarse o hispanizarse mediante el uso de la partícula "don" delante de su nombres propios, pero ni así lo consiguen pues los auténticos mexicanos los llaman los "dones", señalando su origen extranjero y mirándolos con la natural desconfianza con que ven a todos los anglos.

Bustamante, que cuando tomaba la palabra nunca quería soltarla, reinició su discurso:

—Estos llamados colonos, en su declaración de independencia, empezaron sentando la insigne falsedad de que el gobierno mexicano, por sus leyes de colonización invitó y comprometió a la llamada república angloamericana de Tejas a colonizar los desiertos de ese país bajo la fe de una constitución escrita, en virtud de la cual debían disfrutar de las mismas instituciones a que estaban acostumbrados en su país natal; pero que habiendo la nación mexicana aprobado los cambios hechos por el general Santa Anna en la Constitución —o sea el centralismo— no les quedaba otro arbitrio que abandonar sus hogares adquiridos con tanto sacrificio o someterse al despotismo militar y religioso. Esto es una reiterada mentira; ya hemos dicho cuáles fueron los principios de la colonización de Tejas y las condiciones con que el permiso solicitado por los Austines, padre e hijo, les fue concedido. Ni la nación mexicana ni sus leyes de colonización han llamado a nadie, y si ofrecen tierras y derechos a los que quieran venir a poblar, siempre ha sido bajo las condiciones que los protestantes de Tejas nunca han cumplido. ¿Cuál era la Constitución republicana que regía cuando solicitaron de las autoridades virreinales españolas en 1821 establecerse en Tejas? ¿Cuál la de 1822 y 1823 cuando pedían a don Agustín de Iturbide la confirmación y ampliación del primer permiso? No dejemos tampoco de observar que puesto que confiesan que la nación ha aprobado el cambio del sistema —de federalismo al centralismo— no podrán probar que la nación no tenía autoridad ni justicia para hacerlo sin consentimiento de ellos.

Sam Houston. Litografía.
Cortesía de la Biblioteca Benjamin Franklin.
Embajada de los Estados Unidos de Norteamérica en México

Hubo un murmullo de aprobación en la mesa y el sonido de las cucharillas que movían el café. El teniente coronel Xicoténcatl subrayó que los revoltosos de Tejas no se hubieran atrevido a tanto, sin la cooperación de sus paisanos los americanos, "como ese siniestro político Samuel Houston, a quien apodan 'El Cuervo', que está totalmente desprestigiado". En ese momento el nombre sonó como un campanazo en los oídos de Daniel Thomas Egerton: ¡Houston! ¡Claro que lo había oído mencionar a William Henry! Ese Sam Houston era nada menos que uno de los abogados de la compañía fraccionadora o colonizadora de tierras de Tejas para la cual trabajaba aquél. Temió que su hermano hubiese cometido un error, quizá sin saberlo, pues al ejercer su profesión comercial había podido caer en medio del núcleo de revoltosos y empresarios que buscaban secesionar ese departamento de la República mexicana, de la que ambos Egerton recibían hospitalidad. Sería un hecho lamentable y peligroso. Por lo pronto no reveló sus temores ni hizo comentario alguno. Sus compañeros de mesa, aparentemente, no estaban enterados de los negocios de William Henry, a quien escasamente trataban. El pintor estaba verdaderamente contrariado. ¿Sería posible que un caballero británico de su propia y noble sangre, hiciera negocios con esa gentuza, y se sumara, queriéndolo o no, al juego político de los piratas yanquis que, para colmo, eran esclavistas? No era ésta, por cierto, la política de Su Majestad el rey, ni la de lord Palmerston, ni la que había imaginado George Canning en la década anterior, según confió a su pariente William Egerton, representante parlamentario del Chesire, aquella tarde de 1822, cuando éste encontró perdido al gran estadista, junto con sus hijos y amigos, durante una partida de caza en las cercanías de su finca de campo, no lejos de Northwich, donde todos pasaron la noche contando anécdotas y hablando de la independencia de las colonias españolas de América.[98] El artista británico creyó conveniente entonces decir algo, aunque se había propuesto no intervenir jamás en las dicusiones políticas de los mexicanos. Ahora se necesitaba que no lo confundieran como un *yanquee*, y comentó convencido:

[98] Wendy Hinde, *George Conning*, Oxford-New York, 1984, p. 317.

—Los ingleses no estamos de acuerdo con la Doctrina Monroe, que es una declaración unilateral de los Estados Unidos, hecha como si ellos fueran los dueños de este continente. Recuerdo a ustedes que el señor Ward, primer enviado británico a México, apoyó siempre al gobierno del país en contra de las pretensiones del ministro americano Poinsett, quien había ofrecido diez millones de dólares como precio de la pretendida venta del territorio de Tejas.

—Ha dicho usted bien, joven Egerton —aplaudió don Carlos María de Bustamante— pues fue él quien nos trajo el espejismo del republicanismo yanqui y nos heredó las logias yorkinas. Poinsett es el primer enemigo de nuestra nacionalidad y tras de su pensamiento y ambición se han arropado los revoltosos tejanos de hoy.

Luego, alzando los ojos al cielo en actitud teatral, el respetable historiador exclamó:

—¡Nación británica, si eres justa, si eres filantrópica, si has consumido inmensos tesoros para extirpar la esclavitud del mundo culto, fija hoy la atención en estas reflexiones y mira que en Tejas está comprometido tu honor! [99]

Todos asintieron. Don José María de Bocanegra, recordó que unas semanas antes se habían embarcado para Nueva York el enviado especial de México, don Manuel Eduardo de Gorostiza, acompañado del secretario don Juan Gamboa y del agregado Espinosa de los Monteros, para tratar con el gobierno de los Estados Unidos el difícil problema, mientras el inefable general Santa Anna, con el escaso dinero recaudado por el llamado empréstito de Tejas, había abandonado su retiro y organizaba un Ejército que, seguido de cientos de heroicas soldaderas y sus hijos, hacía camino para el norte, a pesar de que el vulgo temía grandes calamidades en esa campaña pues ya había aparecido otra vez por los cielos de México, como en los tiempos de Moctezuma, el presagioso cometa de Halley.

WILLIAM HENRY EGERTON contempló la polvorienta plaza central de Nacogdoches, una ciudad tejana de casi cuatro mil habitantes donde no más de quinientos eran mexicanos, pero cuyos

[99] Bustamante, *Continuación...*, op. cit., p. 38.

campos cercanos rebosaban de flores y frutos gracias al privilegiado clima de la región, situada entre el río Sabinas y el río Trinidad. Desde aquí, hacía no más de ocho años, el general don Manuel Mier y Terán había escrito al presidente Guadalupe Victoria: "conforme uno recorre la distancia entre San Antonio Béjar y Nacogdoches (situada al noreste), observará que la influencia mexicana disminuye proporcionalmente hasta que en esta ciudad es punto menos que nula".[100] También describía la "incesante corriente" de norteamericanos que entraba al territorio y el reflejo de su presencia en las tierras abiertas al cultivo. En Nacogdoches vivían muchos *empresarios* o por lo menos sus abogados y representantes, y allí se solían arreglar las compra-ventas de tierras (legales o fraudulentas) y otras varias especulaciones, incluyendo las de esclavos negros traídos de las plantaciones de la Luisiana. Pululaba también de aventureros, contrabandistas, convictos, prófugos, cazadores, tramperos, prostitutas, soldados de fortuna, vendedores de implementos de labranza, ganado y animales domésticos. Incluso se veían algunos europeos atraídos por las descripciones paradisiacas sobre el clima, los ríos, la flora y fauna de Tejas que circulaban en el Viejo Continente. La ciudad se ubicaba dentro de la concesión originalmente dada por el gobierno mexicano a don Lorenzo de Zavala, quien ahora tenía la desfachatez de ocupar el cargo de vicepresidente de la República tejana recién proclamada. Esas tierras llegaban por el este hasta la Bahía de Galveston, colindaban por el sur con la concesión de De Vehlein y se acercaban más allá a la de los Austin —ambas en Brazoria— a la de De Witt, los irlandeses McMullen y McGloin, a la de Powers y otras que ya casi tocaban el río Bravo. La dotación original que Austin había asignado a cada familia ascendía a una legua cuadrada, o sea 4,428 acres, por lo que los ranchos o granjas solían tener esa dimensión y ser aún más grandes. Los pobladores anglos habían venido en su mayoría del valle del Mississippi, impulsados por la explosión de la *burbuja francesa*

    [100] **David J. Webber**, *La frontera norte de México, 1821-1846. El suroeste norteamericano en su época mexicana*, México, Fondo de Cultura Económica, 1988. También Vito Alessio Robles, *Coahuila y Texas, desde la consumación de la Independencia hasta el Tratado de Paz de Guadalupe Hidalgo*. México, Porrúa, 1979. Dos tomos.

de fines del siglo anterior, y el ulterior incremento de la actividad norteamericana, atraídos por el señuelo de recibir tierras gratuitas o muy baratas, huyendo de la ley, o porque no querían pagar impuestos como en su tierra natal. Nacogdoches tenía un juzgado de primera instancia, dos iglesias católicas, tres o cuatro templos presbiterianos clandestinos y muchas bodegas y tabernas. En opinión del general Mier y Terán los extranjeros no se asimilarían, pues constituían la mayoría de la población, y porque los mexicanos que habitaban en el este de Tejas pertenecían a la clase "más pobre e ignorante". Aprovechando la desorganización de la frontera, los colonos anglos se iban imponiendo, actuaban con superioridad, discriminaban a los mexicanos en su propia tierra y corrompían la administración de justicia. "Si no se adoptan las medidas pertinentes —predijo el general—, Tejas podría llevar una revolución a toda la nación." Algunas de las medidas que sugirió se convirtieron en leyes (el fortalecimiento de los presidios y guarniciones, la total abolición de la esclavitud, la limitación del ingreso de colonos angloamericanos, que acabó prohibiéndose totalmente en 1830) pero no así otras, como la imperiosa necesidad de aumentar el comercio de cabotaje entre Tejas y el resto de México y llevar a ese territorio más colonos mexicanos y europeos; en todo caso ya no pudieron contrarrestar la inercia de la colonización masiva, la sustitución del idioma español por el inglés, las trampas de los *empresarios*, las ventajas tecnológicas de los colonos anglosajones, el cómodo esclavismo y la avalancha comercial que venía del norte. Tenía razón don Manuel Mier y Terán cuando escribió en 1829: "O el gobierno ocupa a Tejas *ahora*, o se pierde para siempre." Su visión tendría un final trágico. Después que ni él ni Tadeo Ortiz de Ayala, ambos directores de Colonización, pudieron contenerla o regularla, envió una carta a su amigo Lucas Alamán, ministro de Gobernación y Relaciones, en julio de 1832, expresando su total desaliento por el curso de los acontecimientos y porque las pugnas intestinas de México empeoraban las cosas. En esa carta se preguntaba: "¿Cómo podemos esperar conservar Tejas si no logramos ponernos de acuerdo entre nosotros mismos?" A la mañana siguiente, después de una noche de depresión e insomnio, se levantó muy

temprano, vistió su mejor uniforme con todas sus medallas y se
suicidó, traspasándose el corazón con la misma espada que había
empuñado como insurgente y republicano en las luchas históricas de su país, y ayudando a Santa Anna a derrotar en Tampico,
hacía tres años, a la expedición reconquistadora española del
Mariscal Barradas. Tadeo Ortiz, por su parte, también pagó su
devoción por esa causa mexicana. Cuando iba a Tejas para
vigilar la colonización, tuvo que detenerse en Veracruz para esperar los salarios atrasados que el gobierno no había podido
remitirle, contrajo la peste y murió de cólera en el puerto al
año siguiente. El padre del liberalismo federal, don Miguel Ramos Arizpe había dicho una verdad inescapable al advertir
contra:

> ... las consecuencias obvias y desastrosas de poner en manos
> de ciudadanos de los Estados Unidos, que están protegidos por
> ricos capitalistas de ese país, la línea que por muchos años
> han deseado que sea el límite entre los Estados Unidos y esta
> República.

Y Lucas Alamán, a quien había sido hecha tal advertencia,
había coincidido con ella escribiendo en contestación: "Donde
otros mandan ejércitos invasores, los norteamericanos mandan
a sus colonos." Pero ahora no se trataba ya de los auténticos colonos, que en general formaban en el llamado "partido de la paz",
el cual quería arreglarse con México, sino de especuladores, espías, traficantes y aventureros armados por los norteamericanos
que se alineaban en el "partido de la guerra", que era capita-
neado por Sam Houston, a quien William Henry Egerton esperaba en una taberna de Nacogdoches aquella fría y airosa
mañana.

"El Cuervo" había sido bautizado así por los indios cherokees, quienes lo consideraban un hermano, su "Viejo Jefe", pues
este singular individuo, nacido en Virginia en 1793, se había ido
a vivir con ellos tras de haber fungido como gobernador de Tennessee, adoptando sus costumbres e indumentaria y convirtiéndose posteriormente en embajador de los indios ante su amigo
y protector el general Andrew Jackson, presidente de los Esta-

dos Unidos.[101] De ascendencia escocesa, Houston había sido oficial del Ejército y desde joven tuvo una gran ambición y un
irrefrenable deseo de aventura. Luego renunció a su carrera
militar, se radicó en Nashville donde estudió un curso para ser
abogado y se relacionó con Jackson, a quien visitaba frecuentemente en su finca de *L'Hérmitage*. Fue este último quien lo
ayudó a ser diputado y luego gobernador, al igual que poco
después impulsaría a otro amigo común, James Polk, quien
llegaría hasta la Casa Blanca. Samuel Houston era muy alto
y apuesto, de actividad asombrosa, tenía delirios de grandeza y
aires de conquistador. Cuando después de dejar a los *cherokees*
en 1832 se estableció en Nacogdoches, se asoció con los más
inmorales *empresarios* y en medio de una borrachera llegó a
proclamar que aspiraba al "trono de Moctezuma"; de manera
inmediata empezó a trabajar para provocar la insurrección tejana. Esa mañana se presentó en la taberna, acompañado de dos
milicianos que no entraron al establecimiento, vestido con uniforme de general, pero envuelto en un colorido sarape mexicano,
pues fingía admiración por ese país, y hasta aseguraba haberse
convertido a la religión católica. De nariz aquilina, ojos vivos,
frente muy amplia, pelo abundante, patillas regulares y un
decidido mentón de barba partida; solía usar para leer unos
espejuelos de ridículo tamaño si se consideraba su porte robusto
y agresivo. William Henry Egerton estaba sentado frente a una
mesa rústica en compañía de John Enrico, otro comisionista,
como él, de la "Galveston Bay and Texas Land Company", cuyo
Consejo de Administración estaba encabezado por los anglotejanos Dey, Summer y Curtis, misma que explotaba las concesiones de tres empresarios: Lorenzo de Zavala, Vehlein y David
Burnet, este último presidente provisional de la llamada República de Texas, proclamada apenas unos días antes. Samuel Houston, junto con Thomas J. Rusk, J. Pinckney Henderson y John
C. Watrous, era, desde que se estableciera en Nacogdoches, el
principal abogado de tal compañía, que había enajenado muchas tierras hasta dos y tres veces, entre ellas algunas de las
colocadas en Nueva York e Inglaterra por Egerton y Enrico,

[101] José C. Valadés, *México Santa Anna y la guerra de Texas*, México, Patria, 1979, p. 123.

quienes laboraban bajo las órdenes directas del general John T. Mason, jefe de sus agentes comisionistas y gran amigo de Samuel Swartwout y Gail Borden, quienes habían sido los que originalmente contrataron desde Nueva York a William Henry. Se suponía por entonces que la "Galveston Bay and Texas Land Company" había traspasado a angloamericanos, en lotes de distintas dimensiones, un millón trescientos mil acres, o sea más de trescientas leguas cuadradas, la mitad de la superficie que comprendían las concesiones que originalmente formaron su confuso patrimonio.

Houston pidió una garrafa de *whisky bourbon* y sirvió tres vasos grandes, bebiendo el suyo de un tirón. Hizo un gesto, emitió un sonido con la boca, ambos de satisfacción por el primer gran trago del día, y tomó la palabra:

—La compañía tiene confianza en ustedes, señores, y por eso los ha llamado a Nacogdoches. Como saben hemos declarado la independencia de Texas frente a México y nos disponemos a hacer frente al dictador Santa Anna, quien viene para acá con su ejército. Lo derrotaremos no sólo porque llegará agobiado por la caminata sino porque el general Jackson nos apoya, y si es necesario contaremos con tropas regulares del Ejército americano para que nos refuercen. Aquí entre nosotros, el general Gaines y sus fuerzas están ya listos en la otra orilla del río Sabinas y el general Steward y las suyas en Pansacola. Por lo tanto no sólo Texas será libre sino que todas sus tierras serán nuestras, podremos traer todos los esclavos que queramos y el negocio de la compañía será aún más importante. Debemos alegrarnos pues al fin este territorio será libre y americano y lo colonizaremos desde Nashville, Nueva Orleáns y Nueva York. Pero tenemos que prepararnos para una larga guerra, pues no bastará para independizar Texas o anexarlo a la Unión, tendremos que liberar también Nuevo México y las Californias, marchando con nuestras tropas hasta la capital de México si eso se hace necesario. Es ése el destino que Dios señaló a nuestro pueblo. Y también ustedes deben ayudarnos para ello.

Tomó nuevamente la garrafa, llenó su vaso y lo agotó como antes. Sus compañeros de mesa no hablaban, avasallados por la personalidad del magnético personaje.

—A usted, señor Egerton, tengo que felicitarlo por la magnífica información sobre México que nos ha proporcionado. Sus descripciones de las principales ciudades y defensas costeras, y los estupendos dibujos de sus minerales, puentes, fortalezas y edificios importantes que usted nos hace llegar regularmente, son para nosotros de un valor inapreciable, sobre todo ahora que es muy posible que la guerra llegue hasta allá. Esperamos que nos siga remitiendo tan indispensables documentos. Y también unas buenas vistas de Monterrey, ¿eh? Si hubiera algún bloqueo en el Puerto de Velasco o en Galveston, siempre podrá usted enviarlos discretamente a través del ministro americano en México, el coronel Anthony Butler, quien es de nuestra entera confianza, pues está en el negocio de tierras con nosotros. A él también le gusta el whisky —dijo Houston mientras sonreía y apuraba otro vaso.

William Henry se atrevió a decir:

—La guerra nos va a traer muchos problemas, señor general, pues por supuesto tendrá que suspenderse la venta de terrenos en Nueva York y en Gran Bretaña, que es donde el señor Enrico y yo operamos... Por otra parte creo que mi hermano va a regresar pronto a Inglaterra y quizá yo ya no pueda enviar a ustedes sus dibujos...

—Dígale que no lo haga, Egerton —interrumpió casi gritando Houston, afectado ya por el alcohol—, es ahora cuando lo necesitamos más que nunca y no puede traicionarnos. ¿Me entiende? Además nos urge saber qué piensan y preparan los masones escoceses de México, que son enemigos nuestros; él podrá averiguarlo muy bien puesto que ingresó a su logia. Esa fue muy buena idea, en verdad... Ni usted ni su hermano nos pueden fallar ahora, después de tanto dinero que han ganado con nosotros.

El tono no dejaba lugar a discusión y William Henry simplemente asintió con un movimiento de cabeza sin pronunciar palabra. Houston bajó un poco la voz y se acercó a Egerton, haciéndole llegar el tufo del alcohol que ya lo impregnaba:

—Quiero que quede clara otra cosa, mi amigo. Ya no debemos vender ningún terreno que sea propiedad de ese tal Burnet. Sus tierras no son precisamente de las mejores. Además ha adoptado actitudes contrarias a nosotros, los otros socios de la compañía, y está francamente insoportable creyéndose la autoridad máxima de Texas, nada más por ese nombramiento que le dimos de presidente provisional de la República. Pero sépase usted que quien manda el Ejército y dispone la estrategia de la lucha soy yo, y nadie más. Soy el único militar de todos ellos; ninguno sabe pelear, emplazar una batería, disparar una pistola de seis tiros o usar el cuchillo. Y tampoco son amigos del general Jackson como yo, ni gozan de su confianza. ¡Así que nada con Burnet ni con sus tierras! De hoy en adelante toda la correspondencia me la enviará directamente a mí o a Thomas Rusk. Espero que haya entendido bien, Egerton.

El interpelado volvió a hacer una señal afirmativa con la cabeza. Para romper el ambiente que se estaba poniendo muy tenso, Enrico alzó su vaso y propuso:

—Brindemos por la libertad de Texas y por el éxito de nuestra compañía.

Houston soltó una carcajada mientras pedía otra garrafa al tabernero con tono autoritario.

—Eso está mejor, *amigos* —dijo esta última palabra en un español mal pronunciado—, brindemos porque muy pronto nuestro ejército entre a la ciudad de México. Santa Anna se cree el "Napoleón del Oeste" pero se equivoca; será de nuestro lado donde el sol de Austerlitz brille nuevamente —fanfarroneó mientras volvía a servirse licor y palmeaba en las espaldas a sus compañeros de mesa.

Mientras tanto por la calle cruzaba, levantando nubes de polvo, una caravana de carretas norteamericanas cargadas con armas y provisiones que venían de Nashville y se dirigían hacia San Antonio Béjar a fin de abastecer a la guarnición rebelde de esa ciudad y a la que ocupaba el fuerte de El Álamo.

TODO HABÍA SIDO muy confuso pues al principio de la campaña sólo llegaron a la ciudad de México malas noticias: la división de los colonos estaba entre quienes querían que Tejas fuera un estado independiente de Coahuila, los francamente separatistas o independentistas, y aquellos conspiradores que buscaban anexar el territorio a los Estados Unidos. Luego supieron los capitalinos de la torpeza del general Cos al hacer cumplir las nuevas leyes centralistas y desarmar las milicias locales, lo que había provocado que el gobernador Viesca, federalista convencido, trasladara la capital estatal a San Antonio Béjar. Que los filibusteros habían tomado la escasa guarnición de Ciudad Anáhuac; que la Convención de San Felipe había proclamado la independencia de Texas mientras no se repusiera la Constitución de 1824, y luego que los rebeldes habían ocupado San Antonio y se atrincheraban en el fuerte de El Álamo. Supieron también (por lo menos los mejor informados) que Esteban Austin, primero encarcelado y luego dejado libre, había regresado a Tejas por Nueva Orleáns y adquirido ahí muchas armas, con la ayuda de un periodista llamado George Wilkins Kendall, pariente del influyente Amos Kendall, un gran amigo del presidente Jackson y a quien se señalaba como miembro del llamado *kitchen cabinet*. Llegaron pormenores de los sufrimientos y las terribles mermas del ejército que Santa Anna había llevado por tierra, el cual era víctima del desierto, el hambre, el frío y hasta la nieve. Que el traidor Lorenzo de Zavala hablaba en Tejas de que el pacto federal estaba ya disuelto y que México sería el invasor de su propio territorio. Que no se habían podido juntar más de seis mil hombres, incluyendo las fuerzas que estaban en San Luis Potosí, Zacatecas y Saltillo, pues el erario exhausto carecía hasta de las rechazadas monedas de cobre, y que Sam Houston también había visitado Nueva Orleáns, según decía el *Daily Picayune*, ¡para comprarse un uniforme de general! y mientras, recordaban que el ministro norteamericano Anthony Butler había insistido poco antes, sin recato alguno, en la "compra" de Tejas y aseguraba que ya le habían untado la mano a varios personajes importantes del gobierno para tal efecto, como a don Lucas Alamán, por conducto de su confesor, lo cual era totalmente falso pero creíble en esos momentos, y contribuyó después a la leyenda negra de que Santa Anna había vendido Tejas y de que todos los funcionarios mexicanos eran unos pillos. Lo que resultaba un hecho innegable es que Tejas había caído en poder de los rebeldes.

Después empezaron a llegar las buenas noticias. El invencible Santa Anna había atravesado el río Nueces y tomado El

Álamo a sangre y fuego, pasando por las armas según ordenaba la ley, a todo aquel que había sido sorprendido con ellas en la mano dentro del territorio nacional. Los capitalinos oyeron entonces por vez primera nombres insignificantes que después la leyenda tejana vistió de heroicidad: Travis, el especulador de tierras y contumaz gallero; Fannin, abierto traficante de esclavos negros y de mercenarios; David Crockett, excéntrico trampero de Nashville y James Bowie, inventor de un cuchillo y traidor renegado, pues había adquirido la nacionalidad mexicana y se había casado con la hija del vicegobernador del estado de Coahuila y Tejas. Y, por supuesto, el de Sam Houston, que a pesar de haber sido nombrado comandante del ejército de la recién proclamada República de Texas, ante el acoso de los mexicanos que también habían recuperado Goliad (una descomposición del nombre de Hidalgo) ordenó medroso, en el pueblo de González —entre los humos del alcohol y el opio— arrojar la artillería rebelde al río y quemar el equipo más pesado para huir con mayor libertad, mientras el presidente David G. Burnet y el vicepresidente Lorenzo de Zavala la emprendían hacia Harrisburg a lomo de mula. En la ciudad capital hubo grandes celebraciones y el general José María Tornel dio las buenas noticias en la Cámara de Diputados, enseñando desde la tribuna la bandera de los *grays* capturada en El Álamo, que había sido enviada por Santa Anna, pisoteándola y jurando que pronto quedarían liquidados los sediciosos y traidores. Hubo celebración, y vítores para el general presidente, libertador de Tejas.

Por último arribaron las noticias peores y definitivas. Santa Anna se había confiado, y cuando ya la guerra estaba prácticamente ganada, por tratar de capturar personalmente a los jefes de la rebelión, se había separado con una tropa pequeña del grueso de las fuerzas y había caído en una hábil trampa de Houston en los bordes del río San Jacinto, siendo sorprendido mientras dormía una siesta; había sido hecho prisionero y luego había ordenado que las hostilidades cesaran con el propósito de negociar un acuerdo con los que hasta hace poco eran considerados filibusteros y forajidos. Tejas estaba perdida otra vez y lo peor de todo, era que en esto se veía muy claramente la mano de los Estados Unidos.

HIJA NATURAL DEL MONROÍSMO fue la llamada teoría del *destino manifiesto*, enunciada en aquella época por el periodista norteamericano John L. O'Sullivan en la *Democratic Review*, con la pretensión de justificar la rebelión de los anglos de Tejas y la desmembración de ese territorio de México, y que posteriormente avalaría todo el expansionismo americano.[102] Los Estados Unidos, se afirmaba a nivel populachero, han recibido un *calling* o llamado divino, para extenderse por el Continente e imponer las ideas republicanas y cristianas porque son un "pueblo elegido". (Poco después, durante el apasionado debate sobre los límites de Oregon, Robert Winthrop, de Massachussets, declararía en la *Cámara de Representantes* que él se uniría a los abogados del *destino manifiesto* el día en que éstos le mostraran la cláusula en el testamento del padre Adán, merced a la cual se les otorgaba un legado que les autorizaba a gobernar todo el Hemisferio Occidental.) Conjugando la Doctrina Monroe y el *llamado divino*, los angloamericanos tenían dos pretextos conceptuales, aunque sofísticos, para violar su Constitución democrática, el Derecho de Gentes y el propio puritanismo liberal y protestante que les había dado origen. Desde principios del siglo XIX los historiadores norteamericanos solían decir que Nueva España, y luego México, "no tenía necesidad de sus provincias del norte", lo que según ellos les daba derecho para arrebatárselas. Agregaban que después de la secularización de las misiones, ocurridas hacia 1830, los indios apaches y comanches habían regresado al salvajismo, mientras Austin y los demás colonizadores de Tejas se esforzaban por llevar blancos a esas tierras (aunque también, por supuesto, acompañados de sus esclavos negros), como parte del *calling.* El centralismo impuesto por Santa Anna era, a su parecer, un poderoso ingrediente de insatisfacción de los colonos, como la prohibición de la esclavitud y la exigencia de que los pobladores fuesen católicos, y provocaba ¡el reconocimiento de que Tejas "pertenecía económicamente" a los Estados Unidos! Ésos eran algunos de los cínicos argumentos del destino manifiesto.

---

[102] Ortega y Medina Juan, *Destino manifiesto.* México, SEP/70, 1972.

Mientras Daniel Thomas Egerton repasaba todo lo que había sucedido en Tejas apenas unas semanas antes, y comentaba con William Henry lo que este último había visto en ese territorio durante su reciente viaje, más se convencía de las sinrazones de los angloamericanos. Deseaba sinceramente que la sediciente República de Texas fracasara, que Inglaterra interviniera de algún modo para que los Estados Unidos no la absorbiera y que México pudiera recuperarla. Por supuesto que su hermano no le había referido el meollo de su conversación con el "general" Sam Houston, ni sus ominiosas advertencias, y había pretendido restarle importancia a sus propias relaciones con los empresarios de Nacogdoches, pero a pesar de eso todo aquello seguía inquietando al pintor, quien ya había pensado en regresar por un tiempo a Londres para publicar allá su obra sobre México, a despecho de que William Henry le seguía solicitando dibujos y paisajes de varios tipos para venderlos entre sus múltiples amigos.

En México no se hablaba de otra cosa sino de la derrota de Santa Anna en San Jacinto y su ulterior captura por los anglotejanos. Aquello había constituido un verdadero choque para la sociedad mexicana porque el habilidoso general se las había ingeniado para convencerla de que él y su ejército eran invencibles, y ahora la leyenda que lo sostenía y que había hecho un tanto comprensible su gobierno personalista se venía abajo como un castillo de naipes. El inmortal Vencedor de Tampico, el Benemérito de la Patria, el Señor Presidente (aunque no en ejercicio, pues después de la súbita muerte del general Barragán desempeñaba el interinato don José Justo Corro, apoyado en la penumbra por José María Tornel), el Gran Caudillo bendecido por los curas de todos los templos había sido sorprendido en Tejas, derrotado y capturado por el enemigo. Y es más, había firmado unos tratados en el Puerto de Velasco ordenando a su segundo, el general Filisola, que se retirara y rehuyera el combate, permitiendo de hecho el afianzamiento militar y político de los "forajidos" y "filibusteros". ¿Qué había sucedido con el hombre patriota que dejara su hacienda de Manga de Clavo para batir al rebelde federalista García Salinas en Zacatecas, luego retornara a ella y volviera a abandonar su comodidad para sacrificarse de nuevo por la nación y marchar cuatro mil kilómetros con sus indios y soldaderas con el propósito de meter al orden a los piratas angloamericanos? ¿Dónde estaba el hombre generoso que había hipotecado esa misma hacienda por diez mil pesos para proveer de fondos a su recién formado ejército para la heroica campaña tejana? ¿Dónde el valiente que no temía a nada y que ahora suplicaba por su vida a los despreciables enemigos del país que lo querían linchar al grito de "*Remember The Alamo*"?

El Congreso mexicano desconoció cualquier compromiso hecho por Santa Anna, quien como se dijo, no estaba ejerciendo la Presidencia cuando fue hecho prisionero, y ordenó al general Filisola que continuara con la campaña contra los anglotejanos, pero éste retrocedió alegando haber recibido las órdenes de México después de las de su comandante y sobre todo que la retirada era necesaria pues no había recursos para terminar la guerra. Santa Anna, en un tratado secreto que también firmó en Velasco, se comprometía a usar su influencia para que el gobierno de México reconociera la independencia de Tejas, aunque de seguro pensaba en obtener así su libertad y volver al ataque a la primera ocasión, actitud que mantuvo años después cuando volvió al poder. Su peor decisión quizá, y la que alarmó a unos, enfureció a otros y entristeció a todos, fue que escribió al presidente Jackson pidiéndole protección, y viajó a Washington y se entrevistó con él, mientras mascaba una bola de chicle blanco extraído de sus queridos árboles veracruzanos, al que era muy afecto. Los americanos descubrieron entonces esa lechosa resina mexicana que convertida en goma y agregándole un sabor frutal se puede tener mucho tiempo en la boca para masticarla y entretener el ocio y la salivación, y fundaron así una de las industrias más prósperas del consumismo inútil. Como inútil resultó la entrevista del hombre de Jalapa y el de Nashville, dada la actitud superior del norteamericano y las limitaciones del vencido, sobre todo porque Jackson había sido el claro instigador de las acciones de Houston, de tal suerte que cuando fue informado de que "El Cuervo" había derrotado y aprehendido a Santa Anna en San Jacinto se desesperó al no poder localizar ese nombre en el plano de la Casa Blanca que desplegaba las enormes posesiones mexicanas, pero luego palmoteaba de alegría al comprender que su viejo amigo acababa de regalarle con un extraordinario y vasto territorio sin que él hubiese tenido siquiera que emplear a su ejército.

A PRINCIPIO DE FEBRERO de 1837, cuando don Antonio López de Santa Anna —liberado al fin— estaba próximo a desembarcar en la antigua Villa Rica de la Vera Cruz, para luego seguir rumbo a su hacienda, don Carlos María de Bustamante, vocero de los diputados antisantanistas del Congreso, que eran minoría y apoyaban la candidatura presidencial de don Anastasio Bustamante, prendió la mecha de una violenta jornada parlamentaria en contra del "hombre de la levita verde", a quien llamaba así pues lucía tal atuendo (uno de sus favoritos) en el retrato que colgaba en la Sala de Sesiones. La proposición de don Carlos era doble: debía exigírsele al general tan pronto pusiera un pie en la República que informara al Congreso "... de su conducta después de San Jacinto", y que entretanto quedara incapacitado para ejercer ningún poder civil o militar y debía incluirse en las Siete Leyes constitucionales un artículo declarando "traidor a la Patria" y castigando como tal al mexicano que cooperase directa o indirectamente en la desmembración del territorio de México.[103] Santannistas y bustamantinos debatieron acaloradamente en más de cinco sesiones sobre la anterior proposición y, de hecho, sobre el delicado asunto de Tejas. En los cafés y las tertulias de la ciudad se discutía lo mismo con idéntico ardor. Santa Anna seguía teniendo muchos partidarios, pero don Anastasio Bustamante relucía como una instancia de renovación, aunque él también había sido ya presidente de la República.

En la mesa más cercana a la que ocupaban ese día Daniel Thomas Egerton y Matilde Linares en el "Café del Cazador", que estaba situado en el Portal de Mercaderes número 3, junto a la sombrerería de Toussaint, y que, como el de Manrique y el de Paoli, eran muy frecuentados por la buena sociedad, varios caballeros discutían en alta voz sobre la guerra de Tejas y su trágico epílogo. Uno de ellos trataba de disculpar el error de

[103] José C. Valadés, *México, Santa Anna y la guerra de Texas*, México, Diana, 1979, p. 242.

Santa Anna en San Jacinto, atribuyéndolo a su deseo de gloria que le había hecho cometer la imprudencia de perseguir al enemigo con una tropa escasa y acampar en condiciones desventajosas a la vista de la gente de Houston. El de más allá, un capitán, que aparentemente había oído versiones directas de otro militar amigo suyo, y participante en la campaña, atacaba a Santa Anna sin piedad, dando una versión distinta, que Matilde y Daniel Thomas no supieron si atribuir al resentimiento o a la fantasía.[104] El dicho provenía de un sargento de nombre Juan Becerra, quien había contado al capitán que después de la victoria de El Álamo, el general Castrillón había encontrado en una casa de San Antonio, muertas de miedo, a una guapa mexicana de 17 años llamada Melchora Iniega Barrera y a su acongojada madre, a quienes llevó a presencia del general Santa Anna. Éste prendóse de la muchacha y la requirió de amores pero la autora de sus días se opuso terminantemente, negándose a entregársela como presa de guerra. Santa Anna, entonces, la pidió en matrimonio (aunque por supuesto era casado con doña Inés García y tenía varios hijos) y entonces la ignorante mujer, con la ambición de que Melchora se corvirtiera en presidenta, o quizá por miedo, otorgó su mano al Benemérito. Éste ordenó al tal sargento Becerra, quien por haber estudiado en el seminario era diestro en latines, que se disfrazara de sacerdote y oficiara esa tarde en una ceremonia ficticia, en la que fungieron como padrinos los generales Castrillón y Batres. Para fines de marzo el general partió de San Antonio rumbo a San Felipe en un suntuoso carruaje tirado por seis mulas donde seguía transcurriendo su apasionada "luna de miel" de más de tres semanas con la guapa Melchora, pero llegado el ejército al río Guadalupe, cuyas aguas estaban crecidas, el general tuvo que regresar a su novia, a quien confesó que era casado y que el engaño había sido hecho a causa del gran amor que le tenía, pero le pidió también que no se preocupara, pues el hijo que ya estaba anunciado tendría como padre al sargento Juan Becerra, el mismo "sacerdote" que había oficiado en la falsa boda, y además entregó a ambos una buena dote en monedas de oro. Melchora y

[104] Joe Tom Davis, *Legendary Texians*, Austin, Texas, vol. III, 1986, p. 92.

Juan se quedaron de este lado del río y regresaron a San Antonio. El desconocido capitán, refrenando las risas que siguieron
a su relato, advirtió a sus compañeros de mesa que eso no había
sido todo, pues el sargento le había contado la secuela de la
historia, que demostraba hasta qué grado el general Presidente
gastaba su tiempo en aventuras galantes más que en poner sus
cinco sentidos en la guerra, lo que había causado en esta ocasión
nada menos que la derrota de San Jacinto y la pérdida de
Tejas. Los excitados comensales pidieron otra ronda de "alipu-
ces", que eran unas bebidas espirituosas y dulzonas reforzadas
con aguardiente de caña, y continuaron escuchando al capitán,
al igual que Egerton y Matilde, quienes desde su mesa trataban
de no perder una sola palabra. El militar retomó el hilo de la
peculiar historia:

—Después de la infausta batalla de San Jacinto, que aconteció el 21 de abril, empezaron a regresar los anglotejanos a
San Antonio de Béjar con noticias frescas de lo acontecido. Un
muchacho mulato, aprendiz de tipógrafo, llamado Turner, contó que después de que los mexicanos buscaron infructuosamente
a Burnet y a Zavala en Harrisburg, prosiguieron su marcha vic-
toriosa hacia la costa, siguiéndoles los pasos, y en New Washington requisaron entre otras cosas, un hermoso piano y una no
menos hermosa mulata de Nueva York llamada Emily West,
acompañante de la familia de Lorenzo de Zavala, la cual se
había quedado a vivir en la plantación del coronel Morgan y
tomado su nombre, y fue capturada por el general Juan N. Almonte después de que ella había asistido al presidente Burnet en su huida para embarcarse en el golfo. Santa Anna
había llegado a New Washigton al día siguiente tras de haberse separado de Melchora dos semanas antes, y entonces
tomó a la bella, bronceada y bien torneada Emily West Morgan, como su botín personal. La joven e inteligente mulata
envió secretamente a Turner, que era muy buen jinete, a prevenir al general Houston, quien se encontraba cerca de Lynch-
burg, de la llegada de Santa Anna y de la reducida dimensión de sus fuerzas —800 hombres que al día siguiente
aumentaron a 1,300 por la llegada del general Cos— sugirién-
dole lo atacara cuanto antes. A las dos la tarde del 20 de abril

el ejército de Santa Anna llegó a un bosquezuelo situado donde el río de San Jacinto baña Buffalo Bayou, solamente a una milla del lugar en que ya se encontraba el bien informado Houston con sus fuerzas. Para entonces el impaciente Santa Anna —según había contado Turner— estaba ardiendo en deseo y ordenó acampar ahí, violando las normas y precauciones militares, incluyendo la oposición de su Estado Mayor que le prevenía que ese sitio era un lugar sin salida para los mexicanos mientras Houston tenía dos caminos para escapar en caso de necesidad; el general no les hizo caso e hizo plantar su amplia tienda en romántico rincón a la orilla del río, en el interior de la cual había víveres y bebidas abundantes, el famoso piano y... Emily. Esa tarde hubo varias escaramuzas entre dragones de ambos ejércitos sin mayores consecuencias, pero a la mañana siguiente el propio Houston vio a Emily a través de su catalejo, sirviendo el desayuno a Santa Anna, ordenó al sordo Smith, un auxiliar, que quemara el puente Vince —única retirada posible para sus enemigos— y esperó el mejor momento para atacar mientras avanzaba el sol de mediodía y los mexicanos y sus soldaderas se entregaban al almuerzo y al descanso después de las fatigosas jornadas que habían hecho. A las tres en punto de la tarde Turner llegó otra vez ante el general Houston y le comunicó por mandato de Emily que en el campamento mexicano todo era confianza y "gran abandono". Entonces "El Cuervo" se decidió a arremeter con toda su infantería y caballería, al grito de "¡Recordad El Álamo!", sorprendiendo a Santa Anna en el momento en que hacía el amor con la espléndida mulata. Todo lo demás es bien sabido: el descontrol y acuchillamiento de los mexicanos, la huida del general, su captura al día siguiente, su presencia ante Houston (herido en el pie y recostado bajo un árbol), su saludo masónico a Wharton que quizá le salvó la vida pues los tejanos querían matarlo, y la firma de aquel fatídico recado al napolitano Vicenzo Filisola instruyéndole para que se retirara, que éste acató a pesar de que las normas de la guerra indican que cuando un jefe ha sido tomado como prisionero sus órdenes no deben obedecerse. Así perdimos Tejas por la voluptuosidad de Santa Anna, y por muchas otras cosas. Por cierto —concluyó el capitán—, la mulata Emily se ha hecho muy famosa en el norte; los yanquis, que todo lo convierten en música o comedia, han compuesto una canción muy popular en su honor que todos cantan; se llama "La rosa amarilla de Tejas" [105] la cual fue hecha por un negro, y aunque no se refiere a la historia de San Jacinto, ensalza la belleza de esa rosa de color que "es más hermosa que las bellezas de Tennessee". El relato, fantasioso como era o parecía ser, fue muy celebrado por los ocupantes de la mesa del desconocido capitán. Se hicieron mil comentarios sobre el particular, pero varios de los oyentes lo creyeron a pie juntillas, porque en ese momento estaba de moda en México hablar mal de Santa Anna, echarle la culpa de todo, atribuirle más errores de los muchos que efectivamente tenía, y pedir su cabeza. ¡Y a pesar de eso sería presidente de la República seis veces más!

Al salir del "Cazador", mientras el sol invernal (que según los mexicanos brilla, pero no calienta) iniciaba apenas su descenso, Daniel Thomas y la refinada Matilde caminaron de la mano bajo los portales de la Gran Plaza, mientras las campanas del reloj de la Catedral sonaban las cuatro de la tarde, y se dirigieron hacia los baños de Las Delicias, un establecimiento para aseo de caballos recientemente fundado por don Juan Zelaeta, en la tercera calle de aquel nombre, situada entre la calle Ancha y la de Chiquihuiteras, paralela esta última a la de Arcos de Belén, y donde Egerton había dejado su montura. Conversaban pero no de política ni sobre las apasionadas sesiones del Congreso que podían condenar a Santa Anna, sino sobre ellos mismos. Daniel Thomas volvía a exponerle las razones por las que había decidido viajar a Inglaterra por un tiempo, a fin de publicar su obra sobre México en grabados o litografías, con el firme propósito de regresar pronto, si fuera posible en menos de un año. Le aseguró lo mismo que había dicho a sus hermanos Luis y Everardo, hacía dos o tres semanas, cuando lo increparon de manera grosera y amenazante por su presencia en Mixcoac: que buscaría obtener el divorcio de su esposa Georgiana para regresar a México libre de compromiso y fundar un hogar con ella. Matilde lo oía sin decir nada, mientras pasaban por la calle de La Victoria, el callejón del Sapo, y torcían a la izquierda

[105] "The Yellow Rose of Texas".

hacia su destino. Pero las lágrimas se agolpaban en sus ojos, porque ya le había dicho en firme a Daniel Thomas que no se iría con él —como éste se lo había pedido— y porque quedándose sabía que moriría de pena, de rabia celosa y de angustiosa soledad, cualquiera que fuese el tiempo que él estuviera ausente. El dilema era irresoluble. ¿Cómo conservar ese amor sin dejar a sus hermanos, sin traicionar sus principios religiosos y morales, sin romper con todo aquello en lo que creía? Su confesor se lo había dicho muy claramente: —"Con un protestante nunca, hija mía." Sin embargo ella lo amaba, estaba segura de él, de su rectitud, de sus altos principios, de su amor por México, de su seriedad y respeto, de su deseo de tener un hijo varón que, si Dios quisiese, ella podría darle. No había solución. Ambos estaban atrapados por un amor que no podía realizarse sino en lo intemporal, que los desesperaba y los consumía, y que por eso mismo era más avasallador, más atractivo, más doloroso. ¿Quién dijo que el amor no duele? El verdadero amor es un cardo, una corona de espinas, un cilicio, un amargo y embriagante sufrimiento. Llegaron a los baños. Muchas personas recogían sus caballos a estas horas para regresar a sus casas. Los animales estaban limpios, descansados y bien comidos. Por tres reales les hacían allí todo el servicio, les daban de comer maíz, paja y salvado y los cepillaban y ensillaban cuando su dueño venía por ellos. Egerton hizo una caricia al "Faraón" y ayudó a Matilde a que pisara sobre el estribo y subiera al albardón inglés con el que estaba aparejado el animal. Acostumbrada a ese esfuerzo, Matilde, lo realizó sin dificultad y se sentó de lado sobre el borrén, mirando hacia la izquierda. Daniel Thomas, con delicadeza, subió después pasando su pierna derecha sobre el anca y sujetando las riendas que le ofreció el caballerango. Ella vestía su ruana de invierno y su sombrero de fieltro: él una chaquetilla mexicana corta de cuero, sobre una camisa de algodón, y un pantalón de montar inglés, con bota alta, el atuendo mixto que tanto le gustaba.

—¿Estás cómoda, mi Bruja? —le dijo él.

—Como siempre Daniel. Creo que estas sillas inglesas que no tienen pomo están hechas para que las señoras se acomoden mejor —respondió Matilde.

—¡Si vieras cuántas veces te he imaginado así, conmigo, a caballo, recorriendo no sólo los magueyales de Teotihuacan, las faldas del Popocatépetl o las cañadas de Zacatecas, sino sobre el camino de Hampstead a Londres! —soñó en voz alta Daniel Thomas mientras enfilaba por los Arcos hacia la calzada de La Piedad, que los conduciría directamente hasta Mixcoac. Luego continuó:

—En varios paisajes de la ciudad de México he dibujado a una pareja montada en el mismo caballo que en realidad somos nosotros, aunque a mí me he retratado un poco distinto, pues mi tipo no es precisamente el de un mexicano.

Ambos rieron. Egerton continuó:

—Mañana mandaré a tu casa, con un propio, los cuadernos y documentos que te anuncié, que espero conserves y guardes hasta mi regreso, pues para mí son de la mayor importancia, y con ellos va un dibujo de esa pareja a caballo que somos tú y yo, Brujita, unidos para siempre como lo vamos a estar cuando yo regrese.

Ella no sabía qué decir. Algo le dolía en el pecho, algo oprimía su corazón, secaba su garganta, le mojaba los ojos, le encendía el cuerpo. Ni siquiera podía oler el perfume de las azaleas y margaritas, ni ver el retoño de los árboles que se adelantaban a la primavera gracias al clima mexicano. No apreciaba la luz del sol, ni el gorjear de los pájaros, ni los pregones de los vendedores ambulantes, ni los corteses saludos de los transeúntes, ni el sonido de las esquilas del templo que acababan de pasar. No podía ver, no podía pensar, no podía vivir porque Daniel se iba. Y entonces sintió en su entraña las famosas espadas de la cartomanciana que se le encajaban hasta adentro, una tras otra, como a Nuestra Señora de los Dolores, acuchillada en vida por el amor de Cristo, y se sintió blasfema, y se sintió enamorada, y se sintió tonta, porque pensó que esas espadas no venían del cielo sino del infierno, de un poder lejano, tan lejano como la Inglaterra, y la traspasaban a ella pero también a Daniel Thomas, y hacían que el "Faraón" se encabritara y volara sobre los techos de las casas, y que el paisaje se tornara rojo sangre y diera vueltas, que la "rosa de los vientos" se volviera loca, que el sol se apagara, la luna se partiera en dos y que ya nada, nada tuviera razón de ser.

19. *"El amor, origen común de lamentables infortunios"*

"Las señales que se notaban
en los dos cadáveres;
el ser de hombre y mujer,
ambos extranjeros, y el no haber sido
enteramente despojados,
indujeron la idea de que los homicidios
no se perpetraron para robar,
sino por otro motivo secreto y no común;
y el método de vida que los occisos llevaban,
retirados en un pueblo ... sin salir jamás
sino para paseos nocturnos
por los parajes más solitarios,
daban a entender que tenían los dos
alguna causa particular
para temer y huir de la sociedad.
Entre todas las morales a que pudieran
atribuirse tan misteriosa conducta,
ninguna era más a propósito que el amor,
origen común, por otra parte,
de lamentables infortunios ..."

José María Puchet (probablemente),
Causa célebre contra los asesinos de don
Florencio Egerton y doña Inés Edwards.
Extracto de la original.
Danla a luz los editores del
Observador Judicial,
México, impreso por Leandro J. Valdés,
Calle de la Cazuela No. 3,
en la Alcaicería (29 de mayo de 1844),
republicado en Anales del Instituto de
Investigaciones Estéticas México, UNAM,
no. 23, 1955.

CUANDO DON LEANDRO ITURRIAGA entraba a la casa de la calle de Cordovanes número nueve, residencia del señor juez don José María Puchet, salía de ella el primer *attaché* Ward, quien fungía como encargado de negocios de Su Majestad Británica, en tanto llegaba el sustituto de Pakenham, que como ya estaba anunciado sería el señor Percy William Doyle. Ambos caballeros se saludaron alzando levemente sus respectivos sombreros y don Leandro penetró al pequeño saloncito en donde sólo tuvo que esperar unos instantes, pues muy pronto el escribiente del magistrado le hizo pasar hasta el despacho de éste.

—¡Qué gusto en verlo querido amigo! —dijo Puchet, envuelto en toda la seriedad de su porte criollo, y su forma inteligente de escrutar a cada persona que encontraba.

—Le traigo noticias frescas, don José María —contestó por todo saludo Iturriaga, a quien ya se le hacía tarde para conversar con el juez—, creo tener en mi poder papeles invaluables escritos de puño y letra del señor Egerton, que a mi juicio aportan nuevos datos sobre su personalidad. Son muy interesantes, señor juez.

Luego pareció vacilar y reanudó su exposición:

—Se trata sin duda de los cuadernos de apuntes de Egerton, esa especie de diario que escribía esporádicamente y cuya existencia yo mismo revelé a usted. ¿Recuerda?

—¡Cómo olvidarlo, don Leandro, si es una de las piezas que nos hacen más falta en este complicado expediente! —contestó el juez—; ¿lo trae usted ahí? —agregó fijando la vista en el portafolio de cuero que su interlocutor había puesto sobre el escritorio del jurista mientras ambos conversaban.

—Sí, don José María —replicó el interpelado—, pero antes de poner esos documentos a la entera disposición de usted, quiero que me prometa que no revelará su origen, pues ello involucraría a una muy respetable dama mexicana que sin duda es ajena al asesinato, y en vez de ayudar a la causa perjudicaría seguramente pesquisas ulteriores.

—Don Leandro —dijo al juez—, yo sé que usted es todo un caballero, excelente benefactor y fue muy amigo del señor Egerton, pero le manifiesto con el mayor respeto que es al Tribunal al que le corresponde analizar los hechos y las pruebas y decidir en consecuencia. Lo que usted me pide es emitir un *prejuicio*, o sea juzgar inocente a alguien por adelantado, lo que es tan grave como si me pidiera que le considerara culpable sin juzgarla.

—Perdone usted, señor juez —interrumpió Iturriaga, moviéndose nerviosamente en su asiento—, pero no se trata de nada de eso. Soy el primero en comprender su difícil papel en este asunto y me consta su honorabilidad y diligencia; no seré yo quien trate de torcerlas, por supuesto. Además estoy aquí para ayudarle a esclarecer la verdad que, por desgracia, y a pesar del descubrimiento de estos papeles, aún no me parece estar al alcance de nuestra mano. Bueno, como usted dice, don José María, eso le corresponde a usted. Lo que yo quisiera suplicarle es que después de que vea estos papeles me permita explicar cómo llegaron a mis manos y las circunstancias especiales que acompañaron su entrega, para que así esté usted en mejores condiciones de ponderar mi petición, pues yo sé que también usted es todo un caballero, y aquí se trata, precisamente, del honor y de la respetabilidad de una dama...

—¿Y quién es ella, don Leandro? Seré curioso comentó el juez.

—Nada menos que la mismita "Bruja", don José María —respondió el orizabeño mientras el magistrado abría los ojos y echaba el cuerpo para atrás, en un ademán de perplejidad—. Sí, doctor Puchet —siguió don Leandro—, la "Bruja" en persona, que no es un ser de otro mundo ni una vieja hechicera, ni siquiera una mujer vulgar de las muchas que usted ha interrogado por llevar ese apodo, sino una señora decente, joven, muy hermosa y distinguida, que fue, digamos, novia o amiga del señor Egerton, y quien me entregó estos papeles. Le diré su nombre confidencialmente, porque usted necesita saber todo: se trata de la señora Matilde Linares de la Parra.

El juez escuchó ese nombre con el mayor interés, como si recordara algo:

—De la Parra... De la Parra, ese apellido me suena. ¿No será esta señora pariente de don Francisco de la Parra, oficial mayor del Ministerio de Gobernación y Relaciones Exteriores, recientemente autorizado por el Señor Presidente de la República para el "ejercicio de decretos"? —preguntó el magistrado.

—Lo ignoro —contestó don Leandro—, pero en todo caso pertenece a una magnífica familia y es una señora de reputación intachable, de ahí que me encuentre comprometido a rogarle la mayor discreción y comprensión en este asunto. Estoy seguro que nuestra "Bruja" cooperará en las investigaciones y en todo lo que usted pida y mande, siempre y cuando no la interrogue judicialmente, ni la haga presentarse en público o ser conocida por los periodistas y chismosos. Su amistad con el señor Egerton fue muy cercana...

—Está bien, don Leandro —cortó Puchet—, estoy de acuerdo y me fío en el buen juicio de usted. Obraremos con cautela y caballerosidad en relación con esta señora, pero siempre que colabore y nos ayude, porque estamos en unos momentos verdaderamente delicados en que aún no vemos una luz clara en el asunto y tenemos a la opinión pública encima, sobre todo después de que hace una semana se difundió la famosa inscripción del maguey del rancho de Xola acusando a Ponciano Tapia.

—Lo supe, doctor Puchet —continuó el diálogo entre los dos amigos—, pero no pude venir a verlo antes pues estaba acabando de traducir estos documentos que se encuentran escritos en idioma inglés, en el que no soy tan ducho como en el francés, como usted debe de comprender; pero creo que he producido una versión aceptable. Se la entrego a usted para que la lea con calma, acompañada de los originales, con el objeto de que su autenticidad no ofrezca la menor duda. Pero antes me gustaría, si usted no tiene inconveniente y me permite seguir siendo su *amicus curiae*, que conversemos sobre este Ponciano Tapia y sobre lo que usted ha avanzado hasta ahora en ese penoso caso.

—Sin duda, don Leandro —musitó Puchet mientras recibía el portafolios y husmeaba su interior—, hoy más que nunca necesito de una mente lúcida como la suya.

Los dos conversaron largamente. Puchet le relató la historia de la famosa inscripción aparecida en un maguey y junto al lugar en el que doña Inés había sido victimada y se había encontrado su cuerpo, bajo un árbol de pirul, y hasta le enseñó la penca cortada, que ya había sido devuelta por la Prefectura del Centro, donde unos "expertos" en esa materia —don Leandro no podía imaginar quién pudiese ser perito en marcas agávicas— habían "dictaminado" que la inscripción tendría por lo menos un año de hecha, lo que coincidía más o menos con la fecha del asesinato y le daba a las casi jeroglíficas trazas un especial valor como indicio. En cambio don José María era un escéptico al respecto. Él no conocía de magueyes pero sí de seres humanos y de criminología. Sabía perfectamente que si esas marcas hubieran sido hechas la misma noche del asesinato o unos pocos días después, habrían sido descubiertas en forma inmediata, pues precisamente la mañana del 28 de abril, cuando el cuerpo de Agnes fue encontrado, una verdadera multitud recorrió ese paraje vecino al rancho de Xola, como también las cercanías de Pila Vieja, buscando infructuosamente rastros o huellas; que los gendarmes y policías de Tacubaya y los soldados enviados por el general Valencia habían "peinado" palmo a palmo el terreno sin descubrir tampoco ningún indicio particular. ¿Cómo podía ser posible que docenas de gentes no se hubiesen percatado ni el 28 de abril ni durante los días subsiguientes cuando continuaron las constantes búsquedas, que en la penca principal del maguey más grande y visible, precisamente junto al sitio donde había yacido el cuerpo de una de las víctimas, que fue uno de los más investigados, se encontraban unas inscripciones muy notables que denunciaban nada menos que el nombre del asesino? ¿Por qué dichas marcas habían sido advertidas hasta un año después por unos viandantes que transcurrían por el camino contiguo, el cual es recorrido diariamente por cientos de personas que durante doce largos meses no notaron la inscripción? Todo estaba claro para el juez, por lo menos por lo que se refería a este episodio. El recado acusatorio grabado en el maguey era reciente, muy reciente, quizá de un día o unas horas anteriores a su descubrimiento, y por lo visto su objetivo era inculpar a Ponciano Tapia, tardíamente por cierto, del sonado crimen. El juez se seguía preguntando el por qué. No descartaba la posible culpabilidad del indiciado Tapia, preso en la ex Acordada desde la época de los sucesos debido a un delito anterior, pero aunque las leyes presumen delincuente al que lo ha sido de un crimen del mismo género —pensaba el juez—, en este caso Ponciano Tapia había sido condenado por robo, no por asesinato o violación, y precisamente lo que no aparecía por ningún lado del asunto Egerton-Edwards era el robo. También estimulaba su mente planteándose otros interrogatorios: ¿Quién había puesto las marcas? ¿Con qué interés lo había hecho? ¿Cómo sabría esa persona que Tapia había sido el homicida?, y elaboraba algunas suposiciones sobre la identidad de quien se ocultaba en el anonimato y usaba la penca de maguey como mensajera: ¿Un enemigo de Ponciano? ¿Un testigo leal del crimen que no se atrevía a dar la cara? ¿Algún empleado de la Legación inglesa, deseosa como estaba de que el caso se resolviera? ¿Uno de los hombres de la Comandancia de la Plaza que quería "colaborar" con el señor juez señalándole un "chivo expiatorio" para que terminara como Vicente Tovar? ¿Un guasón o desocupado, un "berengo" que al grabar la penca no se había dado cuenta de la importancia que la inscripción podía tener? ¿O quizá el verdadero asesino, deseoso de alejar sospechas y de que otro pagara por él su horrenda culpa? Todo esto lo comentó el juez especial a don Leandro Iturriaga, a guisa de proemio, en la conversación que ambos sostuvieron esa tarde en la casa de Cordovanes, durante la cual bebieron no pocas tazas de café y media botella de un excelente brandy español. También le comentó que desde hacía algunos días había solicitado al encargado de Negocios inglés William Robert Ward, joven más flexible y atento que Pakenham, que lo visitara y le aportara cualquier dato que tuviera sobre la señorita Agnes Edwards, a quien ni siquiera el hermano del pintor Egerton parecía haber conocido, por lo menos en lo que hacía a antecedentes personales y al origen de su relación con aquél. Ward, agregó Puchet, acababa de venir a verlo y conversar con él lo suficiente para proporcionarle algunos datos más o menos imprecisos: Agnes Edwards tenía entre 20 y 22 años cuando murió, había sido hija de William H. Edwards, un grabador de Camden Town, vecindad de Londres, aunque nacido en Monmouth hacia 1780, que se había distinguido como retratista en Norfolk y Sufolk y había recomendado a Agnes, pues ésta estaba estudiando dibujo en Londres, a su amigo Daniel Thomas Egerton, hacia 1839. Éste residía entonces en su último domicilio londinense, la casa de pensión de la familia Rowney, en Rathborne Place, no lejos de Tottenham Court. La joven Edwards empezó a trabajar con el maestro, ayudándole a colorear sus litografías

D.T. EGERTON: *Ciudad de Morelia.*
Óleo. Colección: Francisco Regens

para el portafolio titulado *Views in Mexico*, que el pintor publicara en la capital británica en 1840, mismo año en que
había fallecido el padre de la muchacha. Agnes tenía gran
disposición para las artes y entre el preceptor y la pupila se
inició una relación primero intelectual y luego romántica que
culminó en lo que todos ya sabemos. Él decidió regresar a
México y la trajo consigo sin haberse divorciado de su esposa
legítima, la señora Georgiana Dickens, quien reclamó después
ante el Ministerio de Asuntos Exteriores de Inglaterra que
se le devolvieran las pertenencias que el artista había dejado en la Casa de los Abades. Parece que el banco de Egerton
siempre proveyó a Georgiana de una pensión suficiente, aunque
por la carta cuya copia le había enseñado el *attaché* Ward, ella
no sabía siquiera si sus dos hijas mayores vivían aún, lo que
sonaba muy extraño y hacía pensar en un tipo de mujer des-
cuidada y poco interesada en cumplir sus deberes maternales.
También se sabía que Agnes Edwards se había comprometido
en Inglaterra con un joven cuyo nombre no se había podido
averiguar hasta ahora y al que naturalmente plantó para viajar
con Egerton a México. Para Iturriaga el relato del juez era
bastante familiar pues había leído con toda atención el diario
de Egerton que Matilde le entregara, e hizo la primera observación que se le ocurrió refiriendo al juez que en esos papeles estaba la constancia de que el artista británico había
conocido a su pupila y después amante hacia 1829, cuando
Agnes era niña, pues el pintor había hecho un viaje a una
casona de una familia noble, acompañado de su colega y amigo el grabador Edwards y su familia. Puchet agradeció la información y comentó que una de las pistas probables conducía a Georgiana Dickens, aunque él no la consideraba capaz
de armar un crimen como ése a distancia, además de que
había tenido la oportunidad de planear y ejecutar la muerte
de su marido desde su primer viaje a México, inmediatamente después de que la había abandonado, y no pasados diez
años, o más cómodamente en Londres, de 1837 a 1841, lapso
en que el artista estuvo allá. Leandro asintió, convencido por
las deducciones del juez e intervino diciendo que, además, había
que considerar la escritura de separación, o sea el instrumento

legal firmado por Egerton en favor de su esposa determinando la pensión alimentaria que le proporcionaba regularmente por conducto de sus fiduciarios, lo que borraba la idea de que hubiera habido una separación conflictiva entre ambos cónyuges. Por otra parte, la señora Egerton, o Dickens, no parecía ser el tipo de mujer capaz de ninguna gran pasión. Quedaba como sospechoso el joven prometido de la bella Agnes, que seguramente se sintió muy lastimado por el rompimiento de ese compromiso hecho por la estudiante de pintura a causa de la relación con su maestro, quien era más de 25 años mayor que ella, y después por el viaje a México. No se habían podido conseguir datos de ese joven, aunque la Legación mexicana en Londres seguía realizando las pesquisas que le habían sido encargadas por el gobierno desde hacía varios meses. No obstante, continuaba reflexionando Puchet en voz alta, era obvio que preparar desde Inglaterra y ejecutar en México un crimen doble y sanguinario como el de Egerton y Edwards no parecía empresa nada fácil. El joven despechado tendría que haber tenido cómplices en México, personas avezadas en este tipo de horribles acciones y además bastante dinero y un gran servicio de información para seguir los pasos de la pareja de la Vera Cruz a México, de la posada de la calle de Vergara a la Casa de los Abades en Tacubaya. Y después de ejecutarlo —por fuerza con varios cómplices que podían ser ingleses o mexicanos— huir sin que por un largo año apareciera el menor rastro de todo aquello. No, eso no parecía factible. Este crimen parecía obra de alguien más enraizado en el país, con suficientes medios y conocimientos de la sociedad nacional. Ahora bien, lo que inclinaba la balanza en favor de la tesis del crimen pasional era la ausencia casi total de robo, pues las prendas de oro que los dos cadáveres todavía tenían encima al ser descubiertos, alcanzaban un valor mucho mayor que las ropas que aparentemente fue lo único de lo que las víctimas fueron despojadas, sobre todo ella. Por otra parte estaba aquel misterioso letrero escrito aparentemente por el pintor que nadie se explicaba. La saña de las estocadas múltiples contra Egerton y la canallesca violación contra la Edwards, a pesar de lo avanzado de su preñez, parecían configurar un odio letal, una terrible venganza como móvil; por eso la hipótesis del crimen deliberado y, específicamente, del crimen pasional debía mantenerse y seguirse investigando. Ambos amigos coincidieron en ello.

La SEGUNDA PARTE de la plática le dedicó el juez Puchet a referir a su amigo cómo había interrogado infructuosamente a Ponciano Tapia, a quien se había aprehendido como sospechoso en la vecindad de Xola, el 28 de abril del año anterior, con unas salpicaduras viejas de sangre en la camisa, pero que juró no saber nada del crimen ni haber tomado parte en él, y fue remitido a la prisión por haberse escapado de ella en 1840, mientras purgaba su condena por robo. Puchet agregó que lo había interrogado una segunda vez, poniendo en ello toda su habilidad, pero no había logrado sacarle nada. Tampoco era, según él, un "asesino o violador típico", en el sentido frenológico, como los clasificaban según la forma y proporciones del cráneo algunos científicos modernos, como el pastor Juan Lavater, quien había encontrado serias correspondencias entre el rostro y el carácter de las personas; o más precisamente, como el sabio alemán don José Gall, fundador de la frenología, ciencia difundida en México por el eminente abogado de Guadalajara don José Ramón Pacheco, en un famoso libro publicado en 1835, que había sido sumamente criticado por el doctor Arrillaga en el periódico *El Católico* y considerado "materialista y perverso" por la curia capitalina.[106]

—Tapia es un mesocefálico común y corriente, con una proporción de 60 a 40 en las dimensiones del diámetro superior y el diámetro inferior de su estructura craneana; sometido a la prueba del pinchado por dos alfileres con distintas separaciones, se encontró que no es hiperestésico ni hipoestésico, sino plenamente normal, por lo que su tálamo, su hipotálamo y su masa encefálica corresponden y deben funcionar adecuadamente para un tipo de su edad y de su pobre nivel de instrucción. Y basta con verle el rostro, idéntico a la mayoría de los léperos que cruzan por la calle, para saber que es un poco marrullero

---

[106] *Exposición sumaria del sistema frenológico del Dr. Gall,* México, 1835. Pacheco fue el secretario de Relaciones de Santa Anna del 7 de julio al 16 de septiembre de 1847.

y que puede ocultar algo, pero que no es un criminal nato, un enfermo mental o algo de lo mucho que vemos nosotros los jueces en este desfile de miserias que es la justicia penal, mi querido don Leandro —refirió el doctor Puchet tomando un sorbo de café que ya debía estar frío. Luego agregó—: Aquí tengo el expediente con los últimos interrogatorios de Tapia, y si usted gusta se lo presto para que lo lea, mientras yo hago lo propio con estos cuadernos del señor Egerton.

Ambos lo hicieron así, mientras una sirvienta retiraba el servicio y anunciaba otra cafetera bien hirviente. Empezaron a pasar los minutos en silencio, envueltos los dos en sendas e interesantes lecturas. El juez empezaba a adentrarse en el origen familiar del pintor Egerton y su pertenencia a la casa de Bridgewater, pues su hermano no había sido nada explícito al proporcionar ese tipo de datos, ni tampoco Ward. Como manejaba bien el inglés, su lectura la estaba haciendo del original y saboreaba no sólo el sentido del relato, a veces seco pero otras cálido y humano, sino también la hermosa caligrafía en que estaba hecho, que correspondía a un dibujante profesional, y a no dudar era muy semejante o acaso idéntica a la del famoso recado que se encontró sobre el pecho de Inés Edwards el día siguiente de su muerte, y que obraba en el primer legajo. Puchet lo había visto y observado con lupa cientos de veces; ahora comparaba la escritura del occiso en aquellos cuadernos o diarios con la del cartón, que había sido reconocida como tal por William Henry Egerton. Sí, era la misma. Luego continuó la lectura incluyendo las primeras revelaciones sobre la bastardía del artista británico y los problemas de conciencia y quizá de comportamiento que ésta le causaba y que podía deducirse de algunas partes de la interesante narración.

Este Egerton era un hombre de rectos principios, pero sin duda con una fuerte carga emocional —pensó.

Mientras tanto Iturriaga leía documentos menos bien redactados y caligrafiados pésimamente. La letra poco aseada del escribiente don José Cisneros dejaba constancia de los interrogatorios, siempre con las mismas respuestas, hechos a Ponciano Tapia. Esa noche, la del 27 de abril de 1842, la había pasado tomando unas copas con dos amigos de su condición, quienes habían sido interrogados también y habían confirmado su dicho. Las pequeñas manchas de sangre eran antiguas y las tenía en su camisa porque unos días antes había ido a comprar carne fresca de res a un rastro que está por Mexicalzingo y ahí se había ensuciado. Dos matarifes del obraje habían confirmado su declaración, y estos testigos, a su vez, eran gente de bien, de quienes daba razón y crédito su jefe, el dueño del rastro... ¡oh, no podía ser!, don Leandro prácticamente dejó escapar un grito cuando llegó a esa parte. Volvió a leerla sin creer lo que veían sus ojos. José María Puchet interrumpió su propia lectura y dejando los espejuelos a un lado, demandó:

—¿Qué le pasa, don Leandro? ¿Ha encontrado usted algo interesante?

Iturriaga reponiéndose apenas del impacto causado por aquellas palabras, las repitió en voz alta:

—"... el dicho de los testigos y su plena fe y crédito fueron avalados en carta adjunta firmada por el dueño del rastro de Mexicalzingo en que ambos trabajan, el obraje de La Santísima Trinidad, señor don Luis Linares de la Parra..." ¡El hermano de "La Bruja" ayudó a Ponciano Tapia! —exclamó Leandro Iturriaga mirando a los ojos al juez Puchet. ¡Es él mismo, el dueño del rastro donde Tapia se manchó de sangre!

—¡Una improbable coincidencia! —observó Puchet.

—No señor juez, más que eso, mucho más —dijo apuradamente el otro—, Luis Linares de la Parra y Everardo, ambos hermanos de Matilde, "La Bruja", tuvieron una fuerte discusión con Egerton y lo amenazaron antes de que éste regresara a Inglaterra, y Luis aparece después del crimen dando salvaguarda por quienes corroboran el dicho del sospechoso señalado por la inscripción del maguey...

Ahora fue Puchet quien quedó estupefacto y después de unos segundos concluyó:

—Todo se aclara...

No don José María —interrumpió violentamente Iturriaga—, ¡todo se complica!

20. El juez especial atrapa a los asesinos

"El amor burgués y provinciano,
convertido en tema inagotable
de la literatura romántica y costumbrista
desde 1841 [*sic*], encontraba su desquite
en la violenta supresión
de unos lazos más libres,
condenados universalmente por todos
los grupos de la sociedad mexicana,
desde las clases "bajas" hasta la
nueva intelectualidad nacionalista,
la mano de los asesinos iba acompañada
por el apoyo unánime
de los espectadores...
De ahí que la celebridad de la causa
se haya aliado al éxito del opúsculo,
que presentamos, y que bien
podemos considerar como la primera
novela policíaca de la literatura mexicana."

Enrique Flores, "Los crímenes de Tacubaya",
prólogo a la segunda edición de la
Causa célebre contra los asesinos de don
Florencio Egerton y doña Inés Edwards.
México, Instituto Nacional de Bellas Artes,
Universidad Autónoma Metropolitana. 1988.

AL DÍA SIGUIENTE, muy temprano, don José María Puchet y don Leandro Iturriaga se reunieron en el interior de la prisión de la ex Acordada. Después de que el juez leyera los apuntes de Daniel Thomas Egerton y conociera por boca de don Leandro todo lo que Matilde había contado a éste durante su única entrevista, empezaba a convencerse de que por fin estaba cerca de encontrar algo que le permitiría desmadejar el grueso ovillo de este asunto, cuyo expediente ya constaba de más de mil fojas. Puchet llegó primero, subió al segundo piso, le abrieron la celosía que separaba el final de la escalera de los salones en

donde se realizaban las diligencias judiciales, y depositó sobre
una mesa, cerca de la cual ya estaba sentado el escribano don
José Cisneros, el portafolios con los documentos que había recibido el día anterior del señor Iturriaga. Éste llegó minutos después, un poco pálido pues se había asomado por los barrotes de
la ventana baja de la fachada principal en donde aparecían en
esa ocasión cinco o seis cadáveres de hombres y mujeres asesinados el día anterior, espectáculo que nunca resultaba agradable ni siquiera para los abogados de la Sala del Crimen,
acostumbrados a él. Puchet había revelado a don Leandro con
anticipación la estrategia que pensaba seguir, y éste la había
aceptado a pesar de que la consideraba muy riesgosa. Se trataba
de que el juez se encarase con Ponciano Tapia y le dijera súbitamente que sabía que él había sido el asesino de los ingleses, y
que había actuado por instrucciones de don Luis Linares de la
Parra, propietario del rastro de La Santísima Trinidad, quien
había sido impulsado por venganza y odio hacia el pintor por
haber éste dejado plantada a su hermana Matilde, y regresado
de Inglaterra con doña Inés. No sólo era una táctica del juez
sino toda una posibilidad real; Linares podía haber muy bien sido
el autor intelectual del crimen y Tapia uno de sus ejecutores.
Lo único que hacía dudar a don José María sobre esta hipótesis
era que Ponciano, a quien se había interrogado varias veces,
antes y después del famoso recado del maguey, jamás había
admitido haber estado en el lugar del crimen, y sus contestaciones y coartadas eran invariablemente las mismas y habían sido
comprobadas en su oportunidad. Aunque por supuesto, pensaba
el juez, el asunto de las manchas podía envolver una patraña,
armada entre don Luis y sus matarifes del rastro, para encubrir
a Tapia, alegando que las posibles salpicaduras no provenían de
las víctimas británicas, sino que eran gotas de sangre de res y
se las había hecho al acudir a comprar carne en el propio obraje,
días antes del doble homicidio. Una cosa estaba clara: Ponciano
Tapia había ido al rastro de don Luis y este había avalado el
dicho de dos de sus peones en favor del sospechoso, sabiendo
qué la palabra de un hombre rico y decente como él pesaba en
los tribunales y que el juez Gómez de la Peña, quien había
recibido en mayo de 1842 la carta del propio don Luis, se vería

obligado a dar por buenas sus declaraciones exculpatorias en relación con el indicio de las famosas manchas. ¿Por qué había hecho eso don Luis en favor de un hombre que aparentemente no conocía, que no trabajaba para él y que era de una condición social notoriamente inferior, pues se trataba incluso de un reo fugado de la cárcel? Todas estas reflexiones alimentaban la esperanza del juez especial en el sentido de poder penetrar con un nuevo interrogatorio en la conciencia de Ponciano Tapia y provocar que dijese la verdad. O Tapia era uno de los asesinos ejecutores o sabía más de lo que hasta ahora había dicho. Había callado para salvarse él, para salvar quizá a don Luis o en favor de ambos: eso lo ignoraba Puchet, pero intentaría saberlo precisamente ahora.

Hay que advertir que don José María conocía a Ponciano desde 1839, cuando era juez de letras y Tapia había caído en su juzgado, con el apodo de "Gavilán", dentro de una cuadrilla criminal que solía robar casas y transeúntes en la villa de Tacubaya, y cuyos otros integrantes eran Trinidad Castrejón, alias "Caliche" y Florencio Medina, alias "El Ratón". A Ponciano lo había encontrado culpable de varios hurtos menores y de un asalto en primer grado sin derramamiento de sangre, y lo había condenado a cuatro años de prisión, sentencia que Tapia no concluyó pues había logrado escapar de la ex Acordada.[107] El "Gavilán" recibía ese apodo por su liderazgo sobre los demás delincuentes de la banda y su actitud de ave de rapiña propicia a apoderarse de todo. Era un ratero conocido de los tacubayenses pero no se le había podido probar ningún asesinato. El juez estaba convencido de que la carrera criminal de Ponciano Tapia era la que lo había convertido en sospechoso del crimen de los ingleses, lo que hacía necesario considerar la denuncia del maguey y los otros indicios con el mayor cuidado, pues no se trataba de cometer una injusticia y condenar a alguien sólo por sus antecedentes. La conexión con Luis Linares de la Parra aportaba un elemento nuevo y relevante; Puchet se decidió a jugar el todo por el todo con el famoso "Gavilán".

[107] De acuerdo con oficio de 27 de agosto de 1839 girado por el juez de letras don José María Puchet al alcalde constitucional de Tacubaya. Archivo Histórico del ex Ayuntamiento de la ciudad de México, 1524-1928.

La gruesa puerta que daba al corredor se abrió y un guardia hizo entrar a Ponciano Tapia. Era un hombre de rasgos indígenas, de no más de treinta años, bajo y robusto, de facciones y ojos regulares, nariz aquilina y cuya cabeza era bien conocida del juez, pues había ordenado medirla y la había estudiado cuidadosamente junto con el médico de la prisión, en un intento por extraer de esa revisión frenológica alguna conclusión que sin embargo se le escapaba. Teniendo a Iturriaga y a Cisneros a los lados, el juez ordenó a Tapia que se sentara en la silla que estaba enfrente y él lo hizo de cara al reo, sobre la cubierta de la vieja mesa, de tal manera que sus ojos quedaron casi a un metro por encima de los de Tapia. Sin alterarse, con extrema frialdad y parsimonia, pero clavando la dura mirada en él, el juez afirmó:

—Buena la has hecho, Ponciano. Ya sabemos todo acerca del crimen de los ingleses. ¡Tú los mataste por orden de Luis Linares de la Parra, el dueño del rastro!

Tapia, evidentemente, no estaba prevenido para la súbita acusación y en forma inmediata su rostro reveló una consternación profunda. Por lo pronto no habló, bajó la cabeza y antes de que acabara de pensar su respuesta Puchet volvió a la carga:

—El que puso las marcas en la penca de maguey te vio aquella noche en el lugar del asesinato; ya nos lo dijo. Y en este momento los alguaciles están trayendo para acá a Luis Linares a fin de que confiese por qué te ordenó matar a Egerton.

Ponciano Tapia sintió que estaba perdido. Después de un año de negativas, de mantener su palabra de hombre para no decir nada de lo que sabía, se dio cuenta de que todo había sido inútil. Entonces sintió como un descanso, como si se le quitara un peso de encima, como si una mano invisible e inevitable lo relevara de la carga angustiosa que había sopesado más de un año en esta cárcel pútrida y se decidió a confesar. Puchet volvió a ganarle la palabra:

—Mira Ponciano, si nos dices toda la verdad te podemos ayudar, si no, tú vas a cargar con la peor parte de todo. Y tú sabes que el asesinato en despoblado se castiga con la pena capital. Si nos dices todo, sin engañarnos, a lo mejor te libras. Puedes hablar con confianza; aquí el señor escribiente no va a apuntar nada, sólo queremos oírte. Y este otro señor —se refería a don Leandro— es un caballero interesado en el asunto; si eres inocente te puede echar para afuera. Te la estás jugando. Pero tú dirás.

El juez había puesto toda su malicia, todo su conocimiento del examen de hombres como Ponciano Tapia; creía haber hecho su mejor faena y empleado un lenguaje que Tapia entendía, pero en ese momento no estaba seguro de cuál sería el resultado del riesgo que asumía con semejante interrogatorio y la gran presión que estaba ejerciendo. Por fin el reo habló:

—Voy a decir todo, jefe, la mera verdá, lo que pasó y lo que no pasó. Le juro que yo no maté a los ingleses y tampoco el patrón Linares; 'tamos en el enredo pero semos inocentes. La Virgencita de Guadalupe lo sabe y yo se lo voy a contar, más que como ladrón que soy y sentenciado a lo mejor no me crean. La cochina necesidá me ha llevado a robar pero no he matado a naiden. Es cierto que yo 'staba en Pila Vieja aquella noche. Desde hacía más de una semana 'taba yo echándole un ojo a los tales ingleses por mandato de don Luis, el patrón Linares, con quien me habían llevado unos amigos que trabajan pa' su rastro, y que me recomendaron como güeno pa' esas cosas; el patrón me dio una onza de oro pa' que me juera yo a Tacubaya a espiar al pintor y a su mujer, pa' saber dónde vivían, pues asegún creo, tenía un viejo negocio con ellos. Nunca me dijo de matarlos, nomás de espiarlos; de saber pa' dónde jalaban, y sobre todo si el varón se iba ansina como pa'l rumbo de Mixcoac. Eso es lo que más me recomendó don Luis: "Si va pa' Mixcoac me vienes avisar luego luego", me dijo, y ai 'stuve varios días en las mañanas y en las tardes rondando al inglés; casi nunca salía de su casa, de esa de los mentados Abades. Nomás se asomaba tantito por la calle de enfrente; o se iba a la Plaza de Cartagena a tomar café, o se ponía dizque a dibujar el paisaje en una esquina y se quedaba horas. En las tardes salía con la señora güerita, la pobre que también mataron, y la agarraban pa'l camino a Nonualco; por allí mismo donde pasó todo. Pero nunca iba a Mixcoac, y yo le avisé esto a don Luis. Él me decía por medio de mis amigos que le siguiera en la vigilancia otra semana, y por eso 'staba yo en mi guardia aquél 27 di' abril en que vi al inglés salir temprano de su casa en el cuaco rumbo a México y se desapareció todo el día. Ansina vino cuando ya pardeaba la tarde, le dejó el caballo al mozo y salió a pasiar con la güerita. Yo nomás iba tras ellos, aunque ya m'imaginaba pa' donde iban, o sea pa' Nonualco. M' iba haciendo al lado del camino junto a los magueyes pa' que no me vieran, pero ni se fijaban pues iban güiri güiri, pero no en cristiano, por eso ni les entendí lo que decían. Llegaron entonces a la Pila Vieja y en de repente les salieron unos léperos di'atrás del magueyal y les marcaron el alto. Seguro los'taban cazando. Eran tres o cuatro y traían arma, pos hasta brillaba. Yo me quedé parado y vi de lejos todo. Dos se le echaron encima al pintor que los recibió a bastonazos pero pronto lo tenían en el suelo a puras cuchilladas. Cayó afuerita del camino. Nomás le llevaron el sombrero y lo esculcaron; todo re'rápido. A la güera que gritaba "¡Jesús! ¡Jesús!" l' arrastraron por la loma atravesando la milpa que da pa'l rancho de Xola. Yo los seguí de lejos pero no podía hacer nada porque eran muchos. Nomás se hicieron bolas encima d'ella bajo un pirul mientras gritaba, y el que parecía el jefe la encueró. Luego alguien gritó "¡Joaquín!". Al oír eso dejaron a la señora que ya debía d'estar muy herida y se vinieron caminando como pa' donde yo estaba. Olían harto a pulque. Entonces el tal Joaquín y yo nos miramos las caras y nos reconocimos. Antes había yo visto al tipo ese con una mujer que l'apodan "La Bruja", allá por el Salto del Agua, creo que se llama Lugarda. Nomás me dijo: "—¿Qué pasó amigo?", y yo le contesté: "Nada amigo". Luego se jueron rumbo a La Piedá. Me quedé parado un rato viendo que de verdá se iban y luego miré pa'l pirul: la señora ya ni se movía ni hablaba. Me acerqué y vi qu'staba bien muerta, y tenía encima el letrero ese que le encontraron; 'tonces me jui pa' Mexicalzingo. Llegué como a las nueve de la noche y ya no 'staba don Luis en el obraje; cogí pa' su casa que 'stá muy lejos, por la calle del Reló, y le conté todo lo que había visto. Se puso pálido com' un cirio y al principio no me creía lo de los ingleses. Me preguntó que si yo los había matado, porque él no me había dado esa orden sino nomás vigilarlos. Entonces yo le dije que ni modo que yo solo hubiera hecho todo eso, y que habían sido cuatro cristianos. Lo que no le conté es que uno de los léperos se llamaba Joaquín y que yo sabía que su mujer era la bruja Lugarda, porque ésas son cosas de hombres y no se dicen. 'Tonces don Luis me dio otra onza de oro y me dijo que al día siguiente temprano fuera a ver qué pasaba en Tacubaya y si encontraban a los difuntos; fue 'tonces cuando mi'agarró la gente del juez de Paz o como se llame, me tuvieron unos días allá en el pueblo y luego me trajeron p'acá por remiso y fugado pero no por creminal. Yo no dije nada, como li'había prometido a don Luis. Per'ora es diferente, ya no tengo pa' qué callarme. Columbro que fue el tal Joaquín el que escribió en la penca que dizque yo y otros dos habíamos perjudicado a los ingleses. Todo mundo supo que a mí me habían agarrado en esos días y este malora del Joaquín aprovechó pa' echarme la culpa y librarse de su crimen, pero ya lo he de agarrar, pues él fue el mero asesino y sus *achichincles*,[108] verdá de Dios. Y pos nomás eso, jefe.

AHORA FUERON LOS DEMÁS quienes guardaron silencio. El doctor Puchet y don Leandro intercambiaron miradas dubitativas. ¿Habría dicho Ponciano Tapia la verdad? ¿No sería una nueva invención para salvarse y salvar a Linares? El juez se inclinaba a pensar que su táctica había dado resultado y que el reo se había abierto ante ellos después de muchos meses de ocultar lo que había visto el 27 de abril. Su experiencia en este tipo de interrogatorios y en valorizar la confesión, considerada como la "reina de las pruebas" pero que muchas veces resultaba engañosa, le decía que Tapia no había mentido esta vez. Podía ser que lo que dijese no fuera toda la verdad, pero el deponente había hablado sinceramente, impulsado además por la convicción de que lo que "sabía" el juez (en realidad lo que había fingido saber) tenía para él peores consecuencias de lo que en realidad había sucedido. Por otra parte Ponciano ya no reconocía en ese momento el deber sagrado que obligaba a los mexicanos de su clase a no denunciar a otro de la misma condición, sobre todo cuando los dos eran delincuentes, como en el caso, y las víctimas extranjeras. Puchet no ignoraba la

---

[108] Nahuatlismo que significa "paniguados" o "incondicionales", "subordinados", "guardaespaldas".

D.T. Egerton: *El Nevado de Toluca.*
Acuarela. Colección: Hernández Pons

existencia de una especie de cofradía entre ladrones y asesinos que aunque no se conociesen se protegían unos a otros: "Hoy por ti, mañana por mí", rezaba el dicho popular, y eso se aplicaba a pie juntillas entre ellos, era su forma de ser "caballeros", de la misma manera que cuando prometían parte del botín de un robo a la Virgen de Guadalupe o a San Dimas, el Buen Ladrón, cumplían religiosamente. El doctor reflexionó que un extraño pacto había quedado sellado entre el asesino Joaquín y el testigo Ponciano —si lo que éste había dicho era verdad— cuando el primero había descubierto al segundo y le había preguntado: "¿Qué pasó amigo?", recibiendo por respuesta "nada amigo". El extraño código de señales había funcionado perfectamente con esas palabras; Joaquín había perdonado la vida a Ponciano, a quien él y sus cómplices pudieron matar fácilmente, seguro de que no los denunciaría; y Tapia había cumplido durante todo un año con el compromiso hecho de hombre a hombre. Pero aparentemente el tal Joaquín había roto el pacto al pasarse de vivo y señalar en el mensaje de la penca al propio Ponciano como el homicida. Automáticamente éste quedaba relevado de cumplir su promesa, pues tendría que hablar en defensa propia, y eso ya era otra cosa. Si no lo había hecho antes, fue porque no estaba seguro de que Joaquín hubiese sido el autor de las extrañas grabaciones agávicas.

Y allí residía la tortuosa habilidad de Puchet, al decirle que el hombre del mensaje en el maguey había hablado también y lo acusaba directamente. Entonces no le había cabido a Ponciano la menor duda de que ese hombre era el propio Joaquín. Y el juez sólo había empleado esa táctica por mera intuición, sin pensar en ningún sujeto en particular, buscando provocar una reacción en el arenero, misma que por lo visto había conseguido. Eso, mucho más que la mención de Linares como el "autor intelectual" del delito, era lo que había roto las compuertas del sentimiento y provocado otra conducta en Tapia. Sin embargo había que seguir conversando con él, pues quedaban algunos aspectos por aclarar.

—Ponciano —le dijo Puchet, mirándole nuevamente a los ojos—, no puedo creerte. Tu historia es muy parecida a la que nos contó Vicente Tovar sobre el tal Chavarría y sus amigos.

También habló de la mentada "Bruja" como tú. Es la misma gata, nomás que revolcada.

—No, jefe, es de a de veras —protestó Tapia—, pero quiero explicarle a usté qui'una tarde aquí en la prisión el gachupín De los Reyes y yo nos tomamos unos alcoholes que nos pasaron de contrabando por tres reales, y la verdá yo me solté de la lengua. Pero nomás le conté cómo había 'stado lo del ataque a la güerita entre todos, que yo los había visto y que uno de ellos era el hombre de "La Bruja", pero no le dije nada más. Luego supe qu'este indino le había chismiado todo a Vicente Tovar pa' qu'inventara su historia y así los dos jueran indultados; esa que le contó a la autoridá, a su manera, acusando a José Chavarría, al que conozco rete bien y que no tiene vela en este entierro, jefe, ni pudo contarle nada a Tovar porque ya había salido di'aquí antes del sucedido de los ingleses. Los dos quedaron trampeados en su mentira y juraron que Chavarría se las había contado, y sólo por eso De los Reyes no me acusó a mí, después que ejecutaron al otro, pos ya no podía cambiar l'historia. ¡Hasta yo creía que el gachupín era el que había mandado grabar la penca como una venganza, aunque a él no le dieron garrote!

El juez empezó a ver más claro aún e intercambió una mirada de entendimiento con don Leandro y con Cisneros. ¡Así que el cuento de Vicente Tovar y De los Reyes tenía algo de verdad y se había basado en una indiscreción de Ponciano! Los otros reos, deseosos de cobrar el resultado de su delación, para hacerla más creíble —según ellos— o para perjudicar a Chavarría por alguna causa ignorada, habían implicado a este último, poniendo en su boca lo que en realidad el español había oído de la de Ponciano. Y por eso la famosa "Bruja" no pudo ser localizada, pues no era la misma del relato auténtico, y no vivía en Mixcoac sino por otra parte, en el Salto del Agua, lo que seguramente tampoco había revelado a De los Reyes en medio de su borrachera, pues a pesar de todo, había seguido cumpliendo su compromiso de no denunciar al criminal, su hermano de profesión, que ahora se había tornado en artero enemigo. También reflexionó Puchet en lo supuesto por el reo, que no se le había ocurrido con anticipación pues ignoraba los antecedentes de la plática entre Tapia y el salteador Abraham de los Reyes; que este último bien podía ser el que hubiese ordenado a alguno de sus compinches en libertad que imprimiera las marcas acusadoras en el maguey del rancho de Xola. Como quiera que fuese, lo importante era que ahora el juez especial tenía, además de a Luis Linares, que era cosa aparte, a dos personas por identificar, localizar y capturar: la bruja Lugarda y el tal Joaquín. A través de una tendría que llegar a la otra, y había que hacerlo sin comprometer a Ponciano Tapia, pues si éste aparecía como delator, el tal De los Reyes o algún auténtico cómplice de los asesinos que estuviese dentro de la cárcel de la ex Acordada podía silenciarlo y la acusación perdería a su único testigo presencial. Entonces volteando a ver a Iturriaga y a Cisneros, sin comentarles nada pero dándoles a entender con los ojos que pusieran atención en lo que iba a decir, advirtió al reo:

—Mira Ponciano, vamos a investigar si lo que dices es cierto y a aprehender a esa mujer y a quien tú señalas como el criminal. Tienes que estar dispuesto a carearte con ellos, a reconocerlos y a sostener tu dicho en una audiencia, en la que apuntaremos todo lo que se diga en este legajo ¿entiendes?

Aquél asintió:

—Sí jefe, pa'luego es tarde.

Puchet continuó:

—Pero te prevengo en nombre de la Ley y del Supremo Gobierno que si nos engañas te convertirás fatalmente en el acusado, pues ya confesaste haber estado en el lugar del crimen aquella noche, y por tanto te toca la presunción de que los delitos deben imputarse de preferencia a los que se han encontrado en mejor aptitud de verificarlos, y tú eres hasta ahora el único que se halla en esa suposición que ocultaste durante un año. Tú y Linares, si fue cierto que él te mandó a espiar a don Florencio y a doña Inés. Ya veremos eso después. Por lo pronto no hables con nadie sobre lo que nos has dicho ahora, ni con tu familia, ni con los carceleros ni menos con los otros presos, pues en ello te puede ir la vida. ¿Has comprendido?

—Sí jefe, no soy tan tonto. Pero si agarra usté a Lugarda, "La Bruja" del Salto del Agua, ella le dirá dónde 'stá su hombre. Y ése es Joaquín. Endenantes de aquella noche yo los vide juntos por dónde se vende arena y piedra, no lejos de la fuente en que termina el acueducto. Por'ai deben andar. Y ese Joaquín con su gente fue el que mató al pintor y arrastró a la señora. Yo lo juro por la cruz —se explayó el otro.

—Entiendo bien Ponciano, y vuelvo a prevenirte que es mejor que hayas dicho toda la verdad y nos la sigas diciendo porque si no vas a acabar como Vicente Tovar, a quien viste morir engarrotado en el patio de esa misma cárcel. Ahora vamos a apuntar la descripción de Lugarda y de Joaquín. ¿Te acuerdas cómo son? —preguntó el juez.

—Sí jefe, cómo no —respondió Ponciano—; ella es una mujer chaparra como de 30 años, gorda y desarreglada, con una verruga muy grande en la cara, cenicienta y fea, y yo creo que por eso l'apodan Bruja, viste de enagua y rebozo como si juera india, pero más bien es mestiza; él es chino y corrioso, más joven qu'ella, de mirada muy ladina, jefe, como que fue en lo que más me fijé; es carretero d'ésos que salen al camino, y viste como tal con sombrero di'ala, a veces no trabaja y anda de vago o robando; y aquella noche ¡se me olvidaba!, ¡traiba una bayoneta de soldado!

EL DOCTOR PUCHET ordenó a Cisneros que hiciera entrar al salón al celador que había conducido a Ponciano hasta la puerta cuando había sido citado a comparecer ante él, y le dio instrucciones de acompañarlos hasta el patio, donde a esta hora estaban los demás presos. Cuando quedaron solos Iturriaga exclamó:

—Felicito muy calurosamente a usted, don José María, hoy me he convencido de su profundo conocimiento de la ciencia criminal y de su experiencia en estas lides. La forma en que le fue usted sacando la verdad a Tapia me impresionó sobremanera. Yo creo que su estrategia va por muy buen camino y que hemos adquirido una preciosa información. Si usted logra echar mano de esa Bruja —¡por fin la que había buscado tanto!— y de su amasio el tal Joaquín, creo que tendremos resuelto este penoso asunto y usted habrá obtenido un merecido triunfo judicial y político, ganándose el reconocimiento de muchos, y antes que nadie el mío propio.

TRAGICAL STORY.—On the morning of the 29th of April, the city of Mexico was thrown into the highest excitement by a report that Mr. Egerton, a landscape painter of great talents, had been inhumanly murdered at Tacuhaya, together with a woman with whom he lived as his wife, of rare personal attractions, and who also possessed high endowments as a landscape painter. Tacuhaya is a small village some three miles from the city of Mexico, and is a place where many families of distinction reside, especially in summer. The palace of the Archbishop is also in Tacuhaya, as well as the summer palace of Santa Anna. It seems that on the evening of the murder, Egerton and the unfortunate woman were walking in a large garden attached to their residence, as was their custom. While walking they were attacked by some person or persons unknown, and both of them murdered. The body of Egerton was found some distance from that of the woman, run through apparently with a sword. Near him was found his walking-stick much hacked, from which it is evident he made a stout resistance. That of the woman was found, also stabbed and otherwise horribly mangled, and this induces to the belief that she also resisted to the last. She was *enciente* at the time, and within a short period of her delivery, and the perpetrator abused her in the most shameful manner before taking her life. Her face was scratched and otherwise much disfigured, and a large piece was bitten from her breast ; and the perpetrator, probably fearing that she might not be recognized, wrote her name upon a piece of paper, and pinned it to a fragment of her dress, the most of it having been torn off in the struggle which ended in her death. The formation of the letters of her name were plainly English, and this circumstance renders it certain that the murder was neither planned nor matured by Mexicans. Mr. Pakenham, the British Minister, had exerted himself to the utmost to arrest the perpetrators of these horrible murders, and he had also been assisted by General Valencia and the Mexican authorities ; but up to the latest dates no clue to the authors had been discovered. As no robbery was committed, as the watch and money in the pockets of Egerton, together with the jewellery of the unfortunate woman, were left untouched, it is almost certain that the act, by whomsoever committed, was one of revenge. Egerton had a wife and family in England, and some two years since eloped with the murdered woman. He has since lived with her as his wife. Rumour also has it that this female was engaged to a young man in England, at the time of the elopement. Whenever Egerton left his residence at Tacuhaya, he locked her up, and never permitted her to go out except in his company. This circumstance was undoubtedly well known to the perpetrator of the murder. The whole affair is shrouded in mystery, and thousands of speculations are afloat in Mexico in relation to it. The one which receives the most credence is, that the murder was planned in England, and carried out by some acquaintance of the woman as a matter of revenge. Another story is, that Egerton had been involved in an amour with some fair Mexican ; but this received but little credit. Time only will solve the mystery.—*New Orleans Picayune.*

Copia del periódico *The Times* donde apareció la crónica de los asesinatos de D.T. Egerton y Agnes Edwards

—No vaya usted tan rápido, querido amigo —advirtió
Puchet—, pues como usted me dijo ayer, este asunto se complica cada vez más. A cada nueva información o pesquisa lograda corresponde un nuevo interrogante. Vea usted, enuncie-
mos las hipótesis: primera, si el Joaquín de la Bruja Lugarda
es el asesino, jefe de una cuadrilla de asaltantes que emboscaron
al señor Egerton y su mujer, les despojaron de casi nada, y
abusaron de ella, entonces confirmaremos que no teníamos razón
en nuestras suposiciones anteriores, compartidas por la opinión
pública no sólo de México sino de la propia Inglaterra y de Estados Unidos, en el sentido de que este crimen había sido premeditado y obra de una mente bien educada y quizá extranjera; sino por el contrario se trataría de un asalto vulgar y un
ataque de carácter sexual contra la joven señora, encinta en su
noveno mes, cometido por unos léperos y que demuestra la "falta
de civilización" y el "salvajismo" de los mexicanos. Si no fue
así se nos abren otras alternativas, de las cuales me parece
oportuno anotar inicialmente la que numeraremos como segunda: Ponciano Tapia ha mentido parcialmente, a causa de que
él, quizá con la ayuda de otros, cometió el doble homicidio y la
violación, por decisión propia, en un asalto eventual (en cuyo
caso el resultado es igual que en la hipótesis anterior) o quizá
por mandato de Luis Linares de la Parra, el dueño del obraje,
hermano de "La Bruja" —la suya don Leandro, no la mía, o
en todo caso, la del señor Egerton—, y si eso se comprueba
habrá que procesar al tal Linares junto a Ponciano, por supuesto, y la existencia de la señora su hermana tendrá que hacerse
pública igual que su relación con el pintor inglés, que es lo que
usted no quiere y yo trataré de evitar siempre y cuando su
pariente no sea el autor intelectual del asesinato; en este último
caso se tratará de un crimen pasional, dirigido y concebido por
un mexicano "decente" y rico, representativo de una buena
parte de la sociedad de la República, hijo de un insurgente con-
decorado, y de familia hasta ahora muy respetable, que no obstante todos esos atributos y responsabilidades mandó ejecutar
el homicidio por partida doble, usando a Ponciano y a otros
miserables que serán considerados matones profesionales; es
también una mala conclusión desde el punto de vista interno

D.T. Egerton: *Cerca de San Juan Teotihuacán*, en la tarde.
Acuarela. Colección: Hernández Pons

y de prestigio nacional, quizá menos mala en lo internacional, aunque pondría de manifiesto problemas religiosos, étnicos, el origen bastardo del pintor, su noviazgo con doña Matilde estando casado, el "machismo" de los mexicanos, etcétera. Tercera alternativa: Ponciano dice la verdad; él espiaba a Egerton porque Linares quería estar seguro de que el pintor no volvería a buscar a su hermana (de ahí la instrucción de que Tapia le avisara si lo veía dirigirse a Mixcoac, donde aquélla habita) y fue testigo presencial de un crimen eventual cometido conforme a la primera hipótesis, cuyas características ya consignamos, o de otro crimen distinto, ejecutado por el famoso Joaquín y sus asesinos, pero bajo mandato de alguien. Entonces estaremos ante la presencia de un delito más difícil de caracterizar; una venganza pasional, planeada por alguien que personalmente no es originario de México, sino extranjero, que actuó por motivos ligados a la vida personal del artista británico, como pueden ser el abandono de su esposa Georgiana (que nosotros ya habíamos descartado, creo que con razón) o el despecho de un prometido de doña Inés plantado en Inglaterra, quien pudo ordenar el homicidio desde allá o desde acá, en cuyo caso se tratará de un siniestro crimen pasional atribuible a una *vendetta* británica que no mancha para nada a nuestro país.

—Y por último . . .

—¡Cómo señor Puchet! —interrumpió don Leandro— ¿aún concibe usted otra hipótesis?

—Sí, amigo Iturriaga —respondió el juez—, y es la más misteriosa de todas, la menos descriptible, si no por su mecánica que podría coincidir con lo que sabemos, por lo menos con su motivación. Esta cuarta alternativa sería una totalmente desconocida, diferente, por su origen y el móvil que la impulsó, a las anteriores, la cual ni siquiera imaginamos y que no estamos en posibilidad de percibir o deducir de los hechos que conocemos y con la información que tenemos.

—Bueno, don José María —replicó Iturriaga—, pero esta cuarta hipótesis es una nebulosa; está tendida en el vacío, es como si todo lo que hemos avanzado en un año no sirviera para nada y hubiera que empezar otra vez; ésta me parece un poco tirada de los pelos, dicho sea con el mayor respeto para usted,

pues en lo demás de su brillante enunciación coincido personalmente.

—No crea usted, don Leandro —duplicó Puchet, sin negarse
a fijar la *litis* en la discusión—, todo puede ser, sobre todo lo
que ahora aún no conocemos o deducimos; en mi larga vida de
juez criminal, fiscal y asesor en los fueros Civil y Militar, me
he encontrado con muchos casos más sencillos que éste en los
que aquello que parecía una evidencia muy clara no lo era, y
en donde la verdad sólo pudo salir después, en ocasiones, tras de
que se cometía la gran injusticia de considerar culpable del delito a quien nunca lo había sido. Además, distinguido amigo,
he dicho que la mecánica de los hechos en sí puede ser la que
conocemos, con cualquiera de las variantes planteadas pero
que podría existir un móvil diferente, una potente causa distinta del robo, la violación, la pasión y el honor fraternales, la
venganza familiar o el despecho de un amante, que haya originado todo y haya movido la mano de los asesinos.

—Si usted lo dice, don José María, creo que algo así podría
haber aunque no es imaginable por mí; usted es el hombre de
experiencia. Yo me limito . . .

Iturriaga no pudo concluir la frase. Don José Cisneros entró
violentamente a la estancia y con un gesto impulsivo y una
voz nerviosa exclamó:

—Señor juez, dispense usted la interrupción. Me acaban de
informar que ha sido aprehendido don Mariano Otero y llevado
al cuartel del Batallón de Celaya.

EL DESPOTISMO DE SANTA ANNA iba en aumento. Desde el año
anterior enfrentaba el problema de la rebelión de los campesinos
del Distrito de Chilapa, que él atribuía al general Juan Álvarez.
Había enviado a don Nicolás Bravo a las montañas del sur, para
intentar su pacificación, cosa que no fue posible. El problema
se había originado por un pleito de tierras de los pueblos vecinos contra el hacendado Navarro y otros, haciendo valer los
títulos que a aquéllos les habían otorgado las autoridades virreinales desde el siglo XVIII a través de la Real Audiencia de
México. Los terratenientes desposeían a los indios y hacían
avanzar sus bardas por las noches, hasta que se inició la rebe-

lión con matanzas e incendios de haciendas y ranchos. La correspondencia entre Tacubaya (don Antonio) y La Providencia (don Juan) ya no era la de unos viejos amigos y compañeros de armas, sino la de jefes de dos partidos intercambiando acusaciones y luchando por el predominio político en la Costa Sur. Durante su breve interinato de 1842, el sureño Bravo había emitido un decreto declarando a Acapulco "puerto de depósito" y Santa Anna lo había derogado al retomar el poder, lo que exacerbó más los ánimos. La noche del domingo 30 de abril de 1843 había sido arrestado, conducido primero a Palacio Nacional y luego a una celda del noviciado de San Agustín, el ex presidente de la República don Manuel Gómez Pedraza, denunciado como "conspirador y principal director" de un movimiento revolucionario que debía estallar en el sur, acaudillado por el general Álvarez, cuyas "comprometedoras cartas" a Pedraza habían sido entregadas por el supuesto intermediario de ambos, Luis Ocampo, a un ayudante de Santa Anna, presentando como "señal" convenida entre los conjurados el "eslabón" con que don Juan Álvarez encendía fuego y que traía grabadas sus iniciales.[109] Aprovechando lo anterior el martes siguiente habían sido detenidos también los señores Lafragua y Riva Palacio así como el joven tribuno don Mariano Otero, a quienes difícilmente podía probárseles participación alguna en la pretendida o real conspiración. No sólo don José María Puchet y don Leandro Iturriaga, sino los editores de *El Siglo XIX* —diario en que el jalisciense escribía— y una buena parte de la opinión pública protestaron contra su detención y la de los otros distinguidos políticos. Aquella mañana, mientras el juez y su escribiente quedaban en la prisión, Iturriaga trató de establecer contacto con Otero en el cuartel del Batallón de Celaya, pero se topó con que estaba *incomunicado*, según le informó groseramente la guardia militar.

Unos días después don Leandro y don Carlos María de Bustamante se encontraron en la esquina de la calle de San Francisco y el callejón de La Condesa frente a la Casa de los Azulejos y comentaron las absurdas aprehensiones y el mal ambiente que habían levantado contra el gobierno. Don Carlos defendió

[109] Fernando Díaz y Díaz, *op. cit.*

a Gómez Pedraza de las imputaciones que se le hacían, asegurando saber que las supuestas cartas del general Álvarez eran sólo copias sin firma, por lo que podían ser faslficadas y no probaban nada.

—En cuanto respecta al señor Otero —agregó el anciano historiador—, digo que me consta de su inocencia, que se le avisó que el gobierno lo traía entre ojos, y que sin duda lo prenderían, y no quiso tomar fuga; antes por el contrario, indicó la imprenta donde vivía (la de don Ignacio Cumplido) para que no tuviesen mucho trabajo en buscarlo. ¡Pobre joven! Su edad no le permitió conocer cuánto importan las palabras del refrán castellano que dice: "Más vale salto de mata que ruego de hombres buenos." Una franqueza así se reserva cuando un hombre de bien se presenta ante tribunales justos e imparciales, no ante tribunales de gente ruin y vengativa que no conoce la justicia, el honor y la decencia.[110]

Don Leandro coincidió con él, respondióle una pregunta casi obligada ("a propósito de la justicia") respecto a las pesquisas en el crimen de Egerton, sobre el cual no le dijo nada de lo muy importante que sabía, y se despidió de él con prisa. Había conseguido que el general José María Tornel, quien seguía siendo secretario de Guerra y que como él había nacido en Orizaba, le extendiera un salvoconducto especial para penetrar en el cuartel y poder entrevistarse con Otero. Así lo hizo y tan pronto presentó el documento fue introducido a un salón, al cual llegó unos minutos después su amigo don Mariano, muy demacrado y con la barba crecida. Se abrazaron con afecto; el robusto jalisciense parecía haber enflaquecido por las privaciones de los últimos días, pero conservaba su serenidad y pudieron conversar no sólo del injusto procedimiento al que sometía a los detenidos el auditor Florentino Cornejo, sin acusación ni formación de causa, sino también de otros acontecimientos políticos.

—El gobierno de Santa Anna se está descarando —afirmó Otero— y ya transita por el camino del despotismo. Impotente para organizar un verdadero Ejército a fin de recuperar Tejas, debido a la penuria en que vive la nación y la deuda extranjera —como se lo hizo ver el año pasado nuestro "Gallo Pitagóri-

[110] Bustamante, *Apuntes para la Historia . . . , op. cit.,* p. 141.

co"— y también incapaz para controlar disturbios internos como los del distrito de Chilapa, ahora "inventa" una conspiración revolucionaria a cargo del general Juan Álvarez y don Manuel Gómez Pedraza, y nos involucra también a nosotros, los liberales y federalistas que no nos cansamos de decirle que el centralismo nos llevará a perder nuestras otras provincias del norte, como Nuevo México y las Californias. Recuerde usted que el 31 de marzo pasado apareció en el propio *Diario del Gobierno* el parte no oficial de la inaudita expedición del comodoro Jones, comandante de las fuerzas navales de los Estados Unidos en el Pacífico, cuando invadió la indefensa bahía de Monterey, en la costa californiana. Apenas es creíble que un marino norteamericano se atreva a publicar un llamado a los mexicanos de ese lugar, en donde aseveró que había llegado "con las armas pero no a esparcir los terrores de la guerra"; cuando lo que en verdad hizo fue apoderarse del puerto, destruir sus defensas y excitar a la rebelión a sus habitantes, con el pretexto de que México le había "declarado la guerra a su país", lo que Washington aclaró después sin darnos ni una mínima excusa por el bárbaro comportamiento de su comodoro. Pero todo ello, señor Iturriaga, se debe a que Santa Anna, a pesar de su inmenso poder, es infinitamente débil y a que el país ya no le responde. El centralismo y la inestabilidad interna propician que nuestros codiciosos vecinos se preparen para anexarse Tejas, como lo han deseado siempre y después para irse hasta el Pacífico. Y mientras tanto el gobierno se ocupa de encarcelar sin motivo a sus adversarios políticos que lo criticamos con todo derecho haciendo uso de la libertad de expresión. ¡Hágame usted favor! Yo tiemblo, don Leandro, por la división de la República, y por lo mismo rechazo el centralismo, esa institución funesta que apenas ensayada en Colombia produjo la división y que entre nosotros precipitó el suceso de Tejas, como hemos dicho hasta el cansancio, y también los de Tabasco y Yucatán, y sembró en todos los departamentos, con el descontento general, el triste germen de la división y el deseo de la independencia, germen cuyos frutos no quiera Dios que cosechemos.

Luego, tomó aliento y continuó su apasionada perorata que revelaba en él un hombre entero y maduro a pesar de las privaciones de la cárcel y la humillación del encierro, que por lo visto no lo doblaban:

—Acaso olvidamos la terrible vecindad que nos tocó en suerte; quizá nos desentendemos de que ese pueblo fuerte, poderoso y emprendedor avanza sobre nuestro territorio por la ley que ha arrojado siempre sobre el Mediodía a los hombres del Norte, y que ellos sueñan ya en la posesión de nuestro rico territorio como en la tierra prometida, y si olvidamos que no se debe oponer contra la civilización más que la civilización misma, nosotros debemos igualarnos con ese pueblo para vencerlo; día llegará tal vez, señor Iturriaga, en que no sólo corran la suerte de Tejas esos departamentos abandonados a la desesperación que son hoy nuestra única barrera sino que, como decía el señor Gutiérrez Estrada, se rece la liturgia protestante en las catedrales del interior y sobre México flote la bandera de las barras y estrellas.[111]

Don Leandro subrayó:

—Dios no lo permita don Mariano; los buenos mexicanos debemos oponernos en todo tiempo a esos ambiciosos designios. Pero lo que importa ahora es ayudar a usted a que salga de aquí. Dígame qué puedo hacer.

—Nada, don Leandro —contestó Otero—; por la sencilla razón de que no se nos ha formado causa, no hay acusación que combatir o refutar ni prueba alguna que rendir; nuestra prisión es un capricho del gobierno que trata de enlodar a ciudadanos responsables como nosotros. Nadie estaba en mejor posición que yo para poder aprovechar las circunstancias declarándome amigo del orden, pero en realidad soy enemigo constante de los excesos con los que se ha manchado la causa de la libertad, como la odiosa disolución de nuestro Congreso al final del año pasado. Yo no necesito, para hablar en favor del orden, de apelar a los desengaños de la experiencia ni a la madurez de la edad, ni tampoco vengo a acreditarme de moderado ahora que es tan fácil, tan cómodo y tan útil hacerlo. ¿Se cree acaso que las imputaciones injustas que ahora se me hacen —palabras vagas y sin sentido a las que puedo responder con hechos irrefragables— me

---

[111] Discurso del once de octubre de 1842. Otero, *op. cit.*, t. I, pp. 323-324.

harán callar? No, señor, mucho tiempo llevo de ser odiado como *servil* para que me asuste ahora la calificación de *sans culotte*. He defendido siempre mis principios contra el poder triunfante, y ahora estas pocas palabras sólo las he dicho, no tanto en uso del derecho de defensa sino porque veo que se quiere desacreditar a la causa, que debe ser preservada de los sofismas con los que se le ataca.

—Pero, don Mariano, tiene que haber algo que podamos hacer... —insistió Iturriaga.

—Muchas gracias, don Leandro —replicó Otero—, nuestra situación se debe a la política y por la política se resolverá. Es una lástima que no tengamos el juicio de amparo que adoptó la legislación yucateca, para precavernos de este tipo de violaciones a nuestras garantías; pero yo estoy seguro de que Santa Anna ha cometido un grave error al encarcelarnos y pronto tendrá que dejarnos libres. Le agradezco mucho su visita y espero verlo nuevamente por aquí, si a usted no le molesta visitar a un preso —dijo con una débil sonrisa, mientras chirriaban los gonzes de una vieja puerta y el cabo de Guardia llegaba para decir a los dos amigos que la audiencia había terminado.

EL JUEZ PUCHET cavilaba y cavilaba. Estaba nervioso, pues sabía que se encontraba cerca del fin de su pesquisa, pero que tenía que manejarse con gran cautela ya que en este asunto importaban la verdad de los hechos y el ajusticiamiento de los responsables pero también el prestigio de México y de su sociedad frente a las naciones extranjeras. Dicho en otras palabras, el asunto no sólo era judicial sino político, y su propio nombramiento lo demostraba. El Presidente provisional había hecho a un lado prudentes reflexiones de derecho constitucional y las normas de procedimiento vigentes en México desde los tiempos del virreinato, para asignar la causa a un magistrado especial. Recordó lo que le dijo el ministro de Justicia e Instrucción Pública, don Pedro Vélez, cuando le había prácticamente obligado a aceptar el cargo: que la República confiaba en él por su hábilidad y también por su buen juicio. Esto es, que Puchet tendría que tener éxito y salir avante de tal manera que la justicia, la razón y el honor del país quedaran a salvo en este asunto ya tenía dos nombres importantes —Lugarda y Joaquín—, y una zona de la ciudad —el Salto del Agua— para culminar su investigación; estaba seguro de que en este caso la información del delator Ponciano Tapia era cierta, por las condiciones tan especiales que habían mediado en su confesión, retenida por más de un año. Reparó una vez más en que tenía que salvar al tal Ponciano de una muerte segura a manos de los posibles cómplices del misterioso Joaquín, quienes seguramente tendrían conexiones dentro de la ex Acordada, o del propio español Abraham de los Reyes, el capitán de bandidos que podría ser amigo o compinche del amasio de "La Bruja" y quien también se encontraba ahí. Por tanto nadie debería de saber, más allá de Cisneros y el señor Iturriaga, que los siguientes movimientos del juez instructor partían de una denuncia hecha por Tapia, a quien todavía se consideraba el principal sospechoso gracias al mensaje de la penca de maguey de Xola. ¿Cómo hacer? Tendría que inventar algo para ocultar ese origen y ponerlo en práctica rápidamente. Decidió entonces llamar a una persona de su confianza para que lo ayudara en la aprehensión y mentalmente la escogió. Sería un amigo suyo, de sus épocas de Fiscal Militar, el coronel don Cristóbal Gil de Castro, quien lo había visitado recientemente pues acababa de ser víctima de un asalto en las cercanías de Tacubaya y buscaba a los malhechores. Él podría incorporarse a la investigación particular de Puchet sin que los alcaides de la ex Acordada, los policías de la Prefectura ni los oficiales de la Comandancia de la Plaza sospecharan nada, pues de lo contrario la noticia se esparciría, los indiciados se esconderían y Ponciano Tapia pagaría muy cara su delación. Llamó al coronel Gil de Castro y por fortuna encontró en él una gran disposición para cooperar, atraído por la posibilidad de que la cuadrilla que había asesinado a don Florencio y a doña Inés hubiera sido la misma que le había despojado de su reloj y algunas pertenencias valiosas hacía unas semanas. Al coronel le interesaba, sobre todo, reponer su honor de militar befado por los asaltantes, de los cuales había aprehendido a uno que no pudo o no quiso dar mayor razón de sus cómplices. Puchet y Gil de Castro se pusieron de acuerdo mediante una larga conversación en la cual planearon toda la estrategia a seguir para identificar, localizar y aprehender a "La Bruja" Lugarda, y a su esposo o amante Joaquín, así como, de ser posible, a sus compinches, haciendo aparecer todo como una incidencia de la investigación que el propio militar estaba realizando sobre el asalto del que había sido víctima unos días antes, precisamente en el camino de Tacubaya a Mixcoac. Y así procedieron. En el legajo cuarto del voluminoso expediente del proceso y en las noticias que fueron apareciendo en los periódicos, especialmente en *El Observador Judicial* y en *El Siglo XIX*, la narración oficial de los hechos (que después sería publicada en el extracto de la célebre *Causa*) fue concebida en los siguientes términos:[112]

> En todos los setenta y tres viajes que el juez hizo a los pueblos comarcanos para descubrir, de acuerdo con los jueces de Paz y los de Letras, a algunos de los delincuentes conocidos de la capital que ordinariamente se abrigan en ellos, encargaba a todas las personas que se le ponían al paso, lo auxiliasen, así por su propio interés como por el de la vindicta pública. Habló en este sentido a un jefe del Ejército a quien encontró en Tacubaya y que era de los más a propósito, porque habiendo vivido allí muchos años, y obtenido diversas ocasiones cargos públicos, conocía muy bien a todos los vecinos marcados por su mala conducta, y a sus amigos y enemigos. Acaeció posteriormente que este mismo jefe fuese asaltado y lastimado por dos ladrones al salir de Tacubaya por el camino de Mixcoac, y aunque pudo prender a los delincuentes, como temiera que tuviesen compañeros, los solicitaba con ahínco, explicando, como era natural, que el sitio donde había sido asaltado estaba cercano al que se halló a la Edwards. Conversando sobre el particualr con una comadre suya, ésta le dijo que se hallaba ignorante del asalto que había sufrido; pero que ya que se trataba de la muerte de los ingleses, recordaba que una mujer, su conocida, le había contado que a su casa se había llevado una ropa ensangrentada. El mencionado jefe, cumpliendo con su encargo, puso en conocimiento del juez esta conversación y llevó consigo a la comadre con quien la había tenido; y como ella la ratificase y se pudiera persuadir del mal que había hecho en no dar por su parte oportuno aviso, para reparar su falta se comprometió a solicitar a la mujer de la que había adquirido la noticia. Así lo verificó a los tres

---

[112] *Op. cit.* Hay una reedición hecha por el INBA y la Universidad Autónoma Metropolitana en 1988. Selección y Prólogo de Enrique Flores.

días, presentando en el tribunal a Juana Isidra Gamboa, la cual explicó que hallándose amancebada con un aguador, vivían en una accesoria de la llamada casa "de la Chinampa", situada en el barrio de El Salto del Agua, y en ella hospedaba a Petra Portugal y a su amasio Julián González, el cual hacia la mitad del año de 1842 faltó una noche, y a la madrugada siguiente, acompañado de otros tres hombres, llevó un sombrero blanco de pelo, un túnico de indiana, unas enaguas de franela y una camisa y calzoncillos blancos de mujer, cuya ropa, como estaba ensangrentada, la lavó la Portugal y Lugarda García, mujer de uno de los compañeros de González; y ya limpia, la desfiguraron, y se la volvieron a llevar, sin duda para venderla mejor. Aseguró que el túnico, cuyas señas dio, era exactamente igual al pedazo de vestido que se le manifestaba, y agregó que González se encontraba en la ex Acordada; en las obras públicas uno de sus socios, que era tuerto; el otro, llamado Joaquín Aguilera, se encontraba de carretero de camino; y el último era un cargador, a quien había visto con posterioridad por las calles de San Juan; concluyendo en que todo lo expuesto lo habían comunicado a Ponciano Tapia, su amigo amasio, quien para aprovecharse de ello, revelándolo a la justicia, la encargó solicitar al carretero y cargador, lo que no había conseguido.

A González se encontró en efecto preso en la ex Acordada por otro asalto en cuadrilla verificado en una casa de esta capital; y la jurisdicción militar que lo procesaba lo dejó inmediatamente a la disposición del señor Puchet. Entre siete reos tuertos que se hallaban en diversos depósitos de obras públicas, fue desde luego identificado Lorenzo Corona, por la Gamboa, la cual también designó al cargador, que es Marcelino Cortés, y a las mujeres Petra Portugal y Lugarda García; y como ésta declarase que se hallaba abandonada de su marido Joaquín Aguilera, que recientemente le había escrito pidiéndole dinero para salir de la cárcel de Toluca, se exhortó a aquel juez, quien informando que lo procesaba por un robo verificado en Lerma, lo remitió con la partida de policía destinada a conducirlo; por manera que a los quince días de recibida la primera verdadera denuncia, estaban ya asegurados cuantos intervinieron en los crímenes.

Todos ellos, que como lo indican sus ocupaciones, pertenecen a la clase más miserable del pueblo, negaron al principio; pero convencidos después, confesaron las circunstancias, que ocurrieron, del modo siguiente:

Reunidos a las 5 de la mencionada tarde del 27 de abril en la plazuela del Salto del Agua, salieron para Tacubaya o con el objeto de dar un paseo, o para divertirse en un bai-

le, o para visitar a la amasia de uno de ellos, pues nunca se
quisieron conformar en el verdadero pretexto; en cuyo acto
iban preparados, Cortés de una arma angosta y larga; Aguilera
de un bayoneta, que de intento fue a buscar a su casa; y
González y Corona ninguna arma tenían, pues antes bien el
último llevaba una guitarra pequeña, de las que llaman "jara-
nitas". Emprendieron su viaje por la garita de Belén después
de haber bebido medio de aguardiente; y como marchaban a
pie, llegaron cuando ya había oscurecido a dicha villa, que
atravesaron, y a un extremo volvieron a beber tres "tlacos" o
tres cuartillas de pulque. Entonces uno propuso sorprender a
cualquiera que encontrasen, para ver si tenían medio, o un
real, y tomaron el camino de Nonoalco. Anduvieron la grande
distancia que media entre su principio y el punto que llaman
la Pila Vieja, donde se encontraron de frente con Egerton y la
Edwards. Marcándoles el alto, los acometieron tres sobre los
cuales Egerton disparó una pistola, que a ninguno ofendió, y
entonces uno de los agresores lo aseguró por la espalda y el
otro le comenzó a tirar diversas estocadas que le quitaron
la vida en el momento. Quedándose dos con el cadáver, y
registrándolo uno de ellos, que le robó sólo real y medio o dos
reales que llevaba en una bolsa, los dos restantes condujeron
a la señora, no sin trabajo, por la loma recién barbechada,
hasta unos árboles del Perú, donde la derribaron, desnudaron,
hirieron y golpearon con tanta crueldad como manifestaban
las señales de su cuerpo, sin que a ella se le oyesen más voces
que las de "Jesús, Jesús", después de las cuales quedó muerta.
Dejaron los cadáveres en sus diversos sitios, y uniendo a la
ropa de la infeliz señora el sombrero de Egerton, del que se
habían apoderado al matarlo, regresaron como a las 8 de la
noche por los potreros que lindan con los del pueblo de La Piedad. Allí algunos de los agresores durmieron dentro de una
zanja hasta poco antes de la aurora, cuando entraron a la
ciudad por el punto fuera de garita nombrado El Caballete
desde el cual se dirigieron a la casa de la Chinampa, donde
se hospedaba Julián González. Asegurado en ésta el robo, se
dispuso que la ropa ensangrentada se lavara, para lo cual Joaquín Aguilera ofreció a su mujer Lugarda García y fue por
ella a su casa. Limpia la ropa, González y Aguilera previnieron
a estas dos mujeres la desfiguraran, como lo verificaron; convirtiendo el túnico en enaguas, descosiendo el holán de los
calzoncillos, formando dos pañuelos del tápalo negro, y qui-
tando del pecho y mangas de la camisa las jaretas que tenía,
para que les fuese más fácil la venta de todas estas prendas,
que en efecto verificaron las mujeres, Aguilera y González
entre la misma tarde del 28 y la siguiente del 29 de abril en

el baratillo del Factor, por 12 reales, que repartieron tres de los agresores entre sí, sin haberles participado cosa alguna a las mujeres, a las cuales tampoco quisieron comunicar el delito que habían cometido, pues cuando éstas, sospechando algo por la sangre que manchaba la ropa, les preguntaron de dónde procedía, ellos les respondieron que no les importaba, y con palabras desvergonzadas las intimidaron para que obedeciesen sus prevenciones, y les prestaran la ayuda referida. El sombrero de Egerton fue vendido en 4 reales desde la mañana del 28, probablemente por Lorenzo Corona; de lo que resulta que la utilidad total que los agresores sacaron de su delito, fue de 17 y medio, o a lo sumo 18 reales, contando con la cantidad que extrajeron a Egerton del bolsillo. Cuál fuese el motivo porque maltrataron a la Edwards, tanto que uno de los reos dice que el otro se arrojó sobre ella como un perro, no lo quisieron explicar, conviniendo unánimes en que ninguno la había disfrutado carnalmente; y en cuanto a la parte individual que tomaron en los hechos mencionados, tampoco la expresaron, pues afirmándose en que había pasado como queda referido, todos intentaron persuadir que se habían quedado atrás, y cada uno dijo que había sido simple testigo de los actos de los demás.

ESO ERA LO QUE CONSIGNABA el expediente: la *verdad legal* sobre el doble asesinato confesada por sus cuatro autores. Puchet los había interrogado al revés y al derecho y el resultado había sido precisamente ése, expresado con relativa fidelidad (y el comprensible deseo de hacerlo más creíble) por el escribano Cisneros, acostumbrado a convertir en prosa judicial la jerigonza de los detenidos por razones penales, quienes, en su mayoría, eran léperos tan faltos de ilustración como estos cuatro. Parte de la opinión pública aceptó que por fin la justicia había triunfado en el caso Egerton-Edwards y que la vindicta pública estaba satisfecha: se había tratado de un vulgar asalto, un ataque eventual cometido por unos delincuentes más o menos habituales, con el ánimo de robar al pintor y de violar a la mujer, impulsados por los humos del "chinguirito". Una historia que se repetía muy seguido, y que era como tantas otras semejantes. Las personas de bien eran robadas o asesinadas por la escoria de la gran ciudad; los indios seguían atacando a los blancos: oscura lucha racial, atávica venganza de los conquistados contra los conquistadores, de los desposeídos contra los que tienen, pobres contra ricos, en fin, ¡válganos Dios, a dónde vamos a parar; la gente decente ya no puede salir a la calle! El doble crimen de 1842 había prometido ser algo sensacional y acabado en 1843 como el parto de los montes. En lo de siempre. ¡No era explicable que el gobierno hubiera tardado tanto en descubrir a los autores y agarrarlos! Ahora sólo era de esperarse que los condenaran a muerte como se lo merecían, para quedar bien con la Inglaterra y que todo volviera a ser como antes. Total, los difuntitos habían sido una pareja de amancebados y para colmo protestantes. ¡Dios los había castigado por sus pecados!

¡Crimen de verdad, el del cónsul suizo, hacía unos cuatro años! Ése si tuvo de todo, y nada de común y corriente. Damas, frailes, caballeros y sirvientes, posaderos y sastres, dependientes de los cajones y sacristanes se acordaban muy bien de ese sucedido y lo volvían a contar ahora a quien quería oírlos.[113] El cónsul suizo había sido asesinado en su céntrica casa de San Cosme, en México, en pleno mediodía. Un coche llegó hasta su puerta, del que descendieron tres hombres vestidos como sacerdotes. Cuando les fue franqueado el ingreso cogieron y amordazaron al portero, entraron violentamente a la habitación en que el cónsul se encontraba y lo mataron a puñaladas. Luego robaron todo lo que encontraron a mano y se fueron. Nadie supo quiénes eran o de dónde habían venido, pero el diplomático victimado, en su última resistencia, había arrancado un botón de la chaqueta de uno de los asaltantes, el cual se encontró dentro de su mano crispada. Las sospechas recayeron en un soldado que fue visto con más dinero del que razonablemente podría disponer; sus habitaciones fueron cateadas y se encontró que a una de sus chaquetas le faltaba un botón, idéntico al aparecido en la mano del muerto. Quedó convicto y confesó pero después solicitó el indulto al presidente Santa Anna, a través del coronel Yáñez, su jefe de Edecanes. El perdón fue

---

[113] El siguiente relato fue extraído de D.T. Egerton, *Panorama Royal*, p. 11. También lo consignan otros autores de la época y es curioso que Enrique Flores inicie su comentario sobre el doble asesinato de Tacubaya diciendo que fue "más impactante aún que el proceso seguido a la gavilla de asaltantes del coronel Juan Yáñez", cuyas hazañas refiere Manuel Payno en *Los Bandidos de Río Frío, op. cit.*, p. 7.

denegado. Conducido al fin al lugar de la ejecución y sentado en la silla fatal donde los criminales son estrangulados, gritó: "¡Alto! ¡Voy a revelar el nombre de mis cómplices!", y pronunció, entre otros, el del coronel Yáñez como jefe de la banda. La casa del militar fue cateada inmediatamente y se encontró en ella una carta cifrada que reveló su conexión con ése y otros robos. Esa carta se puso en manos de un juez, al que le fue ofrecida una gran suma de dinero para que la destruyera, pero él se rehusó terminantemente. Pocos días después el magistrado fue encontrado muerto, probablemente por la acción de un veneno. El documento fue transferido entonces a otro juez, a quien le fue ofrecido el mismo soborno y que prometió destruir la evidencia pero después de confesarse con un sacerdote —aunque se quedó con el dinero— preservó la carta y guardó silencio. Yáñez fue sometido a juicio y, creyendo que el documento ya no existía, desestimó los cargos. La carta fue exhibida y el jefe de Edecanes del poderoso Santa Anna fue condenado y ejecutado. ¡Ése había sido un crimen folletinesco y romántico, no como el de los ingleses que prometía mucho pero que acabó convirtiéndose en un suceso vulgar!

Otros pensaban de manera distinta. Y no eran pocos. Decían que aquellos cuatro miserables eran unos "chivos expiatorios", escogidos por el gobierno para no perder fachada y demostrar que México era una "nación civilizada" y que su justicia sabía cumplir su cometido y castigar a los criminales, especialmente a los que mataban extranjeros. Que, por tanto, el crimen no estaba solucionado, pues los presos eran inocentes, o cuando más, instrumentos ciegos de intereses más altos que se ocultaban en la sombra. "Sufrirán justos por pecadores", decían los más perspicaces en fondas, tertulias y oficinas. "Alguien importante mandó matar a los ingleses y estos pobres diablos pagarán el pato." El gobierno arregla siempre así las cosas, los indigentes son condenados y los ricos se salvan. Si no robaron al pintor y a su mujer, si no les quitaron nada, si los vejaron con sevicia, si a ella la violaron con saña a pesar del embarazo, si les dejaron un letrero con su nombre y domicilio escritos en letra inglesa, ¿quién había dirigido todo? No, por cierto, un carretero, un criado, un tuerto y un jaranero, todos iletrados y de una inteli-

gencia claramente mediocre. Ese crimen era producto de una
venganza, un sacrificio propiciatorio en aras de algo, de una pasión seguramente, pero no un hecho circunstancial. ¿Se había investigado la vida de las víctimas en Inglaterra? ¿Qué había
pasado con la correspondencia del artista? Se necesita ser berengo para aceptar la versión oficial. Ni siquiera el juez Puchet
nos puede convencer de que todo pasó como se dice. Manos
poderosas sin duda, como casi siempre. ¿A quién protegen?
Aquí hay "gato encerrado", pero quizá nunca se sabrá la verdad pues muchos intereses se oponen a ello. "¡Santa Anna tiene la culpa de todo!" Según estos, el folletín estaba aún por
escribirse.

El propio juez Puchet estaba bastante confundido. Ya
empezaba a recibir felicitaciones por su investigación, pero las
agradecía con una mueca de desagrado. ¿Todo resuelto? Él lo dudaba, pero no podía expresar sus sentimientos ante los demás. Al
único al que confió sus aprensiones, aparte de a don Leandro
Iturriaga que había seguido el hilo de todas las pesquisas, fue
a don Manuel Baranda, quien el 18 de julio había sido nombrado ministro de Justicia en sustitución de don Pedro Vélez,
que había regresado como magistrado a la Suprema Corte. Pero
Baranda le dijo que no tuviera ninguna duda, que *él* (como si
hubiese conocido todo el proceso) estaba seguro de que *aquéllos*
eran los asesinos y *nadie más*, y que Puchet debía considerarse
muy satisfecho de haber resuelto tan delicado asunto. Ahora
nada más faltaba que le diera *celeridad* a la causa y que *con-
denara* a los reos, casi todos reincidentes o contumaces, a la
pena más severa.

—Un juez —agregó— no puede tener duda alguna sobre
sus propias actuaciones pues si lo hace pone en riesgo a la justicia, y la noción de seguridad jurídica que es tanto o más
importante que aquélla.

Puchet ya no insistió en sus dudas ante Baranda. Pensó
que todavía tenía tiempo para meditar y continuar las investigaciones mientras la causa seguía, llegaba a sentencia y se
resolvía la apelación que seguramente habría de presentar el
procurador Francisco González de González, principal encargado de la defensa de los reos.

Saltaba a la vista la miseria y la ignorancia de estos últimos: Julián González, casado, albañil de 34 años de edad; Marcelino Cortés, casado, cargador y antiguo panadero, de 25; Joaquín Aguilera, de ejercicio carretero en la casa del señor Faure, un francés que se dedicaba al negocio de carga, 28 años; Lorenzo Corona, soltero, de 19 años (menor de edad), criado doméstico; y Petra Portugal y Lugarda García, la auténtica "Bruja", mujeres miserables que alquilaban sus brazos y a veces todo el cuerpo por unos cuantos reales. Los cuatro hombres bien podrían haber ejecutado el doble crimen en su aspecto material, pero si éste no había consistido en un vulgar asalto, en un hecho circunstancial o eventual, para el que le faltaban muchas condiciones usuales, los cuatro individuos no poseían la inteligencia suficiente para urdir una complicada trama, establecer vigilancia sobre las víctimas, aprovechar el paseo previamente detectado, y además carecían de móvil. No había habido robo. Juraban que ninguno había usado carnalmente a doña Inés, aunque la trágica evidencia de la violación y el aborto provocado eran contundentes. Aparentemente mentían al decir que Egerton les había disparado con una pistola, por tres razones: la primera, que el disparo hubiera alertado a alguien en las cercanías de Pila Vieja, especialmente al cura don Manuel Chica, que a la hora del crimen buscaba a su perro por ahí y no había oído la detonación; la segunda, que la pistola propiedad del pintor, junto con su rifle, se habían encontrado en la Casa de los Abades, descargados ambos, sin huellas de disparo reciente, y habían sido incorporados al inventario hecho por Charles Byrn: el propio Puchet tuvo en sus manos dichas armas y las había examinado con atención; la tercera, que la pistola —en caso de tratarse de una segunda— no había aparecido por ninguna parte, y ninguno de los cuatro reos la había recogido para usarla o venderla, así como tampoco habían despojado a los cuerpos de anillos y cadenas de oro bastante valiosos. Por otra parte, aun suponiendo que los reos mentían en lo del disparo por pretender que mataron a Egerton en legítima defensa (lo cual era absurdo), había que pensar en otros puntos no resueltos, entre los cuales figuraba muy prominentemente el por qué había aparecido sobre el cuerpo de doña Inés un letrero con las palabras "Florencio Egerton. Casa de los Padres Abades. Tacubaya", escrito de puño y letra del artista, si los acusados confesaban haberlo asesinado antes que a la mujer y no conocer quiénes eran las dos víctimas ni haber visto jamás aquel cartón con caligrafía inglesa, que además ninguno de ellos podía haber escrito pues todos ignoraban ese arte.

Puchet se encontraba bastante frustrado, mientras muchas personas lo ensalzaban y le palmeaban la espalda y sus superiores le urgían que violentara la causa y la sentencia condenatoria. Además de los anteriores dilemas no resueltos que lo acongojaban y desafiaban una vez más su sentido de la lógica y su capacidad deductivo-inductiva, don José María dudaba a estas alturas hasta de la delación hecha por Ponciano Tapia bajo juramento. ¿Por qué ocultó que su ex amante Juana Isidra Gamboa le había revelado la historia del túnico ensangrentado y que un carretero (Joaquín Aguilera) y un cargador (Marcelino Cortés) habían tomado parte en el asesinato? ¿Por qué, en cambio había lanzado a la justicia tras el paradero de la "Bruja" Lugarda? Puchet intentó contestar sus propias interrogantes: Tapia había querido dejar fuera de la delación a la mujer Gamboa para no involucrarla pues sabía que en su Casa de la Chinampa estaban como "arrimados" Petra Portugal y su amasio, lo que podía traerle responsabilidad. Era un acto muy comprensible en alguien como Ponciano, que sabía callar lo que según su peculiar código de honor no debía decir. Seguramente la Gamboa le había proporcionado información suficiente como para imaginar que el tal Joaquín había puesto el mensaje en el maguey de Xola, pero esto no podía ser posible pues en la fecha en que apareció la famosa inscripción Aguilera se encontraba ya preso en la cárcel de Toluca, según había comprobado Puchet, y además no sabía escribir. ¿De quién había sido entonces la tendenciosa mano que grabara la acusación contra Ponciano Tapia "y otros dos"? Y la gran pregunta: ¿Habría presenciado Tapia los hechos o los habría construido de acuerdo con una posible narración de Juana Isidra Gamboa, a quien pudo referirlos Petra Portugal? En ese caso, ¿por qué se había arriesgado a asegurar que él se hallaba aquella noche en el lugar del doble crimen? ¿Qué papel jugaba en todo esto don Luis Linares de la Parra?

Puchet no pudo dormir aquella noche. Como una obra teatral inconclusa pasaban frente a sus ojos las incidencias de la causa, los cientos de interrogatorios practicados, las caminatas por Tacubaya, Mixcoac, Tecoyotitla, San Ángel, La Piedad, Becerra, Pila Vieja, el rancho de Xola. Volvía a ver la penca con aquellas frases acusatorias que al fin y al cabo habían servido para desenredar el hilo de la madeja: pero era una penca gigantesca de un maguey enorme, y en sus puntas espinosas se encontraba traspasado como con seis espadas el pintor Egerton a quien él nunca conociera, pero que ahora parecía reclamarle que cumpliera bien su papel de juzgador, que no se fuera a equivocar, que no dejara las cosas a medias. También surgían otras caras en esas visiones de su angustia: la de Vicente Tovar, sufriendo la pena del garrote en el patio de la ex Acordada, que se iba poniendo negra como una máscara de Semana Santa; la gesticulante de Ponciano Tapia, el embustero, el ladino a quien él tenía que proteger, como correspondía hacer con todo buen delator que compra esa protección con sus informaciones; las de las seis "Brujas" que no eran y la de la que sí había sido; las de los cuatro presuntos asesinos, bailando alrededor de él, de Puchet, una extraña danza sincopada, armados de una bayoneta y un cuchillo largo, al ritmo de una música de jaranita, todos oliendo a pulque y aguardiente, en un crepúsculo que agonizaba.

Tenía cita en la casa de don Leandro, en la calle de Regina, y se lavó la cara y manos en el servicio de porcelana francesa, blanco con flores de lis, colocado junto a su *chiffonier*. Se vistió con una levita azul, un pantalón ajustado de color paja, anudó la corbata de plastrón alrededor del cuello de su sencilla camisa plisada y tomó su sombrero gris de copa chica, que decían no estaba de moda pero que a él le gustaba mucho. Recordó, mientras se veía en el espejo, aquellos tiempos en que usaba uniforme, como asimilado que era en el fuero militar, y se estremeció. En este país gobernado por generales era mejor distinguirse, vestir de paisano y usar el derecho como instrumento de trabajo en lugar de la espada, aunque a veces con la ley también había que matar al prójimo. Puchet ya dudaba hasta de la conveniencia social y la justificación moral de la pena de muerte. Repasaba sus cuitas de la noche anterior; el insomnio le había dejado unas ojeras indiscretas, y mientras se peinaba pensó que quizá la plática que en breve tendría con los hermanos Luis y Matilde Linares en la mansión del señor Iturriaga le sería de utilidad para darle alguna luz en este extraño caso que todos estaban seguros ya se había concluido mientras él sentía, creía o intuía que no era así.

La personalidad y la belleza de Matilde Linares de la Parra impresionaron vivamente al juez José María Puchet, quien había puesto en duda la descripción de la esbelta morena hecha por don Leandro Iturriaga. Ahora pensaba que el orizabeño se había quedado corto en los elogios prodigados a su figura y a su gracia. Matilde ya no estaba angustiada pues la noticia de la aprehensión de los asesinos de Daniel Thomas Egerton y de que no se les relacionaba con su hermano o con ella la había aliviado de esa carga emocional, de tal manera que saludó al juez con una gran sonrisa, felicitándolo —¡ella también!— por el buen éxito de sus pesquisas, a lo que aquél correspondió con un monosílabo prácticamente ininteligible. Puchet conversó con don Luis, frente a don Leandro Iturriaga y a "La Bruja", formulándole en un tono amistoso pero con la intención de un interrogatorio judicial, las preguntas fundamentales: que si había conocido a Egerton y cuál había sido la naturaleza de sus relaciones; que si era cierto que él y su hermano Everardo lo habían amenazado de muerte hacia 1837; que si había sabido de su regreso y cuándo; que si se había enterado y cómo de que el pintor vivía desde abril del año anterior en Tacubaya; que si conocía a Ponciano Tapia y desde cuándo; que si aquél trabajaba en su rastro; que si le había encargado vigilar al pintor y a su mujer y desde qué fecha; que si le había pagado por sus servicios; que cuáles instrucciones precisas le había dado; que le repitiera lo más exactamente posible lo que Tapia le había referido respecto al crimen de los ingleses que aquél afirmaba haber presenciado, que en qué momento preciso de la noche del 27 de abril había hablado con Tapia y qué había hecho hora por hora todo ese día y el siguiente; que cuándo se había enterado de la detención de Ponciano; que por qué razón había avalado la declaración de dos de sus obreros en el sentido de que las salpicaduras de la camisa de Ponciano eran de sangre de vaca hechas en su rastro; que si le constaba lo anterior; que si había ayudado económicamente a Tapia o a su familia mientras éste purgaba en la cárcel su condena por robo, y algunas otras más.

Luis Linares contestó con fluidez y aparente sinceridad, y sus declaraciones —pues de hecho en eso consistían el conjunto de sus respuestas, salvo que tenían un tenor privado que Puchet le concedía dados los antecedentes y la respetabilidad de su hermana y de su familia y la cooperación de ambos— fueron en todo coincidentes con lo dicho por Ponciano Tapia, incluyendo que éste último le había comunicado que no conocía a ninguno de los asesinos, que apenas los había visto y que no podía describir ni sus caras ni su forma de vestir. Al juez le gustó oír que Linares admitía haber pagado dos onzas de oro a Tapia por sus servicios de vigilante y que a partir de su encarcelamiento dispuso que sus amigos matarifes le hiciesen llegar cobijas, ropa, comida y algunos pesos con bastante frecuencia para mitigar su encierro. Don Luis agregó que tenía su conciencia completamente tranquila porque en realidad nunca le había deseado mal alguno a Egerton, sólo quería que dejase en paz a su hermana; que reconocía que lo había amenazado junto con Everardo de "vérselas con ellos" si seguía molestando a Matilde, pero que nunca le advirtieron que lo matarían ni pensaron hacerlo; que la vigilancia tenía por objeto cerciorarse de que Egerton había traído a una inglesa y vivía con ella como esposa, y también para saber si trataba de visitar o importunar a Matilde, y que tan tenía limpia la conciencia que no había pensado jamás en huir y estaba listo para presentarse oficialmente a la justicia si era requerido. A pregunta expresa del magistrado aseguró también que su hermano Everardo, cuyo paradero actual le era desconocido, no había sabido del regreso del pintor, pues por aquellos días —aunque se encontraba en México— estaba muy ocupado con sus negocios y no había hablado con el resto de la familia sobre el asunto, y que sólo se había enterado de que Egerton había retornado cuando supo por los periódicos del doble homicidio, en vísperas de su viaje a Zacatecas. De manera insistente aseveró que Everardo "no tenía nada que ver" con los hechos, y que de lo que él —don Luis— había revelado, sólo él mismo era responsable y nadie más. "Típica reacción del macho mexicano", pensó Puchet, pero en realidad Linares le parecía sincero y lo que dijo coincidía con lo confesado por Tapia. Por último don José María le preguntó:

—Dígame usted, don Luis, al saber aquella noche del 27 de abril por boca de Ponciano Tapia que el señor Egerton y la señora Edwards habían sido asesinados, ¿se lo comunicó usted a alguien?

—Por supuesto que no —contestó inmediatamente el interpelado—, puesto que yo me enteré de los hechos como a las diez de la noche y ya estaba en mi casa: no salí de ella y nadie más me visitó. Al mediodía siguiente me llegó la confirmación de la mala noticia al rastro. Incluso entonces a nadie dije que Ponciano me había informado de aquella desgracia la noche anterior.

Don Leandro orientó un cambio de conversación para que la reunión conservara la cordialidad y el tono amistoso con los que había sido concebida por el juez y por él. Ofreció una nueva ronda de café veracruzano mezclado con grano criollo de Oaxaca, que algunos endulzaron con piloncillo, y los cuatro charlaron sobre cosas intrascendentes, procurando eludir todo aquello que se relacionara con el crimen, lo que vino a reforzar minutos después la presencia de doña Micaela Iturriaga, quien se incorporó a la plática diciendo que en "El Cajón del Arco Iris", de la primera calle de Plateros, cerca de la vinatería que daba a la Gran Plaza, había podido conseguir una ropa francesa estupenda, que le recomendaba a doña Matilde, como también la simpática novela intitulada *El Periquillo Sarniento*, debida a la pluma del señor Fernández de Lizardi a quien se conocía como "El Pensador Mexicano", y que aunque era muy pícara, no ofendía las conciencias cristianas, como alguien había asegurado. Alabó también las virtudes del agua de Colonia y del jabón de Rusia, que vendían a cinco reales por cajita en la Librería Mexicana, y los bolillos de la Panadería Francesa en la calle del Ángel; también esa preciosa ópera de Donizetti, *Lucía de Lammermoor*, estrenada hacía dos años en el Teatro Principal y repuesta apenas unos días antes, con la Castellán, la Ricci, Emilio Giampietro y escenografía del artista Pedro Gualdi, quien según decían pintaba unas vistas preciosísimas de México, como las del señor Egerton.[114] Entre el café y las cortesías todo se volvió tertulia, y el juez Puchet pensó que no había averiguado nada nuevo, pero que confrontar lo dicho por Linares con lo afirmado por Tapia había sido muy importante y tranquilizado su conciencia, ¡Pero lo mejor de todo era sin duda haber conocido a "La Bruja"!

A PESAR DE QUE TODOS celebraban la detención de aquellos cuatro miserables que parecían ser los únicos asesinos, Puchet seguía alimentando serias dudas. Incluso continuó casi en secreto las averiguaciones mientras la causa seguía su curso natural y entraba a la fase de pruebas y alegatos. El procurador Francisco González de González se esmeraba en defender a los reos con argumentos jurídicos más que contraviniendo los hechos, pues éstos parecían bien difíciles de negar, torcer o interpretar después de la cuádruple confesión, que algunos sospechaban se había obtenido por el viejo método virreinal de la tortura, que todavía se practicaba en algunas ocasiones. González había solicitado procesalmente al juez Puchet que se inhibiera del conocimiento del asunto, se declarara incompetente y regresara los autos al juez cuarto de lo Criminal, don Gabriel Gómez de la Peña, cuya competencia reconocía como única y exclusiva. Puchet había dictado un acto rechazando la inhibición y González lo había recurrido ante el propio ministro de Justicia don Manuel Baranda.[115] Alegaba para fundar la declinatoria que la disposición de Santa Anna designando a Puchet como juez especial era contraria al derecho e insuficiente para conferirle jurisdicción.

No hay la menor duda —decía en su prolijo ocurso— que la República no reconoce por legítimas autoridades judiciales otras que las ordinarias, marcadas por las diversas Constitu-

[114] Pedro Gualdi llegó a México en 1838 como escenógrafo de una compañía de ópera italiana. En 1841 publicó su obra *Monumentos de México, tomados del natural y litografiados por Pedro Gualdi, pintor de perspectiva*. En 1855 aún exponía en la academia donde daba clases de pintura.
[115] *El Siglo XIX*, 1° de noviembre de 1843.

ciones que nos han regido y adoptado el saludable principio
de no admitir ningún juicio por comisión... Es también cierto
que por nuestras leyes comunes el juez competente que previene en el conocimiento de una causa excluye de ella a cualquier otro juez, aunque sea de igual manera competente y esto
es sin limitación, cuando no ocurre alguna cosa o circunstancia
prevenida por la ley para lo contrario.

El ministro de Justicia, apabullado por los argumentos estrictamente constitucionales y procesales (bastaba consultar el
célebre *Diccionario Jurídico* en el artículo "Competencia",
para saber que eran procedentes), negó sin embargo la revoca-
ción del auto de Puchet con argumentos de carácter político:

El Supremo Magistrado de la nación, celoso como el que
manda el crédito de ella y de la pronta y cumplida administración de Justicia, al oír que la voz pública pintaba este caso
con atroces coloridos, bien que *arbitrariamente* [a confesión de
parte relevo de prueba] por la calidad y las circunstancias
de las personas muertas, consideró necesarias providencias ur-
gentes y en adelante se sirvió dictar un *privilegio* dando a usted
[Puchet] misión especial, o lo que es lo mismo, delegándole
jurisdicción para continuar conociendo esta causa ya comen-
zada ante el juez *propio y ordinario en que residía el mero
imperio* ... moviéndole a esto según el nombramiento de usted
el haber considerado que tal vez por estar dividida la atención
del juez nato entre las demás causas de su juzgado no había
hecho lo bastante para descubrir hasta entonces al autor del
delito e interesado el honor de la nación.

Eso no era todo, Baranda añadía que:

... enterado el Excelentísimo Señor Presidente provisional...
del retardo que deberá sufrir la sustentación de la causa que
está siguiendo contra los asesinos de los ingleses don Florencio
Egerton y doña Inés Edwards, y en vista de la necesidad que
hay de que se abrevie en lo posible el curso del proceso, se
ha servido... [disponer que] pudieran dictarse varias medidas
que acortasen los términos y aún suprimiesen algunos [a Santa
Anna le urgía ejecutar a los cuatro sospechosos] ... y que tales
disposiciones que puede usted tomar por virtud de la presente
comunicación son tres: que se forme el cuaderno corriente, sólo
con lo conducente; que lo segregado quede en el juzgado
sólo como disposición de que lo vean los reos y sus defensores,

y que se entregue el cuaderno corriente a todos los defensores juntos en un término común para que presenten sus alegatos.

En tales condiciones poco había que hacer. Puchet recibió órdenes terminantes para acelerar la causa y admitir la solicitud de inhibición sólo con carácter devolutivo y en cuaderno por separado, lo que no impedía que las diligencias del proceso continuasen a la mayor velocidad posible. Tan fue así que, carrereado por Manuel Baranda, pronto estuvo el expediente en estado de oír el alegato final de los defensores y citar para sentencia.

EL 13 DE JUNIO, día de su onomástico, después de promulgar las "Bases Orgánicas" que Puchet ya se había arrepentido de haber suscrito, y como era su costumbre, Santa Anna otorgó amnistía a los "presos políticos" y ordenó la excarcelación de don Mariano Otero y los demás detenidos por la supuesta conspiración del sur, quienes después de haber sido privados de su libertad por casi mes y medio sin ninguna formación de causa, la recobraron a las 10 de aquella noche, ya francamente veraniega.[116] La estrella del tribuno jalisciense parecía haber caído, pero una adversidad como aquélla no podía intimidarlo. Eso pensaban don José María Puchet y don Leandro Iturriaga, quienes concurrieron juntos a las ceremonias conmemorativas de la Independencia, del 16 de septiembre del propio año de 1843, que Santa Anna —aunque no asistió a ellas pretextando estar enfermo— dispuso tuvieran especial realce, pues ordenó se inauguraran ciertas obras públicas de ornato como las plazas del Mercado y del Factor, el Parián, el nuevo Teatro de Santa Anna y el monumento de la Independencia, en la Gran Plaza, *El Diario del Gobierno* del día siguiente publicaría una larga crónica indicando que toda la concurrencia (los víctores de los barrios con sus carros alegóricos; los gastadores de caballería; los niños de las escuelas lancasterianas; la Junta Patriótica; los maseros del Ayuntamiento; los jueces y magistrados del Tribunal Superior del Departamento, así como todos los empleados públicos; el gobernador y

---

[116] Mariano Otero, *Obras*, t. I, p. 32 y Bocanegra, *op. cit.* t. III p. 43.

comandante del Centro, general don Valentín Canalizo; el prefecto don José María Icaza; el Ayuntamiento en pleno y muchos curiosos) terminada la función de la Iglesia Catedral se dirigió al centro de la Plaza Principal "donde se había cavado ya el espacio suficiente para fijar el cimiento sobre el que ha de sostenerse la columna conmemorativa de la Independencia", estando presente también, por supuesto, el Gabinete y el Cuerpo Diplomático. Ahí, don José María de Bocanegra, secretario de Gobernación y Relaciones Exteriores, dirigió una alocución patriótica ensalzando el inicio de la erección del monumento por medio de la construcción de su *Zócalo* —nombre que desde entonces se le quedaría a la enorme Plaza— y puso la primera piedra de lo que pretendía ser una esbelta columna rematada por un águila. Dicha piedra era de mármol blanco y contenía una urna de zinc en donde fueron colocadas varias medallas y monedas conmemorativas de oro y plata. Después la comitiva, incluyendo al juez Puchet y al señor Iturriaga, se dirigió por las calles de Plateros y de San Francisco hacia la Alameda, en cuya glorieta principal se encontraba un templete para las autoridades encargadas de presidir la celebración oficial de la fecha. El orador de la misma, para sorpresa de muchos, pero no así de su amigo orizabeño, fue el corpulento y joven jurista y político don Mariano Otero, quien como el Ave Fénix parecía resurgir prontamente de sus cenizas.[117] Su discurso fue sobrio, cuidadoso y reflexivo. No se permitió ninguna exaltación que pudiera ser criticable para sus adversarios, que eran la mayoría de los centralistas y conservadores del gobierno ahí reunidos, pero dejó bien claro su preocupación por la política inmediata del país. Centró sus ideas en la concepción generacional de la historia haciendo ver la importancia de la lucha por la libertad del Nuevo Mundo y de México, "pueblo de ayer, nación nueva e inexperta". Agregó que:

> Multitud de generaciones que habían visto estos sucesos pasaron desapercibidas de su verdadera grandeza [pues] no podían predecir el porvenir, no podían sospechar los cambios inmensos que se iban a verificar, y la raza de Europa con sus tradiciones de salvación y sus tesoros de esperanza corrió

[117] Otero, *op. cit.*, t. II, p. 467.

presurosa al Nuevo Mundo sin sospechar los misterios de que
iba a ser instrumento: sin ver siquiera que Dios la había divi-
dido en dos porciones y que había confiado cada una de ellas
a un mundo distinto para que ambas crecieran y vivieran de
una manera del todo diversa.

Luego refirió que durante los tres últimos siglos los europeos
habían sido agitados por el impulso de las "nuevas ideas" y
luchaban contra las instituciones heredadas por los siglos, haciendo incluso la reforma religiosa, mientras el Nuevo Mundo
parecía un "refugio inmune" al poder amenazado. "Vano error
—inmediatamente afirmaba Otero—, la América estaba reservada para consumar aquella revolución." México habría de enfrentarse al estado colonial, que era un agravio y una afrenta
permanentes, para organizar su asociación política y la emancipación de millones de hombres, en la forma que había creído
conveniente, conforme a los principios libertarios "que constituían la verdadera cuestión de la independencia". Don Mariano
recordó el reciente y sensible fallecimiento de tres grandes mexicanos: don Miguel Ramos Arizpe, padre del federalismo; don
Guadalupe Victoria, primer presidente de la República, y doña
Leona Vicario de Quintana, excelsa mujer insurgente, y exclamó
con gran emoción: "La generación de la gloria va desaparecien-
do ante la generación del dolor y del infortunio", lo que le hizo
cosechar un estruendoso aplauso. Continuó así:

Hemos visto nuestras fortalezas selladas con las huellas de
un pabellón extranjero, a Tejas perdido y a la República dividida en facciones, que se despedazaban en los furores de la
anarquía, o que, abyectas y sumisas parece que desmentían
los grandes hechos de la Independencia y se declaraban indignas de aquella raza de héroes.

Después de más aplausos, el tribuno jalisciense concluyó su
brillante y madura perorata:

Las grandes obras no son el fruto de una generación; y para
llegar al punto en que hoy estamos, miles de años han pasado
y centenares de generaciones han muerto, menos afortunadas
que lo que somos nosotros ... Un gran designio providencial
se está realizando, señores, y es visible cómo la mano de Dios

levanta en el Nuevo Mundo el imperio de la democracia y la
libertad. Todo se conmueve y se trastorna y los elementos de
esta obra inmensa quedan ilesos, y crecen y se fortifican en
medio de los combates... La República democrática es un
hecho consumado. La igualdad y la libertad no están procla-
madas en los libros: grabadas profundamente por la fuerza de
los sucesos humanos; encarnadas por el espíritu y los intereses
de las generaciones que se suceden; para vencerlas sería preciso destruir el orden físico y moral del mundo... este absurdo
es la única esperanza de los partidarios de la retrogradación...

Más claro ni el agua. El pueblo supo entender la pieza de
Otero que, sin atacar a nadie, volvió a subrayar el sentido libe-
rador de la Independencia y el papel y la responsabilidad de las
nuevas oleadas de mexicanos en la remodelación del país bajo
las banderas de la democracia y el progreso, que el centralismo
había dejado caer. Puchet e Iturriaga batieron palmas a rabiar
y el tabacalero comentó al juez:

—Por eso se enfermó Santa Anna: ya se imaginaba lo que
iba a decir don Mariano.

Considerando las circunstancias de la causa de los presuntos
asesinos de don Florencio o Daniel Thomas Egerton y de doña
Inés Edwards, la acusación tenía como único apoyo la confesión
de aquéllos, que parte del público no creía que hubiese sido
espontánea. Un sentimiento de lástima se empezaba a apoderar
de muchos en favor de los "pobres diablos", quienes de alguna
manera habían "interpretado", quizá sin querer, el espíritu intolerante y xenófobo de los más puritanos. Puchet sabía que
el proceso estaba viciado por su propia falta de competencia
pues, como afirmaba el procurador González, el juicio por dele-
gación o el tribunal especial, era una instancia proscrita por la
doctrina jurídica moderna, rechazada por todas las Constituciones nacionales. Que las Bases de Tacubaya, invocadas por el
gobierno para nombrarlo instituían también la intocabilidad
del Poder Judicial, la cual se violaba flagrantemente con la propia designación de Puchet y la forma en que la causa se había
llevado, al margen de los procedimientos ordinarios. Además, el
juez no había recogido en el expediente las declaraciones de
Ponciano Tapia, testigo presencial de los hechos, que si por una

D.T. EGERTON: *Paisaje.*
Acuarela. Colección: Hernández Pons

parte podían sostener la acusación, por otra abrirían un gran margen a la defensa para acusar al propio Ponciano, quien admitía haberse encontrado en Pila Vieja la noche del crimen y estar "vigilando" a los ingleses por órdenes de don Luis Linares de la Parra, cuyo perfil como sospechoso o implicado tampoco figuraba en el proceso. Puchet sabía que, en todo el mundo, la justicia solía proteger a los delatores y a ciertos testigos de cargo, sobre todo cuando la delación daba frutos, como era el caso, y también recordó la mano dura con la cual se castigaba a veces a un delator fallido, como el infortunado Vicente Tovar. El doctor no ignoraba que la presencia de Tapia y Linares en el juicio podría dar a los defensores una amplísima oportunidad de alegar la "duda razonable", esto es, la posibilidad de que los hechos aparentemente confesados hubieran acaecido de algún otro modo. Joaquín Aguilera interrogado en privado no admitía haber visto aquella noche a Ponciano Tapia, como éste decía. Al parecer sus ojos no se habían tropezado con los de aquél ni sus labios habían participado en ese misterioso diálogo de honor que Ponciano había roto un año después por explicables razones, como el acusador mensaje de la penca, cuyo origen aún no se aclaraba. Un careo entre Tapia y los presuntos asesinos podría establecer condiciones para una distinta valorización de la prueba confesional que la que parecía evidente en este caso. ¡Qué dilema se abriría si Tapia y Aguilera, puestos frente a frente, se contradijeran sobre los hechos, a pesar de admitir los dos haber estado simultáneamente en el lugar del crimen! No quiso ni pensarlo. Si él fuese el abogado defensor podría sacar un inmenso provecho de una circunstancia como ésa, que plantearía serias dudas en el juez y, sobre todo, en la opinón pública. Era éste uno de esos asuntos en que los lectores de periódicos y los chismosos de café actuaban como auténticos jurados de la causa y podrían inclinar la balanza en un sentido u otro. Ponciano Tapia se mantenía en su dicho y también Joaquín Aguilera. Puchet había interrogado directamente a este último en más de una ocasión, y lo había encontrado invariablemente retador, seguro de sí mismo, como si no le importara estar siendo juzgado o como si estuviera convencido que al final eludiría a la justicia. Aguilera sí era un "sujeto frenológico"; con características de criminal nato, al revés de quien lo había delatado. Pero ni Francisco González ni los otros procuradores estaban enterados de que Ponciano Tapia hubiese admitido el haber presenciado el homicidio, y en cuanto al mensaje de la penca, éste había quedado totalmente contradicho por la confesión de Aguilera. Cortés, González y Corona y la de sus cómplices Petra Portugal y Lugarda García. ¡Seis pobres diablos! ¡Seis ejemplares humanos de la escoria social de una nación joven cuyas fuentes de trabajo no eran suficientes para todos sus hijos y estaban casi todas en manos de extranjeros, como los propios victimados el 27 de abril del año anterior! ¡Seis miembros de la "generación del dolor y del infortunio", como la llamaba Otero, que habían luchado a su modo, primitivo y bestial, por una emancipación que apenas intuían y que no parecía llegarles nunca!

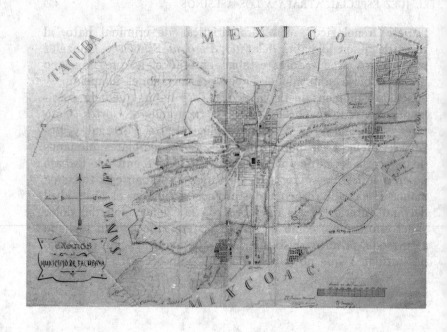

MUNICIPALIDAD DE TACUBAYA, Tacubaya, junio de 1891.
Cortesía de: Mapoteca Manuel Orozco y Berra

21. *Una luz*

"Durante la tarde del mismo día
[27 de abril de 1842]
un grupo de seis u ocho de nosotros,
compuesto de ingleses y americanos,
visitó el jardín de un italiano en Tacubaya,
que tenía un paseo arbolado de pinos
y solía ofrecer refrescante hospitalidad
a los extranjeros que visitaban
el pequeño poblado.
Antes de que regresáramos a la ciudad,
un artista inglés muy célebre en México,
el paisajista llamado Egerton,
nos fue señalado por uno de sus paisanos,
quien nos relató algunas anécdotas
referentes a los muchos logros del artista.
Cuando tomábamos el desayuno
la mañana siguiente con
un caballero británico,
quedamos en estado de choque
al saber que Egerton y la mujer
con la que vivía como su esposa,
y que poseía muy personales atractivos y
virtudes como pintora de paisajes,
habían sido cruelmente
asesinados durante la noche."

George Wilkins Kendall,
Narrative of the
Texan Santa Fe Expedition . . . ,
vol. II, Nueva York,
Harper and Brothers, 1844.

LA CASA DE CORDOVANES se había vuelto la cárcel de Puchet. Subía y bajaba su escalera interior sin ton ni son; consultaba libros que sabía casi de memoria; volvía a repasar las páginas de los gruesos legajos celosamente guardados bajo una llave que sólo él tenía; ni siquiera Cisneros y Orihuela los escribanos. Sus acostumbradas tertulias no le ayudaban tampoco a salir del círculo de angustia, de la espiral de contradicciones en que se hallaba sumergido, pues se había enfriado su relación con el licenciado Conejo, perseguidor de don Mariano Otero, y las ocurrencias del joven Guillermo Prieto y las discusiones sobre frenología con el doctor Arrillaga no le distraían más. Nunca se había sentido así: confundido, agobiado, sin capacidad de juicio. ¡Él, que era precisamente un juez! Sin embargo no se entregaba y seguía luchando. Creía que en cualquier momento podría surgir una luz que le permitiría dar un nuevo giro a ese asunto y hacer justicia, protegiendo el famoso "honor nacional", sin precipitarse condenando al garrote a esos cuatro miserables, ¡de los cuales dos ni siquiera iban armados aquella noche fatal! Porque eso era lo que quería el gobierno. Así se lo había comunicado Baranda, "de parte del Excelentísimo Señor Presidente provisional, quien está muy satisfecho con su labor como juez en el crimen de los ingleses". ¡También él! Especialmente él: don Antonio López de Santa Anna esgrimiendo la vara de la justicia como si tuviera la conciencia tranquila, como si no hubiese acumulado tantas deudas que pagar ante el tribunal de Dios y de los hombres. Puchet buscaba un nuevo testigo, una nueva pista; todavía los podría encontrar. Por ello había mandado citar a Juana Maldonado, una mujer gorda, hoyosa de viruelas, que vivía junto al río de Tacubaya y quien decía que había visto "algo" el triste 27 de abril, y también pidió a don Mariano Goyeneche que investigara a Cecilio Rojas y a Florentino Valencia, quienes eran sospechosos de haber cometido fechorías junto con otros delincuentes que podrían haber sido los cuatro acusados.[118] Pero después de interrogatorios extenuantes no había descubierto nada nuevo. Además los defensores habían presentado ya sus alegatos, exculpatorios por supuesto, concluyendo en esencia que nadie podía ser juzgado ni condenado por autoridad incompetente y violando sus derechos humanos. (¡Ah, si le hicieran caso a don Mariano y la nación adoptase el "juicio de amparo", el *habeas corpus* que había sugerido desde la época de la guerra de Independencia el licenciado don Ignacio López Rayón!); también alegaban que sus defendidos habían sido torturados y su con-

---

[118] Oficio de don Mariano Goyeneche al Juez de Paz de Tacubaya. 9 de noviembre de 1843. Archivo Histórico del ex Ayuntamiento de la ciudad de México, 1524-1928.

fesión no era válida; que Egerton los había agredido *primero* disparando una pistola, y que ninguno aceptaba haber actuado sino en defensa propia o bajo los efectos del alcohol ni haber usado carnalmente a la señora Edwards. La evidencia de la venta de la ropa de doña Inés en el baratillo del Factor y el resto del testimonio de las dos mujeres, sus amasias y de Juana Gamboa —la supuesta comadre del coronel Cristóbal Gil de Castro— obraban claramente contra los presuntos responsables, pero... ¿Y el móvil? ¿Cuál había sido? ¿Por qué se contradecían sus declaraciones en el sentido de que habían decidido asaltar al primero que encontraran a fin de robarlo y seguir bebiendo, y después no habían despojado de sus valiosas pertenencias a los cadáveres, ni tampoco habían seguido la parranda? ¿Cómo explicar el dicho de Tapia en el sentido de que los cuatro asaltantes estaban *esperando* a Egerton y a su mujer atrás de los magueyes de Pila Vieja, en el camino a Nonoalco, como si supieran que precisamente *ellos* iban a pasar por allí? ¿Había sido un encuentro casual como decían los acusados, o una emboscada como afirmaba Ponciano Tapia? ¿Cómo explicar la violación de doña Inés, una mujer próxima a dar a luz? ¿Y el letrero? ¿Y el mensaje de la penca? En realidad, ¿cómo explicar todo sin un móvil de odio o venganza? Don José María le daba vueltas y vueltas al asunto y cada vez lo entendía menos, pero llegó un momento en que ya no podía evitar emitir la sentencia pues recibió una nueva excitativa del ministerio de Justicia exhortándole a hacerlo a la brevedad posible. El doctor Puchet calculaba que su sentencia condenatoria habría de ser apelada por los defensores de los presos, y eso le daría unos meses más para seguir investigando, pues estaba convencido en el fondo de su corazón y por el cúmulo de circunstancias no aclaradas de que las cosas no habían pasado como todos pensaban. ¡Ojalá tuviera razón y pudiera dilucidar todo a fin de que su determinación final fuese justa! Entonces sumergió la plumilla en el tintero de cristal que presidía su escritorio y empezó a escribir una resolución en la que no creía.[119]

---

[119] Publicada en *El Observador Judicial y de Legislación*, México, t. II, 1843, p. 694.

México, noviembre 6 de 1843.

En los autos y causa criminal seguidos de oficio de la justicia por el robo que se hizo a don Florencio Egerton y a doña Inés Edwards, súbditos de Su Majestad Británica, de varias piezas de ropa que vestían, y muerte violenta que se les dio, infiriendo a la segunda una verdadera fuerza con el objeto de violarla, lo que ocasionó la muerte del hijo que estaba cercano a parir, cuyos delitos fueron ejecutados en las cercanías de la villa de Tacubaya entre siete y ocho de la noche del veinte y siete de abril del año próximo pasado, y en cuya averiguación habiéndose dirigido el procedimiento contra diversas personas que parecieron sospechosas, al fin se fijó contra los actuales presos Marcelino Cortés, Joaquín Aguilera, Julián González y Lorenzo Corona, y las mujeres Petra Portugal y Lugarda García, a virtud de la declaración de Juana Isidra Gamboa, atendiendo que estos delitos fueron de los más calificados por el número de los reos, que forman verdadera cuadrilla, por haberse perpetrado de noche, por el lugar donde se comenzó el asalto que fue un camino público, y el despoblado en que se consumó, por las armas preparadas al intento, las cuales fueron de las especialmente ofensivas, y por la multitud de heridas y golpes dados a los occisos; por todas estas circunstancias, que por expresas leyes se estiman como agravantes, las quisieron reunir los agresores para cometer, no uno, sino muchos crímenes bajo una misma violencia que produjo el resultado horroroso, que caracteriza la atrocidad, y que tanto ha llamado la atención pública y de las autoridades; a que el cuerpo de estos delitos, unos de rastro permanente, y otros transitorio, consta plenamente por las pruebas, que según su naturaleza inducen la evidencia legal de su pre-existencia, incluyéndose la violación, pues los tres facultativos en medicina y cirujía la aseguran en su ampliación, y además la persuaden las vehementísimas presunciones que emanan de los hechos que los reos confiesan, particularmente haber separado violentamente a doña Inés del lugar del asalto y conducídola al sitio más solitario y encubierto de aquel campo, distante más de cuatrocientas varas; el largo tiempo que allí permanecieron con ella; la vergonzosa desnudez en que la pusieron, cuando a Egerton lo dejaron vestido; la ninguna lesión de sus ropas, imposible si la fuerza hubiera sido emprendida para quitárselas; la mordida en el vientre, golpes y desgarraduras en la garganta que la sofocaron, a tiempo que los agresores tenían en la mano el arma con que acababan de matar a Egerton y con la que a ella misma la hirieron; haberla derribado a tierra, que es la posición menos a propósito para desnudarla; y finalmente, las señales manifiestas de los grandes esfuerzos que hizo para levantarse del suelo; pues todos estos hechos, inútiles los unos para sólo matar y robar, y sólo explicables los otros para el acto carnal, unidos a la inspección referida, convencen el ánimo de este crimen, susceptible únicamente para su comprobación de esa clase de pruebas, como lo enseñan los criminalistas; que así cuando a pesar de ellas sólo se repute como muy probable, los otros son indudables, y acerca de ellos están llanamente confesos los reos, no solo en que se perpetraron por la cuadrilla, sino en que ninguna otra persona los pudo cometer, explicando además el participio que cada uno tuvo en los actos que los constituyen, por lo cual, aun prescindiendo de los puntos en que las declaraciones son singulares, no obstante que en algunos la singularidad no es obstativa, por sólo aquellos en que dos o más deponen conformes, resultan todos ejecutores o auxiliadores con física y eficaz cooperación, según los cargos que respectivamente se les han hecho en sus confesiones: que a esta explicación de la culpa de cada uno no puede prevalecer la negativa que en cuanto a sí mismo opone, porque si se toma como calidad dividua de su confesión, que lo constituye verdadero reo, era de su deber probarla, y no lo está en manera alguna; y si se estima como individua o parte integrante o inseparable de la misma confesión, la contradice y destruye enteramente, porque si es cierto que cada acusado se quedó atrás y a nada cooperó, todos quedan en la clase de simples espectadores y testigos, y consiguientemente, es falso que los tres restantes de la cuadrilla sean los delincuentes como todos unánimes lo aseguran, y falso también que existan los delitos, por una parte notorios, pues éstos siempre necesitan autores, y siendo todos inocentes, no resta quien lo pueda ser: que demostrando con esta sola reflexión, preferida por obvia, que la negativa individual es inadmisible, como opuesta a las leyes de la naturaleza y a las propias confesiones, lo será mucho más, advirtiendo que los cargos no sólo los motivan las imputaciones que cada reo hace a sus cómplices, sino lo que confiesan de sí mismo; y así, por ejemplo, de la variedad de los pretextos que alegan para reunirse y emprender el viaje, se convence que no lo tuvieron honesto, de que dos oyeran en el principio del camino de Nonoalco, que el verdadero motivo era robar al que encontraran, se deduce la deliberación y voluntariedad de todos en el asalto que se verificó a grande distancia: de que Aguilera convenga que antes de salir de la capital se separó de la tienda para armarse con la bayoneta, se infiere la malicia con que este hecho inductivo del dolo e innecesario para un simple inocente paseo se ha pretendido ocultar; de que González confiese que reconvino a Corona so-

bre el reloj que entendió había quitado a Egerton cuando murió
se viene en conocimiento de que Corona registró el cadáver,
pues a no haberlo hecho era imposible esa reconvención; de
que Corona convenga en ella y se avance a asegurar que para
quitarle el reloj se le amenazó de muerte, se establece la verdad de que González iba decidido a robar, pues que en el acto
de la muerte disputada con tanta obstinación los despojos del
occiso; y bastando estos ejemplos que podrían continuarse en
el análisis de todos los actos, para conocer que el fundamento
de los cargos no sólo estriba en lo que cada reo dice de los
otros, sino en lo que confiensa de sí mismo, queda manifiesto
la necesidad de dar entero crédito a las conclusiones, porque es
inaudito que éstas se hayan de repeler en lo que perjudican
a sus autores, sólo porque su perjuicio grave también a sus
socios: que la exclusión absoluta de éstos para testificar en
los crímenes ocultos y atroces, sólo se puede sostener en cuanto
al privilegio de concluir, que era el que les conocedía la antigua legislación a una con los testigos singulares, las presunciones e indicios y las demás pruebas incompletas; más no para
coadyuvar, pues en ese concepto, y para ese único fin, que es
para lo que aquí sirven, explicando cada uno la parte que los
demás tuvieron en el crimen, que en lo general confiesan, no
pueden ni deben ser excluidos de declarar los únicos que tienen
posibilidad de hacerlo, sino se pretende la más escandalosa
impunidad de los delitos, que ni los autores de las bases constitucionales que se citan, ni los de alguna otra Constitución
digna de este nombre, han pensado jamás sancionar: que además esta cuestión sobre el valor del dicho de los socios, es al
presente de las más importunas e inútiles, porque si las explicaciones de los reos acerca de la culpa de sus compañeros
subsisten según derecho, permanecen igualmente los cargos de
autores o cooperadores, con cooperación física que respectivamente se les han hecho; y si no valen estas explicaciones, los
cargos en vez de disminuirse se agravan, porque entonces como
que el hecho es ciertísimo, no menos que los delincuentes, e
incierto sólo el modo con que éstos lo fueron, pesan sobre todos
y cada uno de los acusados todas las circunstancias, aun las
más agravantes, por debérseles reputar igualmente criminales
que lo sería el reo principal, como lo enseña Villanova, en el
capítulo 7o., número 42, de la materia criminal forense, y entre
otros muchos autores que pudieran citarse, Antonio Gómez, a
quien se refiere uno de los mismos defensores en el número 36,
capítulo 3o. de "Homicidio", en el que se propone el caso preciso de la presente causa, en que el dolo presuntivo en todos
los delitos se encuentra comprobado con el actual sugerir el
ingenio y la ciencia del derecho, el de Corona recusó en el todo

al señor juez, quien desestimó su recurso, acompañándose
con el señor Gómez de la Peña, así porque el reo manifestaba
que le merecía confianza, como porque había sido el que comenzó la causa por su turno; y confirmando su decreto por el
tribunal superior, ante el cual se apeló, unidos ambos jueces
pronunciaron la sentencia que en los hechos antecedentes, consiguientes y concomitantes que se confiesan; en que no se siguió
un solo homicidio sino dos; en que éstos no se causaron por
heridas que uno solo hubiera inferido, en que acompañaron
todos con auxilio eficaz a cometerlos, y en que todos, finalmente, receptaron lo robado; pues concurriendo todas estas
circunstancias, la doctrina insinuada es tan común, como lo
expresa Mateu, *De Re Criminali*, controversia 20, número 10,
asentando que los autores que por la incertidumbre del delincuente se han inclinado a remitir o disminuir la pena a todos
los asociados, hablan en el supuesto de que no haya previa
deliberación de delinquir, y de que los delitos se originen
repentina e improvisadamente y por una mera casualidad; y
últimamente, atendiendo a que siendo cierta la criminalidad
de todos los acusados, ya se estimen, ya se desechen sus recí-
procas acriminaciones, la pena es no menos clara, porque o
los homicidios se cometieron por robar o violar, o sin causa,
y en ambos extremos respectiva y literalmente proceden las
leyes 2a. y 7a., título 8o., parte 7a. y las 6a. y 10a. al fin del título 32, Libro 8o. de la Recopilación, con sus concordantes,
que a todo homicida a sabiendas, al que lo fuere por robar, y
al que hiere a las mujeres preñadas, de modo que por resul-
tas de las heridas se pierden los fetos, les imponen la pena
capital, sin que al presente pueda oponerse haber hecho Egerton
uso de su pistola, defendiéndose de la agresión, porque ni esta
excusa es extensiva a la Edwards, muerta inerme y sobre seguro, ni respecto de Egerton probaría otra cosa sino que su
muerte fue ejecutada en pelea injusta por parte de los agresores, que consiguientemente son dignos de la misma pena, por
la ley 3a., del citado título 23, Libro 8o. de la Recopilación;
fallamos que debimos condenar, y condenamos, a los expresados reos Marcelino Cortés, Joaquín Aguilera y Julián González a la pena del último suplicio, que se verificará en la
forma acostumbrada en la plaza de Tacubaya; respecto de
Corona, considerando que aunque en rigor de derecho merecía
el mismo castigo, tiene a su favor la certeza de que no pensaba delinquir, pues cuando fue convidado, se preparó solo con
un instrumento músico, que es el menos a propósito para cometer las atrocidades que después ejecutaron, y el más acomodado para la inocente diversión del baile, para la que se
determinó a salir de su casa; que en cuanto a él son singulares,

o sustancialmente varios, sus cómplices en los principales puntos de su criminalidad y que aunque el hecho de haber sido uno de los que detuvieron a la Edwards está probado, también lo está que inmediatamente la dejó, sin acompañarla al lugar donde fue muerta; cuyas circunstancias inductivas de presunciones recomendadas por los criminalistas hacen dudoso hasta cierto punto el grado de su criminalidad; y tratándose de un menor dan mérito a la equidad, según opinión de Menoquio, *De arbitris*, caso 329, número 2; Farinacio, cuestión 15, número 49, y otros autores de nota; lo condenamos a la pena de diez años de presidio en Veracruz, y a que presencie la ejecución de sus compañeros; entendiéndose este tiempo de recargo al de las obras públicas que se hallaba cumpliendo por sentencia ejecutoria. Respecto de Petra Portugal y Lugarda García, llanamente confesas, en que por orden de González y Aguilera lavaron la ropa ensangrentada de la Edwards, la desfiguraron y concurrieron en venderla al día siguiente del delito en el baratillo del Factor, atendiendo a que los referidos reos convienen, no sólo en que así se los previnieron sino en que no les quisieron decir los delitos que habían cometido y de dónde aquella ropa procedía; que no teniendo esta ciencia, que es requisito esencial de la culpa, aunque sean de hecho unas verdaderas receptadoras, su delito no puede ser igual al de los reos principales; que no siéndolo, no se les puede condenar con la misma pena que establece la ley 9, título 1o., Libro 8o. de la Recopilación, sino con otra arbitraria que autoriza la práctica de los tribunales y aconsejan Antonio Gómez en el tomo 3o., capítulo 3o., número 50, y Acevedo en el comentario de la ley citada, y que para usar de este arbitrio judicial debe tenerse muy presente la debilidad propia del sexo, y la sevicia con que tanto González como Aguilera acostumbraban tratar a estas mujeres, que si se hubieran resistido abiertamente, por la perversidad de esos hombres, hubieran corrido inmenso riesgo; las condenamos a Lugarda García, mujer propia de Aguilera, a un año de servicio en la cárcel, y a Petra Portugal, amasia de González, y que, por serlo, no tenía la misma necesidad de obsequiar los preceptos de su amacio ni de vivir en su compañía, pudiendo y debiendo concurrir a la justicia, para que la separara de su ilícito trato, si no le era fácil abandonarlo por sí misma, a dos años de la misma pena; contándoseles a ambas desde la fecha de su prisión; y mandamos que sean canceladas las fianzas con que los demás que han sido presos durante la sustanciación fueron encarcelados, como también la de Juana Isidra Gamboa, respecto de la cual no se ha presentado mérito para alterar el auto de 31 de agosto, en que se le dejó en libertad; se ponga esta sentencia en conocimiento del supremo gobierno, y del Departamento, en obsequio de sus prevenciones relativas; y se avise de ello a la comandancia general, por lo respectivo a Julián González, para inteligencia y fines consiguientes en la causa que le está instruyendo; dándose previamente cuenta con la causa al superior tribunal del Departamento, notificada que sea esta sentencia, para que Su Excelencia se sirva calificarla como fuese de su mejor agrado. Así lo proveyeron los señores jueces principal y acompañado, y lo firmaron por ante mí, de que doy fe. José María Puchet, José Gabriel Peña, Manuel Orihuela, escribano público.

LA SENTENCIA CONMOVIÓ más al juez que a la opinión pública, pues ésta ya la esperaba —¡se había prejuzgado tanto sobre la condena de esos fascinerosos!—, y en su mayoría la consideró justa, oportuna y necesaria, la aplaudió y con ella ensalzó nuevamente la labor del propio doctor Puchet, quien por su parte, sabiendo lo que casi nadie sabía del asunto y teniendo la responsabilidad de haber impuesto tres condenas a muerte y tres penas a presidio y trabajos forzados, se sentía abatido y nervioso en medio de las constantes felicitaciones. Sus compañeros de los tribunales capitalinos le veían con admiración y envidia por el renombre que había adquirido. Algunos, que por supuesto no conocían el expediente sino sólo la sentencia publicada en *El Observador Judicial*, le lanzaban críticas intencionadas tratando de restar mérito a la investigación; comentaban que el descubrir a los asesinos había sido solamente obra de la casualidad y que el mérito era más del coronel Gil de Castro (¡si hubieran sabido!), de Goyeneche y de los policías, que de Puchet. Otros decían que los condenados no eran sino "chivos expiatorios", léperos miserables que eran inocentes o habían actuado por orden de algún "gallón". La mayoría, sin embargo, sobre todo los abogados, los tinterillos, los *chicaneaux* de los tribunales civiles y de la Sala del Crimen, así como sus antiguos compañeros del fuero militar, enviaron muchas cartas de congratulación a don José María y lo abrazaban cuando lo encontraban por la ex Acordada, o en su misa de La Profesa o en el Teatro de Nuevo México al que a veces iba para distraerse de la obsesión que no lo abandonaba, mientras la Segunda Sala del Tribunal del Departamento revisaba los agravios expuestos en el recurso de apelación interpuesto por los defensores de los reos contra la sentencias del 6 de noviembre, a la que como de costumbre en estos casos calificaban de "arbitraria, sanguinaria y antijurídica".

A mediados de diciembre y previa una imponente esquela de aviso con el escudo real, se presentó en la casa de Cordovanes nada menos que el excelentísimo señor Percy Doyle, ministro de Su Majestad Británica, acompañado del primer *attaché*, el joven William Robert Ward. El doctor Puchet contempló al diplomático inglés con su brillante uniforme parecido al de los húsares, de pechera roja con botones de oro, pantalón con franja azul y sombrero con blancas plumas, que el ministro llevaba en la mano derecha a la altura del pecho, mientras apoyaba su enguantada siniestra en el pomo de la espada. Doyle había llegado al país en abril de ese año, y apenas en septiembre había protagonizado un escándalo muy semejante al de su antecesor Pakenham, por lo que las relaciones entre él y el gobierno mexicano y las de éste con Inglaterra se habían enfriado de manera singular. Resultó que en uno de los salones de Palacio Nacional se habían desplegado varios trofeos arrebatados a los rebeldes de Tejas durante la guerra de 1836 y las invasiones frustradas a Nuevo México, y entre ellos Doyle y su correo, don Rafael Veraza, habían visto el 11 de septiembre (o "creído ver", decía Bocanegra) una bandera inglesa (más bien "algo que se le parecía pero no lo era", según afirmaba el ministro mexicano) por lo que el diplomático había abandonado furioso el lugar y, en una nota muy fuerte, reclamado al gobierno la "afrenta hecha a la reina Su Soberana, y a la nación inglesa". Exigía la inmediata devolución del lábaro y las satisfacciones pertinentes, "viéndose obligado a cesar toda relación diplomática con el gobierno mexicano hasta recibir nuevas instrucciones" del suyo. Bocanegra insistía en que la bandera no era tal y que no podía haber agravio sin intención. El pleito se encontraba entonces en su apogeo tanto en México como en Londres y en esta última ciudad el ministro mexicano Thomas Murphy pedía la remoción de Doyle. Por eso mismo su visita no le parecía muy grata a don José María, pero cambió un tanto de opinión cuando el inglés, con su mejor sonrisa, le expresó el motivo de la misma:

—Señor juez Puchet, tengo el honor de transmitir a usted,
por instrucciones de su señoría Lord Aberdeen, ministro del Servicio Exterior, el alto sentido de admiración y estima con que
el gobierno de Su Majestad Británica aprecia y agradece la habilidad y el esfuerzo desplegados por usted en el descubrimiento de los asesinos del señor Egerton y la señora Edwards, ambos
súbditos británicos —luego carraspeó y, como recordando algo,
alzó los ojos al techo y continuó—: Desde fines de julio pasado,
tan pronto fueron capturados esos sujetos, escribí a Milord
Aberdeen,[120] recordándole que cuando usted fue nombrado
como juez especial para tratar esa investigación la Legación
Británica abrigó la firme esperanza de que tendría buen éxito
en ella, dados sus antecedentes de persona bien conocida por su
capacidad y eficiencia en estos asuntos. Le informé con placer
que no nos habíamos equivocado, pues los criminales habían
sido aprehendidos, habían confesado su delito y pronto serían
juzgados por usted, lo que ya aconteció según es hecho público. También deseo comunicarle, señor Puchet, que Su Excelencia el Presidente de la República, general Santa Anna, me ha
asegurado personalmente que no habría ninguna dilación entre
que los asesinos fuesen sentenciados y llevados a ejecución. Por
otra parte, ha sido tanto el horror expresado por todos en México respecto de este crimen, que no tengo duda alguna de que
estos hombres sufrirán pronto el justo castigo que se les ha
impuesto. Escribí también a Lord Aberdeen que podía estar
seguro de que yo no vacilaría en dedicar mis mejores esfuerzos
que se cumpliera cuanto antes la condena de esos criminales,
insistiendo en que si no hubieran mediado los propios y meritorios esfuerzos de usted, señor doctor Puchet, estos hombres
habrían escapado. A todo ello contestó recientemente Su Señoría,[121] instruyéndome para expresar a usted el agradecimiento
del gobierno de Su Majestad por su ejemplar conducta, seguro de
que ello será no sólo motivo de su personal satisfacción sino que,

[120] Despacho número 48 del Ministro Doyle a Lord Aberdeen de
30 de julio de 1843. Public Record Office, Londres. Documento de la
Foreign Office no. 50/163.
[121] Borrador de la carta de Lord Aberdeen al Ministro Doyle, de
1° noviembre de 1843. Public Record Office, Londres. Documento de la
Foreign Office no. 50/160.

al divulgarse, como me lo propongo hacer, tendrá un efecto muy saludable en este país.

Don José María tardó unos segundos en responder, pues estaba buscando las palabras más adecuadas, que por supuesto no le vinieron entonces a la mente, pero suplió la propiedad del lenguaje con la emoción, que por supuesto no se debía a la felicitación diplomática en sí y lo que significaba, sino a que se dio cuenta que ya Inglaterra, Santa Anna, Lord Aberdeen y el ministro Doyle daban el caso por cerrado y a los reos por muertos a partir de su sentencia de unas semanas atrás. Y esto era algo que se le atragantaba a Puchet y le hacía rebelarse una vez más contra la manera fácil con la que se estaba valorizando la vida de esos pobres diablos que él mismo había condenado sin estar seguro de su culpabilidad plena ni de que no hubiesen sido instrumento más o menos inconsciente de alguien poderoso. Al fin musitó cualquier cosa:

—Soy yo quien agradece su presencia y el mensaje que ha sido tan gentil de traerme, excelentísimo señor ministro. Como usted afirma estos reos han sido ya sentenciados por el juez don José Gabriel Gómez de la Peña y por mí, pero la resolución ha sido recurrida y está siendo revisada por la Sala del Crimen del Tribunal Superior, así que todavía no es definitiva. Cuando se trata de la vida humana es necesario obrar sin precipitaciones.

Percy Doyle lo miró con un aire de total extrañeza, luego dulcificó la cara que había contraído y comentó:

—No creo que esa gente merezca la menor consideración, señor juez, como ellos no la tuvieron con el señor Egerton y la señora Edwards ni con su hijo que no pudo nacer. Se trata de unos criminales verdaderamente salvajes y perversos que merecen ser ejecutados cuanto antes. Le repito que eso es lo que piensa y desea el señor Presidente y nosotros también. De esta manera se hará justicia y habrá terminado el molesto problema que tanto preocupó a nuestras dos naciones.

Puchet comprendió que no debía polemizar con el diplomático, y que vería un tanto ridículo dudando de su propia sentencia, por lo que trató de esbozar una sonrisa e iba a decir algo intrascendente, cuando el *attaché* Ward intervino en la conversación:

—Con la venia de su excelencia el señor ministro, quiero sumar mis felicitaciones personales a las suyas y a las del gobierno de Su Majestad, pues la labor de usted, señor doctor Puchet, ha sido en realidad excelente. Desde un principio, como usted sabe, yo estuve pendiente de este penoso caso y me di cuenta de las enormes dificultades que presentaba. Incluso llegué a pensar que por su complejidad no habría nadie capaz de resolverlo en este país, pero celebro haberme equivocado, pues usted, señor juez, fue el hombre del destino y de la justicia y salió airoso de su difícil encomienda.

Luego evocó su actuación personal en el asunto:

—Yo paseaba con el ministro Pakenham la mañana del 28 de abril, temprano, y entonces nos encontramos al señor Branz Mayer, secretario de la Legación de los Estados Unidos y a su paisano el periodista George Wilkins Kendall quienes, como nosotros, cabalgaban en el bosque de Chapultepec. El señor Mayer nos informó entonces de la tragedia, pues a su vez el señor Kendall había sabido del doble crimen desde la hora del desayuno, y fue gracias a eso que pudimos actuar con toda rapidez. El señor Pakenham siguió a México y yo me fui para Tacubaya, ahí me encontré...

—Perdone usted señor Ward —interrumpió súbitamente Puchet—, ¿puede decirme a qué hora precisamente y en qué sitio fueron informados el señor Pakenham y usted por los señores Mayer y Kendall del asesinato?

—Con todo gusto señor Puchet —contestó el interpelado—, lo recuerdo a la perfección. Fue el 28 de abril, pasadas ligeramente las nueve de la mañana y nos topamos con los otros caballeros no muy lejos del gran sabino de Moctezuma. Nosotros regresábamos ya para México y ellos venían de la ciudad.

Don José María Puchet estaba pensando más rápidamente que nunca y no quería que los ingleses leyeran en sus ojos las deducciones que hacía: "De modo que Mayer y Kendall comunicaron la fatal noticia a Pakenham y Ward hacia las nueve de la mañana en medio de Chapultepec; viniendo aquéllos de México, por lo que debieron de salir del centro de la ciudad como a las ocho horas o antes, y el periodista de Nueva Orleáns había recibido tal noticia en el desayuno, o sea antes de las ocho, presumiblemente como a las siete y media, cuando más tarde. ¡Eso era imposible! ¡Totalmente imposible, por la sencilla razón de que según abundantes constancias del expediente y la declaración de docenas de testigos presenciales, el cuerpo del señor Egerton se había descubierto como a las siete de la mañana en Pila Vieja, y el de la señora Edwards como a las siete y media o más tarde en Xola, y nadie pensó en mandar un mensajero a México sino hasta como una hora después, de tal manera que de Tacubaya al centro de la ciudad ni un veloz jinete pudo hacer llegar la noticia antes de las nueve. ¿Cómo era que Kendall la había conocido entre siete y media y ocho, con el pormenor de que el crimen era doble, esto es con la información completa de la existencia de los dos cuerpos? ¿Quién se la había transmitido, cómo, cuándo y por qué? Recordó que Kendall había afirmado con gran seguridad y escrito en el *Daily Picayune* y en *The Times*, de Londres, que el crimen era producto de una venganza. Había dicho también que la noche anterior él mismo se había cruzado con Egerton y la Edwards mientras visitaba con otras personas en unos jardines en Tacubaya, lo que parecía falso o muy extraño pues las víctimas caminaban en despoblado. También recordó que Kendall, pocos días después del crimen, regresó a su patria intempestivamente, sin esperar que liberaran a los demás norteamericanos y tejanos que como él estaban prisioneros en la ciudad. Puchet tendría que revisar cuidadosamente los horarios y los tiempos de los hechos delictuosos previos al famoso encuentro entre los diplomáticos ingleses y los dos yanquis, aquella mañana en que se descubrió el asesinato, pero había llegado a una conclusión que decidió adoptar como presunción sujeta a prueba: George Wilkins Kendall había sabido del doble asesinato *antes* de que se encontraran los cadáveres del pintor y de su amante; casi con seguridad *desde la noche misma en que se había cometido el doble homicidio*, en la que aseveraba haberse topado con las víctimas en Tacubaya... Todo era muy sospechoso y abría una nueva pista; daba un poco de luz en otra dirección. El corresponsal yanqui era muy amigo de los tejanos, había alentado a los revoltosos *simpáticos* en sus juntas de Nueva Orleáns, tenía muchos compañeros entre los forajidos de la expedición a

Santa Fé, quienes se encontraban en México precisamente en abril de 1842, fecha en que algunos de ellos habían escapado de la cárcel, y aseguraba haberse encontrado en Tacubaya unos minutos antes de que el asesinato se perpetrara. ¡Él podría haber sido el criminal o por lo menos un cómplice que había sabido con anticipación quién cometería el terrible hecho! ¡Y este último podría ser un extranjero, un norteamericano o tejano! ¿El prometido despechado de Agnes? ¿Otro fuereño enviado por "alguien" para cebar su venganza en el pintor inglés, en su amante o en ambos? ¿Por qué un yanqui o un tejano? ¿Quién había puesto sobre el cuerpo de Agnes aquel letrero con el nombre de Florencio Egerton? La clave de todo podía ser ese corresponsal, enemigo de México, George Wilkins Kendall." Pensar todo esto le había tomado a Puchet solo unos cuantos segundos y sentir que tenía un gran indicio le animó sobremanera.

—Excelentísimo señor ministro Doyle, señor *attaché* Ward —exclamó— les agradezco enormemente su compañía y el mensaje de su gobierno que me han hecho llegar, el cual en verdad no merezco, pero que estimo en todo lo que vale. —Estrechó después la mano de los británicos: —Ha sido una visita sumamente placentera, una de las más provechosas de mi vida —les dijo con la más genuina de las intenciones.

22. Las extrañas pesquisas de Brian Nissen

"Londres, a causa de ser la capital y por su particular concentración de población, produjo inmediatamente después de Waterloo un muy especial problema de criminalidad".

David Thomson.
England in the Nineteenth
Century 1815-1914.
Penguin Books,
London, 1986.

LA DELINCUENCIA ha sido un mal común de todos los pueblos y todas las épocas, iba pensando Brian Nissen en el avión que lo conducía de México a Nueva York, al regreso de su fructífero viaje. La existencia de ladrones y asaltantes, violadores y asesinos es un hecho lamentable, extendido a través de las edades y la geografía. Pueblos que se enorgullecen de su alta cultura y de su elevado nivel de vida padecen dentro de su sociedad los crímenes más horrendos, que son por cierto menos entendibles que los cometidos en aquellas naciones donde rige la pobreza y donde la falta de educación y de trabajo empuja al delito. Las leyes que en todo tiempo han intentado proteger la vida, la seguridad y los bienes de las personas, amén de otros valores como la integridad sexual, se vienen infringiendo prácticamente en todas las latitudes desde el momento mismo en que son expedidas. Ni el temor a la autoridad y el castigo, ni la religión o la moral, ni la represión o la opinión pública han impedido nunca que los códigos llamados criminales o penales salten en mil pedazos ante el terrible hecho antisocial. El grado y la frecuencia del crimen suelen variar, por supuesto, de una sociedad a otra, pero tanto la tragedia griega como la literatura medieval, el relato moderno, la crónica periodística y la historia misma están pletóricos de hechos de sangre y violencia que dejan su impronta dramática e indeleble. En México la muerte trágica ha arrastrado lo mismo a *tlatoanis* y caudillos que a hombres de negocios, artistas y a los más humildes ciudadanos. Gracias a la leyenda o al corrido, el chisme callejero o el periódico amarillista, robos y fraudes, asaltos y asesinatos, venganzas y pasiones devenidas, agresión y violencia, se han transformado en una especie de épica popular que invade y permea todos los estratos sociales, especialmente los de la vida urbana, aunque el ambiente rural tampoco se escapa de esa roja persecución. No hay *habitat* ni comunidad invulnerables al delito, a pesar de los esfuerzos del Estado, la habilidad de policías y jueces, la prédica de maestros y sacerdotes, o la enseñanza y tradición moral de las familias. Pero cuando acontece el hecho violento, la muerte o el despojo, todo se conmueve, y la sensación de estar desprotegido, o de poder ser el objetivo del próximo ataque injusto transforma la convivencia en inseguridad colectiva. Cuando los hechos delictuosos se difunden y se comentan con amplitud, la conmoción se extiende, el miedo se multiplica, el reclamo de venganza social se acentúa. Brian Nissen sabía que en el momento en que Egerton fue asesinado, México se encontraba en plena *sociedad fluctuante*, una época de transición que generó una oleada de delincuentes y terribles delitos. Lo verdaderamente curioso es que esto acontecía también en Inglaterra en forma simultánea. Brian no olvidaba lo leído por él en un libro de G. M. Young[122] en el sentido de que el crimen, la pobreza y el alcoholismo habían alcanzado su apogeo en Gran Bretaña al inicio de la era victoriana, precisamente en el año de 1842, el mismo del

---

[122] *Portrait of an Age. Victorian England,* Oxford University Press, 1977, p. 68. Nissen consultó también el espléndido libro *Black Swine in the Sewers of Hampstead. Beneath the Surface of Victorian Sensationalism* de Thomas Boyle. London: Penguin 1989, que describe los sórdidos crímenes de la aparentemente tranquila y respetable sociedad victoriana, contenidos en los recortes periodísticos de Bell MacDonald, entre otros el del cochero Daniel Good, ejecutado en 1842, que asesinó y descuartizó a su amante, sin olvidar las posteriores hazañas de Jack "El Destripador". Brian agradeció al gobernador del Distrito Federal, Manuel Camacho Solís, el descubrimiento y oportuno envío de dicha obra.

homicidio del pintor y su amante en Tacubaya. Y esos ingredientes configuraban en ambos países —por otra parte tan distintos— un común denominador que el detective histórico no podía dejar de considerar. Recordaba también que Lord Acton sostenía que la historia del siglo XIX había cambiado su curso no menos de veinticinco veces a causa del asesinato. El de Egerton, por cierto, no había alterado profundamente la vida de México o de Inglaterra, pero sí había contribuido a provocar un estado de inquietud social inocultable. La excesiva brutalidad del siglo XVIII había continuado en los dos países, acostumbrados, uno a la Inquisición persecutoria de herejes, otro a los *cazabrujas* de Mathew Hopkins, (a los que se parecía un poco el juez Puchet) y ambos a los asaltantes de calles y caminos y a los hechos de sangre pasionales y políticos.

Brian imaginó nuevamente el revuelo y la sorpresa que tuvieron que causar en 1843 el descubrimiento y la aprehensión de los supuestos asesinos de Egerton: cuatro miserables que confesaron haber matado al pintor y a su amante para robarlos, pero que no los habían despojado de sus más valiosas pertenencias, y que juraban no haber violado a Agnes. Era lógico que en México muy poca gente creyera que esos pobres diablos fuesen los auténticos homicidas, o por lo menos los únicos. Y tampoco parecía lógico que el gobierno de Su Majestad Británica, usualmente tan quisquilloso, diera por buena esa versión y se hubiera apresurado a felicitar y agradecer a don José María Puchet por la resolución de un caso que parte de la sociedad mexicana aún consideraba pendiente. ¿Cómo era posible que los ingleses aceptaran esa débil investigación que configuraba el crimen como un asalto eventual, cuando el propio *The Times* de Londres, había dejado muy en claro desde su primera crónica que tal delito había sido planeado en Inglaterra, por alguien que conocía a las víctimas y cuyo móvil era seguramente la venganza? ¿Cómo explicar la ausencia del robo y el famoso letrero con el nombre y domicilio de Florencio Egerton? Brian leyó y releyó la reimpresión del "Extracto" de la *Causa célebre contra los asesinos . . .* que había llegado venturosamente a sus manos y aunque al principio sintió una cierta decepción porque el crimen parecía haber sido resuelto por las

autoridades judiciales de la época, después reafirmó su opinión
inicial al apreciar las múltiples contradicciones del proceso, de
la sentencia y de la reseña final o "Extracto", publicada originalmente en *El Observador Judicial*, que don Carlos María de
Bustamante atribuía al propio doctor Puchet. Nissen se prometió
a sí mismo seguir investigando sin darse por vencido hasta con-
testarse satisfactoriamente esas interrogantes. Por lo pronto,
para esas fechas, creía saber más de Egerton que cualquiera de
sus biógrafos o de los historiadores sus contemporáneos que
habían comentado el terrible doble homicidio. Continuaría revol-
viendo bibliotecas, acopiando información, aplicando el método
deductivo-inductivo y reflexionado sobre las particularidades de
aquel suceso que ahora le apasionaba más que nunca.

Cuando llegó a su estudio de *Saint Mark's Place* encontró
abundante correspondencia de varios de sus amigos a quienes
había pedido ayuda para la investigación. La mesa del estudio
estaba llena de sobres, paquetes, libros, legajos de fotocopias,
telegramas y notas llegadas durante las semanas últimas, mientras Brian y Montse habían estado en México. Así seguiría
sucediendo durante los años siguientes, desde fines de 1987
hasta mediados de 1990, época que el artista emplearía para
prolongar su indagación general sobre las sociedades mexicana y británica de la primera parte del siglo XIX, y a ir llenando los huecos de la pesquisa policíaca propiamente dicha
sobre el desconcertante asesinato. Sin suspender su trabajo artístico, para el que se sentía en óptima condición, Brian Nissen
se sumergió en esos y otros papeles y libros experimentando por
vez primera en su vida la extraordinaria sensación de investigar
y beber la historia como un néctar milagroso y rejuvenecedor.

Virtudes Mier había vuelto a escribirle desde Londres y le
enviaba la lista completa de las obras exhibidas por Daniel
Thomas Egerton en la *Royal Society of British Artists* entre
1824 y 1840, que le permitió trazar la ruta pictórica del gran
paisajista, y también una fotocopia de la guía del Museo Británico, fechada en 1929, sobre la Colección Egerton de manuscritos, legado del reverendo Francis Henry, cuya cara prógnata
conocía hasta ahora, pues ornaba en lugar de honor el espléndido catálogo publicado en el centenario de su muerte. Nissen

recibió también una completa información de su querida amiga Patricia Ochoa de Espinosa, quien se había puesto a investigar para él en la Biblioteca Nacional de París y le enviaba suculentas biografías de los Egerton extraídas del *Aperçu Historique et Généalogique* de Francis Hargrave, publicado en esa ciudad en 1807, y la referencia a *La vida de Sir Thomas Egerton*, fundador de la rama, escrita por el reverendo. La eficiente Mireya Terán, por su parte, había expurgado la sección genealógica y heráldica de la Biblioteca Pública de Nueva York, y localizado varios *peerages* o libros nobiliarios ingleses en que aparecían muchos integrantes de la familia del pintor masacrado. Esperanza Suárez, inteligente pintora mexicana también residente en la "Urbe de Hierro", sorprendió a Brian ofreciéndose a prolongar la investigación de los ascendientes del paisajista y le consiguió un raro folleto de 1869, titulado *Breve reseña de los poseedores de Oulton*[123] debido a la pluma de Sir Phillip de Malpas Grey-Egerton, gracias al cual penetró otra de las importantes ramas de la familia, y asimismo le envió la historia de Ashridge, la casa señorial de los Egerton de Ellesmere y Bridgewater.[124] Otro valioso amigo, José Aguilar Salazar, a quien había conocido durante un viaje a la ciudad de Washington gracias a Antonio Icaza, se prestó a investigar en la Biblioteca del Congreso y encontró el árbol genealógico completo (hasta los fallecidos en 1973 y 1974) de los Egerton de Adstock, rama proveniente del caballero Randull Egerton de Caldecote nacido hacia 1518; asimismo le hizo llegar la fotocopia de un libro que le resultó excepcionalmente útil: *Los millones de los Bridgewater*, de Bernard Falk,[125] donde pudo bucear el origen de Daniel Thomas y la excéntrica vida de su presunto padre, el famoso reverendo Francis Henry, octavo y último conde de Bridgewater,

[123] "A Short Account of the Possessors of Oulton from the Acquisition of the Property by Marriage with the Done, until the Accesion to the Baronetcy on the Death of Thomas first Earl of Wilton" Compiled from Public and Private Documents by Sir Phillip de Malpas Grey-Egerton, Bart M. P. 1869. For Private Distribution.

[124] Henry Gordon, *This Is Ashridge*, The Leagrave Press Ltd, Luton, 1949.

[125] *The Bridgewater Millions. A Candid Family History*, London, New York, Melbourne, Hutchinson & Co. Publishers Ltd, 1942.

familia con quien uno de los biógrafos mexicanos del artista victimado lo declaraba categóricamente emparentado.[126]

Otras personas de su amistad en la aparentemente inhóspita Nueva York, donde vive una comunidad mexicana pequeña pero muy unida y servicial, le proporcionaron piezas documentales o libros básicos, como Ana Flipo, quien consiguió una fotocopia de la extensa y agotada *Narración de la expedición texana a Santa Fé* de George Wilkins Kendall[127] la cual leyó con paciencia y asombro, o como Yolanda Farías, quien revisó cientos de ficheros relacionados con los Egerton y sacó notas de las *Anécdotas familiares*, escritas por el reverendo Francis Henry, en su retiro de París.[128] Durante meses estuvo Brian Nissen capturado por la información que tenía y por la que le seguía llegando, y cada nuevo dato le acercaba más a establecer una conclusión general sobre la vida y, especialmente, sobre la muerte de Daniel Thomas Egerton, a quien Brian de acuerdo con la carta del embajador Stephen L. Egerton[129] ubicaba presuntivamente como un hijo bastardo de la rama de Bridgewater, que debió haber tenido una niñez difícil y un tanto clandestina y encontrado en la pintura un medio para expresarse y sobresalir. Esta sola presunción daba pie para inferir en Daniel Thomás un carácter difícil, exigente y un tanto conflictivo, elementos que llevaban a Nissen a reafirmar que su asesinato podía haber estado ligado con esas condiciones de su actitud o comportamiento y no ser producto de un asalto eventual con el propósito, totalmente improbable de un robo que además

[126] Manuel Romero de Terreros y Vinent, marqués de San Francisco, *Paisajes mexicanos de un pintor inglés,* México, Editorial Jus, 1949.

[127] *"Narrative of the Texan Santa Fe Expedition,* comprising a Tour through Texas, and Accros the Great Southwestern Prairies, the Comanche and Caygüa Hunting-Grounds, with an Account of the Sufferings from Want of Food, Losses from Hostile Indians, and Final Capture of the Texans, and their March, as Prisioners, to the City of Mexico", with Ilustrations and a Map. By Geo Wilkins Kendall. In two volumes, New York, Harper and Brothers, 82 Cliff-Street, 1844.

[128] *Family Anecdotes.* París, 1827. Francis Henry Egerton, octavo conde Bridgewater. Extractos de este libro se publicaron en la *Literary Gazette* del mismo año.

[129] Carta al autor desde Riad. 26 de junio de 1987.

George Wilkins Kendall
Cortesía de: University Microfilms International, University of Illinois Press

nunca se cometió. Más bien todo parecía producto de una venganza o una conspiración. Fue mientras reflexionaba en esto
último que recordó haber recibido del profesor Gerardo Cabezudt, hacía algún tiempo, una cinta magnetofónica conteniendo
el horóscopo de Daniel Thomas Egerton.

La cinta empezó a desarrollarse en la grabadora de Brian
Nissen, y arrojó en el estudio neoyorkino la clara y metálica
voz del conocido astrólogo mexicano. Al principio Cabezudt le
reiteraba lo dicho antes por teléfono:

En los 26 años que llevo de dedicarme a la astrología en
cuerpo y alma es la primera vez que hago un esquema de un
personaje histórico que sirva de base para un libro. Nadie me
lo había pedido, aunque a mí me interesan mucho los esquemas históricos —ahora hago el de Morelos, que está resultando
apasionante. Lo felicito por ello, señor Nissen. Partimos de la
base de que Daniel Thomas Egerton nació cerca de Londres
el 18 de abril de 1800, hacia las diez de la mañana, cuando
había luz en el bosque, según dice uno de sus biógrafos. Por
tanto Egerton es un Aries, y su signo ascendente seguramente
Géminis. Una persona que vive y muere en otro lugar de donde
nace casi siempre tiene muy fuerte el signo de Géminis o el
de Sagitario, y la hora y la fecha corresponden a aquel signo. Usted, señor Nissen, es uno de los casos, pues nació en
Londres y ha vivido en México y en Nueva York, además de ser
un típico Géminis de pleno mes de junio, con ascendente Libra.
También los Géminis hablan idiomas y conocen mucha gente,
culturas y lugares diferentes a aquel en donde nacen. Por otra
parte está la extraña atracción entre usted y Egerton, la unión
de los semejantes, que se llama. Como dice Goethe, sólo lo
afín puede captar a lo afín, si el ojo no fuese solar al sol no
podría ver. Usted sintió atracción hacia la vida de Egerton
porque ambos comparten el signo de los gemelos y otras semejanzas. El día 18, en el que el pintor británico nació, está
regido por la luna en la carta del Tarot, que es una de las más
interesantes de sus veintidós arcanos mayores, lo que nos habla
de una dualidad. Ese astro es el cuerpo celeste más movible
o versátil; un sinónimo de luna sería *cambio*. Las personas que
tienen el día 18 en su esquema tienen que ver con esa dualidad o movilidad y su claroscuro. El día 18 es muy interesante:
en la carta del Tarot, sobre dos torres se ve una luna san-
grante, y al frente un perro y un lobo que ladran o aúllan al
astro de la noche, mientras de un río sale un cangrejo. El perro

y el lobo significan el capricho, lo inalcanzable de poseer la luna. Este arcano nos habla de la caída en la fantasía o en la quimera de aquellas personas que nacen un día 18, las cuales suelen poseer un poderoso mundo interior o ser los que metafóricamente se llaman *lunáticos,* seres que viven en ensueño. Esto es muy interesante: un predominio de la vida emocional sobre lo objetivo. 1800 es el año del simio en la astrología china, lo que conlleva capacidad mental, carácter alegre, aventurero, temerario. Géminis es muy semejante al simio, a quien le gusta viajar y conocer personas y culturas distintas, a quien lo rutinario le aburre y prefiere el cambio y el riesgo a la tranquilidad. Simios han sido filósofos como Schopenhahuer, políticos como Julio César, pintores como Leonardo Da Vinci —que era muy simio, con mil ideas e ingeniosos inventos— poetas como John Milton, quien dijo que vale más reinar en el infierno que servir en el cielo; o como el francés Ronsard, quien aseguró que a todos se los lleva el viento; como Lord Byron, quien afirmó que todo hombre auténtico sería capaz de dar su vida por una mujer, pero que vivir con ella, ¡eso ya es otra cosa totalmente diferente! También era del año del simio el marqués de Sade, quien tenía unas ideas rayando en la locura; y los pintores Modigliani y Gaugin, el escritor Alejandro Dumas y el capitán Cook, gran aventurero y descubridor de las islas Sandwich o Hawaii. La combinación Aries-simio es sumamente fuerte. El nativo de Aries es franco, a veces demasiado, claridoso, instintivo, y tiene tendencia a lanzarse sea cualquiera la visibilidad y sin importarle el boletín meteorológico. Aries es ni más ni menos el ariete, la cabeza de carnero que rompe las puertas y los muros de los castillos. En cambio el simio es astuto, inteligente, ingenioso y no pierde nunca de vista su propio interés; su oportunismo hará que la acción Aries sea más eficaz y ésta dotará al simio de un fondo de honestidad que hará la delicia de sus amigos, aunque el simio es bastante juguetón. Luchador nato, el Aries-simio emplea a sus dos animales totémicos; a veces hábil diplomático, otras arrojado suicida, actúa para impresionar a su público pues siempre trata de deslumbrar. Esto lo hace a las mil maravillas y puede emprender infinidad de empresas a la vez aunque a veces termina pocas de las que comienza. Es un extraordinario conversador pero se olvida de su experiencia y comete los mismos errores del pasado; no tiene la *elikía,* o sea la sabiduría de la experiencia, que llamaban los griegos. Es una persona brillante y seductora, a veces vacilante pero sabe apreciar el peligro, tiene madera de estratega y luchador. Pero ni el Aries ni el simio retroceden: la persona que los

conjuga resulta excepcionalmente dotada para enfrentarse con
la vida y sacarle el mejor partido, aunque a veces carece de
una sensibilidad humanista y resulta un poco ruda. Ahora
veamos la combinación Aries-Géminis. Físicamente, en un hombre, puede dar una estructura más bien delgada, aunque en
ella se diciden musculosidad y reciedumbre. La nerviosidad y
el gasto de energía mental no permiten que esta combinación
tienda hacia la obesidad, sino a constituir una persona nerviosa y excitable. El cuerpo es flexible, apto para la gimnasia
y el deporte, la estatura suele ser alta y los miembros de la
persona alargados. Yo me imagino a Egerton como el actor
Mel Gibson, un tipo atlético, ario, parecido a usted señor Nissen. La estructura psicológica es una mezcla de energía marciana —Aries— con energía mercurial —Géminis— lo que hace
a estas personas muy ágiles de mente, activándose ésta hasta
límites casi insostenibles para la mayoría de las otras personas.
La necesidad de tener experiencias nuevas es clarísima, de conocer todo aquello que llama su atención convierte a este tipo
de persona en aquella que parece saber todo, aunque no se
le puede pedir ni disciplina ni método. Al Aries-Géminis le
cuesta mucho mantener la atención cierto tiempo en algo, por
su inmensa curiosidad, que lo hace divagar o ser superficial.
Su vida se basa en el continuo movimiento y sus pensamientos
van más allá del vértigo. De todos los arianos se puede decir
que el de ascendente Géminis es el más exigente culturalmente
y el que más aprecia el conocimiento. No se conforma con
conceptos mediocres o demasiado simplistas; es expresivo y buen
comunicador —en este caso se expresaba por la pintura— aunque puede pecar de demasiado franco y hasta agresivo, lo que
puede crear discordia en el medio ambiente que le rodea. Yo
diría que esta combinación puede dar un tipo algo racista,
competitivo, con mucha fuerza muscular y mental; creo, señor
Nissen, que esto en Egerton se manifiesta porque en su ascendente Géminis tiene colocado a Júpiter. Fue una persona
jupiteriana y marciana. Júpiter le dio la cultura, los idiomas,
el triunfo en la vida. Marte, combinado con la luna le dio la
hipersensibilidad artística. Grandes pintores han tenido la luna
colocada en forma semejante. También otros personajes, como
Marilyn Monroe. Esta luna hace a la persona muy social. Nada
más que la imagen que a mí me da Egerton es de que fue un
hombre con un carácter sumamente fuerte; muy digamos, "macho", aunque culto y con deseos de aprender, enseñar y dialo-
gar; pero con un carácter belicoso. Yo creo que se ha de haber
hecho no pocos enemigos a lo largo de su vida. Un Aries, para
empezar, no es un signo nada tranquilo; si a eso se le agrega

la influencia que tenía de Marte, que es la agresividad en sí
misma, los pleitos, los enojos, el don de mando, y la luna que
es el público en general, el resultado es explosivo, Egerton,
por si lo quiere usted poner en su libro, nació una mañana en
que antes de la salida del sol se podía ver a Venus, el lucero
más brillante, el del amor y la belleza; y esa misma tarde, al
meterse el sol se veía un lucero grande y también muy brillante que era Júpiter, en la parte del poniente, que es la felicidad,
la expansión y los viajes. Este hombre tiene un esquema muy
interesante y contrastado, o sea que posee aspectos sumamente
buenos y otros muy complicados. Por ejemplo, una de las mejores aspectaciones que puede haber es tener a Júpiter con su
dicha y riqueza, carisma, amistades, y buena salud, en el ascendente, aunque con una propensión a ser demasiado exuberante, extremista, aventurero y enamorado como el propio
dios Júpiter, que se transfigura en el Olimpo en cisne, toro y
águila para conquistar a sus amores. Este señor Egerton tenía
en el sol a Júpiter que es el astro de la exuberancia en el amor.
Pienso que fue un hombre sumamente agraciado en lo físico,
muy atractivo, excesivamente viril, esto es que tenía muy marcadas las cualidades pero también los defectos masculinos; era
muy competitivo y conquistador; y esto le ha de haber traído
como consecuencia que se hizo de bastantes enemigos. Casi
me atrevería a decir que no conocía el miedo; ni Aries ni Escorpión lo conocen. La parte negativa de este esquema ¿qué
sería? Bueno, yo aquí diría que Egerton probablemente tenía
el sol en la doceava casa, lo que significa que el panorama es
muy negativo; esta casa es de vicios, de problemas psicológicos,
de enemigos secretos, de situaciones ocultas, prohibidas, de
mafias de actitudes negativas; con decirle, amigo Brian, que
a la doceava casa se le llama el basurero del Zodíaco; de tal
manera que todo lo que se piense de negativo, los vicios, los
engaños, las situaciones ocultas, los hospitales y manicomios,
todo cabe aquí. Esto nos podría hablar también de un problema de Egerton con el padre, pues esta casa no es muy buena
para las relaciones con el progenitor; más bien nos indica un
padre secreto o escondido, irresponsable o enfermo, o simple
y sencillamente que no existía una buena relación entre el hijo y
el padre. Esto se confirma por otro lado: el pintor tiene el sol
en cuadratura con Saturno, y este es un aspecto que casi siempre lleva a una problemática muy fuerte con la figura paterna;
la relación es conflictiva o penosa; o no hay padre, o éste es un
tirano o un desobligado. Tal vez hasta hay una competencia
con la figura paterna para superarla, brillar más que el padre,
como Saturno, el astro de las tinieblas que quiere superar al

sol. Esto indica no obstante que Egerton tuvo a Júpiter en el
ascendente, lo que es muy bueno, en una etapa de su vida
tuvo que nadar contra la corriente, por lo menos a un nivel
psicológico, que fue un hombre autoatormentado interiormente;
yo no diría que este esquema es el de un hombre plenamente
feliz. Objetivamente, Egerton pudo haber vivido cosas maravillosas —¡ese Júpiter es algo así como el colmo de la felicidad!— pero Saturno contra el sol; luna con Marte, luna y
Marte contra Neptuno nos hablan de problemas psicológicos
fuertes o de problemas en la vida que se complican como una
novela de Dostoyevski. Tener a la luna junto con Marte es
uno de los típicos aspectos de una gente muy exaltada. La luna
es el temperamento, es la fisiología del organismo, es el humor
del individuo. Marte es la cólera, es el enojo, es la llama, el
fuego. Tener a la luna junto con Marte es ser una persona
que se prende, que se exalta por cualquier cosa. Todo se complica más, señor Nissen, porque la luna y Marte unidos —haya
nacido a cualquier hora— indican una gente totalmente ex-
plosiva, pues esos astros tienen que ver con la parte animal
del individuo. Decía Freud que en cada ser humano, si miramos un poquito a fondo, podemos ver la cola del saurio, la que
todos llevan arrastrando. Yo veo a Egerton como una persona
de buen carácter —aunque esto pueda parecer contradictorio—
pues era un hombre de temperamento colérico-sanguíneo, en
que a veces predominaba el sanguíneo: era un hombre alegre,
cordial, extrovertido, aunque con sus profundos secretos, pero
daba la apariencia de ser incluso dichoso. Pero muchas veces
predominaba su parte colérica, y por cualquier pequeña cosa
se enojaba, se irritaba y no tenía temor o no medía las consecuencias de su reacción.

La luna junto con Marte están contra Neptuno. Este es uno
de los aspectos más interesantes del esquema, señor Nissen,
que hasta da miedo, se lo digo sinceramente. Haré un paréntesis: el hombre que mató a Sharon Tate —Charles Mason, que
era Escorpión— tenía a Marte contra Neptuno. Marte es la
agresividad, las armas, y Neptuno la locura, la esquizofrenia,
la más tremenda distorsión de la realidad. El otro psicópata
que mató a cientos de personas en Guyana, que se apellidaba
Jones, también tenía a Neptuno contra Marte. Ambos debieron
sentirse como enviados de Dios o del más allá para realizar
una terrible misión. Si usted leyó lo que declaró Mason después de asesinar a Sharon Tate fue que lo había hecho para
extirpar un cáncer de la sociedad. Este peligroso aspecto de su
esquema le dio a Egerton esa muerte tan terrible y violenta;
yo intuyo que no fue por un asalto, por una cosa fortuita, ni

que lo mataron porque se cruzaron con él y su mujer, o por quitarle lo que llevaba encima o por algo semejante; no lo creo. Este esquema sería, lo repito, el de un personaje de Dostoyevski, quizá uno de los hermanos Karamazov, con grandes desastres, alegrías y tormentas, con una vida bastante complicada. Este Neptuno contra la luna y Marte proyecta un aspecto muy interesante. Neptuno, en el caso de Egerton, rige la onceava casa, que tiene que ver con amistades, con amigos o con gente en la que Egerton pudo confiar, pero que le procuró enemigos a pesar de su confianza o de sus vínculos. Por darle un ejemplo, él pudo enamorarse de alguien y esa situación le trajo enemigos secretos, enemigos vengativos. Este aspecto del esquema ¡hasta verlo da miedo! Es tremendo porque es un aspecto de mafia, no evidencia un asalto normal, sino que es algo muy truculento, muy elaborado, muy planeado, es la acechanza, la emboscada, eso es Neptuno, algo muy feo. Yo diría que a Egerton lo mandaron matar; ignoro por qué causa. Quizá lo mandaron asesinar desde Inglaterra o aquí en México, pero creo plenamente que fue algo premeditado. Además la casa de la muerte de Egerton está entre Saturno y Júpiter. Este último tiene un aspecto contra Urano, que da siempre una muerte extraña, misteriosa, que está marcada en su esquema. Además Egerton tenía a Urano contra Venus, lo que indica problemas en cuanto al amor; es signo de divorcio, de separación, probablemente de adulterio o libertinaje, pues se ve que en el amor no era alguien muy tranquilo sino bastante acelerado como se dice ahora, exaltado en sus pasiones. Venus, aquí, se encuentra en Piscis; este es un rasgo característico de un pintor, tiene que ver con el arte, la contemplación, la poesía, la visión de los hermosos paisajes que Egerton recogía. Pero Venus está contra Urano que da amores raros, extraños, novelescos o libertinos, y también contra Júpiter, que produce un exceso de fuerza o de pasión en el amor, lo que complica mucho la vida, y que son aspectos que se vinieron a sumar a las otras situaciones negativas de su esquema.

Ahora bien, antes de que se me pase, señor Brian Nissen, le voy a relatar como lucía el cielo cuando murió Egerton, la tarde del 27 de abril de 1842, poco después de las siete, en que el sol se estaba poniendo, como todo día de primavera aquí en México, precisamente en Tacubaya. Acabándose de meter el sol que estaba en Tauro —había sido el cumpleaños del pintor hacía unos días, el 18 de abril, que es una etapa muy importante y peligrosa para toda persona, especialmente *antes*, pero también *después* del día aniversario de aquél en que nació— se podía ver a Venus como lucero de la tarde junto con Marte. Fíjese usted que esa tarde se produjo un crepúsculo como pocas veces podía haberse contemplado, así de hermoso era. Esto lo puede corroborar un astrónomo o se puede investigar en una publicación calendárica de la época. El gran lucero Venus aparecía junto al planeta rojizo, o sea Marte, pues estaban sólo a dos grados uno del otro; Venus estaba a 22° de Tauro y Marte a 24°, muy cercanos en el Poniente. El atardecer era extraordinariamente bello. La luna no se podía ver, pues contrariamente al día en que Egerton nació, en que estaba en cuarto menguante, la tarde del asesinato el astro selénico no se encontraba visible en la bóveda celeste; aparecería hasta muy entrada la noche pues apenas se encontraba al principio de la luna nueva. Yo pienso que ellos —Daniel Thomas y Agnes— habían salido a ver las estrellas, ese espectáculo maravilloso que se estaba viendo desde hacía cuatro o cinco días. Aquí hay una cosa muy interesante: Venus y Marte —el amor y la sexualidad— estaban contra el Marte de Egerton, lo que amplificó la tendencia o el peligro de ser muerto por agresividad, y estaban también contra su luna, su polo femenino, lo que yo traduciría como un problema grave, un asalto, un accidente, una violación, ocasionados por una mujer o por otras causas ocultas. Pero como le dije antes, Brian, esto ya estaba preparado, no fue nada eventual o espontáneo. Otro dato interesante es que el planeta Urano estaba contra el Urano del pintor, esto ocurre alrededor de los cuarenta años de un individuo. Urano contra Urano indica un gran cambio en la vida de una persona, que en el caso de Egerton fue la muerte. La muerte física y desencarnar. También hay otro aspecto muy impresionante: estaba Plutón encima de su sol, lo que también indica una gran transformación, un cambio radical y profundo.

Cuando Egerton murió Neptuno se encontraba por primera vez encima de su Marte y de su luna, —que cuando nació estaban a 90° y el 27 de abril de 1842 Neptuno había recorrido esos 90° del Zodiaco y llegaba por única vez al momento más peligroso de la existencia del artista. Esto nos viene a confirmar una vez más que él murió por causas misteriosas, y por un enemigo oculto y secreto, lo que yo creo plenamente. Yo creo que en su muerte Egerton tuvo gran parte de culpa, pues como le decía, señor Nissen, la imagen que él me da es la de un hombre que no se medía en sus acciones, era imprudente, arrogante, hiriente con la palabra, muy inteligente y ágil, pero no se cuidaba de flagelar a otros con su decir. Sus relaciones amorosas y de todo tipo se ven aquí muy volcánicas y difíciles. Goya y Van Gogh eran Aries como Egerton. John

Lennon tuvo como él la luna en Acuario, y también fue asesinado. En Egerton yo veo una tendencia a la libertad exagerada; era un hombre que amaba mucho la libertad. Probablemente tenía problemas cardiovasculares, físicos o anímicos; él tenía su tristeza, su pena interna, o una triste experiencia del pasado que no había logrado superar. Sus relaciones con las mujeres eran muy interesantes: era bastante "Don Juan", un poeta, y gracias a su sensibilidad de pintor, cautivaba; su combinación de virilidad y emotividad lo hacía muy atractivo. Fue un hombre triunfador pero tuvo sus problemas internos muy fuertes, y el principal era su agresividad, su complejo o tendencia a sentirse superior, ¡era muy ariano! Me llama mucho la atención que el sol de usted, señor Nissen, está exactamente encima del ascendente y del Júpiter de Egerton. Yo lo interpreto como que el sol de usted está *redescubriendo* a Egerton para el mundo.

El artista británico tiene el mismo ascendente que Jack London, y sus vidas deben parecerse un tanto. Espero le haya servido, señor Brian Nissen, el estudio de este esquema que a mí me ha motivado mucho por lo que tiene que ver con la cultura y sobre todo con la investigación. ¡Qué cosa más interesante es descubrir algo que otros no saben, dar a luz conocimientos enterrados que están en los registros *akáshicos*, como dirían los esotéricos! Quizás usted no sepa, señor Nissen, pero el esoterismo afirma que hay una especie de memoria del universo que son los registros *akáshicos*.

Todo lo que ha sucedido en la historia, a todos los hombres de cualquier época, se ha quedado grabado en esos registros que son como una especie de gran computadora que capta las acciones y las obras de la humanidad de todos los tiempos; ahí sin duda está escrita con pormenores la vida de Egerton. En este esquema sólo hemos intentado extraer el conocimiento de su personalidad que nos daban los astros.

Una última cosa: debo agregar que la muerte de Egerton estaba muy clara ese mismo año de 1842; él estaba terriblemente mal aspectado —Marte contra su Marte y su luna; Neptuno encima de su Marte; Plutón encima de su sol— lo que indicaba una emboscada y un cambio profundo en su vida, pero también estaba la cabeza del dragón contra su sol, y eso quiere decir que se cumplía una parte esencial de su existencia y se iniciaba una nueva etapa, a partir de su desencarnación. Él tenía a Urano en el quinto sector, lo que significa la tendencia al amor en libertad a pesar de que Egerton vivía en la época victoriana, tan rigurosa para las costumbres. Le agradezco la atención de escuchar el largo desarrollo de este esquema astrológico e histórico; por primera vez en mi vida hago algo semejante y sólo me resta recordarle la etimología de Daniel, que proviene del hebreo y significa "mi juez es Dios", y de Tomás, que viene del arameo y quiere decir gemelo o mellizo, lo que resulta totalmente geminiano. Se me olvidaba consignar que a mi juicio, para Egerton fue muy importante la influencia del hermano, aunque no la veo del todo positiva; esta relación con el hermano fue muy influyente en su vida pero no fue buena, con él debió tener problemas, porque su Saturno en la tercera casa está también mal aspectado: pudieron existir rivalidades o lucha de poder con aquél. El gran miedo de Egerton era pasar inadvertido o en el anonimato; para él brillar, triunfar, sobresalir, ser una luminaria, era muy necesario en su vida, porque Saturno en Leo da un miedo a la mediocridad; en cambio el sol en Aries impulsa a brillar, a sobresalir en la forma máxima en que se pueda. Bueno, me despido de usted, señor Nissen, en este miércoles 7 de septiembre de 1988. Su amigo, el profesor Gerardo Cabezudt.

Cuando acabó de escuchar la cinta y la grabadora se apagó sola, Brian Nissen seguía estupefacto. Apenas podía creer lo que había oído. Su escepticismo hacia los horóscopos se tornó en admiración por el trabajo serio y maduro de Gerardo Cabezudt, quien le había enviado, además de la grabación, una carta astral de Egerton cuidadosamente dibujada, con todas las posiciones e influencias de los planetas que había descrito. El astrólogo mexicano, sin poseer ni el diez por ciento de la información de Brian, había trazado un magnífico retrato psicológico de Daniel Thomas Egerton, superior al que él se había ido formando en casi tres años de investigaciones y lecturas, y había llegado a conclusiones previas muy semejantes a las que el propio Nissen sostenía como una base para la inquisición que desarrollaba. A través del enjambre de líneas rectas que se cruzaban en la carta astral, Cabezudt parecía leer sin dificultad la historia, o por lo menos la pequeña historia del pintor masacrado. Todo era impresionante, pero especialmente algunas de las aseveraciones que los astros parecían mandar como señales esclarecedoras: a) Egerton había sido un hombre de acusada personalidad, carácter fuerte y bastante conflictivo, muy atractivo para las mujeres, un tanto desordenado en sus relaciones amorosas, valeroso y aparentemente seguro y feliz, pero con un pasado difícil, de sufrimientos, impreso por un claro choque con la figura paterna, y que tenía miedo a pasar inadvertido; b) Que Egerton había superado esa inseguridad expresando su fuerte sensibilidad por medio de la pintura y su carácter aventurero, mercurial y versátil durante sus dos viajes a México en los que se identificó con ese país de reconocida influencia lunar; c) Que la relación con su hermano William tampoco había sido buena, quizá por rivalidades familiares o como consecuencia de su propio carácter agresivo; e) Que Egerton fue asesinado en una emboscada, como consecuencia de un plan deliberado y vengativo, y no de un asalto circunstancial; f) Por último que él, Brian Nissen, sentía gran afinidad con el pintor británico, al que se parecía mucho, y que eso lo había hecho sentirse atraído a investigar su vida y muerte y, seguramente, era la causa de las pesadillas que reiteradamente le habían invadido hasta que decidió iniciar la investigación. Eran unas buenas conclusiones. Estupendas, a su parecer. Habría quien las tachara de poco científicas y hasta de meras especulaciones, pero Nissen había llegado a puntos muy coincidentes antes de escuchar la cinta magnetofónica, como producto de sus lecturas, pesquisas y reflexiones sobre un material absolutamente histórico. Por otra parte, se dijo, el profesor Cabezudt no conocía ese material; lo más que sabía de Egerton era lo poco que Brian le había referido por teléfono y quizá el contenido de alguna de sus muy escuetas biografías, las de Valadés, Kiek o Romero de Terreros, que no pasaban de cuatro o cinco páginas, dedicadas sobre todo a analizar su obra artística.

Le constaba que el astrólogo no había podido tener acceso a documentación tan difícil de conseguir como el Extracto de la *Causa célebre*, o los periódicos *El Siglo XIX* y *El Observador Judicial* de hacía más de ciento cuarenta y cinco años, ni a los comentarios de *The Times* de 1842, o al libro de Wilkins Kendall que nunca se ha publicado en español y cuyas ediciones en inglés no existen siquiera en las bibliotecas mexicanas. Esto quería decir que la fuente de sus conclusiones eran rigurosamente la interpretación astral, y Brian se congratuló por haber recurrido a él, haberle pedido su magnífico trabajo y quizá inaugurar con su auxilio una nueva faceta de la investigación histórico-psicológica que, al permitirle reconstruir los trazos principales del carácter de su personaje, le ayudaba a proyectar razonablemente su comportamiento, explicar sus actos conocidos e imaginar o deducir su posible conducta ante diversos estímulos o situaciones. Y el resultado era de primera. Una sensación extraña le invadió. El también era geminiano, jupiteriano y mercurial como el pintor; como Egerton se expresaba a través del arte y le encantaban el cambio y los viajes; amaba como aquél las discusiones y las polémicas y tampoco le disgustaban nada las mujeres atractivas e inteligentes. Como Egerton había nacido en las cercanías de Londres, habitado en Hampstead, se había trasladado a Tacubaya y también como Daniel Thomas —quien según acababa de saber visitó Nueva York y Niágara en su viaje de regreso a Inglaterra— había vivido un corto tiempo en los Estados Unidos. No se trataba de unas vidas paralelas, pero si de un algo que los unía. Como había dicho Goethe, según afirmaba Cabezudt, sólo lo afín podía captar a lo afín. Se estremeció pero esta vez no de temor o de vana alegría, sino de legítima satisfacción.

ERAN LOS FINALES de 1989 y Brian ya casi había agotado la documentación sobre México cuya revisión y síntesis había constituido un trabajo en verdad ímprobo, sobre todo para quien como él no disponía de un equipo fijo de investigadores, aunque seguía contando con innumerables amigos interesados en el tema que espontánea y gratuitamente le brindaban una inestimable cooperación. Por ejemplo, la pintora Esperanza Suárez le hizo llegar la fotocopia de unos capítulos muy importantes de otro libro agotado, *Recollections of Mexico* de Waddy Thompson, quien fuera Ministro de los Estados Unidos en ese país entre 1842 y 1844; y casi por una casualidad cayó por entonces en sus manos la revista *Historias*, con un excelente artículo de Rosa María Meyer sobre los negocios de los ingleses en México[130] en la primera parte del siglo pasado. Así pudo contrastar la fría actitud con la que el representante diplomá-

---

[130] Rosa María Meyer, "Los ingleses en México, la Casa Manning y Mackintosh (1824-1852)" en *Historias*, México, no. 16, ene-mar. de 1987.

tico norteamericano veía morir a Vicente Tovar y el frenesí con el que, mientras tanto, el cónsul inglés Ewen Clark Mackintosh se entregaba a los negocios especulativos con el gobierno de Santa Anna.

Por aquella época pasó algo muy importante para Brian, pues recibió la visita de su amigo el sensitivo Alejandro Carrillo Castro, quien había viajado a Nueva York para entregar a las Naciones Unidas un excelente Manual de Administración Pública Internacional que contenía y comentaba todas las resoluciones sobre ese tema emitidas por el importante organismo multilateral, y que le presentó al conocido editor mexicano Miguel Ángel Porrúa y a Luz María, su gentil esposa, quienes lo acompañaban. Almorzaron los cuatro un claro mediodía en el "Bice", estupendo restaurante de Milán transplantado a la calle 54 Este, casi esquina con la Quinta Avenida, y entre el murmullo de los parroquianos, el ruido de platos y copas y las órdenes de *farfalle alla siciliana* y Pinot Grigio, Brian les comentó sus años de investigaciones sobre la vida y muerte del pintor británico, cuya obra todos ellos conocían. Agregó que había pensado que tales esfuerzos no debían servir tan sólo para tranquilizar su propia conciencia y disipar sus pesadillas, sino para recrear la época que Egerton vivió en México y retratar también la sociedad inglesa de entonces, motivo por el cual había decidido escribir un libro, una novela para ser exactos. Miguel Ángel Porrúa, frunciendo un poco su frente socrática que apoyaba la majestad de una barba apropiadamente solemne, le hizo la pregunta inevitable:

—Y . . . ¿ya tienes editor?

—No, contestó de inmediato Brian.

—Pues ya lo encontraste, dijo Miguel Ángel y le extendió la diestra que ambos se estrecharon. Luego brindaron todos a la salud del libro, que todavía no tenía pies ni cabeza, título ni programa, y este hecho impensado y repentino prestó nuevas energías al pintor-escultor para proseguir sus investigaciones y concretarlas literalmente.

—Nunca me imaginé que fuese tan fácil esto de publicar una obra, comentó Nissen riendo, mientras Porrúa y su esposa le ofrecían coadyuvar en sus pesquisas de libros, planos y do-

cumentos y le pedían que les remitiese a su bella oficina del
callejón de la Amargura, en el empedrado pueblo de San Ángel
(hasta donde Puchet estuvo a punto de llegar cazando brujas)
una lista completa de todo aquello que necesitara. Brian regresó al *downtown* más motivado que de costumbre, pero muy
preocupado por la magnitud de la tarea que lo esperaba. Tenía
cerros de libros y piezas de investigación, varias libretas de hojas de plástico con planos, recortes, fotocopias, recaditos, retratos de personajes, reproducciones de pinturas de Egerton, cartas
de amigos en tres idiomas, y salvo algunas notas mecanografia-
fiadas y un grueso cuaderno rojo comprado por 38 peniques en
el bazar de Camden que contenía algunas primeras ideas aún
muy vacilantes sobre la posible estructura de su libro, en realidad todo estaba por hacer. ¡Y era ésta la primera vez que él
asumía una empresa de tal naturaleza! Durante varios días estuvo malhumorado y se concentró totalmente en su reproducción de formas, sin siquiera voltear a ver el desordenado amon-
tonamiento de papeles que ya inundaba su de por sí abigarrado
estudio, a tal grado que Montse lo notó y le preguntó qué pasaba, que si iba a desperdiciar tantos años de investigación. No
fue un comentario que agradeciera mucho. Lo aceptó sin replicar,
dando a entender que su actitud era pasajera, y esa noche,
recostado en la cama, intentó esbozar el plan de la novela en su
cuaderno rojo. Se la imaginó como una película: por una parte
el plano histórico, la época pasada, que iba y venía ante los
vaivenes del proceso, la biografía de la principal víctima, las
pesquisas policíacas de entonces y sus extraños y controvertidos
resultados; por otra parte la época actual, la reexhumación del
caso, sus propias reflexiones e investigaciones, las conclusiones
a las que habría de llegar, unidas a sus juicios sobre el carácter
de los personajes del plano anterior. De pronto se le ocurrió
que la novela narraría no sólo la historia de Egerton sino su
propia historia, esto es cómo había sido concebida y hecha, y
que él mismo sería un personaje, su propia "máscara". Algunos
dirían que aquello se sentía bastante narcisista, y sobre todo
superfluo. Pudiera ser, pero era la forma que le gustaba. Además eso le facilitaría las cosas en lugar de complicarlas, pues
podría diferenciar antaño y hogaño y reunirlos cuando así

se requiriera en una conjunción —que luego resultó obligada— la cual pusiera de manifiesto el sentido circular de la trama, la persistencia de los hechos de los hombres, la concatenación de un asesinato aparentemente aislado en el proceso de vida de dos pueblos, la supervivencia del arte y su influencia en los acontecimientos sociales y aun políticos. Y sintió otra vez una fuerte identificación con el pintor británico asesinado en Tacubaya: ¿Brian Egerton? ¿Daniel Thomas Nissen?

Unos días después estaba ya en un proceso penoso pero más o menos congruente de ordenación de ideas y documentos para hacer la lista de lo que le faltaba y pedírselo a Miguel Ángel, cuando recibió un telefonema de Washington. Era su amigo, el escritor y dramaturgo Hugo Hiriart, quien quería verlo con urgencia. Brian lo invitó a comer a su estudio para el día siguiente. Hugo y su esposa Guita tomarían un tren tempranero y a la una podrían llegar a Saint Mark's Place. Montse preparó un almuerzo ligero pero de gusto mexicano: ella sabía lo mucho que se padece en tierra extraña con la comida que no es propia y lo que los nacidos al sur del río Bravo apreciaban su excelente cocina típica. El escritor y su mujer llegaron puntuales como suizos, y en el grato ambiente familiar que se estableció de inmediato, Hugo reveló el motivo de la visita, concertada con tanta premura:

—Guita y yo estamos haciendo un guión que vamos a presentar ante la BBC y es sobre la muerte del pintor Daniel Thomas Egerton.

A Brian le dio un brinco el corazón y no acertó a comentar nada. Hiriart dio un sorbo al vaso en que bebía agua mineral y continuó:

—Y en todas las bibliotecas a las que acudimos nos encontramos huellas tuyas. —"Por aquí pasó el señor Nissen" nos informan, lo mismo en México que en Washington y Londres. "Él también investiga sobre Egerton".

Cuando dijo por segunda vez el apellido lo pronunció dándole a la "g" un sonido suave, como de "ll" española, prueba de que se lo había oído a los ingleses, pues en México todos los pronunciaban con una "g" bastante gutural. Guita Hiriart concretó:

—Venimos para saber cuál es el objeto de tu investigación y ver si podemos unir nuestros esfuerzos. Es un asunto muy bueno que en principio le interesó a la televisión británica. Podríamos quizá hacerlo juntos.

Brian, repuesto de la sorpresa, acertó a decir:

—Yo preparo un libro, una novela no sólo sobre la muerte de Egerton sino sobre su vida, y sobre el ambiente de México y de Inglaterra en aquellos años. Es algo bastante complicado que me he tardado casi cuatro años en investigar y cuya redacción aún no empiezo. Tiene un enfoque distinto al proyecto de ustedes. Sé también que acaba de publicarse un folleto bastante bueno de la *Causa célebre contra los asesinos*, con prólogo de Enrique Flores[131] que también es cosa diferente. Creo que el trabajo que ustedes hacen y mi libro no se estorban, pues si bien coinciden en el tema no es lo mismo un guión para la televisión que una novela francamente histórica, y en rigor no sólo detectivesca o sobre el crimen. Pensándolo bien, para cuando se publicara mi libro, que no creo sea antes de dos años, el hecho de que la televisión inglesa se hubiera ya ocupado —¡por fin!— del olvidado Egerton me resultaría muy conveniente. Sería algo así como una publicidad adelantada. Por encima de todo, lo que me parece sobrecogedor es que después de que este asunto ha estado dormido por 145 años de pronto dos personas, un mexicano como tú, Hugo, y un inglés como yo, hayan coincidido en despertarlo. Esto es prueba cierta, para mí, de que en las dos sociedades este pequeño asunto vive, está latente y necesita ser reexaminado. Además yo me puse a investigar porque la visión del crimen, que había leído en un libro de litografías del paisajista, no me dejó dormir en varias ocasiones. Fue como si recibiera yo un mensaje...

—Pues nosotros no recibimos ninguno —interrumpió riendo Hiriart— pero desde hace tiempo nos dimos cuenta de que el asunto era apasionante y de que debía interesar a ingleses y mexicanos por igual. ¿No te parece?

—Estoy convencido —replicó Brian— y nada festejaré de manera más sincera que el que tú y tu mujer hagan un guión,

131 *Op. cit.*

lo grabe la BBC y se conozca en los dos países. Confieso que en principio el anuncio que ustedes me hicieron me tomó por sorpresa, pero ahora estoy más seguro que nunca que si un literato como tú escogió a Egerton como protagonista para la TV, el proyecto de mi libro es bueno y debe mantenerse y ser concluido. Aunque yo, claro, no soy un profesional de la novela ni nada que se le parezca.

Ambos celebraron la coincidencia de objetivos y pasaron a la mesa, pues Montse los estaba llamando ya. Al terminar el sabroso almuerzo a la mexicana, Brian enseñó a sus invitados el cúmulo de carpetas, libros y fichas que tenía recopilados, incluyendo algunas cartas de Pakenham que mucho interesaron a la inteligente pareja. Fue entonces cuando Hugo Hiriart le dio a Brian Nissen el mejor consejo que recibiera durante los cinco años que duró la preparación de su libro:

—Si sigues investigando te vas a ahogar en papeles. Debes empezar a escribir cuanto antes. Prepara las primeras escenas y de ahí saldrán otras, solas, o casi solas. El mismo texto te irá guiando. Cada novela tiene su propia e invisible dinámica.

LAS HORAS le empezaron a pesar. Parecía que no avanzaba en su labor. Además la sugerencia de su amigo Hiriart lo había impresionado y Brian ya no hallaba para cuándo terminar el ordenamiento de su documentación con el fin de empezar a escribir. Una tarde le llegaron varios libros que había encargado; el de Carl Sartorius sobre *México hacia 1850*, espléndidamente ilustrado por Moritz Rugendas, otro sobre literatura inglesa de la época previctoriana, y *Los periodistas literarios* de Norman Sims.[132] Los dos primeros le serían muy útiles para acabar de fijar su perfil del México y la Inglaterra decimonónicos y el tercero para entender mejor su difícil tarea como escritor. En la contraportada de este último leyó:

El arte de los hechos. Las herramientas del reportero. La astucia del novelista. Los periodistas literarios son observadores

---

[132] John McPhee, Joan Didion, Tom Wolfe & others, *The Literary Journalists*. Edited and with an introduction by Norman Sims, Ballantine Books. New York, 1984.

maravillosos cuya minuciosa fidelidad al detalle está casada con las herramientas y técnicas del escritor de ficción. Como los reporteros, son recopiladores de hechos cuya materia prima es el mundo real. Como los escritores de ficción, son consumados contadores de cuentos que dotan a sus historias de una estructura narrativa y una voz distinta y singular.

Brian reflexionó que esa era en gran medida su tarea al escribir la novela: ser fiel a los hechos como un periodista simultáneamente presente en dos edades y dos escenarios y, al mismo tiempo, estructurarla como si los hechos fuesen producto único de la ficción, de tal manera que unos y otra se confundieran indisolublemente. Como en aquel extraordinario filme de Gino Pontecorvo, titulado *La batalla de Argel*, en donde las imágenes parecían extraídas de los noticieros cinematográficos aunque fueron filmadas con actores, o como los cuentos de *Las mil y una noches*, que se antojan fantasía pura pero que fueron realidad. ¿Y qué otra cosa es una buena novela que una imbricación entre lo que fue y lo que no siendo pudo ser?

Si la investigación sobre México ya la creía terminada. Nissen estaba seguro, en cambio, que le faltaba atar muchos cabos en Inglaterra. Seguramente habría en alguna parte más documentación o por lo menos algunas pistas sobre Daniel Thomas. No podía ser que habiendo pertenecido a una familia tan conspicua nadie supiera nada de su existencia ni de la de su hermano. Y ni qué decir de Agnes Edwards: de ella no tenía ni siquiera un leve indicio familiar, salvo lo publicado por don Carlos María de Bustamante quien aseguraba que Charles Byrn le había contado que la joven inglesa sacrificada con el pintor había sido dejada tierna en casa de una gobernanta, presumiblemente francesa. El dato era muy vago, así y todo habría que investigarlo. Además de los archivos oficiales del gobierno británico de la época, que al contrario del registro civil pudieron sobrevivir a la segunda Guerra Mundial, quedaban los periódicos, los libros raros, la colección Egerton de manuscritos en el Museo Británico, los archivos parroquiales de Londres y Hampstead y quizás algunas otras fuentes que consultar. Una circunstancia afortunada obraba en su favor: su amigo Bernardo Se-

Mexico to transmit to your
lordship such information as may
within their reach with regard
this subject I have the honor
to be, my Lord

Yr Lordships Obed Ser

Georgiana Egerton

P/ They to inform you I was married
& Lesden in Essex 25th Feby 1818
d had three children the daughter
Mr Egerton one is with me &
others I believe to be living

Fragmento de la *carta* que enviara Georgiana Egerton
a lord Aberdeen, después del crimen, 1842

púlveda había sido nombrado por el nuevo Gobierno mexicano
como embajador en Inglaterra y había invitado como ministro
de Asuntos Culturales a su admirado compañero de conciertos
y reuniones intelectuales, el crítico literario y polígota Raúl
Ortiz y Ortiz, aclamado por su magnífica traducción al español
de *Bajo el volcán* de Malcolm Lowry, gracias a la cual esa complicada joya literaria ha sido conocida por los lectores de España y América Latina. Raúl seguramente se prestaría a ayudarle en sus investigaciones en Gran Bretaña. Le llamó por
teléfono y Ortiz, con su invariable afabilidad (Brian recordaba
cuando lo conociera con un libro de Proust bajo el brazo) le
prometió la más generosa cooperación. Lamentablemente, sin
embargo, Raúl no estaría en Londres sino en México las próximas semanas en las que Nissen planeaba un breve viaje a
aquella ciudad, pero tenía a su vez un gran amigo, Henry B.
McKenzie Johnston C.B., diplomático británico retirado, quien
a la sazón investigaba nada menos que las relaciones entre su
país y México en la primera parte del siglo XIX para escribir
un libro, por lo cual éste, gustosamente, atendería a Brian y
lo acompañaría a visitar museos, archivos y cualquier otro
sitio donde pudiera encontrar información valiosa para el asunto de Egerton. Con esa halagüeña perspectiva Brian volvió a
tomar el *jet* en el aeropuerto Kennedy una noche y amaneció
en Heathrow. Se hospedó en la casa de su hermano Charles, en
Montagu Square, y se citó con Henry en la Embajada mexicana,
situada en la señorial Plaza de Belgrave. Hasta ahí llegó el
gentil McKenzie aquel mediodía en que, para planear una
semana de pesquisas históricas acordaron almorzar en "Wal-
ton's", adonde se dirigieron a pie conversando sobre sus respectivas tareas de investigación. De ahí surgió una amistad
sincera provocada por clara afinidad intelectual y una estrecha
y recíproca colaboración de cada uno para con el libro del otro.

Brian —sin embargo— sacó la mejor parte pues Henry le
proporcionó en forma inmediata ágiles biografías de los dos
Ward y de Richard Pakenham, y le acompañó en la difícil
aunque fascinante tarea de buscar todos los documentos ima-
ginables en el archivo de la Oficina de Asuntos Extranjeros
almacenado en la Public Record Office en Kew, Richmond,

Surrey, al suroeste de la ciudad. Toda una larga pero productiva mañana la pasaron ambos revisando los bien organizados microfilmes, localizando la correspondencia (que Nissen aún no tenía) entre Pakenham, primero, y luego (cuando se descubrió a los supuestos asesinos) entre Percy Doyle y Lord Aberdeen, a quien aquel último suplicó le permitiese felicitar al juez Puchet en nombre de Su Majestad Británica por el manejo del proceso. Otra pieza muy interesante que encontraron fue la carta de Georgiana Dickens, residente en el número 17 de Probert Terrace, en Chelsea, demandando al propio Lord Aberdeen que le informase sobre el paradero de los bienes de su asesinado esposo, la cual contenía el precioso dato del lugar y fecha de su matrimonio con Egerton: Lexden en Essex, el 25 de febrero de 1818, y la penosa confesión de que había procreado tres hijas del pintor, de las cuales: "una está conmigo y las otras creo que aún viven".[133]

Esa carta, cuya respuesta oficial también obra en el microfilme junto con el inventario amañado por Byrn y Mckintosh, le permitió a Henry conseguir para Nissen una fotocopia de la partida de matrimonio de la pareja en la parroquia de Lexden donde aparece el nombre completo del artista: Daniel Thomas Bradstock Egerton, aunque desgraciadamente no así el de los padres de ninguno de los dos contrayentes, datos que entonces no se asentaban en dichas partidas parroquiales. Ambos declararon tener veintiún años de edad, lo que situó el nacimiento de Egerton en 1797 y no en 1800. Al salir del gran archivo, Brian y Henry hicieron un tardío y ligero almuerzo en un agradable *pub*, con arenques, un emparedado de jamón y una cerveza de la mejor calidad, y fueron a recorrer Hampstead, zona en la que Nissen no había estado en los últimos veinticinco años.

Caminaron ambos por el verde y tendido Heath, desde el cual Egerton veía Londres para abajo (lo que ya casi no se puede hacer por tantas nuevas construcciones), la avenida de los Españoles, el Grove, Belsize Park y llegaron a Chalk Farm,

[133] **Carta** de 4 de julio de 1842 dirigida a Lord Aberdeen. **Public Record Office. Documento F.O.** 50-158.

en la frontera con Camden Town. El artista volvió a saborear los prados, paseos y *cottages* de su niñez, aunque el panorama había cambiado un poco; no obstante, el aire límpido de Hampstead, el recuerdo de los artistas que ahí vivieron, los árboles añosos, los senderos que serpentean, bajan y vuelven a subir, y tantas iglesias y construcciones notables, evocaron de manera inevitable la figura de Daniel Thomas Egerton. "Por estos mismos lugares debió pasear cuando joven", pensó. "Por ahí bajaría hasta el Támesis para asistir a la escuela del profesor Monro. Aquí cerca vivió: en la calle del Grove, en Fitzroy Square, en Kentish Town, en Rathborne Place..." El crepúsculo se dejó sentir sobre Hampstead y tuvieron que descender al centro de Londres. Brian iba callado mientras Henry manejaba el "Volvo". Suavemente, éste interrumpió la evocación del otro:

—Estás verdaderamente metido en tu personaje, ¿no es verdad, Brian?, —dijo Henry. El interpelado despertó:

—¡Claro que lo estoy! Siento algo dentro que me identifica terriblemente con él. Y al regresar a Hampstead volví a experimentar una sensación semejante a la que tuve en sueños hace no mucho: que yo era o había sido Egerton, y hasta me pareció que el paisaje de casas y edificios modernos se desnudaba ante mí y sólo quedaba en el horizonte el mismo panorama que aquél debió ver a principios de siglo pasado, desde los pozos de las alturas o desde la vieja taberna "El toro y el matorral". Es algo que no te puedo explicar, Henry, —concluyó.

El otro sonrió ligeramente:

—Lo malo, Brian es que ya me estás contagiando. A partir de estos días siento que mi libro y el tuyo forman parte de un mismo esfuerzo. Mientras más pienso en Morier y Ward y en el Tratado de Gobierno de Su Majestad con el presidente Guadalupe Victoria en 1825, más me pregunto si gracias a ese tratado habrán ido tu pintor y su hermano a ese país, y si todo lo que yo investigo no será en el fondo lo mismo que tú estás buscando. Te diré que ya estoy tremendamente intrigado por averiguar quién demonios sería en realidad el tal Daniel Thomás Bradstock Egerton y por qué lo mataron. Los dos rieron, mientras la noche caía ya sobre las partes bajas de Londres.

Siguiendo los pasos del acuarelista y grabador cuya vida quería conocer lo más profundamente que fuese posible, Brian Nissen tomó muy de mañana un tren en la estación de Waterloo que lo conduciría a Portsmouth para abordar ahí un catamarán hacia la isla de Wight. El paisaje de Surrey, el de Sussex y luego el de los South Downs transcurrió velozmente por su ventanilla mientras cavilaba. Era sólo la segunda vez que iba a la isla de Wight, lo que para un inglés resultaba imperdonable, y se imaginó lo difícil que tuvo que ser ese viaje a principios del siglo pasado cuando Egerton debió hacerlo, aunque Young[134] sugería que el pintor nunca había pasado del cercano Brighton. Era posible, pues sus grabados sobre la bahía de Freshwater y el castillo Carisbrooke, que presentó entre la Real Sociedad de Artistas Británicos en 1826 y 1827, habían sido hechos a partir de unos dibujos de John Martin, a quien Egerton admiraba sobremanera. De todas formas, Brian quería sentir el ambiente de la isla, recordar sus caminos y *cottages*, volver a ver las célebres "agujas" y los farallones de su punta sur y sumergirse un poco en el paisaje, que aquí había cambiado mucho menos que el de Hampstead en los últimos ciento cincuenta años. Henry le había recomendado con Robin McInnes, quien aparte de trabajar en asuntos municipales era como un cronista de Wight y había publicado un estupendo libro sobre los pintores y grabadores que convirtieron la isla, a partir del siglo XVIII, en un formidable y pintoresco objetivo del arte y la ilustración. Cuando Brian descendió en el largo muelle de Ryde, McInnes no se encontraba esperándolo como habían convenido por teléfono, pero Nissen llamó a su casa y ahí la esposa de su anfitrión le comentó que éste lo aguardaba en el embarcadero de Cowes, unas millas más allá, por lo que sería mejor que tomara un taxi para encontrarlo en el castillo de Carisbrooke, adonde ella le indicaría dirigirse cuando el propio Robin llamara, lo que seguramente haría pronto. Un parlanchín taxista, con el clásico acento de la isla condujo a Brian cruzando la Abadía, Wooton Bridge y Newport en veinte minutos hasta el castillo, y frente a sus parapetos, en milagrosa

---

[134] Eric E. Young, *La exposición Egerton*, Anales del Instituto de Investigaciones Estéticas, UNAM, 1955.

sincronía, se encontró con McInnes que era un hombre joven, alto y muy agradable, el cual resultó estupendo guía pues había nacido y vivido siempre en Wight, la conocía al revés y al derecho y sabía su historia de manera cabal. Gracias a él recordó que en Carisbrooke estuvo preso Carlos I y supo que uno de los rincones de las murallas se llama Heynoe Loop, en honor de un modesto arquero llamado Peter de Heynoe, quien durante el sitio que los franceses impusieron al castillo en el siglo XIV lo había salvado matando de un certero flechazo, precisamente desde ese lugar, al comandante del ejército enemigo. En cambio, Robin no podía afirmarle con certeza si Daniel Thomas Egerton había visitado la isla en 1826, y tampoco había logrado conseguir aún para su próxima publicación[135] los dos grabados del pintor, cuya obra local sólo conocía a través de un libro de Raymond V. Turley.[136] En el auto de Robin atravesaron después la isla de noreste a suroeste y mientras tanto aquél le fue contando la importancia que habían tenido los pintores naturalistas y románticos en el desarrollo digamos turístico de esa bella porción de Gran Bretaña, aunque también había influido mucho que la reina Victoria comprara la propiedad de Osborne y construyera ahí en 1845, una villa de estilo italiano para refugiarse durante los veranos. Pronto estuvieron en Freshwater Bay y Nissen no pudo menos que pensar cuán semejantes habían sido los paisajes que Egerton escogiera para incorporarlos a su tarea artística: la fortaleza de Carisbrooke con sus redondas torres normandas y sus pesados paredones almenados, enhiesta y sólida, y por otra parte este gran farallón blanqueado por el guano de las aves marinas y las soberbias "agujas" de piedra que lo custodian como otros macizos y elevados parapetos. ¡Una obra del hombre y otra de la naturaleza unidas por su estructura pétrea y su enorme y perdurable majestad! Almorzaron muy cerca de la bahía, en el hotel Farringford, hermosa propiedad de finales del siglo pasado que fuera hogar de lord Alfred Ten-

[135] Robin McInnes, *The Garden Isle,* Landscape Paintings of the Isle of Wight. 1790-1920. Photographs: Andrew Butler and others, November 1990. En preparación.

[136] *Hampshire & Isle of Wight Art.* University of Southampton. Compiled by Raymond V. Turley, 1977. Para la historia del castillo ver "Carisbrooke Castle", English Heritage, Westerham Press, 1985.

nyson. Allí, bebiendo un vino blanco de la colina del Túscolo, Brian y Robin recrearon la importancia de la isla de Wight, que como decía una vieja crónica,[137] "separada por el mar parece un pequeño mundo. El aire es muy saludable y es por eso que sus habitantes son longevos". Después del almuerzo, pasando por Ventnor y Shanklin, Robin McInnes depositó a Brian en el muelle de Ryde, para que volviera a abordar el catamarán lleno de turistas que regresaban a tierra firme (eufemismo que los británicos usan para llamar a la isla más grande de su país) en el tren de las cinco que los llevaría a Londres.

Al regreso, Brian llamó a su querida amiga Joanna Drew, directora de la Hayward Gallery, uno de los centros de arte más importantes de Londres, quien lo invitó a visitar su recién inaugurada exposición "Arte en América Latina. La época moderna. 1820-1980", y le dijo:

—Es una gran exposición antológica que te puede interesar mucho, pues tu conoces muy bien ese tema que para los londinenses es algo nuevo.

Al día siguiente Nissen se dirigió a South Bank Center para asistir a la espléndida muestra, y su sorpresa y satisfacción fueron muy grandes cuando al preguntar a Joanna si tenían alguna obra de Daniel Thomas Egerton ella contestó —con un gesto de asombro— que sí, por supuesto, y luego le replicó que si había oído hablar de "ese pintor tan poco conocido que sin embargo era tan bueno". Nissen le contó todo o casi todo. Joanna apenas podía creer lo que estaba oyendo. Para los ingleses Egerton era poco menos que un "don nadie"; sin embargo, la directora de la galería apreciaba enormemente sus cuadros y dibujos. Nissen pensó que seguramente era la primera vez que se exhibía parte de la obra del gran paisajista de Hampstead en su tierra natal, después de su muerte.

Recorriendo las salas de la exposición Brian encontró los cuadros que buscaba. Uno era, nada menos, que el gran paisaje del Valle de México pintado en 1837, quizá en Londres. El otro era más pequeño y representaba a unos viajeros vestidos a la usanza mexicana atravesando un arroyo. El cuadro grande era

[137] Robin McInnes, "Camden's Brittania" 1730, en *The isle of Wight*, illustrated, 1989.

no sólo excelente sino en verdad incomparable, y revelaba como ninguno la enorme fuerza del paisaje mexicano. Era el mismo que Nissen había contemplado con arrobamiento en la Embajada de Gran Bretaña en Lomas Altas. Desde el oeste del Valle se ve la ciudad a la distancia, con el gran acueducto y el castillo de Chapultepec. En la lejanía destaca el volcán Iztaccíhuatl cubierto de nieve. La atmósfera es límpida y profunda. Este paisaje provocó en el pintor y escultor una impresión verdaderamente indiscriptible.

Brian recordó en un instante su llegada a México, su estancia en el Bajío y en Tacubaya, cuando estaba abrumado por la fuerza del paisaje mexicano. En Inglaterra se percibe siempre la mano del hombre que ha actuado sobre la naturaleza. En México, Egerton —y también Nissen— habían encontrado algo muy distinto: un paisaje duro y hostil en que hasta las plantas revelan su intensa lucha por sobrevivir. En él los magueyes y los nopales hacen visibles sus impresionantes estructuras; sus esqueletos están siempre a la vista. Todo ello es muy diferente de los prados ingleses: sus robles abrigados en una lujuria de hojas, los verdes sensuales, el otoño ocre y acariciador; y hasta el invierno muy sereno. Pero este paisaje mexicano es antiguo y magnífico, seduce por su fuerza viva y su palpable grandeza. ¡Hasta sus cielos son más grandes que los de Europa! Así es. Nissen lo sabía ahora, como Egerton lo había sabido antes.

Estaba fascinado. Contemplaba con calma, por segunda vez, el espléndido óleo que Daniel Thomas dejó a la posteridad como su obra maestra, pues la primera había sido en la Embajada Británica en México, en tiempos del embajador Sir John Galsworthy. Volvió a ver que en el primer plano a los indígenas que conversaban sobre la tierra árida, al jinete que raya su caballo levantando una nube de polvo, a los coraceros indiferentes, al cura en su mula y a esa pareja repetida no menos de cuatro veces —éste óleo y otro semejante; un dibujo a lápiz y una litografía— por el genial pintor: hombre y mujer sobre un mismo caballo, él vestido a la usanza del país, en posesión de la silla y la rienda, ella acomodada lateralmente delante del caballero, cubierta con una ruana o jorongo y tocada con un sombrero de ala ancha.

¿Serían Daniel Thomas y su novia mexicana? Brian no lo podía asegurar, pero la persistencia de esa pareja en la obra del paisajista quería decir algo, sin duda. Así debió haber sido aquella otra vez cuando un hombre a caballo que partió de Tacubaya llevó la noticia de la muerte de Egerton a la gran ciudad, pensó Nissen.

Por supuesto que el pintor de Hampstead no sabía nada de eso cinco años antes de 1842 cuando apoyado en escorzos y reiterados apuntes, coloreó aquel gran lienzo magistral en el que dejó huellas indelebles de su vida, de su amor y también —Nissen estaba convencido— de su muerte, ocurrida poco después a menos de un kilómetro de aquel paisaje de Chapultepec que mira hacia la Hacienda de los Morales y deja a su derecha, en un ángulo que es invisible pero que se percibe anímicamente, al hermoso, fatídico, elevado, tibio, pacífico, señorial, tranquilo, arzobispal, codiciado, santanesco, afrodisíaco, mártir, arrebatado, bucólico, cosmopolita, embrujado, espiritoso y pintoresco pueblito de Tacubaya.

Los asistentes a la exposición observaban muchos cuadros con detenimiento, aunque frente a otros pasaban de largo. Les llamaban la atención las obras de caballete de los tres grandes muralistas mexicanos, José Clemente Orozco, Diego Rivera y David Alfaro Siqueiros, así como el arte no comprometido de Rufino Tamayo, José Luis Cuevas, Alberto Gironella, Francisco Corzas, Toledo y otros. También admiraron algunos excelentes cuadros de Torres García y Mata. Pero la mayoría hacían alto ante un gran paisaje de José María Velasco, titulado "La hacienda de Chimalpa", y frente al "Valle de México", de Daniel Thomas Egerton. Brian Nissen reflexionó que esos dos hermosos cuadros estaban unidos por un vínculo invisible: el arte naturalista.

Velasco había nacido en México sólo dos años antes de la muerte del acuarelista inglés y seguramente conoció sus obras durante su juventud; discípulo del italiano Eugenio Landesio, de él aprendió a reflejar la atmósfera del valle central mexicano y la reprodujo en no menos de nueve grandes óleos, superando a su maestro, pero quizá hay una traza egertoniana en sus primeras obras; sobre todo en "Un paseo por los alrededores de

México", realizada en 1866, en que —como el pintor inglés— Velasco retrata personajes de todas las clases sociales ocupando su legítimo puesto frente al paisaje natural. Los jóvenes británicos, algunos de largas cabelleras, otros más conservadores, todos vestidos informalmente, seguían desfilando por la exitosa exposición latinoamericana. Brian hizo plática con algunos que fijaron su interés en los dos cuadros de Egerton: ninguno sabía quién había sido aquél, aunque por el apellido suponíanlo inglés, pero todos coincidían en que la visión del Valle de México era soberbia, transparente y de una gran fuerza realista y social; pintoresco, agregaban, muy a lo siglo XIX. El otro cuadro les causaba extrañeza al encontrarse frente a la imagen de unos viajeros típicamente mexicanos con sus trajes de chaquetilla corta y pantalón abierto en la pantorrilla que luego se llamaría *chinaco*, cruzando una corriente de agua. Esta obra debió haber sido predibujada por Egerton durante sus viajes al volcán, en el que también retrató el imponente Popocatépetl desde el portal de Sacramonte, y quizá los viajeros no son otros que los guías de Egerton, de Von Geroldt y del barón De Gros en esa excursión, o sea los hermanos Páez.

Antes de partir de Londres, Brian Nissen, con el apoyo de Henry McKenzie Johnston, visitó una vez más el "Museo Británico" y la "Galería Nacional" de la Plaza de Trafalgar, en donde admiró la pintura de J.M. Turner que forma parte de la colección de marinas de la casa de Bridgewater, exhibida por primera vez en 1801, y que comunica al espectador la furia de una tempestad que dificulta el esfuerzo de unos pescadores holandeses por descargar sus redes abordo; también se recreó con los paisajes de Hampstead debidos al pincel insuperable de John Constable, que son orgullo de la "Galería Tate", y en la Hemeroteca de la "Biblioteca Británica" en Colindale, revisó la colección completa de *The Times* desde 1790 a 1845, en donde encontró algunas referencias a diversos miembros de la vasta familia Egerton, pero ninguna al asesinato de Daniel Thomas y Agnes Edwards o a la captura de sus "asesinos", distinta de la de 16 de junio de 1842 cuya fotocopia ya poseía. De todas maneras el trabajo fue fructífero, pues volvió a consultar varios libros genealógicos y diccionarios. Incluso uno sobre anónimos y pseudónimos[138] donde buscó a quién podía pertenecer el de "Peter Quiz", y encontró con que por aquella época sólo estaba registrado como pseudónimo el de "Quiz Roland", perteneciente a Richard M. Howard Quittenton, quien publicó un libro de poemas y cuentos en 1865. Esto le reafirmó en su creencia que "Peter Quiz", el autor de los textos de *Los pesados de moda*,[139] no había sido otro que el mismo D. T. Egerton, lo que evidenciaba perspicacia y habilidad para escribir desde su juventud. ¡Cómo deseaba encontrar el famoso diario!

También tuvo en sus manos la autobiografía de Sir Samuel Egerton Brydges, publicada a sus propias expensas en 1834, donde este integrante de la familia del pintor hace algunos comentarios sobre varios otros de sus miembros, incluyendo el general John Egerton, a quien califica de "muy ofensivo". Sir Samuel pertenecía, por supuesto, a una generación anterior a la de Daniel Thomas, y su pastosa autobiografía revelaba también una admiración enfermiza por sus ancestros, a los que dedica largas páginas en las que incluye hasta los epitafios de las tumbas de algunos y consigna que su bisabuelo fue un Thomas Egerton, muerto en 1685, hijo menor de John, tercer duque de Bridgewater fallecido en 1701 y —por lo que Nissen creía cada vez más— tío abuelo del paisajista asesinado en Tacubaya, hijo ilegítimo del revendo Francis Henry, hijo a su vez del obispo de Durham.[140] Por cierto que la pasión de Egerton Brydges por los títulos nobiliarios quedó demostrada hacia 1789 cuando persuadió a su hermano mayor para que reclamara la baronía de Chandos, la que le fue negada en 1803, produciéndole un resentimiento de por vida. Desde 1818 vivió en Ginebra, hasta su muerte en 1837, año en que Daniel Thomas regresó a Inglaterra proveniente de México, por lo que quizá nunca se conocieron. Aparte del bisabuelo de Sir Samuel y del famoso Lord Canciller, hubo otro Thomas Egerton, quien en 1811 pu-

---

[138] Samuel Hakentand-John Lairg, *Dictionary of Anonymous and Pseudonymous. English Literature,* vol. IX, Ed. D. E. Rhodes-AEC Simoni, Oliver and Boyd, 1962.

[139] "Fashionable Bores".

[140] Sir Samuel Egerton Brydges. *Autobiography.* Bart. vol. I, London 1834. Ver también *English Literature. 1815-1832,* de Iian Jack. Clarendon Press. Oxford 1976, pp. 372-374.

blicó el libro de Jane Austen *Sentido y sensibilidad*.[141] ¿Sería este Sir Thomas Gray Egerton, quien representó al condado de Lancaster en tres parlamentos y que murió a fines de 1814?

Conocer los antecedentes familiares del pintor asesinado era muy importante para el trabajo de Nissen. Después de haber escrito a los Egerton que vivían en la actualidad en Inglaterra y auscultar diccionarios y libros de genealogía, estaba ya por terminar la jornada, pero decidió echar una nueva ojeada en los ficheros de la biblioteca del museo "Victoria y Alberto". No se arrepintió porque como suele suceder en estos casos, al volver a revisar el catálogo que creía haber repasado a la perfección en su primer viaje, encontró una ficha que quizá no estaba dos años antes y que era una publicación de "D. Egerton, Esq" hecha aparentemente en 1845. Aunque la fecha era posterior a la muerte del pintor esto no quería decir nada pues podría tratarse de un trabajo publicado póstumamente, y decidió pedirlo. Su largo título era: "Descripción del nuevo Panorama Real, que ahora se exhibe en los Salones Monteith, de la calle Buchanan número 67 en Glasgow, con ilustraciones de las principales ciudades y pueblos de la República de México. Pintadas de dibujos hechos en el lugar en 1845 por D. T. Egerton".[142] Era un folleto de treinta y seis páginas seguramente redactado por Daniel Thomas porque describía diez láminas (que no aparecen en la publicación) de las cuales ocho son parte de aquellas doce conocidas litografías que integraron el portafolio londinense de 1840. Los textos del folleto, aunque mucho más amplios, coinciden absolutamente en sustancia y en grandes párrafos palabra por palabra, con los del referido portafolio. Tal es el caso de los que el folleto titula "La Vera Cruz", "La ciudad de Guadalajara, "La ciudad de Zacatecas", "La ciudad de Puebla", "Real del Monte", "Interior de la mina de Rayas", "Plaza de San Diego en la ciudad de Guanajuato" y "Vista distante de la ciudad de México". Los dos restantes no aparecen en la famosa colección de litografías y se titulan "Una calle de

[141] Jane Austen, *Sense and Sensibility*, Oxford University Press, 1986. Nota al texto de James Kinsley. Thomas Egerton también publicó su *Pride and Prejudice* (1813) y *Mansfield Park* (1814).
[142] *Op. cit.*

DESCRIPTION

OF THE NEW

PANORAMA ROYAL,

NOW EXHIBITING IN THE

MONTEITH ROOMS, 67 BUCHANAN ST.

GLASGOW,

ILLUSTRATIVE OF THE PRINCIPAL CITIES, TOWNS, &c.
OF THE REPUBLIC OF

MEXICO,

PAINTED FROM DRAWINGS MADE ON THE SPOT,

By D. EGERTON, Esq., in 1845.

Thou art beautiful,
Queen of the valley ! thou art beautiful !
Thy walls, like silver, sparkle to the sun,
Melodious wave thy groves ! . . . . SOUTHEY.

TOGETHER WITH VIEWS OF THE

WRECK OF THE GREAT BRITAIN STEAM SHIP

&c. &c.

Hours of Exhibition—
At 1, 2, & 3, in the Day, and 7, 8, & 9 o'Clock, E

México" y "La plaza mayor de México". Aunque aparecen calificados como "descripciones" de las láminas, los textos son mucho más que eso, pues comprenden veintiséis planas impresas en letra pequeña que se extiende en consideraciones no sólo sobre los paisajes mismos, (parte de los cuales son idénticos a los de 1840) sino sobre la vida social y política del país, y cuyo estilo es completamente homogéneo con los textos indubitables de Egerton publicados por él mismo antes de su muerte en la edición de Londres. Existen sin embargo, en los correspondientes a la primera y la novena láminas varios párrafos extraídos de *La vida en México* (1843) de Madame Calderón de la Barca, indecorosamente mezclados con los originales del artista, y algunas referencias a la anexión de Texas que se realizó en 1845, a la guerra entre Estados Unidos y México y la mutilación del territorio de este último país, eventos que ocurrieron entre 1846 y 1848, por lo tanto, entre tres y cinco años con posterioridad a la muerte del pintor. No cabe duda de que otra mano distinta de la suya —¿su hermano William Henry?— alteró los textos originales que Daniel Thomas debió haber preparado para publicarlos *in extenso* junto con sus litografías en 1840 y que después, por alguna causa, redujo en ese portafolio, lo que permitió a la misteriosa mano de Glasgow reproducirlos completos, pero alterados anacrónicamente, y mezclados con otros "plagiados" hacia 1848 cuando más temprano.

El folleto *Descripción del nuevo panorama real* incluye también, a partir de la mitad de la página 28, ocho páginas más que contienen "Extractos de las cartas de la esposa del Cónsul americano en 1840. Descripción de la población mexicana." Gracias a Patricia Galeana, Nissen se enteraría pocos días después que el nombre de ese Cónsul americano en México, que en realidad tenía el rango de vicecónsul, era Thomas H. Ellis, pero nadie pudo averiguar el nombre de su esposa, quien describe en esas páginas la fiesta del Año Nuevo en México en 1840 y el asesinato del Cónsul suizo, (también referido por D. T. E. en el texto sobre Puebla) aunque sin mencionar el nombre del coronel Yáñez, jefe de la banda que lo masacró ni del gobernador del Departamento de México, Conde de la Cortina, quien tanto se empeñó en dilucidar el crimen y castigar a sus autores. Brian

Nissen leyó con detenimiento el amplio folleto y lo contempló con inmenso cuidado, pues se trataba de un ejemplar por desgracia muy maltratado. No pudo menos que pensar que tenía en sus manos el "Diario" de Egerton, o por lo menos una buena parte de los apuntes que don Pepe Iturriaga afirmaba que el pintor había escrito durante su estancia en México describiendo sucesos del país y también impresiones familiares y personales. Estas últimas brillaban por su ausencia, pero era lógico que la mano que incluyó los textos falsos después de la muerte de Daniel Thomas en el catálogo de la exposición de Glasgow —que eso era ni más ni menos el susodicho *Panorama Real*— hubiese eliminado toda referencia a cuestiones familiares o personales y conservado solamente las de interés general, artístico y político. ¡Porque vaya que había consideraciones políticas en esos apuntes! Muy interesantes. Invaluables, se dijo Brian. Para él ese descubrimiento tenía una importancia capital. Ahora comprendía mejor las valorizaciones de Egerton sobre la historia de México y aun algunas de tipo personal que se filtraron en los textos descriptivos, como aquellas ideas relativas a que México debe tomar la firme actitud de un imperio o se desmembrará provincia por provincia; que su frontera norte era el lugar en donde libraría la batalla por su existencia y la extraña premonición sobre las propiedades mortíferas del árbol del Perú.

¡Un tesoro! Sí, eso era el folleto encontrado en la biblioteca del "Victoria y Alberto". Brian recordó que no había almorzado, pero no importaba. Todavía tenía tiempo para encargar una fotocopia de aquella pieza documental maravillosa que luego podría Raúl enviarle a Nueva York. Lo hizo, pagó el importe y guardó la ficha azul. Tomó después un taxi y se dirigió a Hampstead, exactamente al número 62 del Queen's Grove, donde se encuentran los registros parroquiales de ese pueblo, y pidió los microfilmes de 1876 a 1900 —pues los había desde 1788 hasta 1812— revisándolos con cuidado. Todo inútil. En más de dos horas que duró la pesquisa no encontró la partida de bautizo o registro de ningún Egerton, pero nada se perdía con tratar. Lo único que averiguó fue que el nombre del ministro de la parroquia de Hampstead durante los años en que el

pintor debió vivir ahí era Charles Grant. No pudo menos que
relacionarlo con el cura Manuel Chica de la parroquia de Tacubaya. Sabía sus dos nombres, pero ignoraba si Grant había
conocido a Egerton cuando niño y si Chica, (el que buscaba
a su perro la noche del asesinato) lo habría conocido o por lo
menos visto su cuerpo traspasado por la bayoneta. Y pensó
que la Iglesia, cualquier Iglesia, se encuentra siempre al comienzo y al final de la vida de todos. ¡Si Charles Grant y Manuel Chica hubieran escrito unas líneas sobre aquel niño que
nació en Hampstead y cuarenta y cinco años después murió en
Tacubaya, el trabajo de Nissen hubiera sido menos difícil!

EL DÍA SIGUIENTE era el último que el detective histórico pasaría
en Londres y decidió visitar la famosa casa "Sotheby's", en
busca de algunos dibujos o acuarelas de Daniel Thomas. No
tenían ninguno, pero le informaron que en la subasta de otoño
de 1987 habían presentado cuatro acuarelas de Egerton: "La
cruz en Bernardez, Zacatecas", "Cerca de Ciénega Mata", "Cerca de Santiago" y "Capilla de Tlaquepaca, cerca de Zacatecas."
Habían salido a subasta en un promedio de seiscientas libras
esterlinas cada una y se habían rematado por tres veces más.
No quedaba ninguna; las había adquirido un caballero mexicano. Era una lástima, se dijo Nissen, pues quizá hubiera
podido comprar alguna, ya que no poseía ni siquiera un dibujo
de su admirado pintor. Recordó que a fines de 1988 en "Christie's" de Nueva York se habían subastado también dos hermosos óleos de Egerton: uno relativamente pequeño titulado
"Presa de Pozuelas", firmado en 1835, que entró al regateo a
ocho mil dólares y se vendió por veinte mil, y "La Barranca del
Desierto", uno espléndido y más grande, pintado en Londres
en 1838 sobre un dibujo anterior y exhibido ese mismo año en
la Real Sociedad de Artistas Británicos. Es una hermosa vista
que tiene al fondo los volcanes Iztaccíhuatl y Popocatépetl y
parte del Valle de México y el lago de Xochimilco, pues está
tomada desde la barranca del llamado Desierto de los Leones
—la cual aparece en un primer plano— cerca del camino de
Toluca, arriba de Santa Fé. El cuadro, en cuyo ángulo inferior
izquierdo aparece una mujer y dos rancheros mexicanos, había

salido a subasta en treinta mil dólares y se vendió en cincuenta y cinco mil. Esas obras estaban muy por encima de sus posibilidades, pero Nissen había ido tres días seguidos al local de "Christie's" en Park Avenue, para gozar la textura de los paisajes, su magistral composición y sobre todo la luz ambiental que el gran maestro de Hampstead había desplegado en ellos. Saliendo de "Sotheby's" de Londres se encaminó a la Embajada de México y con la gentil Bárbara le dejó un recado a Raúl Ortiz y Ortiz, para que se lo entregaran a su regreso: que por favor mandara recoger las fotocopias amparadas con la ficha azul adjunta y se las enviase, y ordenara la inserción en *The Times* de un pequeño desplegado en la sección de "Anuncios y Personal" pidiendo información a los lectores sobre los antecedentes familiares de Daniel Thomas Bradstock Egerton, asesinado en México en 1842. Apenas le dio tiempo de recoger su maleta en la casa de Charles, y llegar a Heathrow para tomar el último avión a Nueva York, pero el viaje en el sentido del sol le dio tranquilidad para evaluar el estado de su investigación y concluir en lo mucho que había avanzado: aunque no podía estar seguro, y todavía esperaba que algún inglés en alguna parte —como había sugerido en su carta el embajador Stephen L. Egerton —tuviera la clave del origen de Daniel Thomas y quisiera revelarla, Brian había llegado a la conclusión que el pintor había sido hijo bastardo del reverendo Francis Henry quien probablemente nunca lo reconoció a él ni a su hermano, y que por eso mismo debió de ser un hombre con ciertos resentimientos y frustraciones, que viajó a México no sólo atraído por las bellezas del país que le permitieron sin duda destacar y realizarse como artista, sino para huir de la rígida sociedad previctoriana en la que seguramente no se sentía muy a gusto, y que esa circunstancia, unida a que su padre no le había dejado una importante herencia, ni lo legitimó en su testamento, le hizo seguir quizá un consejo de su hermano William Henry, quien aparentemente se encontraba en México desde antes, para hacer ese su primer viaje, su "Grand Tour". Y ahí había regresado en 1841, después del éxito de sus litografías en Londres, acompañado de Agnes Edwards, escondiéndose de la misma maledicencia o quizá de algún enemigo de cualquiera de los dos, y por esa o por otra causa semejante, ligada a la pasión o a la venganza, había sido victimado junto con su compañera en Tacubaya el 27 de abril del año siguiente. Faltaba apuntalar la teoría y demostrarla a satisfacción, pero al menos ya tenía su esquema. Tendría que buscar otros documentos y concluir algunas investigaciones que ya había encargado a los buenos amigos que le ayudaban, pero Brian sentía que iba por buen camino. Por otra parte, gracias al profesor Cabezudt, poseía una idea bastante aproximada del carácter y el comportamiento de Egerton: un hombre honesto pero impulsivo que pudo por ello mismo meterse en no pocas dificultades. Todo lo anterior robustecía la tesis del asesinato premeditado y, a pesar del resultado del proceso y la sentencia que habían considerado a cuatro léperos como los asesinos de la pareja por el inexistente móvil de robo y una violación que no confesaron, a Nissen le parecía cada vez más claro que esa versión, la del asesinato eventual o el puro asalto sexual, como muchos pensaron en aquella época, no podía mantenerse, sobre todo a la luz de sus propias pesquisas. Y aunque todavía no había llenado varios huecos del rompecabezas, el pintor-escultor intuía que estaba bien orientado y que ya le faltaba poco trecho por recorrer.

CUANDO LLEGÓ a su estudio del East Village le esperaba otra sorpresa. La profesora Jennya Boyadjieff le había hecho llegar por correo express varios documentos: en primer lugar su dictamen pericial grafoscópico sobre la autenticidad de la carta escrita por Daniel Thomas Egerton al encargado de negocios británico Richard Pakenham en 1833, relatándole el incidente que había tenido con los militares cerca del castillo de Chapultepec. Cotejada su firma y la escritura de dicha misiva con firmas y escritura indubitables del artista, extraídas de sus dibujos, la profesora Boyadjieff llegaba a la conclusión de que la carta era auténtica y había sido escrita de puño y letra de Egerton, pues en ambos documentos había encontrado la misma inclinación de mayúsculas y minúsculas, la misma separación entre líneas, palabras y letras, la misma rapidez, alineamiento básico, tamaño, proporción, trazo fino y puntos altos, precisos y marcados, así como algunas letras y rasgos característicos e inconfundibles. Además le enviaba un interesante "análisis grafopsicológico", contenido en tres documentos: un "psicograma grafológico" que medía cuarenta diferentes aspectos de la escritura y los interpretaba en su significación psicológica; otro conteniendo una breve descripción de cada uno de esos cuarenta aspectos (organización, forma, elaboración, dinámica, ritmo, expresividad, mayúsculas, márgenes, irregularidad, presión, nitidez, regresión, etc.) y lo que reflejaban del carácter y comportamiento del autor, y, por último, un magnífico documento de conclusiones que Nissen leyó con avidez:

Aptitudes intelectuales. El coeficiente intelectual del analizado es de 117 o sea término medio superior... es reflexivo, racional y analítico; se apoya en la lógica y en la deducción para entender las cosas. Observa, compara y busca la verdad instintivamente, pues la razón rige sobre sus sentimientos controlados en intensidad y en expansión. De sentido crítico extraordinariamente desarrollado, capta y percibe con gran penetración; logra juicios objetivos, lúcidos e incluso perspicaces siempre cuando ni sus propios sentimientos ni su persona estén involucrados. Cuando por lo contrario lo están, entonces su gran susceptibilidad y poca receptividad para los demás le impiden juicios con gran apertura de miras. Es curioso pero controla defensivamente su receptividad —de hecho se la prohíbe; observa como científico... Tiene gran capacidad de concentración, rechaza lo que lo viene a distraer y se irrita ante las interrupciones. Inhibe la imaginación... desconfía de la versatilidad... es un introspectivo que busca en la estética su necesidad de ideal... alerta pero inflexible, tiene más aptitudes para las ciencias abstractas que para las humanísticas. Tiene muy buena memoria; las distracciones que lo atraen son de tipo intelectual: lectura, historia, ajedrez. Tiene gran facilidad manual y capacidad expresiva.

Actividad. El analizado trabaja con ritmo regular y constante... organiza bien su tiempo y el espacio que le rodea. Metódico, la rutina no sólo no le molesta sino que le agrada... Se adapta a lo que él mismo planea pero es poco flexible y adaptable a las circunstancias inesperadas. Si no planea las iniciativas... siente inquietud e irritabilidad. Aunque su ritmo no es muy intenso, su rendimiento es elevado... Nunca se precipitaría ni haría nada a medias. Su actividad no es del tipo dinámico y sus gestos no son demostrativos. No se entusiasma fácilmente ante un proyecto; prefiere recapacitar y poner a prueba antes de pronunciarse, pero una vez seguro... obra con mucha determinación y firmeza. Ama el orden... Los demás podrían verlo como pedante; tiende a frecuentar las mismas personas, los lugares predilectos. Es pulcro y perfeccionista... es un individualista... necesita cumplir las consignas internas... Su sentido de la responsabilidad y de la propia dignidad es muy grande. Administra bien sus bienes y valores... Cuando cree tener la razón es capaz de insistir en sus derechos, reivindicar con marcialidad y asertividad pero sin faltar a la razón. En los momentos en los que su orgullo se siente lastimado no está dispuesto a ceder o sucumbir. Necesita conocer para sentirse seguro y por ello es muy precavido para los cambios. Sólo se siente bien cuando se sabe en control de la situación. Ante los desenlaces que no puede controlar y que no dependen de él siente ansiedad e inquietud. Para él serían desgastantes psíquicamente aquellas situaciones en las que se le pide que se adapte a varias obligaciones al mismo tiempo. Trabaja mal en equipo; necesita que las cosas se hagan como él quiere, en el momento en que él las piensa necesarias; es autónomo y con gran necesidad de independencia a pesar de que él mismo se impone estructuras rígidas conservadoras.

Aspectos del comportamiento. El analizado es introvertido y parco en gestos y manifestaciones. De gestos calmados, voz metálica, aspecto digno, mirada observadora y defensiva, no permite fácilmente la intrusión en su propio mundo. Es hombre serio que parece frío... Sin embargo tiene una sensibilidad muy grande, pero esta actúa sólo en la profundidad y no permite la expresión espontánea de sentimientos y emociones. Por ello es incomprendido; los demás no ven (en él) un hombre sensible sino una fachada de principios y rigor. No es amable, no sabe contemporizar y no hay encanto en sus actitudes. Sus amigos son pocos y según su criterio, selectos. En realidad son amigos que respetan su necesidad de privacía, su gusto por la soledad, su incapacidad de comunicar su sentir... Por fuera parece difícil de perturbar, no se acalora al hablar, no es sentimental... Sin embargo la gran sensibilidad que no logra expresarse hacia el exterior, que literalmente se estrangula por dentro, agudiza su susceptibilidad. Aunque parece frío es celoso y posesivo en afectos. No es tierno y puede no sentir el sentir del otro. Sexualmente es inhibido o reprimido y la energía instintiva se canaliza en el trabajo... Acusa de algo a la compañera o la esposa, resiente alguna situación en el pasado y ya no está dispuesto a entregarse. Pero es constante en sus simpatías. Es obstinado y una vez tomada una decisión no cambia fácilmente. Sus estados de ánimo son regulares... Pero es un melancólico *per se*... Previsor y desconfiado, no deja nada al azar... No adopta la forma de vivir del medio sino que continúa la suya propia. Repite gestos y actitudes o pequeñas manías de manera compulsiva. Fácilmente sospecha de las buenas intenciones de los demás; reacciona con irritabilidad y gran susceptibilidad. Está muy atento a las reacciones de su cuerpo y se vigila con actitud hipocondriaca. En los momentos de crisis guarda sangre fría... Socialmente es un hombre fino y de clase media alta. Es cortés y educado aunque siempre marca una distancia que no deja en el ánimo del otro lugar a duda. Odia lo ambiguo, las verdades a medias, lo inasible. No olvida fácilmente y es difícil de reconciliarse. Suele ser categórico y no matizado en sus expresiones... no encuentra en las normas sociales seguridad para sus principios y para su rigor especial. Al no entender que el mundo no está dibujado en blanco y negro actúa sin intuición, se irrita fácilmente y reacciona sin *savor faire*. Puede herir con sus observaciones penetrantes y quizás atinadas pero poco diplomáticas y tolerantes. Es escéptico y puede ser casi cruel en su cinismo. Cuando está irritado su ironía y mordacidad pueden llegar al extremo. Se muestra en estos casos despectivo y altivo... Podríamos hablar incluso de cierto sadismo perverso... Impaciente ante los obstáculos, se vuelve quisquilloso y poco hábil. Trata de forzar las circunstancias... Inquieto y tenso no le es fácil relajarse... Es hombre que busca absolutos y a la vez encuentra que ningún ideal existe. Encuentra la fe, la pasión y la emotividad algo ridículas y debilitadoras. Prefiere ver la relatividad de las cosas manteniéndose al margen. Por ello, no podría afiliarse a un partido o luchar por una causa; no puede compartir gustos colectivos y permanece hermético e incomprendido. En el fondo su ideal es inalcanzable... Y sin embargo, al no abrirse y convivir más liberalmente con los demás, impidió que se respetara su gran honestidad, su fidelidad y su lealtad. En el momento de escribir el grafismo que ha servido para este estudio de su personalidad (la carta) muestra tener fatiga psicológica y física, es decir un *surmenage* grande, así como también muestra la incomodidad ambiental del analizado.

Aspectos del yo. Nuestro personaje es individualista pero sin una gran confianza en sí mismo y en los propios méritos. Admira más la importancia de la familia de la que procede que sus propios logros. Choca con su padre, seguramente hombre de radiante y dominante personalidad. El joven Egerton no siente poder imitarlo ni superarlo y alimenta un doloroso sentimiento de insuficiencia que su orgullo y ambición le impiden admitir. No acepta la voluntad paterna y más tarde se rebelará a otras autoridades. Siendo él rígido y estructurado no admite las normas rígidas y estructuradas ajenas y elegirá una profesión-refugio en la cual sólo tiene que depender de sus propias fuerzas. Así, su gran independencia no es más que rechazo ante lo que no puede modificar, huída de lo que considera superior a su agresividad secreta, intolerancia a lo que considera superior a sí mismo. Ama a su madre, pero no le perdona algo. ¿El no haber sido preferido al padre? El hecho es que alberga rencor y agresividad que más tarde trasladará a la compañera pues necesariamente le decepcionará, o él mismo provocará ser decepcionado. Alberga secretos deseos de venganza y cierto deseo de hacer sufrir. Su agresividad no se descarga de forma esporádica y fulminante, como una gran tormenta, sino que es fomentada, preparada y quizá fermentada. Busca el punto flaco del adversario. El sentimiento de inseguridad siempre latente lo hace estar preocupado por la propia respetabilidad; todo lo que afecta a su persona es vivido con rumiación excesiva. Guarda en sí la nostalgia del amor perdido o del amor ideal que quiso y no tuvo.

Brian Nissen volvió a quedarse mudo por un buen rato, como cuando recibió el horóscopo del profesor Cabezudt. Otra vez sus métodos se habían revelado eficaces y de gran auxilio. Su primer pensamiento fue de profundo respeto para esa ciencia casi desconocida para él, la grafopsicología, y para la doctora Jennya Boyadjieff, quen había hecho un trabajo realmente estupendo. No se imaginaba que de una carta fuese posible extraer tantas referencias psicológicas del sujeto que la escribió, y se congratuló mil veces de haber acudido al consejo de una profesional. Mentalmente agradeció también a Feodora, ahora viuda de Rosenzweig —pues su gentil esposo había muerto de una súbita enfermedad pocos días después que Brian los visitara— por haberle recomendado los servicios de Jennya, a quien ya sentía como una valiosa colaboradora de su novela. Resultaba impresionante que ésta, sin conocer los detalles biográficos del pintor que en México (y quizá en todo el mundo) sólo él, Nissen, creía poseer y haber analizado, llegara a conclusiones tan cercanas a las suyas: Egerton, el hombre inseguro, irritable, rígido, resentido con el padre y con la madre, agresivo, de gran inteligencia, capacidad científica (llevaba un barómetro en la ascensión del Popo) y refugiado en el arte para expresar sentimientos que no podía comunicar a las personas. El hombre apuesto que gustaba a las mujeres, pero en quien ellas no podían encontrar ternura porque él no se entregaba. El hombre honesto capaz de defender su derecho con intransigencia pero carente de flexibilidad para atender los derechos de otro. El individualista que no participa en causas comunes, que elude la política, que sólo quiere y sabe hacer las cosas como él las planea. El pedante e irritable que se introvierte y vuelca en el arte todas sus frustraciones convirtiendo el sufrimiento interno en genial inspiración con la línea, el color y las formas. El observador lógico que reproduce con minucia todo un país, sus costumbres, su gente, sus caras y actitudes, pero que no se comunica con los seres que ama ni sabe amar a los seres con los que se comunica.

El horóscopo del notable Gerardo Cabezudt y el psicograma grafológico de la doctora Boyadjieff coincidían en la mayoría de los rasgos de la personalidad del pintor, aunque diferían en otros. Ambos lo caracterizaban como un hombre inteligente, culto, irritable, que pasaba por altivo o pedante, individualista, intransigente para defender sus puntos de vista, autosuficiente y autoritario, cuya sensibilidad interna se expresaba en el arte pictórico más que en su vida personal, por tanto "mujeriego"; Jennya decía en un pasaje de su estudio que: "La pasión [del analizado] es también introvertida y agudiza la avidez de posesión, pero se contenta con buscar intereses sensoriales sin ternura." O sea una especie de Don Juan... También lo describían de carácter fuerte ("obstinado" y "susceptible") hiriente en sus observaciones, o sea "agresivo", cuya irritabilidad y "mordacidad" podían hacerle llegar "al extremo", que era cuando se "metía en dificultades", como afirmaba el profesor Cabezudt. Ambos analistas asumían que era inquieto, aunque el horóscopo lo revelaba menos introvertido que su escritura. Lo que era sencillamente impresionante era la coincidencia de los dos medios de investigación de la personalidad en el valor que Egerton daba a sus antecedentes familiares y especialmente en la querella o resentimiento para con el padre, la madre y la compañera, que le producía intolerancia y agresividad, "inseguridad" —en fin— con todas sus consecuencias. Esto lo describía muy bien Jennya, y Cabezudt lo llevaba a un extremo sensacionalmente revelador: que Daniel Thomas había tenido también serios problemas en la relación con su hermano. Parecía evidente —reflexionó Brian— que William Henry, como primogénito, ejercía una considerable influencia sobre el pintor, pues éste había tomado la decisión de ir a México a invitación o sugestión de su hermano, había llegado a vivir con él, y aparentemente éste le acompañaba muy a menudo, incluyendo cuando pintaba, como en el curioso incidente de Chapultepec, y era Daniel Thomas quien visitaba a "Don Guillermo" como lo conocían en México (incluso el mismo día del asesinato, en que dejó sola y quizá encerrada a Agnes para almorzar con aquél y con Charles Byrn), y no al revés, por lo tanto no era desdeñable pensar en que William Henry actuaba como un *incubo* psicológico en relación con Daniel Thomas, y éste un tanto *súcubo* de aquél. De cualquier modo la grafopsicología y la astrología bien aplicadas estaban siendo de una enorme utilidad a Brian para sus pesquisas, rezagadas siglo y medio de la fecha del crimen, pero que a pesar de ello parece que estaban encontrando nuevos y sorprendentes puntos de apoyo. Por otra parte era un hecho que el hermano del artista victimado se había quedado con sus pertenencias más valiosas, especialmente con su diario y su correspondencia, y que había alterado parte de aquel diario al darlo a la publicación (porque seguramente había sido él; ¿quién más?) en Glasgow, hacia 1848 o sea seis años después de su muerte, lo que confirmaba que el hermano mayor no respetó al menor ni siquiera después de fallecido, y se sentía su "director" y posteriormente el dueño de su memoria. Las críticas que los periódicos mexicanos de la época habían hecho al hermano de Daniel Thomas resonaban ahora en el cerebro de Nissen: se estaban confirmando las sospechas de la opinión pública sobre William Henry, quien no había cooperado en la investigación, había retenido los bienes del occiso y al final había inventariado y presentado al juez sólo aquello que él y el funesto MacKintosh quisieron exhibir. Recordó que *El Observador Judicial* —seguramente inspirado por el juez Puchet— se había permitido evocar entonces que el primer asesinato del mundo había ocurrido entre hermanos ...

De pronto pensó que quizás las diferencias, ciertamente menores, entre el psicograma grafológico y el horóscopo podían deberse a dos razones: por una parte, el primer documento sólo podía recoger la personalidad de Daniel Thomas como se había desarrollado hasta 1833, fecha en que escribió la carta, lo que no quería decir que aquélla, como elemento dinámico, no siguiera evolucionando y fuese susceptible de adquirir otras facetas en los nueve años finales de la existencia del pintor; de ahí la justa mención de Jennya a la "nostalgia de un amor perdido", que seguramente no era otro que Giorgiana Dickens, la esposa de quien Egerton se había separado formalmente casi tres años antes en Inglaterra. Por otra parte, el documento astrológico podía variar pues la fecha real del nacimiento de Daniel Thomas, según Brian acababa de comprobar en Londres en su partida de matrimonio de Lexden, no era el 18 de abril de 1800 sino el de 1797. ¡Ahí podía estar la clave de esas diferencias, las cuales podrían ajustarse si Cabezudt conocía la nueva fecha y revisaba la carta astral! Inmediatamente reaccionó de manera harto geminiana, buscó su agenda y marcó por el sistema automático de larga distancia el teléfono del astrólogo en la ciudad de México. Esta vez contestó la madre de Cabezudt quien gentilmente pasó el auricular a su hijo. Entonces Brian le comunicó que Daniel Thomas había nacido en 1797 y no tres años después, (aunque el mismo día a la misma hora) y le suplicó que a la brevedad posible le mandara sus observaciones de acuerdo con las nuevas circunstancias. El profesor asintió gustoso y le prometió que esa misma noche o al día siguiente grabaría una nueva cinta explicativa; pero en principio, dijo, él creía que las características fundamentales del pintor británico descritas en el anterior horóscopo habrían de confirmarse, pues el signo dominante y quizá también el ascendente se mantenían a pesar del cambio del año. Brian le agradeció por anticipado y decidió dedicar todo ese fin de semana a terminar el moldeado en cera de una pieza que llamaría "Mandril" y que sería exhibida como otras varias, —"Icono", "Veleta", "Barómetro", "Flor", "Walkman", "Barco", "Trofeo",

"Colmena", "Torre" y "Retablo"— en la Galería Joan Prats del número 24 de la calle 57, en el *West Side* neoyorkino.

Brian recibió en su casa un ejemplar del hermoso libro del pintor y caricaturista mexicano Abel Quezada, titulado *F' cazador de Musas*[143] publicado en Milán y México, y no pudo menos que admirar el sutil arte de su amigo, al que veía muy a menudo en Nueva York pues poseía un apartamento en un edificio estratégicamente situado junto al Museo de Arte Moderno. El libro estaba pletórico de belleza, ingenio y arte *naif* de la mejor calidad. Una de las más amplias obras pictóricas de Abel que reproducía el libro era la llamada "El tren de los divinos", que retrató precisamente eso, un convoy formado por una moderna máquina y nueve carros de ferrocarril, en cuyas ventanillas y plataformas se asoman cincuenta y siete personas, casi todas pertenecientes al grupo de amigos —en su mayoría mexicanos— a quienes el poeta nayarita Alí Chumacero dio el título de "Los divinos". En el séptimo vagón, junto con Hero Rodríguez, Julio Cortázar, André Claude, Manuel Moreno Sánchez y otros aparecía él, Brian Nissen, con su bigote a la Zapata, compartiendo el convoy con parte de los más distinguidos intelectuales y artistas mexicanos, a quienes Abel había añadido, en el *caboose*, a los seis últimos presidentes de la República, de 1986 (fecha de la pintura) para atrás. Se sintió muy orgulloso de ser considerado parte de la *intelligentsia* del país que tanto amaba y decidió enviar una carta agradeciéndolo a Quezada. También pensó en que si algún pintor mexicano de la primera mital del siglo XIX hubiera dibujado una caravana de diligencias (el ferrocarril aún no llegaba entonces a popularizarse, pues el primer tramo del Veracruz-México se inauguró en 1855) entre los artistas e intelectuales famosos tendrían que haber ocupado las ventanillas varios extranjeros como Rugendas, Gualdi, Phillips, Nebel, Catherwood, Waldeck, Linati, y por supuesto Daniel Thomas Egerton, compartiéndolas con el Conde de la Cortina, Fernández de Lizardi, Mariano Otero, Juan Bautista Morales y otros intelectuales de la época, como Gómez Farías y Sánchez de Tagle, entre los que cabrían también Lu-

[143] Abel Quezada. *The Muse Hunter*. Milano, Peppi Battaglini, ciudad de México, Joaquín Mortiz, 1989.

cas Alamán, Guillermo Prieto, el escultor Francisco Terrazas y para dar el toque de gracia, la popularísima Güera Rodríguez. Brian pensó que esos y otros apellidos se repetían en los tiempos actuales, con la continuidad de las generaciones, y recordó lo que solía decir de ello el sociólogo y poeta Arturo González Cosío: "Somos los mismos."

Reflexionó también en que eso de andar buscando a los autores del asesinato de un artista inglés en México, como él hacía con Egerton, tampoco resultaba muy original. En su antología de *Cuentos únicos*, publicada en 1989, el literato español Javier Marías se preguntaba sobre las causas de la muerte del escritor inglés Wilfried Ewart, nacido en 1892, y asesinado de un balazo en la sien el último día de 1922, aparentemente en el balcón del cuarto que ocupaba en el hotel Isabel, de la avenida República de El Salvador, en la ciudad de México. La misma cuestión la propuso Silvestre Lanza, en el Semanario Cultural del periódico mexicano *Novedades*, poco tiempo después, y finalmente Sergio González Rodríguez había publicado un extenso artículo sobre el particular en la revista *Nexos*.[144]

Las coincidencias entre el caso Egerton y el caso Ewart no eran pocas: ambos artistas británicos masacrados en la misma ciudad, al parecer en forma totalmente eventual o circunstancial, pues en el asunto del escritor se habló de una "bala perdida" disparada por un borracho inconsciente que celebraba el fin del año; investigación en el segundo crimen, a cargo de otro artista inglés, D. H. Lawrence, quien convertiría el hotel Isabel en el hotel Monte Carlo de "La serpiente emplumada"; el Gobierno mexicano, en este caso el de Álvaro Obregón, tendría que hacer frente asimismo a una reclamación de la Embajada británica por esa muerte y la de George W. Steabben, otro súbdito inglés asesinado por un militar a las afueras de una cantina; funeral de "extranjeros en tierra extraña", presidido por el escritor inglés Stephen Graham, y R. J. Fowler, vicecónsul británico; Ewart, hijo de nobles como Daniel Thomas y emparentado con Gladstone; amasiato entre la víctima y la señora Graham a cuyo esposo se considera

[144] *El Misterio de Wilfried Ewart. Revista Nexos*, México, no. 144, diciembre de 1989.

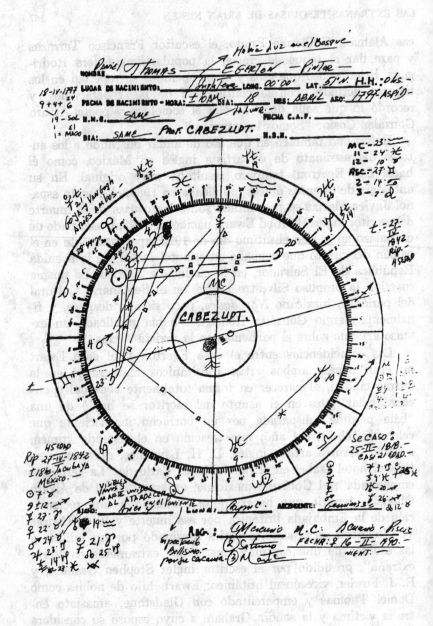

Cosmograma de D.T. Egerton por el profesor Gerardo Cabezudt

un probable asesino; estupor de los diarios de Londres por el crimen; Ewart enterrado en el cementerio inglés, el mismo en que lo habían sido Egerton y Agnes Edwards, y que luego fue expropiado. Nissen leyó el artículo como si viera de nuevo una vieja película, y pensó que quizás algún día alguien escribiría un libro descubriendo a los verdaderos causantes de la muerte del autor de *Camino de revelación* y *Ewart Quarto*, obras que son mucho menos conocidas que varias de las de su presunto asesino Stephen Graham, como *En busca de El Dorado* (1923) y *Vida y últimas palabras de Wilfried Ewart*, libro al que se le adivina un sentido de franca coartada literaria.

NUEVAMENTE la voz metálica y sugestiva del profesor Gerardo Cabezudt penetró en el estudio pues Nissen colocó la segunda cinta en la grabadora tan pronto la recibió por correo express. Con lo que aquí oyera completaría su imagen del pintor inglés muerto en 1842 y podría afinar sus conclusiones. Estaba seguro que el astrólogo mexicano habría de aportarle otras ideas aprovechables:

Señor Nissen: un saludo muy afectuoso, hoy está el cielo muy azul y hace bastante calor en la ciudad. Al hacer el cambio de año de 1800 a 1797 en el esquema de Daniel Thomas Egerton, algunos planetas cambiaron también. Sin embargo lo clave en un mapa es la posición del sol que sigue siendo Aries, y la de su ascendente que sigo pensando es Géminis. Todo ello no cambia, y sigue estando presente lo que antes le dije y la combinación de ambos signos. El medio cielo en la vez anterior había quedado en Acuario y esta vez vuelve a quedar en Acuario. El otro punto clave —primero sol, vida profesional; segundo, ascendente, personalidad; tercero, medio cielo, su destino— es la luna. En el estudio anterior la tenía en Acuario; ahora sale que la tiene en Capricornio Egerton tiene su ascendente en Géminis —estoy 99.9% seguro, y esto solamente porque nunca se puede estar totalmente seguro de nada— y hay que recordar que cuando está en el ascendente Géminis tiende un poco a la mentira; los de este signo en ascendente no son siempre veraces, cambian datos, etcétera. Lo aclaro porque al casarse en 1818, Egerton declaró que tenía veintiún años, aunque en realidad en el mes de febrero en que ocurrió la boda no los había cumplido. La luna en Acuario es la única que ha cambiado: a mí me parecía muy adecuada, pues daba un hombre rebelde; diferente a otros de su generación. Ahora la luna en Capricornio está vinculada a la política, como si hubiese sido una persona muy ambiciosa, con deseos de sobresalir, de tener honores. A las lunas en Capricornio les gusta el *status* social, pero por el rango que les llega a dar, quieren ser gente importante, desean ser, más que admirados, respetados o reverenciados. Sin embargo, esta luna da una vida interior muy solitaria. Aries es un signo fogoso, vehemente y muy sexual. Pero con esta luna la persona está carente interiormente de una plenitud afectiva. Puede vivir una fuerte relación sexual gracias al Aries, (era un pintor primaveral) pero la luna en Capricornio es lo contrario: su vida emocional está en el invierno, en Siberia, en la nieve. Imagínese usted el contraste de un hombre con un temperamento fogoso, apasionado, vehemente, con una luna así: ha de haber tenido unas soledades, unas tristezas, unas incomprensiones que quizá lo hicieron dedicarse al trabajo para compensar esas carencias afectivas. La gran desgracia de la luna en Capricornio que se da en Egerton si nació en 1797 —año del Aspid o la Serpiente en la astrología china— es que precisamente está dando la imagen de un hombre triunfador profesionalmente pero interiormente solo; seguramente se sentía un incomprendido. Este hombre tenía en su mapa una especie de telaraña que quizá trató de desmadejar a través de su arte. Esta posición de luna en Capricornio es muy complicada; con decirle que la tenían Napoleón, Hitler y la reina Isabel de Inglaterra, personas que tuvieron un poder gigantesco pero que en lo personal no fueron felices sentimentalmente. Sexualmente se ve muy intensa esta persona; ya con el cambio que hicimos a 1797, tiene cuatro astros en Aries, o sea que es un Aries a la cuádruple potencia; todo lo que mencionamos de Aries en el estudio anterior debemos multiplicarlo por cuatro: hombre apasionado, fogoso, impulsivo. Como decía el Génesis: tenía la llama que ardía y no se consumía; esto es Aries, el fuego de la primavera con gran fuerza. Tres de estos astros en Aries están contra la luna. ¡Fíjese qué interesante, señor Nissen! Aquí estoy viendo algo que es igual a usted. Aquí voy a anotar: *Brian Egerton*. En primer lugar los dos tienen un muy fuerte Géminis: usted tiene el sol en Géminis —de ahí viene seguramente la identidad que usted sintió con este pintor; o por lo menos el atractivo que le produjo investigar su biografía. El tiene Géminis como ascendente. Los dos han viajado mucho, han vivido en lugares distintos a su patria; los dos trabajan con sus manos,

él fue pintor y usted es pintor y escultor; y los dos tienen a
Mercurio que es la mente, la inteligencia, la palabra, junto
con Venus que es el arte; Egerton tiene a Venus junto con
Mercurio y por cierto a una distancia de 4° impresionantemente igual que usted que también la tiene a 4° de distancia,
ambos en un signo cardinal, pues usted la tiene en Cangrejo
y él la tiene en Aries; usted en el signo del verano, él en el
de la primavera, eso también combina. Otro punto que resulta
muy importante en el nuevo estudio es que el pintor —además
del ascendente— tiene dos astros en Géminis: Marte y Saturno; aquí se triplica la importancia del ascendente geminiano
que amplía su influencia. Antes tenía aquí a Júpiter, lo que
le daba un rasgo de cordialidad, de positivismo, de ser una
persona muy segura de sí misma; ahora, aunque el Aries es
un signo casi siempre con una especie de complejo de superioridad, un signo que le gusta ser jefe y líder, en este caso quedan Marte y Saturno en el ascendente. Saturno indica aquí
una persona que puede tener melancolías, depresiones, tristezas muy fuertes, quizá sufrir de los pulmones, quizá tener una
lastimadura o accidente en una mano o problemas en el sistema
óseo, y hasta pensamientos lúgubres, aunque es muy aguda y
penetrante, sin embargo tiende a ser pesimista, sobre todo en
su vida personal. Marte en Géminis habla de una persona muy
inteligente y rápida, que puede ser un gran polemista. Imagínese usted la fuerza de Aries que es el ímpetu, el arrojo, con
Géminis, que es el viento, lo ligero, lo fácil, lo agudo. Esta
combinación indica un polemista tremendo a quien le ha de
haber gustado tener enfrentamientos teóricos y que debió sostener con vigor sus puntos de vista. En este nuevo estudio
vemos la cuadratura Marte-Urano: de hecho yo pienso que
esto, a nivel astrológico, originó su fallecimiento en la forma
tan terrible en que lo tuvo, de manera trágica. Marte es la
violencia, la agresión, los instrumentos punzocortantes, y está
en el ascendente de Egerton, lo que marca una tendencia a
tener accidentes en el cuerpo físico o heridas y lastimaduras
por cuchillos o dagas. Además estaba contra Urano, aspecto
terriblemente negativo porque Urano es un astro de cuestiones
raras, extrañas, inesperadas. Figúrese usted la combinación de
Marte que es la violencia, con Urano, que es lo extraño. Se da
mucho en caso de accidentes y agresiones. En el caso de
Egerton, esto lo traía de nacimiento: que tarde o temprano iba
a tener un accidente fatal en su vida. Incluso hay la posibilidad cuando la persona tiene a Marte cerca del ascendente,
que haya una marca en el cuerpo, una cicatriz —no sé si
usted tendrá manera de averiguarlo o si históricamente se co-

noce en el caso del pintor— que pudo estar en el rostro, en el cráneo, o en los brazos o piernas. Por otro lado este Marte es muy importante porque está contra Urano y también contra Plutón, que es un astro más terrible aún que Urano, su oposición a Marte es ya la guerra. Egerton estaba doblemente mal aspectado. Claro que sigo insistiendo que tenía un carácter bastante violento, lo que se revela en ambos estudios, tanto en el de 1800 como en el de 1797. Todo Aries es violento, aunque hay algunos más controlados; pero un Aries con cuatro astros ahí, siempre tiene un temperamento muy fogoso aunque lo oculte. Dejando volar un poco la imaginación pero basándonos en la interpretación astrológica, pienso que la muerte de él fue —en gran medida— originada no por el robo sino por un fin sexual; según usted me refirió él iba con su nueva esposa allá por Tacubaya —esa tarde la puesta del sol era hermosísima; se veían la unión de Venus el lucero de la tarde, con Marte, el planeta rojizo, a 2° de distancia, muy cercanos uno de otro, metafóricamente iban de la mano— y yo pienso que salieron a ver los astros a la puesta del sol y entonces fueron agredidos, pero quizá fue por causa de la señora; repito que no creo que el motivo principal haya sido el robo. Ese Plutón contra Marte indica violencia y sexualidad, se da mucho en casos de violación. Los Aries no tienen miedo de nada; Schiller hacía decir a su personaje Guillermo Tell —que era muy ariano, con Acuario: —"Si fuera prudente no sería yo Guillermo Tell." Aries es imprudente y temerario, por eso no consideró Egerton el peligro de salir a pasear con su guapa esposa por los llanos de Tacubaya. Si vemos la fecha de su matrimonio, el 25 de febrero de 1818, aquí encontramos a Neptuno, el astro de las quimeras y las ilusiones maravillosas, que estaba haciendo un trígono con el sol; eso nos habla que el pintor estaba muy enamorado cuando se casó, quizá demasiado. Debió andar como flotando. Cuando él falleció Plutón estaba en Aries, encima del sol de Egerton. Este es un aspecto que no puede pasar sin que venga alguno de los grandes cambios o metamorfosis en la vida del individuo. Esto estaba clarísimo y ahí tenía también a Saturno, que es el astro de la guadaña, de la muerte, el astro del fin, que estaba contra la luna (igual que cuando murió Hitler). Eso coincide en el estudio de 1797 y puede confirmar que ese año es correcto como el de su nacimiento, pues la presencia de la muerte el día en que fue asesinado es totalmente clara en el nuevo esquema. Por un lado, ahondando más en el carácter de Egerton, tiene el sol en Aries, lo que lo hace ser como hemos afirmado una persona muy impetuosa, incluso violento, temerario; por otra parte ese sol está contra la luna en Capricornio, que lo hace ser muy calculador, muy reflexivo, muy escéptico. Tenía esos dos polos en conflicto. A Aries le gusta lo amplio, lo libre, lo expansivo, y por eso su pintura del Valle es muy ariana y en general todas las que hizo en México, pues le gustaban los espacios abiertos, en libertad, no los bosques, por ejemplo. Ahora le daré vuelta a la *casette*.

Déjeme decirle, señor Brian Nissen, que me dio mucho gusto que me llamara usted desde Nueva York. Me recordó que usted como pintor, geminiano e inglés lo mismo que Egerton, también nació en las alturas de Londres y vino a residir a Tacubaya. Yo le aconsejaría, señor Nissen, que si tiene tiempo (pues a un Géminis nunca le faltan ganas para hacer las cosas) se someta usted a un procedimiento de hipnotismo, porque hay la posibilidad —no digo que lo sea, ni siquiera le conozco bien— que en usted haya reencarnado el alma de Egerton. A nivel de las teorías esotéricas hay la firme creencia que el alma está en un proceso evolutivo, pero el alma de un pintor en la próxima vida va a tener propensión a ser lo mismo que fue en la anterior. Se me hizo muy especial que usted haya nacido cerca de donde nació Egerton y haya vivido en Ta-cubaya donde él murió, además de que se sienta identificado con nuestro país, hable tan buen español, y sea asimismo un artista plástico. Y me pregunto ¿qué tenía usted que hacer en México y en Tacubaya? Esto despierta la fantasía y la ima-ginación. Yo le aconsejaría —si le parece buena la idea— que lo hipnoticen. Hay una técnica que se llama de "regresión hip-nótica", donde precisamente hipnotizan a la persona y la van retrocediendo a cuando tenía quince, diez, cinco años de edad, cuando estaba en el seno materno y . . . antes de eso, y le pre-guntan ¿qué había? Yo creo plenamente en la reencarnación; es algo que también lo creo 99.9%, porque es la única forma de explicar por qué hay esquemas buenos y hay esquemas ma-los. La respuesta es que los esquemas obedecen a lo que la persona ya sembró. Eso se lo paso como idea. Habrá que con-seguir un buen hipnotizador, sobre todo uno que trabaje en cuestiones de regresión. Aquí en México conocí a una dama de muy buena posición social, por cierto, que trabajaba por *hobby*, ni siquiera cobraba, y que platicaba cada historia, señor Nissen, que se quedaba uno con la boca abierta; unas historias impresionantemente fuertes de personas que ella hipnotizó en treinta y cinco años que llevaba en eso; entre ellas el caso de un hombre muy bien parecido pero que tenía un complejo de inferioridad, a pesar de que había ido a ver muchos psiquía-tras y psicólogos. Hipnotizó a este hombre y resultó que en la vida anterior había sido un retrasado mental, y de ahí que tuviera ese complejo.

Hubo otro caso: el de un señor que no podía ver sangre ni oír la palabra "sangre" porque se desmayaba; después de la regresión se aclaró que el paciente había sido un soldado de Gengis Khan, que platicaba: "Estoy fatigado, cansado, ya soy un hombre viejo, tengo treinta y seis años, me voy con mis cuatro esposas a hacer mi vida de retiro porque estoy asqueado, estoy harto de ver tanta sangre, tanta matanza." Aquí lo interesante del caso es que después de esta experiencia, el paciente, que había visitado también a muchos psiquíatras, se quitó su trauma en forma inmediata. Otra idea que le puedo dar, señor Nissen, es realizar una sesión espiritista. Se puede conseguir una *medium* que sea seria; no se han puesto de acuerdo los estudiosos si los espíritus son "entidades desencarnadas", yo sí lo creo cuando se trata de sesiones serias; he estudiado a fondo también esto; algunos afirman que los "espíritus" están en la propia psique del individuo. Una buena *medium* —hay muchos defraudadores y charlatanes, pero también hay gente seria, que no lo hace por lucro— puede llamar al alma de Egerton, si es que está todavía en el "más allá". Aunque a mí me atrae más la idea del hipnotismo. Una tercera idea es que un psíquico o psicómetra toque algún objeto que hubiera estado en contacto con Egerton, como sus cuadros o dibujos, sus pinceles, etc., pues a través de sus vibraciones se pueden captar elementos de la personalidad del sujeto. Esto también se presta a charlatanería, pero puede funcionar. En Europa y hasta en algunas ciudades norteamericanas las policías tiene su psicómetra, y en investigaciones detectivescas le dan objetos pertenecientes a las víctimas o a los presuntos asesinos y le instan a que perciba de ellos las emanaciones aprovechables. Se han dado, señor Nissen, muchos casos con excelentes resultados.

Hay una película que le recomiendo, que se llama "Death Zone", "Zona muerta", de Dino de Laurentis, que trata este tema vinculado con la política. Es la historia de un hombre que al dar la mano a alguien ve lo que va suceder potencialmente en la vida de ese individuo. Estas son las tres ideas que le doy: el hipnotismo, la sesión espírita y el psíquico; parece muy heterodoxo pero le repito que mucha veces resulta bien para ciertas investigaciones, cuando, como en este caso, falta información. La cuarta es algo que según me comunicó ya hizo usted y que es encargar un estudio grafopsicológico de la escritura de Daniel Thomas Egerton; por cierto que la señora Boyadjieff es muy competente y su dictamen le será de gran utilidad. Le consignaré unas frases que le pueden ser interesantes: "Para pintar un árbol, el pintor tiene que convertirse previamente en árbol", que es del filósofo norteamericano Ralph Waldo Emerson. Otra "Lo que yo sé, eso cualquiera lo puede saber, pero mi corazón solamente lo tengo yo", que es de Goethe y demuestra la diferencia entre lo que la gente sabe y lo que la gente es. Leonardo Da Vinci decía que la poesía es pintura en palabras, y la pintura es poesía en colores. Quisiera mencionarle dos personalidades que nacieron el mismo año que Egerton. En primer lugar el divino "Cisne de Viena", Franz Peter Schubert, el 31 de enero de 1797, dos meses y medio antes; y también la escritora Mary Shelley, quien escribió la obra *Frankenstein*, y nació el 30 de agosto; dos años antes vino al mundo el poeta inglés John Keats, otro miembro de su generación.

Deseo mencionarle algo más, señor Nissen. Usted seguramente conoce "El libro sagrado de las mutaciones", chino, que es el Yi Ching. Si usted no lo ha utilizado ¡de lo que se ha perdido, amigo Brian! Una vez dijo Confucio que si él tuviese cincuenta años más de vida los dedicaría íntegros al estudio y a la meditación del sagrado Yi Ching. También, entre paréntesis, fue Confucio el que afirmaba: "Hay dos caminos en la vida, amor o ausencia de amor; ésto es todo en la existencia." Pero volviendo al Yi Ching, si usted tiene una duda sobre Egerton puede hacerle una pregunta al libro y él le responderá. Voy a platicarle una anécdota. Cuando se mencionaban los precandidatos a la presidencia de México, allá por 1981, alguien me desafió diciendo que si yo era astrólogo debía saber cuál de los políticos que se mencionaban entonces, (Ojeda, De la Madrid, De la Vega, Olivares Santana) iba a ser el seleccionado por su Partido. Yo tenía el día del nacimiento de todos, pero no la hora, que es siempre un dato muy difícil y sin él resulta imposible hacer un buen esquema. Entonces le pregunté al sagrado Yi Ching que me dijera por favor quien iba a ser el presidente de la República, y el libro me contestó con el exagrama número uno que se titula "La fuerza de lo grandioso." Ahí hay un párrafo que habla de que ese hombre tendría un poder gigantesco y que tendría que cuidarse para que su personalidad no se afectara por ese poder. Luego me dijo: "Tú vas a saber quién es ese hombre, porque su símbolo es el Dragón." Yo me quedé en las mismas. Revisé la astrología china para saber si alguno de los cuatro precandidatos era del Año del Dragón y ninguno era. Medité durante varios días. En fin, una vez que estaba viendo el techo se me prendió el foco, como se dice comúnmente, y decidí ver qué significaba cada uno de los apellidos de los cuatro aspirantes desde el punto de vista heráldico. Revisé el "Diccionario de apellidos" de Atienza, de la editorial Aguilar, y ahí supe que el apellido Madrid tenía como escudo de armas un dragón. Fue impresionante y la respuesta, como usted sabe, resultó exacta. Esto se lo comento por si quiere usted hacer una pregunta sobre Egerton al Yi Ching; es relativamente fácil, se usan unas monedas, el mismo libro lo indica.

Algo más que mencionar: no eche usted en saco roto estos consejos bien intencionados. Por último, ya le dije que Egerton nació un día 18 y tiene en el Tarot al arcano de la luna; usted también señor Nissen, de acuerdo con el día de junio y el año en que nació, pues he consultado su propia carta astral que le hice hace varios años. Si no sería usted el 9, que es el Ermitaño. Pero en su numerología Egerton también es el uno, que sería en el arcano del Tarot el Mago, o sea un hombre con iniciativa, un jefe.

Bueno, pues me despido de usted, señor Nissen, un fuerte abrazo, que esté usted muy contento allá en Nueva York, en este día, 7 de marzo de 1990, esperando haberle sido útil para la investigación de su libro sobre Egerton. ¡Ah, perdóneme! Quiero comunicarle algo que acabo de leer de un pintor chino que se llama Hokusai, que murió en 1849, o sea vivió todo el tiempo que Egerton y siete años más. Oiga usted lo que escribió, pues me parece extraordinario:

—Desde la edad de seis años tuve la manía de dibujar las formas de las cosas. Cuando tenía cincuenta años de edad había publicado una infinidad de dibujos, pero todo lo que hice antes de los setenta años no era digno de tomarse en cuenta. A los setenta y tres años aprendí un poco acerca de la verdadera estructura de la naturaleza, de los animales, plantas, árboles, peces e insectos; en consecuencia, cuando llegué a los ochenta años de edad ya había logrado más progresos. A los noventa penetré en el misterio de las cosas —¡eso es bellísimo, apenas a los noventa años!— y a los cien años había alcanzado un periodo maravilloso. Ahora que tengo ciento diez años, todo lo que hago, sea un punto o una línea, tiene vida. Suplico a todos aquellos que han vivido tanto como yo que vean si digo la verdad.

Está tomado de *Los libros de apuntes de Hokusai*. Y como me parece muy hermoso se lo quise mencionar. También tengo aquí *Los seis cánones del arte chino*, del siglo VI, escrito por

Hisei Ho: primero, vitalidad rítmica; segundo, captación de la estructura anatómica con trazos de pincel; tercero, dibujo de las formas en concordancia con la naturaleza; cuarto, color adecuado, basado en la observación de los objetos; cinco, correcta división del espacio o sea composición; y la sexta regla, copia y estudio de las obras maestras. Todo ello parece que lo tenía Egerton ¿no le parece a usted, señor Nissen? Bueno, ahora sí en verdad me despido. Su amigo, el profesor Gerardo Cabezudt.

Las cosas le estaban saliendo bien, muy bien, pensó Brian. El ajuste del año de nacimiento de Egerton hacía coincidir aún más su carta astral y el psicograma, que convergían ahora en un trazo muy semejante, casi idéntico de la difícil personalidad del pintor. Con esta valiosa aportación astrológica, hecha por el profesor Cabezudt sin conocer el dictamen de Jennya, el perfil de reacciones y comportamiento de su "héroe" —que no lo parecía tanto— adquirirían suprema nitidez. Por distintos caminos había arribado a una sólida conclusión y en verdad se sintió muy satisfecho, a tal grado que decidió publicar los tres análisis en su libro cuando lo escribiera, porque seguramente habrían de interesar a los lectores y además se habían convertido en piezas claves de la investigación.

En todo proceso criminal importa establecer la personalidad de la víctima y del inculpado como elementos básicos del procedimiento. Eso no lo había podido hacer el juez Puchet, por lo menos en su integridad. Y por ello seguramente había quedado convencido de que Cortés, Aguilera, González y Corona eran los verdaderos y únicos asesinos, abstracción hecha del móvil no comprobado y de las relaciones y características de Egerton y la Edwards prácticamente no estudiadas por diversas razones, quizá ninguna imputable al propio juez. Como quiera que fuese, a siglo y medio de distancia él, Brian Nissen, pintor y escultor, novel detective-histórico, empezaba a tener un conocimiento cuantitativa y cualitativamente más completo que el juez de la causa para desentrañar el misterio que entonces no se pudo o no se quiso descubrir. Eran ya más de las ocho de la noche y Montse le pidió que la llevara a cenar. Fueron al "Odeón" que en pequeño les recordaba "La Coupole" de París, en la calle Varick, no lejos de Saint Mark's Place. Brian empezó a hablar de la investigación y Montse le siguió la corriente, pues sabía que en esos momentos era mejor dejarlo que se explayara. Entonces Brian le comunicó la parte final de la cinta del profesor Cabezudt, y especialmente la opinión del astrólogo en el sentido de que él podía ser algo así como la reencarnación de Egerton. Montse se alarmó:

—Eso es una locura, dijo, o cuando menos una suposición fantasiosa. Tu amigo el psiquíatra te explicó perfectamente bien que tus pesadillas se debían a una sugestión tuya, que te has sentido atraído o identificado por la personalidad del otro. Tuvo razón, según creo; además desde que estás investigando para escribir el libro no has vuelto a soñar con él ¿no es verdad?

—Sí, mintió Nissen (porque había soñado el crimen dos noches antes), pero me pregunto si no habrá algo más, pues aún no puedo explicarme bien por qué me he metido en todo este lío que ya lleva cuatro años, y sobre todo qué tengo yo que ver con Egerton.

Siguieron conversando sobre el tema. Montse, por supuesto, no creía en la reencarnación, era una escéptica de esas cosas y él lo había sido también; ahora ya empezaba a creer en muchas a las que antes no hacía caso. No obstante prefirió no decirle nada a Montse sobre la sugerencia de Cabezudt de que se sometiese a una "regresión hipnótica" pues seguramente ella pondría el grito en el cielo y hasta podrían tener un disgusto. Mientras hablaba de las nuevas coincidencias entre el horóscopo y la grafopsicología del pintor, seguía pensando en aquéllo: si se hiciera hipnotizar quedaría tranquilo de una vez por todas, cualquiera que fuese el resultado; era y había sido siempre muy curioso: sería una experiencia muy interesante. Así podría saber quizá quién mato a Daniel Thomas y Agnes, penetrar en el alma del pintor, conocer todo lo que después de siglo y medio se había borrado sobre aquel crepúsculo en Pila Vieja, y saber de fijo lo que pensaba Egerton cuando se topó con los asesinos, cualesquiera que estos hubiesen sido. Nadie sufría por ser hipnotizado, según le habían dicho. En fin, no habría que resolver ahora, ya lo pensaría mejor; todavía podía investigar más.

Después de que le sirvieron unos exquisitos huevos *Husar*, el pintor empezó a hablar de otros temas; de su próxima exposición, de que estaba a punto de obtener su tarjeta de residente en los Estados Unidos como ya la tenía en México y entonces podría hacer un viaje largo con Montse a Europa, del éxito de ella con sus muñecas bailarinas, de que el calor en Nueva York estaba insoportable. Cuando regresaron caminando al estudio, Brian revisó la máquina telefónica como hacía siempre y se encontró un mensaje grabado. Era en español y pudo escuchar claramente la voz que lo había dejado, aunque estaba seguro de no concerla: "Señor Nissen, le habla Leandro Iturriaga Alba. Un miembro de mi familia me dijo que usted se interesaba en algo que yo recibí de mi bisabuelo. Le suplico me llame al teléfono 5 80 78 de Orizaba, Veracruz, en México. Se trata de unos apuntes del pintor inglés Thomas Egerton."

CARLOS NEBEL: *Vista sobre los volcanes de México
desde el pueblo de Tacubaya*. Litografía

23. *Descubrir es desear e imaginar*

"Necesito de tí, Tláloc, poderoso maestro,
una segunda ayuda.
Que cargues sobre tus hombros fuertes,
tu *calhúa*, el peso de la historia que necesito.
Que masticando la yerba
de los encantos terrestres,
el opio del *toloache*, los hongos mágicos,
mixtifiques mi sentido con la brillante
cascada de tus recuerdos.
¿Qué hubo antes de que Mixcóatl
cazara su primer venado?
¿Qué antes de que apareciera en el cielo
la brillante cauda de Citlaltónac?
¿Cuándo la brisa meció por vez primera
las *ácatl* de nuestros primeros antepasados,
y por qué la serpiente verde del nopal
tenochca fue devorada por Cuauhtli,
a cuya orden de guerreros pertenezco?
El origen cosmogónico de lo que existe
es para mí un secreto mayor
que la caída de las sombras
sobre los *teocalli* de mi pueblo,
siempre a la misma hora, el mismo día
de cada año, menos cada cuatro.
Alumbra con tu sabia certeza
de elocuencia divina la obscuridad
de tu ahijado impotente.
Escribe por mí la historia del mundo
en los primeros cuerpos de mi pirámide.
Así comprenderé mejor
la historia de mi pueblo.
—Por tí será hecho —responde Tláloc."

Miguel Alemán Velasco
Copilli: Corona Real.
Editorial Diana,
México, 1981.

Se inició el año de 1844 con la nueva elección de don Antonio López de Santa Anna como presidente de la República, por diecinueve votos contra dos, emitidos todos por las Asambleas Departamentales, lo que certificó el Congreso. El distinguido diputado don Carlos María de Bustamante escribió esa noche[145] en sus "Apuntes" que jamás había dicho sí "con mayor repugnancia", y que a pesar de encontrarse llenas las galerías, al anunciarse la votación por el secretario "no se oyó un viva, ni se notó la mayor señal de aprobación. ¡Tan detestado estaba el electo!" Consignó además que el triunfo del general veracruzano "fue el resultado de intrigas sin cuento" y de la influencia de los comandantes, que reunían el gobierno militar y civil, sobre las Asambleas Departamentales, cuerpos que sufragaban para elegir al jefe del Ejecutivo según las *Bases Orgánicas* del año anterior. También hubo de referir, unos días después, que el Congreso declaró expresamente que había cesado en el gobierno la facultad legislativa, lo que fue: "un chispazo eléctrico para Santa Anna, que quería legislar en todo y continuar mandando en *absoluto* aunque se violasen los pactos a que él mismo provocó a la Nación, disponer de los bienes de los Ayuntamientos para cedérselos a los agiotistas por cohechos tenidos con ellos y con el inglés Morphi", [*sic*] a quien seguramente podríamos adicionar al Cónsul MacKintosh. Como Santa Anna no fue a México a tomar posesión, el Congreso nombró como presidente interino al general Valentín Canalizo, quien el día 25 de enero perdió a su esposa, cuyo cuerpo fue enterrado con todos los honores, después de lo cual se retiró a Tacubaya, donde pocos cortesanos fueron a visitarlo pues se pensaba que Santa Anna regresaría pronto, lo que en realidad no ocurrió hasta el mes de junio. En el campo de las relaciones internacionales de México, además de la cacareada y siempre pospuesta recuperación de Tejas, hubo otros dos asuntos candentes por aquellos días: la declaratoria del Gobierno prohibiendo a los extranjeros el ejercicio del comercio al menudeo en el país, con la consiguiente reacción negativa de Gran Bretaña, Francia, España, Prusia y Estados Unidos, y —como escribió Bocanegra—[146] que: "el departamento de Yucatán ... cometió el error

---

145 La del 2 de enero; *op. cit.*, pp. 247-248.
146 *Op. cit.*, t. III, pp. 45-46.

de declararse unido como parte integrante a la República de los Estados Unidos de América", asunto que sólo pudo arreglar don Andrés Quintana Roo, enviado con ese fin por el gobierno a la península.

Fue entonces que don Leandro Iturriaga regresó de Orizaba, donde siempre pasaba los fines de año, y visitó a don José María Puchet. Éste le refirió, por supuesto, su conversación con el Ministro Percy Doyle y el *attaché* Ward, y las sospechas que nacieron en él sobre la participación del periodista yanqui George Wilkins Kendall, tan amigo de los tejanos, en el asesinato de Daniel Thomas Egerton y Agnes Edwards, pues aquél había afirmado y escrito en su periódico que conoció la noticia a la hora del desayuno, y se había encontrado a Pakenham y Ward en Chapultepec, viniendo de México (y no de Tacubaya) a las nueve de la mañana, sabiendo ya con precisión del doble crimen, lo que resultaba imposible por la hora en que fueron descubiertos los cadáveres en Pila Vieja y Xola. Puchet afirmó:

—He confirmado minuciosamente los horarios de ambos descubrimientos. El cuerpo de la señora Edwards fue avistado hacia las ocho de la mañana. A esas horas Kendall afirma que estaba desayunando con un caballero británico, cuyo nombre no he podido averiguar, y no pudo haber sabido entonces del doble asesinato. Kendall debió haberse enterado desde la noche anterior; o fue uno de los asesinos, o participó en la instigación del crimen, o por lo menos conversó con alguno de los autores materiales durante la noche del miércoles 27 de abril. Si eso fue quiere decir que está implicado en los hechos por lo menos otro extranjero —concluyó el juez.

—¿Por qué asegura usted esto último?, preguntó un tanto perplejo Iturriaga.

—Por una razón bien sencilla, don Leandro. Acabo de saber que aunque Kendall pasó varios meses prisionero de las tropas mexicanas y atravesó con ellas de Nuevo México a esta capital ¡no habla español! Y por supuesto, ninguno de los cuatro *léperos* que tenemos sentenciados ya como autores materiales del crimen sabe una sola palabra de inglés. Y a menos de que hubiera existido un intérprete para traducir noticia tan delicada, lo que no creo por la responsabilidad que implicaba conocerla y difundirla ante un testigo, lo más seguro es que el periodista yanqui debió de haberla recibido de alguien involucrado y en su propio idioma.

—¡Humm!, —exclamó don Leandro— su deducción es convincente, don José María, aunque pudiera no ser exacta.

—Lo admito, señor Iturriaga —replicó Puchet— pero aceptará usted que reúne más probabilidades de ser que de no ser.

—De acuerdo, —convino el orizabeño— y en ese caso debemos admitir la responsabilidad de George Wilkins Kendall como presunta e investigar a su alrededor, sobre todo en Nueva Orleáns y en Tejas...

—Lo que es prácticamente imposible —interrumpió el juez— pero también tenemos que investigar aquí. Me gustaría saber si Linares no mintió, si conocía a Kendall (lo que es difícil pues éste tenía apenas seis días de haber sido liberado de Santiago) y si pudo filtrarle alguna noticia del asesinato desde la noche del 27...

—No lo creo, don José María, —se apresuró a interrumpir don Leandro—, recuerde usted que el señor Linares nos aseguró que no salió de su casa en toda la noche y que recibió la noticia de Ponciano hacia las diez, hora de todo impropia para que pudiera haber hablado con Kendall o con nadie.

—Es cierto, señor Iturriaga —concedió Puchet— pero entonces tenemos que identificar al "caballero inglés" que desayunó con el corresponsal del *Picayune* la mañana del miércoles 28 de abril, y averiguar si hay otro yanqui o tejano que contactara a Kendall en esos días y pudiera haber participado directamente en el asesinato. Esa suposición me ha perseguido sin cesar. Si usted recuerda las declaraciones de Ponciano Tapia, éste nos dijo que cuando los asesinos "se hicieron bola" encima de Agnes Edwards bajo un pirul, "alguien" había gritado "¡Joaquín!", a cuya voz abandonaron todos a la señora que ya debía estar muy mal herida...

—Sí, recuerdo perfectamente —contestó Iturriaga— pero... ¿en qué esta usted pensando, doctor?

—Pues sencillamente, don Leandro, en que en ese asesinato hubo un *quinto hombre*, un individuo con mayor poder que el propio Joaquín Aguilera, quien sin duda hacía de jefe de la cuadrilla, el cual —si es cierto lo dicho por Tapia— obedeció también esa orden que salió de alguna parte cercana, puesto que Ponciano aunque no pudo ver a nadie más oyó claramente esa exclamación imperativa reducida al nombre de Joaquín, ante la que todos reaccionaron... afirmó con su impecable lógica el juez especial. Luego continuó: Y esa voz tuvo que ser la de la persona que *ordenó* el crimen, la que dirigió y pagó al torvo Joaquín Aguilera, la del posible autor intelectual de este doble asesinato o la de un agente suyo. ¿Kendall?, ¿otro extranjero? ¿Linares o algún otro mexicano? Eso es lo que tenemos que averiguar tan pronto podamos, porque la Sala del Crimen ya tiene el *Toca*[147] en estado de resolución y por supuesto pronto negará la apelación y confirmará la sentencia condenatoria, con lo que no quedará más remedio que ejecutar a estos miserables que, por lo menos, no son culpables del todo y seguramente obedecieron a alguien...

Don Leandro, aunque estaba acostumbrado a las deducciones de Puchet, esta vez necesitó un par de minutos para repasar lo que don José María había expuesto con tanta precisión. Después, con un aire decidido afirmó: —Cada vez me sorprende usted más, y como en ocasiones anteriores creo que tiene razón. Pero como usted ya no puede actuar oficialmente ni hacer investigación alguna pues ya dictó una sentencia, y la policía no entendería por qué sigue haciendo averiguaciones en un caso que se considera concluido, creo que tendré que ser yo, su *amicus curiae*, como usted me llama, quien se ocupe de ello.

LA MADRUGADA neoyorkina sorprendió a Brian Nissen terminando de leer los maltratados documentos —unos en inglés y otros en español— que le había hecho llegar don Leandro Iturriaga Alba desde Orizaba, y que habían pertenecido a su ilustre bisabuelo, don Leandro Iturriaga y Murillas. ¡Al fin sabía de cierto varias cosas sobre la vida de Daniel Thomas Egerton, que apenas había supuesto o imaginado! El nacimiento del pin-

[147] Nombre que se da al expediente formado por un recurso de apelación en el Tribunal de Alzada.

El General D. *José María Tornel y Mendívil*,
Ministro de Guerra y Marina del presidente Santa Anna

tor en Hampstead, algunos rastros de s
admiración respecto al padre y a la m
vocación artística, su fracaso matrimor
sionada relación con "La Bruja", (de la
el verdadero nombre) su pertenencia s
de la masonería, su identificación co
relación con su hermano William He
aprovechaba sus capacidades pictóricas para hacer negocios p…
sonales o para algún otro fin, aún no muy claro en la mente
de Brian, pero que parecía estar ligado al tráfico de tierras de
Tejas. Párrafos enteros de los cuadernos de Egerton coincidían
con los publicados por él en el portafolio de litografías de Londres en 1840, y otros con los aparecidos en el *Panorama Royal*
de Glasgow, Escocia, catálogo de una exposición que debió realizarse por lo menos cinco años después de la muerte del acuarelista y grabador. Su autenticidad le parecía indubitable. Ahora
entendía mejor la biografía de Egerton que había ido constru-
yendo pedazo por pedazo. Y comprobaba que los trabajos del
profesor Gerardo Cabezudt y de Jennya Boyadjieff revelaban
con una gran exactitud —casi total— la complicada personalidad y los impulsos de conducta de su personaje: un hombre
predestinado para tener grandes triunfos profesionales, escasas
satisfacciones amorosas y una muerte trágica. Ratificó su idea
original: el asesinato del pintor británico no pudo ser un hecho
meramente circunstancial; a Egerton nada le había sucedido
gratuitamente en la vida, todo fue deliberado; su muerte no
podía haber escapado a esa regla. Entre los documentos venían
dos cartas que le llamaron particularmente la atención, ambas
escritas por don Leandro Iturriaga y Murillas a don José María
Puchet, y también un billete de éste para aquél. La primera
carta estaba fechada el 16 de agosto de 1842 y describía a grandes rasgos el carácter y la personalidad de Egerton, así como
las peculiaridades del trato que con él había tenido su amigo, el
propietario orizabeño; era muy interesante y fue muy útil para
Brian.[148] Pero la segunda, cuya fecha era posterior —4 de marzo
de 1844— tenía un especial valor para sus pesquisas y lo rea-

[148] Ver el capítulo 8.

el camino que llevaban. Estaba concebida de la siguiente manera:

Orizaba, Departamento de Veracruz, 4 de marzo de 1844

Señor Doctor Don José María Puchet
Cordovanes No. 9
Ciudad de México.

Muy querido y respetado amigo:

Cuando reciba usted ésta, que le envío por un correo propio, yo me estaré preparando a mi vez para salir a México con el especial empeño de conversar personalmente con usted, pues no ignoro que el tiempo apremia. Sólo algunos problemas relativos a la Renta del Tabaco me retienen aquí, pues como usted sabe últimamente han crecido los rumores de un posible bloqueo tejano o norteamericano al puerto y los cosecheros hemos decidido que mientras salimos de los litigios que tenemos y ante la amenaza de que tropas extranjeras pudieran llegar incluso hasta Orizaba haremos plantaciones de tabaco en la zona del Palmar donde estarán a salvo de esa acechanza y nos permitirán exportar por Tampico o Acapulco. Ahora paso a darle cuenta de mis investigaciones.

Lo primero que hice fue pedirle a mi buen amigo y paisano el señor general José María Tornel, Ministro de la Guerra, que me proporcionara más datos sobre el señor George Wilkins Kendall, en su calidad de prisionero del Ejército Mexicano por los sucesos de Santa Fé. Fue tan amable de informarme que este señor Kendall, quien se unió a la expedición tejana a Nuevo México no como un aventurero sino invitado por el sedicente presidente de Tejas, nació en Mount Vernon, New Hampshire, en 1811. Desde muy joven fue impresor y en 1833 se encontraba trabajando en Nueva York cuando la epidemia de cólera lo obligó a embarcarse hacia Nueva Orleáns. Encontró empleo en el taller de composición del "True American" pero cuatro años después, en sociedad con el señor Francis A. Lumsden, fundó el *Daily Picayune,* periódico que se ha hecho famoso. Desde que trabajaba para el *True American,* el señor Kendall se hizo amigo de muchos americanos residentes en Tejas que buscaban su separación de México, como buscan ahora su anexión a los Estados Unidos, pertenecientes varios de ellos al grupo de Nashville, como Jackson, Houston y Burnet, y los apoyó periodísticamente. Houston lo solía visitar y le hacía encargos, como el de conseguirle vistosos uniformes. Por eso se enroló en la expedición que el llamado presidente Mirabeau Lamar envió a Santa Fé con el fin de apoderarse de ella, aunque con el pretexto de abrir el comercio entre Tejas y ese territorio. Kendall fue apresado junto con otros invasores por el capitán Dámaso Salazar en el valle del Pecos, no lejos de San Miguel, Nuevo México, el 15 de septiembre de 1841, y después de la derrota del general Mac Leod y del coronel Cooke en Antón Chico y Laguna Colorada, fue enviado a México junto con más de cien filibusteros. Se le encontró bien armado y provisto de un falso pasaporte que decía firmado por el Cónsul mexicano en Nueva Orleáns, quien negó después habérselo expedido. En marzo de 1842 llegó a la capital junto con el resto de los prisioneros tejanos y fue internado primero en el leprosario de San Lázaro y luego en el ex convento de Santiago, de donde fue liberado a instancias del señor Waddy Thompson, recién llegado ministro de los Estados Unidos y amigo de Amos Kendall, influyente consejero del presidente Jackson y pariente cercano del periodista de Nueva Orleáns.

La liberación ocurrió precisamente la noche del 21 de abril de 1842, o sea una semana antes del día del asesinato del señor Egerton y la señora Edwards, y Kendall permaneció en México hasta el siguiente mes de mayo, en que partió intempestivamente. Por la libreta de apuntes que se le recogió al ser capturado y que el general Tornel me permitió revisar, llegué a la conclusión que el "caballero británico" con el que desayunaba la mañana del 28 de abril en el hotel "Gran Sociedad" era su amigo Henry Falconer, un barrista y hombre de ciencia de Londres, que se unió a la desafortunada expedición y que había sido liberado semanas antes de Kendall en San Cristóbal, por intervención del Ministro Pakenham, quien hizo valer la condición de aquél como súbdito de la reina Victoria. Averigüé también, señor doctor Puchet, que Falconer aún estaba en México y residía en Real del Monte, por lo que en mi viaje a ésta me desvié hacia el Mineral y tuve la suerte de encontrarlo. Es una persona muy seria, reposada y confiable. Cuando le pregunté si había sabido del asesinato del señor Egerton me dijo sin vacilar que lo supo desde el día mismo en que su cuerpo y el de su compañera fueron descubiertos, pues estaba desayunando a temprana hora de ese día en la "Gran Sociedad" con su amigo el señor Kendall, quien se lo había informado. Le rogué me dijera a qué hora precisa había empezado el desayuno y si alguna persona lo había interrumpido para hacer llegar un mensaje o un recado al señor Kendall. Sin titubear tampoco me contestó, a lo primero que la colación se había iniciado poco después de las siete de la mañana y durado hasta las ocho, y a lo segundo que ninguna persona había llevado mensaje alguno a Kendall, quien le había revelado los detalles del asesinato justamente al principio, cuando ambos comían una deliciosa papaya. Esto confirma las sospechas de usted en el sentido de que el yanqui sabía del doble crimen con anticipación al descubrimiento de los cadáveres en Tacubaya; seguramente desde la noche anterior. Para no hacerme sospechoso no seguí interrogando al señor Falconer, sin embargo él me comentó espontáneamente que Kendall le informó haberse entrevistado días antes con dos de sus ex compañeros de cautiverio: un tejano que habla español y solía ser su intérprete (con lo que se confirma que aquel último sólo habla inglés) y un militar quien había escapado poco antes de Santiago deslizándose por un balcón. También me comentó Falconer que no había vuelto a ver al corresponsal del *Picayune* y que se alegraba que se hubiese aprehendido ya a los asesinos del señor Egerton y su esposa, lo que constituía sin duda un gran éxito de las autoridades mexicanas.

Creo que esas informaciones pueden serle de utilidad y por supuesto le repito que estoy a su disposición para continuar las que usted me mande, e incluso viajar a Nueva Orleáns o a Tejas. Se trata de localizar con precisión a los verdaderos asesinos del señor Egerton y esto es para mí un compromiso de honor. También deseo expresar a usted que he conversado con varios venerables maestros de la logia escocesa de Orizaba, quienes tienen una versión verdaderamente absurda sobre el propio señor Egerton y sus viajes a nuestro país: dicen que mi respetado amigo el pintor servía secretamente a los intereses de los americanos y yorkinos, y eso yo puedo afirmar que es falso pues varias veces le oí expresarse negativamente sobre la influencia y pretensiones de los Estados Unidos respecto de México, y usted mismo, don José María, ha leído los párrafos del "Diario", escritos de puño y letra del infortunado artista, en donde alienta la lucha de nuestro país por convertirse en un imperio, y lo insta a preservar su frontera norte, que es por donde se encuentra amenazado. ¿Cómo habría podido Egerton, teniendo esas justas ideas, servir a los yanquis? No obstante he preferido contar a usted lo anterior, para que juzgue por su parte.

No quiero concluir ésta sin antes referirle (aunque creo que ya lo había hecho de palabra cuando me fui a despedir de usted en su casa) que conversé también con don Luis Linares de la Parra, quien me confirmó no haber salido de su casa ni haber hablado con nadie a partir de las diez de la noche del 27 de abril, ni haber comentado lo que sabía sobre el crimen con persona alguna. Al preguntarle si había conocido al periodista americano George Wilkins Kendall me contestó inmediatamente que ni lo conocía ni había oído hablar nunca de él.

Micaela me encarga haga llegar a usted su cumplido saludo, que se une al mío, de afectísimo amigo y servidor.

Cuando recibió la carta de don Leandro Iturriaga y la leyó el juez Puchet retuvo al joven jarocho que hacía de correo y le pidió lo esperase mientras redactaba la contestación. Las noticias llegadas de Orizaba no hicieron más que confirmar lo que ya sabía desde hacía semanas: que enmedio del doble crimen de los ingleses no sólo se encontraban Aguilera, Cortés, González y Corona sino también el norteamericano George Wilkins Kendall y quizá uno o dos cómplices extranjeros más. No le cabía la menor duda de que un móvil de venganza —como el propio Kendall publicara desfachatadamente en sus crónicas— había inspirado el terrible asesinato. Ahora las investigaciones de Iturriaga corroboraban sus deducciones. Sin proponérselo, el propietario orizabeño había apuntado el móvil: Egerton había colaborado en alguna forma con los tejano-americanos, y por alguna causa había roto con ellos o estos con él, y los extranjeros, para que no los delatara o para aplicarle un ejemplar castigo, lo habían mandado asesinar. El letrero puesto sobre el cuerpo de la inocente Agnes era un testimonio de esa venganza; significaba un señalamiento dejado ex profeso para que el crimen no se fuese a interpretar como algo circunstancial; trataba de subrayar que sus autores sabían muy bien quienes eran las víctimas y quizá provocar otros problemas. ¡Podía ser una "advertencia" para otros! Puchet no dejó de considerar los argumentos en contra expresados por don Leandro: efectivamente el pintor británico se había mostrado siempre opuesto a los intereses yanquis , pero esto podría tener dos explicaciones: la primera, que Egerton hubiese proclamado públicamente su oposición a los tejanos y norteamericanos y se hubiera afiliado a la logia escocesa con el deliberado objetivo de ocultar sus verdaderas intenciones y sus posibles acciones de espionaje o colaboración con aquéllos; la segunda, que quizás él no tuviera la menor idea de que estaba sirviendo de alguna manera a los intereses y ambiciones que tan abiertamente repudiaba. En esta última hipótesis, habría procedido engañado, es decir, sin tener conciencia cabal de su colaboración. Ésta, por supuesto, consistiría probablemente en el fruto de su arte, sus paisajes e interpretaciones sociales, sus acuarelas y sus dibujos reveladores, muchos de los cuales podrían servir a los enemigos de México para propósitos militares. Automáticamente Puchet recordó los casos de Linati y Rugendas que interfirieron en la política mexicana y se vieron obligados a salir del país. Y fue más allá: pensó en el papel de William Henry Egerton, quien siempre había obstaculizado a la justicia durante las averiguaciones y se había negado a proporcionarle los documentos y la correspondencia del pintor. El hermano podía ser un cómplice deliberado o involuntario del complot asesino. Podía haber utilizado a Daniel Thomas para informar o ilustrar de algún modo a los tejanos. Él vendía terrenos en Tejas desde antes de la rebelión, hacia más de doce años, por lo menos. Debía conocer a los yanquis del partido independentista y quizá compartir intereses con ellos. Esto no era nada difícil, pues a menudo viajaba hacia el norte a causa de esas ventas de terrenos y quizá llevando información. ¡Ahí estaba el famoso "gato encerrado"! ¿Las pinturas y dibujos de su hermano? ¿Por qué no? En ese caso la venganza no habría sido de tipo pasional como en un principio se había pensado, sino de tipo político. La cuarta y misteriosa hipótesis, el desenlace desconocido que Puchet nunca descartó. Algo así como la ejecución de un espía que traiciona, se cambia de bando o corta la corriente de información requerida. No sería la primera vez en la historia. Puchet se daba cuenta que había que actuar rápido, pues la Sala del Crimen no tardaría muchos días en confirmar la sentencia: ese día era el 6 de marzo, tenía cuatro meses de estarse sustanciando el recurso de apelación. Además resultaba claro que se movían intereses poderosos: los del Gobierno mexicano y del británico, a los que urgía dar por terminado el penoso asunto que tanto les dividió, y los de los tejano-americanos (si las deducciones y suposiciones de Puchet eran ciertas) que buscaban se les diera garrote a los asesinos materiales, simples ejecutores de sus designios, a fin de ocultar estos últimos para siempre. El juez se sentía obligado a gestionar que se suspendiese el procedimiento judicial mientras no se agotara la investigación con base en las nuevas pruebas. Pero ¿a quién recurrir? Baranda, el Ministro de Justicia, ni podría ni querría hacer algo semejante: ya le había dado órdenes perentorias de acelerar la causa, y seguro las había repetido a los magistrados de la Sala del Crimen. Además no tenía poder suficiente. ¿El presidente Interino, don Valentín Canalizo? Este era un simple testaferro, y no daría un paso en contra de lo ordenado por quien acababa de ascenderlo a general hacía menos de tres años y le había nombrado ahora presidente; sobre todo después de saber —porque lo sabía— que Santa Anna había prometido al Ministro Percy Doyle que la ejecución de los acusados se haría sin dilación alguna. Entonces el doctor Puchet comprendió que no había más remedio que ir a la cabeza, y la cabeza estaba en su hacienda de Manga de Clavo. Tomó la pluma y escribió un recado a don Leandro Iturriaga, en el cual, después de algunas apuradas frases corteses, le decía:

> Su carta fue para mí reveladora. El asunto es más grave todavía de lo que parece. Le ruego no viaje usted hacia esta capital sino me espere en la tarde de pasado mañana, día ocho, en Jalapa, para de ahí irnos juntos a Manga de Clavo a fin de hablar con el señor general Santa Anna. Tiene usted que ayudarme a que suspendamos la segunda instancia de la causa, evitemos una injusticia y descubramos a los verdaderos asesinos, uno de los cuales es sin duda Kendall. Confío en usted. He suplicado a su propio correo le lleve este billete sin dilación. Gracias anticipadas. Suyo afectísimo.

Y luego la firma: José María Puchet, de cuya parte final descendía una complicada rúbrica iniciada con un rizo grande y tres pequeños que terminaba en un amplio trazo muy similar al que los músicos usan para indicar la clave de sol a la izquierda del pentagrama. El juez cerró y lacró el sobre y lo entregó al correo de don Leandro urgiéndole retornara cuanto antes a Orizaba y lo depositara en las manos de aquél. Cuando el risueño mocetón costeño salía de su despacho, entraba en éste el escribano Cisneros, con ademán nervioso y facciones alteradas:

—Señor juez —exclamó— el reo Joaquín Aguilera acaba de escapar de la cárcel de la Acordada. Se fingió albañil, se puso dizque a ayudar a unos peones que hacían arreglos en la azotea, caminó por una cornisa muy estrecha, saltó y logró huir. Alguien debió de ayudarle porque dicen que un coche lo esperaba afuera, en el cual partió hasta perderse de vista. ¿Qué hacemos?

LA SEGUNDA CARTA de don Leandro Iturriaga y Murillas hizo en Brian Nissen un efecto aún mayor que el que había causado ciento cuarenta y seis años antes en el juez Puchet. La primera parte le revelaba algo que él ya había intuido: que George Wilkins Kendall "sabía demasiado" del doble crimen y lo había transparentado en su despacho a *The Times*, publicado el 16 de junio de 1842, y en la sección titulada "Cruel y misterioso asesinato de Egerton y su amante", en el capítulo XVIII de su libro *Narración de la expedición texana a Santa Fé*[149] publicado dos años después. En eso, Brian le llevaba una buena ventaja a Puchet, pues aquél no conocía en marzo de 1844, —y quizá no la conoció nunca— la obra del "corresponsal" del *Daily Pica-yune*, y en cambio él la tenía ahora ante su vista. Por eso, interpretando la carta de don Leandro y releyendo la crónica del asesinato en la "Narración" de Kendall, el detective histórico llegó exactamente a la misma conclusión que el juez en el sentido de que aquél había participado en el doble crimen o por lo menos se había enterado del mismo desde la noche anterior, y no cuando tomaba el desayuno con el "caballero inglés" Falconer, a quien también describía y citaba varias veces en su "Narración". Kendall había tenido la desfachatez de escribir que en unión de otras personas había visto a Egerton en Tacubaya —solo, sin Agnes— la tarde del crimen; cuando éste se encontraba en realidad con su hermano en el Mesón Vergara de la ciudad de México. ¡Imposible! Egerton había regresado a las siete, ya oscureciendo sólo para recoger a Agnes en la Casa de los Abades y salir al recorrido fatal. O Kendall había tenido la improbable posibilidad de haber visto *a ambos* o había inter-

---

[149] *Op. cit.*, vol. II, edición New York, 1844, p. 349. Ver epígrafe del capítulo 21 del presente libro.

venido directamente en el asesinato o alguien le había contado todo, y él había referido haber visto *solo al pintor*, con el fin de no comprometerse, lo que a la postre no conseguía y se convertía en el principal sospechoso. Gracias al propio libro pudo identificar igualmente al tejano Young Sully, liberado *el mismo día* que Kendall y a quien éste considera en su libro como el *intérprete* del grupo de prisioneros y asimismo al teniente Lubbock y al francés Mazur [sic] que se escaparon de Santiago unos días antes. Pero además, Nissen estableció otras conclusiones muy importantes: a) que el secretario de la Legación Norteamericana Brantz Mayer visitó a George Wilkins Kendall no menos de cuatro veces durante su cautiverio en San Cristóbal, San Lázaro y Santiago, en ocasiones acompañando al propio Ministro Powathan Ellis y al cónsul Black. b) Que el nuevo Ministro yanqui, señor Waddy Thompson había escrito una nota al Ministro Bocanegra el 19 de abril de 1842 —precisamente *antes* de presentar sus credenciales a Santa Anna— abogando por el "ciudadano de los Estados Unidos, señor George W. Kendall", de quien solicitaba su inmediata libertad arguyendo que había entrado a territorio mexicano con el discutido pasaporte que aseguraba le había sido expedido en Nueva Orleáns. Esto quería decir, sencillamente, que las más altas autoridades diplomáticas norteamericanas habían desplegado una inusitada y formidable campaña de contactos y protecciones respecto del "corresponsal de guerra", y habían presionado de manera singular al gobierno de México para obtener su libertad (lograda dos días después de la nota de Thompson) *lo que no hicieron de manera semejante con ningún otro de los prisioneros norteamericanos.* ¿Por qué ese trato especial con Kendall? No cabe duda que el periodista, además de serlo, estaba bien recomendado, y aunque Jackson ya no era presidente de los Estados Unidos, sus muchos y poderosos amigos no lo abandonaron. Todo hacía suponer a Nissen que el escritor tenía gran influencia en los medios tejanos, que odiaba a México y que debió recibir a través de Ellis, Mayer o Black, la consigna de conseguir que alguno de sus compañeros se prestara para cumplir el "trabajito" de asesinar a Egerton, a quien los tejanos habían vuelto a echar el ojo unos meses antes a consecuencia de su regreso de Inglaterra, para saldar con él aquella cuenta pendiente con el grupo de Nashville y Nacogdoches.

La segunda parte de la misiva de Iturriaga confirmaba lo que Brian había establecido como posibilidad gracias al conocimiento oportuno del incidente de Chapultepec en 1833 (del que aparentemente el juez Puchet nunca tuvo detalles) y a la reciente carta de Salvador Pérez Díaz, quien desde Veracruz le había transmitido lo que los masones del puerto pensaban sobre la colaboración de Egerton con los yorkinos y yanquis a través de sus dibujos de fortificaciones, puentes y ciudades de México. Brian creía ahora que esta colaboración se había dado de manera efectiva, o en otras palabras, ya no le quedaba duda de que muchos de los esbozos, acuarelas, tintas y hasta óleos del pintor se habían remitido a Tejas para ser utilizados en la invasión de México en 1846, al año siguiente de la anexión de la República de la Estrella Solitaria a la Unión Norteamericana. Esto último, por supuesto, tampoco había podido concebirlo claramente el juez Puchet entre 1843 y 1844, por lo menos dos años antes de que tales acontecimientos históricos se produjeran. Sin embargo Nissen no estaba convencido de que Daniel Thomas Egerton, cuyas ideas contrarias a la penetración yanqui en México le eran bien conocidas, y que además se había afiliado a la pro europea logia escocesa, hubiera sido un espía voluntario. Su despego de la política, su sentido del honor y la dignidad de la familia de la que procedía, su rectitud no controvertida ponían en tela de juicio que se hubiese dedicado concientemente al espionaje. No le sonaba lógico.

El detective histórico no pudo menos que sentirse verdaderamente admirado por la personalidad y el genio de don José María Puchet, su ilustre predecedor de pesquisas egertonianas, quien siendo nada menos que el juez especial —¡y muy especial!— de la Causa, había tenido la habilidad de descubrir a los asesinos materiales atravesando el contradictorio pantano de sospechas, delaciones y críticas de opinión pública que se le presentó entre 1842 y 1843. Pero lo admiraba mucho más porque Puchet no se había detenido allí, en el triunfal cumplimiento de su deber por el que recibió felicitaciones y cosechó envidias, sino que había querido completar el caso a conciencia

y llegar hasta el fondo en su pasión por descubrir a los autores
intelectuales del doble crimen. Tan pronto había percibido y
valorado la flagrante‑contradicción de George Wilkins Kendall
sobre el momento en que aseguraba haberse impuesto de los
asesinatos, el juez Puchet, quien ya había dictado su sentencia
de seis de noviembre de 1843 contra Aguilera, Cortés, González, Corona y las dos mujeres, había reemprendido las investigaciones con un sentido de la responsabilidad y la justicia verdaderamente inaudito. Ayudado por don Leandro Iturriaga se
había echado a cuestas esa importante y amarga tarea, que el
éxito coronó en teoría, aunque aparentemente las circunstancias
le habían impedido publicar la verdad y lograr el castigo de los
auténticos y poderosos culpables que permanecían en la sombra. Nissen reflexionó en las excepcionales cualidades del doctor
Puchet, quien asumió con pasión y notable eficacia su doble y
conflictivo papel de juez-árbitro, o juzgador clásico que debía
emitir el fundado silogismo de una sentencia y absolver o condenar a los acusados, y simultáneamente —según las rudimentarias leyes penales de la época— el de juez-instructor, esto es
de fiscal o investigador que buscaba la verdad dentro del proceso, con el fin de someter al mismo a los indiciados o presuntos
responsables. Resabio de la legislación colonial esa doble tarea
judicial debía fundirse en una sola al emitirse el proveído final
de la causa, ya fuese absolutorio o condenatorio. Pero en el
caso Egerton-Edwards el grave problema circunstancial fue que
la capacidad de investigación de Puchet rebasó ese límite, impulsado esencialmente por las fundadas sospechas que le hizo
nacer el primer *attaché* británico William Robert Ward cuando
le refirió en detalle y con precisión de horario aquel famoso encuentro habido entre él y el Ministro Pakenham, el secretario
norteamericano Brantz Mayer y el corresponsal Kendall, que
Puchet ignoraba hasta entonces. Otro hombre, cualquier otro,
pero sobre todo cualquier juez especial de esa causa, distinto
de él, se hubiera quedado callado y en sosiego; hubiese adoptado la posición que la ley le imponía y la lógica le aconsejaba
de no prolongar ya sus pesquisas cuyo desenlace podía resultar
opuesto a la letra de su sentencia. La Causa se encontraba en
apelación ante la Sala del Crimen y Puchet ya no tenía enton-

Hacienda Manga de Clavo, retiro del general Santa Anna
Tomada de Gustavo Casasola,
Seis siglos de historia gráfica de México, 1325-1976,
México, 1976, Vol. I.

ces competencia alguna sobre de ella. Pero su sentido de la
moral y la justicia, su deseo genuino de conocer la verdad, y
también su celo patriótico y el respeto a su carrera de jurista,
lo habían impulsado a convertirse, como Brian después, en un
detective del propio asunto que ya había dictaminado. En el
fondo Puchet anhelaba complementar su sentencia: desenmas-
carar también a los asesinos intelectuales, al tal Kendall y a
sus jefes, así como a quienes habían actuado entre los torvos
conspiradores extranjeros y los miserables ejecutores mexicanos,
a fin de que el horrendo y comentado asesinato se aclarara a
fondo y se hiciese la luz en la penumbra de sus terribles motivaciones tan imbricadas con la política y el destino del país. Y
no pudo menos, tampoco, que sentir que él, Brian Nissen, era
una especie de heredero o causahabiente del juez Puchet en ese
propósito, y que sus investigaciones y buena suerte lo llevaban
ahora a continuar la obra del notable magistrado, quien sin
saberlo nunca, a través de la historia se había hecho de un segundo *amicus curiae:* ya no solo Iturriaga sino Brian participaban de esa condición, pues uno en el siglo xix *y otro en el* xx,
apoyando y sustituyendo a la maquinaria oficial, contribuían a
desenmarañar el complicado ovillo de los hechos y maquinaciones del crimen y penetrar su origen político y de espionaje, que
parecía indudable.

Reafirmando su admiración para el formidable juez especial, Nissen decidió investigar más a fondo (lo que Puchet e
Iturriaga no pudieron hacer siglo y medio antes por las condiciones de entonces y las enormes distancias) aquello que mentalmente llamó la "conexión tejana". En primer lugar le pidió
a la fiel Esperanza Suárez que le buscara en la Biblioteca Pública de Nueva York todo lo que hubiera sobre la independencia
de Texas, los *empresarios* y las ventas de tierras. Luego escribió
a su amigo Humberto Hernández Haddad, quien a la sazón
residía en San Antonio, Texas, para que le hiciera el favor de
investigar esos temas en las bibliotecas de aquella ciudad, la
antigua Béjar, y también en las de la célebre y bien provista
Universidad de Austin. También le recordó a la profesora Magda Campos de Ibáñez que le enviara sus estupendos apuntes de
clase sobre el tema. Después aceptó una invitación, que semanas

antes había rechazado a unos negociantes de arte, para visitar su galería en la ciudad de Houston. Quería dar una vuelta por aquella zona que sólo conocía superficialmente, comprar algunos libros y sobre todo pisar el suelo de San Jacinto, el sitio de una de las batallas más cortas y desgraciadas de la historia que tuvo enormes consecuencias, como que desató el proceso de mutilación de más de dos millones de kilómetros cuadrados del hasta entonces inmenso territorio mexicano.

MANGA DE CLAVO, cerca del puerto de Veracruz. Hasta la hermosa y bien cuidada hacienda llegaron don Leandro Iturriaga y don José María Puchet, en el coche del primero, después de atravesar las cuestas de Jalapa, El Encero, Plan del Río, Rinconada y el Puente Nacional llevando a su derecha el cono majestuoso del Pico de Orizaba.

Eran las once de la mañana y el día primaveral estaba soleado pero fresco gracias a la brisa costera. Después de cruzar los pastizales de la hacienda y la avenida rodeada de altas palmas de coco, el coche inglés y su escolta se detuvieron frente al pórtico principal de la casa no lejos de la pequeña capilla de espadaña doble. Un ayudante uniformado saludó a los viajeros y los pasó a la antesala del general, en donde fueron recibidos con sendas tazas de aromático café. A los pocos minutos otro edecán les franqueó el paso hacia el despacho de don Antonio López de Santa Anna, quien los esperaba con un traje de lino blanco impecable y fumando un recién encendido puro de San Andrés Tuxtla. No obstante recibió complacido la caja de cigarros frescos que le llevaba don Leandro, e invitó a sentarse a ambos.

—¿A qué se debe esta grata visita de tan buenos amigos?, —dijo a manera de recepción el por séptima vez presidente de la República. Fue Iturriaga quien habló primero:

—Excelentísimo señor general, nos place saludar a usted, y le pedimos una disculpa por venir a interrumpir su merecido descanso. Después de tantos desvelos de Su Excelencia en provecho de la Nación, justo es que venga a recuperar fuerzas a este hermoso paraje de nuestro Departamento, al que ha brindado tantos favores... Debo decir a usted, señor general, que como quizá sepa yo fui buen amigo de don Daniel Thomas Egerton, el pintor británico asesinado hace casi dos años en Tacubaya... Santa Anna interrumpió:

—... y cuyos asesinos descubrió con tanta habilidad, el señor juez Puchet, a quien estamos muy agradecidos.

—Así es Excelencia —continuó Iturriaga un tanto turbado— y precisamente de este penoso asunto venimos a hablarle exponiéndonos a incurrir en su molestia.

—Nada de eso, don Leandro —acotó Santa Anna, retirando el largo puro de la boca— los amigos como ustedes nunca molestan, ¡y menos cuando nos regalan cigarros frescos! Dígame en qué puedo servirlos.

El aludido se apoyó en un sorbo de café y volvió a tomar el hilo de su discurso:

—Es el caso, señor general, que si bien se ha aprehendido a cuatro de los asesinos materiales, —aunque uno de ellos escapó hace tres días de la cárcel de la ex Acordada y es buscado por mar y tierra— aquí el señor doctor Puchet y yo tenemos indicios fehacientes de que no sólo esos cuatro léperos fueron los asesinos del pintor y su compañera, sino que también intervinieron en ese crimen manos extranjeras.

Como la brisa marina había cesado, y a pesar de los abiertos ventanales la temperatura de la estancia estaba subiendo, Santa Anna tomó un redondo abanico de palma para refrescarse la cara, tendió otros dos a sus interlocutores y sólo después de pensar un momento preguntó a Puchet:

—Me gustaría que usted me explicara bien este asunto, señor juez. Porque según entiendo los asesinos han sido capturados, enjuiciados y condenados a la pena capital. No veo cómo se habla de manos extranjeras en un caso que ya se resolvió y por el cual los mismos ingleses nos han dado las gracias.

Don José María se revolvió en su asiento, dejó de abanicarse y contó a Santa Anna, de la mejor manera que pudo, todas las pesquisas hechas por él y por don Leandro que conducían a la certeza de que George Wilkins Kendall había sido por lo menos uno de los autores intelectuales del doble crimen y las implicaciones que tenían en él los anglotejanos y muy probablemente las autoridades norteamericanas:

—Seguramente compraron y condujeron al jefe de la cuadrilla, el tal Joaquín Aguilera, que se acaba de escapar de la prisión, sin duda auxiliado por ellos mismos. Se trata de no cometer una injusticia, y hacer luz plena en este asunto. Por eso pedimos a Vuestra Excelencia ordene que se aplace la resolución de Segunda Instancia y nos permita continuar la investigación para que en todo el mundo se vea claro que no sólo cuatro miserables e iletrados mexicanos mataron a Egerton y a su mujer, sino que detrás de ellos hubo una acción extranjera y un móvil político. De esa manera todo quedará en su lugar, —concluyó el juez.

Santa Anna reaccionó:

—Sí señor Puchet, todo podrá quedar en su lugar menos nosotros, usted y yo, el Gobierno y la Judicatura, que habremos hecho el ridículo aprehendiendo a estos individuos, condenándolos a la última pena y después deteniendo la sentencia mientras vamos a ver si un yanqui sospechoso que vive en Nueva Orleáns, y que para colmo es periodista y amigo del Gobierno americano confiesa que él instigó el homicidio. ¿Y cree usted que va a hacerlo? ¿Cree usted que va a ser tan tonto de aceptar su culpa cuando no le podemos hacer nada y está fuera de nuestro alcance? Los americanos están buscando un pretexto para anexarse Tejas y usted se los daría si mezcla a su gobierno, a sus periodistas y a los tejanos en la causa de Egerton. ¡Menudo lío habría de armarse! Y ni siquiera tenemos las pruebas. No bastan sus presunciones, señor Puchet, ni que pudiera aseverarse que ese tal Kendall supo del asesinato desde la noche anterior: habría que demostrar todo, enmedio de un serio conflicto entre nuestros país, los Estados Unidos y para colmo la Gran Bretaña, a la que no le gustaría verse envuelta en más problemas con los yanquis. No, señor juez, mil veces no. Lo que me pide usted es imposible. Esos asesinos tienen que pagar su culpa y mientras más pronto mejor. Si tuvieron cómplices en Tejas ya castigaremos a estos cuando recuperemos esa parte del territorio nacional, lo que será muy pronto, verá usted. Pero el asunto de este pintorcito y su querida me ha quitado el sueño mucho tiempo para que ahora, que ya lo aclaramos, me venga usted mismo, señor Puchet, ¡el hábil juez que descubrió todo y apresó a los asesinos!, con la extraña noticia de que se equivocó, que esos no son los verdaderos o los únicos culpables, que hay que parar la ejecución e investigar ¡en Nueva Orleáns y en Nacogdoches! ¡Ni que estuviéramos locos!

Luego se dirigió a Iturriaga:

—No, don Leandro; entiendo muy bien su interés y su afecto por ese pintor que fue su amigo, pero yo también soy amigo y paisano de usted, los dos somos veracruzanos y me tendrá que dar la razón a mí; haya sido o no un espía ese paisajista, ya tenemos a los que le encajaron los cuchillos, y esos recibirán su merecido. Si no los ahorcamos la opinión pública va a creer que somos débiles o que la hemos engañado.

Luego miró intermitentemente a ambos, que no decían palabra, y concluyó:

—El asunto de Egerton está terminado, ter-mi-nado, —separó las sílabas para recalcar— y no será mi gobierno ni el del general Canalizo los que lo vayan a reabrir. Hemos capturado a los asesinos y gracias a ellos quedamos como una nación civilizada. No daremos ni un paso atrás.

El tono de voz de Santa Anna fue cortante y encendido en sus últimas frases. Don Leandro y Puchet se miraron y comprendieron que no había lugar para réplica. Sin embargo el juez se atrevió a decir:

—Se hará lo que usted ordene señor presidente, pero era mi deber informarle del fondo de este asunto y salvar así mi responsabilidad de juzgador. Los aspectos políticos de los hechos me parecen también muy graves, pues se trata de la intervención de agentes extranjeros que cometen crímenes en nuestro territorio y violan nuestras leyes, y eso no es poca cosa. Pero estos aspectos políticos es usted y no yo quien tiene que sopesarlos...

—Sé muy bien cuáles son los deberes de mi Gobierno, señor juez —replicó Santa Anna, quien había captado la crítica y el reproche— y sabré cumplirlos. Cumpla el señor juez los suyos y vigile que esos reos sean ajusticiados cuanto antes y en público, para que exista verdadero escarmiento y todos sepan que con nosotros no se juega.

Se hizo un largo silencio. El puro de Santa Anna se había apagado y empezaba a oler mal. El calor era sofocante, o por lo

menos así lo sentían Iturriaga y Puchet. No había más que
decir. Se levantaron cortésmente de los sillones de mimbre en
que se encontraban, al tiempo que lo hacía lentamente el gen-
neral del suyo, de respaldo más alto y augusto. Don Leandro
recordaba que en otras ocasiones que había visitado al presidente
en su hacienda había sido invitado a almorzar. Ahora no aconteció así. Santa Anna los despidió con una sonrisa seca y formal, adelantando su pata de palo y golpeándola sobre los bal-
dosas del piso como queriendo indicar con ese sonido singular
que ya había dicho la última palabra.

EN EL CENTRAL PARK de Nueva York el clima no era tan agradable como en Manga de Clavo siglo y medio antes. Aquella
era una mañana fría, el cielo estaba nublado y una especie de
espesor melancólico se cernía sobre la inmensa mancha verdosa
que constituye el corazón de Manhattan. Brian daba un paseo
tempranero a caballo como solía hacer cuando necesitaba despejarse para producir mejor, respirando el aire más fresco de la
ciudad. Coincidía, como en otras ocasiones, con Rocío Schlaepfer, una sensitiva muchacha mexicana que estudiaba canto desde hacía varios años en la "Urbe de Hierro" y era una magnífica
amazona. La pista consiste en un enorme anillo de tierra api-
sonada que rodea el gran lago artificial del parque. Varios letreros avisan a los jinetes que tienen prioridad frente a ciclistas
y peatones en ese camino y les previenen para que se limiten
a ir al paso o trotar sin emprender el galope. Era un poco frus-
tante montar a caballo de esa manera, como lo era también el
peligroso viaje entre la cercana Academia Ecuestre y el anillo,
en que los caballos tienen que ser conducidos enmedio del intenso tráfico automotriz del *West Side* neoyorkino, aunque a
decir verdad la repetición obligada de tal hazaña les ha hecho
casi inmunes a los ruidos urbanos y hasta les ha enseñado a
detenerse cuando los semáforos encienden la luz roja. No había
otra forma de practicar la equitación en esa enorme ciudad, a
no ser que se estuviera dispuesto a hacer un viaje de más de
dos horas en automóvil hacia los Hamptons o el *Up State*. Rocío
y Brian aprovechaban la corta hora del alquiler de sus cabal-
gaduras llevándolas al trote largo, haciéndolas lanzar nubes de

vaho y deslizarse contra el arbolado paisaje que en momentos parecía genuinamente campestre a pesar de estar encerrado entre rascacielos. El artista contó a su compañera de paseo sus últimos descubrimientos y la ansiedad que le embargaba, pues estaba seguro de que ya estaba cerca del final de su investigación. Ella, quien también había nacido bajo el signo de Géminis, acertó a decirle:

—Señor Nissen, si tiene alguna duda interróguese usted mismo. Por definición, nosotros poseemos lo que suele llamarse una doble personalidad. Estoy segura que la de Daniel Thomas Egerton es muy afín a la suya; sería conveniente que usted la hiciera salir a flote.

Brian perdió por un momento su habitual y óptima coordinación con los movimientos del caballo pero recuperó pronto el equilibrio. Sin saberlo, —pensó—, la señorita Schlaepfer coincidía con la sugerencia del profesor Cabezudt. Quizá la solución de todas sus pesquisas estuviera en una "regresión hipnótica", o algo semejante. Luego reflexionó: "Los hechos históricos son los que importan. Dejemos lo metafísico y subjetivo para después." De todos modos agredeció a Rocío su comentario y ammos completaron con alegría la vuelta al Central Park, como seguramente alguna vez Daniel Thomas y Matilde cabalgaron juntos por el bosque de Chapultepec.

CUANDO EL AVIÓN TOMÓ pista en el aeropuerto de Houston, Montse ya tenía formada una opinión negativa sobre la ciudad.

—Es horrible desde el aire, —dijo—, yo no sé por qué tantos mexicanos vienen aquí a pasar sus fines de semana. No hay nada que admirarle. Quizá sus hospitales . . .

—O sus galerías de arte, —comentó Brian—, mientras se disponían ambos a desabrocharse los cinturones y esperar que el aparato se detuviera después del largo carreteo.

Los dos días que pasaron en Houston le demostraron a Nissen que como de costumbre su mujer tenía razón. La ciudad que lleva el nombre del famoso "Cuervo", le pareció una sucesión de edificios, *highways* y centros comerciales, carente de personalidad y atractivos. La galería de sus amigos, que visitaron una tarde, estaba montada a todo lujo, y ahí se exhibían

tres esculturas de Brian. Le tomaron varias fotos junto a ellas
y el reportero de un periódico local que se decía crítico de arte
le hizo unas preguntas tan estúpidas que demostró que no tenía
la menor idea de quién era él ni cómo valorizar su obra. Luego
cenaron en una *trattoria* con varios mexicanos y gracias a ello
a Nissen se le quitó el mal humor provocado por la fallida entrevista. Brian saludó con afecto al conocido cardiólogo Eduardo
Césarman, quien hacía uno de sus frecuentes viajes profesionales a Houston, esta vez acompañando a un diplomático enfermo.
Ansioso como estaba de comentar sus investigaciones lo hizo
con Jorge Efrén Domínguez, a quien había conocido varios años
antes en Nueva York, refiriéndole que mientras más se aden-
traba en las pesquisas históricas sobre la muerte de Egerton,
sentía una mayor presión interior, una cierta desazón personal.
Su amigo le contestó con una frase que no olvidaría:

—Querido Brian, el precio del conocimiento es la angustia.

Y eso lo empezó a comprobar al día siguiente cuando él y
Montse visitaron el Museo de Historia de San Jacinto, situado
a unas treinta millas al este de la ciudad, yendo hacia la costa,
que se levanta en el preciso campo de la infausta batalla. Ahí
un marmóreo y esbelto obelisco de más de cien metros de altura,
coronado por la estrella texana, cobija los recuerdos y testimonios de ese girón de historia, escrito por y para los vencedores. El museo propiamente dicho ocupa la amplia base del
obelisco y se inicia con las salas anglo-americana e hispano-
mexicana, que refieren de una manera suscinta los orígenes de
la actual Texas y su pasado colonial. Luego empieza el epinicio
de Samuel Houston, cuyo nombre grabado en letras de oro está
acompañado por los de todos aquellos oficiales y soldados que
participaron en la Batalla de San Jacinto el 21 de abril de 1836,
o en la escaramuza que le precedió. Las inscripciones de la
pared y el catálogo oficial del museo proclaman con chovinismo
triunfalista: "En una batalla que duró menos de veinte minutos,
las fuerzas de Santa Anna fueron aniquiladas. Alrededor de
625 mexicanos fueron muertos y más de 700 capturados, al
costo de 9 texanos caídos o heridos de muerte." Trágico y
disparejo saldo de un breve encuentro entre menos de dos mil
hombres, que fue el parteaguas de la penetración anglosajona

en la América Hispana y cuyas bajas mexicanas fueron causadas no en el fragor del combate sino en el sanguinario acuchillamiento posterior, que nunca se menciona cuando se habla de los fusilamientos de El Álamo o Goliad. Furia terrible de las luchas de entonces, casi todas cuerpo a cuerpo, como ésta en que la impericia del soberbio Santa Anna y su cobardía subsiguiente dieron al traste con los derechos de una nación que actuaba a la defensiva y sólo buscaba que su territorio no le fuera arrebatado por aquellos mismos extranjeros a los que generosamente abrió un día las puertas. ¡Qué razón asistía a Daniel Thomas Egerton, cuando en sus cuadernos, reproducidos en el *Panorama Royal* de Glasgow,[150] escribió respecto de México: "El Norte es la verdadera frontera donde va a librar la batalla por su existencia".

También recorrió Brian Nissen con su esposa la galería de los héroes tejanos que en las escuelas mexicanas se califican de manera muy distinta: Moisés Austin, precursor de la colonización desde los tiempos virreynales cuya casa familiar en Missouri se llamaba "Durham Hall", lo que le hizo evocar el obispado del abuelo de Egerton; Esteban F. Austin, el marrullero "Padre de Texas"; el falaz yucateco Lorenzo de Zavala; los otros "empresarios", como el inmoral Burnet, De Witt y Vehlein, cuyas defraudaciones descubriera el entonces coronel Juan N. Almonte, —hijo natural de Morelos— los del renegado Bowie, el trampero Davy Crockett, el especulador Travis, y Fannin, el traficante de esclavos; y por supuesto los retratos del napoleónico y dipsómano Houston, de Mirabeau Lamar, el invasor de Santa Fé y de ¡Santa Anna! Nissen pensó que el mercurial jalapeño quedaba en su sitio en ese museo: nadie hizo más que él por la independencia de Tejas. Después de otras salas llenas de banderas, proclamas, mapas, uniformes, fusiles y cuchillos, la pareja llegó a la parte del museo en donde se celebra la anexión de Tejas a los Estados Unidos, la cual anexión, como afirmaba el catálogo, "quería decir guerra contra México", donde se muestran las escenas de la terrible contienda librada en 1846 y 1847 en que los ejércitos norteamericanos invadieron por mar y tierra a su vecino del sur. Una pared ostentaba una

[150] *Op. cit.*, p. 4.

pintura del zócalo de la ciudad de México ocupado por la caballería yanqui, mientras al fondo se ve el Palacio Nacional en donde ondea la bandera de las barras y estrellas. El catálogo hablaba por sí solo y ayudó a Brian a entender la desconocida y extraña razón que le había impulsado a visitar este museo: "Las escenas de la guerra con México en el platón de porcelana de Stafforshire (en exhibición) fueron pintadas con un estilo enteramente delicioso, un tanto menos periodístico que la ilustración del libro contemporáneo del testigo presencial George Wilkins Kendall, precursor del moderno reportaje de guerra." ¡Ahí estaba! La pintura central del libro de Kendall —hecha "de memoria" por Carlos Nebel— sobre el conflicto mexicano-norteamericano en el lugar de honor de la sala. Y el autor privilegiado no sólo como el primer corresponsal de guerra sino como lo que fue: un texano de corazón, que escribió sus últimas crónicas desde un rancho ovejero local.[151] Grandes y meritorios servicios debió haberle reconocido a Kendall la entonces República de Texas, incluyendo —pensó Nissen— su participación en el "asunto" de Daniel Thomas Egerton. Brian no pudo más, se dirigió a la salida, aunque antes pasó por la tienda del museo y compró varios libros de historia antigua y moderna del estado, entre ellos uno de expresivo título: *Texas imperial*.[152]

DE VUELTA a Nueva York, Brian y Montse sintieron que regresaban al paraíso. Aquella pesantez que habían experimentado en Houston empezó a desvanecerse tan pronto el taxista haitiano que los conducía hacia Manhattan tomó la carretera y pasó el aeropuerto La Guardia y el estadio de los *Mets*. Nueva York siempre ha sido una ciudad cosmopolita y ello constituye su mayor cualidad; se ven todas las razas, se oyen todos los idiomas, se gozan todos los espectáculos del mundo: si no se encuentra algo aquí es que no existe. Cuando llegaron a Saint Mark's Place, después de un largo viaje por la autovía

[151] *War Between the United States and Mexico Illustrated*, París, 1851. Grabados de Carlos Nebel. Su última obra fue *Letters from a Texas Sheep Ranch written in the years 1860-1867*, to Henry Stephens Randall, Henry Brown, editor.

[152] D. W. Meining, *Imperial Texas. An interpretative Essay in Cultural Geography*, Austin, University of Texas Press, 1969.

rápida Franklin D. Roosevelt, tuvieron que tocar el timbre del portero porque habían olvidado la llave de abajo. Después subieron los cuatro pisos cargando las maletas y llegaron jadeando al estudio. Mientras Montse preparaba un café Brian revisó la correspondencia. De ella sólo un gran sobre de plástico parecía importante y venía de México, remitido por Miguel Ángel Porrúa. Lo abrió y contenía una carta del editor y un legajo fotocopiado de 71 páginas, que no era otro que el cuaderno especial abierto por don José María Puchet con motivo de las delaciones de Abraham de los Reyes y Vicente Tovar, que Porrúa había conseguido a través de Manuel Portillo. Nissen se pasó buena parte de la noche leyendo penosamente la difícil y dispareja caligrafía del escribano Cisneros, las declaraciones de los falsos inculpados y la grotesca "cacería de brujas" emprendida por el juez especial sin el menor éxito. Vio también los reportes del prefecto Icaza y del capitán Manuel Flores, de la policía. Tener en sus manos una copia de parte del proceso original, escrito sobre papel del tiembre —"Sello Sexto: Para Causas Criminales. Años de 1842 y 1843."— produjo en Nissen una sensación de inmediatez. Sentía que se aproximaba a la verdad, que esos papeles le enviaban extrañas vibraciones y le invitaban a concluir su investigación.

Recordó entonces aquella tarde del otoño de 1985, cuando Carlos Fuentes y Silvia su esposa, habían llegado de Princeton para pasar unos días con Montse y él en Nueva York, donde Carlos tenía que recibir uno de los muchos premios literarios que frecuentemente le asignaban. Los cuatro habían estado en Broadway para ver "Cats", se habían deleitado con los versos y personajes de Eliot y el talento escénico y musical de Andrew Lloyd Weber, y luego habían ido a cenar al "Gianni's", en la 63 Este, casi esquina con Lexington. Mientras bebían el *Frascati* que tanto les gustaba; rociando unos *tortelloni alla Piacentina*, Carlos y Brian habían conversado sobre el proyecto del artista para investigar sobre Egerton y su tiempo y, eventualmente, escribir algo sobre el tema. Nissen comentó que alguna vez había conocido por la televisión un discurso de un político mexicano el cual afirmaba que "la historia era también imaginación", y le había preguntado a su célebre amigo qué pensaba sobre eso.[153] Fuentes, siempre rápido, evocó sus clases de literatura hispanoamericana: "Inventamos, Brian, lo que descubrimos; lo que imaginamos. La historia desprovista de imaginación es sólo la violencia que como Macbeth, asesina al sueño. La gloria terrestre depende de la violencia y se revela, desenmascarada por la imaginación, como muerte. La catástrofe que se consume en sí misma carece de sentido. Nombre y voz, memoria y deseo, nos permiten hoy darnos cuenta de que vivimos rodeados de mundos perdidos, de historias desaparecidas que es necesario rescatar. Esos mundos y esas historias son nuestra responsabilidad: fueron creados por hombres y mujeres. No podemos olvidarlos sin condenarnos nosotros mismos al olvido. Además, Brian, debemos mantener la historia para tener historia, somos los testigos del pasado para seguir siendo los testigos del futuro. El pasado depende de nuestro recuerdo y el futuro de nuestro deseo. Ambos son imaginación presente. Este es el horizonte de la literatura. Como dice Edmundo O'Gorman, América no fue descubierta sino inventada y por tanto deseada e imaginada antes de ser vista. No veo por qué, Brian, no puedas tú recrear retrospectivamente un girón de la historia de México y de Inglaterra, tus dos patrias, impulsado con el resorte del deseo y de la imaginación. Has hecho varios libros-objeto; ahora podrás hacer un libro-sujeto", concluyó mientras sonreía.[154]

---

[153] "La historia no sólo es crónica y silogismo, es también imaginación." Discurso del autor en el centenario del natalicio de Francisco I. Madero. Parras, Coahuila, México, 30 de octubre de 1973.
[154] Carlos Fuentes, *Valiente mundo nuevo*. Ensayo, épica, utopía y mito de la novela hispanoamericana. Madrid, Narrativa Mondadori, 1990.

24. El triunfo de la justicia

"Tal ha sido en esta célebre causa
el triunfo de la justicia,
que se ha pretendido degradar
recientemente publicando que los ingleses
habían hecho una suscripción
de tres mil pesos para pagar los gastos
hechos en la averiguación.

Hay ciertas especies que sólo pueden
tomarse en consideración para
desmentirlas, porque pretender impugnarlas
sería darles la importancia
de que carecen.

El supremo gobierno y las autoridades
judiciales de México abundan en
el conocimiento de su propia dignidad,
que no envilecerán jamás hasta el punto
de recibir auxilios extraños
de que nunca han necesitado,
para llenar sus más sagrados deberes.

El convencimiento íntimo
de haber cumplido con ellos;
los elogios de los buenos ciudadanos
y el aprecio que su noble conducta,
proverbialmente desinteresada,
les concilia de las naciones extranjeras,
basta para satisfacer su noble orgullo".

Editores de El Observador Judicial.
Causa célebre, etc.

[29 de mayo de 1844]

EL VEINTITRÉS de marzo del año del Señor de 1844 una multitud se arremolinaba en la plaza de Tacubaya para presenciar la ejecución de los condenados, según la sentencia que apenas el día 16 había sido emitida por los magistrados de la Sala del Crimen, don Mariano Buenabad, don Luis Iturbe y don José

Ignacio Pavón, confirmando la que en noviembre anterior fir-
mara el juez Puchet. Los ajusticiados serían solamente Marcelino Cortés y Julián González, puesto que Joaquín Aguilera
estaba prófugo, pero de acuerdo con las propias resoluciones
asistió al último suplicio de sus compañeros el *jaranero* Lorenzo
Corona, —un verdadero adolescente— quien poco después sería
llevado a la prisión de San Juan de Ulúa para purgar su condena de diez años. Era media mañana. La primavera acababa de
hacer irrupción en Tacubaya con su despliegue de verdes hojas
en los álamos y fresnos y su cascada de bugambilias y dalias.
La vegetación de las calles y las huertas envolvían en un manto
húmedo y tibio el famoso lomerío y su temprana lozanía contrastaba con el fúnebre objetivo de la convocatoria.

Don José María Puchet no había dormido en las últimas
noches. Había perdido peso y su desaliñada indumentaria de-
nunciaba su estado nervioso. Las ojeras y las pupilas inyec-
tadas eran trasunto de cavilaciones y remordimientos. Por una
parte el juez especial recibía felicitaciones de todos por "el
triunfo de la justicia". Por otra parte le corroían el dolor y la
impotencia, la contradicción y el conflicto interno. "¿Justicia?
¿A esto se le puede llamar así?" pensó el doctor en derecho del
colegio de San Ildefonso. Ahora estaba completamente seguro
de la pena de muerte era inmoral y no tenía razón de ser.
¡Cómo lamentaba haber puesto su firma en la sentencia que hoy
se ejecutaba! ¡Cómo se dolía de no haber podido convencer a
Manuel Baranda, primero, y luego al general Santa Anna de
que la investigación se profundizara! Quiso ser generoso consigo mismo: después de todo había hecho hasta lo imposible;
había movido con la ayuda de don Leandro hasta al mismo
presidente de la República; por otra parte Marcelino Cortés y
Julián González *eran los asesinos*, por lo menos los materiales,
quienes junto con el bribón de su jefe Joaquín Aguilera, penetraron con su bayoneta y sus navajas el cuerpo de Egerton
y golpearon y seguramente violaron a doña Inés. Ellos eran los
que "habían encajado los cuchillos" como dijo Santa Anna.
Pero inmediatamente Puchet tenía que irse del otro lado: aquello era cierto, pero estos miserables iletrados, estos léperos alco-
holizados habían obrado empujados por otros, conducidos por

Aguilera quien a su vez había recibido órdenes de una cabeza superior, presumiblemente un agente del tal Kendall. Por tanto no podía calificarse como un acto de justicia la ejecución de los instrumentadores que dejaba impunes a quienes urdieron el doble asesinato. Y él, Puchet, un hombre con un concepto sólido del derecho, la moral y por supuesto la justicia, había estado enmedio de todo, había sustanciado la causa, había llegado a un convencimiento distinto en la valorización de los hechos y no había podido impedir lo que en pocos minutos sucedería. Se maldijo una y mil veces, escupió de rabia en el suelo al grado que quienes estaban cerca de él empezaron a cuchichear y hubo de controlarse. Pero nada le sacaba del pecho ese sentimiento de fracaso, esa opresión interna, ese intenso remordimiento: esa carga que llevaría el resto de sus días. Sintió que una mano fuerte tomaba su brazo izquierdo. Era don Leandro Iturriaga quien llegaba acompañado de Luis Linares de la Parra y la hermosa Matilde. El orizabeño intentó animarlo:

—Don José María, usted debe sentirse tranquilo porque todos sabemos que estos hombres asesinaron a los ingleses, y por tanto merecen el castigo. El que a hierro mata por el hierro morirá, dice la Sagrada Escritura. Y además ello no habrá de impedir que realicemos todas las pesquisas para descubrir a Kendall o a quien sea el instigador del crimen. Usted puede contar conmigo incondicionalmente.

—Gracias, don Leandro —contestó el juez con tono lastimero— pero no nos engañemos, aquí acaba todo. Cuando estos hombres mueran el asunto estará cerrado definitivamente: toda esta gente se irá de aquí convencida de que se hizo justicia y de que nadie más puede resultar culpable. Estamos ejecutando con ellos, querido amigo, al buen nombre de la Nación; estamos diciendo al mundo que los mexicanos somos poco menos que salvajes y que la inseguridad del país es nuestra responsabilidad exclusiva, cuando usted bien sabe que en este terrible caso tan llevado y traído por los periódicos sencillamente no fue así. Las manos extranjeras que movieron a estos pobres diablos se frotan unas contra otras de perversa satisfacción.

Iturriaga no replicó. Fue Matilde, "La Bruja", quien por alguna extraña causa iba más bella y atractiva que nunca, la que intervino.

—Señor juez, Dios le bendiga por su sabiduría y su firmeza. No diría que Daniel está vengado, pero sí que este horrendo crimen no ha quedado sin castigo y eso nos tranquiliza a todos. Estoy segura que su alma estará reconfortada ahora.

El juez Puchet no quiso contradecirla, pero le parecía monstruoso que la señorita Linares y su silencioso hermano estuvieran presentes aquí hoy; más aún, que ella invocara vindicativamente al alma del inglés difunto para justificar lo que el propio juez sabía que era injustificable. Todo parecía absurdo, parodójico, incivilizado... Lo sacó de su reflexión el redoble de una caja destemplada.

Los condenados Marcelino Cortés y Julián González subieron al pequeño templete acompañados por dos religiosos de la archicofradía del Rosario y por el párroco de Tacubaya don Manuel Chica. Luego el nuevo gobernador del Departamento, don Ignacio Inclán, dijo unas palabras en tono solemne recordando que en ese pueblo se había cometido el asesinato de don Florencio Egerton y doña Inés Edwards el 27 de abril de 1842 y que antes de dos años se estaba haciendo justicia en la persona de dos de los culpables según sentencia del Supremo Tribunal fechada el 16 de marzo. Hizo notar que uno de los cómplices de los que serían ejecutados estaba presente para ser testigo (con su único ojo) del cumplimiento de la resolución y purgar después su larga pena de encierro. Concluyó alabando al presidente Santa Anna y al presidente interino don Valentín Canalizo por la forma en que cuidaban del bien público y de la seguridad de los habitantes del Departamento, lo que suscitó un aplauso forzado de los curiosos. El tambor volvió a redoblar y en dos sillones como de barbería preparados ex profeso con su famoso torniquete de cuero en el sitio del cuello, fueron sentados y sujetados de pies y manos aquel par de infelices. La policía de Tacubaya y un pelotón de soldados de línea hacían valla alrededor del templete, en el que sobresalían las autoridades, el juez Puchet y los pobres condenados. Cuando todo estuvo listo, el gobernador hizo una señal a los dos verdugos quienes ven-

daron y amordazaron a los reos. A la segunda señal aplicaron
súbitamente el torniquete y sin el menor ruido, como si nada
estuviera sucediendo, las dos cervices se quebraron y las cabezas de ambos se desplomaron lánguidas sobre los respectivos
pechos. Don José María Puchet sintió desfallecer y tuvo que
apoyarse en el escribiente Manuel Orihuela. El largo redoble
cesó y una exclamación, mezcla de lástima, horror y satisfacción, se escapó de docenas de gargantas. Luego se hizo el silencio mientras el doctor Barceló certificaba la muerte de Marcelino Cortés y Julián González, y el cura Chica leía el responso
de difuntos. Se había hecho justicia y la multitud empezó a
disolverse. Sobre Tacubaya brillaba el sol, y las campanas de
la parroquia tocaron a muerto con desesperante lentitud.

ABUNDANTES FICHAS, fotocopias subrayadas, párrafos extraídos
de libros, notas para pie de página, recortes de periódicos y
revistas históricas inundaban el estudio de Saint Mark's Place.
Brian tenía ya mucha información sobre Tejas, tanto la con-
seguida en Nueva York como la que con toda rapidez le había
enviado desde San Antonio, Humberto Hernández Haddad, el
cual había concitado la invaluable cooperación de la doctora
Laura Gutiérrez de Witt, directora de la Colección Latinoamericana de la biblioteca de la Universidad de Austin, cuyo nombre
había oído Nissen por primera vez en labios de Rosalba Ojeda.
Ellos le habían conseguido todo lo que existía en fuentes primarias sobre William Henry Egerton y la independencia de
Tejas, así como diversos materiales relacionados. Ya tenía los
apuntes de Magda Ibáñez y dos libros recientes aportados por
Alfonso Rodríguez. Pasó días estudiándolos, y releyendo los
que él mismo había adquirido en Houston, y al final se había
hecho una buena composición de lugar sobre el papel que Tejas
y los tejanos habían jugado en el asesinato del pintor y grabador británico y su joven compañera. Ya tenía prácticamente
todo lo que necesitaba para el desenlace de su novela cuando
recibió un telefonema del Archivo General de Notarías de la
ciudad de México. Era Alejandra Cortés Hernández, quien había
descubierto algunos documentos que consideraba importantes
sobre Daniel Thomas Egerton en la Sección Histórica del estu-

pendo archivo, y preguntaba a Nissen si le parecía bien que se los mandara por correo. Lo que Alejandra le refirió en el auricular fue bastante para llenar de júbilo al detective histórico y él prefirió decirle que lo esperara, pues en ese mismo instante decidió hacer otro viaje relámpago a México, aprovechando que Montse estaba preparando una nueva serie de muñecas. "Tomaré el avión mañana sábado temprano y estaré en el Archivo el lunes a primera hora", dijo Brian a la solícita investigadora, con la que convino una cita para las diez de la mañana del día señalado. Estaba muy contento; ahora sí, se dijo, se encontraba cerca del final.

El *jet* de "Aeroméxico" aterrizó el sábado después de mediodía, y del aeropuerto Brian se dirigió al "Chalet Italiano", donde tenía concertada una cita para almorzar con el doctor Francisco Marín, su antiguo vecino, que había vivido muchos años en Tacubaya y a quien quería hacerle algunas preguntas. Departieron unos minutos sobre temas intrascendentes, recordaron amigos comunes y luego Nissen le relató el objeto de sus investigaciones. Para su sorpresa Paco Marín le comentó que desde niño había oído a sus parientes hablar del crimen del pintor inglés y su mujer que aseguraban había ocurrido no lejos de la casa de la abuela. "El que debe saber esto con precisión es mi tío, Fernando Galnares de Antuñano, quien incluso ha escrito un folleto de historia de Tacubaya[155] y le encanta hacer remembranzas sobre el pasado del pueblo. Lamentablemente se encuentra enfermo y es imposible que te reciba, pero te prometo que haré todo lo posible por verlo hoy mismo y solicitarle que me proporcione toda la información que tenga sobre el asunto de Egerton", le dijo el doctor, y ambos convinieron en verse el domingo temprano.

Menos de veinticuatro horas después, Marín llegó al Edificio Condesa donde se hospedaba Brian, con una copia del codiciado folleto escrito por su tío, y con un croquis, generosamente dibujado por aquél en su lecho de enfermo, que mostraba la topografía tacubayense del siglo XIX. En la primera página de la crónica

[155] Fernando Galnares de Antuñano, *Recuerdos de Tacubaya* (Atlacuihuayan), México, 1974 (edición privada).

se describe el rumbo de Nonoalco o Nonohualco en estos términos: "El camino que nos lleva al viejo barrio de Nonohualco arrancaba desde el añoso Camino Real a Toluca (hoy Avenida Jalisco) por la calle que actualmente se llama Becerra; en la esquina que formaban el Camino Real a Toluca y la calle que con el nombre de Nonoalco conocí, había un viejo portal llamado 'Portal de San Juan', porque a sus espaldas se encontraba y aún se halla un templo consagrado a ese santo; esa edificación colonial era pequeña, fue una capilla que en la actualidad ha sido agrandada y reformada, lográndose un templo de mediado tamaño; queda enfrente de lo que fuera rastro de Tacubaya, terrenos ocupados por el mercado de Becerra." El croquis mostraba que no muy lejos de la confluencia del camino a Nonoalco y el río de Tacubaya (hoy Viaducto) se encontraba el Portal de la Magdalena, cerca del cual estuvo la Casa de los Abades, y que ya sobre el camino se situaba la Casa de la Pila, en cuyo patio existía una "pila vieja" de molino, a pocos metros de las ruinas de una vieja ermita (distinta de la más célebre Ermita tacubayense que se ubica rumbo a la ciudad) sitio en el que según la tradición fue cometido el doble asesinato de 1842. Todo coincidía con la información recopilada, especialmente con la descripción de "Pila Vieja" del libro de Brantz Mayer, y Nissen y el doctor fueron después a recorrer el lugar. Era exactamente la misma zona en que Brian había estado meses atrás, sólo que ahora la localización era más precisa y los nuevos datos aportados no dejaban lugar a dudas. Al fin sabía con toda exactitud el detective histórico que la Casa de los Abades había estado cerca del antiguo y ya inexistente Portal de la Magdalena, no lejos de la Plaza de Cartagena, y por lo tanto que el asesinato se había cometido en las goteras de Tacubaya, efectivamente a no más de 546 varas, o sea 456 metros, de la morada de Daniel Thomas y Agnes que estaba bien adentro del pueblo, y no en un paraje muy remoto al caserío. La tesis de la emboscada, del asalto premeditado, de la espera artera por alguien que sabía sin duda que los amantes pasearían esa tarde por ahí, como tantas otras anteriores, quedaba confirmada para él. Agradeció a su gentil amigo tan valiosa ayuda, envió sus deseos de pronto restablecimiento al señor Galnares de Antuñano y se fue a almorzar en la ex Hacienda de San Ángel Inn,[156] que como era domingo hervía de comensales que provocaban un alboroto típicamente mexicano.

EL OBSERVADOR JUDICIAL del 23 de marzo de 1844 publicó destacadamente un artículo titulado "Ejecución de justicia en los asesinos de Mr. Florencio Egerton y Madame Inés Edwards, súbditos de S.M.B.", que era todo un poema de oficialismo y xenofilia:

> Cuando la vindicta pública reclama una satisfacción sobre las ofensas que recibe; cuando las relaciones de nuestro gobierno con las naciones amigas deben seguir una marcha fraternal y armoniosa, y cuando, en fin, no ignoramos el epíteto que nos atribuye uno u otro extranjero; justo, importante o mejor dicho, absolutamente preciso es que los mexicanos manifiesten, más que con las palabras, con los hechos, a la faz del mundo entero, que en nuestra República se sabe distinguir el crimen de la inocencia, la ignorancia del saber; y que así como se remunera y atiende las buenas acciones de nuestros conciudadanos, pesa sobre el cuello de los delincuentes el enorme brazo de la justicia. Todo el mundo, de todas creencias y religiones estaba pendiente del resultado del proceso, no menos célebre que cumuloso. Todo el mundo decimos, porque en efecto el día 27 de abril de 1842, que fue cuando se perpetró el crimen, los mexicanos fueron cubiertos de pavor, y a cada momento, a cada paso no se oían más que lamentos de compasión respecto de los miserables que lo ejecutaron, y reflexiones en todos sentidos sobre cuál sería el concepto en el que nos tendrían los extranjeros, y cuál su opinión de tal atentado. Este fue cometido por los desgraciados que dentro de pocas horas expiarán su delito en el patíbulo...

Luego describía a los criminales, ensalzaba la previsión del presidente Santa Anna de comisionar un juez especial, alababa al doctor don José María Puchet y al señor coronel don Cristóbal Gil de Castro (quien gracias a aquél se llevaba parte de la gloria) y después de transcribir la sentencia de los Magistrados de la Sala del Crimen, terminaba con esta moraleja:

[156] Antigua hacienda de Goicochea.

La falta de educación y de freno en los primeros años de la vida de estos desgraciados [los asesinos] la circunstancia de haber sido todos ellos moradores de nuestras cárceles antes de cometer el horroroso atentado que los lleva al suplicio, y la de tener pendientes las condenas de sus primeros crímenes cuando vinieron a cometer este último, deben llamar la atención así de los padres de familia para sobrevigilar eficazmente la conducta de sus hijos, y que no contentándose con enviarlos a las escuelas, cuiden de que realmente asistan a ellas; como la de los padres de la patria [los gobernantes] para que regularicen mejor la disciplina de nuestras cárceles, y lejos de ir a aprender ahí los reos con la compañía de mayores fascinerosos crímenes más atroces, contraigan hábitos de morigeración y honradez. El Supremo Gobierno, no dudamos que se mostrará tan solícito en la seguridad de los presidios como se ha mostrado en el castigo a estos desgraciados a quienes ni hubiera ocurrido la tentación del crimen, si se hubieran hallado cumpliendo sus condenas.

En ese mismo número, *El Observador Judicial* dio cabida también a un remitido a los editores de *El Siglo XIX*, suscrito por un misterioso "M. C.", reclamando a ese diario un comentario anterior en el sentido de que los ingleses residentes en la capital estaban levantando una suscripción pública "para cubrir el importe de aquella investigación judicial" expresando indignación por la sola sospecha de que "el íntegro juez que atendió la causa" y "ninguno de los que han figurado en ella" osaran aceptar cualquier suma. El remitido volvía a contar la historia de la intervención del coronel Gil de Castro y la atingencia con la que había actuado el doctor Puchet. Añadía al final:

Se me ha dicho que esa suscripción tiene por fin beneficiar a las dos infelices mujeres que estaban de acuerdo para delatar a los reos, y que son diversas de las sentenciadas las cuales, si no lo habían verificado antes, fue por motivos de miedo y recelos fundados que ellas y el juzgado consideraron suficientes; y si esa laudable intención de los ingleses es así, ya ustedes ven, señores editores, cómo se han cambiado o interpretado los objetos.

El Siglo XIX, en realidad, no había opinado desfavorablemente a la justicia, pues el mismo día de la ejecución, por la tarde, apareció en su página 4 una nota del siguiente tenor:

Los asesinos de Mr. Egerton y la señora Edwards, cuya muerte excitó hace dos años tan profunda indignación en todos los mexicanos, han sufrido hoy la pena del último suplicio en el lugar mismo en el que cometieron su espantoso crimen. Habiéndose sustraído por más de un año a la justicia, cayeron al fin en sus manos, y los jueces y tribunales mexicanos, dedicándose con el empeño y justificación que los caracterizan, no pueden ser excedidos en la línea de la justicia...

Se refería después a cada uno de los condenados y agregaba:

...quedando ya sólo por juzgar a Joaquín Aguilera, quien logró fugarse merced al mal sistema de nuestras prisiones, que tanta influencia tuvo en la perpetración de este crimen, pues que sus autores habían salido ya otra vez de ellas. Necesario es por tanto llamar la atención de las autoridades y del Congreso hacia este mal gravísimo, y como esta causa ha excitado el interés, fuera también de desear que se publicara un extracto con los términos correspondientes.

Esa demanda de lo que hoy llamaríamos *reforma penal y penitenciaria*, que Mariano Otero había recalcado al sugerir se construyera una cárcel "como la de Filadelfia", era coreada por *La Hesperia* del mismo día: "La necesidad de mejorar los códigos para la pronta administración de justicia, principalmente en el ramo penal, hace que algunos crímenes queden impunes, como es el caso de la fuga de uno de los asesinos de Mr. Egerton y su esposa."

Dos días después *El Siglo XIX* comentaba: "Aunque los crímenes se disminuyeran con mejores leyes, la demora de las causas criminales y la impunidad de algunos delincuentes son cosas que ninguna legislación remedia y que en ningún país dejan de suceder." Total, que a pesar del "triunfo de la justicia", el gobierno de Santa Anna, el Congreso, todos los padres de la Patria y hasta el juez Puchet se llevaron las inevitables críticas que hoy llamaríamos estructurales y que parecen escritas en nuestros días: no bastan las buenas normas penales para generar seguridad jurídica, es indispensable la educación de la sociedad (y las oportunidades de trabajo bien remunerado, añadiríamos) una justicia expedita y honrada, que no haya impunidad de ningún delincuente y que las prisiones sean auténticos centros de readaptación social y no oscuras crujías de venganza y vicio, turbias escuelas del crimen.

EL ARCHIVO GENERAL de Notarías ha sido trasladado a un edificio cercano a la estación Candelaria del Metro, porque el terremoto de 1985 dañó el que ocupaba junto con el Registro de la Propiedad y de Comercio en la Plaza Finlay. Pero el taxista que le tocó en suerte a Brian estaba al tanto, en menos de cuarenta minutos atravesó media ciudad y antes de las diez de la mañana pudo encontrarse en la Sección Histórica con la servicial Alejandra Cortés quien le tenía ya abierto sobre la mesa el protocolo del escribano don Francisco de Madariaga, de la ciudad de México, en donde aparece la escritura levantada el 22 de diciembre de 1838, por don Guillermo Enrique Egerton "natural que expresó ser del reyno de Inglaterra" mediante la cual otorgó un poder cumplido y bastante "a su hermano don Daniel Tomás Egerton, vecino de Londres" para que "en su nombre cobre y reciba la parte que le corresponde de herencia por fallecimiento de su madre doña Sara Egerton en virtud del testamento de don Tomás Clark." El escribano asentó que el mandante hablaba el castellano, que actuaba ante tres testigos y certificó la firma de "Guillermo E. Egerton", que aunque caligrafiada a la inglesa era sustancialmente diferente y más complicada que la de su hermano el pintor. El hallazgo era importante porque confirmaba que en 1838 Daniel Thomas ya se encontraba en Londres, que la madre de ambos hermanos se llamaba Sara, y había muerto con anterioridad a diciembre de ese año, y que posiblemente también el artista había recibido una porción sucesoria, la que quizá empleó para publicar dos años después su famoso libro de litografías en su natal Londres.[157] Pero ahí no terminaban los hallazgos. Nissen le había

[157] A pesar de esos nuevos datos, de que sus investigaciones en Inglaterra continuaban, y de que el anuncio que Brian ordenó a *The Times* de Londres solicitando información familiar sobre Egerton apareció publicado el 18 y 21 de abril de 1990, no pudieron recabarse mayores precisiones que hubieran enriquecido el acervo de notas del detective histórico. El hecho de que Daniel Thomas hubiese sido un hijo ilegítimo lo eliminó de todos los libros nobiliarios o de abolengo. Con satisfacción Nissen había leído a fines de febrero del propio año que

solicitado semanas antes a la señorita Cortés Hernández que le rastreara las propiedades del cónsul británico Ewen Clark MacKintosh para saber, entre otras cosas, donde se ubicaba la casa de aquél en el pueblo de Tacubaya. En el archivo aparecía el protocolo 169 correspondiente al Notario Ramón de la Cueva, quien el 9 de febrero de 1850 había levantado una escritura de venta de dos casas del MacKintosh, la de Tacubaya que había construido sobre un terreno comprado a Antonio Moreno "en la calle que va para la Fábrica de Pólvora de Chapultepec", y otra en la calle de Capuchinas No. 5, en la ciudad de México, que vendió a don Francisco Agüero con todo lo que tenía dentro: un órgano, dos pianos, un lagarto disecado, muebles franceses, cortinas de muselina y varios archiveros llenos de papeles que el comprador se comprometió a enviar al notario para que éste a su vez los asegurara en favor del cónsul, quien enajenaba sus dos propiedades urgido por la inminente quiebra de la Casa Maning y Mackintosh que habría de declararse unos días después. Lo interesante era no sólo eso, sino que los famosos archiveros con papeles no habían sido reclamados al notario y que éste los había conservado en su escribanía. Los expedientes se habían dispersado: la mayoría había ido al juzgado que conoció de la quiebra, y sólo los que no tenían que ver con asuntos comerciales o negocios civiles quedaron en la notaría y fueron enviados años después al Archivo General. Brian bajó a la bodega de la Sección Histórica y pronto tuvo en sus manos aquellos legajos que los empleados del Archivo habían logrado rescatar y limpiar. Uno de ellos, bastante deteriorado por el agua que había borrado gran parte de lo escrito, y carcomido por los comejenes, se refería a "William Henry Egerton", y en él figuraban catorce páginas escritas todas por Daniel Thomas, sobre su estancia en Inglaterra y su viaje de regreso a México. Brian lanzó un grito que alarmó a los empleados, y subió a la oficina

---

"Debretts Peerage and Baronetage" había roto una bicentaria tradición y por fin, en su edición número 169, incluía unos doscientos hijos ilegítimos o adoptados, toda vez que como declaraba su editor Charles Kidd, era un hecho que "a lo largo del país aproximadamente uno de cuatro niños nace fuera de matrimonio" (Cable de la UPI desde Londres, 23 de febrero de 1990).

a comentar con Alejandra ese descubrimiento. Obtuvo copias fotostáticas y entonces comprobó lo que acababa de leer en un libro de su amigo Octavio Paz, cuya exposición "Los Privilegios de la vista", en donde se exhibía su "Itzpapalotl", visitaría esa tarde: que la historia es una caja de sorpresas.

Parte de los documentos estaban casi ilegibles, pues el agua había extendido la tinta, respetando sólo algunas palabras que no permitían reconstruirlos. En otros, las termitas o quizá los ratones habían arrancado grandes pedazos o hecho mordeduras irreparables. No obstante, de ellos pudo colegir Brian que Daniel Thomas Egerton había regresado en 1837 a Inglaterra, embarcándose en Veracruz hacia Nueva York, de donde había visitado Catskill Falls y también Niagara Falls, o sea las cataratas fronterizas entre los Estados Unidos y Canadá, y realizado varios esbozos y acuarelas de tan impresionante panorama —tal como prometiera a Heredia, el poeta cubano— los cuales había exhibido en la Real Sociedad de Artistas Británicos de Plaza de Trafalgar en 1839, después de que el propio año de 1837 y el de 1838 había presentado asimismo otros quince cuadros incluyendo el "Valle de México", los "Bandidos mexicanos", "El espejismo en las llanuras de Perote" —que Brian no conocía— "La barranca del desierto", ya descrito, que se remató en *Christie's* de Nueva York; "El lago de Pátzcuaro", "Vegetación cerca de Jalapa", "A los pies del Popocatépetl", y "La cascada y la gran barranca de Guadalajara".[158] En esa época Egerton vivió en el 16 de Buckinham Street, Strand, y después en el 19 de Blenheim Street, Great Marlborough, de donde se cambió a principios de 1840 a la casa de las señoras Rowney en Rathborne Place.

Nissen infirió también que cuando Egerton decidió hacer su portafolio de doce litografías basadas en dibujos de ciudades mexicanas él mismo los pasó a la piedra, siguiendo el procedimiento del eslavo Alois Senefelder, quien había ido a Londres a principio de siglo y lo había enseñado a varios artistas, entre ellos el maestro Prout, del que Daniel Thomas lo aprendió.

[158] No estaba mencionado el óleo "San Agustín de las Cuevas" de la Colección Rosenzweig ni el diverso, con el mismo título, de la de Socorro Lagos de Minvielle, ambos en México.

Pudo también colegir que la joven Agnes Edwards, a la sazón
de dieciocho o diecinueve años, hija de su amigo el grabador
William Edwards (a quien había conocido de niña en Ditchley)
le había sido recomendada por éste para que le ayudara en su
trabajo y recibiera sus enseñanzas. Hay una mención que permite interpretar que la joven Agnes, además de muy hermosa,
tenía marcadas habilidades plásticas y ayudó a Egerton a preparar las doce piedras, cada una de las cuales tomó casi un
mes, y después a colorear a mano las doscientas láminas que
se imprimieron de cada litografía. Daniel Thomas escribió también que la joven Agnes se había equivocado al iluminar la
bandera mexicana en la placa de la Plaza de San Diego, y dejado un espacio en blanco donde no correspondía. El detective
historiador supuso que entre el maestro y la alumna empezó
a despertarse una fuerte atracción y después una evidente pasión amorosa a pesar de la notoria diferencia de edades, y que
en ella el pintor de Hampstead empezó a olvidar la fuerte
personalidad de la espléndida Matilde Linares, quien había
quedado del otro lado del Atlántico. De otras notas dedujo
también que el novio platónico de Agnes Edwards no había
sido otro que Robert E. Lee, aquel chico a quien ella había encontrado en Ditchley acompañado de su madre casi veinte años
antes, hijo del general Henry Lee, de los Dillon de Virginia, y
que mucho tiempo después sería el comandante de los ejércitos
surianos en la Guerra de Secesión. Sin embargo, nada de los
documentos rescatados del Archivo General de Notarías de la
ciudad de México, indicaba que Robert E. Lee y Agnes hubieran
vuelto a encontrarse, y si acaso sostuvieron sólo un romántico
noviazgo epistolar. Este indicio, o mejor dicho, la carencia de
él, robusteció en Nissen la ya adoptada creencia de que el famoso "amante despechado" de la joven Edwards había sido
tan sólo una invención de George Wilkins Kendall, publicada
en el *Picayune* de Nueva Orleáns, en *The Times* de Londres en
el año de 1842 y en su "Narración de la expedición texana a
Santa Fé &" en 1844; esto había sido hecho quizá con el fin
de desviar la atención de los investigadores confundidos y arrojar hacia los propios ingleses la sospecha de la "eliminación"
de Egerton, a quien los tejanos y norteamericanos probable-

mente consideraron un "agente doble" razón por la que ellos mismos debieron haberlo mandado matar en ejercicio de una venganza, pero no pasional como insistía Kendall, sino marcadamente política.

Un par de páginas del viejo legajo se habían salvado porque estaban dobladas, dentro de un sobre y habían ofrecido mayor resistencia al agua y los roedores. Se trataba de una carta sin franqueo escrita por Daniel Thomas a Agnes, que casi estaba íntegra:

Londres, mayo 22 de 1841

Agnes, mi amor:

Recorro contigo las provincias del aire. Es curioso descubrir así la arqueología de viejos juegos olvidados. Volver a sentir la presencia de las estaciones y readquirir la sensación de cosas tan poco importantes como la luna o una flor que se abre. Creía que las estrellas brillaban más en México pero ahora las observo imponentes sobre Londres, sólo porque tú estás conmigo. De todos los arcanos que nos circundan el más inescrutable lo traemos dentro. ¿Por qué se identifican dos almas?

Es cierto que obedecemos las leyes de la materia. Que nuestros cuerpos tienen su propia atracción y sus fuerzas químicas. Pero la verdadera comunión se encuentra más allá de lo físico. Nadie sabe en verdad la razón por la cual dos seres se entienden como tú y yo. Nadie tampoco ha logrado explicar qué es el amor, pero tampoco hace falta.

Te conocí cuando apenas eras una niña. Me enorgullecía tu admiración por mis dibujos, lo que ponía celoso a tu padre, y guié tus primeros trazos. Sin embargo, te ruego olvides que algún día fui tu maestro. Ahora aprendemos al unísono que hay nuevas formas y distintos colores. Y tú me regalas todos los días tu risa de joven y tu presencia que casi flota. A mi edad aprendo de ti a vivir, como si fuera un colegial. Recorrer los mismos caminos es ahora diferente. Tienen otro sentido las cosas que veo o palpo porque se refieren de alguna manera a ti. ¿Cómo no pude hacerlo antes?

Cuando estamos juntos, cuando correteamos por el campo, cuando paseamos por las calles de Camden Town o las colinas de Hampstead, recibo la sensación de que toda nuestra vida la hemos recorrido de la mano. Y cuando trabajamos en el taller tengo también la idea de que siempre ha sido así.

Estoy muy feliz desde que aceptaste ir conmigo a México. Sé que lo haces porque me amas pero admiro sobremanera tu valentía pues no es fácil decidir algo semejante. Verás, sin embargo, que todo lo que te he contado es cierto y no te arrepentirás. Se trata de un país mágico, incandescente. Todo allí es grande, fuerte, y al mismo tiempo romántico. Los dioses aztecas y mayas siguen gobernando sutilmente en esas tierras... (aquí el agua borró la continuación del texto).

Los valores de los mexicanos tienen poco que ver con los nuestros, pero son gente sencilla y pura. No hacen las cosas porque sean útiles sino para que parezcan bellas. Su ingenuidad natural les permite extasiarse con poco o casi nada, aunque tienen una tierra maravillosa. Viven en una geografía imponente, en una naturaleza no dominada, violenta y avasalladora con el cielo más translúcido que nunca hayas visto y los aires más perfumados y undosos. Aún no he podido capturar en mis acuarelas, como yo hubiera querido, la atmósfera del Valle de México. Creo que es casi imposible pero no desmayo. Cuando dibujé desde la cumbre del volcán Popocatépetl el inmenso cráter, su sombra majestuosa y el paisaje que lo circundaba, me sentí sobrecogido. ¿Quién era yo —pensé— para encerrar la naturaleza en unos trazos de crayón? Pero cuando en mi estudio aproveché esas líneas y las llené de colores y de formas tuve una íntima satisfacción y un profundo orgullo; me sentí más digno de considerame un pintor. Aquella sensación sólo la he vuelto a tener frente a las cataratas del Niágara.

Cuando me ayudaste a colorear las litografías de México te enseñé los vigorosos tonos de esa tierra, tan distintos de los nuestros. Lo que sobre el papel te pareció extraño habrás de sentirlo natural cuando lleguemos allá. Y podrás hacer lo que yo: crear tus propios colores, añadir el toque de tu imaginación al esplendor del paisaje mexicano o a los rostros de quienes lo habitan.

Te escribo todas estas cosas porque lo necesito... [ilegible] Además quiero compartir contigo, por adelantado, el mundo de sensaciones que nos espera. Inauguraremos una nueva vida en ese país; pero no sólo eso: en realidad allá seremos más nosotros. Aquí no podríamos vivir así, libres, felices, pues hay muchos prejuicios que lo impiden. México es en verdad un destino maravilloso; mucho más que una región exótica: es una diferente forma de amar.

Respóndeme cuando puedas. Mi amor. D. T. Egerton.

P. S. Se dice que los astros influyen en nuestras vidas. Las constelaciones mexicanas favorecerán nuestra felicidad.

Brian trató de reconstruir otros párrafos de las páginas maltratadas. Había referencias al gran incendio de Londres de 1666 cuyos daños aún no se reparaban entonces por completo, a la línea de ferrocarril entre la ciudad y Greenwich, inaugurada cuando Egerton se encontraba en México, a los *omnibus* introducidos por el carrocero Shillibeer, y a la feliz idea del ingeniero escocés McAdam de pavimentar o "macadamizar" las calles de la urbe que crecía a ojos vistas. También el matrimonio de la reina Victoria con el príncipe Alberto, en 1840, a la guerra contra los afganos, y a la aparición del periódico humorístico *Punch*. Pudo casi adivinar algo sobre la muerte de doña Sara Egerton, madre del pintor; sobre la favorable crítica de John Ruskin a sus óleos de la Sociedad Real y al portafolio de litografías. No encontró una sola referencia a Matilde Linares ni a la fecha exacta de su segundo viaje a México acompañado de Agnes, pero sí dos o tres líneas sobre la llegada a Veracruz en 1841 a bordo de la "Eugenia" y su hospedaje posterior en el hotel Vergara de la calle homónima en la ciudad capital. También algunas palabras intermitentes que según entendió consignaban el envío de un paquete conteniendo dibujos originales y unas litografías sueltas a William Henry a principio de abril de 1842, ya desde la Casa de los Abades. No era mucho en verdad, pero el mutilado legajo le había permitido conocer o inferir algunos elementos importantes de la relación entre el artista y su amante, entender que Egerton ya no se había sentido muy a gusto en Londres durante aquellos años y había preferido regresar a México a pesar del éxito de su portafolio y de las buenas críticas a sus exhibiciones en la Plaza de Trafalgar. En México podría vivir en paz y seguramente tener un hijo varón, debió de pensar. El país de los volcanes, los cactus, los magueyes y los valles floridos había capturado la imaginación del pintor y Nissen se lo podía explicar muy bien, pues tampoco él se sentía ya en Inglaterra como en su casa. Así debió sucederle al artista de Hampstead cuando decidió invitar a Agnes Edwards a hacer aquel viaje del que ninguno de los dos regresaría.

AQUELLA TARDE desde el Edificio Condesa, a través de cuyos ventanales podía ver los inicios de Tacubaya, Brian Nissen llegó a la conclusión de que ya tenía elementos suficientes para explicarse el doble crimen. Sacó su cuaderno rojo que lo acompañaba por doquier y lo preparó para que recogiera sus notas las cuales le permitieran escribir después algo más coherente.

Por su mente volvió a pasar la idea de que quizás era la primera vez en la historia que un detective trataba de desenmarañar un crimen siglo y medio después de cometido. Esto por sí sólo constituía un desafío.[159] Pero además estaban las circunstancias particulares evidentes: las huellas físicas se habían borrado, el asesinato aparecía históricamente resuelto y los responsables sentenciados y condenados tres de ellos a la última pena, otro a una larga prisión y las mujeres a penas menores, y el móvil nunca había quedado aclarado, pues confesado el robo por los autores materiales éste prácticamente no había ocurrido,

[159] Brian Nissen inició su investigación histórico-detectivesca en 1985. Dos años después, la profesora húngara Dalma H. Brunauer, quien emigró a los Estados Unidos en 1949 y enseñó literatura universal en una universidad de Chicago, empezó en Tokio su propia pesquisa sobre "La historia de Genji" o "Genji Monogatari", una de las primeras expresiones literarias japonesas (siglo XI) debida a la pluma de otra mujer, la cortesana Shikibu Murasaki, quien desapareció misteriosamente sin dejar rastro, en una época en que también quedaron sin resolver otras muertes como la de la emperatriz Sadoko, o las de los hermanos mayores del poderoso Michinaga, tan preocupantes como la verdadera razón de la renuncia del emperador Ichiko. La doctora Brunauer declaró que estaba "usando su imaginación" para llenar esos "huecos históricos" y que requería y solicitaba la ayuda de otros expertos e investigadores y el acceso a innumerables fuentes. Ojalá su libro se publique pronto, pero en principio es evidente que su tarea ha debido ser mucho más ardua que la de Brian, habida cuenta de que se trata de posibles crímenes cometidos no en el siglo pasado sino ocho siglos antes. (*The Japan Times*, Tokio 10 de julio de 1990, pág. 5 "Detective Literaria investiga pistas sobre la desaparición de la señora Murasaki" por John Storey.)

y la violación de Agnes no había sido admitida por ninguno de aquéllos. A primera vista todo parecía bastante trunco y endeble. La hipótesis del encuentro ocasional con el fin de robar o violar no la habían aceptado hacía siglo y medio más que los ingenuos. Sin embargo era la versión difundida y escrita, la *historia oficial*. La circunstancia de que el cuerpo de la señora Edwards hubiese aparecido con un letrero que lo refería a "Florencio Egerton. Casa de los Padres Abades, Tacubaya" escrito con caligrafía inglesa, extraña o los supuesto asesinos que eran todos iletrados, nunca pareció haberle importado de verdad a nadie, incluyendo al juez Puchet, por lo menos hasta el día en que dictó su sentencia. Después de ella, por la carta que le escribió Iturriaga y el billete con el que don José María contestó, Nissen supo que el criterio del funcionario judicial había cambiado y que se mostraba muy preocupado por su propia resolución: hablaba de luchar porque no se cometiera una injusticia. ¡El propio juez instructor, sentenciador y ejecutor ponía en duda la validez de su importante proveído condenando a muerte a tres personas y a prisión a otras tantas! ¡Un juez convertido en detective y defensor! ¡Increíble! Brian estaba seguro que no existían precedentes ni consecuentes. Y él heredaba la singular tarea siglo y medio después. Tampoco se había aclarado en el proceso quién había grabado el mensaje acusatorio contra Ponciano Tapia en la penca del maguey de Xola. Ni siquiera se explicó jamás la razón por la cual Daniel Thomas Egerton cambió su nombre durante su segundo viaje por el de Florencio, a pesar de que el primero fue siempre el apelativo que apareció en todos sus documentos oficiales, incluyendo el pasaporte expedido por Pakenham en enero de 1832, y al calce de todas sus pinturas y dibujos.

Brian anotaba todo esto en su cuaderno. Siguió con las características de la personalidad de las víctimas, tan importante para hacer un análisis riguroso del asunto. Daniel Thomas, un inglés de 45 años de edad, de buena instrucción y despierta inteligencia, personalidad vigorosa, bastante conflictiva, bien parecido, atractivo para las mujeres, de buena posición económica, gran artista plástico, versado en cuestiones científicas, amante de la naturaleza, orgulloso de su noble origen familiar, pero resentido con su padre y su madre, que no se llevaba bien con su único hermano, por cierto el mayor, y que tuvo por lo menos tres amores importantes en su vida: Georgiana Dickens, Matilde Linares de la Parra y Agnes Edwards. Otras características: un hombre al que aparentemente no le gustaba la política pero que dejó constancia de sus acertadas percepciones de la sociedad mexicana y de su destino continental, inequívocamente amezado —a su juicio— por la vecina nación del Norte; un individuo que para realizar sus dibujos y cuadros recorrió la mayor parte de México, especialmente sus principales puertos, plazas fuertes, minerales, puentes, ciudades y fortalezas, todo lo cual retrató con un penetrante ojo descriptivo y una habilidad poco común; un masón por curiosidad o con propósitos de obtener información, que en el fondo no creía en los fines intrínsecos de la logia escocesa, pero a quien algunos de sus compañeros de sociedad llegaron a acusar de actuar como espía para los yorkinos o los anglo-tejanos; un hombre solo y triste en esencia que no se entregaba fácilmente y que murió sin tener el anhelado hijo varón que de no haber sido por el asesinato y la violación de su compañera le hubiera nacido en unos días más. Agnes Edwards era para Brian casi una desconocida: joven de entre veinte y veintidós años, hija de un grabador amigo de Daniel Thomas, y cuya madre murió dejándola pequeña, por lo que el padre la envió con una pariente o gobernanta —aparentemente francesa— y que cuando fue adolescente regresó a vivir con él a Londres, donde éste la introdujo a Egerton antes de morir, lo que sucedió precisamente en 1840, época en que el maestro pintor y la joven discípula trabajaron en las litografías del portafolio "Vistas de México". Agnes debió ser una muchacha que se sentía sola, pero cuyo temperamento artístico y necesidad de protección debieron haberla conducido a una fuerte admiración hacia el atractivo y viril Daniel Thomas, lo cual con el trato cotidiano se transformó casi naturalmente en amor. La carta que éste último le escribió prueba también que Egerton experimentó por ella una pasión propia de los años maduros. Que era correspondido lo demuestra la decisión de la señorita Edwards de arrastrar todos los prejuicios de la sociedad victoriana y huir (¿sería esa la palabra correcta?) a México con su amado. Parece obvio que cuando llegaron ambos a la ciudad capital, —hacia septiembre de 1841— Agnes ya estaba embarazada. La marquesa de Calderón de la Barca que los vio entonces en el hotel Vergara —aunque no los identificó— notó claramente que constituían "una misteriosa pareja inglesa", de solitarios o apartados, dando la idea de que se escondían, recelaban de alguien o temían algo; no sólo ocultaban su "amor clandestino" sino seguramente actuaban medrosamente porque Daniel Thomas Egerton recordaba aún la amenaza de los hermanos Linares de la Parra o por alguna otra causa, quizá ligada con el temperamento del pintor o con desconocidas involucraciones externas. Y junto a los dos personajes principales del drama, había otro, muy oscuro y desdibujado, pero que para Nissen había ido adquiriendo mayor relevancia dentro de la historia del doble crimen a medida que avanzaba en sus investigaciones: William Henry Egerton, el hermano mayor. Con él explotaba dentro de la serie de hechos menores y circunstanciales no explicados en el asunto, uno mayor que Brian ya estaba en condiciones de sopesar y analizar: la "conexión tejana".

CUANDO MOISÉS AUSTIN solicitó la primera concesión para poblar el vasto territorio de Tejas lo hizo ante el Virreynato de la Nueva España y se sometió en enero de 1821 a las prescripciones de la Corona española, que no tenía por cierto un gobierno republicano, democrático, federal ni tolerante en materia de cultos (condiciones que los tejanos exigían después al rebelarse contra el gobierno de Santa Anna) ni tampoco llenaba esos requisitos el Imperio de Agustín de Iturbide que revalidó la concesión original estipulando como obligaciones que los colonos fuesen siempre leales a México y católicos, las que no se cumplían en la mayoría de los casos, puesto que en unos cuantos años Tejas se pobló con gente totalmente ajena a México y a su cultura e intereses, que no llegaba con el ánimo de integrarse al país sino para establecer una gran cabeza de playa para la penetración política, económica y militar de los Estados Unidos en las antiguas colonias españolas, la nueva Iberoamérica. La doctrina Monroe, la curiosa tesis del "destino manifiesto" y el movimiento esclavista jugaron papeles determinantes en la colonización de ese territorio y en la rebelión posterior de los colonos norteamericanos —y no de los tejanos auténticos, o sea los mexicanos— contra el gobierno de Santa Anna.

De acuerdo con las leyes españolas y después con las mexicanas, la colonización de Tejas se hizo mediante el sistema de *empresarios*, o sea personas físicas a quienes se asignaba una gran superficie de terreno para que fuese poblado por un número específico de familias, y durante el curso de ese proceso el *empresario* se convertía en un agente del Gobierno mexicano o local, responsable de la selección de colonos, la asignación de lotes (aproximadamente una legua cuadrada, o sea 4,428 acres por familia) y de la aplicación de los requisitos y normas para el establecimiento de los pobladores y la adquisión de la nacionalidad. Todos los empresarios con muy pocas excepciones —la del funesto Lorenzo de Zavala, por ejemplo— fueron anglosajones y se dedicaron a hacer grandes negocios y especulaciones con las concesiones oficiales. Aparte de los objetivos propios de la pretendida colonización que fue en realidad una penetración étnica y política, los *empresarios* vendieron terrenos en los Estados Unidos a personas que deseaban emigrar al sur y hacerse propietarios agrícolas o ganaderos, sin importarles el cumplimiento de sus demás obligaciones hacia el país que tan generosa e inocentemente les abrió sus puertas. Pues bien, gracias a las investigaciones hechas por Brian Nissen con el invaluable apoyo de sus amigos, acababa de establecer como un hecho irrefutable que William Henry Egerton había sido un agente o comisionista muy importante de por lo menos dos compañías fraccionadoras que trabajan para *empresarios* yanquis, de manera indubitable entre los años de 1831 a 1835, pero también muy presumiblemente después de la llamada independencia de Tejas en 1836 y durante la época en que este territorio se ostentó como República, hasta antes de su anexión por los Estados Unidos en 1845. Esa fue la razón por la que esta "conexión tejana" con el asesinato de Daniel Thomas Egerton merecía una atención especial del detective histórico en su reconstrucción del crimen, y por ello siguió tomando notas en su cuaderno rojo.

Frente a él tenía dos interesantes folletos y un libro, todos del siglo XIX, que se referían a la actividad de William Henry

Egerton en Tejas. El primero de los folletos se llamaba *Proposiciones para colonizar ciertas extensas comarcas de tierra en la República de México* y bajo el rubro "Emigración a Texas" lo habían impreso y firmado en Bath, Inglaterra, en enero de 1832, los señores John Enrico y William Henry Egerton, ostentándose como agentes de la "Compañía Fraccionadora de la bahía de Galveston y Texas" [160] asociada o causahabiente de la "Compañía Fraccionadora de Arkansas y Texas". Los promotores actuaban en nombre de Burnet, Zavala y otros *empresarios* o colonizadores con contrato del gobierno mexicano y exaltaban por diversos medios, especialmente cartas testimoniales, las bellezas y ventajas del territorio del estado de Coahuila y Tejas, "situado entre la frontera suroeste de los Estados Unidos y el Río Grande, alias Río Bravo del Norte, el Golfo de México al Sur, al Norte los territorios de Arkansas y Mississipi". Explicaban que hasta antes de la Independencia de México, el territorio de Tejas era salvaje y prácticamente desconocido, prohibido a los extranjeros, y que sus tres principales ciudades —San Antonio de Béjar, Bahía del Espíritu Santo y Nacogdoches— apenas comenzaban, pero con la institución del gobierno federal en México la colonización de Tejas se había convertido en un objetivo prioritario de la política nacional —favorito, se decía entonces— y que desde siete años antes, bajo el sistema de *empresarios* se había iniciado el proceso de intensa colonización, pues la población mexicana era de cinco mil almas y la angloamericana, "al presente" la había ya sobrepasado pues alcanzaba el número de ocho mil. El folleto publicitario hablaba maravillas de las posibilidades agrícolas, ganaderas y mineras de Tejas y aseguraba que ningún otro país prometía una más amplia remuneración a la industria y el trabajo de sus habitantes y que, de ser escogido por los lectores, les "aseguraría la felicidad y prosperidad humana". Estos conceptos eran extraídos nada menos que de una carta escrita en Nueva York

[160] "Emigration to Texas. Proposals for Colonizing Certain Extensive Tracts of Land in the Republic of Mexico." Bath. Printed by H. E. Carrington, Chronicle Office. 1832. La empresa se llamaba "Galveston Bay, an Texas Land Company". Se encuentra en la Biblioteca Pública de Nueva York y también en la Universidad de Austin.

H. Lungkwitz: *San Antonio de Béjar*. Colección: Barker

el 4 de noviembre de 1830 por David G. Burnet, uno de los más poderosos *empresarios* de Tejas, que era socio de Houston, llegaría a ser presidente de la República Tejana en sus primeros días y después tendría fuertes desavenencias con el famoso "Cuervo". También se transcribían los artículos más convenientes de la Ley de Colonización del estado de Coahuila y Tejas de 1824, como por ejemplo el 32, que establecía la exención total de impuestos por diez años a los pobladores, y también una curiosa lista de precios al menudeo en la ciudad de Matamoros, comprendiendo el arroz a 12 centavos de dólar la libra, el azúcar morena a 25 centavos y el jamón a 30. Se alababan los asentamientos del coronel Austin, Alexander Le Grand y del londinense John Exter, y al final se exhortaba a los ciudadanos británicos a no desperdiciar la gran oportunidad de colonizar Tejas previniéndoles enviaran sus solicitudes a los señores Enrico o Egerton, o a "F. B. Ogden, Cónsul de los Estados Unidos en Liverpool", lo que pone en evidencia que la labor de estos *empresarios* estaba apoyada abiertamente por las autoridades norteamericanas. El original de este primer folleto cuya copia había conseguido Brian en la Biblioteca Pública de Nueva York contenía en su última página, junto a los nombres impresos de sus dos firmantes, el añadido "Gordon Hotel. Covent Garden" en una reconocible caligrafía inglesa que Brian comparó con algunas indubitables y a simple vista, sin tener los conocimientos de la profesora Boyadjieff, pudo deducir que era del hermano del pintor asesinado.

El segundo de los folletos estaba suscrito exclusivamente por "William H. Egerton, Esquire", en su calidad de supervisor del gobierno (probablemente del estado de Coahuila y Tejas) sobre las extensiones de tierra propiedad de la "Compañía Fraccionadora del Río Grande y Texas" y firmado en Aranzaso Bay, no lejos de Corpus Christi, el 25 de abril de 1835, aunque impreso en Inglaterra.[161] Este panfleto revelaba que el mayor de los

---

[161] "Important Report lately received from William H. Egerton. Esquire, The Government Surveyor for the Tracts of Land owned by The Rio Grande and Texas Land Co." Aranzaso Bay, 25th April, 1835. Osborn & Buckingham, Printers, 29 Ann Street. Acompañado de otro: "Rio Grande And Texas Land Company" Information to the Emigrant

Egerton había avanzado notablemente en sus negocios, pues de
ser un agente de Burnet y socio en la "Compañía Fraccionadora de la bahía de Galveston y de Texas" ahora aparecía también como supervisor oficial de las vastas propiedades de la
"Compañía Fraccionadora del Río Grande y Texas", cuyo *empresario* era el doctor John Charles Beales, quien aseguraba
que los habitantes de Goliad hacia 1833 eran "casi sin excepción jugadores y contrabandistas".[162] A este pintoresco individuo, de quien el folleto dice que llevaba muy buenas relaciones
con las autoridades mexicanas, servía también Egerton, al
igual que a Burnet, Houston, Zavala y socios pues la "Compañía del Río Grande", formada antes de 1834, poseía tres millones de acres entre los ríos Grande o Bravo y Nueces, y otros
cinco millones más al norte (de los 27.4° a los 32° de latitud)
comprendiendo tierras maiceras y algodoneras, abundante caza,
una mina de plata, yacimientos de cobre, abundante mineral
de hierro y carbón bituminoso, o sea petróleo. La oficina de esta
compañía fraccionadora se encontraba en el número 53 de Wall
Street, en Nueva York.

De estos dos impresos Brian había llegado a la conclusión,
ya apuntada desde sus anteriores investigaciones y la lectura
del "Diario" del pintor victimado, que William Henry era un
contumaz especulador de terrenos en el territorio de Tejas, y
estaba en estrecho contacto con los hombres del grupo Nacog-
doches-Nashville, principales instigadores de la rebelión tejana
y enemigos acérrimos de México y de sus legítimos intereses.
Pero esta idea quedó aún más firme y sólida en su mente cuando leyó el viejo libro que había conocido gracias a una publicación periódica de la "Asociación Histórica del Estado de

---

who is desirous of settling the Grants now colonizing by The Rio Grande
and Texas Lands Company. Charles Edwards, Counsellor at Law, and
Secretary to The Rio Grande and Texas Land Company, 53, Wall Street,
New York.

[162] Diario del doctor John Beales, 1833, en William Kennedy,
"Texas: The Rise, Progress and Prospects of the Republic of Texas."
Forth Worth, The Molyneaux Craftsman Inc., 1925, p. 396. Citado por
Armando de León, *La comunidad tejana. 1836-1900,* México, Fondo de
Cultura Económica, 1988.

Texas" y que ahora tenía también entre las manos: *La vida, viajes y opiniones de Benjamin Lundy*.[163]

Este infatigable viajero, fue quizá el primero y más distinguido abolicionista de los Estados Unidos quien en 1831 había predicho algo que ya empezaba a acontecer en Tejas: "que esa bella región donde son desconocidos los rigores del invierno y donde el hombre, sin distinción de color o condición es visto como el ser que Dios hizo, libre e independiente... ofrece un asilo para cientos de miles de nuestro oprimido pueblo de color". Y era eso lo que en cierto modo estaba sucediendo ya desde hacía varios años en ese territorio de México: que los esclavos de las plantaciones de Mississipi, Carolina del Sur, Arkansas y otras provincias sureñas de los Estados Unidos, se refugiaban en él buscando convertirse en seres humanos libres, huyendo del esclavismo norteamericano y acogiéndose a las leyes mexicanas que habían abolido esa infamante condición y el tráfico inherente. Nissen volvería a reflexionar en este tema tan importante para entender la rebelión tejana, pero por lo pronto tomaba nota sobre las experiencia de Lundy. Entre las que el connotado abolicionista consignó en su biografía estaba una habida durante su viaje a Tejas, precisamente el 6 de enero de 1834 y días subsiguientes, con "Mr. Egerton de New York". Lundy declaraba haberlo conocido con anticipación a su viaje a Monclova —a la sazón capital del estado mexicano de Coahuila y Tejas— y haberlo enterado de su deseo de obtener una concesión de tierras del gobierno en carácter de *empresario* con el objeto de establecer en ella a antiguos esclavos negros escapados de las plantaciones sureñas para que vivieran en paz como personas libres amparadas por las leyes mexicanas. Egerton: "estaba a punto de solicitar una de las grandes exten-

[163] *The Southwestern Historical Quaterly,* vol. LXIII, july, 1959, to april, 1960. Editor H. Bailey Carrol, The Texas State Historical Association, Austin, Texas, 1960, ver Merton L. Dillon, (¿de los Dillon de Ditchley?) *Benjamin Lundy in Texas,* p. 46; y "The Life, Travels and Opinions of Benjamin Lundy, including his Journeys to Texas and Mexico; with a Sketch of Contemporary Events, and a Notice of the Revolution in Hayti", [*sic*]. Compiled under the direction and on behalf of his children. Philadelphia. Published by William D. Parrish, no. 4 North Fifth Street, 1847.

siones de tierra que yo quería" —dice Lundy— "y aceptó colo-
nizarla según mi plan. Sin embargo dijo que después haríamos
un arreglo". Es fácil suponer por qué el abolicionista y otros
norteamericanos necesitaban a William H. Egerton o a alguien
como él: el 6 de abril de 1830, la legislatura local había expedido una tardía Ley de colonización eliminando a los ciudadanos norteamericanos como *empresarios* en las concesiones tejanas, a efecto de contener la inmigración de protestantes y
esclavistas, y por tanto Benjamin Lundy no podía calificar
como tal, a pesar de sus buenas intenciones. Egerton era súbdito inglés y él y su nuevo socio, el mexicano Fortunato Soto, a
quien había conocido en Matamoros, podían en cambio obtener
concesiones. En realidad ofrecieron a Lundy traspasarle la administración de la concesión entera de las tierras de Brazoria
que él deseaba, con la condición de que Egerton y su socio
pudieran introducir trescientas familias requiriéndole les asegurara el pago de medio centavo por acre de los lotes que ocu-
paran las quinientas familias negras que habrían de ser llevadas
por el abolicionista. Este escribe en su diario: "El objetivo declarado de Egerton es hacer todo el dinero que pueda y más
allá de eso nada le importa respecto del negocio." Luego, el
inglés cambió la oferta: si Lundy le aseguraba ocho o nueve
mil dólares por las tierras traspasadas, recibiría un cuarto de
la superficie que según la ley le tocaba al *empresario* gratuitamente como premio de su labor. Tampoco se arreglaron y
Lundy lamentó en su libro el insaciable espíritu especulador
de Egerton, a quien denunció ante el gobernador, diciendo que
traficantes de tierras como él "estaban usando la generosidad
del gobierno mexicano, no para poblar la región, como era el
propósito, sino para su provecho personal". Esto llevaba a Brian
Nissen a reafirmar de manera indubitable la profunda imbricación entre el hermano del pintor británico y el corazón del
grupo especulador de empresarios tejanos, o sea el de Houston,
Burnet, Zavala, Beales y otros, y que en esa relación inmoral,
en la que William Henry usó su nacionalidad, su dominio del
español, el conocimiento que de él tenían las autoridades mexicanas y su torva habilidad de comerciante para ganar dinero
mal habido con el tráfico de terrenos, estaba en gran parte la

explicación del doble crimen. Era obvio que el hermano del artista le compraba a éste dibujos, acuarelas y cuadros para revenderlos al grupo de Nashville, quien ya preparaba la rebelión de Tejas, su anexión a los Estados Unidos y preveía, como inevitable consecuencia, una guerra contra México (en la que esos dibujos le serían muy útiles), y por la que bien podrían arrebatar al vecino sus provincias internas del Norte hasta la costa del Pacífico, como a la postre sucedió. La especulación de tierras estaba vinculada estrechamente al esclavismo, por eso Lundy nunca tuvo éxito en sus gestiones para asegurar el asentamiento de personas de color escapadas del inicuo sistema sureño de su país. Y aquí Nissen tuvo que reflexionar y anotar en su cuaderno rojo que fueron los propios ingleses los que llevaron esclavos a sus colonias. John Hawkins y otros piratas y negreros proveían primero a algunas posesiones españolas, pero en 1619 un barco holandés procedente de Guinea dejó en Jamestown, Virginia, una parte de su carga de infelices negros para los cultivadores de tabaco, y para 1770 los traficantes británicos habían llevado a esa zona más de 220,000 esclavos de África y otros 600,000 a Jamaica, su posesión en el Caribe, con lo que el infamante tráfico hecho por los ingleses a sus colonias en los siglos XVII y XVIII puede calcularse en más de dos millones de negros.[164]

El movimiento antiesclavista británico no se convirtió en ley prohibiendo el tráfico hasta 1833, tres años antes de la rebelión de Tejas y de ahí la inicial preocupación británica por su posible anexión a los Estados Unidos. De los veintitrés estados que entonces formaban la Unión Americana, once conservaban aún el sistema esclavista, entre estos los más cercanos a Tejas, como Lousiana, Mississipi y Tennessee. En Carolina del Sur y Georgia actuaba una "escuela activa" de políticos esclavistas que ya estaban pensando en la secesión. Alfred H. Guernsey y Henry M. Alden,[165] escribieron en 1866:

---

[164] *Enciclopaedia Britannica,* vol. 20, 1966. Ver "Slavery", pp. 779 y ss.

[165] "Harper's Pictorial History of the Civil War." New York, The Fairfax Press, may, 1866.

Más abajo del paralelo de los 36° con 30' el avance de la esclavitud hacia el Oeste era frenada por el territorio de México. Por esto la discusión en los estados del Sur y del Suroeste sobre la anexión de Texas, desde el temprano año de 1829, se fundaba claramente en que robustecería y extendería la influencia de la esclavitud, y aumentaría el precio de los esclavos.

Merton L. Dillon[166] comentó cien años después:

Aunque Lundy fracasó del todo en su plan de colonizar Texas con negros, sus viajes a esa área tuvieron otro resultado más importante. A partir de su regreso a los Estados Unidos en 1835, él fue capaz de convencer a los abolicionistas de la validez de su visión de la revolución texana como un complot entre traficantes de esclavos y especuladores de tierras.

En efecto:

Sus propias experiencias le habían convencido del carácter pérfido de los líderes de la revuelta. Lundy creía que Austin y otros líderes texanos estaban motivados principalmente por su deseo: 1) de perpetuar y extender la esclavitud y 2) de obtener poder personal. Estaba seguro que sus planes para separar Texas de México estaban apoyados en los Estados Unidos por los intereses de los traficantes sureños de esclavos y por los especuladores de tierras de Texas.

Y esto —reflexionó Nissen— que el visionario abolicionista Benjamin Lundy comprendía con meridiana claridad y en lo que le asistía toda la razón, se había nutrido, entre otras fuentes, de su malhadada experiencia con William Henry Egerton quien, como se decía de Esteban Austin, "actuaba en todo de manera doble". Brian concluyó que la historia está tejida con una multitud de historias pequeñas y que haber descubierto que el hermano de Egerton había contribuido ostentosamente a la infame causa corrupta y esclavista de los líderes de la rebelión tejana era en sí mismo un hallazgo importante y le afirmaba en sus conclusiones sobre el carácter político del doble crimen en Tacubaya.

[166] *Op. cit.*, pp. 60-62.

Al detective historiador le parecía bastante hipócrita y anacrónico que sus paisanos los ingleses del siglo pasado se hubieran sentido tan ofendidos por el esclavismo norteamericano y el propósito de los negreros de avasallar Tejas, pues había sido precisamente Gran Bretaña la que había llevado a sus colonias a los infelices cautivos africanos. Sin embargo, pensó, todo país tiene derecho a arrepentirse de sus errores históricos, y eso ya era una pequeña ventaja. Por otra parte, el gobierno de Su Majestad Británica ambicionaba quedarse con California e hizo todo lo posible en ese sentido, aunque sin éxito. De ahí que continuara en México, como en los tiempos de Poinsett y Ward, la querella entre los enviados norteamericano e inglés. Waddy Thompson, el ministro de los Estados Unidos a partir de abril de 1842, escribió en su libro lo siguiente:

> Pienso que es un gran error considerar, como el grueso de la opinión pública en este país, que hay una gran ascendencia de Inglaterra sobre México. Es verdad que el señor Pakenham tiene mucha influencia ahí, que sus grandes méritos y su honorable y franco carácter lo hacen muy popular, pero mi opinión es que los sentimientos de los mexicanos hacia los ingleses no son amistosos... Inglaterra es el último poder a quien los mexicanos transferirían California.[167]

En lo que se equivocaba, pues los mexicanos no aceptaban transferir *a nadie* ninguna parte de su territorio.

No eran esas las únicas opiniones del ministro Thompson que habían impresionado a Brian sino otras que se relacionaban más cercanamente con el asesinato de Egerton. En su libro tantas veces consultado, el enviado yanqui expresaba varios hechos dignos de consideración. En primer lugar afirmaba que cuando los prisioneros tejanos de la expedición de Santa Fé fueron liberados, un comerciante americano, el señor L. S. Hargoos, les proveyó de "mucho más dinero de lo que necesitaban para regresar a su hogar" (pág. 10) lo que invitaba a pensar a Nissen que a los prisioneros (o por lo menos algunos) se les estaban retribuyendo importantes servicios prestados a la causa tejano-norteamericana, donde podría estar incluido el asesinato

[167] *Op. cit.*, p. 236.

de Daniel Thomas Egerton. Y desde luego eran muy exami-
nables los comentarios de Thompson sobre la liberación de George Wilkins Kendall. El ministro yanqui confiesa (pág. 51): "Llegué a México el sábado en la noche[168] y muy temprano en la
mañana del domingo fui a ver al señor Kendall y a los prisioneros
tejanos. Aunque no conocía personalmente al señor Kendall, me
interesé profundamente en sus penalidades, interés que había
crecido en la medida en que *muchos de mis amigos de Nueva
Orleáns me habían hablado de él.*" Luego concreta su visita:
"El señor Kendall estaba tranquilamente sentado entre los léperos, echando un ojo a algunos periódicos americanos, *que yo
le había mandado la noche anterior.*" (Cualquiera que conozca —pensó Nissen— lo que significa un Embajador o Ministro
Plenipotenciario, debe saber que un comportamiento de tal naturaleza hacia un prisionero, el primer día de la estancia en el
país y antes de la presentación de las cartas credenciales, es
totalmente inusual.) Thompson debió recibir órdenes muy especiales para ayudarlo y quizá instrucciones que trasmitirle...
En otra parte del libro, Thompson mintió flagrantemente al
consignar: "El señor Kendall y otros tres fueron liberados cuando el señor Ellis presentó su solicitud de audiencia para retirarse." (pág. 156). Esto es totalmente falso. Bocanegra se negó
reiteradamente ante el Ministro Powathan Ellis a liberar a
Kendall y a sus amigos, y fue sólo cuando el propio Thompson
le envió una nota,[169] la cual Brian había visto personalmente
en el archivo de la Secretaría de Relaciones Exteriores, que el
Ministro mexicano accedió a dejarlos libres, como una prueba
de buena voluntad hacia el nuevo representante diplomático.
En otras palabras: Waddy Thompson deformó los hechos en
su libro y minimizó su propio papel en la liberación de Kendall.
¿Por qué? Para Nissen la razón era clara: porque el ministro
norteamericano no quería aparecer demasiado comprometido
con Kendall y el grupo de Jackson, del cual dice en otra parte
de su libro (págs. 158 y 159): "No existe ningún nombre que
un inglés quiera oír menos que el del general Jackson, y ninguno tan grato para los oídos de un americano en una tierra

[168] 16 de abril de 1842.
[169] Martes 19 de abril de 1842.

extranjera, exceptuando el de Washington." ¡Ni más, ni menos!
¡Cómo se ve, el enviado yanqui tenía al jefe de la rebelión tejana, al *capo* de Nashville, en la más alta estima! Con razón propició la soltura de Kendall y lo apoyó y consiguió asimismo
que un rico comerciante norteamericano proveyera de abundante dinero a los liberados. Sin embargo Thompson había
puesto sordina a su intervención. Seguramente sabía que Kendall estaba implicado en el asesinato de Egerton y su mujer, y
prefirió soslayar su participación en los hechos cuando escribió
su libro cuatro años después del crimen. A Brian todo esto le
parecía evidente, aunque no había otra forma de probarlo que
con la convergencia de las deducciones y presunciones que él
había atado después de cinco años de intensas pesquisas.

Siguiendo con ese razonamiento, Nissen trató de imaginar
las circunstancias en que William Henry Egerton, el voraz especulador de terrenos (quien a veces se ostentaba en Tejas
como inglés que era, y otras como un "caballero de Nueva
York", según convenía a sus intereses) empezó a aprovechar
el arte de su hermano. Debió de ser desde 1832, cuando éste
último llegó a México en su primer viaje y le mostró los primeros dibujos hechos en la ruta de Veracruz a la capital: el
importante puerto con el castillo de San Juan de Ulúa; el estratégico puente de Plan del Río; la ciudad de Puebla y quizá
la fortaleza de San Carlos de Perote. William Henry —quien
como el pintor consigna en su Diario ya vendía terrenos desde
entonces a los tejano-americanos— debió descubrir en esos trabajos una mina de oro, y más que eso, un pasaporte para ga-
narse la confianza de Burnet, Houston y el grupo Nacogdo-
ches-Nashville de especuladores esclavistas para participar en
sus grandes negocios. Así debió ser durante los primeros años.
El hermano adquiría del pintor todos los paisajes que pudieran
tener un interés militar a futuro, y al asegurarle así un ingreso
prácticamente fijo, le daba libertad para continuar en su arte,
devenido espionaje involuntario. Incluso le ha de haber sugerido
ciertas vistas de especial interés para sus jefes. Estaba comprobado que William Henry acompañaba a Daniel Thomas la
tarde del 29 de octubre de 1833 cuando éste dibujaba un ángulo
del castillo o fortaleza de Chapultepec, que a la sazón no era

Colegio Militar sino fortificación regular de la ciudad, y ambos fueron sorprendidos. La indignación de Daniel Thomas en su carta a Pakenham debió originarse en que seguramente el hermano le había dicho que ese tipo de dibujos estaban permitidos y su buena fe debió sentirse vejada por los soldados mexicanos que solamente cumplieron con su deber. En todo caso la mano de William Henry estaba evidentemente detrás de aquellos "paisajes especiales" que iban a parar a mano de los conspiradores rebeldes de Tejas, invasores de México en la década siguiente y quizá también les había hecho llegar las descripciones físicas de México que Daniel Thomas consignó en sus cuadernos de apuntes. En la actitud del pintor había que considerar no sólo su espontaneidad y despego a la política y en general a todo aquello que no fuera artístico o científico, sino su admiración y respeto por el hermano mayor, a quien debió ver como un trasunto de su casi desconocido padre, un guía preceptor al que había que seguir y en el que tenía que confiar. Brian recordó lo afirmado en el horóscopo por el profesor Cabezudt:

> Neptuno, en el caso de Egerton, rige la onceava casa, que tiene que ver con amistades, con amigos o con gente en la que Egerton pudo confiar, pero que le procuró enemigos a pesar de su confianza o de sus vínculos. Por darle un ejemplo, él pudo enamorarse de alguien y esa situación le trajo enemigos secretos, enemigos vengativos. Este aspecto del esquema ¡hasta verlo da miedo! Es tremendo porque es un aspecto de mafia, no evidencia un asalto normal, sino que es algo muy truculento, muy planeado, es la acechanza, la emboscada, eso es Neptuno, algo muy feo. Yo creo que a Egerton lo mandaron matar; ignoro por qué causa.

En efecto se dijo Nissen, su amor con Matilde le engendró la enemistad de sus hermanos, pero su confianza en William Henry fue aún peor: lo entregó involuntariamente al servicio de la mafia tejano-americana que, esa sí, no perdonaba a sus enemigos.

Y William Henry, que lo conocía bien y también sus ideas no favorables a los yanquis, se guardó mucho de revelarle que los dibujos y acuarelas tenían tan perverso destino, sobre todo sabiendo de su tradicional reserva, su idealismo, su odio a todo lo ambiguo, como lo había descubierto Nissen a través del análisis grafopsicológico de la profesora Boyadjieff.

¡Un espía involuntario! En la historia debió haber muchos, pensó Brian, pero la mayoría permanecen en la oscuridad. ¡Cuántas personas nunca sabrían que la información que dieron a otra de manera natural o ingenua estaba destinada a llegar a manos extranjeras y ser utilizada para fines bélicos, políticos o de competencia comercial o industrial! Sin contar por supuesto con el "espionaje tecnológico" que es hoy casi un hecho de todos los días y en el que los expertos intervienen de manera deliberada, pero seguramente también muchos informantes ocasionales y despistados. Mientras hacía estas conjeturas, Nissen aún ignoraba que el célebre John le Carré acababa de publicar su novela *La casa Rusia*[170] en la que presenta la figura del galante agente viajero, Niki Landau, involuntario portador de documentos secretos soviéticos que lleva a Gran Bretaña y se convierte en un espía a pesar suyo. En todo caso la presunción se mantenía, apoyada por muchos elementos históricos y por la caracterología de los personajes involucrados en los hechos, sin contar que entre los masones veracruzanos de entonces y de ahora, la participación *voluntaria* del pintor Egerton se daba por cierta y hasta se le calificaba como "agente doble". Quizá esto era una exageración —se dijo Nissen— pero "cuando el río suena, agua lleva". No le fue difícil deducir el momento de la ruptura entre William Henry y sus jefes anglotejanos, pues los rastros históricos aparecían bastante claros: en primer lugar estaba la fecha de la rebelión tejana de 1836, que coincidía en términos generales con una explicable pérdida de contacto entre el especulador inglés que normalmente residía en la ciudad de México (aunque viajaba frecuentemente a Nueva York, Matamoros, Monclova y Nacogdoches) y sus jefes, y también con el regreso de Daniel Thomas a Inglaterra, —presionado por los hermanos de "La Bruja"— lo que tuvo por efecto inmediato cortar el flujo de información, esto es de dibu-

---

[170] John le Carré, *The Russia House* Hodder & Stoughton. London, Sidney, Auckland, Toronto, 1989. Ver John Le Carré, *El espía involuntario* y "Lo que todo escritor quiere", en "Lectura", Revista de Libros de *El Nacional*, México, no. 65, 23 de junio 1990, pp. 9-11.

jos y acuarelas aprovechables para los fines siniestros de hacer la guerra a México en un futuro ominosamente cercano. A Brian no le cabía la menor duda de que William Henry debió de tener un serio enfrentamiento con Houston o Burnet más o menos en aquella época, en que se conjugó el levantamiento tejano con la ausencia de información gráfica, pues Daniel Thomas estaba ya partiendo a su viaje ultramarino. Por otra parte fue precisamente entonces que el especulador británico abandonó la "Galveston Land Co." propiedad de los empresarios Burnet y Zavala, para pasarse a la "Rio Grande and Texas" de Beales, coincidiendo también con el conocido pleito entre Burnet y Houston. Todo eso estaba documentado y no era producto de especulaciones. Por tanto no era difícil concluir que William Henry se vio en un fuerte aprieto para explicar a sus protectores la razón por la cuál ya no les enviaba los trabajos de su hermano, justo en los momentos en que nacía la "República de Texas" y ellos se preparaban para anexarla a los Estados Unidos y hacer después la guerra a México. Conociendo a los de Nashville, era imposible pensar que Houston, Burnet, Henderson y sus compinches no alimentaran deseos de venganza contra Daniel Thomas, aunque éste, por su parte, era ajeno —seguramente— a las pasiones vengativas que había provocado su regreso a la Gran Bretaña.

Nissen había tomado en cuenta también que si en buena lógica el rompimiento entre Daniel Thomas (léase William Henry) y el grupo tejano se había producido hacia 1836 o 1837, el mandar asesinar al pintor hasta 1842 parecía, por lo menos, un exceso de servicia, una acción retardada, que sólo podía tener como explicación válida el hecho de que el artista había estado ausente de México desde 1837 hasta fines de 1841. Pero esto no convencía al detective literario, pues si los tejanos —como él estaba seguro— eran una *mafia* poderosa y sin escrúpulos, con un enorme complejo de superioridad y abundantes medios económicos a su alcance y se convencieron de que Daniel Thomas había "huido" a Inglaterra porque se había pasado del "otro lado", había servido siempre a los servicios secretos británicos, o había decidido iniciar entonces su colaboración con ellos (todas suposiciones, pero absolutamente factibles) lo más probable era que Burnet, Houston o el gobierno tejano hubieran intentado ejercer su venganza contra Daniel Thomas y "silenciarlo" a la brevedad posible, esto es, *en alguna fecha más cercana a 1837 que a 1842*, pues el poder de esa *mafia* y sus "brazos ejecutores" seguramente podrían alcanzar al pintor en el propio Londres. Esto había atormentado a Brian durante muchos meses, y por ello se puso a investigar a fondo en las fuentes tejanas, buscando algún indicio que pudiera hacer luz sobre ese punto tan importante, ese eslabón que, de localizar y comprobar, completaría la cadena de deducciones que lo llevarían a obtener la convicción absoluta sobre la participación anglotejana en el doble asesinato. Fue entonces que confirmó que entre 1821 y 1836 los anglosajones veían a los tejanos auténticos "como distintos a ellos", y aún Benjamin Lundy que no era racista decía: "Hay unos cuantos a los que se les debería llamar blancos." "Las cosas no mejoraron para los antiguos tejanos durante el resto de la década. La guerra con México solo sirvió para reforzar los malos sentimientos hacia estos *hijos del enemigo*." [171] También concluyó que con el choque de razas, acabó predominando el individualismo anglosajón, el "machismo texano", cuyos prototipos fueron el dipsómano y arrojado Sam Houston, en primer lugar, y en segundo William Bartre Travis, "que llevó a sus hombres al suicidio patriótico en El Álamo", pues según escribió antes "él nunca se había echado para atrás en toda su vida",[172] Los anglosajones de la época hacían gala de triunfalismo y actitud superior, agra-

[171] Arnoldo de León, *op. cit.*, pp. 30 y 33.

[172] William Ranson Hogan, *The Texas Republic,* A social and Economic History. University of Texas Press Austin-London, 1980. p. 267. Es curioso que Waddy Thompson consigne que Santa Anna le dijo que la resistencia de Travis y sus compañeros en El Álamo había sido heroica pero inútil debido a la superioridad de las fuerzas mexicanas, y que él había intimado rendición a los sitiados incontables veces, a lo que siempre se negaron, por lo que tuvo que tomar el fuerte por asalto sin poder refrenar sus tropas. Santa Anna agregó que había conversado sobre este episodio y sobre el que protagonizó el coronel Fanning en Goliad con el general Jackson, y que éste "se había considerado satisfecho en su respuesta", que se basaba también en las órdenes recibidas del Congreso mexicano para "no tomar prisioneros en Tejas" ya que los rebeldes, por ser extranjeros, se consideraban piratas e invasores. Waddy Thompson, *op. cit.*. p. 69.

vados por la turbulencia social que prevaleció en muchos lugares
de la sedicente república después de la derrota mexicana, por
lo que el territorio se llenó de braveros y asesinos, *desesperados*,
vigilantes sin trabajo, ex soldados cesantes o desertores, jugadores, cuatreros y contrabandistas, que se sumaron a los traficantes de tierras y de esclavos que ya existían con anticipación. Los
"pleitos mexicanos" —a cuchillo o daga, entre dos hombres
cuyas manos izquierdas habían sido atadas juntas— y sobre
todo los duelos a pistola o rifle —muy parecidos a los que nos
han presentado las películas de Hollywood y los *spaghetti wes-
tern* de Sergio Leone— formaban parte del acontecer cotidiano
en un clima de violencia, desprecio por las leyes, robos, raptos,
secuestros, y asesinatos constantes. Este era el ambiente de
Tejas al final de la década de los treinta y principios de los
cuarenta, y para Brian fue fácil comprobar que en ese descom-
puesto panorama seguían prevaleciendo las influencias de la
oligarquía que había incitado a la rebelión y controlaba las
tierras, las plantaciones, los despachos jurídicos, el comercio y
el tráfico de negros. Para 1841 que Texas lanzó su expedición
conquistadora a Santa Fé, el presidente era Mirabeau Lamar
y el vicepresidente David G. Burnet —quien había ya retado a
duelo a Houston para dirimir sus diferencias— todos ellos amigos de George Wilkins Kendall, quien fungía como una especie
de representante y promotor de los intereses tejanos en Nueva
Orleáns, y que estaba seguramente familiarizado desde antes
con los "servicios de espionaje" prestados por William Henry
Egerton y (por lo menos aparentemente) por Daniel Thomas.
Antes de aquellos años —pensaba Brian— los tejanos debieron
intentar eliminar al pintor inglés a quien consideraban traidor
y agente doble. Pero ¿cómo podía probarlo? Siguió investigando
sus fuentes y al fin encontró un indicio verdaderamente increíble: los tejanos habían manipulado y tenían bajo sus órdenes
hacia 1838 o 1839 a un joven sujeto sin escrúpulos llamado
Marcus Cicero Stanley quien, aunque miembro de una promi-
nente familia de North Carolina, "era una de esas personas que
la naturaleza produce en sus menos afortunados momentos",
"un completo canalla", según consignaban los periódicos de la
época. Stanley había robado el año anterior un bono de mil

dólares al doctor Chauncey Goodrich, "un truculento misisipia-
no", de lo cual se acusó al joven reportero Levi Laurens, quien
aceptó el desafío de Goodrich a duelo y fue muerto por éste
último en el campo de honor, aunque pocas semanas después
el vencedor fue asesinado en San Antonio por un jugador apellidado Allen quien lo clavó con una daga en su propio lecho.
Pues bien, Marcus Cicero Stanley fue descubierto a posteriori
como el ladrón de los mil dólares pero recibió el apoyo de un
periodista influyente —que era nada menos que Kendall, director del Daily Picayune de Nueva Orleáns— y en vez de ser
castigado ¡fue mandado a Inglaterra! [173] Todos se extrañaron
entonces, pero Brian pensó que seguramente el precio de su
salvación fue que se trasladara a Londres, vigilara a Daniel
Thomas Egerton y cuando fuera oportuno lo eliminara, por orden del grupo Nacogdoches, y más probablemente de David
G. Burnet, quien era el que recibía los dibujos de aquél y había
notado en su falta y en el retiro de William Henry como su
comisionista de tierras una evidente conexión y por tanto un
acto de traición imperdonable. Investigaciones posteriores llevaron a Nissen a saber con certeza que Stanley no pudo cumplir su cometido porque en 1839, unos días después de haber
llegado a Londres, fue aprehendido por las autoridades locales
y enviado a una Casa Correccional por tres años, a causa de
haber robado a un señor Catlin en su "Galería de Retratos Hindúes", en la capital británica, según informó el periódico Civilian
Galveston Gazette de 17 de mayo de 1839. Brian se dijo que
en realidad tenía muy buena suerte. Había localizado el dato
que le faltaba. La pequeña pieza del rompecabezas que al en-
cajar en la compleja urdimbre de deducciones y presunciones
completaba el cuadro. Ya no le quedaba la menor duda, y en
su cuaderno rojo continuó haciendo las anotaciones de todo
aquello que le había permitido despejar la incógnita.

Ahora sí estaba seguro. Los tejanos habían mandado matar
a Egerton y de paso habían victimado a Agnes Edwards. La
operación había sido manejada en estrecho contacto con las autoridades diplomáticas norteamericanas: Powathan Ellis, Brantz

[173] Daily Picayune de Nueva Orleáns. 5 de enero de 1841. Citado
por William Ranson Hogan. Op. cit., pp. 277-280.

Mayer o el cónsul Black, en una primera etapa. En el momento crucial —unos días antes del crimen— había llegado a México el nuevo enviado Waddy Thompson, quien seguramente estuvo enterado de todo y no lo frenó, pero que procuró comprometerse lo menos posible. George Wilkins Kendall fue el contacto de Brantz Mayer, el secretario de la Legación Americana, y él mismo buscó un anglo-tejano que ejecutara el trabajo sin comprometer a los Estados Unidos. Lo había encontrado fácilmente entre los prisioneros de la expedición a Santa Fé que llegaron a San Lázaro y luego a Santiago. Tenía que ser un hombre decidido, aventurero, con pocos escrúpulos y que conociera bien a los mexicanos; por supuesto, debía hablar fluídamente el español. Kendall tenía muy cerca al hombre adecuado: su traductor Young Sully, liberado junto con él a petición de Waddy Thompson una semana antes del crimen, el 21 de abril de 1842. Fue Sully el que buscó a un prófugo e iletrado mexicano para que formase una banda o cuadrilla y ejecutara el trabajo: Joaquín Aguilera, quien a pesar de ser el personaje esencial del asesinato había recibido en pago sólo unos cuantos pesos, que el muy ladino no distribuyó entre sus cómplices, pues a Cortés, Corona y González sólo les dio parte del fruto de la venta de los trapos de Agnes y unos cuantos centavos para que compraran pulque y aguardiente a fin de animarlos para actuar. Sully, enterado por Kendall de dónde estaba la Casa de los Abades, y de los paseos citadinos de Egerton y su mujer, había planeado la emboscada en el primer tramo del camino a Nonoalco, no lejos de la vieja ermita cercana al templo de San Juan, en el paraje de Pila Vieja. Allí habían esperado a la pareja, ocultos tras los magueyes en aquel bello crepúsculo primaveral, Aguilera y sus tres paniaguados. Aguilera les había prometido algo muy apetitoso, el cuerpo de una inglesita joven y blanca, aunque él no sabía que estaba encinta como tampoco Sully ni Kendall; ese fue un elemento que apareció a última hora, como suele suceder hasta en los crímenes mejor preparados. El tejano se citó con Aguilera en el lugar del asalto, pero oculto tras de los magueyes: los cómplices del carretero no deberían verlo para que nunca pudiera ser reconocido por ellos. El precio de Joaquín Aguilera, además del dinero, fue la promesa de su total impunidad. Sully debió decirle: "Si te agarran nosotros te ayudaremos para que escapes de la cárcel. Pertenecemos a una organización muy poderosa". Con esa seguridad —que Puchet debió notarle en los interrogatorios— fue que Aguilera armó a los infelices asesinos, embrutecidos por el mezcal y el *neutle*. Y se lo cumplieron cuando arrestado, año y medio después, el ladino escapó de la ex Acordada ayudado por alguien, ya no Kendall ni Sully quienes habían retornado a los Estados Unidos desde mayo de 1842, sino por una persona de la Legación Americana. Brantz Mayer ya no estaba en México entonces pero había tenido un ayudante mexicano muy poco patriota y servil el cual debió arreglar la fuga. Ese individuo, cuyo nombre no pudo conseguir Nissen, había sido el que acompañaba a Mayer y Kendall cuando encontraron en Chapultepec la mañana del 28 de abril al ministro Pakenham y al *attaché* Ward, y fue también sin duda la misma persona que ordenó provocar ese día el éxodo de Tacubaya y que meses después del asesinato, cuando las investigaciones empezaban a enfocarse hacia el extranjero, grabó a escondidas en la penca del maguey de Xola el mensaje acusador contra Ponciano Tapia, al cual Aguilera había visto en ese paraje la noche de los hechos, lo que después comunicó a Sully. La voz de este último fue precisamente la que había gritado "¡Joaquín!", cuando los cuatro mexicanos "se hacían bolas" sobre el cuerpo de Agnes, a la que dejaron todavía viva, siendo el tejano quien la violó y asesinó con una piedra. Fue sin lugar a dudas el mismo Sully el que llevaba consigo el cartón en donde se leía "Florencio Egerton. Casa de los Padres Abades. Tacubaya", que depositó después de su acto detestable sobre el cuerpo desnudo de la muchacha británica, precisamente para confirmar la idea de algo premeditado, de un castigo o venganza y confundir a todos. Ese cartón había sido escrito, efectivamente, por el propio Daniel Thomas, quien lo había enviado pocos días antes a su hermano William Henry, como parte de un paquete (la posterior, donde se indicaba el nombre del remitente) que contenía algunas litografías y los últimos dibujos del artista. Era evidente que dicho letrero había sido entregado por los autores intelectuales al tejano Sully como expresión de las señas de la víctima, a efecto localizara al pintor con su nuevo nombre —Florencio y no Daniel Thomas— en su casa de Tacubaya. Pero ¿cómo había llegado ese cartón a los asesinos? Lo más probable es que su original destinatario, William Henry Egerton, se los hubiera enviado, aunque tal acto le parecía a Brian sencillamente monstruoso. El detective histórico-literario, a pesar de las evidencias, no se resignaba a anotar en el cuaderno rojo que el hermano mayor había sido cómplice directo y consciente de los tejanos en el asesinato del malogrado artista. Era demasiado. Sin embargo, al margen de la parte correspondiente, puso una señal que recordaba una vez más lo publicado sobre el caso durante las primeras semanas por la prensa de México: que el primer homicidio de la historia había sido realizado a pesar del vínculo fraterno. ¿Habría continuado William Henry la tradición cainita de los Egerton?

Kendall y Mayer habían escrito sendos libros consignando el asesinato de Egerton como si fuese un acto reprobable y extraño, y sus propias palabras, siglo y medio después, se volvían acusadoras en contra de ambos. El periodista de Nueva Orleáns había consignado haber visto solo a Egerton pasear por Tacubaya la misma tarde del asesinato, lo que era imposible pues el pintor estuvo en el Mesón de Vergara hasta pasadas las seis y regresó a su casa por Agnes hacia las siete para volver a salir inmediatamente en su compañía; y que en la "Gran Sociedad" a la hora del desayuno, en la mañana siguiente (o sea *antes* del descubrimiento de los cadáveres en Tacubaya), se había enterado del doble crimen, lo cual evidenciaba —junto con las demás pruebas circunstanciales— que Kendall supo del mismo desde la noche anterior y escuchó seguramente de Young Sully la descarada narración del horrendo homicidio y de los últimos momentos de la pareja antes de caer en la emboscada. Mayer, por su parte, fingiéndose amigo de Egerton —lo que nunca fue— había descrito su entierro con una pena hipócrita y falsa, como si el pintor hubiera sido un distinguido ciudadano norteamericano y no un súbdito de la nación europea con la que su país libraba entonces una trabada guerra diplomática para apoderarse no sólo de Tejas sino del resto de las provincias mexicanas del Norte. Ambos habían escrito las partes correspondientes de sus libros como auténticas coartadas, y los dos habían quedado atrapados por lo que siempre puede leerse entre líneas, y por las inevitables contradicciones que aparecen con el tiempo cuando se comparan dos versiones concurrentes pero inexactas. Kendall había "echado de cabeza" a Mayer, dejando constancia en su "narración" de las visitas que le hizo aquél en San Cristóbal, San Lázaro y Santiago, a lo largo de las cuales debió planearse el crimen contra "Florencio Egerton", quien había cambiado su primer nombre —con bastante ingenuidad— para huir de quienes entonces debió temer como posibles enemigos: los hermanos Luis y Everardo Linares de la Parra, celosos hermanos de "La Bruja". Kendall, por supuesto, había sido el principal intermediario, pero no el más importante de los autores intelectuales. Este último fue sin duda uno de los jefes de la *mafia* de *empresarios* y esclavistas anglotejanos: quizá el vicepresidente de la llamada "República de Texas", David G. Burnet, que era quien tenía más poder de 1839 a 1841. ¿O sería el propio Sam Houston, que para fines de ese último año había regresado a la presidencia tejana tras derrotar a Burnet?

Pero había una razón más para que los tejanos buscaran la muerte de Daniel Thomas Egerton: no se limitaban a querer eliminarlo por razones punitivas —o de "venganza" como diría Kendall— sino porque de acuerdo con la mente de Lamar, Burnet y Houston, el asesinato podría y debería provocar un conflicto diplomático importante entre México e Inglaterra que distanciara a los dos países, echara abajo los empréstitos concertados y evitara que Santa Anna pudiera impedir políticamente la anexión de la sedicente república a los Estados Unidos o emprender la recuperación de su territorio por vía militar. Si bien la Gran Bretaña[174] había reconocido la independencia de

---

[174] Ver Edward Channing, *op. cit.*, pp. 343, 532-543 y 559-562. En su mayoría relativas a las querellas entre Gran Bretaña y Estados Unidos por el asunto de Texas y los límites de Oregon. En la página 547 se consigna que James Alexander Forbes, agente británico en California, buscaba colocar ese territorio mexicano bajo la "protección de Su Majestad Británica", pero que a fines de 1844 Lord Aberdeen negaba que su gobierno estuviera promoviendo la insurrección en el mismo. La

Tejas, su posición antiesclavista y su propia codicia por California amén de otros problemas, la habían colocado por esas fechas en una gran tensión con el gobierno norteamericano y contrariaban las intenciones de los rebeldes. Si los ingleses habían convencido a William Henry de que no siguiera ayudando a los tejanos con sus dibujos y quizá con informaciones extraídas de la logia escocesa —como estos creían— entonces el asesinato de Egerton tendría gran importancia para ellos y si los tejanos lograban atribuírselo a los mexicanos, o por lo menos a la inseguridad pública en ese país, o a la acción impune de desconocidos (lo que curiosamente era el caso) matarían dos pájaros de la misma pedrada: suprimirían al espía que consideraban traidor y amarrarían navajas entre Santa Anna y el gobierno inglés, lo que en realidad ocurrió, aunque no en la medida deseada por el grupo de Nacogdoches. Sólo una intención tan tortuosa y expansionista, que la historia comprobó plenamente pocos años después, podría haber movido a Houston, Burnet y los demás *empresarios* devenidos políticos al servicio de su auténtica patria (que no era Tejas) para perseguir al pintor a quien inclusive mandaron matar en Londres, aunque el joven Marcus Cicero Stanley no pudo ejecutar sus designios por su carácter de pillo irredento pues fue capturado antes por la policía inglesa. ·Y así como el crimen de Egerton, reflexionó Nissen, existieron incontables maniobras tejanas por aquella época para debilitar al gobierno mexicano y a Santa Anna, como por ejemplo la frustrada invasión a Santa Fé, el ataque a la Villa de Mier, o la conexión estrecha que tuvieron con la rebelión de Yucatán, el fondeo y actos de piratería de los barcos tejanos en el puerto yucateco de Sisal, y el asedio del comodoro Jones a Monterey en la costa de California, todos claros movimientos de *diversión y provocación*. O en otras palabras, la importancia del homicidio de Egerton no radicaba tanto en sí mismo, sino en que formaba parte de una serie de hechos políticos, crimina-

---

abundante correspondencia entre Lord Aberdeen y Charles Elliot, su representante en Texas, puede consultarse en Ephraim Douglas Adam. *Correspondence from the British Archives concerning Texas 1837-1846* "The Southwestern Historical Quarterly", pp. 75-98. En ellas aparece una carta del presidente Houston a Elliot, de 1842, pidiéndole le prestara sus servicios personales para obtener la paz con México.

les, militares y de todo tipo para acosar a México, desestabilizarlo y precipitarlo a acciones imprudentes entre las que podía haber cabido una, por ellos anhelada declaración de guerra a los Estados Unidos, que les hubiera ahorrado pretextos para la inenarrable invasión del territorio mexicano que hicieron en 1846. Monroísmo, poinsettismo, destino manifiesto, machismo tejano, racismo anglosajón, rivalidades de logias masónicas, corrupción, esclavismo, venganza: todo junto.

Brian pensaba que era curioso que los periódicos mexicanos de la época que percibieron claramente que el doble crimen estaba provocando fuertes fricciones entre el gobierno británico y el de Santa Anna, no hubiesen penetrado más a fondo en la posibilidad de que aquel desgraciado y sanguinario evento pudiera tener un origen político, ser una provocación. Se calificó de crimen pasional, se insinuó incluso el fratricidio —en lo que no estaban tan desorientados— y se habló de venganza, pero aunque algunas de estas consideraciones conducían a la hipótesis de una conspiración política, los comentaristas no supieron ver claro. Puchet e Iturriaga, en cambio, habían dispuesto de la información calificada de los cuadernos del pintor y habían identificado la profesión de William Henry y sus vínculos con el grupo de Nacogdoches, pero ya no tuvieron tiempo ni medios para profundizar la conexión tejana. El gobierno mexicano, por su parte, deseoso de resolver tan molesto asunto, no debió querer que el caso se reabriera o prolongara y se conformó con ejecutar a los autores materiales a la brevedad posible. Si Santa Anna supo por el juez y su amigo el tabacalero —como era muy posible— que los tejanos tenían las manos metidas en el crimen, debió de darse cuenta que no convenía hacerlo público pues esa acusación implicaba forzosamente a las autoridades norteamericanas incluso a sus diplomáticos representantes en México, que debieron participar en la operación, como que liberaron a Kendall y a Sully, consiguieron dinero para ellos y debieron apoyarlos en la despiadada logística de la emboscada ordenada por los anglotejanos. Habían sido precisamente el "corresponsal de guerra" norteamericano y el secretario de la Legación quienes supieron del doble crimen antes de que se descubrieran los cadáveres, y quienes trataron de confundir a la opinión pública nacional e internacional: con el famoso letrero que alejaba la idea de algo eventual; hablando de venganzas y causas pasionales; acusando con el mensaje del maguey a Ponciano Tapia y luego sembrando la duda sobre que los ajusticiados fuesen los asesinos, todo ello para embrollar sus huellas y acosar a Santa Anna y su gobierno con un problema más de los muchos que ya tenía.

Brian consignó también en su cuaderno rojo que don Carlos María de Bustamante, al escribir sobre el caso Egerton-Edwards[175] había dejado caer algunos interesantes comentarios:

> El enviado inglés tomó las más activas providencias para la averiguación de ese crimen. Creyóse en un principio que se había cometido por robarlos; pero aparecieron en sus cuerpos algunas monedas, un fistol de diamantes y otras cosas que alejaron esta idea. Díjose después que en la penca u hoja de maguey apareció una pequeña inscripción en que se refería quién había sido el agresor de estos asesinatos. También se aseguró que el autor de ellos había publicado en los Estados Unidos una manifestación con el objeto de que se pusiesen en libertad las personas que estuviesen presas, y no padeciesen inocentes, en que declaraba que doña Inés estaba comprometida a casarse con él, mas el matrimonio lo contrajo con el occiso, y en venganza de este agravio había venido siguiéndole los pasos hasta saciar su venganza. Tales fueron las patrañas que entonces se publicaron y corrieron en boga.

Como se ve, la imaginación pública no se daba por vencida, y aunque don Carlos calificó como "patrañas" las propias versiones que dejó correr en sus "Apuntes", es el único autor de la época, y hay que concederle su crédito, que puso en letras de molde que el crimen se había planeado en los Estados Unidos, y había sido ejecutado por un extranjero, aunque sospechando del "amante despechado" o "novio epistolar" de Agnes —que era el joven oficial Robert E. Lee, de los Dillon-Lees de Ditchley y Virginia—, el cual no pisó territorio mexicano sino hasta más de cuatro años después de los sangrientos hechos, según Brian Nissen había comprobado. ¿Habría oído don Carlos algo respecto a la participación de anglotejanos o estadouni-

---

175 *Apuntes para la historia*... *op. cit.*, pp. 56-57.

denses de boca de su frecuentado amigo el doctor Puchet, a quien llama "sabio juez de letras que honra la magistratura de México"? En todo caso fue Bustamante el que más se acercó a la verdad, aunque estuviese muy lejos de ella. También demostró su perspicacia al interrogar a don Guillermo Egerton y a su amigo don Carlos Byrn sobre los antecedentes de la pareja masacrada, y al haber escrito: "Ningunos otros pormenores pudieron averiguarse; siendo de notar que don Guillermo Egerton no permitió al juez que registrase su correspondencia particular ni aún para *sellarla*, y solamente prometió que daría aviso si por ella pudiese sacar indicios del autor de aquellos asesinatos" ¡Un *chapeau* para don Carlos! Al viejo insurgente, historiador y político se le hizo sospechoso el hermano del pintor... como a los escritores de *El Observador Judicial* y al propio don José María Puchet, mientras los *gachupines* de *La Hesperia* defendían al especulador de tierras y a su amigo que con el "Diario" de Daniel Thomas pretendieron ocultar la "conexión tejana".

Es curioso, se dijo el detective histórico, que nadie haya juntado todas las piezas en aquella época y haya podido armar el rompecabezas, aparte de Puchet e Iturriaga. Y quizá los masones escoceses de Veracruz que por lo visto hablaron con don Leandro. Y era obvio también que si ambos amigos fracasaron en convencer al Gobierno que reabriera el caso y profundizara las investigaciones, y si los ejecutores fueron al patíbulo de acuerdo con la propia sentencia de don José María, él y don Leandro carecían de justificación legal para continuar por su cuenta tan difícil pesquisa, sin contar con que al año siguiente se produjo la anexión de Tejas a los Estados Unidos y poco después se desató la horrible guerra. Si los ingleses se llegaron a enterar del trasfondo del asunto habrían de haberlo considerado también como una "papa caliente", de ahí su reacción en el sentido de agradecer a Santa Anna la resolución del caso y felicitar oficialmente a Puchet, con lo que daban aquél por terminado. A ellos tampoco les convenía que eventrara su fuerte lucha de intereses contra los norteamericanos que usaba como escenario a México ni su ambición por apoderarse de la costa noroeste del país.

¿Llegaría Richard Pakenham a sospechar de su colega el secretario Brantz Mayer, que tan amigo era de Kendall a quien también conoció, pues ambos lo mencionan en sus respectivos libros? ¿Habría concebido alguna duda el joven y avispado *attaché* Ward sobre las preguntas de Puchet respecto a la hora precisa en que él y su jefe el Ministro recibieron la noticia del doble asesinato en la mañana del día siguiente? ¿Habrían leído y releído en 1844 el párrafo revelador de la "Narrative" de Kendall, descubriendo prácticamente su participación al relatar que ya tenía conocimiento del asesinato de Egerton y la Edwards a la temprana hora del desayuno y asegurando falsamente que había visto pasear al pintor solo la tarde anterior en Tacubaya, (él no había llegado de México) cuando a partir de las siete recorrió junto con su compañera no más de cuatrocientos metros entre la Casa de los Abades y Pila Vieja? Era también curioso —aunque más explicable— que los biógrafos modernos de Egerton o los comentaristas de su obra pictórica jamás hubiesen intentado hurgar a fondo en el famoso asesinato. José C. Valadés había preferido comentar: "hay tantas verdades y oscuridades en la tragedia que manchó las Lomas de Tacubaya, que hacer de ellas una página en la obra de arte que se persigue, empequeñecería la misma obra".[176] Justino Fernández, dice (no por falta de información sobre el proceso de los asesinos materiales, al que cita) que Egerton y la "bellísima dama que pasaba por su esposa, pero que según se rumoreaba no lo era, vivían en Tacubaya y allí fueron asesinados ambos, el 27 de abril de 1842, sin que *jamás* hubiese sido posible averiguar ni la causa del crimen, que no fue el robo, ni saber quién o quiénes eran sus autores", con lo que, quizá sin proponérselo, es el que da una idea más exacta de lo que aconteció.[177] Manuel Romero de Terreros[178] proporciona la versión oficial; de igual manera el acucioso Martin Kiek[179] quien añade: "Curiosamente se tienen más

[176] *Introducción a las pinturas y litografías de Daniel Thomas Egerton,* México, Secretaría de Relaciones Exteriores, 1967.

[177] *El arte del siglo XIX en México,* México, UNAM, 1983, p. 30.

[178] *Egerton en México 1830-1840.* Edición facsimilar especial de Francisco Zamora Millet, México, DF, 1966.

[179] *Egerton en México 1830-1842.* Reproducción de la edición del autor. Edición privada de Cartón y Papel de México, 1976.

datos acerca de la muerte de Thomas Egerton que de su vida". Enrique Flores[180] hace un mejor análisis apoyándose en el Extracto de la *Causa célebre* y repara en la "excepcionalidad del crimen", perpretado "por un motivo que no podía haber sido el robo", en el "método de vida que los occisos llevaban" y parece concluir que la triste historia no fue más que un folletín de "amor burgués y provinciano", condimentado con la condena de todos los grupos de la sociedad mexicana que tuvo su "desquite en la violenta supresión de unos lazos más libres", o sea de la relación amorosa entre Egerton y Agnes. Agrega que "la mano de los asesinos iba acompañada por el apoyo unánime de los espectadores" —lo que según la prensa de la época no fue así— y califica con acierto a la célebre causa "como la primera novela policial de la literatura mexicana". No obstante tiene otros acercamientos felices: reconoce que el relato está "organizado circularmente", y que "una cruda fatalidad parece gobernar cada uno de los movimientos del paisajista a su regreso de la capital"; habla del "hallazgo tardío" de los cadáveres (que no cotejó con la declaración de Kendall), de "violencia inexplicada", del "vacío del crimen" debido a lo que resultaba incoherente: sus "efectos aislados". Subraya el nombramiento del juez especial sin darle mayor significado político, y se conforma con la explicación oficial de que el letrero con caligrafía inglesa puesto sobre el cuerpo de la joven no era importante ¡porque había sido escrito por el propio Egerton! Menciona sin embargo la palabra "espionaje", pero para referirse al de carácter policial armado en los mesones por don José María Puchet, así como las risibles "aseveraciones de los peritos en marcas de magueyes" y las sospechas de "perversiones fetichistas" sobre la ropa de la infortunada inglesa; describe dramáticamente la irrupción de la proletaria cuadrilla de los asesinos materiales en el relato y la reaparición de Ponciano Tapia "como colaborador anónimo, aunque muy sospechoso de la justicia". Para él el ordenamiento de las circunstancias lo "iba a dictar, a fin de cuentas, la casualidad" y concluye que la verdadera explicación del *crimen inconfesable* resulta la "violación colectiva". Luego

[180] *Idem, op. cit.*, pp. 7-18. Ver epígrafe del capítulo 20 de este libro.

duda y reflexiona: "¿Puede argüirse, acaso, que los delitos se
originen o hayan originado repentina e improvisadamente y
por una mera casualidad? Una larga serie de demostraciones
jurídicas sirve para concluir la responsabilidad colectiva de los
reos, así como para deducir sus responsabilidades individuales
—*nunca determinadas del todo.*"

Estupendas observaciones que habían sido muy útiles para
Nissen. Como aquella muy penetrante de Salvador Rueda Smithers[181] de que "a las autoridades preocupó el crimen, pero
aún más la opinión de los ingleses", y la otra referente a esa
actitud de sospecha y desconfianza de un ranchero o quizá
salteador enmascarado (también pudo ser alguien que vigi-
laba al propio pintor) la cual Egerton captó fielmente en
uno de sus óleos; con las que el comentarista roza el aspecto
indudablemente político del doble asesinato.

Brian Nissen estaba honestamente convencido de que había
desentrañado la espesa madeja hecha un ovillo indestructi-
ble desde el siglo pasado. Bajo las apariencias de un crimen
ocasional, contradicho por la ausencia del robo y complicado
por la violación de Agnes, la muerte del pintor británico había
sido en realidad un homicidio deliberado, planeado cuidadosamente, frío, producto de una venganza política acompañada por
el deseo de provocar un conflicto entre Inglaterra y México,
que pudo ser más que un incidente diplomático o generar reacciones imprudentes de Santa Anna que justificaran una agresión
de los Estados Unidos. Aunque pareciera difícil de creer, los
hechos y las pruebas documentales que Brian había tenido la
inmensa suerte de conseguir por diversos conductos tanto como
sus arduas deducciones así lo indicaban. La versión de Kendall
en su "Narrative", de que había visto a Egerton la tarde del
27 de abril de 1842 en Tacubaya (no era cierto: Sully le había
descrito el escenario del crimen) y de que ya sabía de éste a
la hora del desayuno (en realidad desde varias antes) le había
permitido entender prácticamente todo lo demás. Con ella Kendall había sido autotraicionado por su excesiva confianza y su

[181] D. T. Egerton: "Las paradojas de la pasión", en "Cultura" de
El Nacional, México, 11 de julio de 1990, p. 17. Ver epígrafe del siguiente capítulo.

oficio de periodista. Pero sus mentiras habían contribuido a que se descubriera la verdad. La investigación sobre la personalidad del pintor y la de su hermano William Henry le habían acabado de dar a Brian las explicaciones humanas más útiles y contundentes. Tenía hasta el nombre del anglotejano bilingüe quien con toda seguridad dirigió la maniobra delictuosa de la emboscada y el ataque contra la pareja a través de Joaquín Aguilera y sus tres "pobres diablos" ignorantes de todo. Había logrado establecer los estupendos aunque infructuosos avances de don José María Puchet, el extraordinario juez e instructor de la causa, ayudado por su amigo don Leandro, quienes habían llegado siglo y medio antes a casi las mismas conclusiones que Brian a pesar de tener menos elementos que él. Un crimen político, planeado y organizado por anglotejanos con el apoyo que siempre les proporcionó el grupo norteamericano de Jackson, la tremenda asociación Nashville-Nacogdoches. Un asunto en que contó mucho la presencia en México de los prisioneros de la expedición de Santa Fé, a los que nadie en aquella época conectó con el tremendo homicidio, a pesar de que eran unos aventureros sin escrúpulos escapados de la cárcel o liberados por influencias diplomáticas. Penetración de agentes extranjeros en territorio mexicano para realizar un acto criminal de hondas repercusiones sociales y políticas, seguido y apoyado por un simultáneo y sucesivo proceso de *desinformación* de la opinión pública y de *desestabilización* del gobierno de México, muy al estilo de Joel Poinsett a quien don Pepe Iturriaga, califica en su estupenda investigación como "tenebroso predecesor de la CIA". Además, se dijo Nissen, esos "trabajitos" de las policías secretas en territorios extranjeros eran bastante frecuentes, aún en nuestros días. En la primavera de 1990, para no ir más lejos, había estallado en México un asunto de características semejantes desde varios puntos de vista. El doctor Álvarez Macháin, un médico mexicano residente en la ciudad de Guadalajara, Jalisco, acusado de estar vinculado a la tortura y al asesinato posterior de un agente de la "Drug Enforcement Agency" de los Estados Unidos y de un piloto mexicano, había sido secuestrado en su casa por varios desconocidos, y llevado en un avión privado a la frontera norte para ser entregado en El Paso, Texas, a otros agentes de esa misma policía. El asunto había alcanzado gran publicidad y las más altas autoridades de México se habían referido a él demandando respeto a la integridad territorial y las leyes nacionales y proclamando que si el médico en cuestión tenía cualquier responsabilidad en el narcotráfico o en el asesinato aludido cometido allí debería ser juzgado por las leyes mexicanas y ante las propias autoridades de esa Nación. El 23 de abril de 1990, en la ciudad de Los Ángeles, California, hablando ante la Asociación Americana de Editores de Periódicos, el Presidente de México, Carlos Salinas de Gortari, en clara referencia al incidente, había dicho:

> La batalla contra el narcotráfico requiere un esfuerzo de cooperación internacional sin precedente. México lo está haciendo. Ello prueba la amplitud de los acuerdos internacionales suscritos por mi país. Pero esa cooperación para que sea eficaz y real, tiene que darse dentro del más estricto respeto al Derecho Internacional y no con acciones unilaterales, al margen de la ley y atentatorias del derecho de otras naciones. No es con actos arbitrarios de los perseguidores como vamos a combatir la ilegalidad de los narcotraficantes. De esa manera, se afectaría el marco de cooperación indispensable, y al hacerlo, se favorecería la acción de los narcotraficantes y se correría el riesgo de crear hábitos de ilegalidad entre quienes tienen la obligación de defender la ley, con lo que se estaría creando un problema mucho mayor que el que se pretende combatir. No contribuiremos a eliminar la ilegalidad con otro acto ilegal. La fuerza y la eficacia de la cooperación internacional contra el narcotráfico, dependerá del respeto a la ley en cada país.[182]

Aún estaba pendiente tan espinoso caso,[183] que había empañado las excelentes relaciones logradas entre los dos países en los últimos tiempos, pero provocó que el Gobierno mexicano

[182] Ver también la primera plana de *Excélsior* del 26 de mayo de 1990, cuya cabeza a ocho columnas dice: "Fue ilegal el traslado de Álvarez Macháin: Salinas de Gortari."

[183] A mediados de agosto siguiente un juez federal norteamericano resolvió que el doctor Humberto Álvarez Macháin debía ser repatriado, pues su ilegal secuestro organizado por la DEA había violado el Tratado de Extradición entre México y Estados Unidos.

expidiera normas restrictivas para la actuación de los delegados de la policía norteamericana de narcóticos en las investigaciones dentro de su territorio. Todo parecía indicar que funcionarios policiacos menores, sin conocimiento del presidente George Bush —un hombre de Texas, por cierto— habían procedido a planear el secuestro del supuesto testigo o cómplice del crimen, el cual efectuaron con la ayuda de mexicanos a sueldo, cometiendo, ellos sí, un delito grave, de profundas consecuencias políticas y de opinión en ambas naciones. Además, la frontera mexicana-americana seguía siendo escenario de continuos incidentes, en la mayoría de los cuales los mexicanos resultaban vejados y aún muertos. Parecía como si el acuchillamiento de San Jacinto no se hubiera terminado para ellos. Así que, después de todo, casos como el de Egerton no podían considerarse tan extraños, y lamentablemente continuaban produciéndose, aún en 1990, aunque por supuesto todo debió ser más fácil en 1842 en que no existían pasaportes, controles migratorios ni elementos tecnológicos de investigación, y en que los anglotejanos se sentían aún más omnipotentes e invulnerables. La cartomanciana había tenido razón: Egerton debió desconfiar de quienes le "fingían amistad" y protegerse de "las espadas de un poder lejano". No obstante, Puchet, Iturriaga y los masones veracruzanos, entonces, y Brian Nissen, ahora, habían podido descubrir la verdadera naturaleza de asesinato del pintor inglés, aunque sólo como un ejercicio teórico, pues los auténticos culpables, los autores intelectuales, habían quedado impunes, sepultados pero protegidos por el peso de la historia. Nissen recordó lo dicho por *The Times* de Londres el 16 de junio de 1842: "Sólo el tiempo resolverá el misterio." Y así fue, el tiempo y mucho trabajo. Tomaba en cuenta también que cuando se hicieran públicas las suspendidas investigaciones, recuperadas después de siglo y medio, se enfrentarían nuevamente al análisis y a la crítica de quienes las conocieran, como había sucedido ciento cuarenta y ocho años antes. Tendría que participar quizá en discusiones muy semejantes a las que tuvo el inteligente doctor Puchet, pero ello estaba en la naturaleza misma de un asunto tan controvertido y apasionante y había que asumirlo desde el momento mismo en que el libro se publi-

cara. Algo muy importante inquietaba aún a Brian: ¿se habría dado cuenta Daniel Thomas de todo el complot cuando
fue asesinado junto con Agnes Edwards? ¿cómo podía él averiguarlo? Fue entonces que volvió a pensar en la "regresión hipnótica".

D.T. EGERTON: *Zacatecas*. Litografía

25. *Emisario del pasado*

"En uno de sus apuntes al óleo,
Egerton plasmó una escena común
de la vida del campo mexicano de 1830:
jinetes que dan de beber a sus monturas.
Dos asuntos de ese cuadro
llaman la atención: el primero,
que el manejo de los tonos amarillos y
las largas palmeras del fondo
hacen del paisaje más un oasis árabe
que un arroyo de México;
el segundo, que uno de los jinetes
aparece embozado, como debieron estarlo
los en ese entonces,
famosos salteadores de caminos.
Los reflejos de la charca descubren
que el enmascarado estaba un poco
más alejado del agua que sus compañeros,
como receloso del observador
que lo pintaba.
Esta desconfianza no debió pasar
desapercibida [sic] a Egerton:
hombres extraños que actuaban
en una naturaleza sin dominar,
tan capaces de explosiones violentas
como el mar embravecido de los cuadros
de su contemporáneo Turner.
Hombres como esos,
de conducta imprevisible,
sellaron el destino de Egerton."

Salvador Rueda Smithers,
"D. T. Egerton: las paradojas de la pasión"
en *Cultura* de El Nacional, *México.*

[11 de julio de 1990]

Ciudad de México, domingo 3 de abril de 1842

ERA UN DÍA radiante y los más entusiastas habitantes de la
ciudad se habían dado cita en la Plaza de Toros de San Pablo,

situada en uno de los barrios del sureste, casi ya en las afueras. La ocasión no era para menos pues el arrojado guanajuatense don Benito León Acosta, de escasos veintitrés años, ex alumno de la escuela de Minería, haría una ascensión, como ya se usaba en Europa, en un aeróstato construido con sus propias manos. La emoción era grande pues se trataba del primer heroico aeronauta que desafiaría las leyes de la gravedad y volaría sobre el Valle de México. Algunos decían que era el segundo de la Nación, pues un tal José María Alfaro había logrado elevar un globo en Jalapa, allá por 1784, siguiendo el principio de Montgolfier a base de aire caliente, pero los más enterados explicaban que el precursor novohispano había tomado la precaución de no subirse a su aparato y lo había visto ascender desde la seguridad del suelo. En todo caso, la plaza de toros hervía de gente; habría más de cuatro mil personas en sus tendidos; y en el centro del ruedo, en vez de un noble burel o el desfile de la cuadrilla de matadores, banderilleros, picadores y peones de brega, lucía imponente el gran globo de brillante seda, pintado con los colores de la bandera mexicana artísticamente distribuidos sobre su cuerpo esférico, ceñido por una especie de red de finas cuerdas de la que pendían una ligera canastilla, rodeada de sacos de arena y otros utensilios idóneos para la ascención. Don Luis Gonzaga Vieyra, gobernador del Departamento, dio un animoso abrazo al osado aeronauta al que ayudaban tres alumnos de la propia escuela de Minería, dispuestos a liberar oportunamente la aeronave del grueso gancho clavado en el ruedo que la retenía. En los tendidos había música; hermosas muchachas de mantilla lanzaban vivas al valiente joven; varios sacerdotes con sus sombreros de teja y algunos viejos circunspectos habían venido sólo para ver fracasar la operación o para constatar que era obra del diablo. ¡Por más que lo digan los europeos no puede ser cierto que uno de estos artefactos cruce impunemente por los aires llevando gente adentro! ¿A dónde vamos a parar? Ya no hay santo temor a Dios. Se aproximaban las doce del día, hora fijada para el despegue; la llama que provocaría la ascensión estaba cerca de su apogeo, y don Benito León Acosta listo para subir a la canastilla, separada ya unos centímetros del suelo, cuando se le acercó un hombre

D.T. EGERTON: *Ranchero cruzando un arroyo.*
Óleo. Colección: Banco Nacional de México

alto, de pelo castaño, vestido de chaqueta inglesa y botas, con un cuaderno bajo el brazo, y conversó con él. En medio de la algarabía, las vivas y la música, nadie prestó atención al breve encuentro ni escuchó las palabras de Daniel Thomas Egerton quien suplicaba al valiente aeronauta le permitiera participar con él en su aventura para tener el privilegio de dibujar unas vistas de la ciudad de México desde las alturas.

—Que por cierto no me imponen —decía el pintor—, pues he sido uno de los primeros en escalar el Popocatépetl y permanecer en su cima; además podría serle de utilidad, don Benito, pues manejo el barómetro y otros aparatos.

El interpelado movió la cabeza en señal de negación:

—Lo siento mucho, caballero, no dudo de sus cualidades físicas o científicas ni del arte de sus paisajes, pero esta ascensión está calculada para que el globo lleve solamente el peso de una persona, y resultaría no sólo mucho más peligroso el viaje sino de plano imposible que nos eleváramos juntos. Lo lamento, en verdad. Pero recojo su petición con la mayor simpatía. Si tengo éxito en esta ascensión construiré un globo mayor y entonces lo invitaré a subir conmigo, se lo prometo. ¡Antes que el señor Casimiro Castro, ese pintor alumno de don Pedro Gualdi, que me hizo hace unos días la misma solicitud! Creo que usted está mejor preparado que él para ser el primer artista que capture la belleza de nuestra ciudad desde los aires.

Benito León Acosta estrechó la mano de Egerton quien lo despidió con un "buena suerte". Acto seguido subió a la canastilla, y sus ayudantes despejaron el ruedo suplicando a todas las personas que se retiraran a los tendidos y burladeros pues una ráfaga de viento podría desviar el ascenso del globo y lastimarlos. La flama había llegado a su máxima expresión y don Benito dio la orden de soltar las amarras. Con una mayéstica lentitud el extraño aparato se elevó en línea completamente vertical aprovechando el calor de la mañana y provocando un ¡Aaaahhh! interminable de los espectadores que lo miraban asombrados o incrédulos —algunos se santiguaron frente al "milagro"— como que el colorido aeróstato rompía sus concepciones sobre lo que era México y los echaba a volar, también a ellos, en una nueva era que nadie sabía hasta dónde habría de conducirlos.

Pero lo mejor fue lo que siguió. Cuando el globo rebasó los treinta o cuarenta metros de altura comenzó a derivar hacia el noroeste y se perdió de la vista de quienes estaban en la plaza. Hubo un murmullo de desencanto: habían pagado seis reales y en las mejores localidades hasta un peso por presenciar la ascensión y ahora resultaba que el aparato aquel eludía su compromiso con los espectadores. Pero ellos no se iban a quedar ahí cruzados de brazos. Pronto los léperos de la parte más alta del tendido, que por la azotea aún veían al globo y se dieron cuenta de su derrotero, como los de más abajo, iniciaron una violenta salida del coso. Atropellándose unos a otros, con peligro de provocar una catástrofe, corrieron hacia las puertas para perseguir el aeróstato de León Acosta. Mucha gente que estaba en las calles cercanas a la Plaza de San Pablo ya repetía por tierra la ruta aérea del aparato, y bien pronto centenares de vecinos, incluyendo algunos a caballo y en coche y otros que salían de misa, se movilizaron de todas aquellas partes de la ciudad desde donde el globo era visible para ir a su encuentro. Unos minutos después, cerca de la garita del Niño Perdido, adelante del Salto del Agua, el aeróstato conducido con habilidad por su tripulante, pero ya sin fuerza suficiente para seguir ascendiendo, se posó con lentitud y no poca gracia entre los aplausos y gritos entusiastas de la multitud ahí reunida y de los muchos otros curiosos que seguían sumándose a ella.

"Un enjambre de léperos [escribiría esa noche don Carlos María de Bustamante], apoderándose de los cordones de dicho globo, lo condujeron inflado hasta la Plaza Mayor, después de haberlo paseado en triunfo por las principales calles. Entrado en Palacio [el aeronauta] lo felicitó Santa Anna, y aunque no le dio nada en reales, le concedió privilegio exclusivo de volar y matarse siempre que le viniese en gana, pues seguramente morirá en su oficio. Dícenme que le agradeció con unas charreteras de capitán: es regular que su compañía exista en la región del aire y que tenga por soldados a los tordos, gorriones y patos.[184]

[184] *Apuntes para la historia... op. cit.*, p. 54.

Daniel Thomas no imitó a los curiosos que persiguieron al aeróstato, sino que se dirigió directamente a los baños de las "Delicias", cerca de los Arcos de Belén, en donde había guardado su caballo en previsión de que don Benito lo aceptase como pasajero del globo. Por ahí le vio pasar poco después, llevado en gloria por el pueblo que sentía que el triunfo del osado aeronavegante era una victoria nacional. Le dio un poco de tristeza. Sin embargo no perdió las esperanzas de ascender en una fecha próxima con el joven triunfador y dibujar una vista panorámica de la hermosa ciudad y de todo el valle. Sería maravilloso. ¿Por qué no?

Ministerio de Gobernación
y Relaciones Exteriores,
Palacio Nacional.
Ciudad de México.
Martes 19 de abril de 1842.

EL AYUDANTE entró pero no quiso interrumpir al señor Ministro. Don José María de Bocanegra, enfundado en su levita oscura, a pesar del calor, dictaba a su escribiente un comunicado oficial bajo el título "México y los Estados Unidos de América. Departamento de Tejas" para ser entregado al Congreso haciendo parte de la Memoria Anual del Poder Ejecutivo. Su voz delgada pero firme y cadenciosa se escuchaba por encima del ruido de la plumilla que resbalaba sobre los largos folios de papel:

Este territorio que formaba parte de la República mexicana, fue usurpado por aventureros desleales, y por ellos mismos declarado independiente de una nación que tan generosamente y con tanta liberalidad y buena fe los recibía como colonos poniéndose bajo la protección de las leyes del país que los admitía en su seno. Un paso tan avanzado no fue suceso aislado; y aunque necesitaba ser sostenido por otras fuerzas y por la naturaleza misma del origen de los colonos, la situación topográfica del terreno y la política de los Estados Unidos indicaban que prestarían su apoyo y cooperación para su separación de México y que esta cooperación no fuese momentánea, sino la que aconsejaran las exigencia de la nueva República y las circunstancias de México; pero con el fin supuesto de extender el territorio de los Estados Unidos hasta donde éstos tenían proyectado y les conviniese.[185]

Bocanegra suspendió el dictado y dijo al escribiente:

—Recuérdeme usted que precisamente aquí hagamos una cita de algunas de las cartas del general Andrew Jackson en que aparece claramente tal designio.

—Sí, señor Ministro, —anotó el aludido—, y luego siguió recogiendo el bien organizado pensamiento de su jefe:

Hay datos suficientes para creer que los colonos de Tejas contaron en su empresa con la protección y auxilio de los Estados Unidos para sostener y llevar adelante sus planes e ideas; y aun cuando no hubiera otros, bastarían las varias incursiones que hicieron sobre nuestra frontera, las reuniones que bajo la denominación de *simpáticos* se celebraron en Nueva Orleáns y otros puntos de aquella república; y además, que gente, armas, municiones y otros pertrechos de guerra les vinieron y fueron proporcionados por dichos Estados Unidos de América. Los tratados que existían entre México y los Estados Unidos, así de amistad, comercio y navegación como de límites (entre ellos el de 1° de diciembre de 1832) y los otros casi de la misma fecha y de 18 de junio de 1836, en que se estipuló que habría una sincera y verdadera amistad entre ambas partes contratantes en toda la extensión de sus posesiones y territorios, no excluyó el de Tejas que pertenecía a México, y esta circunstancia, así como la de que, reconocida por el Tratado de Límites la línea divisoria y linderos de las dos repúblicas, parece que era o debía ser ésta, una garantía para que México continuase en la quieta y pacífica posesión de aquel territorio, sin recelar que el gobierno americano tolerase que se sacasen de su seno los recursos y aprestos para sublevar y separar de su dominio una colonia compuesta de individuos que no podían alegar otro derecho sobre el territorio que se les dio, sino el que tenían por el de gentes y las leyes de concesión.

Aquí el Ministro se detuvo a pensar un poco, endureció el gesto y prosiguió:

Menos debía esperarse que el gabinete de Washington, olvidando lo que se debía a sí mismo, el derecho internacional

[185] Bocanegra, *op. cit.*, t. III, p. 57 y ss.

y lo que exigían las convenciones diplomáticas, fuese el primero en reconocer a unos aventureros (que nunca podrían justamente tener otro nombre) como nación independiente, y se colocase en situación de gobierno neutro entre los dos beligerantes, esto es entre México y los usurpadores de una de sus posesiones. Pero el hecho fue cierto y la historia hará mención de él colocándolo en su verdadera línea y posición. El ahínco, el deseo, o para hablar con más propiedad, esa ambición de extender nuestros vecinos su territorio, valiéndose de los aventureros de Tejas, puede decirse que fue la que dio lugar a las invasiones sobre Nuevo México y otros puntos de nuestros departamentos fronterizos. Las armas, por entonces, no les fueron favorables, y la victoria coronó la justicia de nuestra causa en Santa Fé y en otros varios encuentros.

En esta ocasión fue el secretario quien entró al salón e interrumpió a Bocanegra:

—Señor Ministro, lamento molestarlo pero ha llegado de improviso su Excelencia el señor Waddy Thompson, nuevo Ministro Plenipotenciario de los Estados Unidos quien, aunque no ha presentado sus Cartas Credenciales, suplica a usted lo reciba con urgencia. Trae una nota insistiendo en la liberación del señor George Wilkins Kendall.

Villa Marcela.
Cuernavaca, México.
Sábado 14 de julio de 1990.

GONZALO BUSTAMANTE y su esposa que se enteraron de su reciente llegada, habían invitado al pintor Nissen para pasar el fin de semana en la casa familiar de Cuernavaca, —de fino estilo mexicano— situada al inicio de la ciudad, en la parte más alta, adonde llega el aire fresco de la montaña, y el calor excesivo se repliega hacia los bajos. El jardín estaba lleno de laureles, bugambilias y jacarandas. Desde la terraza Brian dominaba el complicado panorama urbano, surcado de barrancas, que preside a lo lejos la austera Catedral del siglo XVI, cuyos frescos, que representan el martirio de San Felipe de Jesús en Nagasaki, recuperó el obispo Sergio Méndez Arceo e incorporó a su bien lograda remodelación inaugurada hacia treinta años

al entonces sacrílego son de los *mariachis*. La biblioteca le hacía
guiños con sus muchos libros políticos, de historia y arte. Allí
estaba, sobre un *fascistol*, el *Egerton en México* de gran tamaño,
la edición facsimilar del portafolios londinense. También hojeó
nuevamente el libro *La Pintura Mexicana* de Justino Fernández relativo a colecciones particulares, en donde varios críticos de arte comentan las obras del pintor británico. Luis Ortiz
Macedo habla de la "maestría del autor" y de su conocimiento
de la "geología regional y la flora local" al glosar la "Vista de
Zacatecas"; de que Egerton —"mientras más romántico más
pintor"— dibujó al hombre "consciente de su pequeñez", en su
estupenda obra titulada "Ráfaga de Viento en la Cumbre del
Popocatépetl", así como del "cálido cobrizo" de las piedras
de Morelia, en la excelente pintura del perfil lejano de esa
ciudad. Xavier Moysen ensalza "la sucesión de planos" con que
el artista inglés consigue la "profundidad y grandiosidad desea-
das" en sus cuadros, al comentar el del Lago de Pátzcuaro, aña-
diendo que en la tela del Valle de México, Egerton se coloca
entre los "grandes maestros del paisaje americano". Eugenio
Noriega Robles concede que Egerton estuvo "entre los mejores
pintores que vinieron a nuestro país", al deleitarse en el paisaje
de la ciudad de México; y al recrear la mirada en el relativo al
Canal de Chalco se hace lenguas de su "magnífica ejecución".
Sonia Lombardo de Robles añade que la "Vista de Alvarado"
es plenamente romántica, así como la de la Hacienda de la Condesa en Tacubaya, que muestra "una atmósfera cargada, donde está
empezando a llover". Por último Enrique F. Gual, al comentar
el cuadro "Portal del Sacramonte y Perspectiva del Popocatépetl" afirma: "Egerton tuvo algo de Colón; no sabe exactamente
a dónde llega...", y ensalza su "reconocido apego a las esen-
cias mexicanas que no intentó siquiera anglificar, sino todo lo
contrario". Brian había traído de Nueva York una maleta llena
de notas, cartas y recortes, además de su cuaderno rojo que a
pesar de todo aún conservaba varias páginas en blanco, pero
antes de abrir aquélla quiso leer el periódico. En el suplemento
"Cultural" del diario *El Nacional* de ese sábado, leyó que la
Facultad de Filosofía y Letras de la UNAM había organizado
recientemente un "Coloquio sobre novela policíaca", en el que

alguien había opinado que en Hispanoamérica aquélla era más
un tema que un género, aludiendo a la escasez de producciones.
Otros habían recordado las muestras mexicanas *El complot mon-
gol* de Rafael Bernal, los cuentos y guiones cinematográficos de
Antonio Helú, los de Edmundo Valadés y *La cabeza de la
hidra* de Carlos Fuentes. "La literatura negra —decía Walter
Ramírez de Aguilar —no cuenta con la tradición que existe en
países como Inglaterra o Estados Unidos de Norteamérica...
Asimismo... la novela policíaca ha sufrido transformaciones; la
de hoy ha dejado de jugar con las intrigas y el misterio." En
el mismo suplemento, dos páginas más adelante, Patricia Morales escribía un artículo titulado "Astrología": "Al momento de
nacer —dice Luis Lesur, astrólogo de San Ángel— el universo
está conformado de una manera, la posición de los cuerpos celes-
tes de un modo irrepetible. Y tú eres parte de ese preciso y
precioso instante, parte de ese todo que jamás ha sido y jamás
volverá a ser". Concluía que las determinaciones astrológicas
están dentro del sujeto y no fuera, que son irrenunciables aunque no se conozcan; que asumirlas permite autoconocerse mejor
y lograr lo que se busca en la vida, que la voluntad optimiza
las tendencias; se nos confirma desde las estrellas ese sentido
de unicidad tan necesario a la autoestima. Y terminaba: "Unicidad o individualidad presente en la novela." Brian pensó:
"Parece que el suplemento de este sábado hubiese sido escrito
para mí"; y recortó los dos interesantes artículos. Repasó después su correspondencia no abierta: Fernando Ramírez Caballero había invitado a comer a Miguel Ángel Porrúa para lo de
la edición del libro; su amigo el pintor Raymundo Sesma y su
esposa Ambra Polidori le felicitaban desde Milán por haberles
hecho llegar algunas notas sobre la novela: ella le sugería que
no la hiciese muy larga ni cargada de citas. La idea en sí de la
obra tal como la había concebido parecía interesar a muchos
amigos. Fernando Solana, ahora al frente de la política exterior
de México, encomiaba su "redescubrimiento" del pintor Egerton, al que conocía tan bien; Francisco Regens estaba ansioso
por leer el libro y ofrecía sus grabados; Lorenzo Vignal hizo
posible que fotografiaran en Londres el restaurado cuadro del
"Valle de México"; Héctor Pérez Gallardo y Antonio González

Karg le enviaban útiles traducciones; Alejandro Ainslie le remitía valioso material histórico de la época; la periodista y novelista Edith Jiménez, le sugería que no se tardara mucho en publicar, así como Fernando Rojo Reyes, Roberto Gamboa Mascareñas y Elda Narváez, quien solía copiar al óleo, con muy buen gusto, las litografías de Egerton, como la de la Plaza de San Diego, que Brian vio en casa de Carla y Paola Ruiz de Chávez. En cambio otros, como McKenzie Johnston y las amigas de Montse, Maruca y Cristina, le recomendaban paciencia, ya que se trataba de su primera obra literaria(si así se podía llamar eso que Brian traía en la cabeza) lo que seguramente le hubiera aconsejado también —si lo hubiese buscado— Alfredo L. Valdés, a quien siempre recordaba como periodista e ilustrador de gran experiencia. Decidió no contestar las amables cartas y ni siquiera volverlas a leer, pues ya se estaba poniendo nervioso. Prefirió revisar más a fondo la biblioteca de la casa y buscar algún libro que le ayudara a pensar en otra cosa. Pero no pudo, porque casi el primero que vio fue uno de Begoña Arteta sobre *Destino manifiesto*[186] en donde al respecto de la expedición a Santa Fé, leyó un párrafo que decía:

> Este intento de los texanos de apoderarse de Nuevo México ilustra claramente la vía de incorporación por voluntad propia que también manejaron los norteamericanos como una más de sus estrategias de extensión. Esto fue narrado por uno de los viajeros, Wilkins Kendall, que participó en la expedición, fue hecho prisionero y traído a México, lo que dió lugar a que se ocupara ampliamente de todo este episodio que lo convirtió en activo y radical propagandista del anexionismo, al volver a su país. [Aunque en realidad ya lo era desde antes, se dijo Nissen.]

El estupendo libro analizaba también las opiniones de Brantz Mayer y Waddy Thompson sobre Tejas y por un momento creyó que la autora podría haber descubierto la extraña convergencia de los tres escritores norteamericanos —Kendall, Mayer y Thompson— alrededor del famoso crimen de Egerton y Ag-

[186] *Destino manifiesto: viajeros anglosajones en México. 1803-1840.* México, Universidad Autónoma Metropolitana, Azcapotzalco, Ediciones Guernika, 1989.

nes, pero no había sido así; de todas maneras lo leyó con fruición. Luego extrajo de la bolsa un papel, fue al teléfono y marcó el número señalado en la pequeña hoja. Era la casa particular de un médico psiquiatra muy conocido en México. Pidió hablar con él.

Tacubaya,
Miércoles 27 de abril de 1842.

PARDEABA LA TARDE y aún caían las últimas gotas del aguacero primaveral que durante casi una hora había acompañado al pintor inglés a su regreso del hotel Vergara, donde había almorzado con su hermano William Henry y Charles Byrn. El caballo y su jinete dejaron la calzada que venía de Chapultepec, rodearon la alameda de Tacubaya y torciendo a la derecha por una desierta calle llena de charcos se dirigieron a la Casa de los Abades. Cástulo Tovar esperaba desde hacía ya un rato junto al amplio portón, pues don Florencio era muy metódico y siempre regresaba a la misma hora cuando iba a la ciudad. Pero esta vez Egerton se había retrasado un poco y el criado sólo supo que llegaba porque los dos perros salieron jubilosos ladrando a su encuentro antes que lo distinguiese a la luz ya mortecina. El artista desmontó con cierta brusquedad, extrajo de la bolsa lateral del albardón su cuaderno de dibujo y un paquete de cigarros puros que había comprado en la tabaquería situada junto al mesón, y entró a la casa saludando a Cástulo apenas con un gesto. Parecía preocupado, como si trajera algo en la cabeza, o quizá —pensó Tovar— era que ya se hacía tarde para acompañar a doña Inés en su acostumbrado paseo vespertino. El caballo venía bien sudado no sólo mojado, porque su piel estaba muy brillante y despedía ese humito que se forma cuando la lluvia cae sobre un animal que ha venido al galope; Cástulo decidió pasearlo bastante tiempo y tomándolo de la doble rienda lo jaló rumbo a la Plaza de Cartagena.

Todo esto lo había presenciado, desde el escondido umbral de una de las casas de enfrente, un lépero con sombrero de petate hundido hasta los ojos que no era otro que Ponciano

Tapia. El reloj de la parroquia tocó las siete campanadas y poco después Mariana Tamayo abrió el portón que su amo había cerrado al entrar para dar paso a la pareja. Él no se había quitado el atuendo de montar ni su sombrero de pelo y llevaba en la diestra un fino bastón. Doña Inés vestía un túnico ligero de color blanco y se tocaba con su sombrero *Bon Ami*, de esos que se atan con un listón bajo la barbilla. Se notaba que la señora ya iba a *aliviarse*, esto es, que pronto llegaría la hora de su parto, pues la protuberancia del vientre era manifiesta y caminaba despacio y con dificultad. Los dos perros los acompañaban jugueteando. Don Florencio era el único que hablaba y lo hacía en inglés, sin muchos ademanes pero acentuando el tono. Ella escuchaba mirando al suelo para evitar los charcos; y a veces volvía la cabeza y fijaba la vista en los ojos del padre de su hijo, que seguramente nacería la semana próxima. Pasaron cerca de Ponciano Tapia y aunque él oyó las palabras del pintor no entendió nada. Dejó que se adelantaran y cuando llevaban unos treinta metros de ventaja caminó tras de ellos. Después de unos minutos de marcha la pareja cruzó el pequeño puente y se dirigió rumbo al Portal de San Juan, situado atrás de la iglesia del mismo nombre, por donde comenzaba el a esas horas solitario camino al pueblo de Santa María Nonoalco. Como a los doscientos metros la señora se cansó y los amantes se sentaron en un poyo, continuando la conversación en que ella parecía preguntar algo. Ponciano se detuvo y los siguió vigilando de lejos como eran las instrucciones que tenía. Otros ojos que ya observaban a la pareja eran los del anglotejano Young Sully, escondido tras las ruinas de la ermita, cerca de los magueyales que bordeaban el camino quien los vio levantarse unos minutos después y dirigirse hacia donde él estaba, continuando su lento paseo, siempre acompañados de los perros; entonces hizo una seña hacia un lugar que estaba poco más adelante, llamado Pila Vieja, donde esperaban emboscados Joaquín Aguilera y los otros tres.

El sol se había escondido por completo pero su resplandor aún coronaba los lejanos montes que recortaban sus siluetas como si estuvieran más cerca. El crepúsculo era sereno y bellísimo, uno de los más impresionantes que el pintor y su mujer

Nº 40.   México, 2 May, 1842.

My Lord,

An atrocity seldom ~
equalled in the annals of crime
has been committed in the ~
neighbourhood of Mexico;
and your Lordship will be
concerned to hear that the
victims of it were British
subjects.

A short time ago a ~
Gentleman of the name of
Egerton, a landscape painter
by profession hired a Country

Earl of Aberdeen K T

                                              house

habían visto en su vida. Venus, el lucero de la tarde, brillaba esplendente. Junto a él, casi unido, se veía Marte, el rojizo planeta que parecía nacer del corazón mismo del ocaso. Se podían admirar miles de estrellas. Cuando pasaron a unos metros del oculto Sully, éste sólo pudo escuchar dos cortas frases pronunciadas por Egerton en un tono de incredulidad: "—My own brother! I can't believe it!" [187] El reloj de San Juan tocó las dos campanadas de la media. La pareja continuaba su marcha despaciosa, ella a la izquierda de él, con la cabeza recostada sobre el hombro de su compañero quien la rodeaba por atrás con su brazo. Las luces del cercano caserío proyectaron sus figuras hacia adelante mientras cruzaban frente a las ruinas de la ermita y avanzaban una docena de pasos más bordeados por los magueyes. Fue entonces que los perros comenzaron a ladrar como si hubieran visto un aparecido.

Ciudad de México.
Fines de julio de 1990.

BRIAN NISSEN nunca reveló el nombre del excelente médico mexicano con quien fue a conversar el lunes siguiente a su fin de semana en Cuernavaca. La segunda parte de éste había sido muy relajante para él, pues lo dedicó a nadar, hacer bromas con sus anfitriones, saborear enchiladas y pasear por el centro colonial de la "ciudad de la eterna primavera", justo apelativo de la popular villa que Hernán Cortés escogió para erigir su palacio y que los habitantes de la vecina capital seleccionan semanalmente, por su clima, menor altitud, verdor y cercanía, para huir desde el viernes de ese enorme monstruo que contiene ya más de quince millones de urbanitas, como los llama Fernando Rivera Álvarez.[188] En 1842, cuando la ciudad de México sólo contaba doscientos mil habitantes, el éxodo veraniego se detenía en Tacubaya o cuando más llegaba a San Ángel. Cuernavaca se empezó a poner de moda a fines del siglo, después de que Maximiliano de Austria, usurpador de un inexistente

[187] —¡Mi propio hermano! ¡No puedo creerlo!
[188] *El Urbanita*, México, SEP/Foro 2000, 1988.

trono mexicano, (y manipulado por Napoleón el pequeño) iba a esa villa a visitar a cierta dama, al parecer hija o esposa de un jardinero, según el florido relato de Fernando del Paso.[189] Pero el auge cuernavaquense es propio, sin duda, del siglo actual, ya que las carreteras y automóviles acercaron a ese tibio vergel a menos de una hora de Tlalpan, el antiguo San Agustín de las Cuevas donde Egerton y Matilde festejaban la Pascua, y que hoy es prácticamente la frontera sur de la gran urbe. Todo eso acababa de recrear mentalmente el pintor y escultor inglés cuando llegó al edificio que era su destino en la avenida de Las Palmas. Subió por el elevador y entró a la sala de recepción del prestigiado clínico quien ya estaba aguardándole.

Para Brian fue muy difícil explicar su caso a un extraño. No había sido la mismo con su amigo neoyorquino. Y además Brian necesitaba información antes de decidir; así que la pidió:

—Doctor, me lo recomendaron como facultativo serio, responsable, y experto en hipnosis —dijo.

El psiquiatra fijó en él sus ojos negros, penetrantes, en verdad sugestivos e interfirió:

—Cuando es necesario como terapia induzco el trance hipnótico. Soy miembro de varias sociedades que se especializan en el estudio y perfeccionamiento de la hipnosis clínica. Pero cuando no es necesario, por supuesto que no... ¿Por qué no me dice usted mejor qué le pasa, y me deja a mí que sugiera el tratamiento?

Nissen se ruborizó.

—Tiene usted toda la razón, doctor. Pero el caso es que a mí no me pasa nada, o casi nada, y no me siento enfermo...

Luego se fue soltando poco a poco y le refirió en detalle los sueños que había tenido antes de empezar la investigación, y el último, de hacía unos meses, todos relacionados con el asesinato de Egerton y Agnes. Le explicó que llevaba cinco años preparando una novela sobre el tema, que había agotado todas las fuentes conocidas de consulta, que había llegado a sus propias conclusiones pero que alguien le había sugerido someterse a una "regresión hipnótica" pues el pintor asesinado podría

[189] *Noticias del Imperio*, México, Diana, 1987.

haber reencarnado en él mismo, y... El facultativo lo interrumpió:

—¿Usted cree en la metempsicosis o reencarnación, señor Nissen?

—Hasta hace poco ni siquiera me había puesto a pensar en ella —respondió el interpelado— pero desde que tuve las pesadillas, aunque no creo en la reencarnación en sí, estoy seguro de que las huellas del pasado están presentes en nosotros y que las coincidencias no son gratuitas sino forman todo un diseño. Creo que mi obsesión o identificación con Egerton son consecuencia de estas circunstancias. En cuanto a la reencarnación como teoría no es algo nuevo. Platón habló de ella. Sé que casi todas las religiones orientales la admiten.[190]

El psiquiatra, que era un hombre moreno de más de cincuenta años, adoptó una postura más cómoda —ambos estaban sentados con su escritorio de por medio— y echando para atrás el respaldo de la poltrona giratoria, observó:

—Lo que verdaderamente importa es lo que usted cree, de lo que está convencido, o aquello que lo molesta y lo angustia, no lo que objetiva o universalmente pueda ser. Esto último es

[190] Dorothée Koechlin de Bizemont *L' Astrologie Karmique L'Astrologie D'Edgar Cayce,* París, Robert Laffont, 1983. Brian había leído en este libro que existen diferentes técnicas orientales y occidentales, para remontarse en el tiempo en búsqueda de existencias pasadas. En la India, Swami Vivekanda indicaba ejercicios y posturas para hacer a un lado el pensamiento cotidiano y arribar a la calma espiritual que permite a los recuerdos de vidas anteriores regresar a la conciencia. Frecuentemente se utiliza la música para apoyar la voz de un "maestro o animador" que ayuda al relajamiento y la apertura de la misteriosa puerta del pasado. Se relatan también las experiencias del coronel De Rochas que en 1911 publicó su libro *Las vidas sucesivas,* en que utilizó la sugestión hipnótica, lo que también hizo Edgar Cayce aunque después la abandonó y asimismo Morey Bernstein en 1952. La tesis del libro de la señora Bizemont es que la reencarnación fue admitida por los antiguos, los orientales y aún los primeros cristianos, pero que, repudiada en el Concilio de Constantinopla, se perdió para Occidente y apenas está siendo recuperada en nuestra época. Ver también *La vida entre las Vidas,* del doctor Joel L. Whitton y Joe Fischer que no sólo enfoca la regresión hipnótica a otras reencarnaciones como una terapia cada vez más practicada, a la que sin embargo se resisten los psicoanalistas clásicos, sino que relata sus exploraciones científicas sobre los intervalos entre cada corporización. México, Grupo Planeta, 1989.

más bien un problema filosófico o religioso, como usted dice. En eso no me puedo meter. Le diré, señor Nissen, que yo en lo personal no creo en la reencarnación. Tampoco me ha tocado en mis ya largos años de experiencia clínica, dentro de la cual he provocado la regresión de algunos pacientes bajo estado hipnótico, ninguna prueba o señal de que tales personas hubiesen recordado una vida anterior. En varios casos, por supuesto, recordaron hechos propios de su primera infancia y aún de su vida intrauterina que de otra manera no les hubieran regresado a la mente, pero nada más. Sé también que muchas personas han referido que entraron a un lugar determinado en que no habían estado nunca, por ejemplo en un país que visitaban por vez primera, y tuvieron la sensación del *dejá vu*, o sea de haberlo visitado antes. De ahí dedujeron algunos escritores, sin mayor apoyo científico, que esas personas habían realizado esa visita en una vida anterior, en otra corporización, como suelen llamarle. Conozco también las famosas experiencias del doctor Charcot, de De Rochas y de algunos parasíquicos y preconizadores del *Karma;* a mi juicio, no tienen nada que ver con la ciencia, o por lo menos no pueden probar que exista una transmigración de lo que llamamos alma, o simplemente vida humana.

Nissen no comentó nada de inmediato y pasaron unos segundos bochornosos. Luego pareció recordar cómo había empezado su plática, e insistió:

—Dígame usted, doctor, ¿para qué sirve la hipnosis?

El otro cruzó las manos frente a la cara en actitud un tanto docente:

—El trance hipnótico es esencialmente un estado psicológico especial dotado de ciertas características, que se parece al sueño, aunque sólo superficialmente, en el que el individuo funciona en un nivel de vigilia y receptividad, que se suele llamar, para fines de conceptualización, percepción inconsciente o subconciente. En el trance hipnótico se pueden aplicar estímulos que ayuden al paciente a superar algunos trastornos o reorientar su conducta futura. En el fondo el sujeto se concentra en un cierto orden de ideas y sensaciones, se despega de lo exterior y su receptividad aumenta notoriamente. No es cierto, por supuesto, que la persona en ese estado caiga bajo la influencia de la voluntad del terapeuta. El trance sólo puede lograrse con una cooperación absoluta entre los dos, y por ello, si falta una de las dos voluntades, éste se rompe. Las novelas policíacas y los filmes le han hecho mucho daño a la terapia hipnótica, pues frecuentemente presentan casos en que cierto crimen fue cometido bajo la influencia de la hipnosis o la sugestión de un tercero. Pero todo eso no pasa de ser una fantasía.

Tomó aliento y luego continuó:

—La consideración más importante al inducir el trance es que el paciente preste su voluntad y cooperación, y se interese en desarrollar una nueva experiencia que le pueda ser útil y que en todo caso, si se maneja profesionalmente, no puede provocarle daño alguno. Aunque existe una técnica general, la inducción tiene que ser individualizada, como estrictamente personales son los fenómenos hipnóticos que varían de un sujeto a otro, dependiendo de muchos factores, incluyendo la profundidad del trance y por supuesto sus propósitos y los estímulos usados. Ordinariamente el comportamiento de una persona en el trance hipnótico se caracteriza por su simplicidad y por sus respuestas emotivas que sugieren su infancia. Así se llega a lo que usted me ha comentado: el fenómeno de la regresión, que puede intensificarse de tal manera que el sujeto experimente una pérdida retrogresiva de recuerdos, conocimientos y respuestas y recupere o restablezca aquéllos propios de su infancia.

Brian fue el que interrumpió ahora:

—A eso quería yo que llegáramos, doctor. Lo que a mi me interesa es saber si usted me puede ayudar a que yo recuerde haber sido Egerton en... en... otro momento de mi vida, o por lo menos a que yo pueda encontrar en mí mismo, mediante la hipnosis, la respuesta a mi gran interés por la muerte de ese pintor que vivió aquí hace siglo y medio y del que yo nunca oí hablar en mi país hasta que vine a México, hace más de veinte años y conocí sus litografías. ¿Por qué he sido precisamente yo quien he tenido que ocuparse de su asesinato y de investigar aquello que no quedó claro entonces? ¡Quiero saber la verdadera razón de todo esto!

—La respuesta es muy sencilla, señor Nissen, —el tono del médico se hizo más definitorio— y se reduce a esto: su voluntad. Todo lo que ha hecho usted en esta averiguación histórica tan interesante, por la cual lo felicito, nace de la expresión libre de su voluntad. Sus sueños deben ser un trasunto de su interés, y éste ha surgido de las coincidencias que existen entre usted que es pintor, inglés, ama a México y ha vivido en Tacubaya, y la vida de Egerton que usted conoció por la historia y por las biografías, *desde antes* de tener su primera pesadilla. ¿Usted cree, señor Nissen, que si no hubiera sabido usted quién era Egerton, lo hubiera soñado?

—Puede ser que no —contestó éste— pero lo que me parece muy extraño es que prácticamente he seguido el mismo itinerario geográfico y artístico que él y que me he topado con su vida y con su muerte como si fueran las mías, y eso no me lo puedo explicar. Por eso precisamente deseo que usted me ayude, doctor; ¡claro!, si usted quiere y puede. Había dejado caer las últimas palabras con cierta ironía que el médico captó de manera inmediata:

—Yo estoy para ayudarlo y lo voy a hacer gustosamente por dos razones: la primera de ellas es que usted padece un ligero estado de angustia que podría crecer y convertirse en algo más serio, lo que es conveniente evitar; la segunda es que una vez que esté usted seguro de que no es la reencarnación de Egerton podrá escribir su libro con toda tranquilidad, aprovechando su larga investigación, ¡y yo quiero leerlo, pues el tema me parece muy interesante! —Terminó de sonreír y dijo a su nuevo paciente. —La terapia toma su tiempo. Necesitamos conversar relajadamente quizá durante varias sesiones, hasta que yo lo sienta a usted maduro para que cooperemos juntos en algo tan importante como es un trance hipnótico. Si usted pudiera volver mañana a las cinco de la tarde, podríamos dedicarnos unas tres o cuatro horas, con mucha calma, a echarle fuera todas sus dudas. ¿Está usted de acuerdo?

Brian dijo que sí.

VARIAS VECES visitó Brian al doctor en esos días, aprovechando que Montse se había quedado en Nueva York. Le había dicho que iría a México para continuar la investigación, pero en realidad había venido a someterse al proceso hipnótico. Ella

no tenía por qué saberlo, no quería darle ese mal rato. Por
otra parte aquéllo era inocuo. La primera sesión clínica la pasó
con el doctor llenando una especie de larga ficha biográfica con
todas sus enfermades físicas (las que él recordaba) y con la
descripción que hizo de sus padres, sus hermanos, su infancia,
sus amigos, sus escuelas, Edgware, Hampstead, Londres, su viaje
a México, Tacubaya, Nueva York. Preguntó el médico sobre su
vida afectiva y sexual, cómo se describía a sí mismo, por qué
era pintor y escultor, qué buscaba en el arte, cómo había descubierto su vocación. Hablaron ampliamente sobre Egerton y
el doble crimen. Todo quedaba impreso en *cassettes* a través
de una grabadora con excelente micrófono de solapa. La voz de
Nissen se reproducía nítida, clara, inconfundible. El médico le
explicó que inducir una regresión por medio del hipnotismo no
era fácil, y que en todo caso debía hacerse por una razón válida
desde el punto de vista psicoterapéutico, siempre en beneficio del *ego* del paciente, en cuanto implicaba una disminución
de la relativa autonomía del propio *ego*, controlador del comportamiento, frente al *it* o *id*, o sea la parte de la psique asociada a los impulsos instintivos y primitivos, que iba más allá
de la que proporciona el sueño, el alcohol, la anestesia o la
creación artística. Aclaró:

—Para que podamos trabajar juntos en el proceso de inducir
una posible regresión suya a un tiempo determinado, especialmente a su infancia, además de proceder paulatinamente debemos escoger una relación interpersonal fuerte que lo haya ligado
a usted en esa época, a la que yo lo invitaría a "regresar" dentro del trance. Si podemos establecer con claridad ese núcleo es
muy factible que logremos alcanzar el estado regresivo en el trance, el cual implica como he dicho una alteración momentánea de
la personalidad en provecho de la parte instintiva, y una trans-
ferencia de relaciones, aunque la situación es totalmente recu-
perable. Tenemos la ventaja que aunque usted sufre un leve
estado de angustia su mente está completamente sana, su *ego*
equilibrado, y es usted mismo el que desea intentar la regresión. En caso de trastornos serios como la esquizofrenia —en
la que el *it* domina al *ego*— o del famoso "lavado de cerebro",
en que éste es dominado por el ambiente del tribunal de con-

fesiones, y también en la búsqueda de traumas psicológicos desconocidos, suele haber resistencia del paciente. Su caso, en cambio, es muy favorable. Podría afirmar que si seleccionamos una buena relación interpersonal en su pasado, la regresión será prácticamente inevitable. Y una vez obtenida, creo que despejaría todas sus inquietudes y que el estado de angustia desaparecerá. ¿Está usted dispuesto a cooperar, señor Nissen?

—Por supuesto, —respondió éste quien ya estaba entendiendo de qué se trataba todo.

—Muy bien —añadió el facultativo— estimo que lo más apropiado es escoger como núcleo la relación habida con su madre cuando usted tenía cinco o seis años... ¿Dónde vivían entonces?

—En Hampstead, las alturas de Londres, donde también habitó Daniel Thomas Egerton más de un siglo antes, —acotó el artista.

—Así lo haremos: trataré de inducirle a establecer contacto con el medio ambiente pretérito, en primer lugar, y luego procuraré llevarlo a la relación de entonces con su madre. Si usted pone todo de su parte no tengo duda alguna de que resultará. Pero basta por hoy; nos veremos mañana a la misma hora —concluyó el terapista.[191]

En la segunda sesión pasaron al diván, en una atmósfera distinta: semipenumbra, aislamiento de objetos y ruidos, conversación a media voz. El médico había estudiado cuidadosamente a Brian, había valorizado su receptividad, su estado de ánimo, sus actitudes ante la vida, sus reacciones. Estaba utilizando las propias pautas de respuesta del paciente para seguir el interrogatorio en un terreno cada vez más personal, más íntimo. Empezaba la labor de sugestión:

—Relájese, Brian. Así, así está bien... Ahora cierre usted los ojos. Descanse... Olvídese de dónde está... Nada de lo que le rodea es importante. Así, así... Usted quiere dormir,

[191] Ver Merton M. Gill M.D. y Margaret Brenman, *Hypnosis and Related States. Psychoanalitic Studies in Regression*, Ph. D. International University Press Inc., New York, cap. 5, pp. 168 y ss. También "Hypnosis" en el tomo 11 de la *Encyclopaedia Britannica*, 1966, pp. 955 y ss.

D.T. Egerton: *Paisaje.*
Aguatinta. Colección: Hernández Pons

debe dormir, va a dormir. Así, así ... Yo lo acompaño, Brian, lo cuido, lo protejo. Estoy con usted. Confíe en mí. No se preocupe de nada. Así ... su cuerpo ya no pesa. Ya no lo siente. Está usted flotando, Brian. Suave, suavemente ... ¡Qué hermoso flotar así! Está usted muy a gusto. Muy a gusto ... En una hermosa pradera. Está usted en la gran loma de Hampstead ...

Nissen había entrado sin dificultad alguna en el trance. Después de unos segundos empezó a responder preguntas elementales:

—¿Hace frío? ¿Hace calor? ¿Qué vé usted, Brian? ¿Cómo se siente? Descríbame usted el panorama, despacio, todo el panorama ...

Cuando terminó la sesión Nissen había estado en un trance ligero más de diez minutos, pero la grabación registraba sin equívoco su gran perceptividad del paisaje de las alturas londinenses que había descrito como las conoció cuando era niño. En esa parte, Brian había empezado a hablar en inglés. El médico le sacó del trance deliberadamente sin exigirle más. Era la primera vez y todo había salido a pedir de boca. No había por qué forzarlo. Cuando Brian oyó la *cassette*, todavía desde el diván y descansando, pero con un mayor nivel de iluminación en el consultorio, sintió una sensación de alivio, de paz, como la que había tenido antes, durante el breve trance. El doctor comentó que todo iba muy bien, que respondía maravillosamente a los estímulos y que a él no le había costado ningún esfuerzo especial inducirlo:

—Vamos por buen camino, señor Nissen. ¡Ojalá todos mis pacientes cooperaran como usted! —dijo con una sonrisa de amigable complicidad.

Durante la tercera sesión el propósito de la terapia era lograr que el pintor entrara en un trance profundo y contestase preguntas cada vez más importantes sobre su infancia y sus relaciones familiares. El médico las había preparado por escrito y en inglés, para facilitar la respuesta del paciente y ayudarlo a penetrar en su primera ambientación vital, cuando Brian aún no sabía hablar español. El facultativo había obtenido un post grado en los Estados Unidos y manejaba bastante bien aquel idioma. Lo empleó desde el periodo inicial de la sugestión:

—You are going to sleep again, Brian. Relax ... Relax ...[192]
Con mayor facilidad que la vez anterior, sin temor a lo que ya
había experimentado, Nissen penetró en esa especie de dulce
subconciencia en que la mente se despoja de lastres recientes
y se retroalimenta por las sensaciones prístinas. Algo parecido
a lo que le sucede a un arterioesclerótico, que olvida el pasado
inmediato y hasta en qué lugar se encuentra, pero recuerda con
precisión episodios menores de su vida juvenil o infantil y largas listas de personas o sucedidos triviales que conoció muchos
años antes. Usando lo mejor de su técnica el doctor lo indujo
paulatinamente a un trance más profundo y prolongado que
la vez anterior. Brian reveló en ese estado algunas cosas sobre
su familia distintas a las que había declarado en plena conciencia; su veracidad era total, se había desprendido de toda
autorrepresión; su lenguaje era más sencillo, infantil se diría,
hasta la voz era meliflua, más aguda, diferente a la suya en
condiciones ordinarias. El médico vio que todo iba muy bien:
el paciente estaba tranquilo, no se agitaba, no se angustiaba
por sus recuerdos, su vida había sido grata, la remembraba sin
desazón. Lo llevó entonces a la relación con su madre, que
Brian calificó de muy hermosa; le pidió que le contestara si lo
había amamantado: la respuesta y los gestos de Brian no dejaron duda de que sí. Luego se internó más allá. Le preguntó
si recordaba su estancia en el seno materno. No hubo respuesta
oral, pero Brian empezó a encogerse en el diván poco a poco,
hasta tomar una posición muy semejante a la fetal, con las
piernas plegadas y los antebrazos cubriendo su cabeza. Aquí
venía lo más delicado y el médico lo sabía, pero la terapia marchaba como sobre ruedas, el sujeto respondía espléndidamente
el trance era muy profundo y en esa sesión podía acabarse
todo. Brian podría reconocer en pocos minutos más lo inútil
de sus preocupaciones; había que intentarlo, se dijo.
—Can you hear me, Brian? Do you remember something
before that moment? Before ... Before ...[193]

---

[192] "Va usted a dormir otra vez, Brian. Relájase, relájese."
[193] "¿Puede oírme, Brian? ¿Recuerda algo antes de ese momento?
Antes ... Antes ...".

Lentamente el cuerpo encogido se distendió. Era otra vez el adulto que emergía. El médico pensó que la terapia no había podido llegar más allá. De repente Brian crispó el rostro y con una voz más seca, metálica, distinta también de la suya gritó:

—Agnes, run away, run away! My son! [194]

El doctor, tomado por sorpresa, estuvo a punto de despertarlo pero comprendió que sería un error. Lo dejó que hablase sin preguntarle nada. No había necesidad, era el propio Brian quien estaba ahora conduciéndose a sí mismo, había tomado el control de su propio trance, él sabía qué hacer. Luego exclamó en español, con ligero acento:

—¡Bandidos, miserables!

Recordaba sin duda algo violento, una lucha quizá, un ataque o asalto, pensó el terapista. Entonces comprendió todo: ¡Nissen estaba hablando como si fuese Egerton! Interrumpió su pensamiento para oír las siguientes frases:

—I can't believe it! My own brother! He's changed towards me because of that old pederast, Byrn! Damned sodomite! William told me about it this afternoon: beware of the Texans! Then I understood it all! He sold my works to Houston behind my back! Now he is afraid both for me and for himself! A Judas! How could an Egerton become a homosexual? But then the real traitor was Byrn! The old sod wanted to protect his lover William! It's shameful! Disgraceful! [195]

El paciente se había agitado al pronunciar las últimas frases y respiraba con cierta sofocación. Aún así su estado era totalmente controlado, sin las agudas excitaciones y los movimientos frenéticos de otros sujetos que verdaderamente se estremecen y brincan en el trance cuando recuerdan algo que les produce angustia. Ahora Brian estaba más calmado. ¿Continuaría hablando?, se inquirió el médico. Pronto tuvo la respuesta:

[194] "—¡Agnes, corre, corre! ¡Mi hijo!
[195] "—¡No puedo creerlo! ¡Mi propio hermano! ¡Cambió conmigo por culpa de ese viejo pederasta, Byrn! ¡Maldito sodomita! William me dijo esta tarde: ¡Cuídate de los tejanos! Entonces entendí todo. ¡El vendía mis trabajos a Houston a mis espaldas! ¡Ahora tiene miedo por mí y por él! ¡Un Judas! ¿Cómo pudo un Egerton convertirse en homosexual? ¡Pero entonces el verdadero traidor fue Byrn! ¡El viejo maricón quería proteger a su amante William! ¡Es vergonzoso! ¡Una desgracia!"

—Agnes, my love... Matilde, mi Brujita... Giorgiana darling... Mamma, Mamma, where are you? It's me, Daniel Thomas, I'm here, here, with you.[196] El cuerpo de Nissen empezó a encogerse de nuevo, su rostro se relajó, sus codos y rodillas se juntaron. Era un niño otra vez y dormía. Pasaron dos largos minutos y el doctor decidió sacarlo lentamente del trance:

—Brian, Brian, ya pasó todo. Regresamos a Hampstead. Otra vez el verde prado. Londres está allá abajo. Vamos a México. Su estudio de Tacubaya. ¡Qué hermosa vista de los volcanes! Mire usted el paisaje... Descanse... Descanse... Hemos llegado. Ya estamos aquí otra vez... Ahora despierte.

El paciente abrió los ojos sin sobresalto y los enfocó a su terapista. Este sonrió.

—Todo estupendo, señor Nissen. Descanse un poco; le hará mucho bien. Luego conversaremos y escuchará usted la cinta.

[196] "—¡Agnes, mi amor! ¡Matilde, mi Brujita! ¡Querida Giorgiana! ¡Mamá, mamá! ¿Dónde estás? ¡Soy yo, Daniel Thomas! ¡Aquí estoy, aquí contigo!"

Los Niños Héroes de la batalla de Chapultepec, 1847

26. A manera de epílogo

"Morían las últimas hogueras,
reducidas ya a humareda chata y
hermana de la ceniza.
Y no había otra cosa viva ahí.
En tumba de ceniza, fango y sangre
yacían todos los moradores de este pueblo,
niños degollados por dardos de pedernal,
mujeres destripadas por cuchillos de piedra,
ancianos atravesados por las lanzas
de los guerreros.
Y los propios guerreros muertos
sobre sus escudos,
atravesados también por las lanzas.
Ceniza helada las esteras y las almadías.
Y de la rama de un árbol colgaba,
ahorcado por el cinturón de plumas negras,
el joven guerrero que una vez confundí
con el jefe de esta errante nación."
Carlos Fuentes, Terra Nostra.
México, 1975.

EN EL VERANO de 1844, cuatro meses después de la ejecución de dos de sus cómplices, fue recapturado el prófugo Joaquín Aguilera cerca de la fuente del Salto del Agua y puesto a disposición del juez Puchet, pero éste que ya lo había sentenciado a muerte en primera instancia no tuvo más remedio que remitirlo a la Sala del Crimen del Tribunal Superior para que continuara la interrumpida apelación. Por órdenes de don Manuel Baranda, Ministro de Justicia quien no quería que Aguilera volviese a escapar, ni que Puchet hablara con él, fue incomunicado sin otro permiso que el de asistir a las diligencias de la Sala y recibir a sus abogados. Cuando la apelación le fue negada pasó a la capilla de la ex Acordada y una mañana muy temprano, asistido por el franciscano Manuel Pinzón, fue ajusticiado en la alameda de Tacubaya, ante una docena de curiosos y veinte o treinta soldados y policías. Tan escasa concurrencia se debió a que el crimen de Egerton ya había pasado de moda. De lo anterior pudo deducir Brian Nissen que ni don José María ni don Leandro pudieron hablar nunca más con el carretero que había encabezado la banda de asaltantes, y por tanto oír de él una confirmación directa sobre la participación de Young Sully. Puchet confirmó —en cambio— que Joaquín Aguilera hasta el momento final en que era conducido al patíbulo tenía la certeza de que sería liberado nuevamente por la "poderosa organización" a la que prestó sus servicios de matón profesional en el paraje de Pila Vieja. Don Carlos María de Bustamante comentó que después de haberse distribuido el fruto del crimen entre cada uno de los que participaron en él les había tocado a razón de tres reales, lo que en el caso del recapturado no era cierto, pues éste se quedó con una cantidad muy superior que le adelantaron los anglotejanos. Hablando de los "tres reales", el historiador dice: "¡Por tan ratera suma cometer tres homicidios! ¡Cuánta sería la perversidad de estos malvados!" [197] El tercer homicidio había sido, por supuesto, el del hijo de Daniel Thomas Egerton y Agnes Edwards, que de no mediar la violación y el asesinato de su madre, hubiera nacido a principios de mayo siguiente. ¡Aquél hijo varón que el pintor siempre quiso tener!

El 12 de abril de 1844, los Estados Unidos de América y la República de Texas celebraron un tratado para que ésta última fuese anexada a la Unión Americana y convertida en estado. A pesar de la oposición de algunos políticos del Norte, el gobierno del presidente Polk logró por fin que el Senado aprobara dicho tratado en 1845. El general Juan N. Almonte, Ministro de México en Washington, había advertido que la anexión de ese territorio, legítimamente mexicano, significaría el rompimiento y la guerra. Pero eran los norteamericanos los que estaban ansiosos de hacérsela a México, porque su poderosa clase sureña esclavista quería conquistar más tierras y proyectarse hacia el Oeste, en donde coincidía con los intereses comerciales del Norte que necesitaban puertos en la costa del Pací-

[197] Bustamante, *Apuntes para la historia . . .*, p. 288.

CARLOS NEBEL: *Asalto al Castillo de Chapultepec,*
13 de septiembre de 1847. Litografía

fico. A esto debemos agregar el apogeo de la teoría del *destino
manifiesto*, o sea la designación providencial del pueblo norteamericano para extender el área de la libertad y el derecho
especial a poseer territorios de los cuales otros pueblos no sa-
caban provecho alguno en bien de la civilización y de la humanidad. El primer pretexto para la guerra, sin embargo, fue el
incumplimiento por parte de México del Tratado de 11 de abril
de 1839 por el que debía pagar un total de seis millones de
dólares, que luego fue renovado por otras dos convenciones con-
cluidas en enero y noviembre de 1843. El segundo pretexto fue
que México se había negado a recibir al señor John E. Slidell,
como Enviado Extraordinario y Ministro Plenipotenciario, el
cual llevaba instrucciones del presidente Polk de reclamar otro
pago de más de tres millones de dólares por supuestas indem-
nizaciones a norteamericanos y proponer la compra de Nuevo
México y de la Alta California en treinta millones de dólares,
condiciones que eran no sólo inaceptables sino indignas para
el gobierno mexicano, tanto el del presidente Herrera (1845)
como el del presidente Paredes Arrillaga (1846), pues Santa
Anna estaba en uno de sus raros recesos del poder.[198] De entre
los pretextos aludidos, el rechazo de la comisión del señor Slidell
fue el más ridículo pues éste ocurrió en marzo de 1846, cuando
las tropas yanquis se encontraban en El Sauce, a 119 millas
de Corpus Christi y por tanto muy adentro del territorio mexicano, pues de hecho el gobierno de los Estados Unidos había
dado las órdenes de guerra desde el 13 de enero anterior. El
general Zacharias Taylor por el norte y el general Winfield
Scott desembarcando posteriormente en Veracruz, encabezaron
la invasión. La resistencia de los mexicanos fue heroica en
ambos frentes: Palo Alto, Resaca de Guerrero, La Angostura,

[198] Véase: Ariel Abbot Livermore, *Revisión de la guerra entre México y los Estados Unidos*, traducción, prólogo y notas de Francisco
Castillo Nájera, México, 1948. También Magdalena Campos de Ibáñez,
La guerra de Texas. La guerra con los Estados Unidos, Apuntes de
clase, edición privada, México, 1986. Josefina Zoraida Vázquez, "Los
primeros tropiezos" en *Historia general de México*, México, El Colegio
de México, tomo 2, 1981. Vito Alessio Robles. *Coahuila y Texas desde
la consumación de la Independencia hasta el Tratado de Paz de Guadalupe Hidalgo*. México, Porrúa, 1979.

Monterrey, Saltillo, Veracruz, Cerro Gordo, Churubusco, Padierna, Molino del Rey y Chapultepec recuerdan furiosos y desiguales encuentros entre mexicanos y norteamericanos, unos defendiendo su soberanía territorial y otros ávidos de mesiánica conquista. En el asalto del castillo de Chapultepec, el 13 de septiembre de 1847, los cadetes del Colegio Militar, unos niños apenas, defendieron la posición con heroicidad suprema, hecho que ni siquiera consignan los historiadores norteamericanos. Se afirma que uno de esos cadetes se arrojó desde el parapeto envuelto en la bandera de su Patria antes de verla mancillada por los yanquis. En esa jornada murió el pundonoroso coronel Felipe Santiago Xicoténcatl, quien había sido amigo de Egerton, y recuperó su merecida fama de valiente patriota su venerable gran maestro de logia, el ex presidente general don Nicolás Bravo. También ahí una justiciera bala mexicana hirió en una rodilla al corresponsal de guerra George Wilkins Kendall, quien saboreaba junto con el ejército norteamericano el sufrimiento y la muerte de los defensores del país.[199] El Cónsul británico Mackintosh prestó su casa de Tacubaya para el alojamiento de algunos oficiales norteamericanos. Al día siguiente, el general Scott entró por Chapultepec y San Cosme hasta el Zócalo y mandó izar en el asta del Palacio Nacional la bandera de las barras y estrellas, —como habían temido Gutiérrez Estrada y Mariano Otero— lo que ejecutaron el capitán Robert E. Lee y el teniente P. G. T. Beauregard, de su Estado Mayor, ayudados por el riflero Roberts.[200] Los dibujos y litografías de Egerton que prestaron gran utilidad a los ejércitos invasores fueron los referentes a distintas vistas del puerto de Veracruz, el puente de Plan del Río, Perote, Puebla, la ciudad de México, Tacubaya y el castillo de Chapultepec, tomando en cuenta sólo los muy conocidos, pues se ignoran muchos otros y también las descripciones del Diario del pintor que llegaron a manos de los anglotejanos, quienes para ese momento venían enfundados ya en

[199] Milo Milton Quaife, Introducción histórica a la *Narrative of the Texan-Santa Fe Expedition*, Geo Wilkins Kendall, Chicago, The Lakeside Press, 1929, p. XXV.

[200] George Baker, *México ante los ojos del ejército invasor de 1847* (Diario del coronel Ethan Allen Hitchcock), México, UNAM, 1978. Ver también Geo Wilkins Kendall, *War between the USA and Mexico. Op. cit.*

CARLOS NEBEL:
Las tropas norteamericanas en la gran plaza de la ciudad de México,
14 de septiembre de 1847,
según la descripción de George Wilkins Kendall. Litografía
Colaboración de Ricardo Ampudia

sus azules uniformes yanquis que luego cambiarían por los grises de la Confederación.

El capitán Robert Edward Lee, durante su estancia en la ciudad de México acudió al panteón inglés de la Tlaxpana para depositar unas flores en la tumba de Agnes Edwards, a la que había conocido de niña en Ditchley, la casa de sus familiares británicos. Con ella había sostenido durante muchos años una tierna pero respetuosa relación epistolar; Agnes le había participado su unión con Egerton y Lee se había enterado en 1842 del asesinato de ambos por el *Daily Picayune* de Nueva Orleáns. Años después, siendo ya general, Robert E. Lee comandaría los ejércitos de la Confederación Sureña en la Guerra Norteamericana de Secesión, y después de retirarse moriría en su natal Virginia en 1870.

En 1847, con el ejército norteamericano invadiendo al país, se promulgó el Acta de Reformas que restablecía la Constitución Federal de 1824. En el Congreso respectivo fue diputado don Mariano Otero, considerado desde entonces uno de los padres del *Juicio de Amparo* y de la reforma del sistema electoral, quien rechazó en marzo de ese año —como había anunciado— la cartera de Relaciones que le ofreció Santa Anna, pero la aceptó del presidente Herrera en junio de 1848. Después de la derrota se opuso terminantemente a la mutilación del país y al Tratado de Guadalupe Hidalgo por el que México no sólo perdió Tejas, que era el territorio en disputa, sino Nuevo México y la Alta California, que comprendían también los actuales estados de Arizona, Colorado, Nevada, Wyoming, Utah y parte de otros: más de dos millones de kilómetros cuadrados. Otero moriría a los treinta y tres años en 1850.

Otro de los diputados al Congreso de 1847 fue don Benito Juárez, quien en las dos décadas siguientes se convertiría en el gran caudillo del movimiento liberal y federalista, jefe indiscutible de la brillante generación de la Reforma y de las logias masónicas reorientadas con un espíritu nacional. Triunfador de la Guerra de Tres Años contra los conservadores y de otra más cruenta y larga contra la intervención francesa y el llamado Imperio de Maximiliano, sentaría las bases de la sociedad civil, nacionalizaría los bienes eclesiásticos, separaría al Estado de

la Iglesia y establecería el principio ideológico contradictorio
al *destino manifiesto:* "Entre los individuos como entre las naciones, el respeto al derecho ajeno es la paz." Juárez, sin duda
el más grande de todos los mexicanos, declarado "Benemérito
de las Américas", había nacido de familia indígena en Guelatao,
Oaxaca, en 1806, y falleció como presidente de la República en
el Palacio Nacional en 1872.

El general don Antonio López de Santa Anna fue presidente
por octava vez, de junio a septiembre de 1844; por novena y
décima durante diez días del mes de marzo y del 20 de mayo
al 15 de septiembre del año de 1847; por tanto le tocó ser el
gran derrotado en la guerra contra los Estados Unidos. Durante la defensa de la ciudad de México sus viejas rivalidades
con los generales Gabriel Valencia y Juan Álvarez entorpecieron
los movimientos tácticos del ejército mexicano que pudiendo
derrotar al invasor no le presentó un frente homogéneo y coor-
dinado. El general Valencia moriría muy rico pero muy amar-
gado al año siguiente. Santa Anna sería presidente de la República por décimaprimera y última vez en 1853, se haría llamar
"Su Alteza Serenísima", tendría tiempo para firmar la venta
a los Estados Unidos del territorio fronterizo de La Mesilla,
llamada allá "compra Gadsen"; para presenciar que el pueblo
desenterrara del panteón de Santa Paula los restos de su pie
que había mandado glorificar y los arrastrara con escarnio por
toda la ciudad; y para ser derrotado y expulsado del país, en
1855, por la Revolución de Ayutla, cuya alma militar fue precisamente el general Juan Álvarez. Éste, quién lo sustituyó
como presidente de la República, se retiraría a la imagen de
Cincinato al año siguiente y fallecería en 1867. Santa Anna
vivió varios años en Turbaco, Colombia; brevemente en La
Habana, Saint Thomas y Nassau y regresó definitivamente
a México en 1864, pasando sus últimos y patéticos días en una
casa de la calle de Bolívar, antes Vergara, donde su segunda
esposa, doña Dolores Tosta, reclutaba vagabundos y limosneros
para que le pidiesen audiencia con objeto de que se sintiera
importante. Don Joaquín García Icazbalceta refiere que cuando le mostró un mapa que consignaba los territorios perdidos
o vendidos por él, se extrañó vivamente confesando que era

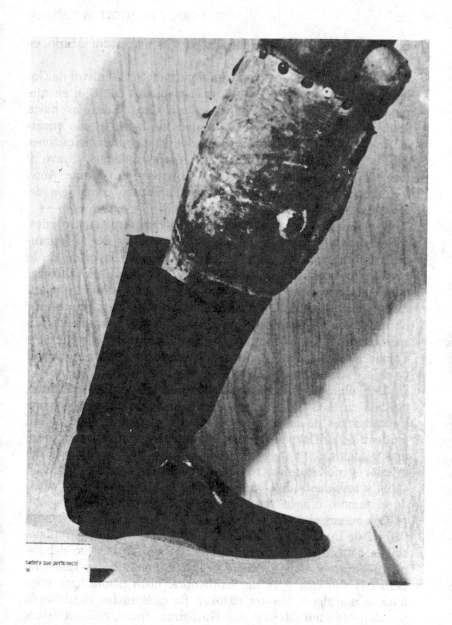

Pierna postiza del general Santa Anna, hecha de madera y cuero.
Se conserva en la Sala de Armas del Museo Nacional de Historia

la primera vez que se percataba de su magnitud. Murió en
1876.

Don José María de Bocanegra dejaría de ser Ministro de Gobernación y Relaciones Exteriores a mediados de 1844, en que
renunció por motivos de salud. Escribió sus *Memorias* hasta
1862, año de su fallecimiento, después de haber estado encargado de la política interior y exterior en las administraciones
de los presidentes Victoria, Guerrero, Santa Anna, Bravo y
Canalizo y de la hacienda pública con Guerrero, Santa Anna
y Bustamante, además de su breve interinato como jefe del
Ejecutivo.

Don Carlos María de Bustamante viviría otros cuatro años,
suficientes para llorar la derrota mexicana ante las armas anglosajonas y moriría justo un año después de la caída de la
capital, consciente ya de la mutilación del territorio nacional
que había profetizado. Su "Diario" no ha sido editado íntegra-
mente pero el original se encuentra completo en la ciudad de
Zacatecas cuyo patrimonio artístico e inmobiliario vigilan tan
celosamente el historiador don Federico Sescosse y el arquitecto
Toledo Farías, quienes admiran los dibujos de Egerton sobre el
paisaje y los monumentos locales.

Don Juan de Dios Cañedo, quien con su ingeniosa intervención en el Congreso resolvió el problema de qué hacer con
los cadáveres de los ingleses y resultó el padre indirecto del
panteón de la Tlaxpana en donde fueron enterrados Daniel Thomas y Agnes, fue varias veces diputado y senador, Ministro del
interior y del exterior, enviado diplomático a Brasil, Perú y
Chile y presidente del Ayuntamiento de México en 1844, cuando el famoso crimen fue aparentemente resuelto. Murió asesinado a su vez el 28 de marzo de 1850 en su cuarto del famoso
"Hotel de la Gran Sociedad", —sitio de la conspiración anglotejana contra el pintor británico— ubicado en la calle del Espíritu Santo y Coliseo Viejo, actual esquina de las calles de
Isabel la Católica y 16 de Septiembre, justo donde hace unos
años se ubicaba la ferretería Boker. Su cadáver fue identificado
por don Mariano Otero y don Guillermo Prieto, quienes estando en la casa del primero, al oír gritos en la calle de que habían
asesinado a Cañedo corrieron a la habitación de éste sólo para

encontrarlo bañado en sangre, acribillado a puñaladas y ya sin vida. Las malas lenguas atribuyeron el crimen a los amigos del general Mariano Arista, a la sazón Ministro de Guerra y Marina, de quien Cañedo era opositor, pero en realidad el terrible asesinato nunca fue aclarado.[201] Otra muerte violenta que permanece en la historia de México como una interrogación fue la del propio general Nicolás Bravo quien después de gobernar Puebla se retiró a la vida privada y aparentemente fue envenenado en 1854.

Don José Justo Gómez de la Cortina, más conocido como Conde de la Cortina, y que como el doctor Puchet fue uno de los notables de la Junta que suscribió las *Bases Orgánicas* de 1843, se dedicó después a producir obras científicas, gramáticas y literarias, pero se vio obligado a vender su rica biblioteca y la apreciable galería de pinturas —incluyendo dos de Egerton— de su célebre "Casa Colorada", donde recibía a su amigo el pintor y a don Leandro Iturriaga y Murillas. Murió solo y pobre en un entresuelo de la calle de Flamencos, en 1860.

Richard Pakenham dejó el país en 1843 para ser designado Consejero Privado de la Reina y recibir el título de *Sir* a fines de dicho año. Se retiró temporalmente del servicio exterior en 1847, pero regresó en 1851 como Ministro Plenipotenciario en Lisboa. Su retiro definitivo ocurrió en 1855 y su muerte en 1868.

Henry George Ward, quien había nacido el mismo año que Egerton y cuyo libro "México en 1827" contribuyó tanto al primer viaje del pintor, fue miembro del Parlamento después de haber desempeñado el puesto de Ministro Plenipotenciario ante la República mexicana, y como hemos visto se opuso siempre a las ambiciones norteamericanas sobre Tejas. En 1870 fue enviado como gobernador a Madrás, India, en donde murió poco después de llegar contagiado por el cólera. Su pariente, William Robert Ward, abandonó México en 1844 para casarse al año siguiente, ser nombrado secretario de Legación en La Haya y desempeñar después varios puestos en el servicio exterior de su país. Falleció en 1879.

[201] Guillermo Prieto, *Memorias de mis Tiempos*. México, Porrúa, 1985, p. 318.

El Cónsul Ewen Clark Mackintosh se las ingenió siempre
para hacer negocios con el gobierno de Santa Anna y al mismo
tiempo quedar bien con los enemigos de éste. Durante la invasión norteamericana, como hemos dicho, se alojaron en su casa
varios oficiales extranjeros y también la prestó para las pláticas de un armisticio fallido. Previamente, en el año de 1845,
además de asociarse con Manuel Escandón y otros para adquirir los Bonos del Tabaco y usar sus influencias como funcionario
inglés para defender el arrendamiento a su favor de las casas
de moneda de Guanajuato y Zacatecas, celebró un convenio en
nombre de la casa *Manning y Mackintosh* con el Ministro de
Hacienda para convertir o renegociar la deuda inglesa. Como la
primera conversión fallara celebró otros contratos en 1846 y 1847,
pero cuando el gobierno logró vender los bonos bastante castiga-
dos y se intentó pagar a Mackintosh, éste se negó a aceptar el
dinero y a devolver los créditos.[202] A partir de entonces sus
relaciones oficiales decayeron, aunque siguió participando en
todo tipo de especulaciones financieras, mineras e industriales,
y adquirió fábricas textiles como "La Magdalena" y "La Jala-
peña" y dos barcos. A mediados de 1848 el gobierno mexicano
se quejó de las actividades del Cónsul en una amarga carta
firmada por don José María Luis Mora, Ministro ante Su
Majestad Británica, alegando:

> ... que en todos los negocios en que interviene y es parte como
> negociante, aunque absolutamente privados, procura siempre
> darles el carácter de públicos, queriendo hacer pasar como de
> interés público inglés aquello que es muy particular. En con-
> secuencia de semejantes pretensiones vienen las tentativas de
> intimidación y poco respeto hacia las autoridades de la Re-
> pública cuya competencia se afecta desconocer bajo el pre-
> texto más o menos ostensible de reclamos diplomáticos.[203]

La carta concluye:

[202] Rosa María Meyer, *op. cit.,* p. 64.
[203] Carta del Ministro José María Luis Mora con el calificativo de
"Reservado", fechada en Londres el 29 de mayo de 1848 y cuya copia
autógrafa se encuentra en el Acervo Histórico Diplomático de la Secretaría de Relaciones Exteriores de México, no. 49-9-151.

En consecuencia y cumpliendo con las órdenes del presidente, el Ministro mexicano se ve en el muy desagradable pero necesario caso de pedir al Gobierno de Su Excelencia que las funciones de Cónsul general del de usted en México sean desempeñadas por persona más prudente, comedida y circunspecta.

Parece ser que, sin embargo, Mackintosh no fue removido, hasta que en 1850, como hemos visto, su compañía financiera quebró y tuvo que vender todas sus propiedades cayendo en el más profundo descrédito, en el que murió en 1861, tras de comprometer los bienes de su hermano Henry y de su esposa Teresa Villanueva, lamentándose de no haber podido realizar el que iba a ser el negocio de su vida: obtener la concesión para convertir, de dólares a pesos, la indemnización que Estados Unidos debía a México después de la siniestra guerra que el propio Ulyses S. Grant calificó de "injusta".

La reina Victoria, quien había ascendido al trono británico en 1837, vivió hasta 1901, dando su nombre a esos interesantes sesenta y cuatro años de la historia de Inglaterra, cuyo inicio coincidió con la última parte de la "sociedad fluctuante" en México. Como también predijo don Carlos María de Bustamante, durante la época victoriana las potencias anglosajonas penetraron en lo que hoy llamamos cuenca del Pacífico, —Estados Unidos lo hizo con sus *barcos negros* del Comodoro Perry, quien había impuesto el bloqueo a Veracruz en 1847—, e iniciaron una etapa de hegemonía. Hong Kong será regresado a China hasta 1997; las islas Malvinas y Sandwich del Sur, bajo la soberanía imprescriptible de la República Argentina, aún están ocupadas (desde la invasión de 1833) por tropas del Reino Unido, que sigue gobernado por mujeres.

Lord George Hamilton-Gordon, Cuarto Duque de Aberdeen, continuó siendo Ministro de la Foreign Office británica hasta la muerte de Peel en julio de 1846. En 1852 llegó a Primer Ministro al frente de un gabinete de coalición. Considerado responsable de la Guerra de Crimea renunció en 1855 y murió cinco años después.

El cometa Halley, además de disturbar a Moctezuma en 1518 anunciando la llegada de Cortés, y cruzar el cielo de Méxi-

co poco antes de la rebelión tejana, hizo otra de sus incursiones
en 1910 durante la dictadura del presidente Porfirio Díaz, que
llevaba más de tres décadas en el poder, y cuya cerrazón política y económica provocó el primer gran movimiento social del
siglo xx, la Revolución mexicana, que estalló en noviembre de
ese año en una cruenta lucha civil que costó más de un millón
de vidas pero reorientó los rumbos de México. Después de su
visita de 1986, precedida por los devastadores terremotos que
sacudieron a la capital y la zona central del país, y causaron
miles de víctimas y enormes daños materiales, el ominoso
cometa regresará en el año 2062.

El aeronauta don Benito León Acosta no se mató ejerciendo
su oficio, como auguraba Bustamante, sino falleció en su cama
a los 67 años, en 1886, pero antes vio ascender en el globo
"Moctezuma I" a su más célebre émulo, don Joaquín de la
Cantolla y Rico. Como Egerton fue asesinado tres semanas después de la primera ascensión de Acosta, éste admitió en su
canastilla al pintor Casimiro Castro quien a lo largo de la siguiente década realizó innumerables dibujos y grabados de la
ciudad de México vista desde las alturas, especialmente una
panorámica muy famosa que el pintor inglés hubiera admirado
por su precisión y sentido geodésico.

La figura pétrea de la descuartizada diosa azteca Coyolxauhqui, que Matilde Linares de la Parra aseguró estaba en-
terrada cerca de la Catedral, fue encontrada accidentalmente
por unos trabajadores municipales en la calle de Guatemala,
vecina a las ruinas del Templo Mayor, en el año de 1978, lo que
motivó que el gobierno de México realizara una intensa reconstrucción arqueológica de la zona con óptimos resultados pues
se descubrieron otras piezas invaluables pertenecientes al antiguo *teocalli* y al Muro de las Calaveras, así como la auténtica
piedra de los sacrificios que, como Egerton pensaba, nunca
fue el pesado monolito que se exhibía en el Museo sino una
delgada, sencilla y escalofriante lápida inserta en el talud del
templo, donde los prisioneros de la Guerra Florida eran atados
con las manos a la espalda para que el sumo sacerdote pudiera
abrirles el pecho y extraerles el corazón.

Lucas Alamán, quien durante su antiguo paso por el Ministerio de Relaciones Interiores y Exteriores había logrado "desarrollar una particular suspicacia frente a la amenaza del expansionismo norteamericano" [204] y realizó notorios esfuerzos para salvar a Tejas, fue en 1839 director de la Junta de Industria, desde donde buscó orientar la economía del país según las ideas del Partido Conservador. En 1853 desempeñó nuevamente la cartera de Relaciones en el último gobierno santanista, y escribió dos importantes libros sobre la historia de México desde la conquista hasta mediados del siglo XIX, siempre manteniendo sus ideas. Murió en el propio año de 1853 y si viviera hoy constataría que los conservadores mexicanos han extraviado lo mejor de su legado.

David G. Burnet, después de luchar en Sudamérica al lado de Miranda, de contraer tuberculosis y salvarse de los comanches del Río Colorado, se estableció en 1826 en Tejas, asociado con Lorenzo de Zavala y José Vehlein, con quienes fundó la "Galveston Bay and Texas Land Company" dedicada al tráfico de terrenos y a la colonización ilegal. Sirvió en 1836 como primer presidente de la llamada República y como vicepresidente hasta diciembre de 1841 en que fue derrotado en las elecciones por Sam Houston. Retirado a su granja, fue electo senador en 1865 pero no le fue permitido ejercer el cargo pues Texas era aún considerado un estado esclavista. Es muy probable que él o uno de los suyos más cercanos haya dado la orden de "eliminación" de Daniel Thomas Egerton. En todo caso, el especulador Burnet que falleció en Galveston en 1870 y fue enterrado con grandes ritos masónicos, se llevó el secreto a la tumba.

---

[204] Leopoldo Solís M., presidente del Instituto de Investigación Económica y Social Lucas Alamán, A.C. Carta al autor, del 2 de julio de 1990. Ahí también afirma que Lucas Alamán se reveló siempre como "un hombre de Estado", aunque centralista y mantenedor de los privilegios del clero y el ejército, pero "protector del legado histórico documental y artístico que integraba el patrimonio nacional de la República". Agrega: "Promovió el desarrollo de los sectores que generaban mayor actividad en el resto de la economía: en la década de 1820 en la minería, y a partir de 1830 en la industria manufacturera, por considerar que ésta garantizaba la independencia económica de México. Como empresario apoyó dichos proyectos erigiendo primero una compañía minera en sociedad con capitalistas ingleses, y más adelante tres fábricas de textiles."

Samuel Houston, después de fungir dos veces como presidente de la "República de Texas" (la segunda entre 1841 y
1844), fundó la ciudad que lleva su nombre, contribuyó a la
anexión del territorio a los Estados Unidos, sirvió como senador
pero no fue reelecto debido a su identificación con los indios
locales y su lealtad a la Unión Americana. En 1850 se convirtió
en gobernador del estado y trató infructuosamente de evitar su
secesión, por lo que fue depuesto por los Confederados esclavistas —sus antiguos aliados— en marzo de 1861, falleciendo
dos años después con una botella de whisky muy cerca de su
cabecera. Es otro de los grandes sospechosos de haber ordenado
el asesinato del pintor británico.

George Wilkins Kendall, después de recuperarse de su herida
de la batalla de Chapultepec, retornó a los Estados Unidos y
en 1851 publicó junto con el grabador alemán Carlos Nebel el
libro titulado *La guerra entre los Estados Unidos y México ilus-
trada*, impreso por Lemercier en París, donde conoció a una
joven francesa, Adeline de Valcourt, con quien contrajo matrimonio y tuvo varios hijos. En 1855 regresó a vivir a Nueva
Orleáns pero, considerado como un "distinguido nativo" de
Texas, compró ahí un gran rancho en que se dedicó a producir
ovejas cuyas crías importó de Francia. Aunque simpatizó con
los Confederados durante la Guerra Civil no tomó parte activa
en ella y murió en su rancho en octubre de 1867. Su joven y
guapa viuda se volvió a casar y falleció en San Antonio hasta
1924, ignorante como casi todos del papel que su primer esposo
había jugado en la trágica muerte de Daniel Thomas Egerton
y Agnes Edwards.

Lorenzo Corona, "El Jaranero" o "El Tuerto" uno de los
asesinos materiales del pintor, no purgó completa su sentencia
en San Juan de Ulúa, pues en 1847, cuando el ejército norteamericano desembarcó en Veracruz, fue puesto en libertad a
petición del traidor José Antonio Navarro —amigo de Kendall— quien había sido uno de los principales caudillos de la
expedición tejana a Santa Fé, se había fugado del Castillo y
que llevó con él a Corona a los Estados Unidos cuando el general Winfield Scott ordenó la liberación de éste, lo que parece
haber sido algo más que una sospechosa coincidencia.

Ponciano Tapia, "El Gavilán", ratero y delator a su manera, fue asesinado tumultuariamente a fines de 1844 en la cárcel de la ex Acordada sin que su muerte fuese aclarada jamás.

Abraham de los Reyes, el andaluz salteador de caminos, y delator circunstancial, aparentemente se fugó de la ex Acordada y tuvo la gloria de aparecer en la novela histórica de Luis G. Inclán titulada *Astucia, El Jefe de los Hermanos de la Hoja o los Charros Contrabandistas de la Rama*.

William Henry Egerton y Charles Byrn se mudaron a Nueva York después de la guerra, pero el hermano del pintor continuó con sus negocios de terrenos en Texas, ya devenido territorio norteamericano. Hacia 1848 intervino en una exposición de las litografías de Daniel Thomas en Glasgow, Escocia, dando a la imprenta como catálogo de la misma el famoso *Panorama Royal*, con la firma del artista, conteniendo parte de su "Diario" pero cuyos textos originales intercaló con otros plagiados del libro de Madame Calderón de la Barca y con algunas observaciones anacrónicas sobre la guerra entre México y los Estados Unidos, acontecida después de la muerte del pintor. En el mismo folleto incluyó ocho y media páginas muy cerradas de "Extractos de las cartas de la esposa del Cónsul americano en 1840" (¿Thomas H. Ellis?) tituladas "Descripción de la población mexicana." Sin embargo, temeroso de que si difundía la gran obra pictórica de su hermano pudiera llegarse a descubrir la verdadera historia de su muerte, contribuyó a que los cuadros y dibujos de éste permanecieran prácticamente desconocidos en Inglaterra. No se sabe cuándo ni dónde murió. También se ignora el final de Charles Byrn.

Matilde Linares de la Parra, conocida familiarmente como "La Bruja", y cuyos verdaderos apellidos no fueron usados en esta novela, casó con un caballero mexicano y procreó varios hijos, uno de ellos muy distinguido en la lucha contra la intervención francesa. Es falso, en cambio, que haya tenido un hijo varón de Daniel Thomas.

Don José María Puchet, tremendamente decepcionado por el caso Egerton, que consideró el más grande error de su vida a pesar del alud de felicitaciones que recibiera por su aparente conclusión, se separó de las filas del gobiernismo. La última

D.T. Egerton:
Vista del Popo desde Atlauta y el bosque de La Cuesta hacia 1833.
Óleo. Colección: Banco Nacional de México

referencia histórica que se tiene de él aparece en el periódico *El Republicano* del 4 de abril de 1846, cuando siendo presidente de la República el general Mariano Paredes Arrillaga lo llamó junto con don Mariano Otero, don Manuel Gómez Pedraza y otros dos oposicionistas, "con el fin de conferenciar de algunas cuestiones graves de la administración pública", esto es para amonestarlos. Existe la versión de que Puchet, cargado de amargura y remordimiento se suicidó el 14 de septiembre de 1847 cuando desde su casa vio llegar las tropas norteamericanas a tomar posesión del Palacio Nacional; pero dicha versión no ha podido ser comprobada.

Don Leandro Iturriaga y Murillas había adquirido del gobierno en 1843, para su grupo de cosecheros, la Renta del Tabaco, acordando pagar por la operación cincuenta mil pesos mensuales en oro durante cinco años. El sembrado de plantíos en la zona de Palmar de Bravo no impidió que las tropas norteamericanas que avanzaron desde Veracruz bloquearan la exportación del producto y después de la guerra el antiguo estanco tabacalero *privatizado* por Santa Anna y en estado de quiebra fue *renacionalizado*. Don Leandro perdió así la mayor parte de su fortuna. Fue amigo y patrocinador, hacia 1849, del naturalista y costumbrista francés Lucien Biart quien, casado con una mexicana, residía en Orizaba y que escribió un curioso libro sobre la costa veracruzana.[205] Continuó su labor impulsora de las obras municipales y cooperó para construir la Alameda de la ciudad, con sus esbeltas puertas ornadas con espirales de inspiración masónica iguales a los que existen en los contrafuertes del ex convento de La Concordia. Al morir en 1872, dejó ochenta casas de su propiedad y no pocas hipotecas que —unas y otras— se distribuyeron entre doña Micaela, su viuda, y sus hijos, Enrique, Joaquín y Manuel Iturriaga y Gambino, éste último padre de Leandro Iturriaga Carrillo, el cual fue a su vez progenitor del culto Leandro Iturriaga Alba, actual cronista vitalicio de la ciudad de Orizaba, quien según esta novela hizo llegar a Brian Nissen los cuadernos de Egerton que se encontraban entre los papeles de su ilustre bisabuelo. Una de las

[205] *La tierra caliente*, 1849, México, Editorial Jus, 1962.

hijas de don Joaquín Iturriaga y Gambino, llamada Guadalupe Iturriaga Baturoni, casó al iniciarse el siglo con el modesto médico José Moya Andrade; dio a luz nueve hijos entre ellos Mario Moya Iturriaga, —a quien puso ese nombre por el personaje de la "Tosca" de Puccini— que nació en 1903 y conoció en el parque López de Orizaba a la joven estudiante tapatía Concepción "La Nena" Palencia Chanes, con la que casó en la ciudad de México. Ambos viven aún y son los padres del autor, a quienes esta novela está dedicada con amor y agradecimiento.

Brian Nissen —cuya Itzpapálotl aparecería junto al "Valle de México" de Egerton en la magna exposición "México: 30 siglos de Esplendor" en el Museo Metropolitano de Nueva York— oyó dos veces la cinta magnetofónica que reproducía el último de sus trances hipnóticos y conversó animadamente con el reconocido terapista que lo había inducido. Según éste, Brian se encontraba tan obsesionado por la personalidad y la muerte de su paisano Daniel Thomas Egerton y se había identificado de manera tan estrecha con él que llegó a autosugestionarse en el sentido de ser la reencarnación del pintor victimado, notoriamente influido por varias opiniones ajenas a las que otorgara excesivo valor. Como Nissen había mandado ese "mensaje" a su subconciente, éste afloró durante el trance hipnótico y Brian había *actuado* representando a Egerton en el momento mismo del asalto y en la última conversación que éste tuvo con Agnes Edwards minutos antes. El médico estaba seguro de que con aquella vibrante experiencia Nissen había expulsado su angustia: si racionalizaba todo no tendría mayores problemas y podría dedicarse sin preocupaciones a escribir su libro. Brian, por su parte, aunque quedó muy impresionado por la grabación, estaba efectivamente tranquilo, pero no podía aceptar la versión del facultativo pues la voz de Egerton trasmitida por su propia garganta durante el trance le había revelado no sólo la respuesta a su interrogante sobre si el artista había conocido el complot de los anglotejanos en contra suya (lo que Nissen podía haberse supuesto), sino que William Henry Egerton y Charles Byrn mantenían una relación homosexual, lo que nunca había siquiera imaginado y que por ello Byrn había sido la pieza clave de la traición y había denun-

ciado el regreso de Daniel Thomas a sus enemigos para proteger a su amante, y seguramente les había enviado el cartón,
conteniendo el nombre y la dirección de aquél, que apareció
después sobre el cuerpo de Agnes. Estos dos elementos no podían deducirse de las investigaciones practicadas por Nissen
ni, por tanto, formar parte del "mensaje" que él hubiese podido enviar a su subconsciente, como aseveraba el terapista. Pero
ninguno de los dos convenció al otro. Lo único acordado fue que
Brian se comprometió expresamente a no revelar en su libro el
nombre del facultativo, pero pudo intuir que éste no estaba
completamente seguro de su versión y empezaba a dudar si la
hipótesis transmutativa podría ser cierta. El detective histórico
quedó muy satisfecho de haber realizado el heterodoxo experi-
mento y de sus resultados, pues aparte de ratificar anímicamente todas sus presunciones y deducciones había averiguado un
aspecto humano disruptivo de la relación Daniel Thomas-Wi-
lliam Henry que jamás le había pasado por la cabeza y que
acababa de explicar y situar la intervención del hermano y de
su amante en el horrible crimen. Brian se sentía muy bien y poseedor de todos los elementos necesarios. Con sus cintas en la
bolsa abandonó el consultorio agradeciendo al capaz médico su
inestimable cooperación. Ya no le preocupaba si él era o no era
Egerton reencarnado, porque se sentía orgulloso y seguro del
resultado de su extraña pesquisa y de ser Brian Nissen. Cuando
llegó a su casa acababan de dar las once de la noche, sin embargo colocó en su vieja máquina de escribir el largo rollo de
papel de télex que solía usar para redactar sus notas y sin vacilar inició el camino que tenía que recorrer. Meditó en el sentido
circular de la apasionante historia, consignó el lugar preciso del
crimen, su fecha y hora, y después escribió:

"Cuando en el semitono del ya vencido crepúsculo vio surgir de pronto las sombras blancas de atrás de los magueyes que
bordeaban el camino, como grotescos fantasmas agresivos, y
escuchó los gritos de '¡Alto!' y las imprecaciones en español,
Daniel Thomas Egerton presintió que iba a morir."

Fuentes y referencias

ABBEY, Jr. *Travel in acquatint and litography. 1770-1860.* London, 1957. v. 2.

ACTON, Lord. *Historical essays and studies.* London, Figgis, 1907.

ALEMÁN VELASCO, Miguel. *Copilli: corona real.* México, Diana, 1988.

ALESSIO ROBLES, Vito. *Coahuila y Texas desde la consumación de la Independencia hasta el Tratado de Paz de Guadalupe Hidalgo.* México, Porrúa, 1979. 2 v.

ALMONTE, Juan N. *Guía de forasteros de la ciudad de México y repertorio de conocimientos útiles.* México, Imprenta Ignacio Cumplido, 1852.

AMERICAN Heritage [s.p.i.] agosto 1958, abril 1969.

ARCHIVO NACIONAL de Notarías de México. Sección Histórica. Protocolo de Francisco de Madariaga. Escribano Nacional y Público. 22 de diciembre de 1838. Poder que otorga D. Guillermo Enrique Egerton a su hermano D. Daniel Tomás Egerton.

_____. Protocolo del Notario Ramón de la Cueva. Escritura de venta de dos casas por el señor Ewen Clark Mackintosh, una en Tacubaya y otra en la calle de Capuchinas No. 5 de la ciudad de México, a don Francisco Agüero, el 9 de febrero de 1850.

ARTETA, Begoña. *Destino Manifiesto: viajeros anglosajones en México. 1830-1840.* México, UAM, 1989.

Atlas Porrúa de la República Mexicana. México, Porrúa, 1966.

BAKER, George. *México ante los ojos del ejército invasor de 1847: Diario del Coronel Ethan Allen Hitchcock.* México, UNAM, 1978.

BARRAT, Thomas J. *The annals of Hampstead.* London, Adam and Charles Black, 1912.

BENEZIT, E. *Dictionnaire critique et documentaire des peintres, sculpteurs, dessinateurs et graveurs.* París, Librería Grünt, 1976, t. 4.

BIART, Lucien. *La tierra caliente. Escenas de la vida mexicana: 1849-1862.* México, Jus, 1962.

BIRTHS & Christenings. 1788-1812. Hampstead Parish Church Registers. London.

BOCANEGRA, José María de. *Memorias para la historia de México independiente: 1822-1846.* México, Instituto Cultural Helénico. Instituto Nacional de Estudios Históricos de la Revolución Mexicana. Fondo de Cultura Económica, 1986. 3 v.

BOLTON, Guy. *The Olympians* Cleveland and New York, the World Publishing Co., 1961.

BOSCOLO, Renucio. *Nostradamus, l'enigma risolto.* Milano, Mondadori, 1988.

BOYADJIEFF, Jennya. Dictamen pericial sobre la autenticidad de la carta de Daniel Thomas Egerton escrita en 1833. Psicograma grafológico. Breve descripción de los indicadores en el programa grafológico. Análisis grafopsicológico. 1° de octubre de 1989. México, 1989.

BOYLE, Thomas. *Black swine in the sewers of Hampstead. Beneath the surface of Victorian sensationalism.* London, Penguin Books, 1989.

BRYAN, L. R. *An address delivered on the fifty anniversary of the Battle of San Jacinto.* [s.l.] The San Jacinto Museum of History Association, 1980.

BUSTAMANTE, Carlos María de. *Apuntes para la historia del gobierno del general don Antonio López de Santa Anna.* México, Fondo de Cultura Económica. Instituto Cultural Helénico, 1986.

_____. *Continuación del Cuadro histórico.* México, Fondo de Cultura Económica. Instituto Cultural Helénico, 1985. Contenido: v. 1, 2 El gabinete mexicano durante el segundo periodo de Bustamante hasta la entrega del mando de Santa Anna.

CABEZUDT, Gerardo. "Cosmograma de Daniel Thomas Egerton". 7 de septiembre de 1988. 7 de marzo de 1990 (cintas magnetofónicas).

CALDERÓN DE LA BARCA, Frances Erskine Inglis. *La vida en México.* México, Porrúa, 1959.

CALVINO, Italo. *Lezioni americane.* Garzanti, 1988.

CAMDEN Society. *British diplomatic representatives: 1839-1852.* London, 1934.

CAMPOS DE IBÁÑEZ, Magdalena. *La guerra de Texas. La guerra con los Estados Unidos.* [s.l.], 1985.

CANET, Carlos. "Su horóscopo y algo más." Miami, Florida, año 3, n. 27, 1986.

CARISBROOKE Castle. *English heritage.* 1985.

CARR, Edward. *¿Qué es la historia?* México, Origen Planeta, 1985.

CASASOLA, Gustavo. *Seis siglos de historia gráfica de México: 1325-1976.* México, 1976. v. 1.

CASTRO, Casimiro. "Exposición del 19 de marzo al 20 de mayo de 1968". Instituto Nacional de Bellas Artes-Comité Organizador de los Juegos de la XIX Olimpiada, [s.a.]

CATÁLOGO del Archivo Histórico del ex Ayuntamiento de la ciudad de México: 1524-1928, [s.p.i.]

"Causa célebre contra los asesinos de don Florencio Egerton y doña Inés Edwards." en *Anales del Instituto de Investigaciones Estéticas*. México, UNAM, n. 23, 1955.

CENTO ANNI di Acquarelli Inglesi. Catálogo. Carlo María Biagiarelli, antiquario. Roma. 1989.

COLLINGWOOD, R. G. *The idea of history*. Oxford, Oxford University Press, 1984.

COLLINS'S *Peerage of England*. [s.l.], EF Brydges, 1812. v. 3.

The Connoisseur. London, v. 34, sept.-dic., 1912.

COSTA, Marithelma y Adelaida López. *Las dos caras de la escritura. Conversación con Umberto Eco*. [s.l.], Editorial de la Universidad de Puerto Rico, 1988.

Cronología de gobernantes del Distrito Federal: 1824-1985. Archivo del ex Ayuntamiento de la ciudad de México, 1524-1928.

CULLER, A., Dwight. *The Victorian mirror of history*. New Haven and London, Yale University Press, 1985.

CUMPLIDO, Ignacio. *Sexto calendario portátil para el año 1841*. México, Ignacio Cumplido, [1841].

CHANNING, Edward. *A history of the United States: 1815-1848*. New York, Macmillan Co., 1936. v. 5.

CHRISTIE'S NEW YORK. Catálogo. *Latin American Paintings. Drawing and Sculpture*. 21 de noviembre de 1988. [s.p.i]

DAVIS, Joe Tom. *Legendary texians*. Austin, Texas: Eakin Press, 1986. v. 3.

DAWN, Ades. *Art in Latin America. The Modern Era: 1820-1980*. London, The Hayward Gallery, 18 de mayo a 6 de agosto de 1989. The South Bank Centre.

DEANE, Seamus. *The French Revolution and Enlightenment in England: 1789-1832*. Harvard, Harvard University Press, 1988.

DEBRETTS. *Peerage and Baronetage*. London, Ed. 169, 1990.

DEWARD, James. *The Unlocked Secret. Freemasonry examined*. [s.l.], Corgi Books, 1990.

DIARIO del gobierno: 1842. 31 de marzo de 1843.

DÍAZ y Díaz, Fernando. *Santa Anna y Juan Álvarez frente a frente*. México, SEP 1974. (Sepsetentas).

Diccionario enciclopédico de México. Ilustrado. Musacchio Humberto, Andrés León. México, 1989.

Diccionario Porrúa. Historia, biografía y geografía de México. 4a. ed. México, Porrúa, 1976. 2 v.

Dictionnaire des symboles. París, Júpiter, 1989.

DILLON, Merlon. "Benjamin Lundy in Texas", en *The Southwestern Historical Quarterly*. Austin, Texas, The Texas Historical Association. v. 63, jul. 1959, abr. 1960.

DITCHLEY PARK. Oxfordshire, en *Official Guide*. [s.l.], English Life Publication, Ltd. 1983.

DOCUMENTOS de la Foreign Office. Public Record Office. Londres.

_____. Despacho No. 40 del Ministro Pakenham a Lord Aberdeen. México, 2 de mayo de 1842. F.O. 50/153.

_____. Despacho No. 46. de Pakenham a Lord Aberdeen. México, 2 de junio de 1842. F.O. 50/154.

_____. Borrador de la carta de Lord Aberdeen a Pakenham. Londres, 15 de julio de 1842. F.O. 50/152.

_____. Carta de Georgiana Egerton a Lord Aberdeen, Chelsea, 4 de julio de 1842. F.O. 50/158.

_____. Despacho No. 81 de Pakenham a Lord Aberdeen. México, 10 de septiembre de 1842. F.O. 50/155.

_____. Despacho No. 9 del Cónsul Ewen Clark Mackintosh a Lord Aberdeen. México, 9 de septiembre de 1842. F.O. 50/155. Incluye un inventario de cinco páginas de los bienes de D. T. Egerton.

_____. Borrador de la carta de Lord Aberdeen a la señora Egerton. Foreign Office, 3 de diciembre de 1842. F.O. 50/156.

_____. Despacho No. 48 de Percy W. Doyle a Lord Aberdeen. México, 30 de julio de 1843. F.O. 50/163.

_____. Borrador de la carta de Lord Aberdeen al Ministro Doyle. Foreign Office, 1o. de noviembre de 1843. F.O. 50/150.

DOCUMENTOS TEJANOS. Publicación de The San Jacinto Museum of History Association, 1982.

DOUGLAS, Ephraim. "Correspondence from British Archives concerning Texas, 1837-1846", en *The Southwestern Historical Quarterly*. Austin, Texas, The Texas State Historical Association, 1960.

DOYLE'S Official Baronage. London, [s.a.] v. 2.

DUCKDALE'S Baronage. London, [s.a.] v. 2.

ECO, Umberto. *Postille a'll nome della rosa*. Milán, 1983.

_____. *Il pendolo di Foucault*. Milano, Romanzo Bompiani, 1988.

_____. *La struttura assente*. Milano, Tascabili Bompiani, 1989.

_____. *Lector in fabula*. Milano, Tascabili Bompiani, 1989.

EDWARDS, Charles. "Rio Grande and Texas land Co. Information to the Emigrant who is desirous of settling in Grants now colonizing by the Rio Grande and Texas land Company", New York, [s.a.]

EGERTON BRYDGES, Samuel. *Autobiography*. London, Bart, 1834. v. 1.

EGERTON, B.F. Carta al autor, 2 de julio de 1987, Londres.

EGERTON, Dair B. Carta al autor, 14 de junio de 1987, Dorset.

EGERTON, Daniel Thomas. *Egerton en México: 1830-1842*. México, 1976. Ed. privada de Cartón y Papel de México, S.A.

_____. *Egerton en México: 1830-1840*. Intr. de José C. Valadés, México, Editorial del Valle de México. 1980.

_____. *Here and there over the water*. Being Cullings in a trip to the Netherlands (the field of the Battle and Monuments-Waterloo). Drawn and Written by M.E. Esq. engraved by Geo: Hunt London, Published by Geo: Hunt, 18 Tavistosk Street, Covent Garden. 1825.

_____. "Description of the new panorama royal, now exhibiting in the Monteith Rooms, Illustrative of the principal cities and towns of the Republic of Mexico. Painted from drawings made on the spot by D. Egerton Esq. 1845. Together with Views of the wreck of the Great Britain steam ship SS Edinburg Glasgow."

_____. *Vistas de México*. México, 1966. Ed. facsimilar: Francisco Zamora Millet.

_____. *Fashionable bores or coolers in hight life*. Londres, W. Sams, 1821.

_____. *Views in Mexico*. Londres, James Holmes, 1840.

EGERTON, Evelyn. Carta al autor, 28 de julio de 1987, Londres.

EGERTON, Francis Henry. *Family anecdotes*. París, 1827.

_____. *The life of Thomas Egerton. Lord chancellor*. París, 1824.

EGERTON, Judy. Carta al autor, 3 de julio de 1987, Londres.

EGERTON, S.E. Carta al autor, 14 de julio de 1987, Londres.

EGERTON, Seymour. Carta al autor, 4 de agosto de 1987, Londres.

EGERTON, Stephen L. Carta al autor, 26 de junio de 1987, Embajada Británica en Riad, Arabia Saudita.

EGERTON, T.A. Carta al autor, 14 de julio de 1987, Cleveland London.

EGERTON, William Henry. "Important Report, lately received from William H. Egerton, Esquire, the Government Surveyor for tracts of Land owned by The Rio Grande and Texas Land Co." Aranzaso Bay. 25 de abril de 1835. Osborn & Buckingham. Printers.

_____. y John Enrico. *Emigration to Texas: Proposals for colonizing certain extensive tracts of land in the Republic of Mexico*. [s.l.], H.F. Carrington, 1832.

EGERTON-JONES, Susan. Carta al autor, 2 de mayo de 1987, Londres.

EGERTON-SMITH, D.L. Carta al autor, 13 de agosto de 1987, Londres.

El Mosquito, [s.l.] 29 de junio de 1842.

El Observador Judicial y de *Legislación*. México, t. 1, 1842.

_____. México, t. 2. 1842.

ELIOT, T.S. *La tierra devastada*. [s.l.], 1922.

ENCICLOPEDIA DE MÉXICO. México, 1968. v. 3.

ENCYCLOPÆDIA *Britannica*. London, 1966.

The English World. New York, Robert Blake, Harry N. Abrams, Inc. Publishers, 1982.

Espinosa, José Ángel. *La ley del monte*. Canción popular mexicana. Excélsior. México, 26, mayo, 1990.

Falconer, Thomas. *Expedition to Santa Fe*. New Orleáns, 1842.

Falk, Bernard. *The Bridgewater Millions: a candid family history*. London. New York. Melbourne, Hutchinson & Co. Publishers. Ltd, 1942.

Fawtier Stone, Jeanne C. *An open elite? England 1540-1980*. London, 1984.

Fernández, Justino. *El arte del siglo XIX en México*. México, UNAM, 1983.

_____. "Cuarenta siglos de plástica mexicana", en *Arte moderno y contemporáneo*. México, Herrero, 1971.

_____. *La pintura mexicana*. México, Juan Pérez de Salazar, 1968.

Fernández de Lizardi, José Joaquín. *El Periquillo Sarniento*. México, Porrúa, 1987.

Fernández del Castillo, Antonio. "Tacubaya", en *México en el tiempo. El marco de la capital*. México, Roberto Olavarría, 1946.

Flores, Enrique. "Los crímenes de Tacubaya", en *Causa célebre contra los asesinos de don Florencio Egerton y doña Inés Edwards*. México, Instituto Nacional de Bellas Artes. Universidad Autónoma Metropolitana, 1988.

Flores, Manuel. "Informe al prefecto del Centro de México, de 12 de agosto de 1842", en *Expediente de la Causa que se instruye en averiguación de quienes sean los executores de los homicidios de don Florencio Egerton y doña Inés Edwards, año de 1842*.

From Dickens to Hardy. [s.l.], Penguin Books, 1982. v. 6.

Fuentes, Carlos. *Cervantes o la crítica de la literatura*. México, Joaquín Mortiz, 1986.

_____. *Terra Nostra*. México, Joaquín Mortiz, 1975.

_____. *Valiente mundo nuevo*. Ensayo épica, utopía y mito de la novela hispanoamericana. Madrid, Narrativa Mondadori, 1990.

G.E.C. *Complete peerage and genealogist*. Abril 1877.

Galnares de Antuñano, Fernando. *Recuerdos de Tacubaya: Atlacuihuayan*. México, 1974.

García Cantú, Gastón. *Las invasiones norteamericanas de México*. México, Fondo de Cultura Económica, 1971.

_____. *Utopías mexicanas*. México, Fondo de Cultura Económica, 1978.

García Márquez, Gabriel. *El general en su laberinto*. Buenos Aires, Editorial Sudamericana, 1989.

Gardiner, Patrick. *The philosophy of history*. Oxford, Oxford University Press, 1984.

GATES, Bárbara T. *Victorian suicide. Mad crimes and sad Histories.* New Jersey, Princeton University Press, 1988.

GAUNT, William. *English painting.* [s.l.] Thames and Hudson, 1985.

_____. *The great century of british painting: Hogart to Turner.* London, Phaidon Press Ltd, 1971.

GAYÓN CÓRDOBA, María. *Condiciones de vida y de trabajo en la ciudad de México en el siglo XIX.* México, Instituto Nacional de Antropología e Historia, 1968.

GILL M., Merton M.D. y Margaret Benmen. *Hypnosis and related states. Psychanalytic studies in regression.* New York, New York, International Universities Press. Inc. [s.a.].

GILLIAN, Albert M. *Travels over the table lands and cordilleras of Mexico during the years 1843 and 44.* [s.p.i].

GONZÁLEZ RODRÍGUEZ, Sergio. "El Misterio de Wilfried Ewart", en *Nexos.* México, n. 144, diciembre de 1989.

GONZÁLEZ Y GONZÁLEZ, Luis. "La índole de los mexicanos vista por ellos mismos", en *Nexos.* México, n. 144, diciembre de 1989.

GORDON, Henry. *This is Ashridge.* Lutton, The Leagrave Press. Ltd, 1949.

GOYENECHE, Mariano. Oficio al juez de paz de Tacubaya. 9 de diciembre de 1843. Archivo Histórico del ex Ayuntamiento de la Ciudad de México. 1524-1928.

GOYTIOSOLO, Luis. "Novela: el porvenir del género", en Cultura de *El Nacional.* México 19 de marzo de 1990.

GRAVES, Algernon. *The British Institution, 1806-1867.* London, George Bell and Sons, 1908.

GREY Egerton. Sir Phillip de Malpas. *A short account of the possesors of Outon, etc.* London, 1869.

GUERNSEY, Alfred H. y Henry Alden. *Harper's pictorial history of the Civil War.* New York, The Fairfax Press, 1866.

A GUIDE to the exhibition of some art of the Egerton Collection of Manuscripts in the British Museum 1919. Printed by order of the trustees. British Museum. 1929.

HAKETAND, Samuel y John Lairg. *Dictionary of anonymous and pseudonymous.* English Literature, [s.l.], D.E. Rodhes y A.S. Simony. Oliver and Boyd, 1962. v. 9.

HARGRAVE, Francis. *Aperçu historique et genéalogique.* París, 1807.

HIBBERT, Christopher. *The english. A social history, 1066-1945.* New York-London, W.W. Norton and Co., 1987.

HINDE, Wendy. *George Canning.* Oxford-New York, Basil Blackwell, Ltd., 1989.

HOGAN, William Ranson. *The Texas Republic.* Austin. London, University of Texas, 1980.

HONOUR, Hugh. *Romanticism*. [s.l.], Penguin Books, 1981.

IMÁGENES OF MEXICO. [s.l.], Fondo Cultura Banamex. University of California, 1980.

INCLÁN, Luis G. *Astucia, El jefe de los Hermanos de la Hoja o Los Charros Contrabandistas de la Rama*. México, Porrúa, 1987.

INOUE, Yoshiko y Taneko Takegi. Carta a Sergio González Gálvez, embajador de México en Japón. 11 de diciembre de 1986.

ITURRIAGA, José E. *México en el Congreso de Estados Unidos*. México, Fondo de Cultura Económica. Secretaría de Educación Pública, 1988.

ITURRIAGA DE LA FUENTE, José. *Anecdotario de viajeros extranjeros en México: siglos* XVI-XIX. México, Fondo de Cultura Económica, 1988. t. 1.

JACK, Iian. *English literature 1815-1832*. Oxford, Claredon Press, 1963.

JACKSON, Andrew. "Mexico and Texas. Message from the President of the United States transmiting the information required by a resolution of the House of Representatives, upon the subject of the condition of the political relations between the United States and Mexico; also, on the condition of Texas". Blair and River, printers. Document no. 105, january 26, 1837.

JACQ, Christian. *La franc-maçonnerie*. París, Robert Laffont, 1975.

JOHNSON, Jane, *Works exhibited at the Royal Society of British Artists 1824-1893*. London, Antique Collector's Club. [s.a.]

KANDELL, Jonathan. *La capital. The biography of Mexico City*. New York, Random House, 1988.

KENDALL, George Wilkins. *Letters from a Texas Sheep Ranch written in the year 1860-1867 to Henry Stephen Randall*. [s.l.], Henry Brown, 1867.

_____. *Narrative of the Texan Santa Fe Expedition, etc*. New York, Harper and Brothers, 1844. 2. v.

_____. *War between the United States and Mexico. Illustrated*. Grabados de Carlos Nebel. París, 1851.

KIEK, Martin. "Prólogo", en *Egerton en México*. Ed. privada de Cartón y Papel de México, S.A., [México], 1967.

KNIGHT, Richard Payne. *Expedition into Sicily*. [s.l.], Claudia Stumpf. British Museum Publications, 1985.

KOECHLIN DE BIZEMONT, Dorothée. *L'astrologie Karmique*. París, Robert Laffont, 1983.

KUNDERA, Milan. *El arte de la novela*. Barcelona, Tusquets Editores, 1986.

LATROBE, Charles Joseph. *El vagabundo en México*. Nueva York, 1836.

LEADBEATER, C.W. *Historia secreta de la masonería*. México, Gómez Hermanos Editores, 1986.

LE CARRE, John. "Lo que todo escritor quiere, con fragmento de su libro *La Casa Rusia* titulado *El Espía involuntario*", en Lectura de *El Nacional* México, 23 de junio de 1990.

LEÓN Y GAMA, Antonio de. *Descripción histórica y cronológica de las dos piedras que con ocasión del empedrado que se está formando en la Plaza Principal de México, se hallaron en ella en el año de 1790*. México, Secretaría de Educación Pública, Instituto Politécnico Nacional, 1978.

LEÓN, Arnoldo de. *La comunidad tejana: 1836-1900*. México, Fondo de Cultura Económica, 1988.

LERDO DE TEJADA Miguel. "Bloqueo del Puerto de Veracruz", en *Apuntes históricos de la H. Ciudad de Veracruz*. Publicado en *Veracruz-Textos de su Historia*, Comp. Carmen Vázquez Domínguez, México, 1988. t. 1.

LEXDEN, Essex, Inglaterra. Acta de Matrimonio de Daniel Thomas Bradstock Egerton y Georgiana Dickens. 25 de febrero de 1818. Partida no. 25, p. 9.

LIVERMORE, Abiel Abott. *Revisión de la guerra entre México y los Estados Unidos*. México, 1948.

LOMASK, Milton. *Aaron Burr 1805-1836*. New York, Farrar, Straus, Giroux, 1982.

LONDON AZ Geographers, AZ Map Company, 1985.

LÓPEZ CÁMARA, Francisco. *La génesis de la conciencia liberal en México*. México, UNAM, Facultad de Ciencias Políticas y Sociales, 1977.

LUCA DE TENA, Torcuato. *Ciudad de México en tiempos de Maximiliano*. México, Planeta, 1990.

LUKAS, George. *The historical novel*. [s.l.], Penguin Books, 1981.

LUNDY, Benjamin. *The life, travels and opinions of Benjamin Lundy*. Philadelphia, William D. Parrish, 1847.

MACLACHLAN, Colin M. *La justicia criminal del siglo XIX en México. Un estudio sobre el Tribunal de la Acordada*. México, SEP, 1976. (Sepsetentas.)

_____. y Jaime E. Rodríguez O. *The forging of the cosmic race A reinterpretation of colonial Mexico*. Berkeley, Los Ángeles. London, University of California Press, 1980.

MALO, José Ramón. *Diario de sucesos notables. 1832-1853*. México, Patria, 1948. t. 1.

MALPICA DE LA MADRID, Luis. *La independencia de México y la revolución mexicana*. México, Limusa, 1985.

MAMMOLI, Domenico. *Procceso Alla Strega Mateuccia di Francesco. 20 marzo di 1428.* [s.l.], Todi, 1983.

MARSHALL, P. J. y William Gryndwr. *The Great Map of Mankind.* London. Melbourne. Toronto, J. M. Dent and Son, Ltd, 1982.

MARTÍN, James C., Robert Sidney. *Maps of Texas and Southwest, 1513-1900.* [s.l.], University of New Mexico Press, 1984.

MARTÍNEZ, José Luis. *Hernán Cortés.* México, UNAM-CFE, 1990.

MARTÍNEZ SALDÚA, Ramón. *Historia de la masonería en hispanoamérica.* México, Costa Amic, 1968.

"MASTER index", en *Artist Biographies.* Detroit, Michigan, [s.a.]

MATEOS, José María. *Historia de la masonería,* 1880. [s.p.i.]

MATUTE, Álvaro. *México en el siglo XIX. Antología de fuentes e interpretaciones históricas.* México, Universidad Nacional Autónoma de México, 1973.

MAYER, Brantz. *México as it was and as it is.* New York, 1844.

_____. *México lo que fue y lo que es.* México, Fondo de Cultura Económica, 1953.

MCINNES, Robin. *The Garden isle.* Landscape paintings of the Isle of Wight, 1790-1920. Newport. Isle of Wight, Crossprint, 1990.

_____. *The Isle of Wight.* [s.l.], 1989.

MCKENZIE JOHNSTON, Henry. B. *Ward Faces Problems.* Capítulo XIII de su obra en preparación sobre las relaciones diplomáticas entre México y Gran Bretaña, 1990-1991.

MEINNING, G.W. *Imperial Texas.* Austin, University of Texas Press, 1985.

MEMORIA del Ministerio de lo Interior de la República Mexicana leída en las Cámaras de su Congreso General en el mes de enero de 1838. México, Imprenta del Águila, 1838.

MEMORIA del secretario de Estado y del Despacho de Justicia e Instrucción Pública. México, Imprenta de Cumplido, 1844.

The Metropolitan Museum of Art. *Catálogo de la Biblioteca.* New York. Boston, G. K. Halland Co., [s.a.] v. 3.

México a través de los siglos. México, Ballesca, [s.a.]

MEYER, Rosa María. "Los Ingleses en México, la casa Manning y Mackintosh: 1824-1852", en *Historias 16.* Revista de la Dirección de Estudios Históricos del Instituto Nacional de Antropología e Historia. México, ene.-mar., 1987.

MILLINGER, John. "*History of dueling*". London, [s.a.] v. 2.

MINVIELLE, Socorro Lagos de. *Los volcanes de México.* [s.l.], 1988.

MONRO, Thomas. *Catalog of an Exhibition Drawings Chiefly.* Londres, Museo Victoria y Alberto [s.a.]

MORA, José María Luis. *Carta reservada al ministro del Servicio Exterior de Su Majestad Británica. 29 de mayo de 1848.* México,

(Archivo Histórico Diplomático.) Secretaría de Relaciones Exteriores, [s.a.]

MORALES, Patricia. "Astrología" en Cultura de *El Nacional.* México, 14 de julio de 1990.

MORENO VALLE, Lucina. *Catálogo de la Colección Lafragua de la Biblioteca Nacional de México: 1821-1853.* México, UNAM, 1975.

MOYA PALENCIA, Mario. "Discurso en el centenario del natalicio de Francisco I. Madero. Parras, Coahuila, México, 30 de octubre de 1973", en *El Nacional.* México, 31 de octubre de 1973.

_____. *Democracia y participación.* México, ENEP-Acatlán, UNAM, 1982.

_____. *La reforma electoral.* México, Ediciones Plataforma, 1964.

_____. *Temas constitucionales.* México, UNAM, 1978.

MOYANO PAHISSA, Ángela. *El comercio de Santa Fe y la Guerra del 47.* México, SEP, 1976. (Sepsetentas.)

MURPHY, Antoin E. *Richard Cantillon: entrepreneur and economist.* Oxford, Oxford University Press, 1987.

"Museo Franz Mayer. Catálogo n. 4", en *Artes de México.* [México], jun.-sept., 1989.

NACIF MINA, Jorge. *La policía en la historia de la ciudad de México: 1524-1928.* México, DDF, 1986.

NAREDO, José María. *Historia de Orizaba.* México, 1948. Ed. facsimilar. 2 v.

The New York Public Library. *Dictionary catalog of the art and architecture division.* Boston, G.K. Hall and Co., 1975. v. 2.

NEXOS. México, n. 144, dic., 1989.

NISSEN, Brian. Carta al autor desde Nueva York, 29 de diciembre de 1989.

_____. Carta al autor desde Londres, 30 de abril de 1990.

_____. *Códice Madero.* México, Imprenta Madero, Galería Pecanins, 1983.

_____. *Exposición en torno al poema "Mariposa de Obsidiana" de Octavio Paz.* México, Museo Rufino Tamayo, 1976.

_____. *Pinturas, esculturas, relieves, dibujos.* Nueva York, Galerías Joan Patts, 1984.

NOVO, Salvador. *Los paseos de la ciudad de México.* México, Fondo de Cultura Económica, 1974.

ORTEGA Y MEDINA, Juan A. *Destino Manifiesto.* México, SEP, 1972. (Sepsetentas.)

OTERO, Mariano. *Obras.* México, Porrúa, 1967. 2 v.

PACHECO, José Ramón. *Exposición sumaria del sistema frenológico del doctor Gall.* México 1835.

PAKENHAM, Richard. Pasaporte o Certificado de Residencia de D.T. Egerton, marcado con el número 192. Legación de S.M.B. México, 18 de enero de 1832.

PASO, Fernando del. Noticias del imperio. México, Diana, 1987.

PAYNO, Manuel, Los bandidos de Río Frío. México, Porrúa, 1986.

PAZ, Octavio. Pequeña crónica de grandes días. México, Fondo de Cultura Económica, 1990.

_____. "Los privilegios de la vista", en México en la obra de Octavio Paz. México, Fondo de Cultura Económica, 1987. t. 3 (Letras Mexicanas.)

PÉREZ DÍAZ, Salvador. Carta al autor, Veracruz, Ver., 8 de diciembre de 1989.

A picture book introduction. Catálogo. San Jacinto Museum of History. Houston, Texas, [s.a.]

PITOL, Sergio. El desfile del amor. Barcelona, Anagrama, 1984.

PLANOS de la ciudad de Tacubaya. 500 planos de la ciudad de México, 1301-1933. [s.p.i.]

PLUMMER, Katherine. The Shoguns's reluctant ambassadors. Tokio, Lotus Press, 1985.

PORTES GIL, Emilio. "El político y el politicastro", en Pensamiento Político. Cultura y Ciencia Política, A. C., marzo de 1974.

PRESCOTT WEBB, Walter. The handbook of Texas. Austin, The Texas State Historial Association, 1952.

PRIDEAUX, S.T. Acquatint engraving. London, Duckworth and Co. [s.a.]

PRIETO, Guillermo. Memorias de mis tiempos. México, Porrúa, 1985.

PRIMERA SENTENCIA contra los asesinos. Ejecución de justicia, en El Observador Judicial y de Legislación. México, t. 2., 6, nov., 1843.

PRYCE, Glenn W. Los orígenes de la guerra con México. México, Fondo de Cultura Económica, 1974.

PUCHET, José María. Juzgado Cuarto de lo Criminal. De la Causa que se sigue en averiguación de quienes sean los executores de los homicidios de don Florencio Egerton y doña Inés Edwards. Año de 1842 (un legajo).

_____. Oficios al Juez de Paz de Tacubaya de 2, 7 y 11 de mayo y 3 de noviembre de 1842. Archivo Histórico del ex Ayuntamiento de la ciudad de México. 1524-1928.

_____. Oficio girado por el Juez de Letras don José María Puchet al Alcalde constitucional de Tacubaya el 27 de agosto de 1839. Archivo Histórico del ex Ayuntamiento de la ciudad de México, 1524-1928.

QUAIFE, Milo Milton. "Introducción Histórica", en Narrative of the Texan Santa Fe Expedition. Chicago, The Lakeside Press, 1929.

Quezada, Abel. *The Muse Hunter*. México, Joaquín Mortiz, 1989.
Quintanar, Ángel G. y otros. *Manifiesto del Congreso General en el presente año*. México, 1836.
Ramírez Aguilar, Walter. "La novela policiaca en Hispanoamérica", en Cultura de *El Nacional*. México, 14 de julio de 1990.
Randall R. W. *Real del Monte: una empresa minera británica en México*. México, Fondo de Cultura Económica, 1986.
Rangel, Nicolás. *Nuevos datos para la biografía de J. M. Heredia*. La Habana, 1930.
Rasmussen, Steen Eiler. *London. The unique city*. Cambridge. Massachusetts. London, The Mit Press, 1982.
Recchi Franceschini, Eugenia. *Where emperors walked*, en FMR Franco María Ricci, [s.l.], n. 40, oct., 1989.
Reclamaciones inglesas. Pide protección el señor D.T. Egerton por la conducta arbitraria que observan los guardias de Chapultepec. Año de 1833. Incluye carta de Richard Pakenham y de Daniel Thomas Egerton, de 4 de noviembre de 1833 y 1o. de noviembre de 1833, respectivamente, así como contestación de las autoridades. Secretaría de Relaciones Exteriores. México. Sección de Archivo General.
Redgrave, Samuel. *Dictionary of artists of the English School*. Reprint. Kingsmead, [s.a.]
Reyes Heroles, Jesús. "La sociedad fluctuante" en *El liberalismo mexicano*. Mexico, Fondo de Cultura Económica, 1974. v. 2.
_____. Estudio preliminar a las *obras* de Mariano Otero. México, Porrúa, 1967. v. 1.
Reynolds, Graham. Turner. [s.l.]. Thames and Hudson, 1984.
Rivera Álvarez, Fernando. *El Urbanita*. México, Foro 2000. Secretaría de Educación Publica, 1988.
Roa Bárcena, José María. Recuerdos de la invasión norteamericana: 1846-1848. México. [s.a.]. t. 1.
Romero de Terreros y Vinent, Manuel. *Paisajes mexicanos de un pintor inglés*. México. [s.a.]
_____. "Prólogo, traducción y biografía", en *Egerton en México, 1830-1840*. México, 1966. Ed. Facsimilar: Francisco Zamora Millet.
Rosenbaun, Robert J. *Mexicanos resistance in the Southwest*. Austin, University of Texas Press, 1986.
Rueda Smithers, Salvador. "D.T. Egerton: las paradojas de la pasión", en Cultura de *El Nacional*. México, 11 de julio de 1990.
Ruiz Castañeda, María del Carmen. "El conde de la Cortina y *El Zurriago Literario*", en *Cuadernos del Centro de Estudios Literarios*. México, UNAM, n. 8, 1974.

SALINAS DE GORTARI, Carlos. Discurso de 23 de abril de 1990 en Los
    Ángeles, California, durante el almuerzo anual de la Prensa Aso-
    ciada, reunión de la Asociación Americana de Editores de Perió-
    dicos.
SARTORIUS, Carl. Mexico about 1850. Stuttgart, F.A. Brockhaus
    Homm., 1961.
SAYEG, Helú, Jorge. El constitucionalismo social mexicano. Cultura y
    Ciencia Política, A.C., 1972-1975.
SCIASCIA, Leonardo. La Strega e il Capitano. Milano, Tascabili Bom-
    piani, 1989.
SHELLEY, Mary. Frankenstein. Dent. London. Melbourne, Every-
    man's Library, 1985.
SHERIDAN, Betsy. Journal. Editado por William Le Fanu. Oxford,
    Oxford University Press, 1986.
SHIELDS, Conal y Leslie Parris. John Constable 1776-1837. London,
    1985.
El Siglo Diez y Nueve. México, 1842, mar., abr., may., jun., ago.,
    sept., oct., dic. 1843, ene., nov. 1844, mar., jul.
SIMPS, Norman. The literary journalists. New York, Ballantine Books,
    1984.
SMITH, Bradley. Mexico: a History in Art. New York, Doubleday and
    Co., 1968.
SOLÍS M. Leopoldo. "Instituto de Investigación Económica y Social
    Lucas Alamán, A.C." Carta al autor. México, 2 de julio de 1990.
SPARK, Muriel. Mary Shelley. New York, E.P. Dutton, 1987.
STERNE, Laurence. The life and opinions of Tristram Shandy. Oxford,
    Oxford University Press, 1986.
STOREY, John. "Literary detective hunts forclues in Lady Murasaki's
    disappearance", en The Japan Times. Tokyo, 10 de julio de
    1990.
TAXIL, Leo. Los misterios de la francmasonería. Barcelona, 1987.
TAYLOR, Joshua C. Nineteenth century theories of art. [s.l.], Univer-
    sity of California Press, 1987.
TENA RAMÍREZ, Felipe. Leyes fundamentales de México: 1808-1983.
    México, Porrúa, 1983.
THIEME, Ulrich. Allgemeines lexikon der Bildedenden Künstler.
    Leipzig, 1914.
THOMPSON, Waddy. Recollections of Mexico. New York. London,
    Willey and Putman, 1846.
THOMSON, David. England in the ninetheen century: 1815-1914. Lon-
    don, Penguin Books, 1986.
TIBON, Gutierre. Historia del nombre y de la fundación de México.
    México, Fondo de Cultura Económica, 1975.

THE TIMES. London, may., 1793. ene., mar., abr., 1795. oct., 1796. mar., 1803. abr., 1824. oct., 1829. jun., dic., 1842. abr., 1990.

THE TIMETABLES of history. New York, Bernard Grunt. Simon and Schuster, 1982.

TORNEL, José María. Carta a sus amigos. México, 1839.

TORO, Alfonso. Compendio de historia de México. 9a. ed. México, Patria, 1959.

TORRE VILLAR, Ernesto de la. Moisés González Navarro y Stanley Ross. Historia documental de México. México, Universidad Nacional Autónoma de México, Instituto de Investigaciones Históricas, 1974.

TOUSSAINT, Manuel. Vida de José María Heredia en México: 1825-1839. México, 1945.

TURLEY, Raymond V. Hampshire and Isle of Wight Art. [s.l.], University of Southampton, 1977.

URIBE, Eloísa y otras. Y todo... por una nación. Historia social de la producción plástica de la ciudad de México: 1761-1910. México, INAH-SEP, 1987.

VALADÉS, José C. "Introducción a las pinturas y litografías de Daniel Thomas Egerton", en Egerton en México. México, Secretaría de Relaciones Exteriores, 1967.

_____. México, Santa Anna y la Guerra de Texas. México, Diana, 1979.

VALLE ARIZPE, Artemio de. La Güera Rodríguez. México, Panorama Editorial, 1988.

VÁZQUEZ, Josefina Zoraida. "Los primeros tropiezos", en Historia General de México. El Colegio de México, 1981. t. 2.

VILLORO, Luis. El proceso ideológico de la revolución de independencia. México, Universidad Nacional Autónoma de México, 1984.

WARD, Henry George. México en 1827. México, Fondo de Cultura Económica, 1981.

WEBER, David J. La frontera norte de México: 1821-1846. México, Fondo de Cultura Económica, 1988.

WEINBERGER, Eliot. "Brian Nissen's culture, en Bronze Ages. New York, Clarion Press, 1987.

_____. "Cera perdida. Objetos encontrados. Las reliquias de bronce de Brian Nissen", en Vuelta. México, n. 135, feb., 1988.

WILLIAMSON, George C. Bryan's dictionary painters and engravers. [s.l.], George Belland Sons, [s.a.]. v. 2.

WINDSOR ANCESTRY RESEARCH. Egerton ancestry research. Report prepared by W.A.R., august, 1990.

WHITTON, Joel y Joe Fischer. La vida entre las vidas. México, Planeta, 1989.

Wood, Christopher. *Dictionnary of victorian painters*. 2a. ed. Woodbrige, Suffolk, England, Antique Collector's Club, [s.a.]

Young, Erick E. "La exposición Egerton", en *Anales del Instituto de Investigaciones Estéticas*. México, Universidad Nacional Autónoma de México, n. 23, 1955.

Young, G.M. *Portrait of an age. Victorian England*. Oxford, Oxford University Press, 1977.

Zalce y Rodríguez, Luis J. *Apuntes para la historia de la masonería en México*. [s.l.], 1950.

Zamora Plowes, Leopoldo. *Quince Uñas y Casanova aventureros. Novela histórica picaresca*. México, 1945. 2 v.

Zavala, Silvio. *América en el espíritu francés del siglo* XVIII. México, El Colegio Nacional, 1983.

Índice onomástico, geográfico y de lugares

[731]

C

Convento de San Francisco: 374
Convento de Santa Catarina de Siena: 356
Convento de Santa Teresa: 356
Convento de Santiago [Tlatelolco]: 37, 108, 225
Convento de Santo Domingo: 212
Convento de Tacubaya: 227, 232
COOKE: 107, 589
COOPER, ASLEY: 305
CORDAY, CHARLOTTE: 295
Córdoba, Veracruz: 32
Cordovanes, Calle de los: 103, 113, 443, 448, 558
CORNEJO, FLORENTINO: 473
CORONA, LORENZO: 479, 481, 485, 499, 506, 507, 577, 591, 597, 612, 650, 708
Corpus Christi [Texas]: 696
CORRO, JOSÉ JUSTO: 434
CORTÁZAR, JULIO: 566
CORTÉS, HERNÁN: 26, 74, 137, 328, 335, 337, 347, 353, 357, 361, 378, 394, 679, 705
CORTÉS, MARCELINO: 479, 480 485, 486, 499, 507, 577, 591, 597, 612, 614, 615, 650
CORTÉS HERNÁNDEZ, ALEJANDRA: 615, 616, 621, 622, 623
CORZAS, FRANCISCO: 549
COS, MARTÍN PERFECTO: 431, 438
Cosamaloapan [Veracruz]: 405
COUTO, JOSÉ MARÍA: 100
COVENTRY, Lady: 294
Cowes [Inglaterra]: 324, 545
Coyoacán [México, D.F.]: 366
COZENS, ALEXANDER: 312
COZENS, JOHN ROBERT: 313
CROCKETT, DAVID: 432, 607
Cuautla, Valle de: 212, 213, 380, 383, 385
Cuautla de Amilpas véase Cuautla, Valle de
Cuba: 338, 399, 401
Cuernavaca, Morelos: 9, 12, 385, 672, 679

CUEVA, RAMÓN DE LA: 622
CUEVAS, JOSÉ LUIS: 549
CUMPLIDO, IGNACIO: 473
CUPRAN, AMELIA: 354
CURTIS: 427

D

DALÍ, SALVADOR: 9
D'ALMIVAR, OCTAVIANO: 364
DÁVILA GARIBI, JOSÉ IGNACIO: 7
DAVIS: 291
DAVY, HUMPHRY: 293
DENIER, JOSEPH: 333
DEY: 427
DÍAZ, PORFIRIO: 243, 706
DÍAZ DEL CASTILLO, BERNAL: 338
DÍAZ GUZMÁN, ANTONIO: 181
DICKENS, GEORGIANA véase MARSHALL, GEORGIANA
16 [Dieciséis] de Septiembre, Calle de: 702
DÍEZ, ANTONIO: 108
DILLON, MERTON L.: 640
DILLON-LEE, HENRY AUGUSTO, Lord: 330, 333, 335
DILLON, LOS: 624, 656
DIONISIO DE HALICARNASO: 291
Ditchley: 6, 624, 656, 699
Doctor Atl: 22
DOMÍNGUEZ, JORGE EFRÉN: 606
DOMÍNGUEZ MANZO, JOSÉ: 365, 366
DONIZETTI, GAETANO; 490
DORANTES, IRMA: 240
DOSTOIEVSKI, FEDOR MIJAILOVICH: 528, 529
DOYLE, PERCY WILLIAM: 281, 510, 512, 515, 543, 583, 593
DREW, JOANNA: 547
Dublín [Irlanda]: 332
DUEÑAS, DANIELA: 127
DUMAS, ALEJANDRO: 525
Durham [Inglaterra]: 326, 551

E

I

W

Indice de láminas

[759]

Indice

El México de Egerton: 1831-1842, terminó de imprimirse
sobre papel de 72 gramos de fabricación especial, en la
ciudad de México durante el mes de agosto de 1994.
La edición consta de 3,000 ejemplares más sobran-
tes para reposición y estuvo al cuidado de la
oficina lito-tipográfica de la casa editora

ISBN: 968-842-442-0
MAP: 220212-01